Maximisez votre réussite avec les activités interactives... et bien plus !

DES RESSOURCES NUMÉRIQUES INÉGALÉES !

ÉTUDIANT

- Activités interactives pour la révision des contenus
- Livre numérique téléchargeable

ENSEIGNANT

- Banque de questions
- Études de cas – Thématiques
- Guide pédagogique
- Présentations PowerPoint
- Tableaux, encadrés et figures du manuel

... et plus encore !

VOUS ÊTES ÉTUDIANT ?
Découvrez votre code d'accès !

SEX3-24097-7549170-0569

VOUS ÊTES ENSEIGNANT ?
Demandez votre code d'accès
à votre représentant pour
expérimenter et évaluer le
matériel numérique exclusif.

http://mabibliotheque.cheneliere.ca

(PRJ002700) ISBN 978-2-89732-091-1

MODULO

Soutien technique : 1 877 471-0002 ou soutien_technique@tc.tc

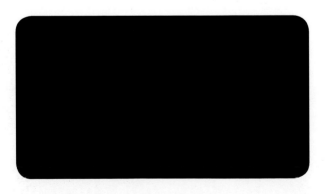

3e édition

Nos sexualités

ROBERT L. CROOKS | KARLA BAUR

ADAPTATION FRANÇAISE LISA HENRY | PLACIDE MUNGER

Conception et rédaction des outils
pédagogiques en ligne

EMMANUELLE ROY, Ph. D.

Achetez
en ligne ou
en librairie
En tout temps,
simple et rapide!
www.cheneliere.ca

MODULO

Nos sexualités
3ᵉ édition

Traduction et adaptation de : *Our Sexuality, Thirteenth Edition* de Robert L. Crooks et Karla Baur © 2017, 2014 Cengage Learning (ISBN 978-1-305-64652-0)

© 2017, 2014 Cengage Learning

© 2017, 2014, 2010 Groupe Modulo Inc.

Conception éditoriale : Bianca Lam et Martine Rhéaume
Édition : Nancy Lachance
Coordination : Sophie Dumoulin
Révision linguistique : Jean-Pierre Regnault
Correction d'épreuves : Michèle Levert (Zérofôte)
Conception graphique : Pige communication
Conception de la couverture : Eykel design
Impression : TC Imprimeries Transcontinental

Coordination du matériel complémentaire Web : Nadia Martel et Julie Pinson

**Catalogage avant publication
de Bibliothèque et Archives nationales du Québec
et Bibliothèque et Archives Canada**

Crooks, Robert, 1941-

[Our sexuality. Français]

Nos sexualités

3ᵉ édition.

Traduction de la 13ᵉ édition de : Our sexuality.
Comprend des références bibliographiques et un index.

ISBN 978-2-89732-091-1

1. Sexualité. 2. Vie sexuelle. 3. Sexualité (Psychologie). ɪ. Baur, Karla. ɪɪ. Henry, Lisa, 1972- . ɪɪɪ. Munger, Placide, 1952-2014. ɪᴠ. Titre. ᴠ. Titre : Our sexuality. Français.

HQ21.C7614 2017   306.7   C2016-942428-6

MODULO

5800, rue Saint-Denis, bureau 900
Montréal (Québec) H2S 3L5 Canada
Téléphone : 514 273-1066
Télécopieur : 514 276-0324 ou 1 800 814-0324
info.modulo@tc.tc

ISBN 978-2-89732-091-1

Dépôt légal : 1ᵉʳ trimestre 2017
Bibliothèque et Archives nationales du Québec
Bibliothèque et Archives Canada

Imprimé au Canada

2   3   4   5   6   ITIB   23   22   21   20   19

Gouvernement du Québec – Programme de crédit d'impôt pour l'édition de livres – Gestion SODEC.

Ce projet est financé en partie par le gouvernement du Canada | **Canadä**

Œuvre de la couverture

Artiste : Gustav Klimt
Titre : **L'accomplissement** (détail)
Date : 1905-1909
Crédit photographique : Klimt, Gustav (1862-1918)/ MAK (Austrian Museum of Applied Arts) Vienna, Austria / Bridgeman Images

Avant-propos

C'est avec un sentiment de nécessité doublé de celui d'une certaine urgence d'intégrer les plus récentes données de la recherche clinique et l'évolution des mentalités et des pratiques par rapport à la sexualité que j'ai accepté la responsabilité de cette nouvelle édition de *Nos sexualités*, adaptation de la treizième édition du manuel *Our Sexuality* de Robert Crooks et Karla Baur. Ayant collaboré de près avec Placide Munger lors des deux premières éditions, je tenais à prendre la relève et à continuer ce projet en son honneur.

La mise à jour de cette troisième édition constitue un pas de plus vers une meilleure compréhension des formes que prend l'expression de la sexualité humaine. Cet ouvrage propose un approfondissement des connaissances les plus récentes et des nouvelles acceptions pour chacune des dimensions de la sexualité. Certains thèmes ont été développés et ajoutés afin de mieux représenter les tendances, les intérêts et les réalités des étudiants. Par exemple, la diversité des modèles relationnels, l'attachement, l'identité de genre, le consentement sexuel et l'impact d'Internet sur la sexualité.

S'il importe d'intégrer les plus récentes données, il ne faut pas négliger pour autant les apports historiques des cultures, des chercheurs et des auteurs qui ont marqué l'évolution des sciences contributives à la sexologie actuelle. Chaque fois que cela était pertinent, l'information a été conservée, même si la source citée remonte à quelques dizaines d'années, afin de permettre au lecteur de contextualiser les changements en matière de sexualité dans la société et chez les individus.

Destiné au lectorat francophone du Québec et plus largement du Canada, cet ouvrage s'adresse d'abord aux étudiants de niveau collégial et universitaire, mais sa lecture convient également à toute personne intéressée par la sexualité humaine. Le titre *Nos sexualités* souligne d'entrée de jeu la pluralité des parcours de vie, des comportements, des attentes et des expériences liés aux divers aspects de la sexualité humaine dans son sens le plus général. Il n'existe pas une seule sexualité humaine, ni une seule normalité, ni une seule compréhension couvrant la totalité des connaissances sur le sujet. La sexualité de chacun change avec le temps et ce qui s'applique à un certain moment de sa vie ne l'est plus au fil des changements biologiques, des apprentissages, des changements du contexte socioculturel, des rencontres, des unions et désunions, des expériences vécues, etc. C'est dire aussi, dans cette optique de transformations, que d'autres changements sont à venir, imprévisibles dans une large mesure. Au final, il est plus juste de dire qu'une personne a connu et connaîtra une variété de situations comportant une composante sexuelle et qu'elle réagira ou s'adaptera différemment d'une autre personne à ces mêmes situations.

Les lecteurs constateront que le contenu qui leur est proposé provient d'un très grand nombre de spécialistes de différentes disciplines, comme en fait foi la bibliographie. Mais celle-ci ne rend pas compte de l'apport très important d'autres spécialistes qui, par leur lecture attentive et critique, leurs suggestions pertinentes ou leurs commentaires lors d'échanges plus ou moins formels, ont fait en sorte que la nécessité et l'urgence mentionnées plus haut se sont transformées en sentiment de fierté.

Je tiens à exprimer ma plus profonde gratitude à Carl Rodrigue, candidat au doctorat en sexologie (Université du Québec à Montréal) et chargé de cours, qui a généreusement contribué à enrichir cette nouvelle édition par sa lecture minutieuse de plusieurs chapitres, ses très nombreuses remarques et suggestions, l'aide à la documentation scientifique ainsi que sa collaboration à la rédaction de certains extraits associés à son champ d'expertise.

Merci à tous les évaluateurs et les consultants, Marie-Hélène Gour (Collège de Maison-neuve), Cynthia Hamel (Collège Lionel-Groulx), Lysiane Laberge (Cégep de Saint-Jérôme), Stéphanie Légaré-Desmarais (Cégep de Sainte-Foy), Frédéric Lupien (Cégep Édouard-Montpetit), Maxime Philibert (Cégep André-Laurendeau), Emmanuelle Roy (Cégep Édouard-Montpetit) et Marie Veilleux (Collège Montmorency), qui ont relu les chapitres avec un œil critique, prodiguant généreusement des recommandations pour cette nouvelle édition. Merci à Anne-Julie Lafrenaye-Dugas et à Léa Séguin, étudiantes au doctorat en sexologie de l'UQÀM, pour leur aide précieuse. J'aimerais également remercier Joël Xavier, intervenant en santé sexuelle communautaire et étudiant à la maîtrise en travail social de l'Université du Québec en Outaouais, pour sa contribution et ses suggestions inestimables aux chapitres 4 et 5 ainsi que Dimitri della Faille, professeur au département des sciences sociales de l'Université du Québec en Outaouais, pour ses commentaires judicieux et son aide à la documentation sociologique.

Je ne pouvais pas demander une meilleure équipe de professionnels que celle de Modulo (TC Média Livres). Merci à Bianca Lam, Nancy Lachance et Sophie Dumoulin, qui m'ont tellement bien guidée et accompagnée tout au long de ce processus d'envergure.

Il ne fait aucun doute que je n'aurais pu mener à bien ce projet sans le soutien et la patience de Marc, de Gabrielle et de ma famille.

Mes pensées vont également à tous les étudiants qui, au cours de ma carrière, m'ont inspirée en réanimant chaque session ma passion pour la sexologie.

À la mémoire de Placide Munger

Lisa Henry
Université d'Ottawa

Équipe de rédaction

Édition originale

Robert Crooks possède un doctorat en psychologie. Sa formation supérieure a principalement porté sur la psychologie clinique et physiologique. De plus, Robert Crooks a acquis une solide expérience en sociologie, domaine d'études dans lequel il a effectué une mineure au cours de ses études supérieures. Son engagement dans l'enseignement de la sexualité humaine aux niveaux universitaire et collégial, ainsi qu'à la faculté de médecine, s'étend sur vingt ans. Plus récemment, monsieur Crooks et sa femme Sami Tucker ont participé à l'élaboration et à la mise en œuvre d'un programme d'intervention dans la lutte contre le VIH et le sida dans la région côtière du Kenya. Au cours de la décennie précédente, leur travail sur ce projet a consisté à définir une stratégie de recherche afin d'évaluer les changements de comportement, de mettre en œuvre une stratégie basée sur l'éducation par les pairs, et d'organiser des séances de formation à l'intention du personnel kenyan d'éducateurs de pairs. À l'automne 2009, Robert et Sami ont lancé un autre programme d'intervention dans la lutte contre le VIH et le sida, cette fois en Tanzanie. Pendant les sept années précédentes, ils ont voyagé partout en Afrique et ont consacré de nombreux mois à l'élaboration de leurs projets de prévention du VIH et du sida.

Karla Baur possède une maîtrise en travail social au cours de laquelle ses travaux universitaires approfondis se sont principalement orientés vers la formation clinique. Karla Baur a longtemps exercé en pratique privée à titre de travailleuse sociale clinique diplômée spécialisée en thérapie du couple et en sexothérapie. Karla Baur a également donné des séances de supervision clinique, des séminaires et des conférences à l'intention d'autres professionnels de la santé mentale et groupes professionnels. Elle a enseigné la sexualité humaine et la sexualité féminine au Portland Community College, à la Portland State University ainsi qu'au Clark College. À l'Oregon Health Sciences University, Karla Baur a enseigné la sexualité humaine et a formé les étudiants en médecine à recueillir l'anamnèse sexuelle des clients. Elle a également participé à un programme de six semaines au Kenya où elle a formé les éducateurs des pairs à la prévention du VIH et du sida. Karla Baur est spécialiste certifiée de l'éducation sexuelle, sexothérapeute et superviseure en sexothérapie par l'American Association of Sex Educators, Counselors, and Therapists. Elle travaille actuellement à l'écriture d'une pièce de théâtre portant sur les nuances et la complexité de la sexualité masculine de concert avec son collaborateur, l'auteur-compositeur Fred Strong. Ensemble, les auteurs sont forts de plus de 70 ans d'expérience dans l'enseignement, la consultation et la recherche dans le domaine de la sexologie. Ils ont coenseigné la sexualité pendant de nombreuses années. De plus, ils ont présenté des ateliers et des conférences pour toute une gamme de professionnels et de groupes communautaires, en plus de rencontrer des personnes, des couples et des familles lors de consultations pour des préoccupations d'ordre sexuel. Leur expérience en enseignement, en pratique clinique ainsi qu'en recherche, de même que leurs études supérieures leur ont permis d'acquérir une appréciation et une compréhension délicate de la nature hautement complexe et personnelle de la sexualité humaine.

En outre, les auteurs considèrent que, pour véritablement comprendre notre sexualité, pour y être véritablement sensibilisé, il est nécessaire de tenir compte du point de vue et de l'expérience tant de l'homme que de la femme. Dans cette optique, leurs cours, leurs étudiants, de même que le présent ouvrage ont grandement bénéficié d'une perception équilibrée et d'une profonde considération du comportement sexuel des êtres humains.

Adaptation française

Lisa Henry est titulaire d'une maîtrise en sexologie et est membre de l'Ordre professionnel des sexologues du Québec. Elle enseigne à titre de professeure à l'École de psychologie de l'Université d'Ottawa depuis 1999. Elle offre, en français et en anglais, les cours de sexualité humaine et de psychologie des relations interpersonnelles.

Placide Munger[†] est titulaire d'une maîtrise en sexologie et possède une scolarité de doctorat en éducation ; il a été chargé de cours au département de sexologie de l'Université du Québec à Montréal de 1985 à 2014. Il a publié plusieurs articles dans des revues spécialisées et a produit une série de vidéos sur la sexualité destinées aux adolescents et aux jeunes adultes. Il fut le concepteur et webmestre du site Internet Élysa, le seul site francophone qui se consacre uniquement à répondre aux questions sur la sexualité humaine depuis 1996. Il a également rendu possibles des stages innovants en sexologie en Afrique, particulièrement au Sénégal.

Table des matières

CHAPITRE 12

Les infections transmissibles sexuellement et par le sang

CHAPITRE 13

La contraception et la conception

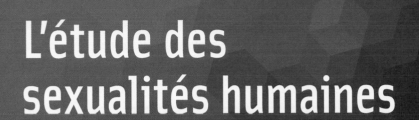

L'étude des sexualités humaines

SOMMAIRE

❭ Dans le présent chapitre, nous vous proposons un survol des expressions de la sexualité dans le monde en tenant compte des dimensions historique et culturelle ou sociopolitique. Nous présentons ensuite les principaux moyens utilisés par la recherche en sexologie afin de mieux connaître et comprendre ce domaine complexe.

Un regard historique et culturel

Selon la professeure Denise Badeau (1998), la sexualité humaine comporterait six grandes dimensions: cognitive, affective, psychologique, socioculturelle, morale et biologique. Sous l'une ou l'autre de ces dimensions, la sexualité agit sur chaque personne tout au long de sa vie de façon variable. La plupart des étudiants qui suivent un cours sur la sexualité cherchent, du moins partiellement, à mieux se connaître sexuellement et à développer leur capacité à établir des rapports harmonieux avec les autres sur le plan sexuel. La connaissance de sa propre sexualité et la capacité à avoir des rapports sexuels sains constituent deux caractéristiques essentielles de l'**intelligence sexuelle**. Ces deux qualités aident les gens à avoir un comportement sexuel en accord avec leurs valeurs personnelles. Selon les normes canadiennes en santé publique, qui s'appuient elles-mêmes sur ce que préconise l'Organisation mondiale de la santé depuis 1975, pour avoir un comportement sexuel sain, il faut, en plus d'être en accord avec ses valeurs personnelles, tenir compte de l'environnement et de la culture ambiante (Agence de santé publique du Canada, 2007). L'intelligence sexuelle suppose également une bonne connaissance de la sexualité sur le plan scientifique. Bien que la sexualité humaine soit un champ d'études relativement récent, les recherches menées au cours du dernier siècle ont permis de faire des pas de géant dans ce domaine. Par exemple, on comprend mieux ce qui se passe sur le plan physique au cours de l'excitation sexuelle et ce qui accroît le plaisir, on connaît mieux les aspects biologiques de l'orientation sexuelle et on en sait davantage sur les façons de se protéger et de protéger les autres contre les infections transmissibles sexuellement et par le sang (ITSS).

Intelligence sexuelle   Les quatre composantes de l'intelligence sexuelle sont la connaissance de sa propre sexualité, l'aptitude à établir des rapports interpersonnels sur le plan sexuel, la connaissance scientifique de la sexualité et la compréhension du contexte culturel dans lequel elle s'inscrit.

Enfin, l'intelligence sexuelle demande une bonne compréhension du contexte culturel, politique et juridique dans lequel la sexualité s'exprime. En matière de sexualité, la formule «le privé est politique» s'avère pertinente, comme le montrent l'impact qu'exerce sur l'électorat le dévoilement de l'orientation ou des comportements sexuels des politiciens, de même que les nombreuses lois concernant la sexualité. Pensons au débat qui a entouré, au Canada, l'adoption, le 1er mai 2008, de la loi haussant de 14 à 16 ans l'âge minimum requis pour consentir à des contacts sexuels; pensons aussi à celui, toujours en cours, sur la décriminalisation de la prostitution ou aux différends touchant le remboursement des frais liés au changement de sexe ou encore à la liberté d'expression face à la pornographie. Songeons également au débat que suscite, en France, la question

Le Musée de l'érotisme, à Paris, présente, dans ses différentes expositions, des objets, des affiches et autres expressions de la sexualité ayant servi à l'érotisme ou à la prévention des infections transmissibles sexuellement.

des aides sexuelles pour les personnes handicapées en manque d'autonomie. Les différents points de vue historiques, interculturels et intraculturels abordés dans ce chapitre peuvent aider à comprendre la situation unique dans laquelle on se trouve aujourd'hui en matière de liberté sexuelle. Plus que jamais, dans les sociétés occidentales, il appartient à chacun de définir sa sexualité sur la base de choix personnels. Bonne lecture et bon cours sur nos sexualités !

La sexualité humaine : diversité et controverse

Peu de sujets suscitent autant d'intérêt et provoquent autant de plaisir et de détresse que ceux touchant l'expression et le contrôle de la sexualité humaine. Par exemple, dans un groupe assistant à un cours d'introduction à la sexualité, les attitudes à l'égard de celle-ci vont habituellement de la plus libérale à la plus conservatrice. Les étudiants appartiennent à plusieurs groupes d'âge et proviennent de divers milieux ethniques et religieux, et leur expérience de la vie et de la sexualité est différente. Le contexte familial revêt une grande importance à cet égard. Certains n'ont eu des rapports sexuels qu'avec une seule personne, d'autres ont eu plusieurs partenaires. Certains sont mariés ou vivent avec la même personne depuis longtemps, alors que d'autres n'ont jamais partagé l'expérience de la sexualité avec quelqu'un. Certains n'ont eu des relations sexuelles qu'avec des personnes de l'autre sexe, tandis que d'autres ne désirent des contacts sexuels qu'avec des personnes de leur propre sexe ; d'autres encore sont attirés par les deux sexes. Certains choisissent de n'avoir aucune vie sexuelle, d'autres s'en tiennent à l'autostimulation. Certains recherchent la sexualité, d'autres la redoutent. Certaines expériences sont positives, d'autres se révèlent négatives. En matière de sexualité, rien n'est pareil partout, pour tout le monde, en tout temps.

Une approche biopsychosociale

Notre approche de la sexualité humaine repose principalement sur l'idée que des facteurs psychologiques (émotions, attitudes, motivations) et socioculturels (le processus de conditionnement par lequel les individus intériorisent les valeurs et les normes de leur groupe social) ont une grande influence sur les idées, les valeurs et les comportements sexuels de chacun. Cette approche n'exclut pas le rôle important que jouent les facteurs biologiques dans la sexualité humaine. Pensons, par exemple, au rôle des hormones et du système nerveux, à la dimension biologique de l'orientation sexuelle, aux théories sur l'impact de la sélection génétique qui a marqué l'évolution de l'être humain au cours des millénaires ou à l'influence de certains facteurs

génétiques sur l'individu. On appelle *biopsychosociale* l'approche qui intègre ainsi les dimensions biologique, psychologique et sociale d'un phénomène.

Un regard interculturel

Pour illustrer comment la culture influe sur la sexualité, nous allons examiner la conception de la sexualité selon la religion islamique, répandue dans plusieurs pays, et en Chine, qui compte la population la plus nombreuse de la planète.

L'islam dans le monde

L'islam est la religion qui connaît actuellement la plus forte croissance mondiale. Bien qu'elle soit répandue dans plusieurs régions du monde, elle prédomine au Moyen-Orient, en Afrique du Nord et en Afrique subsaharienne. En 2010, on estimait à 1,6 milliard le nombre de musulmans dans le monde, soit 23,4 % de la population mondiale, ce qui fait de l'islam la deuxième religion du monde après le christianisme et devant l'hindouisme (Pew Research Center, 2011). Il y aurait un peu plus de un million de musulmans au Canada, ce qui représente 3,2 % de la population au pays (Statistique Canada, 2013).

Les musulmans suivent les enseignements du prophète Mahomet (570-632), qui sont consignés dans le Coran (Qur'an). Mahomet s'opposait aux relations sexuelles prémaritales, mais il les encourageait à l'intérieur du mariage. Il les présentait comme la meilleure chose de la vie humaine, tant pour les femmes que pour les hommes, et il conseillait aux maris d'apprécier la lenteur et l'attente dans l'accomplissement de l'acte sexuel (Abbott, 2000). Dans le Coran, les femmes sont vues comme sexuelles en elles-mêmes. Le gendre de Mahomet disait que «si Dieu avait distribué le désir sexuel en dix parties, neuf iraient aux femmes et une seule aux hommes». Le Coran demande aux hommes et aux femmes de faire preuve de modestie en public et de porter des vêtements amples dissimulant les formes du corps. Une femme vêtue comme l'islam le préconise est «comme une perle dans une coquille» (Jehl, 1998), trop précieuse pour être vue par d'autres hommes que les membres de la famille (Kotb, 2008).

Avant l'implantation de l'islam, la polygamie (le fait pour un homme d'avoir plusieurs épouses à la fois) était une pratique courante. Lorsque, par suite d'une guerre, les femmes se trouvaient beaucoup plus nombreuses que les hommes, la polygamie permettait aux veuves d'avoir un mari et aux orphelins d'avoir un père. Le Coran, par conséquent, n'interdit pas la polygamie. Il permet à un homme d'avoir jusqu'à quatre épouses, à condition qu'il se montre équitable envers chacune d'entre elles (Khan et coll., 2007).

Biopsychosocial Qui se rapporte à une combinaison de facteurs biologiques, psychologiques et sociaux.

La docteure Heba Kotb, première sexologue diplômée en Égypte, anime une émission de conseils sur la sexualité dans ce pays. Ses enseignements se basent sur le Coran, qui favorise une forte complicité sexuelle entre époux. Elle ne discute jamais des sujets qu'interdit l'islam, comme la sexualité hors mariage, les rapports sexuels anaux ou les relations sexuelles pendant les menstruations.

Plusieurs passages du Coran semblent concilier l'islam avec les droits de la femme, le pluralisme religieux et l'homosexualité, et les musulmans modérés ne partagent pas les préjugés des islamistes radicaux (Manji, 2006). L'oppression dont les femmes sont victimes dans les pays islamiques de même que les contraintes et les châtiments extrêmes qu'on leur impose sur le plan sexuel ne sont pas dus à la religion et au Coran, mais aux traditions culturelles patriarcales du Moyen-Orient et à l'émergence des sectes fondamentalistes. Par exemple, les fondamentalistes musulmans ne suivent pas la doctrine du Coran quand ils réclament la mutilation génitale de fillettes, exigent que les femmes soient entièrement vêtues en public ou approuvent les crimes d'honneur (meurtre d'une femme qui a *déshonoré* son mari et sa famille par suite d'un viol ou de rapports sexuels hors mariage) (Chigbo, 2003 ; Fang, 2007).

La Chine

L'histoire de la Chine ancienne est riche en art et en littérature érotiques. Ainsi, les premiers manuels sexuels connus ont été produits en Chine vers 2500 avant notre ère. On y représentait des techniques sexuelles et une grande variété de positions dans les rapports sexuels. Le taoïsme, apparu vers le IIe siècle avant notre ère, encourageait l'activité sexuelle (fellation, attouchements sensuels, rapport sexuel) non seulement comme moyen de procréation, mais aussi comme outil de croissance et d'harmonie spirituelle (Brotto et coll., 2005). L'union de l'homme et de la femme au cours de l'acte sexuel était vue comme un moyen de fusionner les énergies opposées du yin (principe féminin) et du yang (principe masculin), et de créer l'équilibre entre les deux principes chez chacun des individus. On incitait les hommes à éjaculer peu souvent pour qu'ils conservent l'énergie du yang ; les femmes, de leur côté, recherchaient l'orgasme afin d'accroître leur énergie yin.

Ce libéralisme sexuel propre au taoïsme a été remplacé par une morale sexuelle beaucoup plus stricte avec la renaissance du confucianisme vers l'an 1000. Depuis la révolution communiste de 1949, ce conservatisme sexuel s'est encore accentué. Le gouvernement chinois a cherché à éliminer les comportements occidentaux jugés décadents que sont la pornographie et la prostitution.

Avec la réforme économique chinoise ainsi que la politique de la porte ouverte des années 1980 (pour attirer des investisseurs étrangers), et sous la force d'une économie se mondialisant, le gouvernement chinois a progressivement desserré son contrôle sur le mode de vie des gens (Yuxin et coll., 2007). Au fur et à mesure qu'il s'est montré plus permissif, les attitudes et les comportements de la population ont changé en matière de sexualité, notamment en ce qui concerne l'homosexualité, qui est un peu mieux tolérée (Lowenthal, 2010). Les comportements sexuels comme la masturbation, l'usage de la pornographie et les rapports sexuels avant le mariage ont augmenté considérablement, surtout chez les personnes âgées de 20 à 30 ans (Wong, 2010). En 2012, 71 % des personnes ont déclaré avoir eu des relations sexuelles avant le mariage comparativement à 15,5 % en 1989 (Beech, 2005 ; Xinhua, 2012). Cependant, les Chinois rapportent moins d'intérêt pour les relations occasionnelles que les populations d'autres pays.

Liu Dalin, sexologue et éducateur au Musée du sexe de Shanghai, exhibe différentes bouteilles de tabac à priser décorées de scènes érotiques et datant de la fin de la dynastie Qing (fin du XIXe siècle). Après plus d'une décennie de croissance et de libération, Shanghai redécouvre son passé sans inhibitions.

Malheureusement, les connaissances sur la sexualité en général et les rapports sexuels sans risque n'ont pas évolué au même rythme que la libéralisation du régime. C'est ainsi qu'on observe une augmentation du nombre d'avortements chez les femmes célibataires et une forte croissance du nombre d'infections au VIH, notamment chez les jeunes de 15 à 24 ans (Avert, 2014 ; Beech, 2005). Les jeunes hommes, qu'ils soient célibataires ou jeunes mariés, ont aujourd'hui beaucoup plus de contacts avec des travailleuses du sexe. Étant donné que l'usage du condom est minimal, le risque de contracter le VIH et de le transmettre à leurs conjointes est élevé (Parish et coll., 2007).

Les rôles liés au sexe : le poids de la tradition

Notre bref regard sur la sexualité du Moyen-Orient islamique et de la Chine nous a permis de constater que le plaisir sexuel y était beaucoup plus valorisé il y a plusieurs siècles qu'aujourd'hui, et ce, tant pour les hommes que pour les femmes. En Occident, toutefois, c'est plutôt le contraire qui s'est produit, en raison des changements culturels touchant à la fois la finalité de l'activité sexuelle et les normes sociales en ce qui a trait à la sexualité de l'homme et de la femme. Les modèles, les conflits et les changements liés à la sexualité reposent en effet sur deux valeurs principales : la procréation comme seule justification de l'activité sexuelle et la division rigide des rôles sexuels. Analysons ces deux thèmes.

L'association de la sexualité à la procréation

En Europe occidentale et en Amérique du Nord, l'idée que la procréation est le seul motif légitime de l'acte sexuel a très longtemps dominé (Francœur, 2001). Encore aujourd'hui, l'Église catholique romaine et les groupes pro-vie (dont beaucoup sont composés de chrétiens fondamentalistes) défendent l'idée que la sexualité n'a de valeur morale qu'à l'intérieur du mariage et dans le but de procréer. Le texte *La position de l'Église catholique sur la contraception* débute ainsi :

> Par nature, l'amour des conjoints et la fécondité sont imbriqués. La sexualité a deux fins indissociables, l'union des personnes et la procréation. L'amour d'un homme et d'une femme trouve son couronnement dans l'acte sexuel qui, par nature, est orienté vers la génération d'une vie nouvelle. (www.contraception.fr/catholf.htm)

Cet extrait montre bien que la vision catholique de la sexualité repose sur le rejet de tout ce qui ne va pas dans le sens de la procréation. L'usage du condom comme moyen contraceptif est toujours interdit par l'Église catholique ;

par contre, en 2010, le pape Benoît XVI a pris position en faveur du condom, mais seulement dans certaines conditions liées à la protection contre la transmission du VIH. Les pratiques sexuelles qui procurent du plaisir sans risque de procréer, comme la masturbation, la relation bucco-génitale, la relation anale ou la relation entre personnes de même sexe, ont été jugées à diverses époques comme immorales, contraires à la volonté de Dieu, perverses ou illégales (Roffman, 2005). Jusqu'en 1959, par exemple, le Code criminel canadien considérait l'homosexualité et la bestialité comme un même crime. Ce n'est qu'en 1967 qu'une loi a été déposée au Parlement pour décriminaliser l'homosexualité ; cette loi a finalement été adoptée en 1969. Au moment d'écrire ces lignes, au Canada, les relations anales demeurent le seul comportement sexuel pour lequel on exige que les partenaires soient majeurs ou mariés pour que leur consentement soit jugé légal (Schabas, 1995).

Même si la plupart des Occidentaux ne croient pas aujourd'hui que la sexualité ne sert qu'à procréer, on peut considérer comme un relent de cette croyance le fait que de nombreuses personnes associent automatiquement le mot *sexe* à coït. Par conséquent, tout acte autre que la pénétration d'un pénis dans un vagin ne sera pas considéré comme du *vrai sexe*. Il suffit de demander aux gens à quel âge ils ont eu leur première relation sexuelle pour comprendre qu'ils pensent automatiquement à la première fois qu'ils ont eu une relation coïtale (pénétration pénis-vagin).

Le rapport de type pénis-vagin peut représenter pour plusieurs un aspect épanouissant de la relation hétérosexuelle. Toutefois, le fait de considérer le coït comme le seul *vrai sexe* perpétue l'idée que le pénis de l'homme est la principale source de satisfaction sexuelle de sa partenaire et que la réponse sexuelle et l'orgasme de celle-ci sont censés se produire durant la pénétration. Une vue aussi étroite met énormément de pression sur la performance sexuelle tant de l'homme que de la femme et crée des attentes irréalistes quant à la satisfaction à tirer du coït lui-même. Cette façon de voir a également pour effet de dévaloriser les rapports intimes autres que le coït et de les limiter au statut de *préliminaires* (gestes habituellement considérés comme préparatoires au coït), ce qui laisse entendre que ces gestes intimes n'ont aucune importance en soi et qu'ils n'ont de sens que s'ils

QUESTION D'ANALYSE CRITIQUE

> Pouvez-vous établir des liens entre le sexe pour la procréation ainsi que la division rigide des rôles sexuels et les débats actuels sur le mariage homosexuel, par exemple ? Connaissez-vous d'autres domaines des relations humaines où la sexualité pour la reproduction seulement brime des libertés ?

sont suivis du *vrai sexe*, c'est-à-dire du coït. En outre, le type de sexualité pratiqué entre les personnes de même sexe n'entre pas dans le modèle qui lie la sexualité à la procréation, ce qui peut engendrer une méconnaissance des pratiques sexuelles entre les personnes qui ne sont pas hétérosexuelles ou cissexuelles. Par exemple, en sachant que les relations sexuelles entre personnes de même sexe ne sont pas du type pénis-vagin, plusieurs se posent en effet la question: Que font-ils durant un rapport sexuel?

La division des rôles de l'homme et de la femme en matière de sexualité

Le second thème important légué par notre culture occidentale a trait à la division rigide des rôles sexuels de l'homme et de la femme. Cette division repose sur des perceptions qui vont bien au-delà des différences physiologiques entre les sexes. Bien que certaines différences physiologiques entraînent des caractéristiques et des tendances propres à chaque sexe, la socialisation a pour effet de limiter, de façonner et d'accentuer ces tendances biologiques. Ainsi, les organes génitaux masculins sont plus accessibles comparativement à la vulve, qui est plus cachée. Les garçons étant plus portés à manipuler leur pénis, ils ont donc plus d'expériences masturbatoires et orgasmiques que les filles. Cette différence est accentuée par la socialisation qui comprend une plus grande permissivité et reconnaissance aux besoins de masturbation des garçons, passant sous silence ceux des filles. Un conditionnement social strict quant au rôle de chaque sexe peut ainsi limiter le potentiel des individus et brimer leur sexualité. Par exemple, des normes sociales définissant un comportement sexuel approprié à chaque sexe renforcent l'idée que l'homme doit toujours avoir l'initiative de l'activité sexuelle, alors que la femme doit en fixer les limites ou bien se soumettre aux désirs de l'homme. Ce modèle peut avoir pour conséquence de mettre beaucoup de pression sur l'homme tout en limitant considérablement les chances que la femme découvre ses propres besoins (Berman et Berman, 2005). Une étude réalisée dans 59 pays montre que l'absence d'égalité entre les sexes affecte la santé sexuelle des individus de façon négative (Wellings et coll., 2006).

Dans la majorité des cultures, il y a davantage de restrictions et de sanctions envers les femmes qu'envers les hommes en ce qui a trait aux comportements sexuels (Murphy, 2003). Par exemple, les femmes sont jugées plus négativement que les hommes quand elles ont des relations sexuelles non conjugales (*casual sex*) ou si elles ont plusieurs partenaires (Vrangalova, 2014). Les étudiantes collégiennes disent ressentir plus de culpabilité que les étudiants par rapport à leur première expérience coïtale (Sprecher, 2014).

Le mot *salope* est très utilisé pour stigmatiser les femmes qui ont une vie sexuelle variée, et ce terme n'a pas d'équivalent masculin. Une enquête a établi que cette perception différenciée selon le sexe est encore très présente chez 90 % des adolescents et 92 % des adolescentes. En ce qui a trait à la réputation des garçons, seulement 40 % des adolescents et 40 % des adolescentes leur attribueraient une mauvaise image pour avoir eu des relations sexuelles (Kaiser Family Foundation, 2003). Une étude récente a examiné la double contrainte à laquelle sont confrontées les filles à l'égard de leur sexualité. Les adolescents ne semblent pas juger les garçons qui font du *sexting* (contenu à caractère sexuel envoyé au moyen d'un téléphone cellulaire), mais les filles sont traitées de salopes lorsqu'elles s'adonnent à cette pratique. En même temps, les filles subissent beaucoup plus de pression de la part des garçons, et si elles ne font pas de *sexting*, elles sont considérées comme prudes (Lippman et Campbell, 2014).

Un autre terme n'ayant pas d'équivalent masculin est le *slut-shaming*, traduit par *humiliation des salopes* (ou parfois *intimidation des salopes*). Cette expression a été créée en 2011 par deux militantes féministes et cofondatrices de la première *SlutWalk* de Toronto afin de dénoncer les attitudes et les comportements agressifs envers les femmes. Cette stigmatisation vise à rabaisser, à culpabiliser ou à intimider les femmes dont le comportement sexuel (pratiques, nombre de partenaires, vêtements, attitude, etc.) est jugé trop provocant ou trop ouvertement sexuel. Ce type d'humiliation est commis aussi bien par des hommes que par des femmes. Certaines femmes ont tendance à se comporter de la sorte pour manifester leur mépris envers une autre femme ou pour tenter de ne pas être, elles-mêmes, la cible de cette forme de dénigrement (Flores, 2014). Les réseaux sociaux ont multiplié les voies d'expression de ce type de sexisme.

Pour bien comprendre l'influence des croyances sociales actuelles sur la sexualité dans les pays occidentaux, nous devons analyser les racines historiques de ces croyances, notamment celles qui se rapportent au lien entre la sexualité et la procréation ainsi qu'à la division rigide des rôles sexuels. D'où proviennent ces idées? Comment touchent-elles encore les gens aujourd'hui?

QUESTION D'ANALYSE CRITIQUE

> Si vous entendez quelqu'un dire « J'ai couché avec telle personne, hier », à quelle activité sexuelle précise fait-il allusion, selon vous?

La sexualité en Occident : un regard historique

Au Canada, la culture en ce qui concerne la sexualité est très fortement influencée par la mainmise historique de l'Église chrétienne.

La tradition judéo-chrétienne

Lors du développement de la culture hébraïque, des rôles très distincts ont été attribués à chaque sexe. Le Livre des Proverbes dans la Bible juive contient une liste des devoirs d'une bonne épouse : elle doit gérer les domestiques, prendre soin de sa famille, garder les comptes du foyer et obéir à son époux. Il était primordial de donner naissance et d'éduquer les enfants (surtout des garçons). Dans le contexte historique de sa soumission, de sa persécution et de son esclavage, le peuple hébreu jugeait essentiel de suivre cet extrait de la Bible : « Dieu les bénit et leur dit : Soyez féconds, multipliez-vous, emplissez la terre et soumettez-la » (Gn 1,28).

La sexualité à l'intérieur du mariage n'a pas toujours été considérée comme un simple besoin de procréer. Tant la tradition que l'Ancien Testament conviennent que connaître l'autre sexuellement, dans les liens du mariage, est une expérience intense sur les plans physique et affectif (Haffner, 2004). D'ailleurs, le Cantique des Cantiques de la Bible (appelé aussi *Cantique de Salomon*) est un poème rempli de sensualité. Dans ce court extrait parle un amoureux :

> *Comme ton amour me ravit, petite sœur, ma promise !*
>
> *Je le trouve plus enivrant que le vin*
>
> *Et ton huile parfumée m'enchante plus que tous les baumes odorants.*
>
> *Ma promise, sur tes lèvres mon baiser recueille un suc de fleur et ta langue cache un lait parfumé de miel.*
>
> (Ct 4,10-11)

Sa promise dira plus loin :

> *Je suis à mon bien-aimé et c'est moi qu'il désire.*
>
> *Viens, mon amour ; sortons, allons passer la nuit parmi les fleurs de henné [ ]*
>
> *Et là je te donnerai mon amour.*
>
> (Ct 7,11-13)

La joie qui transparaît à travers ces lignes consacrées à la sexualité faisait partie intégrante de la tradition juive. Cette façon de voir les choses fut éclipsée par les enseignements de l'Église chrétienne. Pour comprendre comment cela a pu se produire, il faut se rappeler que la chrétienté est apparue à l'époque du déclin de l'Empire romain, une période de grande instabilité durant laquelle on importa de Grèce, de Perse et d'autres parties de l'Empire des cultes exotiques dont le but était de procurer distraction et divertissement sexuel. Les premiers chrétiens se dissocièrent de ces pratiques en associant la sexualité au péché.

On connaît peu de choses sur les opinions professées par Jésus en matière de sexualité, mais on sait que l'amour et la tolérance étaient les principes de base de son enseignement. Paul de Tarse (saint Paul), cependant, exerça une influence cruciale sur la jeune Église (il mourut en l'an 66 et un grand nombre de ses écrits furent incorporés au Nouveau Testament). En réaction aux mœurs qui prévalaient à l'époque, saint Paul mit l'accent sur l'importance de vaincre le *désir de la chair* pour atteindre le royaume de Dieu. Il fallait, selon lui, non seulement renoncer à la colère, à l'égoïsme et à la haine, mais aussi à la sexualité hors des liens du mariage. Il associa la spiritualité à la chasteté et fit du célibat un état supérieur au mariage, car cet état excluait les relations sexuelles. Dans son esprit, le rapport sexuel, essentiel à la reproduction, était un acte nécessaire, mais peu recommandable sur le plan religieux.

L'interprétation de la conduite d'Ève dans le jardin d'Éden a fortement influencé la perception de la femme dans le monde occidental.

Célibat Dans le passé, état d'une personne qui demeurait non mariée ; de nos jours, état d'une personne n'ayant pas de conjoint.

Le péché de la chair

Plus tard, les pères de l'Église renchérirent sur le lien entre la sexualité et le péché. Saint Augustin (354-430) déclara que la luxure était le péché originel d'Adam et Ève. Ses écrits sanctionnèrent l'idée que les relations sexuelles ne pouvaient avoir lieu qu'à l'intérieur des liens du mariage et uniquement dans un but de procréation. Saint Augustin croyait aussi à l'infériorité naturelle de la femme, et seule la position où l'homme était couché sur la femme lui semblait naturelle (Wiesner-Hanks, 2000).

La croyance que la sexualité était un péché perdura durant tout le Moyen Âge (la période s'étendant de la chute de l'Empire romain, en l'an 476, jusqu'au début de la Renaissance, aux environs de 1400), et saint Thomas d'Aquin (1225-1274) affina cette idée dans une courte section de sa *Summa Theologica*. Celui-ci maintenait que les organes sexuels de l'être humain avaient été faits pour la procréation et que toute autre pratique (relations homosexuelles, relations bucco-génitales, sodomie, zoophilie) était un acte contre la volonté de Dieu, une hérésie et un crime contre nature. Au moment de la confession, les prêtres s'en remettaient à des pénitentiels, des recueils où étaient consignés chaque péché et la pénitence correspondante. Le retrait dans le but d'éviter la grossesse était considéré comme le péché le plus grave et pouvait entraîner un jeûne de plusieurs années au pain et à l'eau. Des actes jugés contre nature tels que les relations bucco-génitales ou la sodomie étaient aussi considérés comme extrêmement sérieux et entraînaient des pénitences plus importantes que celles infligées pour meurtre (Fox, 1995). Les relations homosexuelles, empêchant toute possibilité de reproduction, représentaient à elles seules la somme de plusieurs actes contre nature. À partir de l'époque de saint Thomas d'Aquin, les homosexuels n'allaient plus bénéficier de tolérance ni trouver refuge dans aucun pays occidental (Boswell, 1980).

Ève contre Marie

Durant le Moyen Âge, deux images contradictoires de la femme évoluèrent de façon parallèle: celle de Marie, la vierge, et celle d'Ève, la tentatrice. Le culte de la Vierge fut rapporté en Occident par les croisés revenant de Constantinople. Auparavant considérée par l'Église d'Occident comme une figure de second plan, Marie se vit transformée en une protectrice pleine de grâce et de compassion, et devint l'objet d'une dévotion religieuse exaltée. La pratique de l'amour courtois, qui apparut à peu près à cette époque, reprit cette image de la femme pure à la conduite irréprochable. L'idéal de tout jeune chevalier était de tomber amoureux d'une femme de souche plus noble que lui, mais mariée. Après une cour assidue, il gagnait ses faveurs, mais leur amour demeurait platonique parce que les vœux de mariage de la dame ne pouvaient être rompus. Ce paradigme s'empara

des esprits et les troubadours composèrent, sur ce thème de l'amour courtois, des ballades qu'ils jouèrent dans toutes les cours d'Europe.

C'est en opposition à l'image de la Madone à la fois inaccessible et bienveillante que se développa l'autre image de la femme: Ève, la tentatrice du jardin d'Éden. En encourageant cette perception de la femme, l'Église mettait toujours plus en évidence le péché d'Ève et l'antagonisme entre les hommes et les femmes. Cet antagonisme atteindra son paroxysme avec la chasse aux sorcières, menée principalement par l'Église catholique de l'Europe continentale et des îles Britanniques, qui débutera à la fin du XVe siècle, en pleine Renaissance, et qui durera presque deux siècles (Morgan, 2006). On associait la sorcellerie à la luxure et la plupart des sorcières furent accusées de s'être livrées à des orgies sexuelles avec le démon (Wiesner-Hanks, 2000). Il est ironique de constater que dans la même période où la reine Elizabeth Ire (1533-1603) contribuait à élever le statut de la femme et entraînait l'Angleterre vers de nouveaux sommets, environ 50 000 femmes furent accusées de sorcellerie et exécutées, pendant et après son règne (Barstow, 1994).

Une vision positive du sexe

L'idée voulant que l'activité sexuelle soit un péché lorsqu'elle ne vise pas à procréer connut une certaine évolution sous les réformateurs du XVIe siècle. Martin Luther (1483-1546) et Jean Calvin (1509-1564) reconnurent tous deux la valeur de la sexualité dans le mariage (Berman et Berman, 2005). Selon Calvin, la sexualité à l'intérieur du mariage était acceptable si elle naissait du désir d'avoir des enfants, d'éviter la fornication, d'alléger et d'adoucir les préoccupations et les peines du ménage ou encore de se rendre chers l'un à l'autre (Taylor, 1971). Les puritains, souvent dénigrés pour l'étroitesse de leurs vues sur la sexualité, reconnaissaient eux aussi la valeur de l'expérience sexuelle à l'intérieur du mariage (D'Emilio et Freedman, 1988; Wiesner-Hanks, 2000). On rapporte qu'un homme fut chassé de Boston pour avoir, entre autres délits, refusé de s'acquitter de ses devoirs conjugaux durant une période de deux ans (Morgan, 1978).

Le siècle des Lumières

Au XVIIIe siècle se développa un nouveau rationalisme scientifique: on examinait désormais les idées à la lumière des faits observables de façon objective et non plus uniquement sur la base de croyances subjectives. Les femmes gagnèrent en estime, du moins pendant une courte période. Certaines d'entre elles, telle l'auteure Mary Wollstonecraft en Angleterre, étaient réputées pour leur intelligence et leur esprit. Dans *Revendication des droits de la femme* (1792), Wollstonecraft combattait le confinement des femmes à certains rôles et s'en prenait à la coutume de donner aux petites filles des poupées plutôt que des manuels scolaires.

Elle affirmait également que la satisfaction sexuelle était aussi importante pour la femme que pour l'homme et que les relations sexuelles, tant préconjugales qu'extraconjugales, ne constituaient pas un péché.

L'ère victorienne

Malheureusement, ces vues progressistes ne durèrent qu'un moment. La reine Victoria, qui accéda au trône britannique en 1837 et régna pendant plus de 60 ans, prêta son nom à une époque devenue synonyme d'austérité, de rigorisme quant aux rôles de l'un et l'autre sexe, alors rigoureusement définis. La sexualité des femmes était vue à travers les images de la Madone et d'Ève (qui ont évolué vers la dichotomie vierge-putain, en langage vulgaire). Les femmes des classes dominantes, en Europe et en Amérique du Nord, étaient appréciées pour leur délicatesse et leurs bonnes manières. Elles étaient prisonnières de corsets, de baleines et de bustiers qui les empêchaient de bouger librement. Perçues comme fragiles et confinées à des rôles limités, les femmes étaient à la fois idéalisées et marginalisées (Glick et Fisk, 2001 ; Real, 2002). William Acton, un médecin réputé, résume bien l'idée communément admise : selon lui, la plupart des femmes ne sont guère troublées par une quelconque sensation d'ordre sexuel (Degler, 1980). L'épouse devait veiller aux besoins spirituels de la famille et voir à ce que le foyer soit la retraite accueillante à laquelle l'homme était en droit d'aspirer après avoir vaqué à ses affaires. Le monde des femmes étant clairement séparé de celui des hommes, cela favorisa le développement d'amitiés intenses, voire passionnées, entre femmes, qui y trouvaient la compréhension faisant si cruellement défaut au sein de leur mariage.

La retenue était de mise dans tous les aspects de la vie, et les hommes victoriens devaient respecter strictement les convenances de leur époque (Radar, 2003). Toutefois, ils mettaient souvent cette moralité de côté lorsqu'ils désiraient entretenir des liens sexuels, de sorte que la prostitution connut un grand essor à cette époque. La division quant aux rôles sexuels des maris et des épouses créait une distance sexuelle et affective dans de nombreux mariages victoriens. Les hommes pouvaient fumer, boire, s'amuser et se trouver des partenaires sexuelles parmi les femmes qui se prostituaient, tandis que leurs femmes vivaient sous le joug des convenances et subissaient la répression sexuelle. Chaque nuit, des cohortes de mâles préservaient de la souillure leur épouse et leur bien-aimée en déposant dans les *filles de rues* le produit de leur éjaculation (Brecher, 1969).

En dépit de l'idée largement répandue voulant que la femme victorienne soit asexuée, Clelia Duel Mosher, une médecin née en 1863, dirigea la seule recherche connue à ce jour sur la sexualité des femmes de cette époque. Au cours d'une période s'étalant sur trois décennies,

Durant l'époque victorienne, la femme en âge de se marier était aussi étroitement enfermée dans sa morale que dans son corset. Le règne de Victoria vit par ailleurs fleurir la prostitution.

elle a demandé à 47 femmes mariées de répondre à son questionnaire. L'information recueillie permit de tracer un portrait de la sexualité des femmes bien différent de celui proposé (ou imposé) par les *experts* de l'époque. Mosher découvrit que la plupart des femmes éprouvaient du désir sexuel, aimaient pratiquer le coït et que 34 d'entre elles avaient connu l'orgasme (Ellison, 2000).

Les faits historiques présentés dans les sections précédentes et les analyses que nous en avons faites montrent que l'association sexualité-procréation et que la division des rôles sexuels sont des notions héritées des bibles juive et chrétienne, des écrits de saint Augustin et de saint Thomas d'Aquin ainsi que de l'idéologie victorienne. Ces conceptions de la sexualité subsistent dans la vie occidentale contemporaine, et on les retrouve dans les conflits opposant des valeurs telles que le plaisir personnel, le pragmatisme et la tradition (Jakobsen et Pellegrini, 2003).

▮ QUESTION D'ANALYSE CRITIQUE

› Comment la dichotomie vierge-putain influe-t-elle sur votre vie sexuelle actuelle ?

Le XXᵉ siècle

Avec *L'interprétation des rêves* (1900), le premier d'une longue série d'ouvrages, Sigmund Freud (1856-1939) fut le pionnier de la psychologie au XXᵉ siècle. Son œuvre permit de transformer les concepts victoriens de la sexualité ; il émit l'idée, particulièrement importante à l'époque, que la sexualité était innée tant chez la femme que chez l'homme. Avec entre autres *L'analyse caractérielle* parue en 1933, Wilhelm Reich (1897-1957), un des disciples de Freud, plaça la fonction de l'orgasme et le développement de l'érotisme corporel au cœur d'une certaine psychologie et sociologie de l'humain. Au tournant des années 1970, les deux fondateurs de la sexologie universitaire au Québec, Jean-Yves Desjardins (1931-2011) et Claude Crépault (1945-), ont largement puisé dans les enseignements de Freud et de Reich en les actualisant et en les sexologisant (intégration multidisciplinaire).

Deux autres contemporains de Freud mirent de l'avant un changement de paradigme sur la question sexuelle. Dans un ouvrage paru en 1920 et intitulé *On Life and Sex: Essays of Love and Virtue*, le psychologue Havelock Ellis (1859-1939) insista sur les droits des femmes en amour; dans ses *Études de psychologie sexuelle*, une série en 10 volumes, il présenta toutes les pratiques sexuelles (y compris la masturbation et l'homosexualité, naguère vues comme des perversions) comme étant saines dans la mesure où elles ne nuisaient à personne. Pour sa part, le gynécologue Theodore Van de Velde (1873-1937), à qui on doit l'usage répandu du terme *préliminaires* (Brecher, 1969), souligna dans ses manuels sur le mariage l'importance du plaisir sexuel.

Le mouvement pour le vote des femmes apparut à la fin du XIXᵉ siècle, au moment où les idées quant au rôle approprié des femmes en matière sexuelle étaient en train de changer. L'objectif du suffrage féminin allait dans le même sens que d'autres changements sociaux, par exemple l'abolition de l'esclavage dans le monde, la lutte pour l'accès des femmes à l'université et à la propriété ainsi que l'instauration de la prohibition (Conte, 2010). C'est par ailleurs au cours de la Première Guerre mondiale, plus précisément en 1918, que le Parlement canadien accorda le droit de vote aux femmes aux élections fédérales (les femmes du Québec obtinrent le droit de vote aux élections provinciales en 1940). L'obtention de ce droit contribua à créer un environnement social propice à une plus grande égalité entre les sexes et à une répartition moins stricte des rôles de chacun. Lorsque les soldats revinrent du front, au lendemain de la Première Guerre mondiale, les automobiles sorties des chaînes de montage de Henry Ford donnèrent aux jeunes gens une indépendance inespérée et leur procurèrent l'intimité requise pour se livrer à l'exploration de leur sexualité.

Les *Flapper Girls* des années 1920 (jeunes femmes urbaines et célibataires de la classe moyenne) rejetèrent l'idéal victorien de pudeur, portant des robes courtes et moulantes et dansant avec exubérance au son de la musique des Années folles. Des pratiques sexuelles impensables à l'époque victorienne devinrent populaires chez les jeunes gens non mariés, notamment le baiser et le pelotage (caresses sensuelles n'allant pas jusqu'au coït). Les jeunes femmes, par contre, cherchaient à éviter le plus possible les relations sexuelles avant le mariage par crainte de tomber enceintes et de

compromettre leur réputation (Radar, 2001). Puis, avec l'avènement du cinéma, ce divertissement populaire préfigurant la société des loisirs, émergea un nouveau romantisme: celui proposé par les vedettes devenues des sexes-symboles.

Avant la commercialisation de la pénicilline dans les années 1940, il n'existait aucun traitement efficace contre les infections transmissibles sexuellement (ITS). Avec cette découverte, le cauchemar des ITS s'estompa quelque peu. Au cours de la Seconde Guerre mondiale, surtout dans les zones urbaines, les femmes durent encore une fois sortir du foyer et occuper les emplois laissés par les hommes partis combattre outre-mer. La guerre allait mettre ces derniers en contact avec les mœurs sexuelles plus ouvertes des Européens.

À cette époque, le Québec francophone vivait sous la férule de l'Église catholique romaine avec la complicité du gouvernement provincial. Le mot d'ordre était la famille à tout prix. Il était courant d'avoir plus de dix enfants, dans les milieux ruraux notamment. Une morale antisexuelle stricte était enseignée par l'Église. Se retrouver enceinte sans être mariée ou commettre l'adultère entraînait l'exclusion sociale. L'avortement était interdit, peu importe la situation vécue par les femmes, ce qui poussait nombre d'entre elles à recourir à des méthodes dangereuses pour avorter ou à s'adresser à des charlatans qui n'hésitaient pas à mettre la santé et même la vie de la mère en danger. Lorsque la mère célibataire menait sa grossesse à terme, le bébé illégitime était souvent placé dans une crèche sous la responsabilité de religieuses, avec ou sans l'autorisation de la mère.

L'après-guerre

Après la Seconde Guerre mondiale, le rêve de la famille nord-américaine de classe moyenne était d'habiter un bungalow en banlieue. Il appartenait au père de financer ce rêve en tant que seul soutien de famille. Les femmes délaissèrent de nouveau le marché du travail pour se consacrer aux tâches domestiques, à leur mari et à leurs enfants. Selon les ouvrages de psychologie populaire de l'époque, les femmes qui préféraient travailler hors du foyer souffraient de névrose et de l'*envie du pénis*. L'industrie de la mode *reféminisa* l'idéal féminin. La femme modèle portait désormais une jupe ample qui mettait en valeur la finesse de sa taille et le galbe de sa poitrine (Radar, 2001).

À cette époque de retour aux rôles sexuels traditionnels, le biologiste Alfred Kinsey fit paraître deux importantes études: *Le comportement sexuel de l'homme* (1948) et *Le comportement sexuel de la femme* (1954). Les deux ouvrages devinrent des succès de librairie en dépit (voire à cause) des dénonciations dont ils firent l'objet de la part des professionnels de la santé, du clergé, des politiciens et de la presse (Brown et Fee, 2003). Le milieu de la santé et le public furent scandalisés par les données de Kinsey démontrant que les femmes réagissaient aux choses sexuelles et y portaient un grand intérêt. Plusieurs comportements sexuels jadis réprouvés furent de plus en plus acceptés par suite des statistiques surprenantes fournies par l'auteur concernant les relations homosexuelles, la masturbation ou d'autres pratiques originales auxquelles les Américains se livraient en privé.

Au cours des années 1950, la télévision, dont les images conformistes montraient des couples mariés dormant dans des lits séparés, fit son entrée dans les foyers américains alors que paraissait le magazine *Playboy*, qui montrait le sexe sous un jour divertissant. Ces deux médias exprimaient une dichotomie qui perdura pendant toute la décennie.

Un vent de changement

La première pilule fit son apparition sur le marché nord-américain dans les années 1960, donnant ainsi aux femmes la possibilité de dissocier le plaisir de la crainte d'une grossesse non désirée. Dans *Les réactions sexuelles* (1968) ainsi que *Les mésententes sexuelles et leur traitement* (1979), les sexologues américains William Masters et Virginia Johnson mirent en lumière la capacité des femmes à avoir un orgasme et placèrent la thérapie sexuelle au rang des préoccupations légitimes. Les livres de développement personnel axés sur la sexualité firent ensuite leur apparition sur le marché ; pensons, par exemple, à *Notre corps, nous-mêmes* (Collectif de Boston pour la santé des femmes, 1977) et à *L'accomplissement sexuel de la femme* (Barbach, 1977). De tels ouvrages incitaient les femmes à prendre conscience de leur corps sur le plan sexuel, tandis que *La joie du sexe* (Comfort, 1976) montrait aux couples comment diversifier leurs expériences sexuelles.

La fin des années 1960 et le début des années 1970 furent marqués par une évolution des attitudes à l'égard de l'homosexualité, longtemps considérée comme tabou. Les gais et les lesbiennes se mirent à afficher plus ouvertement leur orientation sexuelle et à faire valoir que cela ne changeait en rien leurs droits et responsabilités en tant que citoyens. En 1973, l'American Psychiatric Association (APA), organisme qui dicte le contenu du plus utilisé des manuels diagnostiques des troubles mentaux, le *Diagnostic and Statistical Manual of Mental Disorders*, troisième version (DSM-III), en retirait l'homosexualité. Puis, au début des années 1980, le premier cas de sida diagnostiqué augmenta dramatiquement la visibilité des hommes homosexuels et exacerba le débat sur l'homosexualité. Des visions plus traditionnelles ou restrictives continuent d'alimenter la discussion, certains faisant

›*Milk* est un film biographique sur Harvey Milk, un fervent militant des droits des gais à San Francisco pendant les années 1970. Réalisé par Gus Van Sant, ce film a remporté en 2008 l'Oscar du meilleur scénario et a valu à Sean Penn celui du meilleur acteur.

valoir que le sida a été envoyé par Dieu pour punir les pécheurs (Baumard, 2011 ; Dawkings, 2006).

Pour leur part, les médias – la télévision, en particulier – se sont fait le reflet de l'évolution des attitudes à l'égard de l'homosexualité. Ainsi, au milieu des années 1990, les gais et les lesbiennes ont été intégrés dans les émissions de la télévision américaine, par suite de pressions exercées par le mouvement gai. Des personnages de gais et de lesbiennes sont désormais communs dans de populaires téléséries telles que *Unité 9, Mémoires vives, Modern Family, Glee, The Amazing Race, Orange Is the New Black*. Au Québec, deux auteurs avaient cependant ouvert la voie bien plus tôt : Janette Bertrand avec une série de cinq émissions sur l'homosexualité en 1980 et, avant elle, Guy Fournier qui, à la fin des années 1970, mettait en scène un homosexuel non caricatural travaillant comme homme de ménage dans la télésérie *Jamais deux sans toi*, présentée à une heure de grande écoute. Depuis ce temps, de plus en plus d'artistes se sont affichés ouvertement comme homosexuels. Soulignons que depuis 2004, *Tout le monde en parle*, une des émissions francophones les plus regardées de la télévision d'État, est coanimée par un gai, qui assume ce statut en toute simplicité et souvent avec humour. L'évolution de l'image de l'homosexualité véhiculée par les médias montre à quel point ces derniers peuvent à la fois refléter et influencer les connaissances, les attitudes et les comportements en matière sexuelle (Gross, 2001).

Les médias et la sexualité

Les médias sont à la fois des témoins et des acteurs de la culture. Leur influence est grande, particulièrement auprès des adolescents et des jeunes adultes. Quelle image donnent-ils de la sexualité ?

La télévision

Malgré l'impact de l'Internet, la télévision continue d'exercer une grande influence sur les attitudes et les comportements sexuels en raison du temps que les gens y consacrent. À l'âge de 18 ans, la plupart des gens auront déjà passé 20 000 heures devant le petit écran, ce qui est sûrement suffisant pour influencer d'une quelconque façon leur point de vue à l'égard de la sexualité (The Media Project, 2008). Le temps que les gens consacrent à des jeux vidéo sur leurs ordinateurs n'a pas remplacé celui qu'ils passent devant la télévision ; il s'ajoute plutôt au temps passé devant l'écran. En moyenne, les jeunes de 8 à 18 ans passent 58 heures par semaine à utiliser les différentes formes de médias (Rideout et coll., 2010).

Depuis 1998, le nombre de scènes à contenu sexuel a presque doublé dans les émissions des grandes chaînes de télévision. Parmi les 20 émissions les plus regardées par les adolescents, 70 % avaient un contenu sexuel (conversation, allusions) et 45 % montraient un comportement sexuel (Kaiser Family Foundation, 2006). Le contenu du langage, ainsi que celui des blagues et des comportements est devenu plus explicite depuis (Goldberg, 2014). Plusieurs critiques ont été formulées à l'égard de ce genre d'émissions. On craint le plus souvent qu'une manière aussi désinvolte d'aborder le sexe n'incite les jeunes à être trop précoces, bien que la plupart des études sur le sujet aient été peu concluantes (Escobar-Chaves et coll., 2005). À cet effet, une étude récente a établi un indice de consommation sexuelle médiatique chez les jeunes en mesurant la quantité d'images sexuelles dans les émissions de télévision, les films, les vidéoclips et les magazines que ceux-ci consomment régulièrement et en comparant cette quantité avec le temps qu'ils consacrent à chacun de ces médias. L'étude a conclu que les adolescents blancs dont l'indice se situait dans les premiers 20 % étaient 2,2 fois plus susceptibles d'avoir leur premier rapport sexuel avant l'âge de 16 ans que ceux dont l'indice se situait dans les derniers 20 % (Brown, 2006). Il faut noter que, comme la plupart des recherches, les données indiquent des corrélations et non pas des causes à effets ; peut-être que ce sont les adolescents les plus expérimentés qui recherchent le plus des contenus à caractère sexuel dans les médias.

Plusieurs représentations de la sexualité dans les médias banalisent sa complexité et créent des attentes irréalistes par rapport aux expériences sexuelles.

Toutefois, les émissions de télévision renseignent de plus en plus sur les risques que comporte le sexe pour la santé physique et affective. Les émissions les plus populaires auprès des adolescents insistent de plus en plus sur l'importance d'avoir des rapports sexuels protégés (Kaiser Family Foundation, 2006). Par exemple, la téléréalité *16 and Pregnant*, qui démontre les défis d'une vie avec un bébé, a peut-être motivé les téléspectateurs à utiliser la contraception. En effet, le nombre de recherches Google portant sur la contraception est plus élevé le jour de la diffusion de l'émission (Kristof, 2014).

Les médias peuvent jouer un rôle important d'éducation dans les pays où la sexualité a longtemps été un sujet tabou. En Chine et en Égypte, par exemple, des émissions d'information sexuelle ont pu être diffusées au cours des dernières années sur des chaînes publiques avec l'accord des autorités politiques. En 1998, une chaîne de radio chinoise a lancé une émission d'information sexuelle, *Tonight's Whispering*, où les invités en studio répondaient aux questions que les auditeurs leur envoyaient par courriel ou par message texte. Beaucoup de ces questions démontraient un manque flagrant de connaissances élémentaires en matière sexuelle (Fan, 2006). En Égypte, ce n'est qu'en 2006 qu'une émission d'éducation sexuelle animée par une sexothérapeute a été présentée pour la première fois. Intitulée *Kalam Kibir* (Paroles de grands), l'émission vise à contrer l'ignorance, les préjugés et les faussetés qui sévissent dans les sociétés arabes en cette matière, et elle aborde la sexualité dans une perspective musulmane et moderne (El-Noshokaty, 2006).

Les vidéoclips

Avec l'arrivée des vidéoclips au début des années 1980, la télévision s'est associée à l'industrie de la musique. La plupart des vidéoclips présentent un contenu qui est devenu, avec le temps, de plus en plus explicite (O'Keefe, 2014) ; les hommes y sont habituellement dépeints comme dominants et les femmes sont représentées comme des objets sexuels. La recherche a montré que l'exposition à des vidéoclips à contenu sexuel renforce beaucoup l'adhésion à cette norme sexuellement différenciée (Zhang et coll., 2008) ; cet aspect est traité plus en profondeur au chapitre 4.

La publicité

La publicité existe dans tous les types de médias ou de façon indépendante, comme le montrent les panneaux publicitaires omniprésents. Les images sexuelles qu'elle présente, tantôt provocantes, tantôt subtiles, sont conçues pour capter l'attention des consommateurs et les inciter à acheter des produits. La pub la plus séduisante sur le plan sexuel devient ainsi un puissant outil de marketing.

Le rôle de la publicité est de faire croire au consommateur qu'il obtiendra l'amour ou le sexe en achetant tel produit de beauté, telle marque de boisson, tel vêtement griffé ou telle marque d'automobile. En règle générale, la publicité banalise le sexe et cherche à montrer que seuls les jeunes hommes et les jeunes femmes d'allure athlétique sont dignes d'intérêt ; évidemment, ce modèle ne s'applique pas à la publicité destinée à l'importante clientèle des baby-boomers vieillissants. À l'occasion, la publicité peut aider à briser certains tabous : par exemple, les pubs télévisées d'un ex-hockeyeur vedette du Canadien ont permis de soulever un débat sur la question de la dysfonction érectile.

■ QUESTION D'ANALYSE CRITIQUE

› Connaissez-vous une publicité qui a contribué à modifier les stéréotypes sexuels ? Comment y est-elle parvenue ?

Les magazines

On trouve toutes sortes d'articles à contenu sexuel dans les magazines populaires. Certains fournissent d'excellentes informations sur la prise en charge personnelle ou les compétences relationnelles en matière sexuelle, alors que d'autres ne font que véhiculer les stéréotypes sur les rôles sexuels, exploiter l'insécurité des femmes face à leur image corporelle ou montrer comment manipuler l'autre dans une relation (Markle, 2008 ; Menard et Kleinplatz, 2008). Sur une note plus positive, une étude portant sur les comportements relatifs à la santé sexuelle et la lecture de magazines chez des étudiants de niveau collégial a révélé qu'une lecture fréquente des magazines les plus populaires est associée à une utilisation plus systématique de moyens de contraception, à une plus grande connaissance des principes de santé sexuelle ainsi qu'à des comportements sexuels sécuritaires (Walsh et Ward, 2010).

Les magazines féminins présentent plus ou moins régulièrement d'excellents articles sur l'autonomie sexuelle. L'accent y est mis sur l'appropriation ou la réappropriation de son corps sexuel réel dans une optique de mieux-être global. À l'inverse, des articles du genre «Comment envoûter un homme» ne peuvent que contribuer à renforcer les stéréotypes sur les rôles sexuels et à mettre encore plus l'accent sur la performance sexuelle. Enfin, la foule d'articles où l'on explique aux lecteurs ce qu'ils doivent faire pour être plus beaux, plus minces et plus sexy tend à entretenir l'insécurité des gens quant à leur image corporelle. Par sa façon de représenter le corps et les relations humaines, la publicité dans les magazines banalise la sexualité et favorise l'hypersexualisation chez les jeunes.

L'Internet

L'étude exhaustive portant sur la sexualité réalisée aux États-Unis (la *National Health and Social Life Survey* – NHSLS) a permis de conclure que notre attitude et nos comportements sont fortement influencés par les individus qui composent nos groupes sociaux (Laumann et coll., 1994). Cette recherche a été menée avant l'essor fulgurant de la communication en ligne dans les années 1990. En 2014, près de 2,8 milliards de personnes utilisaient déjà Internet dans le monde.

Les répercussions de cette révolution des communications sur l'attitude et les comportements sexuels pourraient s'avérer légendaires. En effet, les personnes appartenant à des groupes sociaux distincts (groupes d'âge, race, religion, groupes ethniques ou économiques) peuvent maintenant communiquer plus facilement que jamais auparavant. Le nombre de sites de réseautage social a littéralement explosé en très peu de temps. Par exemple, Facebook a été créé en 2004 et, en 2016, le site comportait déjà, à l'échelle mondiale, 1,083 milliard d'utilisateurs actifs sur une base hebdomadaire (Constine, 2016). Facebook est le réseau le plus populaire au Canada, avec une proportion de 71 % des Canadiens qui affirment visiter le site au moins deux fois par semaine (McKinnon, 2016).

En 2013, près de 87 % des ménages au Canada étaient connectés à l'Internet et ils passaient en ligne en moyenne 41,3 heures par mois avec des ordinateurs portables, des tablettes et des téléphones intelligents. De plus, 69 % de la population affirmaient avoir visité au moins un site de réseautage social au cours de la dernière année (ACEI, 2014).

Internet est aujourd'hui indissociable des téléphones intelligents, des iPod, iPad ou équivalents, qui permettent une utilisation plus libre du réseau que les ordinateurs, qu'ils soient portables ou non. Ces appareils sont également équipés d'une caméra et permettent donc une auto-expression sexuelle.

L'immense majorité des plus de 13 ans possèdent ou utilisent de tels téléphones. Aux États-Unis, 30 % des jeunes adultes de 20 à 26 ans disent avoir vu ou transmis des photos de nudité totale ou partielle, et même des vidéos d'eux-mêmes, pour flirter ou simplement s'amuser. *Sextage* est le mot qui désigne ce type d'usage des téléphones portables (Lithwick, 2009). Cette pratique est discutée au chapitre 6.

Selon les données de l'enquête NETendances en 2015, près des trois quarts (72,8 %) des adultes québécois font usage des réseaux sociaux. Parmi les adultes âgés de 18 à 44 ans, 90,9 % utilisent les médias sociaux, alors que les 45 ans et plus ne sont que 59,2 %. Au Québec, Facebook (62,4 %) et YouTube (57,4 %) sont les deux plateformes sociales utilisées par plus de la moitié de la population adulte (CEFRIO, 2015).

L'impact de cette révolution des communications sur les attitudes et les comportements sexuels est incommensurable. Cette révolution entraîne en effet des modifications tant à l'intérieur qu'à l'extérieur des couples, selon une communication de la sexologue Anik Ferron au 80ᵉ Congrès de l'Association francophone pour le savoir (ACFAS), en 2012. Le sondage qu'elle a mené par Internet indique que 47,1 % des répondants ressentent de la jalousie lorsque leur conjoint passe du temps sur Facebook et que 41,6 % surveillent le compte de celui-ci. Aussi, 17,3 % des répondants (284 hommes et 537 femmes) jugent que ce média entraîne des infidélités sexuelles (Boudreau, 2011).

Les outils et les conversations relatifs à l'éducation sexuelle que proposent les médias numériques ou sociaux offrent un accès rapide à des renseignements utiles en ce qui concerne la sexualité. Pour plusieurs, ils pourraient même représenter la principale source d'éducation sexuelle (Strasburger et Brown, 2014). Une étude exploratoire a révélé que les adolescents seraient des consommateurs avertis de renseignements de nature sexuelle diffusés sur Internet. La plupart d'entre eux ont avoué ne pas faire confiance à l'exactitude des renseignements qui circulent en ligne, car ils craignent que ceux-ci soient inexacts puisque générés par des utilisateurs (Jones et Biddlecom, 2011).

L'Internet est également devenu une immense agence de rencontre, l'occasion de diffuser une annonce personnelle interactive partagée dans le cadre d'une conversation en ligne par des personnes qui veulent déterminer si elles désirent se rencontrer. Bien que cette façon de faire présente des risques, les sites de rencontre en ligne ont l'avantage de clarifier d'emblée les attentes des individus quant à la relation qu'ils désirent entretenir, que ce soit une relation sexuelle occasionnelle ou une relation durable. Pour certains, le degré d'ouverture personnelle en ligne peut en fait leur permettre une plus grande intimité avant d'entretenir une relation physique qu'une rencontre en personne sans communication préalable en ligne.

De nombreux internautes cherchent, lorsqu'ils se masturbent, à s'exciter à l'aide d'images sexuellement explicites ou de prestations de danseuses nues en direct par caméra Web. L'auto-expression sexuellement explicite survient lorsque des individus, des partenaires ou des groupes produisent eux-mêmes des vidéos érotiques les mettant en vedette, puis les diffusent sur Internet pour qu'ils soient visionnés par d'autres internautes. Certaines personnes racontent leurs fantasmes les plus fous dans des salons de clavardages ou prennent part à des jeux multijoueurs interactifs pour adultes. Ce faisant, des utilisateurs expérimentent souvent de nouvelles choses en se créant diverses identités virtuelles ou en se mettant dans la peau de l'autre sexe. D'autres optent plutôt pour le clavardage en temps réel par l'intermédiaire de la messagerie instantanée, d'appareils audio et de caméras pour favoriser les interactions en ligne.

La majeure partie des innovations technologiques de l'Internet ont été apportées par l'industrie du sexe. D'ailleurs, la programmation pour adultes continue de représenter une importante source de revenus relativement aux avancées des téléphones cellulaires, des tablettes, de la *porno balado* sur iPod, des assistants numériques personnels (ANP), des consoles de poche PlayStation Portable (PSP) et des plateformes de diffusion vidéo à large bande en continu (Alexander, 2006). Des études sur le sujet ont démontré que la plupart des gens ont recours aux sites Internet pour adultes dans le but d'une utilisation récréative inoffensive. Cependant, près de 9 % des participants à l'une de ces études ont révélé avoir tenté, en vain, de cesser de consommer de la pornographie, car cela leur occasionnait des problèmes dans leur vie personnelle (Weir, 2014). Autre problème considérable : certains prédateurs sexuels ont recours à l'Internet pour exploiter sexuellement des gens. Or, il est impossible de protéger parfaitement les utilisateurs des médias sociaux comme Facebook (Menn, 2012). De plus, du contenu sexuel extrêmement explicite est facilement accessible sur Internet. Or, ce matériel est tout à fait inadapté au niveau de développement des jeunes, en plus de constituer une mauvaise source d'éducation sexuelle. Malheureusement, il est difficile pour eux d'éviter ce genre de contenu. Les perspectives constructives et problématiques de l'Internet semblent donc infinies. Il est question des divers éléments de ce sujet tout au long du présent chapitre.

Selon l'utilisation qui en est faite, Internet peut toutefois présenter de graves dangers. La cyberprédation, processus par lequel des internautes adultes leurrent des jeunes à des fins d'exploitation sexuelle, est problématique ; un site tel que MySpace, à cet égard, est idéal pour attirer ce genre de personnes (Romano, 2006). Par ailleurs, la grande facilité avec laquelle les jeunes peuvent accéder aux images sexuelles les plus osées sur Internet ne les aide pas dans leur développement personnel. Il s'agit là toutefois d'un problème assez difficile à régler. Les possibilités créatrices et destructrices de la cybersexualité sont illimitées, à l'image de la nature humaine. Le contenu sexuel d'Internet revêt une très grande importance, car 78,3 % des Nord-Américains ont accès au réseau (Internet World Stats, 2011). Nous y reviendrons à divers endroits dans cet ouvrage, notamment au chapitre 11.

L'hypersexualisation dans les médias

L'influence des médias comme modélisateurs de sexualité entraîne des comportements inappropriés axés sur la performance. Leur pouvoir sur les jeunes adolescents ou même préadolescents serait responsable, du moins partiellement, d'une dérive appelée *hypersexualisation*. On regroupe sous ce vocable des attitudes et des comportements exagérément sexualisés chez les 12-14 ans ou moins.

Pour plusieurs auteurs, dont Francine Duquet (2002), professeure au département de sexologie de l'Université du Québec à Montréal, des filles, pour ne pas dire des fillettes, portent des vêtements courts et provocants, à l'image des jeunes vedettes aux allures de poupées que leur propose la publicité. Certaines adoptent des comportements allant jusqu'à des fellations en public et vivent des situations d'angoisse de performance qui ne se rencontraient guère que chez les adultes auparavant ; elles se voient exhortées à devenir des objets de désir désincarnés, manipulés par des intérêts extérieurs à leur monde. Les dommages psychologiques de l'hypersexualisation préoccupent un nombre grandissant d'intervenants auprès des jeunes. Des programmes gouvernementaux sont mis en place pour tenter de corriger cette situation. Pour d'autres auteurs (Blais et coll., 2009), cependant, le concept demeurerait difficile à cerner, les chiffres disponibles ne permettant pas de conclure à une montée des comportements sexuels précoces durant les dernières années.

La recherche en sexologie : buts et méthodes

La sexologie, c'est-à-dire l'étude scientifique du phénomène sexuel, a pour objet tout ce qui est lié à la sexualité. Elle permet également de regarder scientifiquement certaines idées reçues – l'alcool rend plus sensuel, l'orgasme vaginal est plus *mature* que l'orgasme clitoridien, les agresseurs sexuels consomment plus de pornographie que les autres –, d'étudier des croyances pour en cerner les fondements et de documenter les relations sous-jacentes qu'elles révèlent, le cas échéant. Ce n'est pas une mince tâche. Même s'il intéresse la plupart d'entre nous, le comportement sexuel est aussi, par sa nature même, difficile à étudier, car les gens se sentent souvent mal à l'aise à l'idée de révéler à quelqu'un des détails sur leur sexualité ou leur comportement sexuel, surtout si cette personne est un chercheur qui leur est étranger (Turner, 1999). À ce malaise s'ajoute le fait que la sexualité fait l'objet de mythes de toutes sortes et que le discours qui l'entoure est truffé d'exagérations,

> **Sexologie** Champ d'études interdisciplinaires couvrant les phénomènes de la différenciation sexuelle et de la fonction érotique qui s'articule autour de quatre axes de développement : bio-sexologique, psycho-sexologique, sociosexologique et sexologie appliquée.

de secrets et de jugements de valeur, bien souvent dus à l'ignorance. Une partie aussi de l'expérience sexuelle échappe à toute description objective et demeure incommunicable : quelle différence cela fait-il d'avoir un orgasme par stimulation pénienne plutôt qu'un orgasme par stimulation clitoridienne ? Cela a-t-il de l'importance pour comprendre la différence entre la sexualité masculine et la sexualité féminine ? Comment dire à quelqu'un qui n'a jamais eu de plaisir sexuel ce qu'on ressent lorsqu'on éprouve un tel plaisir ? Comment étudier la sexualité des enfants par l'observation sans enfreindre l'éthique ou leur développement ?

En dépit de ces obstacles, des chercheurs ont accumulé un grand nombre de données sur les comportements sexuels et les attitudes liées à la sexualité. Dans les pages qui suivent, nous présentons les méthodes employées pour étudier la sexualité humaine ainsi que les avantages et les inconvénients de chacune d'entre elles. Nous abordons également la question de l'évaluation des recherches publiées.

La sexologie au Québec

Au Québec, la sexologie est née du besoin d'interdisciplinarité qu'ont ressenti ceux et celles qui voulaient comprendre le phénomène sexuel. Les fondateurs de la sexologie universitaire au Québec, Jean-Yves Desjardins et Claude Crépault, souhaitaient créer une discipline qui pourrait faire la synthèse des multiples connaissances sur la sexualité issues de la biologie, de la psychologie, de la sociologie, de l'anthropologie, de la philosophie, de la criminologie, des sciences de l'éducation, des sciences politiques, de la santé publique et de la religion. Leur but était de former des professionnels de la sexologie qui mettraient en pratique cette approche interdisciplinaire. La demande de création d'un département portait sur l'enseignement d'une « sexologie intégrative possédant sa propre méthodologie et ses propres modèles scientifiques de compréhension et d'explication des phénomènes sexuels » en vue de former des professionnels « dont l'objet sera le service à la population sous l'angle de la santé et de l'équilibre sexuel » (Larouche, 1991). Cette visée a amené la création d'un département universitaire autonome à l'Université du Québec à Montréal (UQAM) en 1972 (Larouche, 1991). C'était le premier au monde. C'est aussi maintenant le seul endroit où il est possible d'obtenir un doctorat spécifique à la sexologie en sus d'un premier et deuxième cycle de formation spécialisée.

L'Université du Québec à Montréal a fait preuve d'une grande ouverture en permettant la création de ce département. Il est vrai que l'émergence de la sexologie au Québec a coïncidé avec l'entrée de cette province dans la modernité, entrée qui s'est accompagnée d'une modification des valeurs et aspirations des Québécois (Dupras, 1989). Ce mouvement s'inscrivait dans un vaste processus de transformation comprenant l'industrialisation, l'urbanisation, la laïcisation, la démocratisation de l'enseignement, le développement des moyens de communication de masse et la mobilisation pour une action politique (McRoberts et Posgate, 1983).

L'intégration des sexologues au système professionnel québécois a eu lieu à la suite de la création de l'Ordre professionnel des sexologues (OPSQ), en septembre 2013. Le rôle de l'OPSQ consiste à veiller à la protection du public ainsi qu'au maintien et au développement des compétences professionnelles de ses membres. Au Québec, seuls les membres de l'OPSQ peuvent porter le titre de sexologue. Conséquemment, en consultant un sexologue, le public est assuré de recevoir les services professionnels répondant aux normes de qualité et d'intégrité de la profession. Pour plus de renseignements sur l'OPSQ ainsi que sur les secteurs d'activités et les champs d'exercices des sexologues, on peut consulter le site https://opsq.org.

Avec la constitution de la sexologie comme science, la définition de la sexualité a été élargie. Tel que nous l'avons mentionné précédemment, il y a un consensus quant à l'importance de considérer la sexualité dans sa complexité multidimensionnelle et de tenir compte de ses déterminants biopsychosociaux. Denise Badeau (1998), alors professeure régulière au département de sexologie de l'UQAM, propose une typologie des déterminants du comportement sexuel qui s'inscrit dans ce courant de pensée. Comme mentionné au début du chapitre, cette auteure identifie six dimensions déterminantes de la sexualité. Cette définition élargie a d'ailleurs été retenue par le ministère de l'Éducation du Québec lorsqu'il a instauré le programme de formation personnelle et sociale qui contenait le volet «Éducation à la sexualité», programme toutefois abandonné maintenant.

Selon Denise Badeau (1998), la dimension psychologique de la sexualité comprend l'ensemble des aspects liés à l'identité sexuelle, à l'estime de soi, à l'élaboration de l'image corporelle et à la mise en place de la fonction érotique. La dimension affective inclut la perception des sensations et l'expression des sentiments et des émotions de l'être sexué et sexuel. La dimension cognitive renvoie à notre façon humaine de concevoir notre sexualité et d'agir en ce sens. La dimension biologique touche les caractères sexuels génétiquement programmés, la réponse sexuelle, la reproduction et la santé sexuelle. La dimension morale englobe les règles de conduite que se donnent toutes les sociétés humaines en matière de sexualité ainsi que les valeurs, les croyances et les aspects légaux qui traduisent cette dimension morale. La dimension socioculturelle comporte les rôles sexuels, les stéréotypes, les règles sociales, les comportements et les représentations culturelles. Dans certaines publications du gouvernement du Québec, les dimensions psychologique et affective n'en forment qu'une seule, la dimension psychoaffective (Bédard, 2008). On le voit bien, la sexualité ne peut se réduire à un seul aspect, que ce soit la reproduction ou les rôles sexuels.

Les buts de la sexologie

Les personnes qui étudient la sexualité ont certains buts en commun avec tous les scientifiques : comprendre et prédire les faits relatifs à leur objet d'étude et proposer des moyens d'intervention. Tenues de respecter les règles éthiques qui gouvernent la recherche, elles doivent aussi se soucier du bien-être, de la dignité, des droits et de la sécurité de ceux qui participent aux études.

Les deux premiers buts, la compréhension et la prédiction des comportements, se conçoivent aisément. Par exemple, un sexologue ou un psychologue qui connaît les effets des hypotenseurs pourra rassurer le client qui éprouve des difficultés érectiles depuis qu'il prend un tel médicament. De même, sensibles à l'influence qu'exercent certains modèles comportementaux sur les relations de couple, ces professionnels seront en mesure d'aider des conjoints à évaluer leurs chances de vivre une relation enrichissante.

Le troisième but, l'élaboration de moyens d'intervention par l'utilisation des connaissances scientifiques, est en quelque sorte le passage obligé entre le savoir et l'application ; c'est ce qui permet de contribuer au mieux-être individuel et collectif.

▲ Les fondateurs du département de sexologie de l'UQAM. De gauche à droite : André Bergeron, Jules Bureau, Robert Gemme, Joseph Josy Lévy, Claude Crépault, Jean-Pierre Trempe, Henri Gratton, Jean-Marc Samson, Jean-Yves Desjardins, Muazzam Husain et Édouard Beltrami.

Les méthodes de recherche non expérimentales

Comment vérifier si les idées reçues sont vraies, par exemple si l'alcool peut améliorer la réponse sexuelle ou si l'orgasme vaginal est plus *mature* que l'orgasme clitoridien? Comment les chercheurs peuvent-ils enquêter sur de telles questions? Dans cette partie, nous présentons trois méthodes non expérimentales: l'étude de cas, l'enquête et l'observation directe. Nous aborderons plus loin la recherche expérimentale. Le tableau 1.1 à la page suivante présente les caractéristiques de ces quatre grandes méthodes de recherche.

L'étude de cas

L'étude de cas permet d'observer systématiquement un sujet ou un nombre restreint de sujets. Les données sont recueillies en utilisant un éventail de moyens pouvant inclure l'observation directe, des questionnaires, des tests et même l'expérimentation. Cette méthode, qui demeure très utilisée, est à l'origine des premières classifications cliniques contemporaines contenues dans l'ouvrage *Psychopathia Sexualis*, de Krafft-Ebing, publié pour la première fois en 1886, puis réédité de façon continue jusqu'à 1960 environ (Brecher, 1969). En 2010, on a publié une réédition de la traduction intégrale en anglais du texte original allemand.

Une grande partie de l'information dont on dispose sur les difficultés liées à la réponse sexuelle (problèmes d'érection chez l'homme ou absence d'orgasme chez la femme, par exemple) provient d'études de cas d'individus ayant consulté un thérapeute pour régler leur problème. Une part importante des connaissances sur les délinquants sexuels, les personnes transsexuelles, les victimes d'inceste, etc., vient également d'études de cas.

Il n'est pas surprenant qu'un certain nombre d'études de cas aient exploré la relation entre les médias présentant un contenu à caractère sexuel violent et le viol. Dans plusieurs de ces études, les violeurs font état de hauts niveaux d'exposition à la violence sexuelle dans les films, les magazines et les livres (Marshall, 1988). Cependant, on ne sait pas si les attitudes violentes envers les femmes et les comportements comme le viol sont le résultat direct de l'exposition à la violence sexuelle dans les médias. Le seul fait que les violeurs semblent plus enclins que les non-violeurs à faire consommation de pornographie ne constitue pas à lui seul un lien de causalité. Il existe sans doute des causes plus plausibles.

Étude de cas Méthode d'analyse consistant à observer un sujet ou un nombre restreint de sujets, et à faire de leur cas un examen approfondi.

Par exemple, le type d'environnement dans lequel les hommes apprennent à être violents envers les femmes se caractérise peut-être par un accès facile à la pornographie. Inversement, les hommes qui ont tendance à maltraiter les femmes ont peut-être un penchant pour la pornographie comportant de la violence sexuelle et ce penchant expliquerait qu'ils en regardent plus que les autres hommes. Ainsi, tandis que la méthode de l'étude de cas nous enseigne que l'exposition à la pornographie violente est souvent associée au viol, elle ne peut nous renseigner sur la nature exacte de ce lien.

On a également eu recours à l'étude de cas pour vérifier si l'alcool augmente l'intensité du désir et du plaisir sexuels. En fait, les conclusions des chercheurs suggèrent exactement le contraire, du moins chez les alcooliques chroniques. Ce résultat s'explique peut-être par l'état de détérioration physique générale qu'engendre, à long terme, la consommation excessive d'alcool, mais l'étude de cas ne peut le confirmer. Une piste est l'effet de féminisation biologique (élargissement des hanches, développement mammaire) que provoque l'alcoolisme chronique et qui engendre une baisse de la testostérone (Crenshaw, 1996). Comme nous le précisons au chapitre 3, la testostérone est une hormone essentielle au désir.

QUESTION D'ANALYSE CRITIQUE

> Plusieurs études ont démontré un lien entre un taux anormalement bas de testostérone et la diminution du désir sexuel chez les deux sexes (en tenant compte du taux différent selon le sexe). Peut-on, à l'aide d'une étude de cas, démontrer qu'il s'agit d'une relation de cause à effet? Si oui, comment? Sinon, pourquoi?

L'étude de cas offre des avantages aux chercheurs, notamment une certaine flexibilité dans la façon de recueillir l'information. Bien qu'elle ne permette qu'un contrôle de validité limité, la forme très ouverte de l'étude de cas donne la possibilité d'étudier certains comportements précis. La collecte d'informations très personnelles sur ce que les gens pensent ou ressentent à propos de leur comportement représente un progrès important par rapport au simple recensement d'activités.

Cette méthode a cependant ses limites. D'abord, comme l'étude de cas ne s'intéresse habituellement qu'à des individus ou à des échantillons restreints de cas intéressants ou atypiques, il est souvent difficile d'en généraliser les résultats et de les appliquer à des populations plus larges. Ensuite, le fait que la vie d'une personne, spécialement l'enfance ou l'adolescence, ne devient un sujet d'étude que plus tard, à l'âge adulte, lorsque cette personne manifeste un comportement inhabituel, est aussi

problématique. La mémoire étant toujours une reconstruction du passé, est-il possible pour un chercheur de
reconstituer de façon fidèle le passé d'un sujet à partir d'informations fournies par ce dernier? Même si on
interroge les membres de la famille ou les amis de cette
personne, la justesse de cette reconstitution n'est pas
garantie parce qu'il est difficile de se rappeler de façon
exacte les événements qui ont eu lieu des années auparavant. Il y a aussi le phénomène de la fausse mémoire où
les personnes sont intimement persuadées d'avoir vécu
des événements qui ne se sont jamais produits. Dans
certains cas, c'est la thérapie elle-même qui implante de
faux souvenirs d'inceste et de rites sataniques (Lambert
et Lilienfeld, 2008). Un même événement peut également être perçu et raconté différemment par la même
personne selon le moment et les circonstances où elle se
le rappelle (Schacter, 2003). Finalement, cette méthode
ne convient pas à toutes les recherches. Par exemple,
l'étude de cas n'est peut-être pas la meilleure façon de
vérifier la prétendue supériorité de l'orgasme vaginal
sur l'orgasme clitoridien. En effet, trop de facteurs – les
émotions, les valeurs personnelles et l'imprécision des
souvenirs – peuvent influer sur les témoignages personnels pour que ceux-ci soient considérés comme valables
dans le cadre d'une étude fiable. Comme nous le verrons

plus loin, l'observation directe est une méthode mieux
adaptée à ce type de problème de recherche.

L'enquête

La plupart des informations dont on dispose sur la
sexualité ont été recueillies en réalisant une **enquête**. Cette
deuxième méthode de recherche consiste à interroger les
sujets sur leurs attitudes et leurs expériences sexuelles.
L'enquête permet aux chercheurs de recueillir des données
auprès d'un grand nombre de personnes, généralement
plus qu'en clinique ou en laboratoire. L'enquête peut être
effectuée au moyen d'entrevues, en tête à tête ou par
téléphone, ou encore au moyen d'un questionnaire papier. De plus en plus, des enquêtes automatisées se font
par l'intermédiaire d'Internet.

Même si les méthodes employées pour l'enquête orale et
l'enquête écrite sont différentes, leur but est le même. À
partir des données obtenues auprès d'un groupe relativement restreint (appelé *échantillon*), chacune tente de

> **Enquête** Méthode de recherche qui consiste à interroger
> les individus formant un échantillon de la population sur leurs
> comportements ou leurs habitudes.

TABLEAU 1.1 ▶ **Un récapitulatif des méthodes de recherche**

MÉTHODE	BRÈVE DESCRIPTION	AVANTAGES	INCONVÉNIENTS
Étude de cas	Les chercheurs étudient en pro-fondeur un sujet ou un nombre restreint de sujets.	• Flexibilité dans la collecte des données. • Exploration en profondeur de comportements, de pensées et de sentiments.	• Généralisation limitée des résultats. • Exactitude des données limitée par le caractère faillible de la mémoire humaine. • Non adaptée à tous les genres de questions de recherche.
Enquête	Des données sur les attitudes et les comportements sexuels sont recueillies chez des popu-lations relativement nombreuses au moyen de questionnaires ou d'entrevues.	• Permet de recueillir rapidement et à relativement bon marché de grandes quantités de données. • Permet de recueillir des données sur plus de personnes qu'avec l'étude en laboratoire ou l'étude de cas.	• Problèmes de: – non-réponse; – biais démographique; – autosélection; – inexactitude des réponses.
Observation directe	Les chercheurs observent et enregistrent les réactions des participants.	• Élimine presque toute possibilité de falsification des données. • L'enregistrement des compor-tements peut être conservé sur une vidéocassette, un support magnétique ou numérique.	• Le comportement des sujets peut être influencé par la présence de l'observateur ou par la nature artificielle du lieu d'observation.
Recherche expérimentale	Les sujets sont soumis à des sti-muli dans des conditions contrô-lées permettant de mesurer leurs réactions de façon fiable.	• Fournit un environnement pro-pice permettant le contrôle des variables pertinentes. • Adaptée à la découverte de rela-tions causales entre des variables.	• Le côté artificiel de l'environne-ment de laboratoire peut biaiser ou influencer de façon négative les réactions des sujets.

tirer des inférences statistiques, ou conclusions, qu'on peut généraliser pour les appliquer à un groupe beaucoup plus large (appelé *population cible* ou *population de référence*). Les adultes mariés ou les adolescents sont des exemples de populations cibles.

La sélection de l'échantillon

Les questions des chercheurs visent souvent des populations trop vastes pour être étudiées dans leur totalité. Par exemple, si l'on voulait obtenir des informations sur les pratiques sexuelles des couples mariés âgés au Canada, la population cible comprendrait tous les couples mariés âgés du pays. Il est évidemment impossible de questionner toutes les personnes appartenant à ce groupe. Les chercheurs résolvent donc ce problème en recueillant des données auprès d'un échantillon de la population cible. La fiabilité de la généralisation des données dépend de la technique utilisée pour sélectionner l'échantillon.

En général, pour obtenir un **échantillon représentatif** d'une population cible, les chercheurs constituent un échantillon stratifié, c'est-à-dire un échantillon dans lequel les différents sous-groupes de cette population sont représentés de façon proportionnelle. Ces sous-groupes peuvent être formés suivant des critères tels que l'âge, le statut économique, la situation géographique, la religion, etc. On tente ainsi de s'assurer que chaque individu faisant partie de la population cible est représenté dans l'échantillon.

Si cette méthode est correctement appliquée et que l'échantillon constitué est assez vaste, il est probable que les résultats de l'enquête pourront être généralisés et appliqués à la population cible (tous les couples mariés âgés du Canada dans l'exemple cité plus haut).

Un autre type d'échantillon, l'**échantillon aléatoire**, est constitué au moyen de techniques mettant le hasard à contribution. Dans la mesure où la population cible est relativement homogène, l'échantillon aléatoire peut être représentatif ou non de celle-ci. Par exemple, vous désirez mener une enquête sur le phénomène des aventures d'un soir chez les étudiants québécois. Comme il est commode de choisir vos sujets parmi la population étudiante de votre école, vous sélectionnez votre échantillon au hasard à partir de la liste de tous les étudiants qui y sont inscrits. Vous prenez soin de bien formuler vos questions et de préserver l'anonymat des répondants, et vous obtenez un taux de réponse très élevé. Pouvez-vous espérer que les résultats décrivent correctement la réalité

du phénomène chez les étudiants en général? Certainement pas. Explication: dans cet exemple, les étudiants de votre école sont reconnus pour leurs idées sociales plus ouvertes, ce qui risque d'influer sur les probabilités qu'ils aient des aventures d'un soir. Cette caractéristique est suffisante pour les rendre non représentatifs de l'ensemble de la population étudiante, car votre échantillon ne tient pas compte de certaines écoles où les étudiants sont réputés plus conservateurs.

Les questionnaires et les entrevues

Lorsque les sujets sont sélectionnés, ils peuvent être interrogés au moyen d'un questionnaire écrit ou d'une entrevue. Chacune de ces techniques exige que les participants répondent à un ensemble de questions dont le nombre peut varier de quelques-unes à plus d'un millier. Elles peuvent être ouvertes, à choix multiples ou de type vrai ou faux. Les sujets peuvent y répondre dans l'intimité de leur foyer ou en présence d'un chercheur.

Chaque méthode d'enquête présente à la fois des avantages et des inconvénients. Faire remplir un questionnaire est plus rapide et moins coûteux que réaliser une entrevue. En outre, parce qu'ils conservent davantage leur anonymat en remplissant un questionnaire qu'en faisant face à une personne, les sujets ont alors tendance à répondre en toute sincérité et à moins déformer les faits. Le comportement sexuel est très personnel et, en entrevue, les sujets peuvent être tentés de décrire leur propre comportement sous un jour plus favorable. Enfin, comme les questionnaires écrits peuvent être évalués de façon objective, le chercheur risque moins d'en biaiser les données que dans le cas d'une entrevue.

Les entrevues présentent cependant certains avantages comparativement aux questionnaires. En premier lieu, la forme même de l'entrevue se prête à une plus grande flexibilité. Si le sujet éprouve de la difficulté à saisir le sens d'une question, celle-ci peut être clarifiée par le chercheur. Ce dernier peut changer l'ordre des questions si cela lui semble opportun. Enfin, un chercheur habile réussit à établir d'excellents rapports avec les sujets, et le sentiment de confiance ainsi créé peut susciter des réponses qui ne pourraient être obtenues au moyen d'un questionnaire écrit. Certains chercheurs ont découvert que la combinaison d'entrevues directes et de questionnaires constituait une méthode de recherche particulièrement efficace, permettant à la fois d'établir un bon rapport avec le sujet et de recueillir des informations délicates (Laumann et coll., 1994 ; Siegel et coll., 1994).

Les problèmes liés à une enquête sur la sexualité

Il y a quatre écueils à éviter dans l'enquête sexologique : la non-réponse, l'autosélection, le biais démographique et l'inexactitude des réponses.

Échantillon représentatif Échantillon permettant la représentation la plus fidèle possible d'une population cible.

Échantillon aléatoire Sous-ensemble d'une population choisi au hasard.

1. Quelle que soit la méthode d'enquête choisie, il est très difficile de sélectionner un échantillon représentatif parce qu'un grand nombre de personnes ne veulent pas participer à ce genre de recherche. La **non-réponse** à une étude est un problème auquel les chercheurs sont constamment confrontés (McCormack, 2014; Turner, 1999).

   Aucune étude scientifique à laquelle 100 % des sujets choisis avaient accepté de participer n'a encore été menée. En fait, certains chercheurs recueillent leurs données auprès d'une faible proportion des membres de l'échantillon prévu, ce qui soulève une question non négligeable: les personnes qui acceptent de participer à une enquête sur la sexualité sont-elles différentes ou ont-elles des motivations différentes de celles qui refusent de le faire?

   Il est possible que les personnes acceptant de participer à ce type de recherche constituent un sous-groupe représentatif de la population, mais l'affirmer ne reposerait sur aucune base théorique ou statistique. En fait, le contraire pourrait tout aussi bien être vrai.

2. Les résultats des recherches suggèrent que l'**autosélection** représente un problème important pour les chercheurs en sexologie (Plaud et coll., 1999; Wiederman, 2001). Certaines recherches tendent en effet à démontrer que les personnes qui acceptent de participer à des enquêtes sur la sexualité sont en général plus expérimentées sexuellement et ont des attitudes plus positives à l'égard de la sexualité que celles qui refusent d'y participer (Boynton, 2003; Plaud et coll., 1999; Wiederman, 1999). Les femmes seraient moins disposées que les hommes à participer à ce type d'enquête (Boynton, 2003; Plaud et coll., 1999), ce qui suppose que les échantillons féminins relèveraient d'une sélection beaucoup plus pointue que les échantillons masculins dans le cas des enquêtes sur la sexualité.

   Parce qu'elles sont plus restrictives en matière de sexualité, il y a lieu de croire que certaines cultures sont moins portées que d'autres à répondre à des enquêtes sur la sexualité, d'où la possibilité d'une certaine déformation culturelle des échantillons de répondants. Par ailleurs, dans la plupart des sociétés, les femmes qui disent avoir une sexualité active risquent d'être jugées négativement, ce qui peut entraîner une sous-déclaration du nombre de partenaires sexuels qu'elles ont eu, par exemple.

3. Le **biais démographique** est un autre problème affectant les enquêtes en sexologie. La majeure partie des données recueillies l'ont été auprès d'échantillons composés surtout de Blancs issus de la classe moyenne. Les étudiants et les professionnels y sont généralement surreprésentés. À l'inverse, les minorités ethniques et raciales et les personnes moins instruites sont sous-représentées.

De quelle façon le refus de répondre et le biais démographique influent-ils sur les résultats des enquêtes? Il est difficile de le dire, mais aussi longtemps que certains sous-groupes de la société, comme les personnes à faible revenu ou les représentants des divers groupes ethniques et raciaux, seront sous-représentés dans les études, il faudra faire preuve de prudence au moment de généraliser les résultats des enquêtes.

4. Un quatrième problème lié à ce type de recherche est l'inexactitude des réponses fournies par les sujets. La plupart des données sur les comportements sexuels viennent du récit qu'en font les participants eux-mêmes. Or, on peut à juste titre se demander jusqu'à quel point ces comptes rendus subjectifs reflètent la réalité.

   Comme nous l'avons vu pour les études de cas, le comportement d'une personne peut être bien différent du récit qu'elle en fait (Catania, 1999; Ochs et Binik, 1999). Dans une enquête, la fiabilité de la mémoire constitue un obstacle potentiel (Catania et coll., 1990). Combien de personnes se souviennent de la première fois où elles se sont masturbées et de la fréquence à laquelle elles le faisaient? Combien se rappellent à quel âge elles ont connu l'orgasme pour la première fois? Des individus peuvent déformer les faits ou faire un faux témoignage pour projeter une certaine image d'eux-mêmes ou encore l'améliorer (Catania, 1999). Cette tendance à la désirabilité sociale peut se retrouver chez des personnes qui, consciemment ou non, cachent certains faits relatifs à leur vie sexuelle parce qu'elles considèrent ceux-ci comme anormaux ou ridicules, ou parce que le souvenir qu'elles en ont est douloureux. Ainsi, elles peuvent se sentir obligées de nier ou de minimiser leur expérience de l'inceste, de l'homosexualité ou de la masturbation parce que des tabous s'y rattachent. D'autres personnes, encore, peuvent exagérer certains faits afin de paraître plus ouvertes ou plus expérimentées qu'elles ne le sont en réalité. Par exemple, chez bon nombre d'hommes, il y existe une surdéclaration du nombre de conquêtes et de partenaires sexuels.

L'enquête de Kinsey

L'enquête menée par Alfred Kinsey est sans nul doute la mieux connue et la plus citée de toutes. Avec ses collaborateurs, Kinsey publia deux ouvrages dans la

---

Non-réponse   Refus de participer à une enquête.

Autosélection   Biais dans les résultats d'une étude causé par la volonté des participants de répondre ou non.

Biais démographique   Erreur d'échantillonnage ayant pour résultat la surreprésentation de certains segments de la population dans une étude (par exemple, les professionnels blancs de la classe moyenne).

décennie suivant la fin de la Seconde Guerre mondiale : *Le comportement sexuel de l'homme*, paru en 1948, et *Le comportement sexuel de la femme*, paru en 1954. Ces ouvrages présentent les résultats d'entrevues approfondies dont le but était d'étudier les modèles de comportement sexuel chez les Américains et les Américaines.

L'échantillon de Kinsey était constitué de 5300 hommes blancs et de 5940 femmes blanches d'âges divers, habitant en milieu rural ou urbain. Sa composition était diversifiée quant à la situation de famille, à la confession religieuse et à la scolarité des participants. Toutefois, les protestants ayant un niveau de scolarité supérieur à la moyenne et habitant en milieu urbain y étaient surreprésentés, tandis que les personnes âgées, les habitants des campagnes et les gens moins instruits y étaient sous-représentés. Les Afro-Américains et les membres des autres minorités ethniques en étaient absents. Enfin, tous les sujets étaient volontaires. L'échantillon ne pouvait donc en aucune manière être considéré comme représentatif de la population américaine.

Même si l'étude fut publiée il y a presque 70 ans, nombre des données qui y figurent sont pertinentes encore aujourd'hui. Certaines données n'ont pas été invalidées par le passage des années, comme le fait que le comportement sexuel est influencé par le niveau de scolarité ou encore que l'orientation sexuelle n'est peut-être pas aussi polarisée qu'on voulait bien le croire auparavant. D'autres données, comme la fréquence des relations sexuelles chez les personnes non mariées, sont très influencées par des normes sociales changeantes ; dans ces cas, les données de Kinsey sont moins susceptibles de refléter les comportements de nos contemporains. Néanmoins, même ces données présentent un intérêt en

À L'AFFICHE

> *Masters of Sex* est une série télévisée américaine diffusée depuis 2013 sur les chaînes *Showtime* et *The Movie Network*. Elle est diffusée aux États-Unis, au Canada, en France et en Suisse. Néanmoins, elle reste inédite dans les autres pays francophones.

ce qu'elles fournissent une piste permettant d'évaluer la rapidité de certains changements comportementaux à travers le temps.

Deux enquêtes exemplaires

À la fin des années 1980, à la demande du Department of Health and Human Services des États-Unis (ministère national de la Santé et des Services sociaux), un groupe de chercheurs de l'Université de Chicago a amorcé une enquête exhaustive sur la sexualité des Américains. Malgré l'hostilité du gouvernement américain et des milieux conservateurs, Edward Laumann et ses collègues John Gagnon, Robert Michael et Stuart Michaels ont pu finalement interroger 3432 adultes américains sur leur vie sexuelle. Cette enquête, à la méthodologie exemplaire et qui n'a pas d'équivalent au Canada ni au Québec, porte le nom de *National Health and Social Life Survey* (ou Enquête NHSLS, dans le présent ouvrage). Il s'agit de l'étude la plus complète sur la sexualité des Américains depuis les enquêtes de Kinsey (Laumann et coll., 1994), et nous y faisons souvent référence dans ce manuel. Il est ressorti de cette enquête que les Américains étaient plus satisfaits de leur vie sexuelle, moins actifs sexuellement et aussi plus conservateurs que l'image populaire ne le véhiculait.

En 2010, une nouvelle enquête représentative à l'échelle nationale sur la santé et les comportements sexuels des Américains à ce jour a été publiée par le Indiana University's Center for Sexual Health Promotion. Cette étude, appelée *National Survey of Sexual Health and Behavior* (NSSHB), a été réalisée par Michael Reece, Debby Herbenick, J. Dennis Fortenberry, Brian Dodge, Stephanie Sanders et Vanessa Schick (2010a). Ces chercheurs ont rendu compte des données portant sur les expériences sexuelles de 5865 adolescents et adultes âgés de 14 à 94 ans. Les chercheurs ont employé une méthode d'échantillonnage probabiliste sur la base des adresses résidentielles tirées des dossiers du service postal américain, qui comprend environ 98 % des foyers du pays (Reece et coll., 2010a). Les données ont été recueillies par Internet auprès de participants choisis aléatoirement dans l'échantillon probabiliste. L'enquête réalisée portait sur plus de quarante combinaisons d'actes sexuels pratiqués lors de rapports sexuels, sur la fréquence de l'utilisation du condom ainsi que sur le pourcentage de sujets s'adonnant à des rapports entre personnes du même sexe. Le NSSHB constitue la première enquête exhaustive générale portant sur les comportements liés à la sexualité et à la santé sexuelle depuis la publication de l'enquête NHSLS il y a près de vingt ans. De nombreux sexologues et scientifiques croient que cette recherche importante jouera un rôle prépondérant dans l'orientation des projets de recherche à venir ainsi que dans l'éducation dans le domaine de la sexologie (Barclay, 2010). Les données les plus importantes tirées de l'enquête NSSHB vous seront présentées dans divers chapitres du présent manuel.

L'observation directe

Une troisième méthode permettant d'étudier le comportement sexuel chez l'être humain est l'**observation directe**, qui consiste pour les chercheurs à observer et à enregistrer les réactions des participants. Bien que l'observation directe soit fréquemment utilisée dans les sciences sociales comme l'anthropologie, la sociologie et la psychologie, très peu de recherches de cette nature se font en sexologie, en raison du caractère éminemment personnel et privé de l'expérience sexuelle chez les êtres humains.

L'étude de Masters et Johnson est le plus célèbre exemple d'observation directe. Leur recherche sur la réponse sexuelle chez l'être humain constitue sans doute, avec l'enquête de Kinsey, l'étude sur la sexualité la plus citée. Aussi en sera-t-il souvent question dans cet ouvrage. Masters et Johnson observèrent directement les changements physiologiques survenant durant la phase d'excitation sexuelle. Leur étude, *Les réactions sexuelles* (1968), parue dans sa version originale sous le titre *Human Sexual Response* (1966), reposait sur l'observation en laboratoire de 10 000 cycles complets de réponse sexuelle. Leur échantillon de recherche était composé de volontaires ouverts à la sexualité, 382 femmes et 312 hommes, issus en grande partie de la communauté universitaire, d'intelligence et de niveau socioéconomique supérieurs à la moyenne, un échantillon qui n'était assurément pas représentatif de l'ensemble de la société américaine. Il a tout de même permis aux chercheurs de constater que les signes physiques de l'excitation sexuelle, qui constituaient l'objet de l'étude, semblaient être les mêmes pour toutes les personnes, indépendamment de leur milieu d'origine.

Pour enregistrer les réponses sexuelles de nature physiologique, Masters et Johnson utilisèrent un certain nombre de techniques, dont la photographie et d'ingénieux instruments mesurant et enregistrant les changements musculaires et vasculaires des organes sexuels. Ils enregistrèrent les réactions des participants dans un éventail de situations : masturbation, coït avec partenaire, coït artificiel et stimulation des seins seulement. Après chaque observation, le participant était longuement interrogé.

L'approche de Masters et Johnson permit de recueillir une foule de données sur la façon dont les hommes et les femmes réagissent physiologiquement à la stimulation sexuelle. Ils constatèrent notamment qu'il n'y avait chez la femme aucune différence physiologique entre l'orgasme vaginal et l'orgasme clitoridien. Ces données ont été relativisées depuis, comme nous l'expliquons au chapitre 3.

Lorsqu'elle est bien utilisée, comme ce fut le cas avec Masters et Johnson, la méthode de l'observation directe présente des avantages évidents. Il est plus facile, pour étudier les modèles de réponse sexuelle, de se fier à l'observation qu'à des récits subjectifs d'expériences passées. L'observation directe permet d'éliminer pratiquement toute possibilité de falsification des données résultant d'une défaillance de la mémoire, de l'exagération ou de l'autocensure causée par la culpabilité. De plus, l'enregistrement des réactions des sujets peut être conservé sur un support numérique. L'observation des réactions du cerveau par imagerie par résonance magnétique fonctionnelle (IRMf), de plus en plus utilisée, fait partie de cette méthode.

L'observation directe comporte également ses inconvénients. Une des questions qui demeurent sans réponse est de savoir jusqu'à quel point le comportement du sujet est influencé par la présence d'un observateur, aussi discret soit-il. Les chercheurs tentent de réduire ce problème au minimum en demeurant en retrait, en observant les sujets à travers des glaces sans tain ou en utilisant des caméras vidéo activées à distance ; malgré toutes ces précautions (ou à cause d'elles), les sujets savent toujours qu'ils sont observés.

Même si les critiques formulées à l'égard de l'observation directe sont fondées, l'étude de Masters et Johnson a passé avec succès l'épreuve du temps. Ses résultats sont encore utilisés dans des domaines aussi variés que le traitement de l'infertilité, la planification familiale, les thérapies sexologiques et l'éducation sexuelle.

La méthode expérimentale

Une quatrième méthode, la **recherche expérimentale**, est de plus en plus utilisée pour étudier le comportement sexuel humain, parce qu'elle se pratique en laboratoire et qu'elle fournit un environnement contrôlé permettant d'éliminer presque tout ce qui pourrait influencer le comportement du sujet, hormis les facteurs que l'on veut étudier. Un chercheur peut ainsi manipuler un ensemble de facteurs appelés *variables* et observer l'impact de cette manipulation sur le comportement du sujet. La méthode expérimentale

---

Observation directe Méthode de recherche reposant sur l'observation des sujets alors qu'ils se livrent à certaines activités.

Recherche expérimentale Recherche menée dans des conditions de laboratoire rigoureusement contrôlées afin que les réactions des sujets puissent être mesurées de façon fiable.

convient particulièrement lorsqu'on recherche des relations de cause à effet entre des variables.

Dans n'importe quel genre de recherche expérimentale, il existe deux types de variables (c'est-à-dire des caractéristiques ou des comportements auxquels peuvent être assignées différentes valeurs) : les **variables indépendantes** et les **variables dépendantes**. Une variable indépendante est une caractéristique de l'expérience se trouvant sous le contrôle du chercheur, qui la manipule ou en détermine la valeur. La variable dépendante est le résultat ou le comportement que le chercheur observe et enregistre sans toutefois pouvoir le contrôler.

QUESTION D'ANALYSE CRITIQUE

> Parmi les quatre méthodes de recherche étudiées (étude de cas, enquête, observation directe et recherche expérimentale), laquelle vous semblerait la plus appropriée pour étudier l'impact de la douleur chronique sur la sexualité ? Expliquez pourquoi.

Cette méthode permet aux chercheurs de tirer des conclusions sur des rapports de cause à effet de façon beaucoup plus fiable que ne le permettraient d'autres méthodes. Cependant, elle comporte aussi des inconvénients, dont le plus important est l'expérimentation en laboratoire, parce qu'elle s'effectue dans des conditions qui peuvent influer sur les réactions des sujets, tout comme l'observation directe.

Les recherches expérimentales en sexologie ne sont pas toutes conduites dans des conditions artificielles de laboratoire. Une étude expérimentale de terrain visant à valider l'hypothèse selon laquelle la circoncision pourrait être une pratique de prévention des infections au VIH a été menée en Afrique du Sud. Les expérimentateurs ont recruté plus de 3000 hommes non circoncis et non infectés par le VIH, et les ont répartis au hasard en deux groupes : ceux du premier groupe (la moitié) ont été circoncis au début de l'essai clinique et ceux du second groupe (l'autre moitié) devaient l'être au terme de l'étude de 21 mois. Tous les participants ont été régulièrement soumis à un test de VIH au cours de l'étude. Après 18 mois, cependant, l'étude a été interrompue parce qu'il était devenu évident que

la circoncision réduisait considérablement le risque d'infection au VIH (Auvert et coll., 2005). Cette étude de même que celles présentées au chapitre 12 et relevant de la méthode expérimentale apportent la preuve que la circoncision est une des méthodes efficaces pour réduire la propagation du VIH, surtout dans les pays où cette maladie est endémique.

Les technologies et la recherche sexologique

Les chercheurs en sexologie disposent de trois principales technologies pour recueillir des données : les instruments de mesure électronique de l'excitation sexuelle (*voir la figure 1.1 à la page suivante*), le questionnaire assisté par ordinateur et l'enquête par Internet. Les instruments de mesure électronique existent depuis plusieurs décennies, alors que les deux autres technologies sont relativement récentes. Nous nous attardons à ces deux dernières.

Les dispositifs électroniques servant à mesurer l'excitation sexuelle

L'extensomètre pénien, le photopléthysmographe vaginal, le myographe vaginal et le myographe rectal sont des appareils utilisés pour mesurer de façon électronique la réponse sexuelle chez l'être humain.

Le questionnaire autoadministré par ordinateur

Le questionnaire autoadministré par ordinateur est une technologie de plus en plus utilisée pour recueillir des données sur la vie sexuelle de diverses catégories de la population. Il s'agit pour le sujet de répondre à des questions en appuyant sur les touches du clavier de son ordinateur. Il peut lire les questions à l'écran ou les entendre à l'aide d'écouteurs. Seul devant son ordinateur, le sujet est plus enclin à dévoiler des informations personnelles sur son comportement que lorsqu'il fait face à un interviewer. Par exemple, les participants ont plus tendance à sous-déclarer des comportements sexuels qui sont moins acceptables dans la société et à surdéclarer les comportements socionormatifs lorsqu'ils répondent à ce type de questionnaire plutôt qu'aux questions d'un interviewer (Dolezal et coll., 2011 ; Potdar et Koenig, 2005).

La recherche sur la sexualité dans Internet

Avec l'essor fulgurant de l'Internet, aujourd'hui élevé au rang de technologie courante, les occasions de mener des études sur la sexualité par son entremise se sont multipliées (Parks et coll., 2006 ; Rhodes et coll., 2003 ; Ward et coll., 2014). Traditionnellement, l'Internet était utilisé par les scientifiques pour diffuser de l'information et

---

Variables indépendantes   Dans une recherche expérimentale, situations ou composantes sous le contrôle de l'expérimentateur, qui peut manipuler ou déterminer leur valeur.

Variables dépendantes   Dans une recherche expérimentale, résultats ou comportements que l'observateur note et enregistre sans toutefois pouvoir les contrôler.

FIGURE 1.1 Des instruments de mesure électronique de l'excitation sexuelle

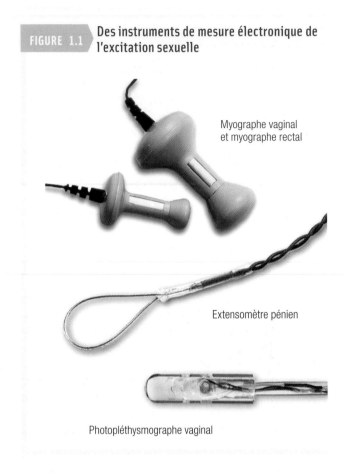

Myographe vaginal et myographe rectal

Extensomètre pénien

Photopléthysmographe vaginal

non pour recueillir des données. De nos jours, l'Internet donne accès à une population croissante et diversifiée d'éventuels participants à des projets de recherche. Il s'agit en outre d'un important moyen pour mener de la recherche. Dans la présente section, il sera question des avantages et des inconvénients associés aux projets de recherche en ligne, ainsi que de certaines questions éthiques soulevées par cette technologie.

Pratiquement tous les types de sondages peuvent être diffusés sur Internet et ces instruments peuvent être semblables ou identiques à des questionnaires conventionnels, que ce soit visuellement ou sur le plan fonctionnel. L'enquête nationale NSSHB, dont il a été question plus tôt dans le présent chapitre, constitue un exemple récent d'une excellente étude menée sur Internet. Alors, quels sont les avantages des sondages sur le Web par rapport aux instruments d'enquête traditionnels? Les questionnaires en ligne sont considérablement moins dispendieux que les versions papier traditionnelles, car ils éliminent les coûts d'impression, réduisent les effectifs nécessaires à la collecte de données et n'entraînent aucuns frais d'envoi ou de retour du questionnaire (notamment le coût des timbres et des enveloppes). De plus, comparativement aux questionnaires autoadministrés envoyés par la poste, les questionnaires en ligne permettent d'économiser du temps.

La recherche indique également que les personnes qui répondent aux sondages en ligne sont moins influencées par la désirabilité sociale et sont plus susceptibles de communiquer des renseignements qu'elles ne divulgueraient pas nécessairement dans un questionnaire écrit ou dans le cadre d'une enquête par interview. Ce phénomène s'explique peut-être par le fait que ces personnes considèrent leurs réponses plus anonymes et plus sûres lorsqu'elles sont transmises par Internet (Bowen, 2005; Parks et coll., 2006).

Par ailleurs, la collecte et la gestion des données sont généralement plus efficaces lorsqu'il s'agit d'un sondage sur Internet. Par exemple, les données peuvent être ajoutées automatiquement à une base de données par courriel. Également, les chercheurs peuvent apporter des ajustements aux sondages en ligne à mesure que des problèmes apparaissent relativement à la compréhension des questions. En plus de la révision facile des questions, il est possible d'ajouter au besoin des questions complémentaires selon l'analyse préliminaire des données recueillies.

Avec des centaines de millions de personnes de partout sur la planète qui consultent Internet quotidiennement, le Web fournit un nombre pratiquement infini de répondants potentiels par-delà les frontières géographiques et culturelles. Les chercheurs qui effectuent des recherches sur la sexualité par l'intermédiaire d'Internet peuvent également recruter des participants issus de populations cachées et isolées géographiquement ou des participants qu'il serait difficile de trouver localement (Bowen, 2005). Par contre, l'un des inconvénients de taille des sondages en ligne portant sur la sexualité est leur association à un biais important quant à la sélection de l'échantillon. À l'heure actuelle, il existe une *fracture numérique*, c'est-à-dire que les internautes ne sont toujours pas représentatifs de la population américaine en général. En effet, les internautes sont plus jeunes, mieux éduqués et plus aisés que le reste de la population qui ne consulte pas Internet. En raison de ce biais démographique, les données tirées des sondages en ligne doivent être interprétées avec précaution. Toutefois, il y a fort à parier que cette fracture diminuera avec le temps, à mesure que le coût de l'Internet continuera de descendre et que son accès deviendra de plus en plus répandu.

Parmi les autres difficultés et inconvénients que présente cette approche dans la recherche sur la sexualité figurent le faible taux de réponse aux sondages et la transmission de multiples réponses de la part d'un même participant (Coutts et Jann, 2011; Rhodes et coll., 2003). Par conséquent, les problèmes de non-réponse et de biais des participants qui nuisent à toute recherche par sondage sur la sexualité constituent également une préoccupation pour les enquêteurs en ligne. La question de la vie privée est particulièrement problématique dans les projets de recherche menés par Internet. Malheureusement, il est difficile, voire impossible, de promettre aux participants que leur anonymat sera préservé à 100 %. Les risques que leur identité soit dévoilée sont faibles, mais quelques incidents du genre ont été signalés. Or, afin de réduire les risques d'exposition, les chercheurs qui travaillent avec Internet ont de plus en plus recours à des techniques particulières permettant de préserver l'anonymat des participants (Coutts et Jann, 2011).

QUESTION D'ANALYSE CRITIQUE

> À la lumière des reportages largement diffusés dans les médias sur l'accès non autorisé à des dossiers personnels par des pirates informatiques, est-il acceptable, sur le plan éthique, qu'un sexologue mène des projets de recherche sur la sexualité par le moyen d'Internet ? Pourquoi ?

L'éthique appliquée à la recherche en sexologie

Les chercheurs de diverses disciplines, et parmi elles la sexologie, partagent les mêmes préoccupations relatives au bien-être, à la dignité, aux droits et à la sécurité des participants aux études. Au cours des trente dernières années, des codes de déontologie détaillés ont été rédigés par de nombreuses organisations professionnelles, y compris l'Ordre des psychologues du Québec. Toute recherche universitaire doit également être approuvée par un comité d'éthique institutionnel et l'Ordre professionnel des sexologues du Québec.

Ces codes de déontologie précisent entre autres qu'aucun moyen de pression ou de coercition ne doit être employé pour s'assurer la participation de volontaires à une recherche et qu'aucun tort physique ou psychologique ne doit être fait aux participants. Les chercheurs doivent obtenir le consentement éclairé des sujets avant de mener à bien une expérience. Ils doivent expliquer aux participants le but général de l'étude ainsi que leurs droits, et préciser la nature volontaire de leur participation de même que les coûts et bénéfices potentiels qui y sont liés (Kuyper et coll., 2011). Les chercheurs doivent également respecter le refus d'un sujet de participer à une recherche, et ce, à n'importe quelle étape de celle-ci. De plus, des mesures spéciales doivent être prises afin de protéger la confidentialité des données et de respecter l'anonymat des participants, à moins que ceux-ci ne consentent à être identifiés (Margolis, 2000).

La nécessité de mettre les sujets au courant du but de la recherche est controversée. Les résultats de certaines études pourraient en effet être affectés si les participants connaissaient à l'avance les buts exacts des chercheurs. L'éthique suggère que si un participant doit être trompé, une rencontre doit être organisée après la recherche afin de lui en expliquer les raisons exactes. Le participant peut alors demander le retrait et la destruction des données le concernant.

Il est parfois difficile pour le chercheur de comparer de façon objective les bénéfices potentiels d'une étude et ses conséquences négatives sur un sujet. Devant cette difficulté, la quasi-totalité des institutions menant des recherches de même que les organismes subventionnaires dans le monde ont mis sur pied des comités d'éthique qui étudient toutes les propositions de recherche. Si les membres de ces comités jugent que le bien-être des sujets n'est pas suffisamment garanti, la proposition doit être modifiée, faute de quoi la recherche est abandonnée.

L'évaluation de la recherche : quelques questions à se poser

L'information présentée dans cet ouvrage devrait vous permettre de faire la différence entre la recherche scientifique rigoureuse et les sondages plutôt superficiels publiés dans les médias. Mais même en prenant connaissance des résultats d'enquêtes sérieuses, il est bon de garder un œil critique et d'éviter de les tenir pour vrais pour la seule raison qu'ils sont présentés comme étant scientifiques. La liste de questions qui suit peut se révéler utile au moment d'évaluer le sérieux d'une recherche, quelle qu'elle soit.

1. Quels sont les titres des chercheurs ? Sont-ils des professionnels ? Sont-ils affiliés à des institutions reconnues (centres de recherche, universités, etc.) ? Sont-ils associés de quelque manière que ce soit à un groupe d'intérêt pouvant tirer profit de certains résultats ou de certaines conclusions de la recherche, telle l'industrie pharmaceutique ?

2. Dans quel type de médias les résultats ont-ils été publiés : revue scientifique, recueil de textes, magazine, journal, Internet ?

3. Quelle approche ou méthode de recherche a-t-on utilisée ? Les protocoles de recherche sont-ils décrits et ont-ils été suivis ?

4. Le nombre de participants était-il suffisant ? La sélection a-t-elle été biaisée ?

5. Peut-on raisonnablement appliquer les résultats de la recherche à un segment plus large de la population ? Jusqu'à quel point peut-on généraliser les résultats obtenus ?

6. La méthodologie employée pour la recherche peut-elle avoir influé sur les résultats ? (La présence d'une personne lors de l'entrevue incitait-elle à donner des réponses inexactes ? La présence de caméras pouvait-elle avoir une influence sur les réponses données ?)

7. Y a-t-il d'autres recherches dont les résultats appuient ou contredisent l'étude en question ?

RÉSUMÉ

Un regard historique et culturel

- Les différentes formes de sexualité humaine comprennent les dimensions cognitive, affective, psychologique, socioculturelle, morale et biologique.

- Une idée largement répandue en Occident veut que la sexualité n'ait pour seule finalité admissible que la reproduction. Cette idée prend sa source dans la tradition judéo-chrétienne.

- Les anciens Hébreux accordaient une grande importance à la grossesse et reconnaissaient les bienfaits de la sexualité au sein du mariage. Les rôles sexuels étaient très différenciés selon le sexe.

- Des penseurs chrétiens comme saint Paul, saint Augustin et saint Thomas d'Aquin ont contribué à enraciner l'idée que la sexualité était associée au péché, qu'elle n'était acceptable que dans le cadre du mariage et dans un but de procréation.

- Durant le Moyen Âge, deux images contradictoires des femmes se sont enracinées : celle de la femme pure et inaccessible, présente dans le culte de la Vierge et dans l'amour courtois, et celle de la tentatrice, personnifiée par Ève.

- Au XVIe siècle, les penseurs de la Réforme ont reconnu que l'expérience sexuelle était un élément important du mariage. Le lien entre la sexualité non procréative et le péché s'est relâché quelque peu.

- Pendant l'ère victorienne, les femmes étaient vues comme des êtres asexués et, chez les gens bien, il y avait une division nette entre la vie des hommes et celle des femmes.

- Au cours du XXe siècle, les théories de Freud, les résultats de différentes recherches, les événements historiques et les progrès scientifiques ont suscité de grandes transformations sociales, dont la révolution sexuelle.

- Les médias (radio, télévision, cinéma, Internet) ont une grande influence sur la société en général et la sexualité en particulier. Ils proposent une vaste gamme d'informations, plus ou moins crédibles, qui ont toutefois le mérite de mettre en relief la diversité de l'expérience sexuelle humaine.

La recherche en sexologie : buts et méthodes

- Les buts de la sexologie sont la compréhension et la prédiction des comportements sexuels de même que la recherche de moyens d'intervention.

- Les méthodes de recherche non expérimentales comprennent l'étude de cas, l'enquête et l'observation directe.

- L'étude de cas fournit généralement beaucoup d'informations sur un petit groupe d'individus ou quelques personnes.

- La plupart des informations dont on dispose sur la sexualité humaine ont été recueillies au moyen de questionnaires ou d'entrevues. Le questionnaire a l'avantage d'être anonyme et peu coûteux comparativement à l'entrevue.

- L'enquête de Kinsey est une vaste étude sur le comportement sexuel dont les résultats ont toutefois été limités par un échantillon où étaient surreprésentés les protestants citadins ayant un niveau de scolarité supérieur à la moyenne.

- Lorsque l'observation directe est possible, elle réduit de beaucoup le risque de falsification des données. Cependant, le comportement des sujets peut être influencé par la présence d'un observateur.

- Le but de la méthode expérimentale est de découvrir des relations de cause à effet entre des variables indépendantes et des variables dépendantes.

- La recherche expérimentale présente deux avantages : le contrôle de certaines variables et l'analyse directe des causes possibles. Cependant, le caractère artificiel de l'environnement de laboratoire peut influer sur les réactions du sujet.

- Lors de l'évaluation d'une recherche sur le comportement sexuel, il est important de tenir compte de la notoriété des chercheurs, des méthodes employées et des techniques d'échantillonnage utilisées, et de comparer ses résultats avec ceux d'autres études reconnues.

CHAPITRE 02

L'anatomie et la physiologie sexuelles

SOMMAIRE

Disponible sur

- Activités interactives

« D'où viennent les pertes vaginales ? », « Les femmes hétérosexuelles ont-elles une préférence quant à la longueur du pénis ? », « À quoi servent les poils pubiens et y a-t-il des avantages à leur épilation ? », « Une femme qui ne parvient à l'orgasme que par la stimulation de son clitoris présente-t-elle un problème ? », « Que contient le sperme et comment est-il produit ? », « Les hommes circoncis ont-ils moins de sensations érotiques que les hommes non circoncis ? », « L'orgasme masculin et l'éjaculation font-ils partie d'un seul et même processus ? »

Ces questions fréquemment posées par les étudiants révèlent un manque flagrant d'information puisque plusieurs d'entre eux ignorent les noms exacts, l'emplacement ou la fonction de certaines structures des organes génitaux. Le fait de connaître et de comprendre son corps peut influer grandement sur la santé, l'intelligence et le bien-être sexuels. Par exemple, connaître son corps peut réduire le sentiment d'anxiété, façonner une meilleure estime de soi, rehausser la qualité des relations et la satisfaction sexuelle, prévenir des problèmes relationnels et aider à reconnaître des symptômes d'ITSS.

Dans ce chapitre, nous présentons successivement l'anatomie (structure) et la physiologie (fonctions) des organes génitaux de la femme et de l'homme[1].

L'anatomie et la physiologie sexuelles de la femme

C'est à 45 ans, après avoir mis au monde trois enfants, que j'ai vraiment examiné mes organes génitaux pour la première fois. J'ai été étonnée par leurs formes et leurs couleurs délicates. Je regrette d'avoir attendu si longtemps avant de le faire, car je me connais beaucoup mieux maintenant et je me sens beaucoup plus sûre de moi. (Note des auteurs)

La vulve

La vulve désigne l'ensemble des structures génitales externes de la femme. Elle comprend le mont de Vénus (ou mont du pubis), les grandes lèvres et les petites lèvres, le clitoris, le vestibule, l'orifice urétral, l'orifice vaginal (entrée du vagin), le périnée et les glandes de Bartholin. Plusieurs personnes, dont de nombreuses femmes, utilisent encore aujourd'hui le terme vagin pour parler de leur vulve, ce qui est une erreur. Le vagin est un organe interne dont seule l'entrée communique avec la vulve (*voir la figure 2.1*).

En raison de son apparence, qui varie d'une femme à l'autre, la vulve a été comparée à certaines fleurs, à des coquillages et à d'autres formes qu'on trouve dans la nature. Différentes évocations de la vulve ont été exploitées en art. L'œuvre intitulée *Giant Hothouse Flower*, de Judy Chicago, en est un bon exemple. Cette aquarelle fait partie d'un ensemble de 20 peintures inspirées de

---

1. Il faut considérer qu'une personne avec un pénis ne s'identifie pas nécessairement à un homme, et une personne avec une vulve ne s'identifie pas nécessairement à une femme. L'identification d'un individu à un genre ne correspond pas nécessairement à son anatomie génitale. De plus, il existe des individus intersexués dont les organes génitaux ressemblent plus à une combinaison des structures féminines et masculines. Nous abordons ces questions dans le chapitre 4.

FIGURE 2.1 Les structures externes de la vulve

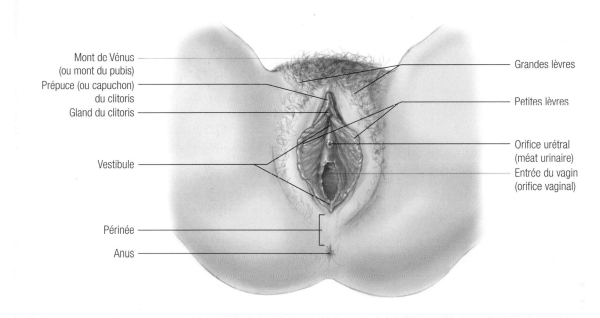

Mont de Vénus (ou mont du pubis)

Prépuce (ou capuchon) du clitoris

Gland du clitoris

Vestibule

Périnée

Anus

Grandes lèvres

Petites lèvres

Orifice urétral (méat urinaire)

Entrée du vagin (orifice vaginal)

textes d'Anaïs Nin ; cette collection est regroupée sous le nom de *Fragments from the Delta of Venus* (*voir la page suivante*).

Le mont de Vénus

Le mont de Vénus est la région qui recouvre l'os pubien. On l'appelle ainsi en l'honneur de la déesse romaine de l'amour et de la beauté. Cette région en saillie est constituée de couches de tissus adipeux. Les nombreuses terminaisons nerveuses qui s'y trouvent rendent le mont de Vénus très sensible aux caresses (**zone érogène**).

Durant l'excitation sexuelle, les poils pubiens féminins retiennent l'odeur des sécrétions vaginales, ce qui contribue parfois à augmenter le plaisir des sens. En outre, ils forment une sorte de tampon qui aide à réduire le frottement des corps au cours de l'acte sexuel. La plupart des femmes, de même que leurs partenaires, apprécient la sensualité de leur toison pubienne.

Au XVᵉ siècle, en Europe, seules les filles de joie laissaient pousser leurs poils pubiens ; la plupart des femmes les

Mont de Vénus (ou mont du pubis) Saillie triangulaire recouvrant l'os pubien dans la partie supérieure de la vulve.

Zone érogène Zone du corps particulièrement sensible à la stimulation sexuelle.

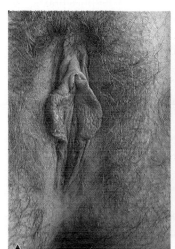

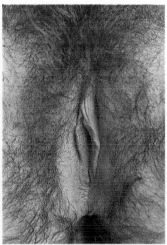

Des vulves de couleurs et de formes diverses. L'apparence de la vulve peut varier considérablement d'une femme à l'autre.

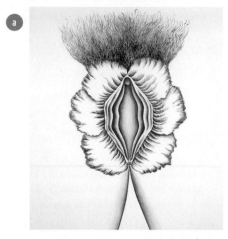

Des formes évoquant la vulve en art et dans la nature : a) Judy Chicago (*Giant Hothouse Flower* from *Fragments from the Delta of Venus*), 2012, diptyque, aquarelle sur papier Fabriano, 12 x 10 po chacun ; b) une orchidée.

rasaient ou les gardaient courts comme chez les musulmans (Henry, 2000). La mode actuelle du rasage et de l'épilation vulvaires, dont la popularité est toujours croissante, aurait pris naissance chez les actrices et acteurs pornos et chez les danseuses et danseurs nus. Plusieurs femmes coupent leurs poils pubiens, les rasent ou les épilent avec de la cire ou une crème. D'autres les suppriment de façon permanente à l'aide d'un traitement au laser. D'autres les rasent pour qu'ils ne dépassent pas d'un slip ou d'un maillot de bain très petit (Singer, 2005). D'autres encore ne conservent qu'un triangle ou une mince bande, ou laissent la peau complètement nue (Merkin, 2006).

À titre d'exemple de différence culturelle, les femmes coréennes perçoivent la pilosité pubienne comme un signe de santé sexuelle et de fertilité. Certaines se font d'ailleurs greffer des cheveux dans la région pubienne pour cette raison (Arata, 2014 ; Gamble, 2014). Dans un autre ordre d'idées, l'épilation de la région pubienne peut causer certains problèmes, dont une irritation de la peau ou des follicules pileux, laquelle se solde parfois par une inflammation ou une infection (Gibson, 2012). Selon une étude menée sur le sujet, environ 60 % des femmes qui s'épilent

la région pubienne ont souffert d'abrasions cutanées ou de poils incarnés (DeMaria et coll., 2014). En outre, dans 3 % des cas (tous sexes confondus), les blessures aux organes génitaux qui ont nécessité une visite à l'urgence ont été causées par l'épilation (Glass et coll., 2012).

Les grandes lèvres

Les grandes lèvres, ou lèvres extérieures, prennent naissance au bas du mont de Vénus et se prolongent de part et d'autre de la vulve jusqu'au périnée. Elles bordent les petites lèvres et les orifices urétral et vaginal. La partie des grandes lèvres située du côté des cuisses est couverte de poils, alors que leur partie interne, qui donne sur les petites lèvres, en est dépourvue. Leur peau est habituellement plus foncée que celle des cuisses, sauf chez les femmes à la peau génétiquement noire. Les terminaisons nerveuses et le tissu adipeux qui les composent sont similaires à ceux du mont de Vénus et sont donc érogènes.

Les petites lèvres

Les petites lèvres, ou lèvres intérieures, sont situées à l'intérieur des grandes lèvres. Ces replis cutanés sans poils se joignent au prépuce (ou capuchon) du clitoris et s'étendent vers le bas au-delà des orifices urétral et vaginal. Elles contiennent des glandes sébacées et sudoripares, un réseau étendu de vaisseaux sanguins et des terminaisons nerveuses. Comme le montrent les photos de la page précédente, la taille, la forme, la longueur et la couleur des petites lèvres varient d'une femme à l'autre. Elles sont souvent saillantes chez les femmes adultes et, au cours de la grossesse, elles deviennent plus foncées.

Même s'il n'y a pas vraiment de norme universelle quant à l'apparence des petites lèvres, plusieurs femmes ont recours à la chirurgie plastique pour les rendre plus symétriques ou plus petites (Lowenstein et coll., 2014). La diffusion accrue d'images de vulves sur des sites Internet, dans des magazines et des films pornographiques contribue à faire croire aux femmes que la leur devrait être différente de ce qu'elle est naturellement (Kobrin, 2006 ; Navarro, 2004). Par contraste, chez plusieurs populations d'Afrique, les lèvres pendantes sont considérées comme un signe de beauté et contribuent au plaisir des femmes et des hommes. Dès l'enfance, les femmes les étirent pour qu'elles deviennent plus longues (Koster et Price, 2008).

Un phénomène en émergence est le remodelage esthétique de la vulve. Selon les plasticiens qui pratiquent

Grandes lèvres Lèvres extérieures de la vulve.

Petites lèvres Lèvres intérieures de la vulve situées de part et d'autre de l'entrée du vagin.

Prépuce Repli cutané qui recouvre le clitoris.

la chirurgie des petites lèvres (labioplastie), ce sont les femmes elles-mêmes qui désirent ce genre d'intervention, et non pas leur partenaire masculin. Une enquête portant sur 24 000 hommes et femmes en 2008 en Allemagne a révélé que les femmes sont davantage préoccupées que les hommes par l'apparence de leur vulve et que plusieurs envisageaient de recourir à la chirurgie pour la rendre plus conforme à celle des vedettes pornographiques (Drey et coll., 2009). Lorsqu'un homme convainc sa partenaire de subir une telle intervention, c'est habituellement parce qu'il veut qu'elle ait une vulve semblable à celles qu'il voit dans la pornographie (Douglas et coll., 2005). La chirurgie labiale comporte plusieurs risques. Elle peut, entre autres, laisser des cicatrices douloureuses ou endommager des nerfs sensitifs, ce qui cause une hypersensibilité ou une perte de sensibilité qui affecte le plaisir sexuel. On estime que 20 % des labioplasties sont pratiquées pour corriger des problèmes causés par une vaginoplastie antérieure.

Le perçage avec port de bijou est une autre façon de modifier l'apparence de la vulve. Avant les années 1990, en Occident, le perçage corporel était considéré comme une pratique exotique, propre aux peuplades lointaines que présentent les reportages du *National Geographic*. Mais maintenant, les hommes comme les femmes des pays occidentaux ont adopté cette forme d'art corporel et l'ont étendue aux organes génitaux. Chez les femmes, le perçage des parties génitales porte principalement sur le corps ou le prépuce du clitoris et sur les petites et les grandes lèvres dans lesquelles on introduit différents bijoux, comme des anneaux ou de petits haltères (*barbells*). Le perçage des parties génitales peut générer

des risques, et entraîner des infections locales ou systémiques, la formation d'abcès, des réactions allergiques, des déchirures de la chair et des cicatrices. Les anneaux et les petits haltères peuvent aussi endommager les organes sexuels du partenaire (Nelius et coll., 2011).

Le clitoris

Le **clitoris** est une petite structure saillante et érectile. Il est situé dans la partie antérieure de la vulve, sous le mont de Vénus. La partie externe du clitoris est formée de la **hampe** et du **gland**, et sa partie interne est composée de la tige (ou corps). Le corps du clitoris est invisible, sauf son extrémité supérieure, le gland (ou capuchon). Le clitoris est protégé par un repli cutané, le prépuce, situé à l'avant des petites lèvres.

Le **smegma** est une substance formée de sécrétions vaginales, de cellules épidermiques mortes et de bactéries. Cette substance s'accumule parfois sous le prépuce et forme des dépôts qui peuvent rendre les rapports sexuels douloureux. Il est possible de prévenir l'accumulation de smegma en dégageant le prépuce lorsqu'on lave la vulve.

Le clitoris est l'une des structures composant le complexe clitoridien. Ce complexe est une unité anatomophysiologique qui comporte plusieurs structures internes entourant le vagin (*voir la figure 2.2 à la page suivante*). Les piliers du clitoris, les corps caverneux, les **bulbes du vestibule** ainsi que les tissus spongieux périnéal et urétral contiennent tous des tissus érectiles qui se gorgent de sang lors de l'excitation sexuelle. L'engorgement de ces structures entourant le vagin contribue à l'excitation et à l'orgasme (Jannini et coll., 2014a). L'existence de ce complexe clitoridien a amené à remettre en question l'idée d'une dualité entre l'orgasme vaginal et clitoridien, et à promouvoir l'idée d'un orgasme qui, quel qu'en soit le point de déclenchement, s'exprimerait par la participation simultanée de toutes ces structures au moment des mouvements de va-et-vient intravaginaux (Colson, 2010).

En examinant la figure 2.2 à la page suivante, qui montre un clitoris non re-couvert de son prépuce, vous remarquerez

▸ À L'AFFICHE

▸*Les monologues du vagin* répondent à la question : « Si votre vagin pouvait parler, que dirait-il ? » Cette pièce d'Eve Ensler s'est inspirée de témoignages de plus de 200 femmes et s'inscrit dans les fondements de la lutte contre la violence faite aux filles et aux femmes. Depuis sa création, en 1996, la pièce a été traduite en 46 langues et jouée dans plus de 130 pays.

Clitoris   Structure très sensible de la vulve dont la seule fonction est de procurer du plaisir sexuel.

Hampe du clitoris   Partie allongée formant le corps du clitoris entre le gland et les piliers.

Gland du clitoris   Extrémité supérieure du clitoris, formée de muqueuse et très richement innervée.

Smegma   Substance blanchâtre de consistance molle composée de sécrétions glandulaires et de cellules épidermiques mortes qui s'accumulent parfois sous le prépuce du clitoris.

Bulbes du vestibule   Situés de chaque côté de l'entrée du vagin, ces deux organes se gonflent de sang pendant l'excitation sexuelle.

FIGURE 2.2 Les structures sous-cutanées de la vulve

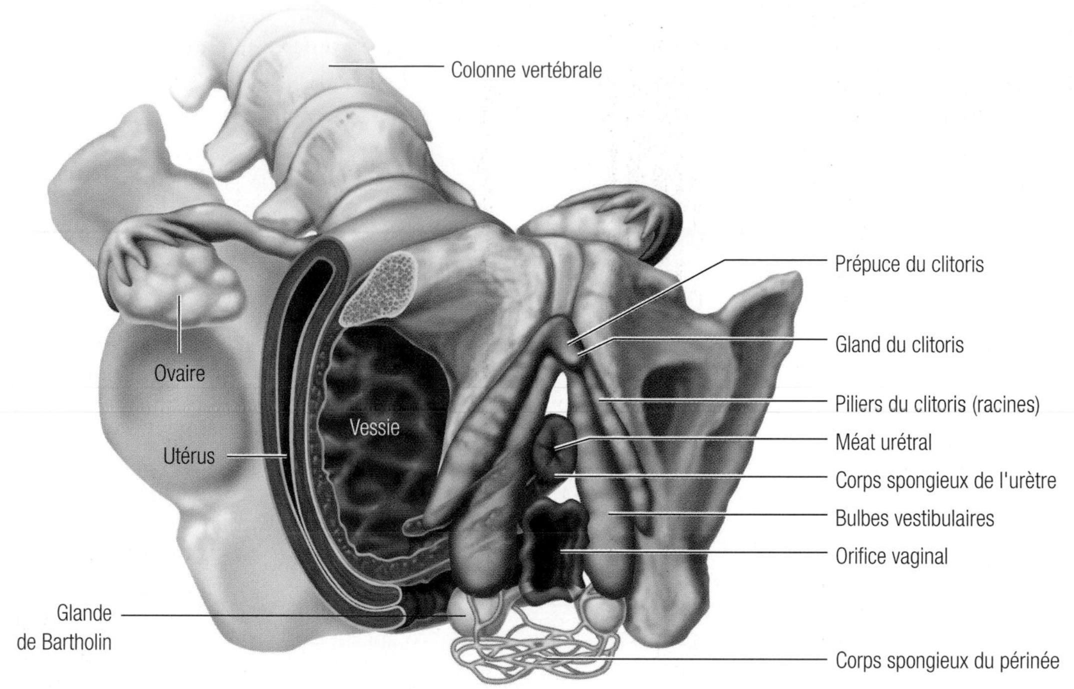

que la hampe soutient le gland. La hampe elle-même n'est pas visible, mais on peut en sentir la forme à travers le prépuce. La hampe renferme deux petites structures spongieuses appelées *corps caverneux* qui se gorgent de sang pendant l'excitation sexuelle (Hamilton, 2002). À l'endroit où ils se rattachent à l'os pubien, dans la cavité pelvienne, ces corps caverneux s'étendent pour former deux branches appelées *piliers du clitoris*. Il arrive souvent que le gland soit caché par le prépuce. Dans ce cas, il suffit d'écarter doucement les petites lèvres et de relever le prépuce pour l'apercevoir. Le gland a une apparence lisse, arrondie et légèrement transparente. La taille, la forme et la position du clitoris varient d'une femme à l'autre. Pendant les jours précédant la phase ovulatoire du cycle menstruel, la taille du clitoris augmente (Battaglia et coll., 2008). Ces différences, tout à fait normales, ne semblent avoir aucune incidence sur le plaisir et le fonctionnement sexuels.

À priori, il est plus facile pour une femme de découvrir son clitoris par le toucher que par la vue en raison de l'extrême sensibilité de ses terminaisons nerveuses. Le

gland du clitoris, bien qu'il soit minuscule, possède à peu près le même nombre de terminaisons nerveuses que le gland du pénis. En fait, c'est là que se trouve la plus grande concentration de fibres nerveuses de tout le corps de la femme. Il est si sensible que les femmes le stimulent généralement à travers le prépuce, la stimulation directe s'avérant trop intense. Les recherches montrent d'ailleurs que c'est en stimulant leur clitoris, et non en introduisant quelque chose dans leur vagin, que les femmes jouissent le plus et atteignent le plus souvent l'orgasme lorsqu'elles se masturbent. Indépendamment de leur fonction sexuelle, tous les organes génitaux féminins et masculins jouent un rôle dans la reproduction de l'espèce, la protection des organes ou l'élimination des déchets du corps humain. Tous, à l'exception du clitoris qui est le seul organe dont l'unique fonction est de procurer du plaisir sexuel.

Dans certaines régions du monde, le rôle sexuel du clitoris trouble tellement, que les femmes doivent subir une chirurgie au cours de laquelle on leur enlève le clitoris (*voir l'encadré* Les uns et les autres).

Corps caverneux Structures situées à l'intérieur de la hampe du clitoris, lesquelles se gorgent de sang durant l'excitation sexuelle.

Piliers du clitoris Extrémités les plus internes des corps caverneux qui sont rattachés aux os pubiens.

QUESTION D'ANALYSE CRITIQUE

› Selon vous, les gens ont-ils une bonne connaissance de ce qu'est le complexe clitoridien?

Les mutilations ou modifications génitales féminines : torture ou tradition ?

Il importe de souligner qu'aucune appellation du phénomène ne fait consensus. Dans les pays où la pratique est répandue, le terme *circoncision féminine* est d'usage courant, alors que les pays occidentaux utilisent surtout *clitoridectomie* ou *mutilation génitale féminine*, appellation qu'a retenue l'Organisation mondiale de la santé (OMS). Cette expression a fait l'objet de critiques en raison du danger de connotation morale ethnocentrique et d'étiquetage péjoratif des femmes mutilées. D'autres sources utilisent le terme *excision*, moralement neutre. Dans un souci d'exactitude, nous avons tenu à respecter les termes utilisés dans les différentes sources qui sont citées ici.

Avec l'immigration récente, on estime que 168 000 filles ou femmes vivant aux États-Unis auraient subi une mutilation génitale (Elwood 2005 ; Sugar et Graham, 2006). Bien qu'on ne possède pas d'estimation globale pour le Canada, on peut, selon une règle de proportionnalité souvent utilisée, évaluer que près de 17 000 filles ou femmes excisées ou mutilées y vivent.

À l'échelle mondiale, le nombre de femmes et de filles ayant subi une mutilation génitale serait estimé à 130 millions (Nour, 2006). Dans plusieurs pays (Guinée, Égypte, Mali), c'est la presque totalité des femmes, soit plus de 90 %, qui sont excisées/mutilées (UNICEF, 2005). Chaque année, environ deux millions de jeunes filles et de femmes vivant dans plus de 40 pays d'Afrique, du Moyen-Orient et d'Asie sont soumises à une forme de mutilation génitale. La moitié des filles qui doivent subir cette intervention a moins de 5 ans et la majorité l'aura subi avant l'âge de 14 ans. La plupart du temps, cette pratique s'inscrit dans une tradition visant à préparer la jeune fille à l'âge adulte et au mariage (Leye et coll., 2006).

Soulignons que l'expression *mutilation génitale féminine* est une autre façon d'appeler l'excision ; or, nombre de femmes excisées estiment que cette intervention a rendu leurs organes génitaux plus attirants que *mutilés* (Mohammed et coll., 2014). En réalité, là où se pratiquent les mutilations génitales, bien des hommes et des femmes jugent que les organes génitaux féminins non mutilés sont laids et ressemblent trop aux organes génitaux masculins (Einstein, 2008).

Habituellement, c'est la sage-femme du village ou une infirmière qui procède à l'opération, avec le concours de la mère de la jeune fille (Rosenberg, 2008). Pour couper les tissus, on utilise des objets tranchants, comme des lames de rasoir ou des morceaux de verre. Toute l'intervention se fait sans anesthésie, désinfectant ni instruments stériles (Rosenthal, 2006). L'opération la plus simple, la circoncision, consiste à enlever le capuchon du clitoris. Il est aussi assez répandu de procéder à l'ablation partielle ou totale du clitoris, ou clitoridectomie. Certains groupes croient que le contact avec le clitoris est dangereux pour un homme ou pour le bébé à la naissance (Einstein, 2008).

La forme la plus extrême de mutilation est l'infibulation. On coupe d'abord le clitoris et les petites lèvres (et parfois aussi les grandes), puis on gratte à vif les deux côtés de la vulve et on les coud ensemble (parfois avec des épines) pendant que la fillette est tenue fermement. Après l'opération, on attache les jambes de la jeune fille au niveau des chevilles et des cuisses, et on la laisse ainsi pendant environ une semaine (Nour, 2000). Les tissus de la peau se refont et se soudent les uns aux autres, ce qui ferme l'entrée du vagin et ne laisse qu'une petite ouverture pour le passage de l'urine et du flux menstruel.

L'infibulation entraîne souvent de graves complications gynécologiques et obstétriques. Parmi les conséquences physiques les plus graves, signalons une hémorragie et des douleurs aiguës provoquant un état de choc et la mort, des saignements prolongés qui créent de l'anémie, une infection qui retarde la cicatrisation, le tétanos et la gangrène. À long terme, les femmes dont les lèvres ont été enlevées connaissent de graves problèmes urinaires et menstruels, et ont un taux d'infertilité beaucoup plus élevé (Ball, 2005). Les nombreuses scarifications vaginales laissées par l'intervention peuvent entraîner de sérieuses difficultés durant l'accouchement ; d'ailleurs, le risque de mortalité maternelle (et périnatale) est 50 % plus élevé chez les femmes qui ont subi une mutilation génitale (Eke et Nkanginieme, 2006).

Une fillette est sur le point d'être excisée en Éthiopie, où les musulmans comme les chrétiens maintiennent toujours cette pratique, bien qu'elle soit interdite par la Constitution.

Le but premier de ces pratiques est de préserver la virginité de la jeune fille avant le mariage en lui retirant sa capacité à avoir du plaisir sexuel. Ainsi, une femme non circoncise est réputée non mariable. Et parce que le mariage est la seule option pour une femme dans ces cultures, son avenir et l'honneur de sa famille dépendent du respect de cette tradition (United Nations children's Fund, 2013). Près de 60 % des Égyptiennes croient que les maris préfèrent une femme circoncise (El-Zanaty et Way, 2006). La stigmatisation sociale envers les femmes non circoncises est très prononcée. Au Soudan, par exemple, une des pires insultes qu'on puisse faire à un homme est de le traiter de «fils de mère non circoncise» (Al-Krenawi et Wiesel-Lev, 1999).

La chanteuse malienne Inna Modja, excisée dans l'enfance, militante contre l'excision et ambassadrice de la reconstruction clitoridienne, chirurgie à laquelle elle a eu elle-même recours.

Certaines femmes peuvent encore atteindre l'orgasme malgré les mutilations sexuelles. Pour d'autres, une reconstruction chirurgicale peut les aider à augmenter leur capacité à ressentir du plaisir et à atteindre l'orgasme. Parfois le clitoris ou une partie de celui-ci peut se retrouver sous les cicatrices. Une fois celles-ci enlevées par un chirurgien, le clitoris peut mieux réagir aux stimulations. Sinon, dans la mesure où le clitoris est en grande partie à l'intérieur du corps, il peut être reconstruit en extériorisant ses parties internes au niveau de la vulve et en les suturant à l'endroit où se trouverait normalement le clitoris. Le chirurgien peut aussi agrandir l'ouverture vaginale, ce qui permet aux femmes d'avoir des relations sexuelles sans douleur (Baldaro-Verde et coll., 2007; Foldes et Silvestre, 2007; Ogodo, 2009). Des chirurgiens de partout dans le monde offrent gratuitement leurs services en Afrique pour reconstruire le clitoris et défaire l'infibulation (Schurman, 2012).

Les protestations de plus en plus nombreuses contre les mutilations génitales féminines ont incité l'Organisation des Nations Unies (ONU) à abandonner sa politique de non-intervention dans les pratiques culturelles des pays indépendants. Certains pays ont conséquemment modifié leurs lois, mais le poids des traditions est difficile à contrer, et même là où ces pratiques sont illégales, la loi reste difficile à appliquer (Nour, 2006). Ce problème soulève à l'échelle internationale des questions complexes sur les plans juridique et éthique. Le Canada a été le premier pays à reconnaître les mutilations sexuelles comme motif de demande du statut de réfugié. Cette pratique est considérée comme une voie de fait en droit criminel et entraîne une peine de prison maximale de 14 ans.

La pratique des mutilations sexuelles diminue dans plusieurs pays. Par exemple, le Nigeria (le pays le plus peuplé d'Afrique) interdit l'excision des femmes depuis le 5 mai 2015. Et en Égypte, 97 % des femmes mariées ont subi ces mutilations, mais le taux est d'approximativement 62 % chez les étudiantes dans les milieux ruraux, de 46 % dans les écoles publiques en milieu urbain et de 9 % dans les écoles privées en milieu urbain. Plus la mère et le père sont scolarisés, moins leurs filles risquent d'être sexuellement mutilées (Tag-Eldin et coll., 2008).

Le rôle du clitoris dans l'excitation sexuelle et l'atteinte de l'orgasme suscite une grande controverse. Sur le plan scientifique, on sait depuis longtemps que le clitoris possède un grand nombre de terminaisons nerveuses. Malgré cela, bien des gens persistent à croire, à tort, que seule la stimulation vaginale peut ou devrait provoquer l'excitation sexuelle et l'orgasme. Pourtant, le clitoris est beaucoup plus sensible au toucher que le vagin. L'intérieur du vagin comporte lui aussi des terminaisons nerveuses, mais celles-ci ne peuvent pas réagir à un léger contact (Pauls et coll., 2006). (C'est ce qui explique que les femmes ne sentent pas un tampon hygiénique ou un diaphragme s'il est placé correctement.) Néanmoins, beaucoup de femmes ressentent une pression et un étirement à l'intérieur du vagin lors d'une stimulation manuelle ou d'un rapport sexuel particulièrement agréable. Certaines ont une plus grande excitation sexuelle par stimulation vaginale que par stimulation clitoridienne et leur jouissance est particulièrement intense quand les tissus de leur vagin sont totalement gorgés de sang. Grâce à l'imagerie encéphalique, on a pu établir que des femmes (avec ou sans lésion de la moelle épinière) peuvent atteindre l'orgasme par autostimulation du col de l'utérus (Whipple et Komisaruk, 2006). En fait, plus on mène d'études scientifiques sur le sujet, plus on constate une grande diversité dans les réactions sexuelles de la femme (Ellison, 2000; Wolf, 2013).

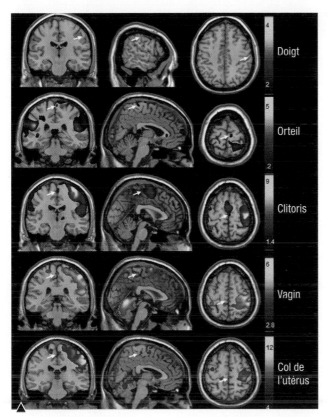

Cette image obtenue par résonance magnétique montre où se situe, dans le cerveau, la perception de l'autostimulation selon la partie du corps touchée.

QUESTION D'ANALYSE CRITIQUE

> Jusqu'où peut-on comparer le perçage des parties génitales et le remodelage esthétique de la vulve (labioplastie) pratiqués chez certaines femmes dans les pays occidentaux avec les modifications génitales pratiquées chez les femmes dans certains pays d'Afrique, du Moyen-Orient et d'Asie?

Le vestibule

Le **vestibule** désigne la région comprise à l'intérieur des petites lèvres. Il est riche en vaisseaux sanguins et en terminaisons nerveuses. Ses tissus sont sensibles au toucher. Les orifices urétral et vaginal sont situés dans le vestibule.

L'orifice urétral

L'orifice urétral (ou méat urinaire) se trouve entre le clitoris et l'entrée du vagin. C'est l'orifice externe de l'**urètre**, ce petit conduit qui achemine vers l'extérieur l'urine contenue dans la vessie.

L'entrée du vagin et l'hymen

L'**entrée du vagin** se trouve entre l'orifice urétral et le périnée. Une fine membrane appelée *hymen* l'obstrue partiellement. L'hymen est présent à la naissance et il se rompt ou

se distend habituellement lors du premier coït. Il est normalement assez perforé pour permettre le passage du sang menstruel et l'insertion d'un tampon hygiénique. Il arrive que l'hymen soit trop épais pour se rompre lors d'un rapport sexuel. Il arrive aussi, plus rarement, que l'hymen ne soit pas du tout perforé et obstrue complètement l'entrée vaginale, ce qui empêche le sang menstruel de s'écouler. Dans ces deux cas, une petite intervention chirurgicale qui consiste à inciser légèrement l'hymen devrait résoudre le problème.

L'hymen n'a aucune autre fonction connue que celle de protéger les tissus vaginaux au début de la vie. Néanmoins, dans de nombreuses sociétés, y compris la nôtre, on accorde beaucoup d'importance à sa présence ou à son absence (Blank, 2007). Ainsi, on a longtemps cru que la douleur et les saignements provoqués par la première pénétration étaient synonymes de rupture de l'hymen, ou défloration. Le sang sur les draps, au lendemain de la nuit de noces, a souvent servi de preuve de virginité dans plusieurs cultures et dans notre histoire. Aujourd'hui encore, il arrive que des familles ou de futurs époux musulmans exigent qu'un examen pelvien garantisse la virginité de la future mariée (Manier, 2008 ; Sciolino et Mekkhenet, 2008). Certaines femmes, surtout au Moyen-Orient et aussi au Japon, ont recours à l'hyménoplastie (reconstruction de l'hymen) pour dissimuler la perte de leur virginité (Alexander, 2005).

Même s'il arrive que de la douleur ou des saignements se produisent lors de la première pénétration, l'hymen, s'il est incomplet, souple ou suffisamment mince, peut n'occasionner aucun inconfort et même demeurer intact après la première relation sexuelle. Une femme peut étirer manuellement son hymen avant son premier rapport sexuel afin de réduire les risques d'inconfort. Pour ce faire, elle peut insérer dans son vagin un doigt lubrifié avec de la salive ou un lubrifiant à base d'eau et exercer une pression vers le bas jusqu'à qu'elle ressente une forme d'étirement. Il lui suffit alors de relâcher la pression après quelques secondes, puis de répéter l'exercice plusieurs fois, avec un doigt, puis deux. Elle peut ensuite insérer deux doigts et étirer les parois du vagin en écartant les doigts.

Les femmes devraient se familiariser avec leurs organes génitaux et les examiner régulièrement. La façon de procéder est décrite dans l'encadré *Votre santé sexuelle* à la page suivante.

Vestibule Région de la vulve qui est située à l'intérieur des petites lèvres.

Urètre Canal qui achemine vers l'extérieur l'urine contenue dans la vessie.

Entrée du vagin Orifice extérieur du vagin.

Hymen Membrane qui obstrue partiellement l'entrée du vagin.

VOTRE SANTÉ SEXUELLE

L'autoexamen des parties génitales féminines

La curiosité envers le corps humain est innée chez l'enfant. Ainsi, la prise de conscience et l'exploration de son propre corps constituent des étapes importantes de son développement. Malheureusement, on apprend souvent aux femmes, dès leur tendre enfance, à avoir une image négative de leurs organes génitaux. On les leur présente comme des *parties intimes* ou *celles d'en bas*, qu'elles ne doivent ni regarder ni toucher, et dont elles ne peuvent tirer aucun plaisir. Il est donc normal que les femmes se sentent souvent mal à l'aise à l'idée d'examiner elles-mêmes leurs organes génitaux.

Les organes génitaux externes sont les mêmes pour toutes les femmes, mais leur couleur, leur forme et leur texture varient d'une femme à l'autre. Tout en vous regardant dans le miroir, essayez d'analyser vos sensations. Celles-ci sont très différentes selon les personnes. L'autoexamen décrit ci-après est un bon moyen d'apprendre à mieux connaître votre corps et vos sensations. Comme pour les autres exercices qui complètent les informations présentées dans ce manuel et qui ont pour but de vous aider à mieux vous connaître ou connaître ce qu'est la santé sexuelle, vous pouvez simplement lire la description de l'exercice ou encore tenter l'expérience. À l'aide d'un miroir, observez d'abord votre vulve sous divers angles et dans différentes positions (debout, assise, couchée). Vous pouvez, si vous le désirez, en dessiner les parties et les identifier (*voir la figure 2.1 à la page 29*).

> Je ne trouve pas cette partie de mon corps particulièrement attirante, mais je n'irais pas jusqu'à dire qu'elle est laide. Je crois que j'aurais moins de difficulté à l'apprécier si je n'avais pas appris à la cacher et à la trouver sale. Je n'ai jamais compris pourquoi les hommes sont si fascinés par la vulve. (Note des auteurs)

> Je trouve mes parties génitales très sensuelles; leur chair est molle et délicate. (Note des auteurs)

> Un de mes ex-partenaires a vanté la beauté de ma vulve. Son compliment m'a aidée à me sentir bien dans mon corps. (Note des auteurs)

En vous observant dans le miroir, explorez toute la surface de vos parties génitales avec vos doigts. Prêtez attention aux sensations que cette exploration vous procure. Notez quelles régions sont les plus sensibles et comment le niveau de stimulation varie selon l'endroit. Rappelez-vous que le principal but de cet exercice est d'explorer votre corps et non de vous exciter sexuellement. Toutefois, si cette exploration vous procure de l'excitation, portez une attention accrue à la sensibilité de certaines régions qui évolue durant cette excitation.

En plus de vous aider à vous sentir plus à l'aise avec votre corps et votre sexualité, l'autoexamen mensuel de vos organes génitaux peut vous aider à mieux prendre soin de votre santé et s'inscrire dans vos habitudes de soins médicaux préventifs. En devenant plus familière avec le fonctionnement normal de votre corps, vous serez plus apte à détecter un changement, si petit soit-il. Les problèmes sont généralement plus faciles à résoudre lorsqu'ils sont décelés très tôt. Si vous constatez un changement quelconque à votre appareil génital, consultez votre médecin sans tarder. Au besoin, il vous dirigera vers un médecin spécialisé en **gynécologie**.

Gynécologie   Spécialité médicale consacrée à l'étude de l'organisme de la femme et de son appareil génital.

Le périnée

Le **périnée** est la région lisse comprise entre l'entrée du vagin et l'anus (le sphincter par lequel les selles sont évacuées). Le tissu du périnée est très innervé, d'où sa sensibilité au toucher. Lors de l'accouchement, une incision du périnée, appelée *épisiotomie*, est parfois pratiquée pour faciliter le passage de la tête du bébé.

Les structures sous-jacentes

Si l'on dégageait la vulve des poils, de la peau et du tissu adipeux qui la recouvrent, plusieurs structures seraient

Périnée   Région comprise entre l'entrée du vagin et l'anus chez la femme, et entre le scrotum et l'anus chez l'homme.

visibles, y compris le complexe clitoridien (*voir la figure 2.2 à la page 32*). La hampe du clitoris ne serait plus dissimulée sous le prépuce, et on pourrait aussi observer les corps caverneux et leurs piliers. Ces structures font partie du vaste réseau de bulbes et de vaisseaux qui se gorgent de sang durant l'excitation sexuelle. Les bulbes du vestibule, situés de part et d'autre du vagin, se remplissent de sang durant l'excitation sexuelle, ce qui allonge le vagin et dilate la vulve. Ces bulbes sont homologues, quant à la structure et à la fonction, au tissu spongieux du pénis qui se gorge de sang durant la stimulation sexuelle et produit l'érection (Bartlik et Goldberg, 2000). Des tissus spongieux se trouvent également autour de l'urètre et dans la région périnéale. La pression exercée sur tout ce complexe de tissus érectiles en pénétrant le vagin avec des doigts, des jouets sexuels ou un pénis, engendre des sensations que certaines femmes trouvent agréables et peut mener à l'orgasme.

Les **glandes de Bartholin**, qui se trouvent aussi de chaque côté de l'entrée du vagin (*voir la figure 2.2 à la page 32*), sécrètent une goutte ou deux de mucus pendant l'excitation sexuelle. En règle générale, on ne prête pas attention à ces glandes. Cependant, leur canal excréteur peut s'obstruer et provoquer un gonflement. Si ce gonflement persiste durant plusieurs jours, il est recommandé de consulter un médecin.

Outre des glandes et un réseau de vaisseaux sanguins, la région génitale recèle une musculature complexe (*voir la figure 2.3*). Les muscles du plancher pelvien peuvent s'étirer dans plusieurs directions, ce qui permet au vagin de se dilater considérablement lors d'un accouchement, puis de se rétracter par la suite.

La figure 2.4 montre l'innervation du clitoris, des parois du vagin, du col de l'utérus, du périnée et de l'anus. Ce réseau se connecte aux nerfs pelviens principaux, lesquels communiquent avec le cerveau en passant par la moelle épinière. La configuration du réseau nerveux pelvien peut varier selon l'individu, ce qui pourrait expliquer pourquoi les femmes se distinguent par la stimulation sexuelle qu'elles préfèrent (Brody et coll., 2013 ; Wolf, 2013).

Les structures internes

Les organes génitaux internes de la femme comprennent le vagin, le col de l'utérus, l'utérus, les trompes de Fallope et les ovaires. La figure 2.5, à la page suivante, montre une vue sagittale et une vue frontale du système génital féminin.

En outre, un réseau complexe de voies nerveuses se prolonge dans la cavité pelvienne.

Le vagin

Le **vagin** est un canal dont l'orifice externe est bordé des petites lèvres. Il s'oriente vers le haut et vers l'arrière et s'étend jusqu'au col utérin avec un angle de 45 degrés environ. Certaines femmes non familières

avec leur anatomie peuvent éprouver de la difficulté la première fois qu'elles tentent d'insérer un tampon hygiénique dans leur vagin, parce qu'elles le poussent directement vers le haut plutôt qu'à un angle d'environ 45 degrés.

FIGURE 2.3 **Les muscles sous-jacents de la vulve**

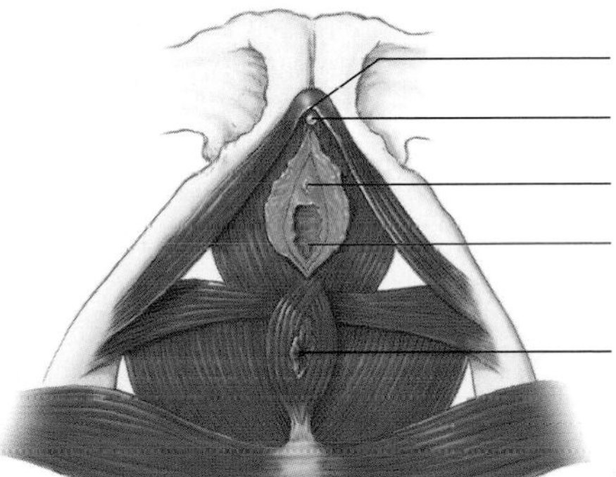

— Hampe du clitoris
— Gland du clitoris
— Orifice urétral
— Entrée du vagin
— Anus

Ces muscles peuvent être renforcés grâce aux exercices de Kegel décrits dans l'encadré *Votre santé sexuelle* à la page 40.

FIGURE 2.4 **Le réseau nerveux pelvien**

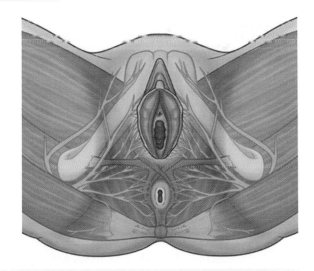

Les voies nerveuses du clitoris, des parois vaginales, du col de l'utérus, du périnée et de l'anus se connectent aux nerfs pelviens principaux, jusqu'à l'encéphale.

Glandes de Bartholin   Situées de part et d'autre de l'entrée du vagin, ces deux petites glandes sécrètent quelques gouttes d'un liquide lubrifiant pendant l'excitation sexuelle.

Vagin   Canal musculomembraneux extensible qui s'étend de la vulve (orifice externe) au col utérin.

FIGURE 2.5 L'anatomie sexuelle interne de la femme : a) vue sagittale ; b) vue frontale

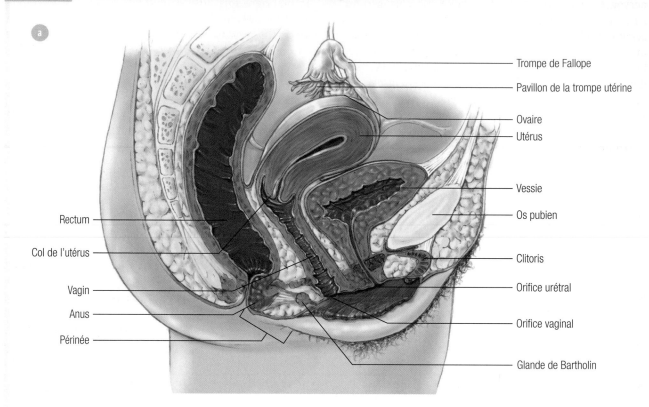

a)

Trompe de Fallope

Pavillon de la trompe utérine

Ovaire

Utérus

Vessie

Os pubien

Clitoris

Orifice urétral

Orifice vaginal

Glande de Bartholin

Rectum

Col de l'utérus

Vagin

Anus

Périnée

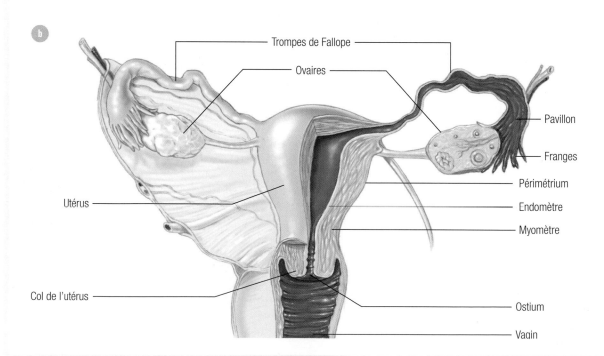

b)

Trompes de Fallope

Ovaires

Pavillon

Franges

Périmétrium

Endomètre

Myomètre

Ostium

Vagin

Utérus

Col de l'utérus

Certaines parties des ovaires, de l'utérus et du vagin sont montrées en coupe transversale.

La portion interne du vagin comporte des terminaisons nerveuses, mais celles-ci ne réagissent pas au toucher léger. Cela explique d'ailleurs pourquoi les femmes ne sentent pas la présence d'un tampon ou d'un diaphragme mis en place correctement. Cependant, chez de nombreuses femmes, la sensation de pression interne ou d'un étirement du vagin attribuable à une stimulation manuelle, à l'utilisation d'un objet sexuel ou à des rapports sexuels s'avère très agréable. Ces sensations peuvent donner lieu à une stimulation sexuelle et à l'orgasme (Buisson et Jannini, 2013 ; Jannini et coll., 2012). Certaines femmes ressentent une plus forte excitation sexuelle lors d'une stimulation vaginale que lors d'une stimulation externe du clitoris, particulièrement lorsqu'elles sont excitées sexuellement et que les tissus vaginaux qui comprennent le complexe clitoridien sont gorgés de sang. La recherche à l'aide de la technologie de l'imagerie cérébrale a permis de démontrer que les femmes (atteintes ou non d'une lésion médullaire) peuvent atteindre l'orgasme par auto-stimulation cervicale (Whipple et Komisaruk, 2006). Plus la recherche scientifique sur le sujet s'intensifie, plus il devient évident qu'il existe un vaste éventail de sources de stimulation sexuelle chez la femme et qu'elles varient selon la personne (Ellison, 2000 ; Wolf, 2013).

À l'état de repos, le vagin a une profondeur d'environ 8 à 15 cm. On le compare souvent à un gant pour illustrer son élasticité. Ses parois peuvent se dilater suffisamment pour assurer le passage du bébé pendant l'accouchement. En outre, sa taille et sa forme se modifient pendant l'excitation sexuelle, comme nous le précisons au chapitre 3.

Le vagin est formé de trois couches de tissus richement vascularisés : la **muqueuse**, la musculeuse et le tissu conjonctif. La muqueuse est la couche de tissu qu'on sent lorsqu'on insère un doigt dans le vagin. Au toucher, les plis du vagin sont doux, humides et chauds. Leur texture ressemble à celle de l'intérieur de la bouche. Il s'y trouve généralement des sécrétions qui favorisent le maintien de l'équilibre chimique du vagin. Durant l'excitation sexuelle, la muqueuse produit une substance lubrifiante qualifiée de *transsudation vaginale* ou, encore, que certains appellent poétiquement *cyprine*.

La majeure partie de la deuxième couche, la musculeuse, se concentre autour de l'entrée du vagin. Elle est composée de muscles lisses, donc non contrôlés par la volonté. Ces muscles se contractent de façon rythmique pendant l'orgasme. Selon une recherche, les femmes seraient plus à même de prendre conscience des contractions rythmiques du vagin lorsque l'orgasme est produit par stimulation clitoridienne plutôt que par pénétration (Carrobles et Gamez, 2007). Vu le grand nombre de muscles situés dans son tiers antérieur et la capacité de dilatation de ses deux tiers postérieurs, il peut arriver que le vagin expulse de l'air en produisant un bruit semblable à un pet ; cela peut être drôle ou embarrassant, selon le contexte. Ce phénomène est plus fréquent dans des positions sexuelles ou des postures de yoga (par exemple, celle du poirier) où le pubis est projeté vers le haut. La musculeuse est entourée de la couche vaginale la plus interne qui est composée de tissu conjonctif. Cette couche contribue à la contraction et à la dilatation du vagin, et elle ancre l'organe à des structures de la cavité pelvienne. Les **exercices de Kegel** visent directement cette couche musculaire (*voir l'encadré* Votre santé sexuelle *à la page suivante*). Ils sont souvent recommandés avant et après un accouchement ou comme outil thérapeutique.

Les parois du vagin et le col de l'utérus libèrent des sécrétions blanchâtres ou jaunâtres. Ces sécrétions sont naturelles et constituent un signe de santé. La glaire cervicale sécrétée par le col fait barrage aux infections bactériennes et protège le fœtus. La glaire et les sécrétions vaginales forment ce qu'on appelle les pertes blanches. La glaire en excès, en s'écoulant sur les parois du vagin, favorise l'équilibre fragile de ce dernier (flore vaginale) et se veut donc un nettoyant naturel. Leur apparence variable est liée aux fluctuations hormonales pendant le cycle menstruel. (Le suivi de ces variations peut servir de méthode de contraception, comme nous l'expliquons au chapitre 13.) Le goût et l'odeur des sécrétions vaginales varient d'une femme à l'autre mais également selon le cycle menstruel et le degré d'excitation.

L'équilibre chimique et bactérien du vagin favorise une muqueuse saine (Nicole, 2014). Le pH vaginal est habituellement acide (pH de 4,5, soit le même que celui du vin rouge) (Angier, 1999). De nombreux facteurs peuvent modifier cet équilibre et entraîner des problèmes vaginaux. Parmi ces facteurs, on trouve les **douches vaginales** et les déodorants vaginaux.

La publicité tire substantiellement profit de la vision négative des organes sexuels féminins lorsqu'elle vante des produits qui enrayent les sécrétions et les odeurs naturelles. Les douches vaginales sont inutiles dans le cadre d'une hygiène normale. Elles augmentent les risques d'infection, même si plusieurs femmes croient à tort qu'elles sont bonnes pour

Muqueuse Terme général désignant les membranes muqueuses du corps, c'est-à-dire les tissus humides qui tapissent certaines régions comme la bouche, le vagin et l'urètre du pénis.

Exercices de Kegel Série d'exercices ayant pour but de raffermir les muscles situés sous les organes génitaux.

Douche vaginale Rinçage du vagin – avec de l'eau ou d'autres produits habituellement vendus en pharmacie, dans un but hygiénique.

VOTRE SANTÉ SEXUELLE

Les exercices de Kegel

Les muscles du plancher pelvien se contractent involontairement pendant l'orgasme. Cependant, on peut s'exercer à les contracter volontairement à l'aide des exercices élaborés par Arnold Kegel, en 1952, à l'intention des femmes ayant un problème d'incontinence à la suite d'un accouchement. En raison d'un grand étirement des muscles périnéaux durant l'accouchement, il arrive qu'une femme ayant récemment enfanté urine accidentellement lorsqu'elle tousse ou éternue (Ray, 2011).

L'amélioration du tonus musculaire n'est pas le seul effet bénéfique de ces exercices (Beji, 2003). Après environ six semaines d'exercices réguliers, beaucoup de femmes déclarent avoir des sensations plus intenses durant leurs relations sexuelles et font état d'une augmentation généralisée de la sensibilité de leurs organes génitaux. Ces effets semblent liés à une plus grande conscience de leurs organes sexuels et à un meilleur tonus musculaire, ce qui favorise la réponse physiologique à l'excitation sexuelle.

Les exercices de Kegel en 6 étapes :

1. Localisez les muscles qui bordent le vagin. Vous pouvez sentir ces muscles se contracter lorsque vous arrêtez volontairement d'uriner. Une façon encore plus efficace de contracter les muscles du plancher pelvien est de contracter le sphincter anal comme si vous tentiez de retenir une flatuosité.

2. Insérez un doigt dans l'entrée du vagin et contractez les muscles que vous avez localisés à l'étape 1. Ces muscles devraient enserrer votre doigt.

3. Maintenez la contraction pendant 10 secondes. Détendez les muscles. Répétez 10 fois.

4. Contractez les muscles et relâchez la contraction aussi vite que possible de 10 à 25 fois. Répétez une autre fois.

5. Imaginez que vous essayez d'aspirer un objet dans votre vagin. Retenez la contraction pendant 3 secondes.

6. Faites ces exercices 3 fois par jour.

---

la santé (Hutchison et coll., 2007 ; Tsai et coll., 2009). Selon plusieurs études, les douches vaginales augmentent les risques d'inflammation du pelvis, d'endométriose, de transmission du VIH et de grossesse ectopique, et diminuent la fertilité. Plus encore, les douches vaginales pendant la grossesse augmentent les risques de naissance prématurée (Cottrell, 2003). Les déodorants vaginaux peuvent irriter, causer des allergies, des brûlures, des dermatites des cuisses et bien d'autres affections. La muqueuse des parois vaginales est plus perméable que la surface de la peau et donc va absorber les produits chimiques rapidement (Nicole, 2014). Pire encore, il semble y avoir un lien entre l'usage de déodorants vaginaux en aérosol ou de poudres corporelles et le cancer ovarien (Cook et coll., 1997).

Le col de l'utérus

Le **col de l'utérus** se trouve à l'extrémité postérieure du vagin et s'ouvre sur l'utérus (*voir la figure 2.6*). Il renferme des glandes sécrétrices de mucus. L'ouverture située au centre du col de l'utérus se nomme *ostium*.

Un médecin peut observer le col utérin d'une femme en insérant un **spéculum** dans son vagin. Pendant son examen gynécologique, la femme peut également voir son col dans un miroir si elle en fait la demande à son médecin. En insérant un ou deux doigts dans le vagin, elle peut se rendre à l'extrémité de celui-ci et toucher le col. À la palpation, le col utérin ressemble à une narine ; il est ferme et rond, à la différence des parois vaginales qui sont molles.

Toutes les femmes, peu importe leur âge, devraient régulièrement passer un **test de Pap** (frottis cervicovaginal) en vue de dépister le cancer du col de l'utérus. Ce test, effectué par un médecin, consiste à faire un prélèvement de cellules du col. Le vagin est maintenu ouvert par un spéculum et une petite quantité de cellules sont prélevées à l'aide d'une petite brosse adaptée ou d'une spatule en bois. Ce prélèvement est envoyé à un laboratoire pour y être analysé. Le test de Pap n'est pas douloureux puisque très peu de terminaisons nerveuses se trouvent sur le col de l'utérus. Les lignes directrices présentées par le Groupe d'étude canadien sur les soins de santé préventifs en 2013 recommandent le dépistage systématique du cancer du col de l'utérus par les tests de Pap tous les 3 ans chez les femmes de 25 à 69 ans qui sont sexuellement actives ou qui l'ont été (Canadian Task Force on Preventive Health Care, 2013).

Col de l'utérus   Partie inférieure de l'utérus située au fond du vagin.

Ostium   Orifice du col utérin qui s'ouvre sur l'utérus.

Spéculum   Instrument qui sert à écarter les parois du vagin en vue de procéder à son examen.

Test de Pap   Examen qui a pour but de dépister le cancer du col de l'utérus.

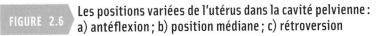

FIGURE 2.6 Les positions variées de l'utérus dans la cavité pelvienne : a) antéflexion ; b) position médiane ; c) rétroversion

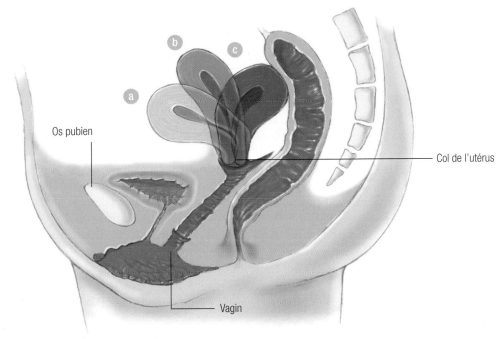

Os pubien

Col de l'utérus

Vagin

L'utérus

L'**utérus**, parfois aussi appelé *matrice*, est un organe creux en forme de poire et aux parois épaisses. Chez une femme qui n'a jamais enfanté, il mesure environ 8 cm de long sur 5 cm de large. (Il s'agrandit après la grossesse.) Des ligaments le retiennent dans la cavité pelvienne. D'une personne à l'autre, l'utérus peut prendre différentes positions qui vont de l'antéflexion (incliné vers l'abdomen) à la rétroversion (orienté vers la colonne vertébrale). Les femmes dont l'utérus est rétroversé ressentent plus d'inconfort durant leurs menstruations et ont plus de difficulté à insérer un tampon. Bien qu'il y ait lieu de penser qu'un utérus rétroversé puisse nuire à la fécondation, il ne cause pas pour autant l'infertilité.

Les parois de l'utérus sont constituées de trois couches de tissus. La couche externe est une membrane mince appelée *périmétrium*. La couche moyenne, le **myomètre**, se compose de fibres musculaires circulaires tressées à la manière d'un panier d'osier. Cette structure permet à l'utérus de s'étirer pendant la grossesse et de se contracter pendant l'accouchement et l'orgasme. La couche de tissu la plus interne de l'utérus est l'**endomètre**, aussi appelé *muqueuse utérine (paroi utérine)*. Très vascularisé, l'endomètre nourrit le zygote (ovule fécondé par le spermatozoïde) qui, des trompes de Fallope, descend vers l'utérus après la fécondation. Pour se préparer à recevoir le zygote, l'endomètre s'épaissit. Si aucun zygote ne vient s'y nicher, l'endomètre

s'étiole en réponse aux changements hormonaux du cycle menstruel. (*De plus amples détails sont donnés aux pages 42 et 43.*) L'endomètre sécrète aussi des hormones.

Les trompes de Fallope

Situées à droite et à gauche de la cavité pelvienne, les deux **trompes de Fallope** s'étendent de l'utérus vers les ovaires. Elles mesurent 10 cm chacune. L'extrémité de chaque trompe, appelée *pavillon*, ressemble à un entonnoir bordé de franges suspendues au-dessus de l'ovaire. Ce sont ces franges qui aspirent l'ovule dans la trompe lorsqu'il quitte l'ovaire.

Utérus   Organe en forme de poire logé dans la cavité pelvienne et à l'intérieur duquel le fœtus se développe.

Périmétrium   Mince membrane formant la couche externe de la paroi utérine.

Myomètre   Couche moyenne de la paroi utérine formée de muscles lisses et entrelacés.

Endomètre   Couche de muqueuse qui tapisse la partie la plus interne de la paroi utérine.

Trompes de Fallope   Conduits qui se trouvent de part et d'autre de l'utérus et qui mènent aux ovaires.

Une fois à l'intérieur de la trompe, l'ovule se déplace à raison de 2,5 cm par 24 heures grâce à de minuscules cils vibratiles et à des contractions de la paroi. Il est susceptible d'être fécondé dans les 24 à 48 heures. Par conséquent, la fécondation survient alors que l'ovule est encore à proximité de l'ovaire (dans le premier tiers de la trompe à partir du pavillon). Une fois l'ovule fécondé, la nouvelle cellule, maintenant appelée *zygote*, se développe à mesure qu'elle se déplace le long de la trompe en direction de l'utérus, où elle fera son nid pour neuf mois.

L'ovule fécondé qui s'implante hors de l'utérus, le plus fréquemment dans une trompe de Fallope, entraîne une **grossesse ectopique** (Ramakrishnan et Scheid, 2006). Si la trompe se rompt et provoque une hémorragie, une intervention médicale est requise de toute urgence. Les symptômes les plus courants d'une grossesse ectopique sont une douleur abdominale et des pertes sanguines de six à huit semaines après les dernières règles. Certains tests diagnostiques permettent de déceler une grossesse ectopique. Pour traiter cette affection, des interventions médicales et chirurgicales sont nécessaires (Scott, 2006).

Les ovaires

Chacun des deux **ovaires**, dont la taille et la forme rappellent celles de l'amande, se trouve à l'extrémité d'une des trompes de Fallope. Des ligaments les rattachent à l'utérus et à la paroi de la cavité pelvienne. Les ovaires sont des glandes endocrines qui sécrètent trois types d'hormones sexuelles : les œstrogènes, la progestérone et la testostérone. Comme nous l'expliquons plus en détail au chapitre 3, les œstrogènes participent à la régularité du cycle menstruel et, vers le début de la puberté, influent sur le développement des caractères sexuels féminins (maturation de l'utérus, des ovaires et du vagin) ainsi que sur le développement des caractères sexuels secondaires tels que les poils pubiens et les seins. La progestérone, pour sa part, favorise également la régularité du cycle menstruel et assure la maturation de la muqueuse utérine en prévision d'une grossesse.

À la naissance, plus de un million d'ovules immatures sont présents dans les deux ovaires, et ce nombre est de 400 000 à 500 000 à la **ménarche** (Federman, 2006). En règle générale, entre la puberté et la ménopause, un des deux ovaires libère un ovule par cycle menstruel. Pendant les années de fécondité, seuls 400 ovules parviennent à maturité (Macklon et Fauser, 1999).

L'**ovulation**, étape qui comprend la maturation de l'ovule et sa libération, résulte d'une séquence complexe d'événements connue sous le nom de *cycle menstruel*.

La menstruation

La **menstruation** correspond à l'expulsion de la muqueuse utérine (desquamation mensuel de l'endomètre) lorsque aucun ovule n'a été fécondé et indique un fonctionnement normal de l'organisme. Pourtant, les attitudes négatives vis-à-vis de ce phénomène persistent aujourd'hui, bien que les jeunes femmes aient généralement une attitude plus positive à l'égard des menstruations que les femmes plus âgées (Marvan et coll., 2005).

La première menstruation (ménarche)

Le cycle menstruel débute habituellement au début de l'adolescence, entre 11 et 15 ans, bien qu'il existe des exceptions. (Lorsque la ménarche se déclenche trop tôt, on parle alors de *puberté précoce*, ou encore de *puberté tardive* lorsqu'elle débute après l'âge moyen.) Au Canada, les jeunes filles ont, en moyenne, leur première menstruation vers l'âge de 12,8 ans. Le moment de la ménarche dépendrait de l'hérédité, de l'état de santé général de la personne et de l'altitude (à basse altitude, elle est plus précoce). Elle apparaît en même temps que d'autres changements touchant la taille et le développement de la jeune fille. Les filles obèses ont tendance à avoir leur première menstruation avant l'âge moyen (Trikudanathan et coll., 2013). Certains auteurs attribuent ce fait au plus grand nombre de filles en surpoids, sachant que les cellules adipeuses sécrètent une hormone, la leptine, qui stimule la fonction reproductive. L'exposition environnementale à des substances chimiques qui ont des effets comparables aux œstrogènes pourrait également jouer un rôle significatif (Ginty, 2007).

La première menstruation cause souvent de l'anxiété chez les jeunes filles, surtout lorsqu'elle se produit plus tôt ou plus tard que l'âge moyen. Plusieurs fillettes ne sont pas vraiment informées des changements qui accompagnent l'arrivée de la première menstruation, ce qui peut provoquer confusion et appréhension. Les menstruations provoquent chez la plupart des femmes des douleurs au ventre, des crampes, des maux de tête et autres. Ces douleurs portent le nom de *dysménorrhées*. Le cycle menstruel prend fin avec la ménopause qui survient généralement entre 45 et 55 ans.

La physiologie de la menstruation

Pendant un cycle menstruel, la muqueuse utérine se prépare à l'implantation de l'ovule fécondé. En l'absence de

---

Grossesse ectopique Implantation d'un ovule fécondé hors de l'utérus, le plus souvent dans une trompe de Fallope.

Ovaires Gonades femelles qui libèrent l'ovule et sécrètent des hormones sexuelles.

Ménarche Déclenchement de la première menstruation.

Ovulation Libération d'un ovule mature par l'ovaire.

Menstruation Écoulement sanguin cyclique dû à la chute de la muqueuse utérine quand aucun ovule n'a été fécondé.

Dysménorrhées Douleurs provoquées par la menstruation.

fécondation, la muqueuse se détache (desquamation) et est évacuée sous forme de flux menstruel. La durée du cycle menstruel est généralement mesurée du premier jour de la menstruation courante au premier jour de la menstruation suivante. La période menstruelle elle-même dure habituellement de 2 à 6 jours. Il est normal que le volume de sang menstruel varie (entre 180 et 250 ml), de même que la durée du cycle, qui est de 24 à 42 jours (Belsey et Pinol, 1997). La plupart des jeunes femmes prennent des anovulants, ce qui régularise leur cycle menstruel. Normalement, elles sont suivies par un médecin.

Quelle que soit la durée totale d'un cycle menstruel, l'ovulation survient 14 jours avant le début d'une menstruation (*voir la figure 2.7*). Au moment de l'ovulation, certaines femmes ressentent une douleur, une crampe ou une sensation de pression.

Le cycle menstruel est régi par des interactions complexes entre l'hypothalamus et plusieurs glandes endocrines, dont l'hypophyse (logée dans le cerveau), les glandes surrénales, les ovaires et l'utérus (*voir la figure 2.8 à la page suivante*). Au cours du cycle, l'hypothalamus régule les taux hormonaux sanguins et libère des signaux chimiques. Sous l'effet de ces signaux, l'hypophyse produit deux hormones qui agissent sur les ovaires : l'hormone folliculostimulante (FSH) et l'hormone lutéinisante (LH). La FSH pousse les ovaires à sécréter des œstrogènes et provoque la maturation des ovules situés dans les follicules ovariens (petits sacs). La LH entraîne la libération de l'ovule mature par l'ovaire. Cette hormone stimule aussi le développement du corps jaune (le résidu folliculaire engendré par la libération de l'ovule mature) qui, à son tour, produit la progestérone.

Le cycle menstruel est un processus dynamique qui s'autorégule. Tant que l'organe ciblé n'est pas stimulé, l'hormone est sécrétée. L'organe stimulé libère alors une substance qui commande à la glande sécrétrice de réduire son activité hormonale. Ce mécanisme d'inhibition rétroactive permet de régir les fluctuations hormonales qui ont cours durant les trois phases du cycle : la phase menstruelle, la phase de prolifération et la phase de sécrétion glandulaire (*voir la figure 2.8 à la page suivante*).

La phase menstruelle Pendant la phase menstruelle, l'utérus évacue la partie épaisse de sa surface interne à travers le col de l'utérus et le vagin. Le flux menstruel est constitué essentiellement de sang, de mucus et de tissus endométriaux.

Le détachement de l'endomètre est causé par la diminution du taux de progestérone et d'œstrogène dans la circulation sanguine. Comme ces hormones diminuent, l'hypothalamus stimule l'hypophyse pour qu'elle libère l'hormone FSH. Cette action amène le début de la phase suivante, celle de la prolifération.

La phase de prolifération Durant la phase de prolifération, l'hypophyse augmente sa production de FSH, ce qui entraîne la maturation des follicules et la production de différents types d'œstrogènes. L'œstrogène provoque l'épaississement de l'endomètre. Habituellement, un seul follicule se rend à maturité complète et les autres dépérissent. Lorsque le taux d'œstrogène libéré par les ovaires atteint un pic, l'hypophyse sécrète moins de FSH et stimule la production de LH.

Desquamation Détachement de la muqueuse utérine en l'absence de fécondation.

Phase menstruelle Période du cycle menstruel durant laquelle la menstruation se produit.

Phase de prolifération Période du cycle menstruel correspondant à la maturation du follicule ovarien.

FIGURE 2.7 Le moment de l'ovulation pendant un cycle menstruel

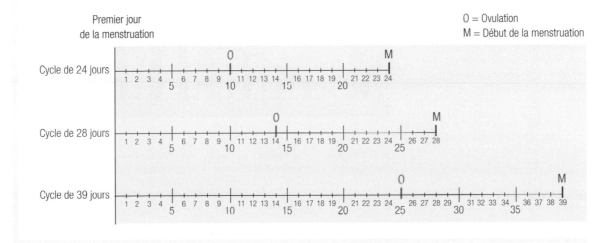

FIGURE 2.8   Les modifications pendant le cycle menstruel

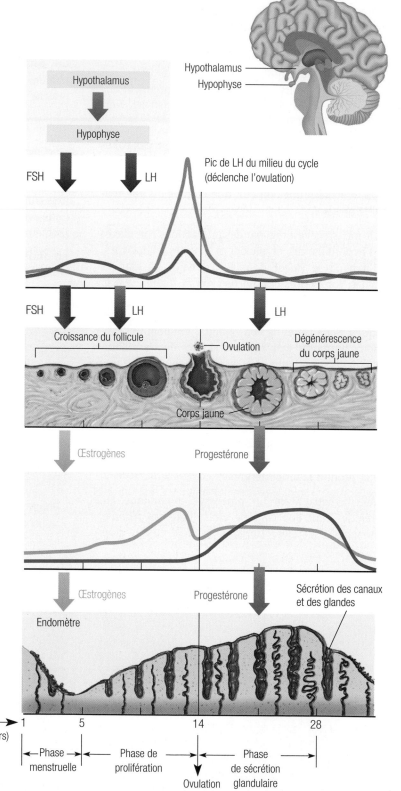

a Le cerveau

Hypothalamus
Hypophyse

b Les taux de FSH et de LH dans le sang
Taux sanguin de FSH (en rouge) et de LH (en violet)

FSH   LH

Pic de LH du milieu du cycle (déclenche l'ovulation)

FSH   LH   LH

c Les ovaires
Les changements ovariens pendant les phases du cycle

Croissance du follicule   Ovulation   Dégénérescence du corps jaune

Corps jaune

Œstrogènes   Progestérone

d Les taux de concentration sanguins en œstrogènes et en progestérone
Taux d'œstrogènes (en vert) et de progestérone (en bleu) dans le sang

Œstrogènes   Progestérone   Sécrétion des canaux et des glandes

e L'endomètre
Effets des œstrogènes et de la progestérone sur l'évolution de la paroi utérine. Après l'ovulation, les glandes et les canaux à l'intérieur de l'endomètre (représentés par des tubes verticaux et des spirales) produisent des nutriments qui, chez une femme enceinte, assureront le développement de l'embryon.

Endomètre

Jours dans un cycle menstruel (selon une durée moyenne de 28 jours)   1   5   14   28

Phase menstruelle   Phase de prolifération   Phase de sécrétion glandulaire

Ovulation

Peu importe la durée d'un cycle menstruel, l'ovulation se produit 14 jours avant le début d'une menstruation. En raison de la sécrétion de LH par l'hypophyse, le follicule parvenu à maturité se rompt, libérant ainsi l'ovule, qu'on appelle à ce moment *ovocyte*.

La phase de sécrétion glandulaire Pendant la phase de sécrétion glandulaire, l'hypophyse continue sa sécrétion de LH qui entraîne l'apparition, à l'intérieur de l'ovaire, d'un groupe de cellules appelées corps jaune en raison de leur coloration. Le corps jaune sécrète de la progestérone, qui empêche la production du mucus cervical pendant l'ovulation. Avec l'œstrogène provenant des ovaires, la progestérone provoque l'épaississement de l'endomètre et augmente l'engorgement sanguin en prévision de l'implantation du blastocyste. Les glandes et les canaux présents dans l'endomètre sécrètent des nutriments nécessaires au développement du blastocyste, d'où le nom de phase de sécrétion glandulaire. Si l'implantation ne se produit pas, l'hypophyse réagit au niveau élevé d'œstrogène et de progestérone en cessant la sécrétion de FSH et de LH. Cela amène la dégénérescence du corps jaune, et donc une diminution de la production d'œstrogène et de progestérone. Cette baisse d'hormones déclenche la desquamation, amorçant ainsi un nouveau cycle menstruel.

Les activités sexuelles et le cycle menstruel

Tandis que certaines recherches montrent peu de variation dans l'appétit sexuel aux différents moments du cycle menstruel, d'autres indiquent plutôt que le désir sexuel et les sensations s'amplifient durant l'ovulation, pendant les règles et les quelques jours qui les précèdent. L'impact varierait grandement d'une femme à l'autre. C'est pourquoi nous encourageons les femmes et leur partenaire à examiner leurs propres réactions. Pour contrôler l'incidence de variables externes telles que l'utilisation de contraceptifs, la crainte d'une grossesse et l'influence masculine, un groupe de recherche a analysé chez des lesbiennes la relation entre la phase du cycle menstruel, d'une part, et l'activité et la réponse sexuelles, d'autre part. Dans cet échantillon, les activités sexuelles et les orgasmes, en solo ou avec la partenaire, ont été plus fréquents vers le milieu du cycle et les fantasmes ont connu un pic dans les trois premiers jours des menstruations (Matteo et Rissman, 1984).

Les couples évitent souvent les activités et les relations sexuelles durant les menstruations (Barnhart et coll., 1995), même si aucune raison médicale ne le justifie (sauf en cas de saignements excessifs ou d'autres problèmes physiques). Différentes raisons sont invoquées à ce sujet. Les symptômes physiques incommodants, la sensation d'une moins grande propreté ou la sensibilité excessive des seins peuvent atténuer le désir ou le plaisir. Les croyances religieuses peuvent aussi être en cause, ou encore la honte culturelle qu'inspire tout rapport sexuel durant cette période. Si, pour diverses raisons, certaines personnes préfèrent éviter le coït durant les menstruations, d'autres activités sexuelles demeurent tout de même possibles.

> Lorsque j'ai mes menstruations, je laisse le tampon à l'intérieur et y mets aussi le cordon. Mon mari et moi pratiquons le sexe oral et la stimulation manuelle, avec beaucoup de bon temps ! (Note des auteurs)

Notons enfin que les chercheurs John K. Rempel et Barbara Baumgartner (2003) ont montré qu'il y avait une corrélation positive entre le fait d'être ouvert aux relations sexuelles pendant les menstruations et une attitude plus libre envers ce qui est considéré comme une sexualité conventionnelle. Quelques femmes mettent un diaphragme ou une cape cervicale pour contenir le flux menstruel durant l'acte sexuel. L'orgasme par différents types de stimulation peut être bénéfique pour la femme menstruée. Les contractions utérines réduisent souvent les maux de dos, la sensation d'engorgement pelvien et les crampes.

La ménopause

Pour les deux sexes, on appelle *climatère* cette période charnière de transitions physiologiques qui marquent le passage de la fécondité à la non-fécondité. Autour de la quarantaine, les ovaires commencent à produire de moins en moins d'œstrogènes. Cette période précédant l'arrêt complet des menstruations est la périménopause. Les menstruations se produisent, mais de façon irrégulière et imprévisible, avec l'absence de saignements ou au contraire des saignements très abondants, et cela peut s'étendre sur dix ans (Bastian et coll., 2003). Près de 90 % des femmes notent un changement dans leurs menstruations et dans leur réponse sexuelle pendant la périménopause. Le niveau de testostérone libre à 40 ans équivaut à la moitié de ce qu'il était à 20 ans (Davis, 2002). Certaines femmes éprouvent des symptômes similaires à ceux de la ménopause (Torpy, 2003). Afin d'éviter une déperdition osseuse et de réduire les symptômes de la périménopause, des anovulants à faible dose sont parfois prescrits (Seibert et coll., 2003).

Phase de sécrétion glandulaire Période du cycle menstruel pendant laquelle le corps jaune se développe et sécrète des hormones. L'endomètre se prépare à l'implantation du blastocyste.

Blastocyste Groupe de cellules formé par la fusion d'un ovule et d'un spermatozoïde.

Climatère Changements physiologiques survenant au passage de la fécondité à la non-fécondité chez les deux sexes.

Périménopause Période de diminution du taux d'œstrogènes précédant la ménopause.

La **ménopause** fait partie du climatère féminin et correspond à l'arrêt définitif des menstruations. Elle se produit, en moyenne, à l'âge de 51 ans à la suite de changements physiologiques, mais elle peut aussi survenir aussi tôt que dans la trentaine ou aussi tard que dans la soixantaine (Andrew, 2006). Environ 10 % des femmes de 45 ans sont ménopausées (Speroff et Fritz, 2005). La recherche indique que les femmes qui ont eu leur ménopause tôt fumaient la cigarette, avaient eu leurs premières règles à 11 ans ou moins, avaient des cycles menstruels plus courts, avaient eu peu de grossesses, avaient utilisé des contraceptifs oraux, avaient une histoire d'endométriose et avaient un taux plus élevé de perfluorocarbones (composants chimiques dans les produits d'entretien ménagers) (Knox et coll., 2011 ; Pokoradi et coll., 2011). Toutes les femmes ne vivent pas cette période de la même façon. Un grand nombre ont peu de symptômes physiques à part l'arrêt des menstruations. Pour elles, la ménopause est presque un non-événement.

> Après tout ce que j'avais entendu au sujet du traumatisme de la ménopause, je m'attendais au pire. J'ai été étonnée de constater que rien de particulier ne s'était produit. (Note des auteurs)

Les seins

Les seins ne font pas partie des organes génitaux féminins. Ce sont des **caractères sexuels secondaires**, c'est-à-dire des attributs physiques autres que les parties génitales et qui distinguent les sexes. Les tissus glandulaires se développent à l'adolescence sous l'effet des hormones. Chez une femme dont la croissance est terminée, les seins sont constitués de tissu adipeux et de **glandes mammaires** (*voir la figure 2.9*). La quantité de tissu glandulaire dans le sein varie peu d'une femme à l'autre, même si la taille du sein peut varier beaucoup. C'est la raison pour laquelle la quantité de lait produite après l'accouchement n'est pas liée à la grosseur des seins. La différence de taille vient principalement de la quantité de tissu adipeux distribuée autour

Ménopause Arrêt des menstruations dû au vieillissement ou à l'ablation chirurgicale des ovaires.

Caractères sexuels secondaires Caractères physiques autres que les organes génitaux qui indiquent la maturité sexuelle et différencient les deux sexes : les seins, la pilosité ou le timbre de la voix, par exemple.

Glandes mammaires Glandes lactifères situées dans le sein.

FIGURE 2.9 Le sein de la femme : a) coupe transversale ; b) coupe sagittale

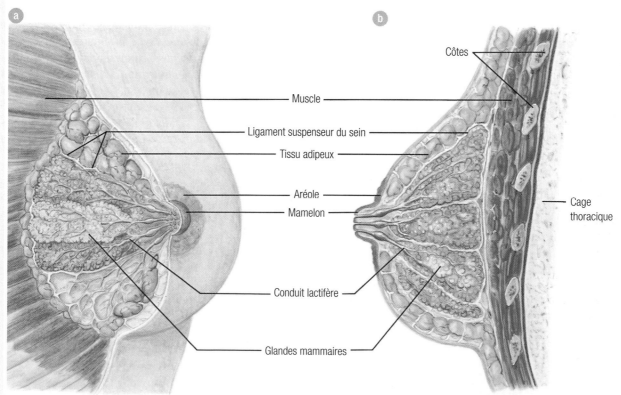

Côtes

Muscle

Ligament suspenseur du sein

Tissu adipeux

Aréole

Mamelon

Cage thoracique

Conduit lactifère

Glandes mammaires

des glandes. Il est normal et courant qu'un sein soit légèrement plus gros que l'autre.

Le tissu glandulaire des seins réagit aux hormones sexuelles. Pendant l'adolescence, les tissus adipeux et glandulaires se développent de façon marquée. La taille des seins varie au cours du cycle menstruel et durant la grossesse, l'allaitement ou la prise de contraceptifs oraux.

Dans notre société, la taille des seins préoccupe beaucoup d'hommes et de femmes. La popularité des chirurgies d'augmentation ou de réduction mammaires reflète bien l'insatisfaction des femmes dont les seins ne répondent pas aux critères de l'environnement culturel. En 2014, plus de 420 000 femmes ont eu une chirurgie esthétique aux seins aux États-Unis (American Society of Plastic Surgeons, 2014) et plus de 23 000 enlèvements d'implants ont aussi été rapportés. Le Canada n'a pas de registre de données sur les chirurgies esthétiques ni sur la satisfaction des résultats ou sur les taux de retraits d'implants. À notre échelle, cela indiquerait que plus de 5000 Québécoises feraient de même chaque année.

Le **mamelon** est situé au centre de l'**aréole**, la région plus foncée du sein. L'aréole contient des glandes sébacées qui lubrifient les mamelons durant l'allaitement. Les glandes mammaires débouchent sur le mamelon. Certains mamelons sont surélevés, d'autres sont au même niveau que le sein et d'autres sont rentrés dans le sein (mamelons invaginés). De petits muscles situés sous le sein réagissent au toucher, à une stimulation sexuelle ou au froid par une contraction qui fait saillir le mamelon.

Pour beaucoup de femmes, la stimulation des seins et des mamelons est une importante source de plaisir et d'excitation durant la masturbation ou la relation sexuelle. Chez certaines, cette stimulation amplifie l'excitation qui mène à l'orgasme. D'autres l'apprécient, sans plus. Enfin, d'autres sont insensibles à la palpation du sein ou du mamelon, ou la trouvent même désagréable. Pour bien des hommes, la seule vue des seins provoque une excitation.

Toutes les procédures chirurgicales mammaires et génitales dont il est question dans cette section (augmentation mammaire, reconstruction de l'hymen, réduction labiale et excision génitale) témoignent d'une norme sociale et culturelle dans le monde voulant que le corps et la sexualité des femmes soient considérés comme malléables (Lehmiller et coll., 2014) (*voir l'encadré* Les

QUESTION D'ANALYSE CRITIQUE

> Devrait-on laisser les adolescentes libres de se faire poser des implants mammaires ? Pourquoi ?

uns et les autres *à la page suivante*). Les corps et la sexualité des hommes et des femmes sont évalués différemment. Ceux des femmes sont sujets à beaucoup plus de critiques. La plupart des sociétés dans le monde tiennent de plus hauts standards de beauté pour les femmes, comparativement à ceux pour les hommes. Cet exemple illustre un double standard qui existe parmi les croyances sociales, reflétant ainsi la division rigide des rôles de l'homme et de la femme en matière de sexualité évoquée au chapitre 1.

L'anatomie et la physiologie sexuelles de l'homme

Les structures externes

Les organes génitaux externes de l'homme comprennent le pénis et le scrotum. Nous présentons ici certains éléments impliqués dans l'excitation sexuelle et qui sont complétés au chapitre 3 par des explications plus détaillées.

Le pénis

Le **pénis** est composé de nerfs, de vaisseaux sanguins, de tissu fibreux et de trois cylindres parallèles de tissus pouvant se gorger de sang : deux corps caverneux et un corps spongieux. Contrairement à ce que certains croient, il ne contient ni os ni fibres musculaires en abondance. Cependant, certaines de ses parties internes sont tapissées de muscles lisses (donc hors du contrôle volontaire), et la base du pénis présente un réseau étendu de muscles qui facilitent l'éjaculation et l'élimination de l'urine à travers l'urètre.

Une partie du pénis s'étend à l'intérieur de la cavité pelvienne. Cette portion, qui se rattache aux os pubiens, s'appelle la *racine*. Un homme en érection peut sentir ce prolongement interne s'il appuie du bout du doigt sur la région située entre

Mamelon Région pigmentée située au centre du sein et qui contient plusieurs terminaisons nerveuses et conduits lactifères.

Aréole Région circulaire et pigmentée qui entoure le mamelon.

Pénis Organe sexuel masculin composé d'une racine, d'une hampe et d'un gland.

Racine Partie du pénis qui se prolonge à l'intérieur de la cavité pelvienne.

l'anus et le scrotum. La partie externe et pendante du pénis, sans sa tête, est connue sous le nom de *hampe* (ou corps du pénis). La tête lisse et arrondie est le **gland**.

Le pénis est parcouru en longueur par trois masses ou corps cylindriques. Les deux plus grandes, les corps caverneux (*corpora cavernosa*), reposent côte à côte au-dessus d'un troisième cylindre, plus petit, le corps spongieux (*corpus spongiosum*). À la base du pénis, les extrémités internes des **corps caverneux**, appelées *piliers du pénis*, sont reliées aux os pubiens. À la tête du pénis, le **corps spongieux** entoure l'urètre et se prolonge pour former le gland. Ces structures sont illustrées à la figure 2.10.

La structure de ces trois masses est similaire. Comme l'indiquent les termes *caverneux* et *spongieux*, elles sont formées de cavités et d'une substance irrégulièrement poreuse semblable aux éponges. De nombreux vaisseaux sanguins irriguent chacune d'elles. Lors de l'excitation sexuelle, ces cavités se gorgent de sang, ce qui provoque l'érection.

La peau qui recouvre la hampe du pénis est habituellement dénuée de poils et assez lâche, ce qui permet au pénis de prendre de l'expansion lors de l'érection. Rattaché à la hampe au niveau du frein (portion située juste derrière le

> **Hampe** Partie du pénis comprise entre le gland et la racine.
>
> **Gland** Tête du pénis, richement innervée.
>
> **Corps caverneux** Structures cylindriques au nombre de deux, situées à l'intérieur du pénis, lesquelles se gorgent de sang pendant l'excitation sexuelle.
>
> **Corps spongieux** Masse cylindrique qui forme un bulbe à la base du pénis, s'étend le long de la hampe et forme le gland.

FIGURE 2.10 La structure interne du pénis : a) coupe longitudinale ; b) coupe transversale

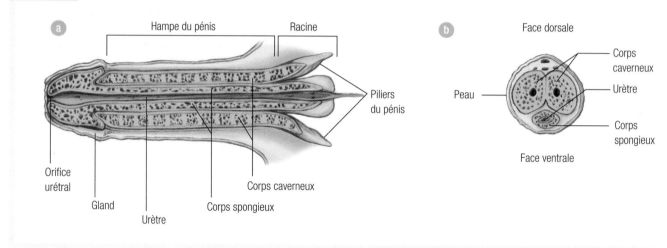

LES UNS ET LES AUTRES

Les mutilations et les modifications génitales masculines : pratiques et croyances culturelles

Partout dans le monde et à travers les époques, les hommes ont procédé à des modifications de leurs organes génitaux externes. Ces différentes interventions revêtaient toujours une signification particulière. Les rites et coutumes en ce domaine ont été transmis à travers l'histoire.

La modification génitale la plus courante est la circoncision, soit l'ablation du prépuce. Dans de nombreuses sociétés, on y recourt pour des raisons religieuses, rituelles ou hygiéniques. C'est une pratique très ancienne. L'observation de momies égyptiennes a révélé qu'elle était pratiquée dès 6000 ans av. J.-C. et des artefacts vieux de 5000 ans montrent des hommes circoncis. Les aborigènes australiens, les musulmans et plusieurs tribus africaines utilisent aussi la circoncision comme rite de passage ou pour exprimer un engagement envers leur dieu (Melby, 2002b). Comme nous l'avons mentionné au chapitre 1, cette pratique serait un atout dans la lutte contre le VIH.

Pendant des milliers d'années, les juifs ont pratiqué la circoncision à titre de rite religieux comme le prescrivent les Saintes Écritures (Gn 17, 9-27). Cette cérémonie, appelée *bris*, a lieu le huitième jour suivant la naissance. Une longue tradition de circoncision existe aussi chez les musulmans. Bien qu'elle soit répandue au Moyen-Orient et en Afrique, la circoncision est encore relativement peu courante en Europe.

Une variation de la circoncision, appelée *superincision* (le prépuce est séparé en deux et replié), est pratiquée dans certaines cultures du Pacifique-Sud comme rite de passage ou initiation rituelle à la maturité sexuelle (Gregersen, 1996). Aux îles Marquises et de Mangaia, cette intervention a lieu à l'adolescence (Janssen, 2008).

La castration, appelée aussi *émasculation* ou *orchidectomie*, qui consiste en l'ablation des testicules, est une mutilation génitale extrême qui remonte à l'Antiquité. Diverses raisons la justifiaient : empêcher les relations sexuelles entre les gardiens (eunuques) et leurs protégées, rendre les prisonniers de guerre dociles, préserver la voix de soprano des enfants de chœur (castrats) au Moyen Âge, en Europe, ou encore faire une offrande aux dieux lors de cérémonies religieuses (dans l'Égypte ancienne, des centaines de garçons étaient castrés au cours d'une même cérémonie).

De nos jours, la castration (chimique ou physique) se pratique surtout dans un cadre légal, comme méthode de sélection eugénique (par exemple, pour empêcher une personne souffrant de troubles de santé mentale de procréer) ou de dissuasion à l'égard des délinquants sexuels. Les fondements éthiques de ces pratiques font l'objet de nombreuses critiques. Enfin, la castration sert parfois à traiter des maladies comme le cancer de la prostate et la tuberculose génitale (Albertsen et coll., 1997 ; Pickett et coll., 2000).

Une dernière pratique, beaucoup moins répndue, est la subincision. Elle a été observée dans des rites de passage chez plusieurs tribus dans le nord de l'Australie. Elle consiste à ouvrir le pénis sur sa face urétrale, sur une partie ou toute sa longueur (Pounder, 1983).

gland), un repli de peau, appelé *prépuce*, recouvre le gland et forme un capuchon. Chez certains, il recouvre tout le gland ; chez d'autres, une partie seulement. En général, le prépuce se rétracte assez facilement.

Tout le pénis est sensible au toucher, mais la plus grande concentration de terminaisons nerveuses se trouve dans le gland. Bien que tout le gland soit très sensible à la stimulation, deux régions le sont plus particulièrement : la **couronne**, c'est-à-dire la bordure qui sépare le gland de la hampe, et le **frein**, la mince bande de peau qui rattache le gland à la hampe du côté ventral. Ces deux structures sont présentées à la figure 2.11.

Le scrotum

Le **scrotum**, ou sac scrotal, est une poche de peau lâche située hors de la paroi abdominale, au niveau de l'aine, et suspendue à la racine du pénis (*voir la figure 2.12*).

FIGURE 2.12 Le scrotum et les testicules

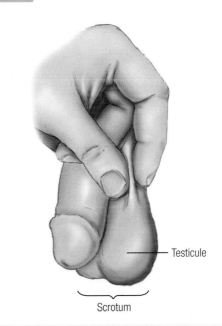

Le cordon spermatique se localise en palpant le scrotum juste au-dessus du testicule avec le pouce et l'index.

Prépuce Repli de peau qui recouvre le gland du pénis.

Couronne Bordure du gland du pénis.

Frein Mince bande de peau très sensible qui relie le gland à la hampe du côté ventral.

Scrotum Enveloppe de peau qui contient les testicules.

FIGURE 2.11 Une vue de la face ventrale du pénis

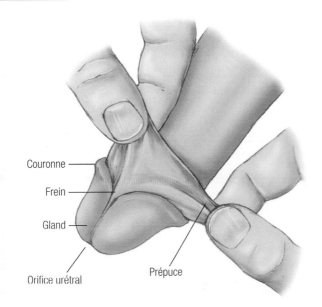

La couronne et le frein sont deux régions du gland richement innervées.

Habituellement, le scrotum pend librement à l'extérieur de la cavité abdominale, mais il peut se rapprocher du corps sous l'effet du froid, de la douleur, d'une émotion forte (peur, agressivité) ou d'une stimulation sexuelle. Le scrotum se compose de deux couches de tissus. La couche externe est une peau mince de couleur plus foncée que celle du reste du corps. À l'adolescence, elle se couvre normalement de quelques poils. La seconde couche, connue sous le nom de *dartos*, est constituée de fibres musculaires lisses et de fibres de tissu conjonctif. Le scrotum se divise en deux compartiments distincts, chacun contenant un **testicule**. (*Pour une illustration des testicules sans le scrotum, voir la figure 2.13*). Chaque testicule est suspendu dans son compartiment à l'aide du **cordon spermatique**. Ce dernier contient le canal déférent, c'est-à-dire le conduit qui transporte le sperme, des vaisseaux sanguins, des nerfs et le crémaster, muscle qui influe sur la position du testicule dans le scrotum. Comme le montre la figure 2.12 à la page précédente, vous pouvez repérer le cordon spermatique en palpant

le scrotum avec le pouce et l'index juste au-dessus du testicule. Ce canal ferme et caoutchouteux est généralement saillant.

Le scrotum est très sensible aux variations de température. C'est pourquoi de nombreux récepteurs sensitifs épidermiques empêchent les testicules de trop garder de chaleur ou de trop se refroidir. Lorsque le scrotum se refroidit, les tissus musculaires qui le composent (dartos) se contractent, sa peau se ride et les testicules se rapprochent du corps pour se réchauffer. Cette réaction involontaire provoque parfois des réactions amusantes.

> **Testicule** Gonade mâle située à l'intérieur du scrotum, qui produit les spermatozoïdes et les hormones sexuelles.

> **Cordon spermatique** Structure allongée et rattachée au testicule, comprenant le canal déférent, des vaisseaux sanguins, des nerfs et le muscle crémaster.

FIGURE 2.13 **Les structures sous-jacentes du scrotum**

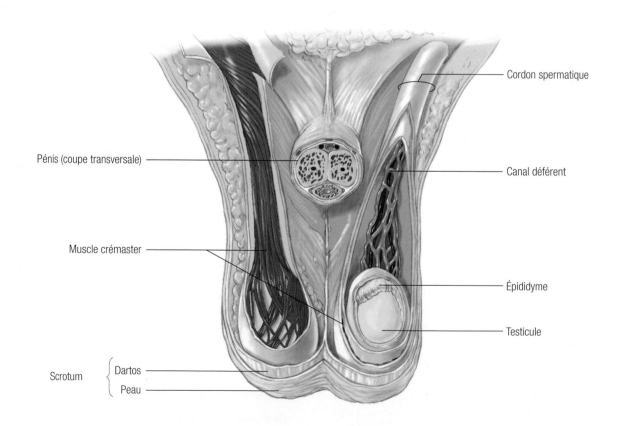

Pénis (coupe transversale)

Muscle crémaster

Scrotum
- Dartos
- Peau

Cordon spermatique

Canal déférent

Épididyme

Testicule

Certaines parties du scrotum ont été éliminées du schéma pour montrer le muscle crémaster, le cordon spermatique, le canal déférent et un testicule du scrotum.

> Lorsque je suivais des cours de natation au secondaire, le retour au vestiaire était toujours quelque peu traumatisant. Après avoir ôté mon maillot de bain, j'avais toujours besoin de chercher mes couilles. Les autres gars semblaient avoir le même problème, puisqu'ils s'empressaient de tirer frénétiquement sur leur scrotum pour remettre le tout à sa place. (Note des auteurs)

L'excitation sexuelle est un autre type de stimulation qui amène le scrotum à se rapprocher du corps. Un des signes les plus évidents de l'imminence de l'orgasme est l'élévation maximale des testicules. Le principal muscle du scrotum qui intervient dans cette réaction est le crémaster. Une peur soudaine peut également amener ce muscle à se contracter fortement. Enfin, il est aussi possible de le contracter en serrant les cuisses. Cette réponse est appelée *réflexe crémastérien*. Grâce au perpétuel cycle de contraction et de relaxation du muscle crémaster, les testicules ont l'étonnante propriété d'être constamment en mouvement.

Les structures internes

Les organes génitaux internes de l'homme sont les testicules, le canal déférent, les vésicules séminales, la prostate et les glandes de Cowper.

Les testicules

Les testicules jouent deux rôles majeurs : sécréter les hormones sexuelles mâles et produire les spermatozoïdes. Au stade fœtal, ces organes se développent dans la cavité abdominale, puis ils migrent vers le scrotum par le canal inguinal dans les derniers mois de la grossesse (Ferrer et McKenna, 2000).

La cryptorchidie est l'absence d'un testicule ou des deux dans le scrotum. Ils demeurent alors à l'intérieur du corps au lieu de descendre comme ils le font normalement (Kollin et coll., 2006 ; Penson et coll., 2013). Parfois, ce problème, qui touche 3 à 5 % des bébés mâles, se règle spontanément après la naissance (Kollin et coll., 2006). Sinon, un traitement hormonal ou une chirurgie mineure s'imposent afin de descendre le ou les testicules dans le scrotum (Kolon et coll., 2014 ; Pastuszak et Lipshultz, 2014 ; Penson et coll., 2013). Les études récentes indiquent que l'exposition des parents aux pesticides présents dans l'environnement pourrait contribuer à la cryptorchidie (Gaspari, 2011).

Les testicules produisent environ 300 millions de spermatozoïdes par jour (Tortora, 2007). La température affecte la production des spermatozoïdes. La température moyenne des testicules est de 5 °C inférieure à la température corporelle. Si, après la puberté, les testicules demeurent à l'intérieur du corps, la température trop élevée nuit alors à la formation des spermatozoïdes

et, par conséquent, peut devenir la cause d'une infertilité (Dalgaard, 2012 ; Thorup et coll., 2011). La cryptorchidie est également associée à un risque plus élevé de voir apparaître un cancer des testicules (Dalgaard, 2012 ; Shaw, 2008).

Chez la plupart des hommes, les testicules sont asymétriques, l'un étant plus bas que l'autre. Cela s'observe régulièrement puisque le cordon spermatique gauche est généralement plus long que le droit. En fait, cette caractéristique est aussi commune que la grosseur inégale des seins de la femme. Le corps humain n'est tout simplement pas parfaitement symétrique.

Les hommes devraient se familiariser avec leurs testicules et les examiner régulièrement. Les testicules peuvent être le siège de plusieurs maladies comme le cancer, les infections transmissibles sexuellement et certaines maladies infectieuses. La plupart de ces maladies se manifestent par des symptômes observables et leur détection précoce permet de les traiter rapidement et même de sauver des vies. On peut ainsi éviter des complications graves.

Malheureusement, la majorité des hommes ne procèdent pas périodiquement à un tel examen. Simple et indolore, l'autoexamen des parties génitales ne prend pourtant que quelques minutes. La façon de procéder est décrite dans l'encadré *Votre santé sexuelle* à la page suivante.

Les tubes séminifères À l'intérieur des testicules se trouvent deux régions ou structures qui interviennent dans la production et le stockage des spermatozoïdes. La première structure est celle des **tubes séminifères**, de minces conduits très pelotonnés formant les quelque 250 lobules qui constituent l'intérieur de chaque testicule (*voir la figure 2.14 à la page 53*). Habituellement, peu après la puberté, ils assurent la production et le transport des spermatozoïdes. Les hommes continuent à produire des spermatozoïdes viables jusqu'à un âge avancé, parfois même jusqu'à la mort, bien que la vitesse de production diminue avec l'âge. Les **cellules interstitielles**, ou cellules de Leydig, sont situées entre les tubes séminifères et à proximité des vaisseaux sanguins, ce qui leur permet de sécréter directement leurs hormones dans le sang (principale source d'androgènes).

Tubes séminifères Structures des testicules composées de minces conduits qui assurent la production et le transport des spermatozoïdes.

Cellules interstitielles Cellules localisées entre les tubes séminifères et qui constituent la principale source d'androgènes chez les hommes.

L'épididyme La deuxième structure qui participe à l'élaboration des spermatozoïdes est l'**épididyme** (mot qui signifie littéralement «sur les testicules»). Les spermatozoïdes fabriqués dans les tubes séminifères se déplacent dans un labyrinthe de conduits minuscules jusqu'à l'épididyme, une structure en forme de *C* située à l'arrière et au sommet de chacun des testicules (*voir la figure 2.14*).

Il semble que l'épididyme soit surtout un lieu de stockage dans lequel les spermatozoïdes continueraient leur maturation pendant quelques semaines. Durant cette période, ils seraient complètement inactifs. Certains chercheurs émettent l'hypothèse que cet organe serait aussi le siège d'une sélection au cours de laquelle les spermatozoïdes anormaux seraient rejetés de l'organisme par un mécanisme d'élimination des déchets.

Le canal déférent

Les spermatozoïdes emmagasinés dans l'épididyme sont finalement acheminés le long du **canal déférent**, un conduit long et mince situé à l'intérieur du cordon spermatique qui traverse le scrotum. Ce canal se trouve à la surface du scrotum de chaque côté des testicules et sont donc au nombre de deux. Cette localisation facilite la **vasectomie**, une opération courante qui a pour but de stériliser les hommes et qui est décrite au chapitre 13.

> **Épididyme** Organe situé à l'arrière et au sommet de chaque testicule et dans lequel se fait la maturation des spermatozoïdes.
>
> **Canal déférent** Canal conducteur des spermatozoïdes s'étendant des testicules à l'urètre.
>
> **Vasectomie** Mode de stérilisation de l'homme qui consiste à enlever une section de chacun des canaux déférents.

VOTRE SANTÉ SEXUELLE

L'autoexamen des parties génitales masculines

L'autoexamen des parties génitales masculines peut se faire debout, adossé contre un mur ou assis. Il est préférable de le faire après une douche ou un bain chaud, car la chaleur détend la peau du scrotum, ce qui fait descendre les testicules et facilite leur palpation. Il est alors possible de déceler toute anomalie.

Explorez les testicules un à la fois. Avec le pouce de chaque main sur le dessus d'un testicule et l'index et le majeur en dessous, appliquez une petite pression sur le testicule et faites-le rouler entre vos doigts. Le testicule devrait être ferme au toucher et sa surface, assez lisse. Le contour et la texture du testicule peuvent varier selon l'individu, c'est pourquoi il est important que vous vous familiarisiez avec votre anatomie. Tout changement sera ainsi plus facile à déceler. Comparez les deux testicules et cherchez toute anomalie (notez qu'il est normal que leur taille varie légèrement). La présence d'une infection peut se manifester par une enflure ou une douleur. L'épididyme, qui s'étend sur le bord postérieur de chacun des testicules, s'infecte parfois. La surface devient alors irrégulière et sensible au toucher. Soyez à l'affût de toute masse dure, irrégulière ou douloureuse sous la peau du testicule. Cette masse, qui peut être aussi petite qu'un pois ou que le plomb d'une carabine à air comprimé, peut indiquer un stade précoce de cancer des testicules. Bien qu'il soit relativement rare, ce cancer peut progresser rapidement. C'est pourquoi la détection et le traitement précoces sont des conditions essentielles à sa guérison. Vous pouvez aussi prêter attention au cycle crémastérien de contraction et de relaxation de vos testicules et vous exercer à l'enclencher.

Pendant votre examen, prêtez aussi attention à votre pénis. Une ulcération ou une excroissance à sa surface peuvent être le symptôme d'une infection cutanée, d'une infection transmissible sexuellement ou, dans de rares cas, d'un cancer. Quoiqu'il soit l'un des plus rares, le cancer du pénis est l'un des plus traumatisants et, à moins d'un diagnostic précoce et d'un traitement rapide, il peut être mortel (Zhu et coll., 2011). Ce cancer débute habituellement par une petite lésion indolore sur le gland ou, dans le cas des hommes non circoncis, sur le prépuce. La lésion peut demeurer identique pendant des semaines, des mois, voire des années, avant d'évoluer en une masse enflammée et douloureuse semblable à un chou-fleur. Le fait de consulter immédiatement un médecin après avoir décelé une lésion augmente considérablement les chances de guérison.

FIGURE 2.14 ▸ Les structures internes d'un testicule

ⓐ

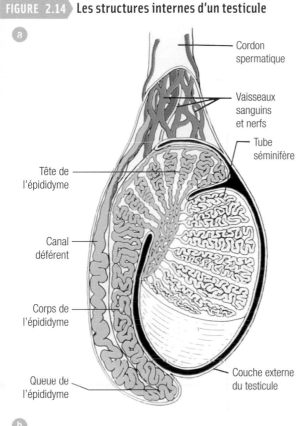

Cordon spermatique

Vaisseaux sanguins et nerfs

Tube séminifère

Tête de l'épididyme

Canal déférent

Corps de l'épididyme

Queue de l'épididyme

Couche externe du testicule

ⓑ

Spermatozoïdes immatures   Cellules spermatogéniques   Cellules interstitielles

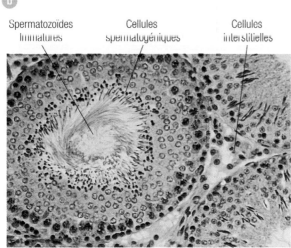

a) Les spermatozoïdes sont produits dans les tubes séminifères, puis se rendent dans l'épididyme où ils sont stockés. b) La coupe transversale des tubes séminifères montre les cellules spermatogéniques (productrices de spermatozoïdes) et les cellules interstitielles.

Les canaux déférents, à travers le cordon spermatique, quittent le scrotum en traversant le canal inguinal et débouchent dans la cavité abdominale. De là, ils continuent leur montée vers la face postérieure de la vessie et forment une boucle autour de l'urètre, comme le montre la figure 2.15 à la page suivante. (C'est le trajet inverse de celui du testicule vers le scrotum avant la naissance.)

Ensuite, ils descendent jusqu'à la base de la vessie, où ils se joignent aux conduits sécréteurs des vésicules séminales pour former les **conduits éjaculateurs**. Ces conduits sont très courts et traversent la prostate (un de chaque côté). Ils débouchent sur la portion prostatique de l'**urètre**, le conduit par lequel l'urine est évacuée de la vessie.

Les vésicules séminales

Les **vésicules séminales** sont au nombre de deux. Ces petites glandes sont reliées à la prostate et situées près de l'extrémité des canaux déférents (*voir la figure 2.15 à la page suivante*). Ces glandes sécrètent le liquide séminal riche en fructose (sucré), nourrissant ainsi les spermatozoïdes et favorisant leur mobilité et leur santé et, par conséquent, la fertilité masculine (Gonzales, 2001 ; Zhang et Jin, 2007). Le liquide séminal peut atteindre 70 % du volume total de ce qui compose le sperme, c'est-à-dire l'éjaculat (Gonzales, 2001). Du testicule jusqu'à la vésicule séminale, les spermatozoïdes se déplacent dans un réseau élaboré de conduits grâce aux battements des cils qui tapissent la paroi de ces derniers. Une fois nourris des sécrétions énergétiques des vésicules séminales, ils peuvent se propulser eux-mêmes, animés par le mouvement de leur flagelle.

La prostate

Située sous la vessie, la **prostate** est une glande de forme ovale et de la taille d'une balle de golf ou d'un pruneau, constituée de fibres musculaires lisses et de tissu glandulaire (*voir la figure 2.15 à la page suivante*). Elle sécrète un fluide blanc plus ou moins jaunâtre appelé *liquide prostatique*, qui compose environ 30 % de l'éjaculat.

L'activité de la prostate est continue, mais elle s'accélère pendant l'excitation sexuelle. Les sécrétions prostatiques s'écoulent dans l'urètre par un système de conduits collecteurs, et se mélangent aux sécrétions des vésicules séminales et aux spermatozoïdes pour former ce qu'on appelle le **sperme**. Le fluide prostatique est liquide, laiteux et

---

Conduits éjaculateurs   Courts conduits qui traversent la prostate.

Urètre   Conduit par lequel l'urine et le sperme sont acheminés hors du corps.

Vésicules séminales   Glandes situées à l'extrémité des canaux déférents, qui sécrètent un liquide alcalin très riche en fructose. Cette sécrétion est le composant principal du liquide séminal et contribue à la mobilité des spermatozoïdes.

Prostate   Glande localisée sous la vessie qui produit un fluide blanc plus ou moins jaunâtre appelé *liquide prostatique*.

Sperme   Liquide visqueux éjaculé à travers l'urètre par le pénis, et qui est composé de spermatozoïdes (1 %), de liquide séminal (60 à 70 %) et de liquide prostatique (30 à 40 %).

FIGURE 2.15 L'anatomie sexuelle interne masculine : vue sagittale

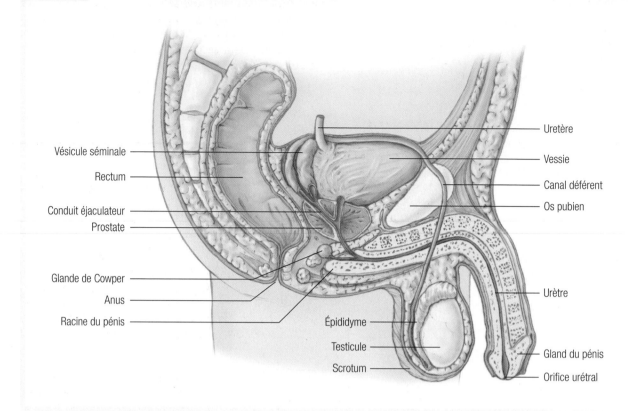

Vésicule séminale

Rectum

Conduit éjaculateur

Prostate

Glande de Cowper

Anus

Racine du pénis

Épididyme

Testicule

Scrotum

Uretère

Vessie

Canal déférent

Os pubien

Urètre

Gland du pénis

Orifice urétral

alcalin. Cette basicité neutralise l'acidité de l'urètre masculin et du vagin, ce qui favorise la viabilité et la mobilité des spermatozoïdes.

Le sperme est un liquide visqueux éjaculé par le pénis, à travers l'urètre, qui est alors composé de spermatozoïdes (1 %), de liquide séminal (60 à 70 %) et de liquide prostatique (30 à 40 %). Dans un éjaculat, on retrouve entre 200 et 500 millions de spermatozoïdes, lesquels ne comptent que pour environ 1 % du volume total du liquide éjecté (environ une cuillère à thé). La quantité dépend de plusieurs facteurs, dont le temps écoulé depuis la dernière éjaculation, la durée de l'excitation qui précède l'éjaculation et l'âge. Les hommes plus âgés en produisent une quantité plus petite et de moindre qualité, ce qui peut les rendre infertiles (Schmidt et coll., 2013). Les études récentes démontrent que la consommation d'alcool peut nuire à la qualité du sperme (Jensen et coll., 2014). Sur le plan chimique, le sperme renferme une combinaison complexe d'acides ascorbique et citrique, d'eau, d'enzymes, de fructose, de bases (phosphate et bicarbonate) et d'autres substances. Aucune de ces substances n'est dangereuse pour la santé si le sperme est ingéré. Cependant, le sperme d'un individu infecté par le VIH peut transmettre la maladie si le virus pénètre l'organisme par des plaies ouvertes ou des lésions gingivales (*voir le chapitre 12*).

Les glandes de Cowper

Les **glandes de Cowper**, ou glandes bulbo-urétrales, sont deux petits organes de la taille d'un pois situés de part et d'autre de l'urètre, à la base de la racine du pénis (*voir la figure 2.15*). Elles sont directement reliées à l'urètre par un petit conduit. Lors de l'excitation sexuelle, ces glandes sécrètent une substance visqueuse, semblable à un mucus, qui traverse l'urètre et apparaît sur le bout du pénis sous forme de gouttelettes. Comme le liquide prostatique, cette substance est alcaline et aide à réduire l'acidité de l'urètre, assurant ainsi la viabilité des spermatozoïdes. On pense aussi qu'il sert de lubrifiant pour faciliter le passage du sperme dans l'urètre.

Le liquide pré-éjaculatoire, sécrété par les glandes de Cowper, ne doit pas être confondu avec le sperme. Ce liquide ne contient pas de spermatozoïdes. Toutefois, si l'homme n'a pas uriné depuis la dernière éjaculation, des spermatozoïdes encore actifs et sains, toujours présents

Glandes de Cowper Petites glandes situées de chaque côté de l'urètre qui sécrètent un liquide alcalin, le liquide pré-éjaculatoire, pendant l'excitation sexuelle.

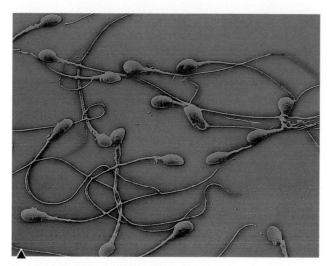

Des spermatozoïdes agrandis au microscope.

dans l'urètre, peuvent être poussés à l'extérieur du pénis par ce liquide au moment d'une nouvelle excitation. C'est la raison pour laquelle le coït interrompu n'est pas très efficace comme moyen de contraception.

Les fonctions sexuelles masculines

Jusqu'ici, nous avons décrit les organes sexuels de l'homme sans analyser leur fonctionnement. Nous allons maintenant étudier deux fonctions sexuelles masculines : l'érection et l'éjaculation. Par la suite, nous traitons de deux sujets qui préoccupent les hommes quant à leurs fonctions sexuelles : la taille du pénis et la circoncision.

L'érection

Comme nous l'expliquons au chapitre 3, l'**érection** est une réaction régie par le système nerveux autonome parasympatique (Ryan-Berg, 2011). Quand un homme est excité sexuellement, son système nerveux envoie des messages qui provoquent une dilatation des artères contenues dans les trois masses cylindriques érectiles du pénis. Le sang afflue de plus en plus rapidement dans ces masses parallèles. Parce que le flux sanguin évacué du pénis par les veines est moins important que celui qui y afflue, le sang s'accumule dans les tissus spongieux et les corps caverneux (les trois masses cylindriques érectiles). Il en résulte une érection (**tumescence**). Lorsque le système nerveux interrompt l'envoi des messages et que l'afflux sanguin dans le pénis revient à la normale, l'érection cesse et le pénis retrouve son état de **flaccidité**. Cela se produit notamment après l'éjaculation.

La fonction érectile est présente même avant la naissance. Il est possible de le constater sur des images de

fœtus masculins prises par échographie. Il est pratiquement assuré que les bébés de sexe féminin ont la même réaction sans que cela soit toutefois visible (Broussin et Brenot, 1995 ; Desjardins, 2007). La littérature scientifique fait aussi état d'un orgasme intra-utérin chez des filles (Giorgi et Siccardi, 1996). Il est courant et parfaitement naturel qu'un bébé, garçon ou fille, ait une érection (clitoridienne pour la fille) lors d'un changement de couche ou durant son sommeil, par la friction des vêtements ou, plus tard, par autostimulation des organes génitaux dès qu'il acquiert une maîtrise suffisante de ses mouvements. Les érections nocturnes surviennent pendant la phase du sommeil paradoxal, caractérisée par des mouvements oculaires rapides (MOR) (Silverberg, 2008a) ; c'est la période où l'on rêve. Les rêves érotiques semblent jouer un rôle, mais les érections nocturnes proviennent essentiellement d'un mécanisme physiologique ; d'ailleurs, ces érections peuvent survenir lors de rêves sans aucune connotation sexuelle. Il arrive souvent qu'un homme s'éveille au matin juste après une période de sommeil paradoxal et qu'il soit en érection. C'est ce qui explique le phénomène des érections matinales, qui sont faussement attribuées à une vessie pleine.

À l'état de veille, on s'attend logiquement à ce que l'érection ne se produise qu'en réponse à un stimulus sexuel. Ce n'est toutefois pas toujours le cas, et l'érection spontanée peut être embarrassante, fâcheuse, amusante ou angoissante. Presque tous les hommes se souviennent d'avoir eu une érection non désirée à l'école durant leur adolescence et d'en avoir ressenti un grand embarras. Quel homme ne se rappelle pas avoir déambulé dans un corridor avec un cartable à l'endroit stratégique ou avoir attendu que la situation se calme avant de sortir de la piscine ? Le pénis peut aussi entrer en érection dans des situations non sexuelles, comme monter à bicyclette, lever une charge lourde ou forcer pour expulser des matières fécales (en particulier chez les jeunes garçons). Cela s'explique par le fait que l'érection est une réponse physiologique réflexe provenant d'un centre nerveux situé au niveau des vertèbres sacrées. Le cerveau adolescent n'a pas toujours la maturité pour empêcher ce type de réflexe.

Chez l'homme adulte en bonne santé, l'érection survient généralement grâce à une combinaison de facteurs physiologiques et psychologiques. Il est, par ailleurs, parfaitement établi que les hommes peuvent améliorer leur érection en imaginant des scènes ou des images

Érection Processus par lequel le pénis (chez la femme, le clitoris) se gorge de sang et augmente de taille.

Tumescence État d'un organe enflé.

Flaccidité État du pénis sans érection.

érotiques (Smith et Over, 1987). Aussi, les difficultés érectiles sont, la plupart du temps, causées par des problèmes psychologiques. Nous en traitons au chapitre 9.

L'éjaculation

L'autre fonction sexuelle de base chez l'homme est l'éjaculation, le processus d'expulsion du sperme hors du corps. De nombreuses personnes confondent orgasme et éjaculation. William Masters et Virginia Johnson, par exemple, les considéraient comme équivalents dans leurs mesures du comportement sexuel. Bien que l'orgasme se fasse sentir la plupart du temps au moment de l'éjaculation, ces deux processus peuvent survenir séparément l'un de l'autre. Avant la puberté, un garçon peut avoir ressenti des centaines d'orgasmes *secs*, c'est-à-dire sans éjaculation. Chez l'adulte, il arrive à l'occasion qu'un homme ait plus d'un orgasme pendant une relation sexuelle, le deuxième ou le troisième orgasme ne s'accompagnant que de peu ou pas d'éjaculat.

L'érection et l'éjaculation sont des réflexes déclenchés dans la moelle épinière (Truitt et Coolen, 2002). Ils sont cependant dépendants de deux régions distinctes. Ainsi, il arrive que des hommes dont la moelle épinière est atteinte aient des érections par stimulation manuelle sans que cela déclenche d'éjaculation ou, à l'inverse, qu'on puisse déclencher une éjaculation sans érection par stimulation électrique des nerfs appropriés. Chez les hommes atteints de certaines maladies courantes, comme le diabète à l'état avancé, l'érection et l'éjaculation peuvent aussi être dissociées.

L'éjaculation suit deux phases (*voir la figure 2.16*). Pendant la première, appelée *phase d'émission*, la prostate, les vésicules séminales et l'ampoule (la partie supérieure du canal déférent) se contractent. Ces contractions envoient les différentes sécrétions composant le sperme dans les conduits éjaculateurs et dans l'urètre. Au même moment, les sphincters urétraux interne et externe (deux muscles situés l'un à la jonction de l'urètre et de la vessie, et l'autre en dessous de la prostate) se referment pour emprisonner les sécrétions (le sperme) dans le bulbe urétral (la partie prostatique de l'urètre située entre les deux sphincters). Le bulbe urétral se dilate alors comme un ballon. À ce moment, l'homme a l'impression que l'orgasme devient imparable, c'est-à-dire qu'il a atteint le point de non-retour

Phase d'émission Première phase de l'éjaculation, pendant laquelle le sperme s'accumule dans le bulbe urétral.

FIGURE 2.16 Les organes génitaux masculins pendant l'éjaculation : a) phase d'émission ; b) phase d'expulsion

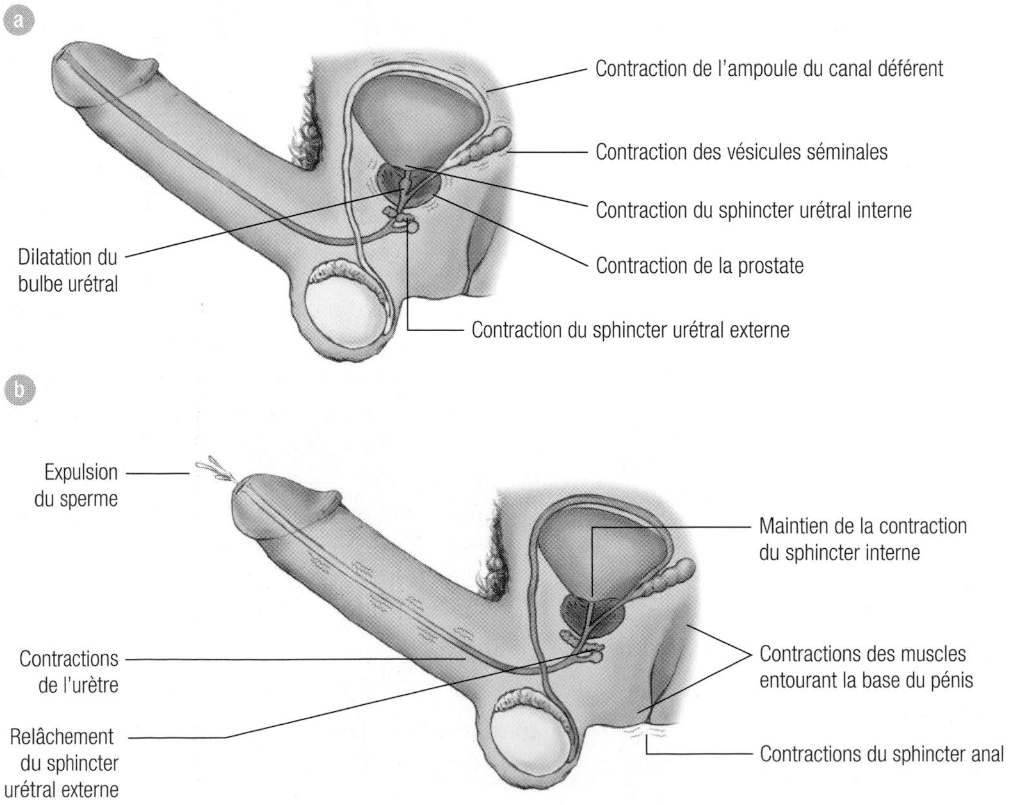

Contraction de l'ampoule du canal déférent
Contraction des vésicules séminales
Contraction du sphincter urétral interne
Contraction de la prostate
Contraction du sphincter urétral externe
Dilatation du bulbe urétral

Expulsion du sperme
Maintien de la contraction du sphincter interne
Contractions de l'urètre
Contractions des muscles entourant la base du pénis
Relâchement du sphincter urétral externe
Contractions du sphincter anal

ou le déclenchement inévitable de l'éjaculation, sensation qui joue un rôle central dans la modulation de l'excitation pour contrôler l'éjaculation.

Pendant la seconde phase, dite *phase d'expulsion*, le sperme est expulsé (il s'appelle alors *éjaculat*) sous l'effet des contractions fortes et rythmiques des muscles entourant le bulbe urétral et la racine du pénis. D'autres contractions se produisent également tout le long de l'urètre. Le sphincter urétral externe se relâche pour laisser passer le sperme, tandis que le sphincter interne demeure contracté afin d'éviter l'écoulement d'urine. Les deux ou trois premières contractions des muscles situés à la base du pénis sont très fortes et très rapprochées. La plus grande partie du sperme est alors expulsée sous forme de jets. Pendant les 3 à 10 secondes que dure la phase d'expulsion, plusieurs autres muscles interviennent; les contractions diminuent progressivement et le temps entre chacune d'elles s'allonge.

Chez certains hommes se produit ce qu'on appelle une *éjaculation rétrograde*. Dans ce cas, le sperme est envoyé dans la vessie au lieu d'être expulsé du pénis. Ce trouble est dû à une inversion du travail des sphincters: le sphincter interne se relâche au lieu de se contracter, et le sphincter externe se contracte au lieu de se détendre. Ce type de problème survient notamment chez les hommes qui ont subi une opération de la prostate (Kassabian, 2003). Il peut aussi être attribuable à une maladie, à une affection congénitale ou à l'usage de certaines drogues et de certains médicaments, en général des tranquillisants (Mayo Clinic, 2008). L'éjaculation rétrograde n'est pas dangereuse en soi, le sperme étant expulsé ultérieurement avec l'urine. Toutefois, un homme qui présente régulièrement ce trouble d'éjaculation a tout intérêt à consulter un médecin, non seulement parce que cela l'empêche de procréer, mais aussi parce que cela peut être le symptôme d'une maladie.

Il est possible d'avoir un orgasme sans stimulation génitale. L'exemple le plus connu est celui des éjaculations nocturnes. On ne connaît pas très bien le mécanisme qui produit ces orgasmes (d'ailleurs, les femmes ont aussi ce genre d'orgasme au cours du sommeil). La probabilité qu'un homme atteigne ainsi l'orgasme en recourant uniquement à son imaginaire érotique, sans aucune autre forme de stimulation, est extrêmement faible et aucune source sûre n'a jamais confirmé ce phénomène. Alfred Kinsey et son équipe (1948) n'ont cité que trois ou quatre cas de ce genre parmi les quelque 5000 hommes de leur échantillon. Par contre, dans leur échantillon féminin, un nombre beaucoup plus grand de femmes (environ 2 %) a dit avoir eu des orgasmes par la seule action des fantasmes (Kinsey et coll., 1954). Enfin, il arrive que des hommes aient un orgasme et une éjaculation lors de certains jeux sexuels (comportant des baisers intenses ou une stimulation orale ou manuelle de la ou du partenaire) sans stimulation pénienne.

▲
L'importance accordée à la taille du pénis s'observe dans une variété de cultures et de formes artistiques.

Quelques préoccupations liées aux fonctions sexuelles masculines

Nous nous penchons ici sur trois sujets dont les deux premiers semblent soulever beaucoup d'interrogations quant à leur impact sur la vie sexuelle de l'homme, soit la taille du pénis et la circoncision. Nous abordons ensuite les soins à apporter au pénis.

La taille du pénis

Dans plusieurs cultures et à travers les arts, la taille du pénis revêt une grande importance et suscite beaucoup de fascination.

> Toute ma vie, la taille de mon pénis m'a inquiété. J'ai toujours évité les endroits comme les douches où je risquais d'être exposé au regard d'autrui. Lorsque mon pénis est rigide, il mesure environ 12 cm. Mais quand il est au repos, il dépasse rarement 3 ou 4 cm et son diamètre est lui aussi petit. Je n'aime pas me dénuder devant mes partenaires avec qui je fais l'amour. Ce malaise a souvent des répercussions négatives sur ma sexualité. (Note des auteurs)

Phase d'expulsion Seconde phase de l'éjaculation pendant laquelle le liquide séminal est expulsé du pénis sous l'effet de contractions musculaires.

De telles préoccupations rejoignent celles d'un nombre incalculable d'hommes. Pour plusieurs hommes, il s'agit d'une véritable préoccupation, voire une source d'angoisse et de détresse (Johnston et coll., 2014 ; Veale et coll., 2014) (*voir l'encadré* Les uns et les autres). Et pourquoi la taille du pénis semble-t-elle si importante ? Dans notre société, on a tendance à être impressionné par la taille et la quantité de toute chose. On pense que les grosses voitures sont meilleures que les voitures compactes, que plus une maison est grande, plus elle est belle. Donc, implicitement, on croit que les gros pénis procurent plus de plaisir que les petits. En outre, les arts, que ce soit la littérature, la peinture, la sculpture ou le cinéma, contribuent à perpétuer l'obsession du gros pénis. La pornographie mise grandement sur cette obsession, en ayant comme thème récurrent la surprise et le ravissement de voir le pénis surdimensionné de son partenaire.

Une analyse récente a établi des mesures normatives pour le pénis flasque et le pénis en érection en se basant sur les mesures de plus de 15 000 hommes de plusieurs pays à travers le monde et âgés de 17 ans et plus. Les résultats démontrent une longueur moyenne variant de 7,59 à 10,73 cm pour le pénis flasque et de 11,46 à 14,78 cm pour les pénis en érection (Veale et coll., 2014). Les chercheurs estiment que seulement 2,5 % des hommes ont des pénis dépassant 17,5 cm (Lever et coll., 2006).

Masters et Johnson (1968) ont constaté que les pénis de petite taille à l'état flaccide prennent plus d'expansion

LES UNS ET LES AUTRES

Le koro ou le syndrome de rétraction du pénis

Le **syndrome de rétraction du pénis (SRP)** est un phénomène culturel qui a déjà fortement attiré l'attention dans plusieurs régions du monde, particulièrement en Asie et en Afrique (Schroer, 2008). Le SRP reçoit différents noms selon l'endroit, mais tous signifient *pénis qui rétrécit*. C'est sous le nom de *koro* qu'il est le plus souvent connu. Un homme qui en est atteint se croit généralement victime d'une maladie contagieuse qui provoque le rétrécissement du pénis et sa rétraction à l'intérieur du corps, une perspective dramatique accentuée par les traditions et le folklore local, qui présentent cette condition comme étant fatale (Kovacs et Osvath, 2006 ; Vaughn, 2003). Le koro est une croyance vieille de plusieurs millénaires qui a refait surface en Malaisie, en Indonésie, en Chine et dans plusieurs pays de l'Afrique de l'Ouest. Le terme *koro* serait dérivé du mot malaisien signifiant *tortue*, en référence à la capacité de cet animal de rentrer sa tête et ses pattes dans sa carapace. Dans l'argot malaisien, le mot *tortue* est souvent utilisé pour désigner le pénis (Vaughn, 2003).

Bien que le koro soit parfois présenté comme une anomalie affectant des individus isolés, il s'agit le plus souvent d'un phénomène social qui se répand comme une traînée de poudre auprès de centaines, voire de milliers d'hommes, provoquant la panique et l'hystérie. Une telle situation de panique s'est produite à Singapour en 1967 (Vaughn, 2003). Une rumeur voulant que de la viande de porc était contaminée, les hôpitaux singapouriens ont été envahis par des milliers d'hommes croyant que leur pénis rétrécissait. Plusieurs ont alors tenté, par des moyens mécaniques divers, d'empêcher leur organe sexuel de disparaître. Pour dissiper cette hystérie de masse, il a fallu que des médecins locaux mettent sur pied un programme coordonné d'éducation populaire assurant qu'il n'y avait aucun risque de rétrécissement pénien.

Une autre épidémie de koro survenue dans le nord-est de l'Inde, en 1982, témoigne de cette hystérie collective. À l'origine, une rumeur voulant que le pénis des garçons rétrécissait s'était rapidement répandue. Les hôpitaux furent pris d'assaut par des milliers de parents et leurs fils, dont le pénis était recouvert d'un bandage ou retenu d'une quelconque façon pour l'empêcher de rétrécir davantage. Cette épidémie a été endiguée par les autorités médicales qui ont parcouru la région avec des haut-parleurs pour rassurer les populations anxieuses. Les autorités ont également mené un programme général visant à mesurer les pénis à intervalles réguliers pour montrer qu'il n'existait aucun rétrécissement.

Dans les pays d'Afrique occidentale, du Cameroun au Nigeria, le koro est surtout associé à la magie noire ou à la sorcellerie et comporte généralement l'idée d'un vol plutôt que d'une rétraction (Schroer, 2008 ; Vaughn, 2003).

La meilleure explication aux épidémies de koro réside dans la peur irraisonnée et contagieuse de certains hommes sensibles à ce genre de délires (Mather, 2005 ; Schroer, 2008). Le SRP s'apparente au phénomène d'attaque de panique observable en Occident, doublé d'une composante sexuelle. De plus, lorsque le sentiment de culpabilité ou l'anxiété repose sur des excès sexuels réels ou imaginés, un homme peut facilement devenir la proie de croyances irrationnelles et se croire le candidat parfait à ce bizarre syndrome du koro.

Syndrome de rétraction du pénis (SRP) Phénomène singulier d'origine culturelle par lequel des hommes croient que leur pénis se rétracte à l'intérieur de leur corps.

Koro Terme largement utilisé en Afrique et en Asie pour désigner le syndrome de rétraction du pénis.

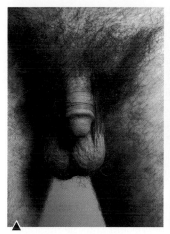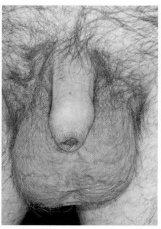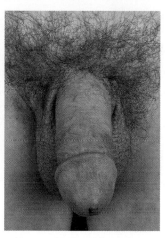

La taille et la forme des parties génitales masculines varient d'un individu à l'autre.

que les pénis de grande taille au moment de l'érection. Pourtant, un gros pénis ne confère pas nécessairement une meilleure habileté à satisfaire un ou une partenaire sexuel. Par exemple, nous avons vu que, chez la femme, la majorité des terminaisons nerveuses situées dans les organes génitaux se trouvent à l'extérieur du corps et non pas dans le vagin. Conséquemment, la majorité (85 %) des femmes hétérosexuelles rapportent que la taille du pénis de leur partenaire les satisfait (Lever et coll., 2006). De plus, selon une autre étude, 66,3 % des femmes rapportent que la taille du pénis n'est pas déterminante dans leur plaisir sexuel ou que les pénis de plus petite taille que la moyenne procurent plus de plaisir que les plus longs (Costa, Miller et Brody, 2012). Cependant, certaines femmes préfèrent les pénis plus grands et les trouvent plus excitants sexuellement. Il n'y a pas suffisamment de données sur la satisfaction avec la taille du pénis chez les couples gais. Il reste que, peu importe le sexe du partenaire, il peut y avoir des préférences personnelles quant à la taille du pénis pour certaines activités sexuelles (Lehmiller et coll., 2014).

En outre, la question de la taille du pénis entre les hommes de différentes ethnies fait toujours controverse et elle est loin d'être tranchée. La plupart des données proviennent d'un échantillon non représentatif et se basent presque exclusivement sur la méthode d'enquête par Internet, de sorte qu'on ne peut exclure une certaine déformation des faits (Lehmiller et coll., 2014).

Malheureusement, à cause de ces pressions, certains hommes ont recours à toutes sortes de moyens pour tenter d'allonger leur pénis: interventions chirurgicales (phalloplastie), consommation de produits de rehaussement naturels, pompes à vide et gadgets pour étirer le pénis. Aucune de ces techniques n'a été validée de façon rigoureuse, et plusieurs entraînent des risques importants au regard de la santé (Lehmiller et coll., 2014).

Cette attention accordée à la taille du pénis amène de nombreux hommes à considérer celle-ci comme un critère important de leur masculinité ou de leur valeur comme

partenaire sexuel. Une telle conception de la virilité peut conduire à une mauvaise estime de soi. En outre, si l'un des deux partenaires trouve le pénis trop petit, la satisfaction sexuelle peut s'en trouver diminuée chez l'un comme chez l'autre, et ce, non pas à cause d'une lacune réelle, mais par simple confirmation d'un préjugé. Bien que la taille du pénis soit aussi une préoccupation présente au sein de la communauté gaie, nous parlons ici surtout de la relation hétérosexuelle de type pénétration du pénis dans le vagin, parce que l'inquiétude au sujet de la taille du pénis touche généralement cette activité sexuelle.

Rappelons d'abord que le clitoris est la partie la plus sensible de l'anatomie sexuelle féminine. La plupart des femmes atteignent l'orgasme par la stimulation clitoridienne plutôt que vaginale. Comme nous l'avons vu, la partie la plus sensible du vagin est située à son entrée. Même si certaines femmes apprécient la pénétration profonde en raison de la pression qui s'exerce alors sur les récepteurs profonds de leur vagin (Desjardins, 2007), cette sensation n'est pas forcément essentielle à leur satisfaction sexuelle ni pour parvenir à l'orgasme (Costa, Miller et Brody, 2012). En fait, plusieurs femmes trouvent même une telle pénétration douloureuse, surtout quand elle est faite avec beaucoup de vigueur.

> Vous m'avez demandé si la taille du pénis influençait mon plaisir. Oui, mais pas de la façon que vous pourriez le penser. Si un homme a un long membre, je crains qu'il me fasse mal. En fait, je préfère un pénis moyen ou même petit. (Note des auteurs)

La douleur ou le malaise que certaines femmes ressentent lors d'une pénétration profonde peut s'expliquer sur le plan physiologique. Étant donné que les ovaires et les testicules proviennent des mêmes tissus embryonnaires, ils ont la même sensibilité. Si le pénis heurte le col utérin et que l'utérus et les ovaires se déplacent légèrement, la femme éprouve les mêmes sensations que celles d'un homme qui a reçu un coup sur les testicules. L'étirement violent des ligaments utérins sous l'effet d'une pénétration profonde peut également être douloureux, bien que certaines femmes l'apprécient lorsqu'il est lent.

Ces observations indiquent à quel point il est important d'être attentif et respectueux des préférences de chacun lors des rapports sexuels. Si l'un des partenaires ou les deux désirent un mouvement de va-et-vient plus profond et plus énergique, ils peuvent graduellement modifier leurs mouvements en conséquence. Ils pourraient aussi décider de prendre une position autre que celle du missionnaire afin que la femme ait plus de contrôle sur la profondeur et la vigueur de la pénétration.

Pour certaines personnes, un pénis de plus petite taille pourrait être préférable lors de certaines activités sexuelles comme, par exemple, la pénétration anale (Lehmiller et coll., 2014).

QUESTION D'ANALYSE CRITIQUE

> Vous prenez part à un débat portant sur le lien de cause à effet entre la taille du pénis et la satisfaction de la femme lors de rapports sexuels vaginaux. Quelle opinion défendez-vous? Quelles sont les données probantes que vous pourriez utiliser pour appuyer votre point de vue?

La circoncision

La **circoncision** est une opération chirurgicale qui consiste à enlever partiellement ou totalement le prépuce. La circoncision est l'une des interventions les plus pratiquées sur les personnes de sexe masculin. Les plus hauts taux de cette intervention sont dans les pays du Moyen-Orient et les plus bas sont en Europe. Au Canada, environ le tiers (31,9 %) des femmes ont signalé avoir fait circoncire leur bébé de sexe masculin. Cette proportion variait fortement selon la province ou le territoire (Agence de la santé publique du Canada, 2009). En se basant sur une analyse d'études récentes, la Société canadienne de pédiatrie maintient la position qu'elle a établie en 1996 de ne pas recommander la circoncision systématique de tous les nouveau-nés au Canada (Sorokan et coll., 2015). Toutefois, elle reconnaît dorénavant les bénéfices potentiels quant à la prévention de la transmission du VIH et de certaines autres ITSS. Une baisse dans les taux de circoncision masculine a été observée aux États-Unis, où elle est passée de 83 % dans les années 1960 à 77 % en 2010 (Morris et coll., 2014). Chaque année, aux États-Unis, on effectue environ 1,4 million de circoncisions (Bcheraoui et coll., 2014). Cette modification génitale est pratiquée dans plusieurs pays pour des raisons religieuses, par tradition ou tout simplement pour des questions d'hygiène. Aussi répandue soit-elle, cette pratique demeure très controversée.

Les partisans de la circoncision soutiennent qu'elle est bénéfique pour la santé (Bakalar, 2014). Une hygiène déficiente de la région sous-préputiale peut en effet favoriser l'apparition de plusieurs types d'infections. De nombreuses études montrent que la circoncision diminue l'incidence des infections urinaires chez les enfants et du cancer du pénis chez les adultes (Dickerman, 2007; Loughlin, 2005) et les infections de condylomes (une souche du virus du papillome humain) (McCarthy, 2014a; Morris et Tobian, 2014). Elle peut être parfois nécessaire pour traiter un **phimosis**. Depuis 2007, l'Organisation mondiale de la santé et l'ONUSIDA recommandent la circoncision parmi les mesures de santé publique en matière de VIH/sida (nous en reparlons au chapitre 12).

Les opposants à la circoncision, de leur côté, ne manquent pas d'arguments à l'encontre de cette pratique. D'abord, le prépuce pourrait avoir une fonction importante qui demeure actuellement inconnue. Ensuite, la fonction sexuelle pourrait, selon certains chercheurs, être affectée par l'ablation du prépuce. Enfin, selon des professionnels de la santé, cette intervention crée un traumatisme inutile chez le nouveau-né, en plus de comporter un risque de complications.

En dépit des recommandations des associations professionnelles de pédiatres et d'anesthésiologistes, plusieurs enfants ne reçoivent pas d'analgésiques pour calmer la douleur au cours de l'intervention (Bisogni et coll., 2014; Sugarman, 2013). Or, les enfants qui n'en reçoivent pas ressentent de la douleur et y réagissent (Boschert, 2004; Van Howe et Svoboda, 2008); l'association douleur-circoncision peut avoir des effets à long terme sur le comportement de l'enfant (Taddio et coll., 1997). La circoncision comporte en effet des risques pour la santé de l'enfant, notamment des risques d'hémorragie, d'infection, de mutilation, de choc et de traumatisme psychologique (Ahmed et Ellsworth, 2012; Meldrum et Rink, 2005).

Devant une telle controverse, il n'est pas étonnant que les professionnels de la santé aient du mal à se prononcer clairement sur la question. Le débat n'est pas clos, et il risque de se poursuivre encore longtemps. Par ailleurs, la question de l'incidence de la circoncision sur le plaisir sexuel masculin demeure entière. Les hommes circoncis sont-ils avantagés sur le plan érotique par rapport aux hommes non circoncis?

Le prépuce d'un homme non circoncis se rétracte de toute façon durant la pénétration, et son gland est donc exposé de la même manière. Sauf en cas de phimosis, il ne semble y avoir aucune différence sur ce plan entre les circoncis et les non-circoncis. En revanche, on peut se demander si, à long terme, à cause du frottement constant, le gland

Circoncision   Ablation chirurgicale, partielle ou totale, du prépuce.

Phimosis   Étroitesse anormale du prépuce ne permettant pas un dégagement suffisant du gland.

d'un homme circoncis ne devient pas moins sensible. Il est impossible de répondre à cette question actuellement.

Masters et Johnson (1968) ont étudié ces deux questions et n'ont trouvé aucune différence entre les hommes circoncis et non circoncis en ce qui a trait à la réponse sexuelle. Une étude récente rapporte que la sensibilité du gland est moindre chez les hommes circoncis que chez ceux qui ne le sont pas (Sorrells et coll., 2007). Toutefois, il manque une donnée essentielle à leur enquête: l'évaluation subjective d'hommes qui ont vécu les deux états après avoir atteint la maturité sexuelle. La documentation médicale rapporte quelques cas d'hommes dont la satisfaction sexuelle a diminué après avoir subi une circoncision à l'âge adulte (Gange, 1999; Task Force on Circumcision, 1999). Une étude relève au contraire une amélioration de la satisfaction sexuelle chez des hommes qui ont été traités chirurgicalement pour des problèmes comme le phimosis (Carson, 2003a). En somme, le lien entre la circoncision et l'excitation sexuelle masculine demeure encore obscur et il n'existe pas de consensus quant au rôle du prépuce dans la performance et la satisfaction sexuelles (Laumann et coll., 1997).

▌ QUESTION D'ANALYSE CRITIQUE

> Si vous aviez un bébé garçon, le feriez-vous circoncire? Pourquoi?

Les soins du pénis

Prendre soin de son pénis constitue un aspect majeur de la santé sexuelle, notamment en le lavant chaque jour. Il est aussi prouvé qu'un nettoyage avant et après chaque relation sexuelle peut réduire le risque de transmission des infections transmissibles sexuellement et par le sang (ITSS), comme nous le voyons au chapitre 12. Les hommes non circoncis doivent veiller à bien rabattre le prépuce pour laver le gland et la paroi interne du prépuce. Ce dernier présente de petites glandes qui sécrètent une substance huileuse et lubrifiante. Si ces sécrétions s'accumulent sous le prépuce, elles se combinent avec des cellules de peau morte pour former du smegma. L'accumulation de smegma finit par dégager une odeur désagréable; il devient granuleux et irritant, et il peut représenter un terrain fertile pour des agents infectieux.

Parfois, le gland et le corps du pénis se couvrent d'une sorte d'eczéma, résultat d'une réaction allergique aux sécrétions vaginales de la partenaire. Le port du condom permet d'éviter ce problème, mais il faut toujours consulter un médecin pour déterminer la cause réelle et le bon traitement.

Certains gadgets sexuels peuvent présenter un risque pour le pénis. Par exemple, l'anneau pénien (un anneau très serré placé à la base du pénis dans le but d'aider l'érection) peut détruire les tissus du pénis en coupant la circulation sanguine.

Dans de rares occasions, il peut y avoir une fracture du pénis (Coleman, 2014; Seftel, 2014). Cette blessure consiste en une rupture des corps caverneux alors que le pénis est en érection. Elle survient le plus souvent durant le coït. Un étudiant raconte comment il a subi cette blessure très douloureuse.

> J'avais une relation sexuelle avec mon amie en position assise, sur une chaise. Elle me chevauchait en s'appuyant sur les accoudoirs et sur ses jambes pour mouvoir son corps de haut en bas sur mon pénis. Dans le feu de l'action, elle s'est levée un peu trop et mon sexe est ressorti. Elle s'est rassise sans ménagement, croyant que je la repénétrerais aussitôt. Malheureusement, elle a raté la cible et tout son poids s'est posé sur mon pénis. J'ai entendu un craquement sourd et ressenti une douleur atroce. Mon pénis a saigné pas mal de l'intérieur, et j'ai continué à souffrir pendant un bon bout de temps. (Note des auteurs)

Cet exemple est très représentatif de ce qui entraîne une rupture des corps caverneux. Le traitement d'une fracture du pénis varie de l'attelle à la chirurgie en passant par l'application de glace. La plupart des victimes recouvrent leur capacité sexuelle.

RÉSUMÉ

L'anatomie et la physiologie sexuelles de la femme

- Les organes génitaux externes de la femme, qu'on regroupe sous le terme de *vulve*, se composent du mont de Vénus, des grandes lèvres, des petites lèvres, du clitoris, du vestibule et des orifices urétral et vaginal.

- Le clitoris comprend la hampe et la tige (ou corps). Une grande concentration de terminaisons nerveuses innervent le clitoris, dont la seule fonction est de procurer du plaisir sexuel.

❯

- Beaucoup de cultures accordent une grande importance à l'hymen, gage de virginité. L'hymen varie en taille, en forme et en épaisseur.

- Les organes génitaux internes de la femme comprennent le vagin, le col de l'utérus, l'utérus, les trompes de Fallope et les ovaires.

- Le vagin s'étend sur une longueur de 10 cm à l'intérieur de la cavité pelvienne. Sa capacité de dilatation est très grande et sa taille augmente sous l'effet de l'excitation sexuelle, durant la pénétration et lors de l'accouchement.

- La lubrification vaginale se produit durant la phase d'excitation sexuelle. Un fluide alcalin traverse alors les parois du vagin et lubrifie la muqueuse. La lubrification vaginale augmente la longévité et la mobilité des spermatozoïdes ainsi que le plaisir et le confort lors d'une relation sexuelle.

- Les parois vaginales et le col utérin produisent naturellement des sécrétions.

- C'est à l'intérieur de l'utérus que se développe le fœtus lors d'une grossesse.

- Les trompes de Fallope sont des conduits situés de part et d'autre de l'utérus et dans lesquels l'ovule et le spermatozoïde se déplacent et, éventuellement, se rencontrent lors d'une fécondation.

- Les ovaires sont les gonades femelles qui libèrent l'ovule et sécrètent des hormones sexuelles.

- Le cycle menstruel est le fruit d'interactions hormonales complexes.

- Il n'y a habituellement pas de contre-indication aux relations sexuelles durant les menstruations.

- La ménopause est l'arrêt des menstruations et signifie la fin de la fécondité. L'âge moyen de la ménopause est de 51 ans.

- Les seins se composent de tissu adipeux et de glandes lactifères.

L'anatomie et la physiologie sexuelles de l'homme

- Les organes génitaux externes de l'homme sont le pénis et le scrotum.

- Le pénis est formé d'une racine, d'une partie externe pendante appelée *hampe* et d'une tête lisse appelée *gland*. Trois masses cylindriques de tissus érectiles parcourent le pénis dans toute sa longueur. Ces tissus se gorgent de sang sous l'effet de l'excitation sexuelle.

- Le scrotum contient deux testicules, chacun étant suspendu dans son compartiment respectif par le cordon spermatique.

- Les organes génitaux internes de l'homme sont les testicules, le canal déférent, les vésicules séminales, la prostate et les glandes de Cowper.

- Les testicules de l'homme jouent principalement deux rôles : produire des spermatozoïdes et sécréter des hormones sexuelles.

- La production des spermatozoïdes dans le testicule requiert une température légèrement inférieure à celle du corps.

- À partir de l'épididyme de chaque testicule, les spermatozoïdes et sécrétions diverses traversent le canal déférent, qui aboutit à la base de la vessie où il se joint au conduit éjaculateur de la vésicule séminale.

- Les vésicules séminales sécrètent un liquide alcalin nutritif qui compte pour environ 70 % du volume de l'éjaculat et semble stimuler les spermatozoïdes.

- La prostate est localisée sous la vessie et traversée par l'urètre. Cette glande sécrète environ 30 % du volume de l'éjaculat.

- Les glandes de Cowper sont reliées à l'urètre par deux conduits minuscules qui sont situés en dessous de la prostate. Sous l'effet de l'excitation sexuelle, elles produisent souvent des gouttelettes de liquide visqueux et alcalin qui apparaissent à l'extrémité du pénis.

- L'érection est un phénomène involontaire qui résulte d'une stimulation sexuelle adéquate de nature physiologique, psychologique, ou les deux.

- L'éjaculation comprend deux phases : la phase d'émission et la phase d'expulsion.

- L'éjaculat contient des spermatozoïdes et des sécrétions venant de la prostate et des vésicules séminales. Les spermatozoïdes ne comptent que pour une infime partie du liquide total qui est éjaculé.

- La taille du pénis n'est pas un facteur déterminant dans la capacité à donner du plaisir ou à jouir au moment de la pénétration vaginale.

- L'autoexamen des organes génitaux peut se révéler utile pour mieux connaître son corps et déceler une anomalie.

CHAPITRE 03

Les réactions sexuelles : le cerveau, le corps

SOMMAIRE

> Chez l'être humain, l'excitation sexuelle et la réponse sexuelle sont influencées par de nombreux facteurs : la capacité du cerveau à créer des images et à susciter des fantasmes, les émotions, divers processus sensoriels, les hormones, le degré d'intimité entre deux personnes ainsi qu'une foule d'autres éléments. Pour amorcer l'étude du présent chapitre, nous aborderons certains facteurs qui influent sur l'excitation sexuelle avant de nous pencher sur la manière dont le corps humain répond à la stimulation sexuelle. Nous nous concentrerons principalement sur les facteurs et manifestations biologiques de l'excitation et de la réponse sexuelles. Cependant, même si nous mettons l'accent sur la dimension physiologique, nous ne minimisons pas pour autant l'importance des influences psychologiques et culturelles. En fait, les facteurs psychosociaux jouent probablement un plus grand rôle que les facteurs biologiques dans l'éventail extrêmement vaste des schémas de la réponse sexuelle humaine. Il en sera d'ailleurs question dans les chapitres à venir.

Le désir et l'excitation sexuelle

Jamais il n'y a eu de chaleur ou de passion durant les cinq années de ma relation avec Éric. C'était un homme bien, mais je n'arrivais pas à combler le fossé entre nous, surtout à cause de sa réticence ou de son incapacité à exprimer ses sentiments et à montrer sa vulnérabilité. Nos relations sexuelles étaient comme cela aussi, mécaniques en quelque sorte, comme s'il était là physiquement, mais non émotionnellement. J'éprouvais rarement du désir pour Éric, et mon corps réagissait parfois à peine pendant que nous faisions l'amour. Quelle différence avec Mathieu, mon partenaire actuel, et pour la vie, du moins je l'espère ! Notre relation a été instantanément solide et intime dès le début. La première fois que nous avons fait l'amour, je me sentais comme en feu. C'était comme si nous n'étions qu'un, physiquement et émotionnellement. Le seul son de sa voix ou un simple effleurement suffisent parfois à m'exciter profondément. (Note des auteurs)

Cet extrait illustre la façon dont les facteurs psychosociaux et le contexte relationnel influent sur le désir et sur les réactions corporelles.

Le cerveau

Le désir et l'excitation sexuels sont au cœur de l'expérience érotique chez les êtres humains. Ces deux phénomènes étant en étroite interaction, il est difficile de les distinguer l'un de l'autre. Le désir relève de l'intention (plus que de l'instinct) orientée vers un but, alors que l'excitation sexuelle se réfère à des manifestations physiques et à ce qu'en perçoit la personne (Ortigue et Bianchi-Demicheli, 2007). Il est possible de déceler le désir sexuel dans le cerveau en moins d'un cinquième de seconde, bien avant que la personne en prenne conscience (Ortigue et Bianchi-Demicheli, 2008). L'excitation sexuelle peut survenir sans aucune stimulation sensorielle ; un fantasme, par exemple l'évocation d'images érotiques ou de scènes sexuelles, suffit à la déclencher. Avant d'examiner les mécanismes physiques de ces phénomènes et leur rôle dans la réponse sexuelle, nous aborderons brièvement leurs dimensions psychosociales.

Le désir sexuel

On a généralement recours à plusieurs termes pour décrire le désir sexuel, un phénomène principalement ressenti comme une évocation émotionnelle et motivationnelle : libido, appétit, *drive*, intérêt, besoin, passion, etc. Traditionnellement, le désir sexuel était conçu comme une pulsion instinctive, spontanée, une source de tension sexuelle et un prérequis à l'excitation sexuelle, cherchant l'assouvissement par une activité sexuelle et par l'orgasme. De plus, on considérait que le désir était une manifestation innée, résultant de forces biologiques endogènes, et qu'il était inévitable et présent chez tous les êtres humains, à une quantité et à des degrés toutefois différents. Sur la base supposée d'une quantité dite *normale*, nous avons également relégué à la psychopathologie les quantités et les degrés de désir sexuel considérés comme insuffisants (inhibition du désir sexuel, désir sexuel hypoactif, etc.) ou comme exagérés (désir sexuel hyperactif, dépendance sexuelle, etc.). La recherche n'a pas réussi à disséquer le désir pour mieux le comprendre, à en caractériser l'expression et à le mesurer d'une façon strictement objective et quantifiable, ni à déterminer ce qui constituerait une quantité de désir sexuel *normale*.

Cette conception traditionnelle du désir sexuel est remise en question, surtout la primauté des bases biologiques de la motivation sexuelle. Bien que le rôle important des androgènes dans la stimulation du désir sexuel, et particulièrement de la testostérone, soit un fait bien établi, il faut reconnaître que les facteurs psychologiques, sociaux, relationnels et culturels ont une influence importante, qui dépasserait peut-être même celle des facteurs biologiques. De plus, des études ont remis en cause, surtout chez la femme, l'idée voulant que le désir sexuel se vive à l'intérieur de la personne, qu'il surgisse spontanément, qu'il dirige vers l'activité sexuelle et qu'il soit nécessaire à l'excitation sexuelle. Certains auteurs affirment que le désir est secondaire à l'excitation sexuelle, et que c'est la prise de conscience de l'excitation génitale ou subjective qui déclenche et entretient le désir sexuel. Finalement, les études sur l'asexualité en tant qu'orientation sexuelle (*voir le chapitre 5*) infirment l'idée qu'il existe une quantité *normale* de désir et que son absence est une forme de trouble mental.

Voici la définition générale du désir sexuel que nous retiendrons dans ce manuel : «un état émotif, subjectif et motivant, déclenché à la fois par des points de repère internes et externes, et qui peut mener à une activité sexuelle, ou non» (traduction libre, Leiblum et Rosen, 1988). Cette définition prend en compte plusieurs dimensions essentielles : un bon fonctionnement neuroendocrinien, une stimulation sexuelle suffisamment intense, ainsi que des points de repère et des incitatifs motivants. Ces facteurs peuvent naître soit à l'intérieur de l'individu (par exemple, un fantasme érotique stimulant, la décision ou le souhait de plaire à son ou sa partenaire, la prise de conscience d'une vasocongestion génitale), soit dans son environnement (par exemple, des mots évocateurs et un toucher suggestifs lors d'un souper tête à tête, une image d'une femme nue en talons hauts et ligotée sur un lit). De plus, le désir sexuel est également soumis à des prescriptions socioculturelles qui fixent les limites dans lesquelles il est acceptable d'exprimer son désir sexuel (par exemple, envers des personnes de l'autre sexe, dans un contexte de mariage à l'égard de son conjoint ou de sa conjointe, devant un adulte nu, etc.).

Il importe aussi de reconnaître que plusieurs raisons motivationnelles peuvent pousser un individu vers une activité sexuelle qui n'est pas associée au désir sexuel. Une étude menée auprès de 1549 universitaires a permis d'établir une liste comportant 237 raisons qu'il est possible d'invoquer pour avoir un rapport sexuel. Meston et Buss (2007) ont réparti ces raisons en quatre catégories de facteurs, chacune d'elles comportant plusieurs sous-facteurs :

1. la satisfaction de besoins physiques (réduction du stress, plaisir, désirabilité physique, recherche d'expériences) ;

2. l'atteinte d'objectifs personnels (ressources, statut social, vengeance, pratique) ;

3. des raisons émotives (amour, engagement, expression émotive) ;

4. diverses motivations se rapportant à l'insécurité (pour rehausser son estime de soi, par sentiment d'obligation et de pression, pour retenir son partenaire).

Il ressort donc de ces observations que le fait qu'une personne ait eu un rapport sexuel ne dit rien sur son désir sexuel ni sur ses motivations.

L'excitation sexuelle

L'excitation sexuelle est un phénomène qui comporte deux dimensions : la première est une manifestation physique et la seconde est une émotion psychoaffective de plaisir. L'excitation est donc à la fois une réaction corporelle déclenchée par plusieurs mécanismes physiologiques et une perception et interprétation sexuelles et plaisantes d'un état interne d'excitation, à la suite d'une stimulation sexuelle efficace. La stimulation sexuelle qui déclenche l'excitation peut être autant d'ordre physique que d'ordre psychologique, autant externe (touchers, images, sons, odeurs, etc.) qu'interne (pensées, fantasmes, modifications neuroendocriniennes).

Par ailleurs, les réactions corporelles et la perception du plaisir sexuel ne coïncident pas toujours. Par exemple, un homme peut avoir une érection sous l'effet de caresses buccogénitales effectuées sur son pénis (stimulation et excitation sexuelle physique), mais, en même temps, il peut ne pas sentir monter son plaisir (excitation sexuelle subjective) parce qu'il se livre à cette activité avec un ou une partenaire qui va à l'encontre de ses valeurs ou de celles de la société (une personne mineure, un travailleur du sexe de rue, etc.). De même, une femme peut ressentir du plaisir sexuel (excitation sexuelle subjective) lors du coït malgré l'absence de vasocongestion pelvienne et une lubrification vaginale insuffisante (excitation sexuelle physique). On constate donc que plusieurs facteurs peuvent influer sur l'interprétation qu'une personne peut faire des modifications corporelles déclenchées par l'excitation sexuelle, ou de l'absence de telles manifestations, pour en faire finalement une expérience sexuellement plaisante. L'encadré *Les uns et les autres* montre comment l'influence culturelle joue également un rôle fondamental dans ce domaine.

Puisque le cerveau emmagasine les souvenirs et les valeurs culturelles, il a une grande influence sur la capacité d'excitation. Les processus mentaux particuliers comme les fantasmes sont issus du **cortex cérébral**, le *siège de la pensée*, qui régit des fonctions telles que le raisonnement, le langage et la créativité. Or, le cortex cérébral ne constitue qu'un des niveaux d'influence du cerveau sur l'excitation et la réponse sexuelles. Le **système limbique**, situé sous le cortex, semble aussi jouer un rôle important dans le comportement sexuel des humains et des autres mammifères.

La figure 3.1 illustre quelques structures importantes du système limbique. Ces structures comprennent le gyrus cingulaire, le corps amygdaloïde, l'hippocampe et une partie de l'hypothalamus, lequel joue un rôle de régulation (Arnow et coll., 2002 ; Salu, 2013 ; Stark, 2005). Des chercheurs ont eu recours à l'imagerie par résonance magnétique fonctionnelle (IRMf) pour relever l'activité cérébrale durant l'excitation sexuelle. Ces études,

résumées dans l'encadré *Pleins feux sur la recherche* à la page 68, apportent d'autres preuves du rôle du système limbique dans la réponse sexuelle.

Des études attestent que la stimulation électrique de l'hypothalamus chez l'humain déclenche l'excitation sexuelle, parfois jusqu'à l'orgasme. On a aussi observé des cas où la stimulation électrique et chimique du cerveau à des fins thérapeutiques produisait sur celui-ci les mêmes effets.

Plusieurs études ont montré une corrélation entre l'hypothalamus et la fonction sexuelle. Par exemple, des scientifiques ont observé une augmentation de l'activité sexuelle (notamment des érections et des éjaculations) chez des rats dont on avait stimulé les régions antérieures et postérieures de l'hypothalamus (Paredes et Baum, 1997). La destruction chirurgicale de certaines parties de l'hypothalamus provoque une baisse considérable de l'activité sexuelle, tant des mâles que des femelles, chez plusieurs espèces animales (Paredes et Baum, 1997). La région interne de l'aire préoptique de l'hypothalamus (RIAP) intervient dans l'excitation et le comportement sexuels. La stimulation électrique de cette région entraîne une augmentation de l'activité sexuelle ; si elle est endommagée, il y a diminution ou cessation de l'activité sexuelle chez les mâles d'une grande variété d'espèces (Stark, 2005 ; Wilson, 2003). Les drogues opiacées, telles que l'héroïne et la morphine, suppriment l'action de la RIAP et ont des effets inhibiteurs sur la performance sexuelle (Argiolas, 1999).

Les neurotransmetteurs, des substances chimiques naturellement présentes dans le cerveau, ont aussi des effets connus sur l'excitation et la réponse sexuelles par l'action qu'ils exercent sur la RIAP. L'un de ces neurotransmetteurs (appelés ainsi parce qu'ils transmettent les influx nerveux entre les neurones), la **dopamine**, active la RIAP et favorise l'excitation et la réponse sexuelles chez les mâles de plusieurs espèces (Giargiari et coll., 2005 ; Wilson, 2003). On sait en outre que la testostérone stimule la production de dopamine dans la RIAP, tant chez les hommes que chez les femmes (Wilson, 2003). Cet effet montre un mécanisme possible par lequel la testostérone stimule la libido (désir sexuel) chez les deux sexes.

FIGURE 3.1 ▶ Le système limbique

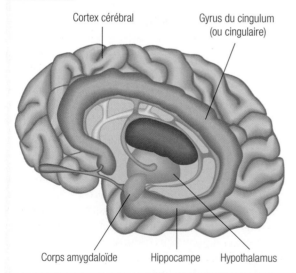

Cortex cérébral

Gyrus du cingulum (ou cingulaire)

Corps amygdaloïde   Hippocampe   Hypothalamus

Le système limbique, une région du cerveau associée aux émotions et à la motivation, joue un rôle important dans la sexualité humaine. Les structures principales, qui sont colorées, comprennent le gyrus du cingulum (ou cingulaire), certaines parties de l'hypothalamus, le corps amygdaloïde et l'hippocampe.

Cortex cérébral   Mince couche extérieure du cerveau qui contrôle les processus mentaux supérieurs.

Système limbique   Centre cérébral sous-cortical composé de plusieurs structures reliées entre elles et influant sur le comportement sexuel.

Dopamine   Neurotransmetteur qui favorise l'excitation et l'activité sexuelles.

Les différences culturelles quant à l'excitation sexuelle

En dépit de l'universalité des mécanismes biologiques sous-jacents à l'excitation sexuelle humaine, les stimuli ou comportements sexuels jugés excitants sont très influencés par le conditionnement culturel. Par exemple, dans les sociétés occidentales, le point culminant d'une activité sexuelle est l'atteinte de l'orgasme, et les activités centrées sur les organes génitaux sont fréquemment considérées comme les plus excitantes.

À l'inverse, dans certaines sociétés asiatiques marquées par l'hindouisme, le bouddhisme et le taoïsme, les pratiques sexuelles sont associées à la spiritualité et l'orgasme n'est pas le principal but (Stubbs, 1992). Les adeptes des traditions tantriques orientales (dans lesquelles la sexualité se confond avec la spiritualité) atteignent souvent le paroxysme du plaisir en mettant l'accent sur la sensualité et la spiritualité d'une intimité partagée plutôt que sur l'atteinte de l'orgasme (Michaels et Johnson, 2006 ; Richard, 2002).

Dans plusieurs sociétés non occidentales, l'orgasme féminin est rare, voire inconnu (Ecker, 1993). Dans certaines d'entre elles, la lubrification vaginale est mal perçue et suscite parfois des commentaires négatifs du partenaire lorsqu'elle survient (Ecker, 1993).

Dans de nombreuses régions du monde, le baiser sur la bouche, considéré comme excitant en Occident, est rare ou absent. Chez les Inuits d'Amérique du Nord et les habitants des îles Trobriand (en Papouasie-Nouvelle-Guinée), on se frotte plutôt le nez mutuellement. Chez les Thongas d'Afrique du Sud, le baiser suscite le dégoût. Les hindous de l'Inde évitent de s'embrasser, car ils croient que ce contact symbolique contamine la relation sexuelle. Dans leur étude menée auprès de 190 sociétés, l'anthropologue Clellan Ford et l'éthologue Frank Beach (1951) ont découvert que le baiser sur la bouche n'était pratiqué que dans 21 sociétés et qu'il faisait partie des préliminaires amoureux ou accompagnait le coït dans seulement 13 sociétés.

Les relations buccogénitales constituent une source d'excitation sexuelle dans les îles du Pacifique Sud, dans les pays industrialisés asiatiques et dans la majorité des pays occidentaux. Par contre, en Afrique (sauf dans le nord du continent), de telles pratiques sont généralement considérées comme contre nature ou répugnantes.

Les préliminaires amoureux, que ce soit les rapports buccogénitaux, les caresses sensuelles ou les baisers passionnés, varient beaucoup d'une culture à l'autre. Dans certaines sociétés, surtout celles de tradition orientale, les couples s'efforcent de prolonger leur état d'excitation sexuelle

Les attraits physiques sont très différents d'une culture à l'autre, comme le montrent ces photos d'hommes et de femmes qui sont considérés comme attirants dans leur culture respective.

pendant des heures (Devi, 1977). En Occident, malgré la diversité des cultures, les préliminaires sont souvent brefs et la relation chemine rapidement vers *le vrai but* que représente le coït. Dans d'autres sociétés, les préliminaires sont très courts, voire absents. Par exemple, chez les Lepchas du sud-est de l'Himalaya, les hommes limitent leurs préliminaires à une caresse des seins de leur partenaire. Chez les Irlandais de l'île d'Inis Beag, l'activité qui précède l'acte sexuel de résume à des baisers sur la bouche et à des caresses grossières des parties génitales de la femme (Messenger, 1971).

Même si les attributs physiques exercent une grande influence sur l'excitation sexuelle humaine dans presque toutes les cultures, les critères de beauté varient considérablement de l'une à l'autre. Ce qui est considéré comme attirant ou excitant dans une culture peut être jugé étrange ou repoussant dans une autre. Par exemple, certaines sociétés insulaires attribuent une valeur érotique à la forme et à la texture des parties génitales féminines, contrairement à la plupart des sociétés occidentales. Mentionnons enfin que dans de nombreuses sociétés, les seins nus n'ont pas la valeur érotique qu'ils ont généralement en Amérique du Nord.

Par contre, plusieurs études font état d'un certain nombre de critères transculturels, c'est-à-dire indépendants des modes et des modèles proposés localement. Par exemple, les femmes auraient tendance à préférer un partenaire plus grand et plus âgé qu'elles ; selon les évolutionnistes, cela se vérifie dans toutes les cultures (Buss, 2003). Elles seraient aussi plus attirées par les hommes qui ont une silhouette en V, une mâchoire carrée, des sourcils épais, une certaine pilosité et une voix grave (Collins et Missing, 2003). Cette préférence pour certains traits typiquement masculins serait reliée au cycle menstruel et plus marquée au moment de l'ovulation (Cornwell et coll., 2004). Cela se reflète d'ailleurs dans les statistiques démographiques qui montrent que les hommes plus grands ont plus d'enfants que les hommes plus petits (Nettle, 2002). Les préférences des hommes seraient complémentaires à celles des femmes : ils seraient attirés par des femmes plus jeunes – 2,5 ans de moins, en moyenne

(Buss, 2003) – ou d'allure jeune, ayant une silhouette typique des nullipares (femmes n'ayant jamais accouché) (Fischer et Voracek, 2006), des lèvres pleines, une peau de pêche, un teint et des yeux clairs, des cheveux lustrés et un bon tonus musculaire (Buss, 2003). Ni la thèse évolutionniste (la perception du *beau* est programmée génétiquement) ni la thèse culturelle (ce qui est jugé *beau* ne dépend que de la culture) ne permettent de tout expliquer. Il semble que ce soit la superposition des traits et caractéristiques transculturels (évolutionnistes) ainsi que des tendances culturelles d'un lieu et d'une époque qui, ensemble, rend une personne attirante. Après tout, partout et depuis toujours, la jeunesse est généralement jugée plus *belle* que la vieillesse, et un visage symétrique est jugé plus attirant, pour ne citer que ces exemples.

PLEINS FEUX SUR LA RECHERCHE

L'observation de la fonction cérébrale durant l'excitation sexuelle grâce à l'IRMf

La recherche de pointe a montré les avantages d'utiliser des technologies performantes pour révéler l'activité cérébrale pendant l'excitation sexuelle. L'imagerie par résonance magnétique fonctionnelle (IRMf) permet de visualiser les zones du cerveau (pensées ou émotions) qui sont actives en montrant celles où le sang circule davantage. Ainsi, les chercheurs ont pu faire la démonstration que l'IRMf peut servir à enregistrer ce qui se passe dans le cerveau pendant l'excitation sexuelle (Arnow et coll., 2002 ; Holstege et coll., 2003 ; Karama et coll., 2002 ; Whipple et Komisaruk, 2006).

Toutes les études dont nous rapportons ici les résultats ont eu recours à l'IRMf pour enregistrer l'activité cérébrale des participants. La première de ces expériences, qui consistait à présenter des vidéoclips érotiques à des hommes et à des femmes, a montré que la région du système limbique, plus particulièrement celle de l'amygdale, s'est activée chez les deux sexes (Karama et coll., 2002). Dans une autre recherche, des hommes devaient regarder des vidéoclips érotiques ; les résultats indiquent que des régions du cerveau se sont activées chez ces sujets, surtout dans l'hypothalamus et le gyrus cingulaire, deux structures du système limbique (Arnow et coll., 2002). Une autre étude visant à enregistrer l'activité cérébrale de femmes pendant l'orgasme a révélé un niveau d'activation supérieur dans plusieurs régions du système limbique, dont l'hypothalamus, l'amygdale, l'hippocampe et le gyrus cingulaire (Komisaruk et Whipple, 2005 ; Whipple et Komisaruk, 2006). L'IRMf a également montré

que, chez une femme qui atteint l'orgasme par la pensée seulement, l'activation des zones cérébrales est comparable à celle qui se produit au moment d'une stimulation physique (Komisaruk et coll., 2006). Une recherche comparant le cerveau de femmes souffrant d'un trouble du désir sexuel avec celui de femmes qui ne présentaient pas de troubles du désir a révélé l'importance de la désactivation « des opérations de la pensée supérieure et de la fonction exécutive du lobe frontal, ainsi que de l'activation de la composante instinctive du système limbique du mésencéphale » (Arnow et coll., 2009). Ainsi, ce puissant outil d'observation qu'est l'IRMf a permis de réaliser de grandes avancées dans la compréhension du rôle du cerveau dans la sexualité humaine.

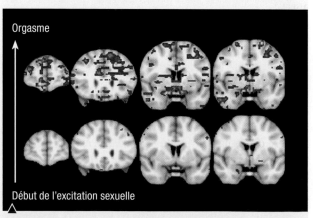

Une image IRMf montrant l'activité cérébrale (en clair) pendant l'excitation sexuelle et l'orgasme.

Par opposition à l'effet facilitateur de la dopamine, un autre neurotransmetteur, la **sérotonine**, semble inhiber l'activité sexuelle. L'éjaculation masculine provoque la sécrétion de sérotonine dans la RIAP et l'aire latérale de l'hypothalamus, une région située de chaque côté de celui-ci. Cette sécrétion réduit temporairement la libido et l'activité sexuelle en bloquant la production de dopamine (Hull et coll., 1999). La sérotonine bloque aussi l'effet de l'ocytocine, une neurohormone sécrétée par l'hypothalamus (Wilson, 2003). Les gens qui souffrent de dépression sont souvent traités à l'aide d'antidépresseurs appelés *inhibiteurs sélectifs de la recapture de la sérotonine*. Ces médicaments affectent souvent la libido et la réponse sexuelle parce qu'ils augmentent le taux de sérotonine dans le cerveau. Par ailleurs, ils réduisent la sensibilité génitale et la capacité orgasmique chez les deux sexes (Bahrick, 2008).

Ces données tendent à prouver que la dopamine favorise l'excitation et l'activité sexuelles chez les deux sexes, et que la sérotonine agit inversement.

Il est peu probable que les chercheurs parviennent un jour à trouver un véritable *centre de la sexualité* dans le cerveau. Néanmoins, il est clair que le cortex cérébral et le système limbique jouent des rôles cruciaux dans l'amorce, la coordination et la régulation de l'excitation et de la réponse sexuelles. Le cerveau interprète aussi une multitude de signaux sensoriels qui exercent souvent une très grande influence sur l'excitation sexuelle. La prochaine section porte sur ce sujet.

Les sens

On dit que le cerveau est l'organe sensoriel le plus important pour ce qui est de l'excitation sexuelle chez les humains. Cela signifie que tout événement sensoriel peut devenir un véritable stimulus sexuel pour autant que le cerveau l'ait interprété ainsi. La grande diversité de sources de stimulation érotique qui en découle explique l'extrême complexité de la sexualité humaine.

De tous les sens, le toucher semble être celui qui contribue le plus à l'excitation sexuelle, même si chacun des autres sens peut être appelé à y jouer un rôle à un moment ou à un autre. Il n'y a pas qu'un seul modèle en matière de stimulation sensorielle. Chaque personne est unique et a sa propre perception de ce qui est excitant sur le plan sexuel.

Le toucher

La peau est le plus vaste organe du corps. Sa formation chez l'embryon part des mêmes cellules souches qui engendrent les cellules nerveuses. De tous les stimuli

Le toucher est une des formes de stimulation érotique les plus fréquentes.

sensoriels, la stimulation tactile est probablement la plus importante source d'excitation sexuelle. Le lien entre le toucher et l'excitation sexuelle est très étroit. Pensons, par exemple, au massage de relaxation : sans même qu'on touche à leurs organes sexuels, certaines personnes, hommes et femmes, ont tendance à réagir sexuellement (Houde et Drapeau, 2012). Les terminaisons nerveuses qui réagissent au toucher sont distribuées de façon inégale sur la surface du corps, ce qui explique pourquoi certaines zones sont plus sensibles que d'autres. Les zones les plus sensibles au plaisir tactile sont couramment appelées *zones érogènes*.

On distingue souvent les zones érogènes primaires des zones érogènes secondaires. Les premières sont les régions où les terminaisons nerveuses se concentrent en plus grand nombre, alors que les secondes correspondent aux parties du corps dont la valeur érotique est liée à un contexte sexuel particulier.

Sérotonine Neurotransmetteur qui inhibe l'excitation et l'activité sexuelles.

Zones érogènes Parties du corps particulièrement sensibles à la stimulation sexuelle.

Parmi les **zones érogènes primaires**, on trouve générale-ment les organes génitaux, les fesses, l'anus, le périnée, les seins (en particulier les mamelons), l'intérieur des cuisses, les aisselles, le nombril, le cou, les oreilles (plus spécifiquement le lobe) et la bouche (les lèvres, la langue et la cavité orale). Toutefois, il faut savoir que la stimula-tion d'une région qualifiée de zone érogène primaire ne provoque pas nécessairement une excitation sexuelle. Ce qui est très excitant pour une personne peut ne déclen-cher aucune réaction chez une autre, ou même l'irriter.

Les **zones érogènes secondaires** comprennent pratique-ment toutes les autres parties du corps. Quoique ces régions possèdent moins de terminaisons nerveuses que les zones érogènes primaires, elles peuvent devenir éro-gènes à la suite d'un apprentissage par conditionnement dans un contexte d'intimité sexuelle. Un homme et une femme décrivent ainsi comment le toucher agrémente leurs rapports sexuels :

> J'adore me faire toucher partout sur le corps, surtout dans le dos. Chaque caresse m'aide à développer confiance et sécurité. (Note des auteurs)

> Les caresses douces, pas nécessairement génitales, m'excitent le plus. Lorsque mon partenaire promène ses doigts le long de ma nuque et de mon dos, je deviens très sensible et tout mon corps vibre avec excitation. (Note des auteurs)

QUESTION D'ANALYSE CRITIQUE

› On dit que les femmes préfèrent les étreintes et le tou-cher sensuel à la sexualité génitale, et que les hommes n'ont que peu d'intérêt pour les préliminaires et préfèrent « passer au plus vite aux choses sérieuses ». Croyez-vous que cette affirmation est juste et qu'elle reflète une véri-table différence entre les deux sexes ? Si tel est le cas, est-ce un comportement acquis ou inné ?

La vue

Dans notre société, les stimuli visuels semblent avoir une grande importance. Pour s'en convaincre, on n'a qu'à penser à l'attention que les gens prêtent à leur apparence physique : allure soignée, vêtements seyants, utilisation abondante de produits cosmétiques. Par conséquent, il n'est pas surprenant que la vue vienne tout de suite après le toucher dans l'échelle des stimuli considérés comme excitants sur le plan sexuel.

La popularité, dans notre société, des images sexuelle-ment explicites de la pornographie produite pour une clientèle masculine laisse croire que les hommes seraient plus sensibles aux stimuli visuels que les femmes. De fait,

les études faisant appel à l'autoévaluation pour mesurer l'excitation sexuelle ont révélé que les femmes sont moins portées que les hommes à se déclarer excitées par un sti-mulus visuel (Koukounas et McCabe, 1997 ; Mosher et MacIan, 1994). Pourtant, la réponse physiologique d'exci-tation sexuelle des femmes présente de fortes similarités avec celle des hommes (Carvalho et coll., 2013 ; Staley et Prause, 2013). Les résultats de plusieurs études indiquent que les femmes sont moins inclines que les hommes à se dire sexuellement excitées par des représentations érotiques visuelles et auditives (Chivers et coll., 2010 ; Huberman et coll., 2013). Ces résultats pourraient s'ex-pliquer soit par la persistance des schèmes culturels qui font qu'un grand nombre de femmes hésitent à admettre qu'elles sont excitées par un érotisme visuel, soit par le fait que les femmes éprouvent plus de difficultés que les hommes à reconnaître chez elles les signes de l'excita-tion sexuelle, ou encore par une combinaison de ces deux hypothèses.

L'odorat

Il est courant de considérer que les antécédents sexuels d'une personne et son conditionnement culturel contri-buent à déterminer les odeurs qu'elle trouve excitantes. C'est par l'expérience qu'on attribue à certaines odeurs un caractère érotique et à d'autres un aspect repoussant. Dans cette perspective, les odeurs génitales n'ont en elles-mêmes rien d'agréable ni de répulsif. Nous pour-rions même soutenir que l'odeur des sécrétions génitales érotise les rapports entre les individus qui n'ont pas été conditionnés à la considérer comme répugnante. En effet, certaines sociétés reconnaissent ouvertement le caractère érotisant des odeurs génitales.

Deux personnes décrivent les effets de l'odorat sur leur sexualité :

> Parfois, ma partenaire dégage une odeur de sexe qui me stimule instantanément. (Note des auteurs)

> L'odeur d'un homme est vraiment stimulante. J'aime l'odeur et le goût de sa peau. (Note des auteurs)

La quasi-obsession de nombreuses personnes à masquer les odeurs corporelles naturelles rend difficile l'étude de leurs effets sur l'excitation sexuelle. Toute odeur susceptible de déclencher une excitation sexuelle est

Zones érogènes primaires Régions du corps où les ter-minaisons nerveuses se concentrent en plus grand nombre.

Zones érogènes secondaires Régions du corps qui sont sensibles du point de vue érotique dans un contexte sexuel particulier.

Pour bien des gens, l'odorat joue un rôle important dans la sexualité, et les marchands de parfums l'ont bien compris.

généralement neutralisée par des bains fréquents, des parfums et des déodorants. Malgré tout, les expériences personnelles de chacun permettent d'attribuer une valeur érotique à certaines odeurs, comme le montre le témoignage suivant :

> J'adore les odeurs après l'amour. Elles évoquent des souvenirs érotiques et m'aident souvent à maintenir mon excitation à un niveau élevé, au point de vouloir d'autres activités sexuelles. (Note des auteurs)

Chez beaucoup d'espèces, la femelle sécrète certaines substances invisibles appelées *phéromones* durant sa période de reproduction (Rako et Friebely, 2004 ; Wyatt, 2003). Deux zones distinctes du nez humain peuvent être considérées comme des récepteurs de phéromones : l'organe voméronasal (OVN) et l'épithélium olfactif, qui transmettent tous deux des messages au cerveau (Shah et Breedlove, 2007). Quelques études indiquent que ces zones peuvent réagir aux phéromones (Rako et Friebely, 2004 ; Savic et coll., 2005). Des chercheurs suédois ont identifié deux substances pouvant être des phéromones humaines : l'estratetraenol (EST), une substance chimique proche des œstrogènes et présente dans l'urine des femmes, et l'androstadienone (AND), un dérivé de la testostérone présent dans la sueur des hommes. Recourant à l'IRMf et à la tomographie par émission de positrons (TEP), ces scientifiques ont constaté que l'exposition à l'EST active l'hypothalamus des hommes hétérosexuels, mais pas celui des femmes hétérosexuelles, tandis que l'exposition à l'AND active les structures cérébrales des femmes, mais pas celles des hommes. Autre donnée intéressante de leur étude : l'hypothalamus des hommes gais réagit à l'AND et à l'EST de la même façon que celui des femmes hétérosexuelles (Savic et coll., 2005).

Quoique ces résultats suggèrent que les humains sécrètent des phéromones, ils ne permettent pas de conclure que ces substances agissent comme attraits sexuels. De nombreuses sociétés américaines et internationales n'en ont pas moins lancé des campagnes publicitaires pour vendre des eaux de Cologne et des parfums ayant prétendument les propriétés des phéromones humaines (Cutler, 1999 ; Kohl, 2002 ; Small, 1999). Mais rien ne prouve que ces produits contiennent vraiment des phéromones sexuelles.

QUESTION D'ANALYSE CRITIQUE

> Selon vous, lequel des cinq sens agit le plus sur l'excitation et l'activité sexuelles ? Pourquoi ? Les hommes et les femmes accordent-ils la même importance à chacun des sens pendant leurs activités sexuelles ?

Le goût

Le goût, bien moins étudié que les autres sens, semble avoir assez peu d'influence sur l'excitation sexuelle humaine. Cela vient sans doute des publicités prônant une haleine fraîche et des produits d'hygiène féminine parfumés. En plus d'exploiter la crainte de goûter ou de sentir mauvais, ces produits commerciaux masquent les saveurs naturelles rattachées à la sexualité. Néanmoins, certaines personnes sont encore capables de détecter et d'apprécier certaines saveurs, comme celles des sécrétions vaginales ou du sperme qu'elles apprennent à associer à l'intimité sexuelle.

> Lorsque je suce mon homme, je peux goûter les petites gouttes salées qui coulent de son pénis juste avant qu'il éjacule. Je deviens très excitée, car je sais qu'il est sur le point de prendre le chemin du plaisir. (Note des auteurs)

L'ouïe

Durant l'activité sexuelle, l'émission de sons est aussi variable que la réponse sexuelle du partenaire. Certaines personnes trouvent les mots, la conversation érotique, les gémissements et les cris émis pendant l'orgasme très excitants ; d'autres préfèrent que leur partenaire garde le silence durant les jeux amoureux. D'autres encore, par peur ou par pudeur, font des efforts conscients pour éliminer les bruits spontanés durant la relation sexuelle. Prisonniers de l'image silencieuse et stoïque qui leur a été inculquée, les hommes peuvent éprouver une difficulté particulière à parler, à crier ou à gémir lorsqu'ils

Phéromones   Substances chimiques produites par le corps, transmises par voie aérienne, et qui sont associées aux fonctions reproductrices.

sont excités sexuellement. La réticence des femmes à émettre des sons durant les jeux sexuels peut être reliée à l'idée qu'une femme convenable n'est pas censée être passionnée au point de faire du bruit.

En plus de stimuler l'excitation sexuelle, converser durant un intermède amoureux peut informer et aider les partenaires («j'aime quand tu me touches de cette façon», «un peu plus doucement», etc.). Si vous aimez émettre des sons et parler durant l'amour, votre partenaire pourrait en faire autant si vous prenez la peine d'en discuter d'abord ouvertement. Nous revenons plus en détail sur les préférences sexuelles au chapitre 7.

Un homme et une femme décrivent le rôle des sons dans leurs rapports sexuels.

> J'ai beaucoup de plaisir à être avec une femme qui gémit sans retenue. J'apprécie être avec une personne qui s'ouvre et qui me laisse savoir qu'elle a du plaisir. Si ma partenaire ne communique pas assez vocalement durant l'amour, je n'embarque pas. (Note des auteurs)

> J'aime entendre nos deux corps qui se heurtent lorsque nous faisons l'amour et j'aime lorsqu'il gémit et en redemande. J'aime aussi l'entendre dire mon nom comme j'aime prononcer le sien. (Note des auteurs)

L'effet des substances et des drogues sur le désir et l'excitation sexuelle

Jusqu'à maintenant, nous avons examiné l'effet des processus du cerveau et des stimuli sensoriels sur l'excitation sexuelle. Plusieurs autres facteurs agissent sur l'excitabilité d'une personne dans une situation donnée. Certains ont des effets directs sur la physiologie du désir et de l'excitation sexuelle, alors que d'autres reposent sur la conviction.

Les aphrodisiaques

Un **aphrodisiaque** (qui tire son nom d'Aphrodite, déesse grecque de l'amour et de la beauté) est une substance qui est censée stimuler le désir sexuel ou augmenter les capacités d'une personne dans ses activités sexuelles. Depuis presque toujours, l'être humain a cherché à raviver son désir sexuel ou à réaliser des prouesses sexuelles dignes d'un champion olympique au moyen d'agents ou de potions magiques.

Presque tous les aliments dont la forme rappelle celle d'un pénis ont été jugés aphrodisiaques à un moment ou un autre (Nordenberg, 2008). Beaucoup d'entre nous ont déjà entendu des blagues sur l'effet particulier des huîtres. Pourtant, pour ceux qui croient aux propriétés spéciales de ce mollusque, il n'y a pas lieu de plaisanter. L'industrie des huîtres tire profit de cette croyance. Les autres aliments parfois considérés comme aphrodisiaques sont notamment la banane, le céleri, le concombre, la tomate, le ginseng et la pomme de terre (Nordenberg, 2008). Dans les pays asiatiques plus particulièrement, une croyance bien ancrée veut que la corne broyée d'animaux tels que le rhinocéros et le renne soit un stimulant sexuel puissant (Foley, 2006). Malheureusement, à cause de cette fausse croyance, le rhinocéros noir a été déclaré espèce disparue par l'Union internationale pour la conservation de la nature en novembre 2011. Le témoignage de nombreuses personnes quant à l'effet bénéfique de ces substances atteste une fois de plus le rôle crucial de la pensée sur l'activité sexuelle humaine.

L'alcool

Plusieurs produits sont aussi censés avoir des propriétés jugées aphrodisiaques. Celui qui a fait couler le plus d'encre est probablement l'alcool. La croyance selon laquelle l'alcool est un stimulant sexuel est largement répandue dans notre société.

> Je suis convaincu que boire du vin a des effets positifs sur la sexualité. Après quelques verres, je me sens prêt à sauter au lit. Je sais que ma partenaire sera partante dès lors que je la vois déboucher une bouteille de rosé bien frais. (Note des auteurs)

Loin d'agir comme un stimulant, l'alcool entraîne un effet dépresseur sur les aires cérébrales qui régissent les fonctions supérieures, ce qui a pour effet de réduire les processus d'inhibition corticale, dont la peur et la culpabilité, des émotions qui entravent souvent l'expression sexuelle (Prause et coll., 2011). L'alcool peut également nuire à la capacité de traiter certains renseignements sur le plan cognitif (par exemple, les valeurs et les attentes par rapport à des conséquences comportementales) qui, autrement, freineraient les impulsions sexuelles. La consommation d'alcool à l'adolescence peut s'avérer particulièrement problématique et se traduit souvent par un comportement sexuel inapproprié et des symptômes de dépression (Skogen et coll., 2014). Or, comme la consommation excessive d'alcool est courante sur les campus (Lear et coll., 2014), ces enjeux devraient constituer un sujet de préoccupation important chez les étudiants. En outre, l'alcool peut favoriser

Aphrodisiaque Substance qui stimule prétendument le désir sexuel et augmente les capacités pour accomplir une activité sexuelle.

l'activité sexuelle en servant d'excuse pratique à un comportement qui va habituellement à l'encontre des valeurs de l'individu («Je n'ai pas pu m'en empêcher, j'avais l'esprit bien trop embrouillé par l'alcool!») ainsi qu'en réduisant le stress qui peut accompagner l'activité (Ryan-Berg, 2011).

Malgré la réputation qu'a l'alcool de favoriser le plaisir en réduisant les inhibitions, il s'avère que sa consommation en grande quantité pourrait, au contraire, avoir de graves conséquences négatives sur le fonctionnement sexuel (Scott-Sheldon et coll., 2014). Les recherches ont démontré qu'à mesure que le degré d'intoxication par l'alcool augmente, tant chez l'homme que chez la femme, l'excitation sexuelle diminue (mesures physiologiques), le plaisir et l'intensité de l'orgasme sont réduits et la difficulté à atteindre l'orgasme est accrue (Gilmore et coll., 2014; McKay, 2005). La forte consommation d'alcool peut également engendrer une détérioration générale de la santé physique, ce qui réduit généralement l'intérêt sexuel de même que la capacité à avoir des relations sexuelles. Finalement, la consommation excessive d'alcool chez une personne réduit les chances qu'elle veuille utiliser un condom lors de ses rapports sexuels (Walsh et coll., 2014a).

À cet égard, la consommation d'alcool lors d'une activité sexuelle peut entraîner de graves conséquences. En effet, les recherches ont démontré un lien étroit entre la consommation d'alcool, la tendance à adopter des comportements sexuels à risque et le danger de contracter une infection transmissible sexuellement et par le sang (ITSS). Par ailleurs, la consommation d'alcool et les comportements sexuels à risque sont particulièrement courants chez les étudiants. (D'autres psychotropes, dont la marijuana et la cocaïne, ont également été associés à des comportements sexuels à risque élevé.)

Les drogues et les autres substances

Hormis l'alcool, on a imputé des propriétés aphrodisiaques à plusieurs autres agents (*voir le tableau 3.1 à la page suivante*), tels que le méthylène-dioxyméthamphétamine (ou MDMA, mieux connu sous le nom d'*ecstasy*), la méthamphétamine (ou *crystal meth*), les barbituriques, la cantharidine (également connue sous le nom de *Spanish fly*), la cocaïne, le LSD et autres drogues psychédéliques, la marijuana, le nitrate d'amyle (un médicament contre l'angine de poitrine, également appelé *poppers*) et la L-dopa (un médicament contre la maladie de Parkinson). Cependant, aucun de ces agents n'a les qualités d'un stimulant sexuel réel.

Un certain nombre de chercheurs mettent à l'essai différentes substances pour vérifier leur potentiel aphrodisiaque. Depuis 1920, on teste un extrait de plante, la yohimbine, un alcaloïde cristallin tiré de la sève d'un

L'alcool réduit les inhibitions touchant la peur, la culpabilité et les impulsions sexuelles, ce qui peut amener des personnes à avoir des comportements en conflit avec leurs valeurs.

arbre d'Afrique occidentale. Plusieurs études laissent entrevoir qu'un traitement à la yohimbine aurait des effets positifs sur le désir et la réponse sexuelle chez l'homme (Riley, 2010; Stein et coll., 2008). Une autre étude montre en outre que la yohimbine augmente l'excitation sexuelle physiologique chez les femmes postménopausées qui déclarent éprouver un désir sexuel inférieur à la normale (Meston et Worcel, 2002).

Quatre médicaments vendus sous ordonnance et utilisés pour traiter les dysfonctions érectiles masculines – Viagra^MD, Levitra^MD, Staxyn^MD et Cialis^MD – augmentent la capacité à avoir des activités sexuelles en favorisant la vasocongestion génitale et l'érection. Aucun de ces médicaments n'augmente le désir sexuel.

Les personnes qui cherchent à améliorer leur performance et leur santé sexuelles se tournent fréquemment vers les suppléments nutritionnels, les aliments dits *naturels* et les nutraceutiques, en raison des effets physiologiques favorables que sont censées exercer ces substances. Toutefois, les consommateurs et les professionnels de la santé sont souvent déroutés par l'éventail étourdissant de formulations disponibles, la quasi-absence de réglementation concernant les doses à consommer, la pureté des produits ou la présence d'ingrédients particuliers dans ceux-ci, de même que par des allégations plus ou moins trompeuses (Cui et coll., 2015). Une étude portant sur les produits les plus populaires pour améliorer la santé sexuelle des hommes a révélé que ces produits contiennent souvent un mélange de constituants de différentes origines. On y trouve, en effet, des extraits de plantes tels le ginseng, le tribule, l'épimède (herbe cornée de chèvre), le fenugrec, la maca, le ginkgo ou la yohimbine, de même que diverses vitamines du groupe B, des traces de minéraux, du zinc, de la L-arginine et du

TABLEAU 3.1 ▶ Les effets de quelques substances

SUBSTANCE	EFFETS PRÉTENDUS	EFFETS RÉELS
Alcool	• Augmente l'excitation. • Stimule l'activité sexuelle.	Peut réduire les inhibitions et le stress à l'égard du comportement sexuel à adopter. C'est en fait un agent dépresseur qui, consommé en grande quantité, peut causer une dysfonction érectile, réduire l'excitation sexuelle et l'intensité de l'orgasme.
Amphétamines (*speed, pep pills*) et métamphétamines (*ecstasy, ice, tina* et certains dérivés comme le *crystal meth*)	• Améliorent l'humeur. • Augmentent les sensations et les capacités sexuelles.	Stimulent le système nerveux central, réduisent les inhibitions. Une dose élevée ou une consommation à long terme peut engendrer des troubles érectiles, retarder l'éjaculation, empêcher l'orgasme chez les deux sexes et réduire la lubrification vaginale.
Barbituriques (*barbs, downers*)	• Accentuent l'excitation. • Stimulent l'activité sexuelle.	Réduisent les inhibitions à la manière de l'alcool et peuvent atténuer le désir sexuel, affaiblir l'érection et empêcher l'éjaculation.
Cantharidine (*Spanish fly*)	• Stimule les parties génitales. • Provoque l'envie du coït.	N'est pas un stimulant sexuel efficace. Est un irritant puissant qui enflamme les muqueuses de la vessie et de l'urètre.
Cocaïne (*coke, blow, rocks*)	• Augmente la fréquence et l'intensité de l'orgasme. • Amplifie l'excitation.	Stimule le système nerveux central ; réduit les inhibitions et augmente la sensation de bien-être ; peut inhiber la capacité de jouir de l'expérience sexuelle, réduire le désir sexuel, inhiber l'érection ou causer une éjaculation spontanée ou la retarder.
L-dopa	• Redonne de la vigueur sexuelle aux hommes plus âgés.	Aucun bienfait sur les capacités sexuelles n'a été documenté. Produit parfois un trouble douloureux appelé *priapisme* (érection pathologique de longue durée).
LSD et autres agents psychédéliques (dont la mescaline et la psilocybine)	• Augmentent la réponse sexuelle.	N'ont pas d'effet physiologique direct sur la réponse sexuelle. Peuvent modifier la perception d'une activité sexuelle ; sont souvent associés à des relations sexuelles insatisfaisantes.
Marijuana	• Améliore l'humeur et amplifie l'excitation. • Augmente l'activité sexuelle.	Améliore l'humeur et réduit les inhibitions d'une manière similaire à l'alcool. Altère la notion du temps, ce qui donne l'illusion d'une excitation et d'un orgasme prolongés.
Nitrate d'amyle (*poppers, snappers*)	• Intensifie l'orgasme et l'excitation.	Dilate les artères reliées au cerveau et aux parties génitales ; altère la notion du temps et produit de la chaleur dans la région pelvienne. Peut atténuer l'excitation sexuelle, inhiber ou bloquer l'érection, retarder l'orgasme.
Yohimbine	• Amplifie l'excitation sexuelle et améliore la performance sexuelle.	Semble avoir un véritable effet aphrodisiaque sur les rats. Des résultats récents indiquent qu'elle peut augmenter le désir ou accroître la performance chez certains individus.

Sources : Adapté de Crenshaw, 1996 ; Crenshaw et Goldberg, 1996 ; Eisner et coll., 1990 ; Finger et coll., 1997 ; M. McCarthy, 2014b ; McKay, 2005 ; Rosen et Ashton, 1993 ; Shamloul et Bella, 2011 ; Yates et Wolman, 1991.

DHEA (déhydroépiandrostérone) (Cui et coll., 2015). À l'heure actuelle, les données sont insuffisantes pour démontrer les effets favorables de ces substances sur le désir et l'excitation sexuelle. Aussi, ces produits ne sont pas sans risques pour les consommateurs en raison de leurs effets indésirables potentiels. Par ailleurs, les suppléments pour la santé sexuelle font partie des produits les plus souvent retirés du marché en raison de pratiques frauduleuses (FDA, 2016). Pourquoi les gens continuent-ils d'utiliser diverses substances malgré l'absence de preuves de leurs propriétés ? Pourquoi tant de gens à travers le monde ne jurent-ils que par les effets de la poudre de corne de rhinocéros, d'une salade composée d'huîtres et de bananes, ou de la marijuana avant une soirée de flirt ? La réponse réside dans la conviction et l'autosuggestion. Si une personne est convaincue qu'une substance améliorera sa vie sexuelle, cette croyance se traduira souvent par une augmentation de son plaisir sexuel. Dans cette perspective, n'importe quelle substance pourrait être un stimulant sexuel potentiel.

Les médicaments et les substances inhibiteurs du désir et de l'excitation sexuelle

Plusieurs médicaments sont reconnus pour inhiber le comportement sexuel. Il en va ainsi de nombreux médicaments répandus tels que les antiandrogènes, les opiacés, les antihypertenseurs (pour réduire la tension artérielle), les antidépresseurs, les antipsychotiques, les médicaments contre les ulcères d'estomac, les coupe-faim, les stéroïdes, les anticonvulsivants (pour traiter l'épilepsie), les médicaments pour traiter les maladies cardiovasculaires et ceux qui réduisent le taux de cholestérol sanguin, les antihistaminiques causant de la somnolence, les médicaments contre le cancer, les diurétiques et les antifongiques (Bahrick, 2008 ; DeLamater et Sill, 2005).

En effet, de nombreux indices montrent que la consommation régulière d'opiacés, tels que l'héroïne, la morphine et la méthadone, engendre souvent une baisse notable, voire radicale, de l'intérêt pour la sexualité et de l'activité sexuelle chez les deux sexes (Vallejo-Medina et Sierra, 2013 ; Venkatesh et coll., 2014), provoque des dysfonctions érectiles, inhibe l'éjaculation et, chez les femmes, diminue la capacité à atteindre l'orgasme.

Il a été démontré que les tranquillisants couramment utilisés pour traiter une variété de troubles affectifs diminuent parfois la motivation sexuelle, causent des troubles érectiles et retardent ou empêchent l'orgasme chez l'homme comme chez la femme (Crenshaw et Goldberg, 1996 ; Graedon et Graedon, 2008).

Des expériences ont démontré que plusieurs antihypertenseurs inhibent de façon importante l'érection et l'éjaculation, et diminuent l'intensité de l'orgasme masculin ainsi que le désir sexuel chez les deux sexes (DeLamater et Sill, 2005 ; Finger et coll., 1997).

Les antidépresseurs sont une autre classe de médicaments fréquemment prescrits qui s'accompagnent, sauf exception, d'effets secondaires défavorables à la sexualité. Il peut s'agir d'une baisse du désir sexuel et d'orgasmes retardés ou absents chez les deux sexes, et de troubles érectiles chez les hommes (Bahrick, 2008 ; Balon et Segraves, 2008). Un effet secondaire rare, les orgasmes spontanés, a été signalé chez des femmes et des hommes prenant des antidépresseurs. Plusieurs études de cas relatifs à ce phénomène atypique indiquent que de tels orgasmes surviennent sans stimulation sensorielle sexuelle ou sous l'effet d'une stimulation non sexuelle (par exemple, les vibrations en métro ou lors de la défécation) (Silverberg, 2008a). Bien que l'étiologie des orgasmes spontanés ne soit pas encore élucidée, les chercheurs pensent que cela a quelque chose à voir avec un neurotransmetteur, la sérotonine (Silverberg, 2008a).

Les antipsychotiques ont eux aussi tendance à perturber la réponse sexuelle. Leurs effets secondaires comprennent des difficultés érectiles et une éjaculation retardée chez les hommes et, chez les deux sexes, des difficultés à atteindre l'orgasme et une panne de désir (De Boer et coll., 2014).

Par ailleurs, une recherche récente indique que le finasteride, un médicament pour le traitement de l'alopécie séborrhéique masculine, peut réduire la motivation sexuelle et causer une dysfonction érectile (Traish et coll., 2011).

Beaucoup de gens sont étonnés d'apprendre que le contraceptif oral est aussi souvent associé à une diminution du désir. Une étude sur les effets de quatre contraceptifs oraux sur les hormones sexuelles a montré qu'ils provoquent tous une réduction du taux de testostérone libre dans le sang (Lee et coll., 2011). Comme nous le voyons plus loin, la testostérone libre influe sur la libido féminine et masculine.

La nicotine est la plus courante et la moins connue des substances exerçant un effet négatif sur l'excitation sexuelle. Il existe des preuves voulant que le tabagisme puisse altérer le désir et les fonctions sexuelles en provoquant la contraction des vaisseaux sanguins (ce qui retarde la vasocongestion engendrée par la stimulation sexuelle) et possiblement la réduction du taux de testostérone sanguin (McKay, 2005 ; Ryan-Berg, 2011). À la lumière des recherches effectuées sur les effets physiologiques de la nicotine, de nouvelles études s'intéresseront probablement à l'impact que pourraient avoir l'usage du narguilé (pipe à eau ou houka) et les cigarettes électroniques sur la santé sexuelle. Ces deux formes de consommation sont à la hausse, et au Canada, un jeune sur cinq âgé de 15 à 24 ans a déjà fait l'expérience de la cigarette électronique (Propel Centre for Population Health Impact, 2015).

Le rôle des hormones

Chez les humains, la sexualité, la sensualité et l'attirance physique entre les personnes sont influencées par un certain nombre d'hormones. Les œstrogènes et les androgènes, communément appelés *hormones sexuelles*, sont parmi celles dont on discute le plus. Appartenant à la classe générale des hormones **stéroïdes**, elles sont produites par les gonades (testicules et ovaires) et les glandes surrénales.

Vous avez sûrement déjà entendu parler des *hormones sexuelles masculines* et des *hormones sexuelles féminines*. Comme nous le voyons plus loin, il est erroné d'associer des hormones à un sexe en particulier, car les deux

Stéroïdes   Hormones sécrétées par les glandes sexuelles et surrénales.

sexes produisent à la fois des hormones masculines et des hormones féminines. Le mot *androgène* est le terme générique utilisé pour désigner les hormones sexuelles masculines. Chez l'homme, les testicules sécrètent environ 95 % de tous les androgènes. La couche externe des glandes surrénales (appelée *cortex surrénalien*) produit presque la totalité des 5 % résiduels. Chez la femme, les ovaires et les glandes surrénales produisent tous deux des androgènes, mais en quantités à peu près égales (Davis, 1999 ; Rako, 1996). La testostérone est l'hormone androgène la plus sécrétée tant chez l'homme que chez la femme. Cependant, l'homme produit habituellement de 20 à 40 fois plus de testostérone que la femme (Worthman, 1999). Chez la femme, les œstrogènes, c'est-à-dire les hormones sexuelles féminines, sont surtout produits par les ovaires. Chez l'homme, les testicules sécrètent également des œstrogènes, mais beaucoup moins que chez la femme.

Chez l'être humain, l'excitation, l'attraction et la réponse sexuelles sont également influencées par les **neurohormones**, des hormones qui sont sécrétées par le cerveau. L'**ocytocine**, l'une des plus importantes, est parfois surnommée *hormone de l'amour*, car elle jouerait un rôle dans l'attirance érotique et affective qu'on ressent pour quelqu'un. Des recherches ont établi un lien entre l'ocytocine et certains aspects de la sexualité humaine, comme nous le voyons plus loin. Mais examinons d'abord le lien qui existe entre la testostérone et la sexualité masculine, ainsi que le rôle que jouent les œstrogènes et la testostérone en ce qui concerne la sexualité féminine.

La testostérone et le comportement sexuel masculin

Plusieurs recherches ont établi un lien entre la testostérone et la sexualité masculine (Buvat et coll., 2013 ; Leprout et Van Cauter, 2011 ; Moskovic et coll., 2013). Ces recherches indiquent que cette hormone influe davantage sur le désir sexuel masculin que sur le fonctionnement sexuel. Ainsi, un homme ayant un faible taux de testostérone peut manifester peu d'intérêt pour les activités sexuelles, mais être capable d'avoir une érection et des orgasmes.

L'observation d'hommes ayant subi une **castration** (ou **orchidectomie**), c'est-à-dire l'ablation des testicules, aide à mieux comprendre le rôle de la testostérone dans les fonctions sexuelles masculines. La castration est pratiquée pour traiter des maladies telles que la tuberculose génitale et le cancer de la prostate (Parker et Dearnaley, 2003 ; Wassersug et Johnson, 2007). La castration chimique des agresseurs sexuels en prison démontre aussi une diminution de la fréquence de la masturbation (Koo et coll., 2014). Par contre, d'autres études rapportent des cas d'hommes ayant conservé leur fonction et leur désir sexuels jusqu'à 30 ans après leur castration, sans prendre de supplément de testostérone (Greenstein et coll., 1995). Toutefois, même lorsque la vie sexuelle demeure active après la castration, l'intérêt pour la sexualité décline et les activités sexuelles diminuent généralement, souvent de façon marquée (Bradford, 1998 ; Garelick et Swann, 2014). La fréquence de cette baisse indique que la testostérone est un facteur biologique très important du désir sexuel.

Les études consacrées aux médicaments bloquant l'action des androgènes ont elles aussi permis d'établir un lien entre la testostérone et les fonctions sexuelles masculines. Au cours des dernières années, une classe de médicaments connus sous le nom d'*antiandrogènes* a servi, en Europe et en Amérique du Nord, à traiter des agresseurs sexuels ainsi que des hommes atteints du cancer de la prostate (Turner et coll., 2013). Les antiandrogènes réduisent considérablement le taux de testostérone dans le sang. Plusieurs études ont montré que les antiandrogènes, dont l'acétate de médroxy-progestérone (AMPR, commercialisé sous l'appellation *Depo-Provera*), ont pour effet de réduire le désir sexuel ainsi que les activités sexuelles des hommes et des femmes (Basaria, 2014 ; Silverira et Latronico, 2013) ; cet effet est exacerbé par le tabagisme et l'obésité (Shi et coll., 2013). Les antiandrogènes sont aussi associés au processus de vieillissement chez certains hommes âgés (Page et coll., 2011). Cependant, la réduction du taux de testostérone ne s'avère pas toujours efficace dans le cas des agresseurs sexuels, notamment lorsque le crime repose sur des motifs non sexuels comme la colère, le sentiment de puissance ou le besoin de dominer une autre personne (Kelly, 2008).

Enfin, la recherche sur l'**hypogonadisme** a également montré le rôle de la testostérone dans le désir et l'excitation sexuelle masculins. L'hypogonadisme est une carence en testostérone causée par un désordre du système endocrinien. Il est aussi associé au processus de vieillissement chez certains hommes âgés. L'apparition de cette affection avant la puberté, dans le désir et le mécanisme de l'érection

---

Neurohormones Substances chimiques sécrétées par le cerveau et qui influencent, entre autres, le comportement sexuel.

Ocytocine Neurohormone peptidique sécrétée par l'hypothalamus et qui influence la réponse sexuelle et l'attirance.

Castration (orchidectomie) Opération chirurgicale qui consiste en l'ablation des testicules.

Hypogonadisme Production anormalement faible de testostérone par les testicules.

et de l'éjaculation, retarde le développement des caractères sexuels primaires et secondaires, et celui qui en souffre risque alors de ne jamais avoir d'intérêt pour la sexualité. Les effets varient beaucoup plus si la carence en testostérone survient à l'âge adulte. Les nombreuses études menées auprès d'hommes souffrant d'hypogonadisme confirment l'importance du rôle de la testostérone dans le désir sexuel masculin (Corona et coll., 2014 ; Jones et coll., 2011 ; Moskovic et coll., 2013). Par exemple, certains d'entre eux ont retrouvé un intérêt pour la sexualité et un niveau d'activité sexuelle normal après avoir subi des traitements de remplacement de la testostérone (TRT) (Arver et coll., 2014 ; Moskovic et coll., 2013 ; Zitzmann et coll., 2013). Toutefois, comme on le verra plus loin, la recherche démontre des inconvénients à la TRT. Ce traitement peut augmenter les risques d'infarctus cardiaques chez certains hommes (Slomski, 2014).

Les hormones et le comportement sexuel féminin

Bien que les œstrogènes concourent à un sentiment général de bien-être, aident à conserver l'épaisseur et l'élasticité de la muqueuse vaginale et participent à la lubrification vaginale (Frank et coll., 2008 ; Kingsberg, 2002), leur rôle dans le comportement sexuel féminin demeure assez flou. Des études ont été réalisées auprès de femmes ménopausées (la ménopause est associée à une baisse marquée de la production d'œstrogènes) et de femmes ayant subi une ablation des ovaires pour des raisons médicales. Après leur avoir administré un traitement hormonal substitutif aux œstrogènes, on a constaté que non seulement leur paroi vaginale se lubrifiait davantage, mais aussi que leur désir sexuel, leur plaisir et leur capacité orgasmique avaient augmenté sensiblement (Kingsberg, 2002). Les bienfaits sexuels de ce traitement découleraient des effets positifs des œstrogènes sur l'humeur générale de la femme, qui la rendraient plus réceptive à l'activité sexuelle (Crenshaw, 1996 ; Wilson, 2003).

D'autres études ont toutefois montré que le traitement substitutif aux œstrogènes n'influe pas de manière perceptible sur le désir sexuel et qu'une dose relativement élevée de ces hormones peut même réduire la libido (Frank et coll., 2008 ; Levin, 2002). À la lumière de ces résultats contradictoires, force est de constater que le rôle des œstrogènes dans le désir et les fonctions sexuelles féminines demeure indéterminé.

Malgré leurs bienfaits sur le plan de la sexualité, les traitements substitutifs à base d'œstrogènes font l'objet de critiques, car de nombreuses études ont signalé de possibles risques pour la santé, notamment l'apparition de certains cancers. Par ailleurs, les études portant sur les traitements substitutifs à base de testostérone n'ont pas donné de résultats probants chez les femmes préménopausées et présentant des symptômes d'une baisse de libido, en raison d'un effet placébo significatif (McKenzie, 2014). Des facteurs tels que l'insatisfaction entraînée par les changements corporels, le stress, la fatigue et la douleur à la pénétration contribueraient aussi aux problèmes reliés au désir (Rosen et coll., 2012).

Le rôle de la testostérone dans la sexualité féminine est beaucoup moins ambigu. Il ne fait plus de doute qu'elle est l'hormone principale de la libido chez la femme (Caruso et coll., 2014 ; Fernandes et coll., 2014 ; Poels et coll., 2013). De nombreuses expériences visant à mesurer les effets de la testostérone sur la sexualité féminine ont clairement établi une relation de cause à effet entre le taux de testostérone dans le sang et le désir sexuel, la sensibilité des organes génitaux et la fréquence des activités sexuelles. Par exemple, beaucoup d'études ont montré que le traitement substitutif à la testostérone augmente le désir et l'excitation sexuels des femmes ménopausées (Frank et coll., 2008 ; Shah et Montoya, 2007). Des recherches particulièrement intéressantes réalisées par la Clinique de la ménopause de l'Université McGill indiquent que le traitement substitutif à la testostérone et aux œstrogènes (combinés) accroît l'intérêt pour la sexualité, le désir sexuel, la vitalité et la sensation de bien-être des femmes ménopausées (Gelfand, 2000), confirmant les données de nombreuses autres études (Frank et coll., 2008 ; Shah et Montoya, 2007).

D'autres études ont rapporté que les femmes qui suivent un traitement substitutif à la testostérone et aux œstrogènes après avoir subi une ablation des ovaires (ovariectomie) voient leur désir, leur excitation et leurs fantasmes sexuels s'amplifier énormément comparativement à celles qui ne prennent que des suppléments d'œstrogènes ou qui ne suivent aucun traitement substitutif (Nusbaum et coll., 2005 ; Tucker, 2004).

Ce sont surtout les études menées auprès de femmes ayant un faible taux de testostérone (consécutif à une ovariectomie, à une ablation des glandes surrénales ou encore à la ménopause) qui ont permis de démontrer l'importance de cette hormone dans les fonctions sexuelles féminines. Par ailleurs, une étude a tenté de déterminer les effets physiologiques et subjectifs des suppléments de testostérone sur l'excitation sexuelle ; l'échantillon comprenait des femmes sexuellement fonctionnelles et possédant des taux hormonaux normaux. Les chercheurs ont découvert que la testostérone administrée par voie sublinguale (sous la langue) augmente significativement la sensibilité des organes génitaux dans les quelques heures qui suivent son absorption. Les résultats montrent une forte corrélation entre cette augmentation de l'excitation des parties génitales et la description subjective que font les femmes de leur «sensibilité des parties génitales» et de leur «désir sexuel» (Tuiten et coll., 2000). Une étude récente rapporte une amélioration de la satisfaction sexuelle chez des femmes qui ont reçu de la testostérone administrée par voie sublinguale, un résultat attribué à l'augmentation de la sensibilité du cerveau aux signes sexuels (Poels et coll., 2013).

D'autres études montrent également que l'administration de testostérone à des femmes ayant une faible libido et un manque d'excitation sexuelle a pour effet d'accroître leurs fantasmes sexuels, les épisodes de masturbation et l'interaction sexuelle avec leur partenaire.

Le taux de testostérone requis pour un fonctionnement sexuel normal

Une fois qu'on a démontré le rôle central de la testostérone dans le maintien du désir sexuel chez les deux sexes, il y a lieu de se demander quel taux de testostérone assure une excitation sexuelle normale. La réponse à cette question est complexe et fait intervenir plusieurs facteurs.

Il est important de noter que la quantité de testostérone essentielle au bon fonctionnement de l'organisme, c'est-à-dire sa masse critique, varie d'une personne à l'autre chez les deux sexes (Crenshaw, 1996; Rako, 1996). Le fait que les femmes produisent moins de testostérone que les hommes ne signifie pas que leur désir sexuel est plus faible. Il semble plutôt que les cellules de leur organisme soient plus sensibles à cette hormone et que la libido des femmes ait besoin de très peu de testostérone pour être stimulée (Bancroft, 2002; Crenshaw, 1996).

Un taux de testostérone trop élevé peut engendrer de graves effets secondaires chez les deux sexes. Un homme qui prend trop de suppléments de testostérone peut éprouver divers troubles, dont une perturbation des cycles hormonaux naturels, une rétention de sel, une rétention des fluides, une perte de cheveux, un risque élevé d'AVC, un infarctus et la mort (Kuehn, 2014; Slomski, 2014). De plus, bien que le lien entre la testostérone et le cancer de la prostate ne soit pas clairement établi, l'excès de cette hormone peut néanmoins stimuler la croissance d'une tumeur déjà existante dans cette glande (Jannini et coll., 2011). Chez la femme, un excès de testostérone peut stimuler de façon significative la pilosité, au visage notamment, accroître la masse musculaire, réduire la taille des seins et augmenter celle du clitoris (Kingsberg, 2002; Shah et Montoya, 2007). Cependant, seules de fortes doses de testostérone administrées durant une longue période peuvent avoir des effets secondaires graves (Rako, 1999). Comme nous l'avons mentionné ci-dessus, des suppléments de testostérone peuvent aider à rétablir le désir sexuel chez les hommes et les femmes qui présentent un trop faible taux de cette hormone.

Chez les deux sexes, le désir sexuel peut être faible malgré un taux normal de testostérone totale, car le composé hormonal clé de la libido, le taux de testostérone libre, peut être faible en dépit d'un taux normal de testostérone totale. Des facteurs psychoaffectifs et relationnels peuvent aussi jouer un rôle prédominant quant à la motivation sexuelle. Si vous croyez avoir une carence en testostérone, il est important de demander qu'on mesure votre taux de testostérone libre en plus de votre taux de testostérone totale. Jusqu'à récemment, la plupart des médecins ne faisaient mesurer que le taux de testostérone totale.

Enfin, le rythme auquel la production de testostérone décline avec l'âge varie considérablement selon le sexe. Lorsque les ovaires réduisent peu à peu leur activité à la ménopause, il arrive souvent que le taux de testostérone totale chute rapidement en quelques mois. Chez certaines femmes, cependant, cette diminution se fait plus graduellement et s'échelonne sur plusieurs années (Elraiyah et coll., 2014). (Les femmes qui subissent une ovariectomie sont plus susceptibles de ressentir cette chute rapide du taux de testostérone.) Lorsque les ovaires ne sécrètent plus les quantités normales de testostérone, la production de testostérone par les glandes surrénales diminue aussi, bien qu'elles continuent d'en sécréter (Rako, 1999).

En revanche, chez les hommes, le taux de testostérone totale décline beaucoup plus lentement, et cette baisse s'étend habituellement sur plusieurs années (Sadovsky, 2005). La production de la testostérone est stable chez la plupart des hommes jusqu'à l'âge de 40 ans; après, elle diminue de 1 à 2 % chaque année (Hildreth et coll., 2013; Makinen et coll., 2011). Ce phénomène vient probablement de ce que les testicules, contrairement aux ovaires, n'arrêtent pas leur activité au milieu de la vie.

Les symptômes d'une baisse de testostérone sont les mêmes chez les deux sexes, quoiqu'ils surviennent plus rapidement chez les femmes que chez les hommes. Le tableau 3.2 résume les principaux.

Si vous éprouvez certains des symptômes présentés dans le tableau 3.2, il peut être indiqué de consulter un médecin pour qu'il vous prescrive une thérapie substitutive à la testostérone (TST). Ce traitement est devenu plus populaire depuis quelques années (Wallis, 2014). Présentement, les hommes consultent plus leur médecin que les femmes pour ce genre de traitement, notamment pour combattre certaines difficultés sexuelles. D'ailleurs, la communauté médicale se montre souvent réticente à prescrire une TST aux femmes qui ont une insuffisance de testostérone. Toutefois, les spécialistes en gynécologie et en ménopause cherchent de plus en plus à sensibiliser les médecins généralistes et les femmes, particulièrement les femmes postménopausées, aux bénéfices de ce genre de thérapie (Gelfand, 2000; Johnson, 2002).

TABLEAU 3.2 ▶ **Les principaux symptômes d'une carence en testostérone**

Une baisse du désir sexuel.
Une moins grande sensibilité des parties génitales et des mamelons à la stimulation sexuelle.
Une baisse générale de l'excitabilité sexuelle, parfois accompagnée d'une moins grande capacité orgasmique.
Une baisse de la vitalité et parfois une dépression.
Une augmentation de la masse adipeuse.
Une diminution de la densité osseuse, qui peut conduire à l'ostéoporose chez les deux sexes.
Une diminution de la pilosité.
Une diminution de la force physique et de la masse musculaire.

Sources : Adapté de Cunningham et Toma, 2011 ; McNicholas et coll., 2003 ; Nusbaum et coll., 2005 ; Sadovsky, 2005.

Le rôle de l'ocytocine dans le comportement sexuel

L'ocytocine, une neurohormone sécrétée par l'hypothalamus, exerce une influence importante sur la réponse sexuelle, la sensualité et l'attirance érotique interpersonnelle (Behnia et coll., 2014 ; Carter, 2014 ; Wade, 2011). Elle a aussi pour fonction biologique de favoriser la lactation. Elle renforce en outre les liens affectifs entre la mère et l'enfant durant l'allaitement (Galbally et coll., 2011). La production d'ocytocine pendant l'excitation sexuelle pourrait avoir un effet similaire sur les partenaires (Young, 2009).

L'ocytocine est sécrétée pendant les contacts physiques et intimes, et le toucher est particulièrement efficace pour en déclencher la production (Ishak et coll., 2011). Une plus grande quantité d'ocytocine en circulation stimulerait l'activité sexuelle chez plusieurs espèces animales, dont les humains (Anderson-Hunt et Dennerstein, 1994 ; Wilson, 2003). C'est une hormone qui augmente la sensibilité de la peau au toucher, et donc qui favorise les comportements affectueux (Love, 2001 ; McEwen, 1997). Chez l'humain, le niveau d'ocytocine augmente progressivement pendant tout le cycle de la réponse sexuelle, depuis l'excitation initiale jusqu'à l'orgasme ; l'atteinte de l'orgasme s'accompagne d'un taux élevé d'ocytocine chez les deux sexes (Anderson-Hunt et Dennerstein, 1994 ; Wilson, 2003). Cette hormone stimule également les contractions de la paroi utérine lors de l'orgasme (Wilson, 2003) et au moment de l'accouchement.

La libération croissante d'ocytocine jusqu'au moment de l'orgasme et son maintien à un niveau élevé dans le sang dans les moments qui suivent favorisent les liens affectifs et le rapprochement des partenaires (Young, 2009). Les recherches menées auprès d'humains indiquent que l'ocytocine joue un rôle important dans le développement des liens sociaux et du sentiment amoureux (Carter, 2014 ; Donaldson et Young, 2008 ; Tabak et coll., 2011).

La réponse sexuelle

La réponse sexuelle humaine est un processus physique, affectif et mental très différent d'une personne à l'autre. Néanmoins, certains changements physiologiques communs à de nombreuses personnes nous permettent d'esquisser les grandes lignes du cycle de la réponse sexuelle. Nous commencerons par présenter les grands principes de deux modèles classiques, soit le modèle à quatre phases de Masters et Johnson (1968) et le modèle triphasique de Helen Kaplan (1979). Nous présenterons ensuite le modèle proposé plus récemment par Bancroft et Janssen (2014). Il est important de savoir qu'il n'y a pas de modèle universel qui puisse prendre en compte et expliquer l'ensemble des phénomènes physiologiques, psychoaffectifs et relationnels caractéristiques de la réponse sexuelle.

Le modèle à quatre phases de Masters et Johnson

Masters et Johnson ont observé quatre phases dans le mode de réponse sexuelle chez les deux sexes : l'excitation, le plateau, l'orgasme et la résolution. Leur modèle montre une très grande similitude entre la réponse sexuelle féminine et la réponse sexuelle masculine (*voir les figures 3.2 et 3.3 à la page suivante*). Il y a cependant une différence significative entre les deux : la présence d'une période réfractaire (période pendant laquelle les stimulations ne produisent plus de réactions) dans la phase de résolution masculine.

Le caractère simplifié des diagrammes des figures 3.2 et 3.3 peut facilement masquer la richesse des situations individuelles. Masters et Johnson n'ont modélisé que la réponse physiologique aux stimuli sexuels.

L'enchaînement des réactions biologiques est relativement prévisible, mais la diversité des réactions individuelles à l'excitation sexuelle est considérable. Nous y revenons plus loin dans ce chapitre.

Chez l'homme et la femme, deux réponses physiologiques fondamentales surviennent après une stimulation sexuelle efficace : la vasocongestion et la myotonie. Presque toutes les réponses biologiques en jeu durant l'excitation sexuelle reposent sur ces deux réactions.

FIGURE 3.2 Le cycle de la réponse sexuelle féminine

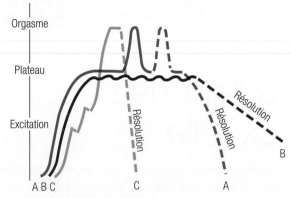

Masters et Johnson ont identifié trois modes fondamentaux de réponse sexuelle féminine. La courbe A ressemble plus au mode de réponse masculine, hormis le fait que la femme peut avoir un ou plusieurs orgasmes sans quitter la phase du plateau, correspondant à l'excitation sexuelle maximale. Un plateau prolongé sans orgasme (courbe B) et une montée rapide vers l'orgasme sans plateau, suivie d'une résolution très rapide (courbe C) sont deux variantes du cycle.
Source : Masters et Johnson, 1968.

FIGURE 3.3 Le cycle de la réponse sexuelle masculine

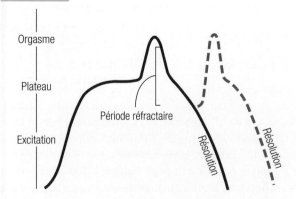

Masters et Johnson n'ont observé qu'un seul mode de réponse sexuelle masculine. Or, les hommes déclarent des différences considérables dans leur mode de réponse. Remarquez la présence de la période réfractaire : chez les hommes, le premier orgasme n'est jamais immédiatement suivi d'un deuxième.
Source : Masters et Johnson, 1968.

La vasocongestion et la myotonie

La **vasocongestion** est le phénomène par lequel les tissus se gorgent de sang en réponse à une excitation sexuelle. Habituellement, l'afflux de sang dans les artères des organes et des tissus est contrebalancé par le volume sanguin évacué par les veines. Or, durant l'excitation sexuelle, les artères se dilatent, ce qui augmente l'afflux au-delà de la capacité des veines à évacuer le sang. Il s'ensuit une vasocongestion généralisée des tissus superficiels et profonds. Les parties congestionnées visibles peuvent alors être enflammées, rouges et chaudes à cause de l'afflux sanguin. Les manifestations les plus visibles de ce phénomène sont l'érection du pénis et la lubrification du vagin. D'autres parties du corps peuvent se gorger de sang : les lèvres de la vulve, les testicules, le clitoris, les mamelons, les aréoles et même le lobe des oreilles.

Comme nous l'avons vu au chapitre 1, Masters et Johnson ainsi que d'autres chercheurs ont utilisé des appareils tels que le photopléthysmographe vaginal et l'extensomètre pénien pour mesurer électroniquement la vasocongestion durant l'excitation sexuelle. Les chercheurs ont aussi commencé à explorer les avantages possibles de l'imagerie par résonance magnétique fonctionnelle (IRMf) dans l'étude de la réponse sexuelle. Cette nouvelle méthode d'analyse de la physiologie de la réponse sexuelle est décrite dans l'encadré *Pleins feux sur la recherche* à la page 68.

La seconde réponse physiologique fondamentale à la stimulation sexuelle est la **myotonie**, c'est-à-dire la tension musculaire qui s'accentue dans tout le corps pendant l'excitation sexuelle. Des contractions volontaires et involontaires participent à la myotonie. Ses effets les plus perceptibles sont les contractions du visage, les spasmes des mains et des pieds, et les spasmes musculaires caractéristiques de l'orgasme.

Quelle que soit la méthode de stimulation, les phases du cycle de la réponse sexuelle suivent une même séquence. La masturbation, la stimulation manuelle par son partenaire, la stimulation buccogénitale, la pénétration, les fantasmes, les rêves et, chez certaines femmes, la stimulation des seins peuvent tous faire partie du cycle de réponse. Souvent, l'intensité et la rapidité d'une réponse varient selon le type de stimulation.

Vasocongestion   Phénomène par lequel les vaisseaux se gorgent de sang, plus particulièrement dans les parties du corps qui répondent à la stimulation sexuelle.

Myotonie   Tension musculaire (qui augmente durant l'excitation sexuelle).

Dans les pages qui suivent, nous dressons la liste des réactions courantes chez les deux sexes et de celles propres à chacun. Remarquez la forte similitude entre la réponse sexuelle des hommes et celle des femmes (*voir le tableau 3.3*). Dans la dernière partie de ce chapitre, nous examinons en détail quelques différences importantes entre les deux modèles de réponse.

TABLEAU 3.3 **Les principaux changements physiologiques liés aux quatre phases de la réponse sexuelle selon Masters et Johnson**

PHASE	RÉACTIONS COMMUNES AUX DEUX SEXES	CHEZ LA FEMME	CHEZ L'HOMME
Excitation	• Augmentation de la myotonie, du rythme cardiaque et de la pression artérielle. • Rougeurs sexuelles (surtout chez la femme).	• Augmentation de la taille du clitoris. • Écartement des grandes lèvres et de l'ouverture du vagin. • Accentuation de la couleur et augmentation de la taille des petites lèvres. • Début de la lubrification. • Élévation de l'utérus. • Augmentation du volume des seins.	• Début de l'érection du pénis. • Élévation et engorgement des testicules. • Épaississement et tension de la peau scrotale.
Plateau	• Forte myotonie et parfois contractions involontaires des mains et des pieds • Augmentation des rythmes cardiaque et respiratoire et de la pression artérielle.	• Sécrétion possible des glandes de Bartholin. • Rétraction du clitoris sous le prépuce. • Élévation maximale de l'utérus. • Établissement de la plateforme orgasmique (engorgement du tiers externe du vagin). • Gonflement des aréoles.	• Sécrétion possible des glandes de Cowper. • Engorgement et élévation plus prononcés des testicules.
Orgasme	• Spasmes musculaires involontaires de tout le corps. • Pression artérielle, rythmes respiratoire et cardiaque à leur maximum. • Contractions involontaires du sphincter rectal.	• Maintien de la rétraction du clitoris sous le prépuce. • De 3 à 15 contractions rythmiques de la plateforme orgasmique. • Contractions de l'utérus.	• Pendant la phase d'émission, contraction des structures internes, provoquant l'accumulation du liquide séminal dans le bulbe urétral. • Contraction du sphincter urétral externe. • Pendant la phase d'expulsion, expulsion du liquide séminal par la contraction des muscles entourant la base du pénis.
Résolution	• Relâchement de la myotonie ; retour à la normale de la pression artérielle, des rythmes respiratoire et cardiaque tout de suite après l'orgasme. • Disparition rapide des rougeurs sexuelles. • Atténuation progressive de l'érection des mamelons.	• Descente du clitoris et lent retour à l'état de repos. • Détumescence des grandes et petites lèvres et retour à la couleur originale. • Retour de l'utérus à sa position habituelle. • En l'absence d'orgasme après une période d'intense excitation, ralentissement considérable de la phase de résolution.	• Maintien de l'érection durant encore quelques minutes ; diminution rapide de la grosseur du pénis, puis lent retour à sa taille normale. • Descente des testicules et retour à leur taille normale. • Relâchement de la peau du scrotum qui retrouve son apparence plissée. • Résolution assez rapide chez la plupart des hommes. • Phase réfractaire.

L'excitation

La première phase du cycle de la réponse sexuelle, la **phase d'excitation**, est caractérisée par plusieurs réactions communes aux hommes et aux femmes, notamment la tension musculaire et une augmentation du rythme cardiaque et de la pression artérielle. Des **rougeurs sexuelles** peuvent se manifester, plus souvent chez les femmes que chez les hommes. La durée de la phase d'excitation peut varier (de moins d'une minute à quelques heures), tout comme son intensité (passant de faible à forte avec des modulations).

Bien que les réactions physiologiques présentées dans le tableau 3.3 à la page précédente expriment des tendances générales, les individus perçoivent différemment ces changements. Les deux témoignages suivants, l'un féminin et l'autre masculin, illustrent bien que la subjectivité colore les réactions à la stimulation sexuelle.

> Lorsque je suis excitée, je ressens de la chaleur partout sur le corps. J'aime me faire étreindre et me faire masser des parties autres que mes parties génitales. Cependant, après un moment, je préfère les caresses plus directes afin d'atteindre l'orgasme. (Note des auteurs)

> Quand je suis excité, mon corps en entier est rempli d'énergie. Parfois, ma bouche s'assèche et ma tête est légère. Je désire que tout mon corps soit touché et caressé, pas uniquement mes parties génitales. J'aime particulièrement la sensation du moment précédant l'orgasme. Je sais qu'il m'attend et qu'il m'incite à poursuivre plus loin. Un orgasme rapide peut être plaisant, mais habituellement, je préfère que la période d'excitation dure tant que je peux résister, jusqu'à ce que mon pénis demande grâce et se meure pour les caresses qui l'amèneront à l'extase. (Note des auteurs)

Le plateau

Le choix de ce terme pour désigner la deuxième phase de la réponse sexuelle est malheureux: en science du comportement, le mot *plateau* s'utilise habituellement pour décrire une étape pendant laquelle aucun changement comportemental ne peut être détecté. Par exemple, il peut désigner une zone à plat d'une courbe d'apprentissage où rien ne change pendant un certain temps. La figure 3.3, à la page 80, schématise la **phase de plateau** chez l'homme, et la figure 3.2, à la page 80 (courbe A), celle de la femme. La phase de plateau implique une importante montée de la tension sexuelle chez les deux sexes (c'est-à-dire une augmentation de la pression artérielle et du rythme respiratoire) qui continue d'augmenter jusqu'au point culminant qui mène à l'orgasme.

La phase de plateau est souvent très courte et ne dure, en général, que quelques secondes ou quelques minutes.

Cependant, beaucoup d'individus affirment que le maintien de la tension sexuelle à cette étape engendre une plus grande excitation et, ultérieurement, un orgasme plus intense.

> Parvenu à ce moment de mon excitation, juste comme je me sens sur le point d'éjaculer, j'essaie de tenir le plus longtemps possible. Si ma partenaire est attentive, si elle arrête ou ralentit lorsque c'est nécessaire, je peux demeurer ainsi pendant plusieurs minutes et parfois plus longtemps encore. Je suis conscient qu'une seule poussée de plus me ferait exploser. Parfois, je me mets à trembler et à frémir et j'éprouve des sensations indescriptibles qui me traversent le corps comme des courants électriques. L'orgasme est d'autant plus fort que j'ai maintenu longtemps cet état de surcharge érotique physique. (Note des auteurs)

> Quand je me masturbe, j'aime m'approcher de l'orgasme, puis arrêter l'excitation. Quand l'orgasme est sur le point de se déclencher, je le sais parce que je sens les muscles de mon vagin se resserrer et parfois je les sens se contracter. J'aime cette sensation d'équilibre entre l'envie de jouir et celle de me retenir encore plus. Plus je demeure longtemps dans cet état, plus mon orgasme est intense. Parfois, l'orgasme est à la limite du supportable. (Note des auteurs)

L'orgasme

Sous l'effet continu d'une stimulation efficace, de nombreuses personnes passent du plateau à l'**orgasme**. C'est particulièrement vrai pour les hommes qui atteignent presque toujours l'orgasme après la phase de plateau. Les femmes peuvent atteindre et maintenir un certain degré d'excitation sans nécessairement parvenir à l'orgasme (Wallen et coll., 2011). C'est souvent le cas

---

Phase d'excitation Expression employée par Masters et Johnson pour décrire la première phase du cycle de la réponse sexuelle, au cours de laquelle les organes sexuels se gorgent de sang, et où la tension musculaire, le rythme cardiaque et la tension artérielle augmentent.

Rougeurs sexuelles Éruptions rosées ou rouges qui peuvent apparaître sur la poitrine ou les seins durant l'excitation sexuelle.

Phase de plateau Expression inventée par Masters et Johnson pour identifier la deuxième phase du cycle de la réponse sexuelle, où la tension musculaire, le rythme cardiaque, la pression artérielle et la vasocongestion s'accentuent.

Orgasme Série de contractions musculaires du plancher pelvien au point culminant de l'excitation sexuelle.

chez les couples hétérosexuels lorsque l'homme jouit le premier lors de la pénétration ou qu'il remplace une stimulation buccogénitale ou manuelle par une pénétration au moment où la femme est sur le point d'atteindre l'orgasme. Selon le NSSHB, 64 % des femmes adultes rapportent être parvenues à l'orgasme lors de leur dernier rapport sexuel avec une ou (plus souvent) un partenaire, comparativement à 85 % des hommes (Reece et coll., 2010a). D'autres recherches indiquent que les femmes arrivent principalement à l'orgasme lorsque les activités sexuelles comportent une stimulation clitoridienne ou buccogénitale, et beaucoup moins fréquemment par la pénétration vaginale (Brewer et Hendrie, 2011 ; Salisbury et Fisher, 2014). L'orgasme est la phase la plus courte du cycle de la réponse sexuelle et ne dure habituellement que quelques secondes.

Chez les deux sexes, l'orgasme peut se traduire par une combinaison de sensations extrêmement agréables et intenses. Cependant, la question de savoir si les sensations diffèrent selon le sexe fait toujours l'objet d'un grand débat. Deux analyses distinctes de descriptions d'orgasmes fournies par des étudiants ont permis d'approfondir la question (Wiest, 1977 ; Wiest et coll., 1995). Dans l'une et l'autre, une comparaison effectuée à l'aide d'une échelle d'évaluation psychologique classique a démontré que les descriptions subjectives d'orgasmes ne permettent pas de faire une distinction entre les sexes. Une étude précédente, dans laquelle 70 spécialistes ont tenté d'établir le sexe des personnes à partir de la description de leurs sensations orgasmiques, a donné des résultats similaires (Proctor et coll., 1974). Une enquête plus récente a montré que lorsque les hommes et les femmes sont invités à décrire leur expérience subjective de l'orgasme, les termes qu'ils emploient sont plus souvent semblables que différents (Mah et Binik, 2002).

Par-delà la question de la différence de sensations selon le sexe, il apparaît clairement que la perception de l'orgasme varie notablement d'une personne à l'autre (*voir l'encadré* Les uns et les autres *à la page suivante*).

Bien qu'on ait aujourd'hui une bonne connaissance de la physiologie de la réponse orgasmique féminine, la désinformation perdure à ce sujet dans notre culture. Sigmund Freud (1905) a proposé une théorie opposant l'orgasme vaginal à l'orgasme clitoridien, théorie qui a faussé l'opinion populaire concernant la réponse sexuelle féminine. Les disciples de Freud attribuaient l'orgasme vaginal à la maturité psychosexuelle féminine et le jugeaient donc préférable à l'orgasme clitoridien, considéré comme infantile. De cette présomption, on conclut que les sensations érotiques, l'excitation et l'orgasme liés à la stimulation directe du clitoris étaient l'expression d'une sexualité *masculine* plutôt que *féminine* (Sherfey, 1972). Cette théorie reposait sur l'idée que le clitoris était une sorte de pénis insuffisamment développé, ce qui n'est pas le cas (*voir le chapitre 2*).

Contrairement à la théorie freudienne, les recherches de Masters et Johnson semblent indiquer qu'il n'y aurait qu'une seule sorte d'orgasme féminin, physiologiquement parlant, peu importe la méthode de stimulation. Les orgasmes féminins seraient essentiellement déclenchés par une stimulation clitoridienne directe ou indirecte. Or, comme nous l'avons mentionné plus tôt, certaines femmes peuvent avoir un orgasme en fantasmant, durant leur sommeil ou par la stimulation d'autres parties du corps tels les seins ou le controversé point de Gräfenberg, communément appelé *point G*, dont il est question aux pages 87 et 88.

La résolution

Pendant la phase finale du cycle de la réponse sexuelle, la **phase de résolution**, le corps retourne à son état antérieur à l'excitation. Si aucune nouvelle excitation ne se produit, cette phase commence immédiatement après l'orgasme. La rapidité du retour à l'état de non-excitation varie d'une personne à l'autre. Les deux témoignages suivants, l'un masculin et l'autre féminin, donnent un aperçu de l'état des personnes après l'orgasme.

> Après l'orgasme, je me sens généralement détendu et heureux. Parfois j'ai le goût de dormir, d'autres fois de toucher ma partenaire si elle le désire. J'aime la tenir et être simplement là. (Note des auteurs)

> Après l'orgasme, je me sens très détendue. Mon humeur varie : des fois, je suis prête à recommencer, parfois, je me lève et j'aime m'occuper, et d'autres fois, je désire dormir. (Note des auteurs)

L'expérience subjective de ces personnes se ressemble. Pourtant, il y a une différence importante entre les réactions masculines et féminines durant cette phase : la disposition physiologique à une autre stimulation sexuelle. Après l'orgasme, l'homme entre habituellement dans la **période réfractaire**, période pendant laquelle une nouvelle montée de l'excitation physiologique ne peut pas se produire, peu importe la stimulation. La durée de cette période peut varier de quelques minutes à plusieurs jours et dépend de facteurs tels que l'âge, le moment de la précédente activité sexuelle, le degré d'intimité entre les partenaires et leur désir réciproque.

Phase de résolution Quatrième phase du cycle de la réponse sexuelle décrite par Masters et Johnson, dans laquelle le système sexuel retourne au repos.

Période réfractaire Période qui suit l'orgasme masculin durant laquelle il est impossible pour l'homme d'atteindre un autre orgasme.

Des descriptions subjectives de l'orgasme

Les témoignages personnels suivants, provenant des notes des auteurs, font état de la diversité des descriptions de l'orgasme. Le premier témoignage est celui d'une femme et le deuxième, celui d'un homme. Les trois autres – désignés A, B et C – ne donnent aucune indication sur le sexe de la personne. Sauriez-vous dire s'ils viennent d'hommes ou de femmes ? La réponse se trouve à la fin du chapitre, après le résumé.

Une femme : Quand je suis sur le point d'avoir un orgasme, mon visage devient très chaud. Je ferme les yeux et j'ouvre la bouche. Depuis mon clitoris, c'est comme des courants électriques qui irradient vers ma poitrine et vers mes jambes jusqu'aux pieds. Parfois, je sens comme le besoin d'uriner. Mon vagin se contracte de 5 à 12 fois. J'ai l'impression que ma vulve est gonflée et lourde. Aucune autre sensation ne ressemble à cela, c'est fantastique.

Un homme : Chez moi, l'orgasme draine toute mon énergie vers le centre de mon corps. Puis, soudainement, toute cette énergie passe à travers mon pénis. Mon corps devient chaud et engourdi avant l'orgasme ; après, je me détends graduellement et me sens extrêmement serein.

Témoignage A : C'est comme une *Almond Joy* [une tablette de chocolat aux amandes], indescriptiblement délicieux ! La sensation part du dessus de ma tête jusqu'au bout de mes orteils comme une puissante charge de plaisir. Elle me transporte au-delà de mon moi physique à un autre niveau de conscience, bien que la sensation soit purement physique. C'est vraiment paradoxal ! C'est comme une immense caresse à l'intérieur et à l'extérieur. J'aime ça simplement parce que c'est à moi et rien qu'à moi.

Témoignage B : Un orgasme, pour moi, c'est comme le paradis. Toutes mes préoccupations et mes anxiétés sont évacuées. On franchit un point de non-retour et c'est comme un désir incontrôlable qui déclenche tout. Je crois que le sexe et l'orgasme sont un des phénomènes les plus grandioses qui soient. C'est une grande expérience de partage selon moi.

Témoignage C : L'orgasme est le plus grand moment que j'ai pour moi-même. Je n'exclus pas l'autre, mais c'est comme si je n'entendais plus rien, et je ne ressens plus qu'une merveilleuse libération doublée d'un immense plaisir impossible à éprouver autrement.

Le modèle triphasique de Kaplan

La psychiatre Helen Kaplan a critiqué la quatrième phase du modèle de Masters et Johnson, la phase de résolution, pour sa non-pertinence sur le plan clinique. De plus, Kaplan a estimé que Masters et Johnson ne rendaient pas compte d'un élément important de la fonction sexuelle : le désir. Elle a donc proposé, sur la foi de sa vaste expérience de sexologue, un modèle qui comprend trois phases : le désir, l'excitation et l'orgasme (*voir la figure 3.4*). Kaplan suggère que les troubles sexuels touchent nécessairement l'une ou l'autre de ces trois phases et qu'une personne éprouvant des difficultés dans l'une des phases peut fonctionner normalement dans les deux autres.

Le modèle de Kaplan se distingue par le fait que le désir y est considéré comme une phase à part entière du cycle de la réponse sexuelle. Beaucoup d'auteurs, dont Masters et Johnson, ne s'attardent pas aux aspects de la réponse sexuelle autres que les modifications génitales. Le modèle de Kaplan a d'abord été accueilli avec enthousiasme, car il corrigeait une lacune dans le modèle de Masters et Johnson. Mais il est admis aujourd'hui que le simple fait d'ajouter une phase de désir ne fournit pas pour autant un modèle complet du cycle de la réponse sexuelle. Le problème, avec cette insertion du désir dans le modèle, vient de ce qu'au moins 30 % des femmes sexuellement expérimentées et atteignant l'orgasme n'ont jamais eu ou que rarement de désir sexuel spontané (Levin, 2002 ; Trudel, 2000). Cela rejoint les résultats de l'étude de Rosemary Basson (2000) montrant qu'avec les années, surtout chez les femmes, les relations sexuelles sont souvent motivées par des sentiments comme l'intimité. Par exemple, dans l'enquête *National Health and Social Life Survey* (NHSLS), 33 % des femmes ont déclaré ne pas avoir d'intérêt pour le sexe, comparativement à 16,5 % des hommes (Laumann et coll., 1994). Nous y revenons au chapitre 9.

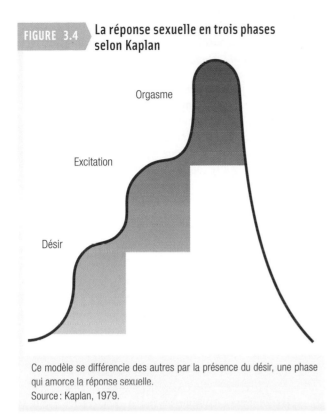

FIGURE 3.4 La réponse sexuelle en trois phases selon Kaplan

Ce modèle se différencie des autres par la présence du désir, une phase qui amorce la réponse sexuelle.
Source : Kaplan, 1979.

En clair, l'expression de la sexualité n'est pas obligatoirement précédée du désir. Par exemple, un couple peut s'engager dans une activité sexuelle même si les partenaires ne ressentent pas nécessairement l'envie de faire l'amour. En dépit d'un manque de désir, il est fréquent que leurs corps se mettent à répondre sexuellement à l'activité amorcée.

Le modèle de double contrôle de Bancroft et Janssen

Le modèle de double contrôle de la réponse sexuelle a été élaboré récemment par deux scientifiques du Kinsey Institute, soit John Bancroft et Erick Janssen (2014), pour tenter d'expliquer pourquoi les schémas et comportements relatifs à la réponse sexuelle varient d'une personne à l'autre. Selon ce modèle, la réponse sexuelle d'une personne est le résultat d'un certain équilibre entre les processus excitateur et inhibiteur, lesquels surviennent indépendamment l'un de l'autre. D'une part, le processus excitateur, ou échelle de l'excitation sexuelle (en anglais *sexual excitation scale* ou SES), agit comme accélérateur ; d'autre part, le processus inhibiteur, ou échelle d'inhibition sexuelle (en anglais *sexual inhibition scale* ou SIS), agit comme un frein. La réponse sexuelle d'une personne dépend ainsi de la pédale qu'est actionnée dans un contexte sexuel – les deux peuvent l'être, cependant. Ce contexte sera déterminé

par les antécédents sexuels de la personne, sa personnalité et sa physiologie.

La recherche indique que le processus inhibiteur freine la réponse sexuelle lorsqu'une grande menace ou un danger est perçu. Les personnes chez qui ce processus est fort sont sujettes à toute une gamme de problèmes d'ordre sexuel, notamment des troubles d'excitation sexuelle. À l'opposé, les personnes chez qui ce processus est faible sont sujettes aux comportements sexuels comportant des risques, tant pour elles que pour leurs partenaires, par exemple les relations sexuelles non protégées.

Le modèle de double contrôle de la réponse sexuelle a donné lieu à un nombre considérable de recherches ainsi qu'à une hypothèse intéressante sur ce qui fait qu'une personne peut présenter une libido faible (se traduisant par une réticence à s'adonner à des pratiques sexuelles avec une autre personne) alors que quelqu'un d'autre pourrait avoir tendance à adopter des comportements sexuels risqués ou compulsifs.

Cette théorie relativement nouvelle, selon laquelle les mécanismes excitateurs et inhibiteurs constituent tous deux des facteurs ayant une incidence sur la réponse sexuelle, représente un ajout intéressant à la documentation portant sur le sujet. Cependant, il est encore trop tôt pour savoir si ce modèle de double contrôle de Bancroft et Janssen laissera une marque durable dans le domaine de la sexualité humaine.

La diversité de la réponse sexuelle et les différences entre les sexes

De plus en plus d'auteurs mettent l'accent sur les similitudes entre la réponse sexuelle des hommes et celle des femmes. Cette tendance, que nous considérons comme positive, s'oppose à la croyance autrefois populaire selon laquelle de grandes disparités séparent les sexes en ce domaine. Néanmoins, certaines différences fondamentales demeurent. Dans les pages qui suivent, nous nous penchons sur certaines d'entre elles ainsi que sur la diversité des réactions qui ajoutent une touche d'unicité à chaque individu.

Une plus grande diversité de la réponse féminine

Une des principales différences entre les sexes repose sur l'ampleur de la diversité touchant le cycle de la réponse sexuelle. Les figures 3.2 et 3.3 à la page 80, qui illustrent le modèle de Masters et Johnson, ne reflètent pas les différences entre les individus, mais elles montrent une plus grande variété de réponses féminines.

Bien que la réponse sexuelle féminine soit plus variée que la réponse sexuelle masculine, cela ne signifie pas que tous les hommes manifestent exactement la même réponse. En effet, on a constaté d'importantes variations par rapport au modèle de Masters et Johnson. Par exemple, certains hommes ont mentionné des petits orgasmes suivis d'une éjaculation, des contractions pelviennes prolongées après l'expulsion du sperme et une longue période d'excitation intense avant l'éjaculation semblable à un orgasme prolongé (Zilbergeld, 1978). Il existe donc plusieurs modes de réponse sexuelle chez les hommes aussi. Il n'y a pas qu'une seule façon de réagir. Tous les modes de réponse physiologique et leurs variantes, notamment les diverses réactions d'un individu à la stimulation sexuelle selon le moment ou le contexte, sont normaux.

Les orgasmes multiples

Plusieurs femmes peuvent avoir des orgasmes multiples. Bien que les chercheurs ne s'accordent pas sur le sens de cette expression, nous la définirons dans le présent ouvrage comme la capacité d'avoir plus d'un orgasme pendant un court laps de temps. Cette définition ne tient cependant pas compte d'une différence entre les hommes et les femmes sur ce plan. Il n'est pas rare, en effet, que la femme ait plusieurs orgasmes très rapprochés, parfois en l'espace de quelques secondes, alors que l'intervalle entre deux orgasmes est généralement plus long chez l'homme.

Si une femme apte à parvenir à l'orgasme est stimulée adéquatement peu après son premier orgasme, elle sera souvent capable d'en atteindre un deuxième, un troisième, un quatrième et même un cinquième avant d'être comblée. Contrairement aux hommes, qui ne peuvent pas connaître plus d'un orgasme au cours d'une courte période, de nombreuses femmes, plus particulièrement avec l'aide d'une stimulation clitoridienne, vont régulièrement obtenir cinq ou six orgasmes complets dans un intervalle de quelques minutes.

(Traduction libre, Masters et Johnson, 1961, p. 792.)

Plusieurs recherches ont montré que les femmes qui se masturbent et celles qui ont une femme comme partenaire ont beaucoup plus de chances de parvenir à l'orgasme, puis d'en connaître plusieurs autres (Athanasiou et coll., 1970; Masters et Johnson, 1968).

Nous ne sous-entendons pas ici que toutes les femmes devraient avoir des orgasmes multiples. De fait, lorsqu'elles ont des rapports sexuels, un grand nombre de femmes peuvent se sentir entièrement comblées après avoir eu un seul orgasme et même si elles n'en ont pas eu. Les données sur la capacité des femmes à avoir des orgasmes

multiples ne devraient pas ouvrir la voie à une nouvelle norme sexuelle arbitraire. La citation suivante illustre la tendance à établir ce type de normes.

> Lorsque j'étais jeune, les gens considéraient que toute jeune femme non mariée qui aimait et recherchait le sexe devait être perturbée ou immorale. Maintenant, j'entends dire que je devrais avoir plusieurs orgasmes chaque fois que je fais l'amour pour pouvoir être considérée comme normale. Quel renversement dans nos définitions de la normalité ou de ce qui est sain ! Nous sommes passés du modèle de femme sage et collet monté à cette incroyable créature censée jouir plusieurs fois de suite sans la moindre difficulté. (Note des auteurs)

Les femmes semblent être capables d'avoir des orgasmes multiples parce qu'elles n'ont pas de période réfractaire, contrairement aux hommes qui ont généralement besoin d'un certain laps de temps après un orgasme avant de pouvoir en avoir un autre.

QUESTION D'ANALYSE CRITIQUE

> Les femmes semblent capables de parvenir à l'orgasme à partir d'une plus grande variété de stimuli que les hommes, mais elles éprouvent plus de difficulté que ceux-ci à l'atteindre. Selon vous, quels facteurs pourraient expliquer ces différences ?

La période réfractaire masculine

L'existence d'une période réfractaire dans le cycle masculin est sans doute l'une des différences majeures entre les réponses sexuelles des deux sexes. De nombreuses théories ont tenté d'expliquer ce phénomène. Selon certaines d'entre elles, un mécanisme inhibiteur neurologique se déclencherait après l'éjaculation et agirait pendant un certain temps. Cette idée s'appuie sur des recherches fascinantes de scientifiques britanniques (Barfield et coll., 1975), qui attribuent ce mécanisme à des circuits d'échanges chimiques entre l'hypothalamus et le cerveau moyen, circuits dont on connaît le rôle dans la régulation du sommeil. Pour tester leur hypothèse, ces chercheurs ont détruit une zone précise de ce circuit chez des rats, le *lemniscus* ventral médian; aux fins de comparaison, ils ont détruit trois autres régions du cerveau moyen et de

Orgasmes multiples Plus d'un orgasme durant un court intervalle de temps.

l'hypothalamus chez un deuxième groupe de rats. Chez les rats du premier groupe, la période réfractaire a été réduite de moitié.

On a pensé aussi que la période réfractaire pourrait être liée d'une quelconque façon à la perte du liquide séminal durant l'orgasme. Toutefois, cette idée laisse la plupart des chercheurs sceptiques parce que le sperme expulsé ne contient aucune substance connue qui expliquerait la baisse d'énergie, la réduction d'hormones ou l'un ou l'autre des mécanismes biochimiques sous-jacents.

D'autres sujets de recherche portent sur les taux de prolactine, une hormone hypophysaire abondamment sécrétée chez les deux sexes après l'orgasme, ainsi que sur les taux de sérotonine dans le cerveau. Ces derniers pourraient jouer le rôle d'un interrupteur déclenchant la période réfractaire masculine (Hellstrom, 2006 ; Kruger et coll., 2002 ; Levin, 2003a ; Marson et McKenna, 1992). Mais là encore, ces interprétations, quoiqu'intéressantes, n'expliquent pas l'absence de période réfractaire chez la femme ni pourquoi ce phénomène est principalement lié à l'éjaculation et non pas à l'orgasme proprement dit (Turley et Rowland, 2013). Quelle que soit la raison de son existence, la période réfractaire s'observe aussi chez les mâles de presque toutes les autres espèces étudiées, dont les rats, les chiens et les chimpanzés.

Cependant, nous sommes du même avis que le physicien et auteur Alex Comfort (1976), qui affirme que la plupart des hommes sous-estiment probablement leur capacité à avoir des orgasmes multiples. Ainsi, Marian Dunn et Jan Trost ont interrogé 21 hommes âgés de 25 à 69 ans. Ces hommes auraient tous affirmé avoir généralement, mais pas toujours, une série d'orgasmes échelonnés sur une très courte période. Pour les besoins de leur étude, ces chercheurs ont défini les orgasmes multiples comme deux orgasmes ou plus avec ou sans éjaculation, et sans perte d'érection (sinon très peu) au cours d'un même rapport sexuel (Dunn et Trost, 1989). L'expérience sexuelle variait d'un sujet à l'autre : certains éjaculaient lors du premier orgasme et avaient d'autres orgasmes secs ; d'autres obtenaient plusieurs orgasmes sans éjaculation suivis d'un dernier orgasme au moment de l'éjaculation ; d'autres encore vivaient des variantes de ces deux expériences.

En général, on a effectué peu de recherches sur la diversité de la réponse sexuelle chez l'homme. De plus, la société a tendance à véhiculer des idées stéréotypées sur la simplicité de la sexualité masculine. Conséquemment, l'homme est moins enclin à explorer les variantes de ses réactions et sa capacité orgasmique. C'est en adoptant une approche souple et détendue que les hommes (et les femmes) intéressés par la diversité des expériences y trouveront une occasion de développer leur potentiel sexuel, comme le décrit cet homme d'âge moyen :

> Je n'avais jamais pensé que je pourrais continuer à faire l'amour après avoir atteint l'orgasme. Pendant 30 ans, l'orgasme a toujours constitué un signal d'arrêt pour moi. Je suppose que j'agissais ainsi pour les raisons que vous avez mentionnées en classe et pour quelques autres dont vous n'avez pas parlé. Ma femme était avec moi le soir où vous avez fait un exposé sur la période réfractaire. Nous en avons discuté pendant notre retour à la maison et, le jour suivant, nous avons décidé de faire un essai. Je m'en veux d'avoir raté quelque chose d'aussi bon durant toutes ces années. J'ai découvert que je pouvais parvenir à plus d'un orgasme au cours d'un même rapport. Même si je dois attendre un certain temps avant de pouvoir jouir de nouveau, le chemin qui y mène est très agréable. Ma femme aussi apprécie ! (Note des auteurs)

Il n'est pas toujours nécessaire qu'une relation sexuelle se termine avec l'éjaculation. Beaucoup d'hommes trouvent très agréable de poursuivre la relation après l'orgasme.

Contrairement à la paucité d'études sur la diversité des réactions orgasmiques chez l'homme, celles concernant les femmes suscitent beaucoup d'intérêt et de débats scientifiques.

Le point de Gräfenberg

Le *point de Gräfenberg* ou *point G* tient son nom du gynécologue Ernest Gräfenberg, qui en souligna l'importance érotique il y a environ 70 ans. Le point G suscite beaucoup d'intérêt dans les sphères publique et médicale, puisque certaines femmes rapportent ressentir des sensations érotiques lorsque la paroi de leur vagin est stimulée lors d'une excitation sexuelle intense. Certaines femmes parviennent à l'orgasme et parfois connaissent une expulsion de fluide par l'urètre à la suite d'une stimulation vigoureuse de cette région (Jannini et coll., 2010a ; Levin, 2003b ; Whipple et Komisaruk, 1999). (*Nous abordons plus loin la question de l'expulsion féminine.*)

En fait, le point G ne serait pas un point qu'on peut toucher avec un doigt, mais plutôt une région assez large comprenant une partie de la paroi antérieure du vagin, ainsi que la portion urétrale adjacente et les glandes de Skene, glandes que l'on pense être une structure homologue à la prostate de l'homme (Song, Hwang et coll., 2009). Il est possible de localiser le point G en palpant systématiquement la paroi antérieure du vagin, c'est-à-dire dans la région située entre la face postérieure de l'os pubien et le col de l'utérus. Il faut habituellement utiliser deux doigts et appuyer fermement sur les tissus pour toucher le point en question (Perry et Whipple, 1981). La femme peut procéder elle-même à cette exploration ou avec l'aide de son ou sa partenaire (*voir la figure 3.5*). Il est à noter que certaines femmes trouvent cette stimulation désagréable ou pas vraiment excitante.

La structure anatomique précise du point G demeure un sujet de débat acharné, et ce, en dépit de l'exploration physiologique de la réponse sexuelle de la femme au moyen des nouvelles technologies (photopléthysmographie, thermographie, échographie, résonance magnétique et imagerie fonctionnelle) (Courtois et Cordeau, 2015; Jannini et coll., 2014a; Pan et coll., 2015). Le problème provient du fait que les racines du clitoris et ses structures connexes se trouvent à proximité de cet endroit et que n'importe quelle pression exercée sur la paroi vaginale dans la région des glandes de Skene pourrait bien stimuler les racines du clitoris ainsi que l'urètre. Cette situation complexe mène certains chercheurs à utiliser les termes de *complexe clitoro-urétéro-vaginal* (CUV) ou de *complexe clitoridien* (que nous employons dans ce manuel) pour désigner cette région générale de potentiel érotique (Buisson et coll., 2010; Jannini et coll., 2014a).

Plusieurs chercheurs dénoncent certains propos relatifs à l'étude du point G contribuant au mal-être de nombreuses femmes, qui croient désormais nécessaire de ressentir des expériences orgasmiques différentes de l'orgasme clitoridien et de la primauté de l'orgasme obtenu à la suite de la pénétration du pénis dans le vagin (Puppo, 2015). Par-delà ces considérations, il faut garder présent à l'esprit que le plaisir sexuel que procure l'orgasme est une expérience également influencée par des facteurs psychologiques, affectifs, relationnels et contextuels.

FIGURE 3.5 À la recherche du point G

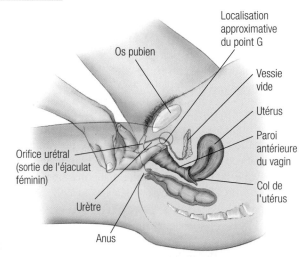

- Localisation approximative du point G
- Os pubien
- Vessie vide
- Utérus
- Paroi antérieure du vagin
- Orifice urétral (sortie de l'éjaculat féminin)
- Col de l'utérus
- Urètre
- Anus

Habituellement, la stimulation du point G se fait avec deux doigts. Il est souvent nécessaire d'exercer une forte pression sur la paroi antérieure du vagin pour y accéder.

Un dernier élément mérite d'être souligné en ce qui concerne le point G. Certains médecins proposent maintenant une augmentation du point G par injection de collagène, une intervention qui aurait pour effet d'améliorer temporairement l'excitation et la réponse sexuelle (Herold et coll., 2015; Wendling, 2007). Toutefois, il importe de mettre en garde contre ce procédé, qui n'est corroboré par aucune donnée probante et qui comporte des risques de complications graves, dont des infections, des cicatrices, une modification des sensations et des douleurs ressenties lors de la pénétration (Campos, 2008; Kilchevsky et coll., 2012; Puppo, 2015; Wendling, 2007).

Les hommes ont-ils un point G? Certains hommes peuvent parvenir à l'orgasme par le massage prostatique profond. Les études réalisées auprès de petits échantillons d'hommes rapportent que ces orgasmes sont différents de ceux que procure la stimulation pénienne; ils seraient plus intenses et diffus, et accompagnés d'un nombre de contractions musculaires involontaires qui pourrait aller jusqu'à 12. Toutefois, il est à noter que ce type d'orgasme exige du temps et de la pratique, et que certains hommes n'apprécient pas ces sensations (Hite, 1983; Levin, 2011; Perry, 1981).

L'expulsion féminine

La documentation sexologique fait aussi état du déclenchement possible d'une expulsion orgasmique à la suite d'une stimulation manuelle ou buccale du clitoris, ou encore d'une pression exercée sur la paroi vaginale ou sur le col de l'utérus chez certaines femmes (Korda et coll., 2010; Paradis et Lafond, 1990). Les expressions parfois utilisées pour représenter ce phénomène sont *éjaculation féminine, émission féminine, émission liquidienne péri-orgasmique* et *femmes fontaines* (en anglais *squirting*). Bien que divers médias, magazines populaires et blogues traitent couramment de ce sujet, et que celui-ci soit devenu une catégorie distincte de films pornographiques, les explications scientifiques et physiologiques de ce phénomène ne font pas l'unanimité et sont souvent contradictoires (Salama et coll., 2015).

Durant l'excitation sexuelle ou l'orgasme, certaines femmes rapportent une émission involontaire d'une quantité variable de liquide, entre 0,3 ml et 150 ml, voire plus (Salama et coll., 2015; Wimpissinger et coll., 2013). Selon certaines recherches, l'émission de ce liquide par l'orifice urétral proviendrait des glandes de Skene, dont les conduits se déversent directement dans l'urètre (Korda et coll., 2010; Schubach, 1996; Whipple, 2000). Puisque les glandes de Skene sont des structures analogues à celle de la prostate masculine, il est possible que la composition de cet éjaculat féminin soit proche de celle du liquide séminal masculin (Zaviacic et Whipple, 1993). Cette hypothèse repose sur une analyse du liquide féminin, qui a montré la présence d'une grande quantité de phosphatase acide de la prostate (PAP), une enzyme caractéristique du liquide séminal masculin (Addiego et coll., 1981 ; Belzer et coll., 1984 ; Wimpissinger et coll., 2007). Par ailleurs, l'analyse biochimique des tissus des glandes de Skene a révélé la présence de l'antigène prostatique spécifique (APS), une substance sécrétée par la prostate masculine (Zaviacic et coll., 2000). Certaines femmes ont d'ailleurs affirmé que l'odeur de ce fluide s'apparentait à celle du sperme, quoique moins prononcée. Cependant, d'autres recherches ont établi que la composition chimique de cet éjaculat le rapprochait davantage de l'urine que du sperme (Alzate, 1990 ; Salama et coll., 2014 ; Schubach, 1996). Des études récentes proposent l'hypothèse qu'il y a deux types d'émissions liquidiennes durant la stimulation sexuelle : l'une en provenance de la prostate féminine et l'autre de la vessie (Salama et coll., 2015).

De toute évidence, il faut entreprendre d'autres recherches pour répondre aux questions controversées concernant le point G et l'expulsion féminine. Au-delà de la sémantique, les études cherchent à valider la diversité de la réponse sexuelle et l'expérience érotique féminine. Ces phénomènes peuvent susciter des réactions telles que la gêne, la surprise, la honte, mais aussi du plaisir et du bien-être chez la femme et son ou sa partenaire (Salama et coll., 2014, 2015). Les femmes, comme les hommes, gagneraient à se sentir confiantes et à l'aise avec ce qui les mène au plaisir sexuel, sensuel et érotique au lieu de se leurrer sur leur capacité à atteindre un but précis et de vivre l'expérience sexuelle comme une performance.

RÉSUMÉ

Le désir et l'excitation sexuelle

- Le désir est un phénomène principalement ressenti comme une évocation émotionnelle et motivationnelle. Il relève de l'intention (plus que de l'instinct) orientée vers un but.

- L'excitation sexuelle est un phénomène qui comporte deux dimensions, soit une manifestation physique et une émotion psychoaffective de plaisir.

- Le système limbique, en particulier l'hypothalamus, joue un rôle important dans les fonctions sexuelles.

- Certains neurotransmetteurs sont connus pour leur capacité d'action sur l'excitation et la réponse sexuelles. Chez les deux sexes, la dopamine favorise l'excitation et l'activité sexuelles alors que la sérotonine les inhibe.

- Des cinq sens, le toucher est celui qui présente le plus grand pouvoir érogène. Les régions corporelles qui répondent de manière très sensible au toucher sont appelées *zones érogènes*.

- Après le toucher, la vue est le sens le plus susceptible de procurer des stimuli que la plupart des gens jugent sexuellement excitants.

- La recherche n'a pas encore démontré de façon incontestable si l'odorat et le goût jouent un rôle biologique déterminant dans l'excitation sexuelle humaine. Cependant, chacun peut déduire de ses propres expériences sexuelles que certaines odeurs et certains goûts peuvent avoir une valeur érotique.

- Grâce à la recherche sur les animaux (à l'exception de l'homme), on a pu identifier une gamme de phéromones. Ces odeurs sexuelles sont étroitement associées aux activités sexuelles de reproduction.

- Quelques études ont tenté de déterminer si les humains pouvaient eux aussi produire des phéromones pour attirer l'autre sexe. Les résultats n'ont toutefois pas été concluants.

- Certaines personnes sont très excitées par les sons durant l'amour, alors que d'autres préfèrent des relations silencieuses. En plus d'être stimulante pour certains, la communication durant les activités sexuelles peut servir à renseigner la ou le partenaire.

- À ce jour, nul n'a pu prouver l'existence d'une substance aux propriétés aphrodisiaques qu'on pourrait manger, boire, fumer ou s'injecter. Le succès apparent des substances prétendument aphrodisiaques repose sur la conviction et la suggestion.

- Certaines substances sont connues pour exercer un effet inhibiteur sur le comportement sexuel. Ces anaphrodisiaques comprennent des médicaments et des drogues tels que les opiacés, les anxiolytiques, les antihypertenseurs, les antidépresseurs, les antipsychotiques, la nicotine, les contraceptifs oraux et les sédatifs.

- Les hommes et les femmes produisent des hormones sexuelles masculines et féminines. Chez l'homme, les testicules sécrètent environ 95 % de tous les androgènes et quelques œstrogènes. Chez la femme, les ovaires et les glandes surrénales fabriquent des androgènes en quantités à peu près égales, alors que les œstrogènes proviennent principalement des ovaires.

- Chez l'homme et chez la femme, la principale hormone androgène est la testostérone. L'homme produit habituellement de 20 à 40 fois plus de testostérone que la femme. Toutefois, les cellules de la femme sont beaucoup plus sensibles à cette hormone.

- Chez les deux sexes, le principal symptôme d'une carence en testostérone est la diminution du désir. En revanche, un taux de testostérone plus élevé que la normale peut entraîner des effets secondaires chez les deux sexes.

- L'ocytocine, une neurohormone produite par l'hypothalamus, influence de façon importante la réponse sexuelle, la sensualité et l'attirance érotique interpersonnelle.

La réponse sexuelle

- Masters et Johnson ont décrit quatre phases dans le cycle de la réponse sexuelle physiologique des hommes et des femmes : l'excitation, le plateau, l'orgasme et la résolution.

- Durant la stimulation, la myotonie (tension musculaire), le rythme cardiaque et la pression artérielle augmentent chez les deux sexes. La réponse féminine inclut l'engorgement du clitoris, des lèvres et du vagin (qui se lubrifie), la remontée et la dilation de l'utérus et une augmentation du volume des seins. Chez l'homme, le pénis entre en érection, les testicules grossissent et se rapprochent de l'abdomen.

- La phase de plateau se caractérise par une augmentation de la myotonie, des rythmes cardiaque et respiratoire et de la pression artérielle. Chez la femme, le clitoris se rétracte sous le prépuce, les petites lèvres deviennent plus foncées, la plateforme orgasmique se développe, l'utérus demeure complètement remonté et les aréoles enflent. Chez l'homme, la couronne se gorge complètement, les

testicules continuent à remonter et à se dilater et les glandes de Cowper s'activent.

- L'orgasme se caractérise par des spasmes musculaires involontaires qui parcourent le corps. La pression artérielle et les rythmes cardiaque et respiratoire sont à leur maximum.

- Masters et Johnson croient qu'il n'existe qu'un seul type d'orgasme physiologique chez la femme, peu importe la méthode de stimulation.

- Pendant la résolution, les systèmes sexuels retournent à un état pré-excitatoire. Ce processus peut durer plusieurs heures et dépend de divers facteurs.

- Le modèle du cycle de la réponse sexuelle de Kaplan comprend trois phases : le désir, l'excitation et l'orgasme.

- Selon le modèle de double contrôle de Bancroft et Janssen, la réponse sexuelle d'une personne dépend des processus excitateur et inhibiteur.

- Dans beaucoup d'ouvrages, on met maintenant l'accent sur les similarités entre les réponses sexuelles féminine et masculine. Il y a néanmoins des différences importantes entre les deux sexes.

- En général, la réponse sexuelle physiologique varie plus chez les femmes que chez les hommes.

- Les femmes ont des orgasmes multiples plus fréquemment que les hommes. Plus que le coït, la masturbation favorise les orgasmes multiples chez la femme. Des résultats récents laissent croire que certains hommes seraient eux aussi capables d'avoir plusieurs orgasmes dans un court laps de temps.

- L'existence d'une période réfractaire chez l'homme est l'une des différences les plus importantes entre les réponses sexuelles des deux sexes.

- Certaines femmes sont capables de parvenir à l'orgasme par stimulation intense du point de Gräfenberg (point G). Cette région serait située dans la paroi antérieure du vagin.

- Certaines études font aussi état du déclenchement possible d'une expulsion orgasmique à la suite d'une stimulation manuelle ou buccale du clitoris, ou encore d'une pression exercée sur la paroi vaginale ou sur le col de l'utérus chez certaines femmes.

Témoignages présentés dans l'encadré *Les uns et les autres* à la page 84.

La description A = orgasme masculin ; B = orgasme féminin ; C = orgasme féminin.

CHAPITRE 04

Le développement des sexes, des identités de genre et leur expression

Qu'est-ce qui constitue la masculinité et la féminité? Comment les rôles revenant à l'un et l'autre sexe peuvent-ils tant varier d'une société à l'autre? Si certains comportements sexuels sont le résultat d'un apprentissage, en existe-t-il alors qui reposent sur une base biologique ou génétique? Comment les attentes liées aux rôles sexuels influent-elles sur la sexualité? Ce sont les questions que nous abordons dans ce chapitre.

> Très tôt, j'ai fait l'apprentissage qu'il y avait des comportements convenant à mon sexe. Je me souviens d'avoir pensé à quel point il était injuste qu'on me confie toutes les corvées ménagères alors que mon frère n'avait que la poubelle à sortir. Quand j'en ai demandé la raison à ma mère, elle m'a répondu: «C'est parce qu'il est un garçon et que c'est là une tâche pour les hommes; toi, tu es une fille et tu fais des tâches de femme.» (Note des auteurs)

Une telle conscience des comportements propres à chaque sexe ne semble pas exister chez les habitants d'une petite île près de la Nouvelle-Guinée, au nord de l'Australie. Selon une étude de l'anthropologue Maria Lepowsky (1994), les habitants de l'île de Vanatinai (la *mère patrie*, dans la langue locale) ne connaissent pas la division des rôles sociaux selon le sexe. Dans cette société, les hommes et les femmes sont considérés comme des êtres égaux et se comportent comme tels, et il n'existe pas d'idéologie fondée sur le masculin et le féminin. Les deux sexes peuvent accéder aux fonctions de pouvoir et de prestige. Les hommes et les femmes participent aux décisions importantes de la collectivité et semblent jouir de la même liberté sur le plan sexuel. En outre, dans la langue du pays, les pronoms n'ont pas de genre. Cette égalité des rôles de l'homme et de la femme contraste avec la conception des rôles sexuels qui prédomine dans de nombreux pays du monde et dans la culture nord-américaine.

Homme et femme, masculin et féminin

La plupart des gens adhèrent à l'idée que nous naissons garçon ou fille et que nous allons nous comporter naturellement de façon masculine ou féminine selon notre sexe. Cette vision simpliste, qui repose sur un **système binaire**, est rassurante dans la mesure où elle nous laisse croire que le monde a des repères. Cependant, une analyse plus fouillée nous amène à constater que la situation est beaucoup plus complexe qu'elle ne le paraît au premier abord. En effet, notre sexe et notre genre sont déterminés par de multiples facteurs, et cet aspect de notre identité a une profonde influence sur nos comportements, sexuels et autres. C'est de cette fascinante complexité qu'il sera question dans ce chapitre. Mais avant d'entrer pleinement dans le sujet, il importe de clarifier certains concepts importants.

Système binaire Système de pensée essentialiste catégorisant l'éventail des identités de genre en deux genres distincts, opposés et immuables: garçon/fille, homme/femme, masculin/féminin.

QUESTION D'ANALYSE CRITIQUE

› Selon vous, qu'est-ce qui fait qu'on est un homme ou une femme?

Le sexe et le genre

De nombreux auteurs utilisent indifféremment les mots *sexe* et *genre*, bien que chacun d'eux ait son sens propre. Le mot *sexe* renvoie au sexe biologique, qui comporte deux aspects principaux: 1) le sexe chromosomique (aussi appelé *sexe génétique*), qui est déterminé par nos chromosomes sexuels, et 2) le sexe anatomique, qui concerne les différences physiques apparentes entre les mâles et les femelles d'une espèce (comme lorsqu'on parle du sexe d'un bébé). Puisqu'on ne détermine pas systématiquement le sexe génétique des bébés, les professionnels de la santé ou les personnes présentes lors de l'accouchement attribuent aux nouveau-nés un sexe qualifié de *sexe assigné à la naissance* par la simple observation des organes génitaux. Notons que le sexe peut aussi être assigné par échographie au cours de la grossesse.

Pour comprendre les concepts de sexe et de genre, la plupart des sociétés ont adopté un système binaire selon lequel il n'existe que deux possibilités existentielles, c'est-à-dire deux sexes: mâle et femelle, et deux genres correspondants, homme et femme.

Le mot *genre* (*gender*, en anglais) recouvre un phénomène distinct de celui du sexe biologique. Il renvoie plutôt aux comportements, aux attitudes et aux rôles différents qu'une société et une culture attribuent aux hommes et aux femmes. Donc, même si notre sexe dépend de divers attributs physiques (chromosomes, pénis, vulve, etc.), notre genre renvoie plutôt aux caractéristiques psychologiques et socioculturelles associées à notre sexe, autrement dit à notre féminité ou à notre masculinité. Dans ce chapitre, nous utiliserons les qualificatifs *masculin* et *féminin* pour caractériser les comportements et les attitudes traditionnellement attribués aux hommes et aux femmes (*voir l'encadré* Parlons-en).

Ces étiquettes comportent plusieurs aspects négatifs, notamment celui de limiter la palette de comportements qu'une personne se sent à l'aise d'exprimer. Par exemple, un homme peut hésiter à se dévouer envers les autres pour ne pas être perçu comme féminin, tandis qu'une femme peut hésiter à agir avec autorité par crainte d'être perçue comme masculine. Nous croyons qu'il est possible d'utiliser ces qualificatifs lorsqu'il est question des différences entre les sexes sans pour autant perpétuer les stéréotypes associés à ces étiquettes.

L'identité de genre et le rôle attribué à un sexe

Comme nous venons de le voir, un sexe est assigné à un individu dès sa naissance, ou avant sa naissance, en se basant sur l'observation de ses organes génitaux. Cette

Sexe État de la personne au sein du spectre de la masculinité ou de la féminité biologique dont les deux éléments principaux sont le sexe chromosomique et le sexe anatomique.

Sexe assigné à la naissance Déclaration du sexe féminin ou masculin fondée sur l'apparence des organes génitaux externes et attribuée à l'individu par les personnes dans son entourage.

Genre Expression de l'ensemble des caractéristiques psychologiques et socioculturelles associées à la masculinité et à la féminité faisant partie du vécu d'une personne, et ce, indépendamment de son sexe assigné à la naissance ou de son sexe biologique.

PARLONS-EN

Le défi terminologique et les solutions retenues

À l'heure actuelle, il n'existe pas de consensus en matière de définition des perceptions du féminin ou du masculin. Les termes employés changent au rythme de l'évolution des courants de pensée, des attitudes et des débats sociopolitiques concernant les minorités sexuelles et de genre. Nous avons porté une grande attention à la terminologie, mais il va de soi que l'adaptation de ce manuel pour les lecteurs francophones ne peut aller plus loin que le texte original. Cette terminologie entretient donc certaines ambiguïtés et de possibles risques de confusion. De plus, l'absence d'équivalence véritable entre les termes anglais et français très fréquemment utilisés, comme *sexe* et *genre*, ajoute à l'imprécision de l'édition originale anglaise puisqu'ils n'ont pas la même signification dans les deux langues.

Au-delà des mots, il faut donc se demander s'il est question de l'aspect biologique (chromosomes, hormones, anatomie et physiologie), de l'expérience et la conscience de la personne (perceptions personnelles, sentiments) ou encore de l'aspect social et culturel (définitions du féminin et du masculin selon la culture, attentes sociales différentes selon le sexe anatomique). Dans le présent ouvrage, nous privilégions les termes adoptés par l'Association des psychiatres du Canada (2014) et réunis dans un glossaire qu'il est possible de consulter à l'adresse suivante: www.cpa-apc.org/wp-content/uploads/LGBTQ-2014-55-web-FIN-FR.pdf.

assignation peut être différente de son sexe génétique. (Nous aborderons plus loin cette question, quand nous traiterons des processus biologiques du développement de l'identité de genre.) L'enfant est donc élevé en fonction du sexe assigné et, la plupart du temps, il acquiert une **identité de genre** correspondant à ce sexe.

Cependant, rien ne garantit que l'identité de genre que développe une personne corresponde à son sexe biologique ou à son sexe assigné à la naissance. De fait, chez certaines personnes, la recherche de l'identité de genre engendre un grand malaise. Elles peuvent ainsi se reconnaître homme ou femme, ou bien se situer quelque part entre ces deux extrêmes, voire se sentir ni homme ni femme. Comme l'identité de genre reflète la perception qu'une personne se donne d'elle-même, cette identité n'est pas nécessairement extériorisée et elle peut donc passer inaperçue au regard des autres. Ainsi, les individus vont choisir leur **expression du genre**, c'est-à-dire leur façon d'exprimer leur genre vis-à-vis des autres personnes par leur habillement, leur comportement, leurs attitudes, leur langage, leur voix, par les activités auxquelles ils s'adonnent, etc. Évidemment, le rôle que la culture de la personne attribue à son sexe influe souvent sur les choix d'expression du genre.

Le **rôle attribué à un sexe** (aussi appelé *rôle sexuel*) englobe une gamme d'attitudes et de comportements considérés comme appropriés pour un sexe dans une société ou une culture donnée. Le rôle attribué aux sexes établit des attentes comportementales pour chacun d'eux. Le comportement considéré comme adéquat pour un homme sera dit *masculin,* et celui jugé comme approprié pour une femme sera dit *féminin.*

Les rôles attribués à un sexe sont définis par la culture et varient d'une culture à l'autre. Par exemple, dans la société nord-américaine traditionnelle, un baiser sur la joue est considéré comme féminin et donc inapproprié entre hommes (l'immigration apporte toutefois des modèles de changements), alors que ce même comportement est tout à fait acceptable dans nombre de sociétés méditerranéennes et moyen-orientales.

Lorsque nous rencontrons des gens pour la première fois, nous leur attribuons spontanément un sexe et un genre et, à partir de cette perception, nous anticipons leur comportement : c'est ce qu'on appelle un *scénario de genre.* Nous avons tendance à situer les gens selon un système binaire, comme appartenant à un sexe ou à l'autre. Remarquez que nous évitons d'employer ici le terme *sexe opposé* parce que nous croyons qu'il exagère la notion de différence entre les hommes et les femmes. Pour la plupart des gens, les scénarios de genre font partie des interactions sociales courantes. Il arrive toutefois que certaines personnes se sentent mal à l'aise devant un individu dont l'apparence ou le comportement ne correspond pas aux scénarios de genre ou qu'elles aient de la difficulté à interagir avec lui.

Le développement de l'identité de genre

Le sexe est un aspect de l'identité que la plupart des gens tiennent pour acquis au même titre que la couleur des yeux ou celle des cheveux. L'identité de genre est souvent associée au fait de présenter certaines caractéristiques biologiques. Pourtant, ce sentiment dépasse largement l'apparence féminine ou masculine. La formation d'une identité de genre est un processus très complexe placé sous l'influence de plusieurs facteurs que l'on regroupe souvent en deux catégories : les processus biologiques et l'apprentissage social. Les processus biologiques liés au sexe s'amorcent rapidement après la conception et s'achèvent avant la naissance. Quant à l'apprentissage social, il s'effectue sous l'effet des influences culturelles à l'œuvre au cours des premières années de l'enfance. Cet apprentissage permet d'expliquer les nuances de l'identité de genre et la signification personnelle que vit un individu par rapport au fait d'être homme ou femme. Explorons d'abord les processus biologiques (*voir le tableau 4.1*). Notons que, même si la plupart des gens connaissent ces attributs, ceux-ci s'expriment de façon très diverse.

Identité de genre Expérience intime et personnelle de son genre profondément vécue par chacun (être et se sentir homme ou femme, homme et femme, ni homme ni femme), et fondée sur la conscience personnelle du corps et toutes les autres expressions du genre (dont l'habillement ou la façon de se conduire), indépendamment du sexe assigné à la naissance.

Expression du genre Expression de l'identité de genre par l'habillement, le comportement, les attitudes, le langage, la voix, les activités, etc.

Rôle attribué à un sexe (rôle sexuel) Ensemble des attitudes et des comportements considérés comme appropriés à un sexe dans une culture donnée.

Scénario de genre Attentes déterminées par la culture relatives aux attitudes et aux comportements d'une personne selon son sexe biologique.

Le développement de l'identité de genre comme processus biologique : la différenciation sexuelle prénatale

Dès la conception, divers processus biologiques interviennent dans la différenciation des sexes. La différenciation du sexe biologique s'effectue dès les premières semaines de la gestation selon une séquence chronologique dans laquelle on peut distinguer six étapes ou niveaux : 1) la conception et les différences chromosomiques selon le sexe ; 2) le développement des gonades ; 3) la production des hormones ; 4) le développement des structures génitales internes ; 5) le développement des organes génitaux externes ; 6) la différenciation sexuelle de l'encéphale (cerveau). Ces processus sont résumés dans le tableau 4.1.

Le sexe chromosomique

Le sexe biologique est déterminé dès la fusion de l'ovule et du spermatozoïde. Chaque cellule du corps, à l'exception des cellules reproductrices, contient 46 chromosomes, qui forment 22 paires d'autosomes (paires de chromosomes communes à l'homme et à la femme) et

une paire de chromosomes sexuels (paire dont la structure varie selon le sexe). Celle des femmes comporte deux chromosomes semblables, désignés XX, alors que celle des hommes comporte deux chromosomes d'allure différente, désignés XY.

Sans décrire le processus complexe de la division cellulaire liée à la production des cellules sexuelles, processus appelé *méiose*, précisons que l'ovule contient normalement 22 autosomes et 1 chromosome X, tandis que le spermatozoïde contient 22 autosomes et 1 chromosome Y ou 1 chromosome X (*voir la figure 4.1 à la page suivante*). Le sexe de l'enfant sera donc déterminé par le

---

Différenciation sexuelle   Ensemble des dispositifs et processus qui se déroulent entre le moment de la fécondation et l'âge adulte, et qui mènent à la mise en place des différences biologiques et physiologiques entre les corps mâles et femelles.

Autosomes   Désigne les 22 paires de chromosomes n'influant pas de façon marquée sur la différenciation sexuelle.

Chromosomes sexuels   Paire de chromosomes (23e) déterminant la différenciation sexuelle génétique.

TABLEAU 4.1   **Les processus biologiques de différenciation sexuelle – différenciation prénatale typique**

ÉTAPES OU NIVEAUX	FEMME	HOMME
Sexe chromosomique	• XX	• XY
Sexe gonadique	• Ovaires	• Testicules
Sexe hormonal	• Œstrogènes • Hormones progestatives	• Androgènes
Structures génitales internes	• Trompes de Fallope • Utérus • Tunique interne du vagin	• Canaux déférents • Vésicules séminales • Conduits éjaculateurs
Organes génitaux externes	• Clitoris • Petites lèvres de la vulve • Grandes lèvres de la vulve	• Pénis • Scrotum
Différenciation sexuelle du cerveau	• L'hypothalamus devient sensible aux œstrogènes, entraînant la production cyclique d'hormones. • Les deux régions de l'hypothalamus sont plus petites que chez l'homme. • Le cortex cérébral de l'hémisphère droit est plus mince que chez l'homme. • Le corps calleux est plus épais que chez l'homme. • La latéralisation des fonctions est moindre que chez l'homme.	• L'hypothalamus, insensible aux œstrogènes, commande une production régulière d'hormones. • Les deux régions de l'hypothalamus sont plus grandes que chez la femme. • Le cortex cérébral de l'hémisphère droit est plus épais que chez la femme. • Le corps calleux est plus mince que chez la femme. • La latéralisation des fonctions est plus grande que chez la femme.

Les autosomes et les chromosomes

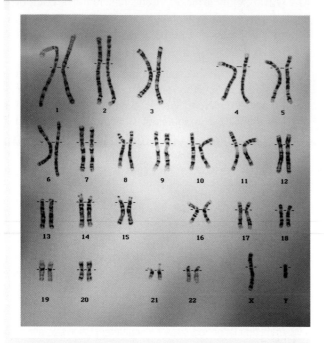

Les cellules humaines contiennent 22 paires d'autosomes et 1 paire de chromosomes sexuels. Chez la femme, cette paire est formée de deux chromosomes X et, chez l'homme, d'un chromosome X et d'un chromosome Y.

spermatozoïde qui fécondera l'ovule : un garçon si c'est un porteur de Y ; une fille si c'est un porteur de X, le second X étant nécessaire pour que les organes sexuels internes et externes se développent complètement (Cortez et coll., 2014).

Des chercheurs ont localisé sur le bras court du chromosome humain Y un gène qui jouerait un rôle important dans la séquence du développement des gonades mâles que sont les testicules. Ce gène de l'anatomie masculine est appelé *SRY* (pour *Sex Determining Region of Y Chromosome*) (Marchina et coll., 2009 ; Nishi et coll., 2011). Certains chercheurs croient qu'il existerait également du matériel génétique appelé *DSS* sur le bras court du chromosome X (Bardoni et coll., 1994). Ces recherches donnent ainsi à penser qu'un gène (ou des gènes) du chromosome X mène les gonades indifférenciées dans une direction femelle de la même manière que le gène SRY aide au développement des structures sexuelles mâles. Cette découverte contredit donc la vieille croyance voulant que le fœtus humain soit d'abord féminin et qu'aucun gène n'entraîne la différenciation féminine.

Le sexe gonadique

Les structures qui deviendront les gonades, c'est-à-dire les ovaires ou les testicules, apparaissent quelques semaines à peine après la conception, mais elles en sont encore au stade indifférencié (*voir la figure 4.2a*). La différenciation ne débute que six semaines après la conception. Ce sont les gènes qui déterminent si l'amas de tissus sexuels indifférenciés se développera en gonades mâles ou femelles (Dragowski et coll., 2011). À ce moment, un produit (ou des produits) du gène SRY d'un fœtus masculin stimule la transformation des gonades embryonnaires en testicules. Cette transformation se produit vers la 7e semaine de gestation. En l'absence de gène SRY, et sous l'influence du gène DSS ou d'autres gènes de féminité, les tissus gonadiques indifférenciés se développent pour former les ovaires (*voir la figure 4.2b*) (Dragowski et coll., 2011). Cette transformation survient vers la 13e semaine de gestation.

Dès qu'ils commencent à se développer, les ovaires et les testicules se mettent à produire leurs propres hormones sexuelles. Celles-ci joueront un rôle crucial dans le processus de différenciation sexuelle.

Le sexe hormonal

Comme toutes les autres glandes du système endocrinien, les **gonades** produisent des hormones qu'elles libèrent directement dans le système sanguin. Les ovaires produisent deux types d'hormones : les **œstrogènes** et les **composés progestatifs**. Les œstrogènes, dont le plus important est l'œstradiol, influent sur le développement des caractères sexuels secondaires féminins et régularisent le cycle menstruel. La progestérone joue un rôle déterminant sur le plan physiologique : elle intervient dans la régulation du cycle menstruel et le développement des cellules de l'endomètre en prévision d'une grossesse. Les testicules produisent des androgènes. La plus importante hormone du groupe est la testostérone, qui influe à la fois sur le développement des caractères sexuels secondaires de l'homme et sur son désir sexuel. Chez les deux sexes, les glandes surrénales produisent également des hormones sexuelles, dont une petite quantité d'œstrogènes et une quantité plus importante d'**androgènes**.

Gonades   Glandes sexuelles mâles et femelles : les testicules et les ovaires.

Œstrogènes   Ensemble d'hormones qui favorisent le développement des organes génitaux féminins et déterminent les caractères sexuels secondaires de la femme et régularisent le cycle menstruel.

Composés progestatifs   Ensemble d'hormones, dont la progestérone, que produisent les ovaires.

Androgènes   Ensemble d'hormones qui favorisent le développement des organes génitaux masculins et des caractères sexuels secondaires chez l'homme, et qui influent sur le désir sexuel chez les deux sexes. Ces hormones sont produites par les glandes surrénales chez les deux sexes et, chez l'homme, par les testicules.

FIGURE 4.2 Le développement prénatal des systèmes de canaux internes masculin et féminin, depuis le stade indifférencié (avant la sixième semaine) jusqu'au stade différencié

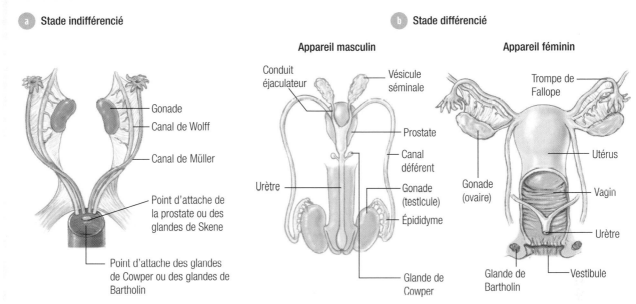

a Stade indifférencié

- Gonade
- Canal de Wolff
- Canal de Müller
- Point d'attache de la prostate ou des glandes de Skene
- Point d'attache des glandes de Cowper ou des glandes de Bartholin

b Stade différencié

Appareil masculin

- Conduit éjaculateur
- Vésicule séminale
- Prostate
- Canal déférent
- Gonade (testicule)
- Épididyme
- Urètre
- Glande de Cowper

Appareil féminin

- Trompe de Fallope
- Utérus
- Vagin
- Urètre
- Vestibule
- Gonade (ovaire)
- Glande de Bartholin

Le développement des structures internes de l'appareil génital

Entre la 8e et la 14e semaine suivant la conception, les hormones sexuelles commencent leur œuvre de différenciation sexuelle des organes internes. Les deux types de canaux illustrés dans la figure 4.2a – les canaux de Müller et les canaux de Wolff – amorcent leur différenciation pour former les structures internes de la figure 4.2b. Chez l'embryon mâle, les androgènes sécrétés par les testicules stimulent les canaux de Wolff, qui se développent alors en canaux déférents, en vésicules séminales et en canaux éjaculateurs. Les testicules sécrètent également la substance inhibitrice de Müller (SIM) qui provoque la résorption des canaux de Müller (Wilhelm et coll., 2007). En l'absence d'androgènes, vers la 13e ou la 14e semaine de gestation, le fœtus forme des structures femelles (Clarnette et coll., 1997). Les canaux de Müller deviennent les trompes de Fallope, l'utérus et le tiers interne du vagin tandis que le système des canaux de Wolff se résorbe.

Le développement des structures externes de l'appareil génital

Les organes génitaux externes se développent selon un mode similaire en transformant des structures indifférenciées en structures masculines ou féminines (*voir la figure 4.3 à la page suivante*), selon qu'elles reçoivent ou non un composé issu de la testostérone, la dihydrotestostérone (DHT) (Hotchkiss et coll., 2008). Sous l'action de la DHT, le bourrelet génital devient le scrotum tandis que le tubercule génital et le repli génital deviennent

respectivement le gland et la hampe du pénis. En l'absence de testostérone (et fort probablement sous l'influence d'une ou de plusieurs substances activées par le DSS, ou *gène de la féminité*), le tubercule génital devient le clitoris et le repli génital, les petites lèvres, tandis que le bourrelet génital devient les grandes lèvres. À la 12e semaine de gestation, le processus de différenciation est achevé : le pénis et le scrotum peuvent être reconnus chez le fœtus masculin, et la vulve et le clitoris sont visibles chez le fœtus féminin.

Comme les structures des appareils génitaux masculin et féminin proviennent toutes de cellules embryonnaires indifférenciées au départ, les organes génitaux des deux sexes présentent certaines similitudes (*voir le tableau 4.2 à la page 99*). Ces équivalences entre les structures et les glandes sont aussi appelées *structures homologues*.

La différenciation sexuelle du cerveau

D'importantes différences structurelles et fonctionnelles entre le cerveau de l'homme et celui de la femme proviennent en partie du processus de différenciation sexuelle au cours de la gestation (McCarthy et coll., 2011). En effet, durant la phase prénatale, les hormones en circulation (œstrogènes et testostérone) exercent une grande influence sur plusieurs régions du cerveau, ce qui entraîne un développement cérébral distinct selon le sexe (Zuolaga et coll., 2008).

Cerveau Principale structure de l'encéphale; il est divisé en deux hémisphères.

Le développement prénatal des organes génitaux externes masculins et féminins, du stade de la non-différenciation à celui de la différenciation accomplie

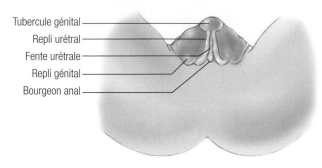

Stade non différencié, avant la 6ᵉ semaine de gestation

- Tubercule génital
- Repli urétral
- Fente urétrale
- Repli génital
- Bourgeon anal

Entre la 7ᵉ et la 8ᵉ semaine de gestation

Appareil masculin   Appareil féminin

- Gland
- Région où se forme le prépuce
- Repli urétral
- Fente urogénitale
- Repli génital (devient la hampe pénienne ou les petites lèvres)
- Bourrelet génital (devient le scrotum ou les grandes lèvres)
- Anus

Vers la 12ᵉ semaine de gestation : développement complet

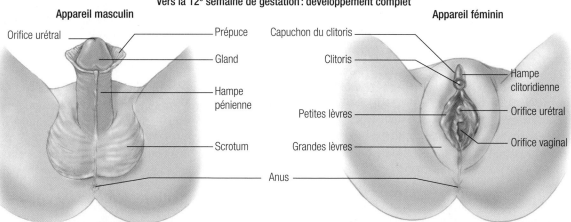

Appareil masculin   Appareil féminin

- Orifice urétral
- Prépuce
- Gland
- Hampe pénienne
- Scrotum
- Anus

- Capuchon du clitoris
- Clitoris
- Hampe clitoridienne
- Petites lèvres
- Orifice urétral
- Grandes lèvres
- Orifice vaginal

Il est à noter que les résultats des études sur les différences cérébrales entre les sexes qui suivent suscitent de vives critiques. Selon certains chercheurs, les différences structurelles et fonctionnelles témoignent des variations que l'on observe dans les cerveaux d'êtres humains qui forment un groupe hétérogène. On ne devrait donc pas considérer ces différences comme le reflet de deux populations distinctes, c'est-à-dire hommes et femmes (Joel et Fausto-Sterling, 2016).

De façon générale, la taille du cerveau varie considérablement selon le sexe. À l'âge de 6 ans, lorsque le cerveau humain atteint sa taille adulte, le cerveau masculin est environ 15 % plus gros que le cerveau féminin. Selon les chercheurs, cette différence serait due à l'action particulière des androgènes qui accélèrent le développement du cerveau des garçons (Wilson, 2003). Au moins trois régions importantes du cerveau humain présentent des différences selon le sexe : l'hypothalamus,

TABLEAU 4.2	Les structures homologues des appareils génitaux masculin et féminin

MASCULIN	FÉMININ
Gland du pénis	Clitoris
Prépuce du pénis	Prépuce (capuchon) du clitoris
Hampe du pénis	Petites lèvres
Scrotum	Grandes lèvres
Testicules	Ovaires
Prostate	Glandes de Skene
Glandes de Cowper	Glandes de Bartholin

les hémisphères droit et gauche et le corps calleux (*voir la figure 4.4*).

Des recherches relient les différences importantes entre l'**hypothalamus** de l'homme et celui de la femme à la présence ou à l'absence de testostérone dans le sang au cours de la différenciation prénatale (McEwen, 2001 ; Reiner, 1997a, 1997b). En l'absence de testostérone, l'hypothalamus produirait des cellules sensibles à la présence d'œstrogènes dans le sang. Cette différenciation prénatale est cruciale, même si son effet ne se fera sentir que beaucoup plus tard. En effet, durant la puberté, l'hypothalamus, sensible aux œstrogènes, ordonne à l'hypophyse de libérer des hormones de façon cyclique et déclenche, ce faisant, le cycle menstruel. Chez les garçons, l'hypothalamus, resté insensible aux œstrogènes sous l'action de la testostérone, commence une production relativement régulière d'hormones sexuelles.

Les scientifiques ont fait plusieurs découvertes étonnantes concernant les différences sexuelles en étudiant une minuscule région de l'hypothalamus appelée *noyau du lit de la strie terminale* (NLST) (Chung et coll., 2002 ; Gu et coll., 2003). Le NLST contient des récepteurs d'œstrogènes et d'androgènes, et jouerait un rôle essentiel dans la différenciation sexuelle et le fonctionnement sexuel chez l'être humain. Une région située au centre de ce noyau est beaucoup plus grande chez l'homme que chez la femme (Zhou et coll., 1995), et une autre région située à l'arrière de ce noyau est au moins deux fois plus grande chez l'homme que chez la femme (Allen et Gorski, 1990). Les chercheurs ont aussi décelé des différences selon le sexe dans la région antérieure de l'hypothalamus appelée *aire préoptique* (APO). Une zone précise de l'APO est sensiblement plus grande chez l'homme adulte que chez la femme adulte (Swaab et coll., 1995). Ces découvertes, et d'autres semblables, ont conduit certains théoriciens à avancer que la différenciation sexuelle des comportements, tant chez l'enfant que chez l'adulte, découlerait en partie du rôle exercé par les hormones sexuelles sur le développement du cerveau au cours de la période prénatale (Cohen-Kettenis, 2005 ; Mathews et coll., 2009).

Des recherches ont aussi démontré l'existence d'importantes différences dans la structure et les fonctions des

Hypothalamus Petite structure située dans la région centrale du cerveau qui régit l'hypophyse et commande bon nombre de pulsions et d'émotions.

FIGURE 4.4	Les régions du cerveau : a) vue sagittale du néocortex cérébral, de l'hypothalamus, de l'hypophyse et du corps calleux ; b) vue de dessus des hémisphères cérébraux gauche et droit

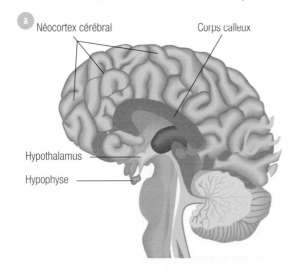

a) Néocortex cérébral — Corps calleux — Hypothalamus — Hypophyse

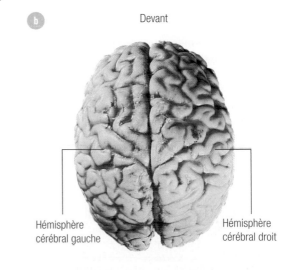

b) Devant — Hémisphère cérébral gauche — Hémisphère cérébral droit

hémisphères cérébraux et du **corps calleux** des hommes et des femmes. Premièrement, certaines études menées sur le cerveau de fœtus de rats et d'êtres humains ont établi que le **cortex cérébral** de l'hémisphère droit a tendance à être plus épais chez le mâle (De Lacoste et coll., 1990 ; Diamond, 1991). Deuxièmement, d'autres études ont révélé que le volume du corps calleux varie selon le sexe chez certaines espèces animales, dont l'être humain (Coe et coll., 2002). On a ainsi démontré que cette structure du cerveau est sensiblement plus épaisse chez la femme que chez l'homme (Smith et coll., 2005). Parce qu'il est plus épais, le corps calleux assure une meilleure communication entre les hémisphères, ce qui pourrait expliquer pourquoi la latéralisation des fonctions est moins grande chez la femme que chez l'homme (Savic et Lindstrom, 2008).

La recherche démontre aussi que le degré de spécialisation des hémisphères du cerveau varie selon le sexe pour diverses tâches cognitives. Une étude a révélé une différence importante dans l'activité neuronale des hommes et des femmes pendant qu'ils jugeaient les qualités esthétiques de stimuli artistiques ou naturels. Chez les femmes, les deux hémisphères cérébraux s'activent en même temps lorsqu'elles observent un stimulus qu'elles trouvent beau, alors que chez les hommes, l'activité neuronale est fortement latéralisée dans l'hémisphère droit (Cela-Conde et coll., 2009). D'autres recherches ont montré que les femmes ont tendance à utiliser leurs deux hémisphères cérébraux pour accomplir des tâches verbales et des tâches visuospatiales, tandis que les hommes montrent une tendance à privilégier un seul hémisphère pour chacune des tâches (Savic et Lindstrom, 2008).

Les chercheurs et les théoriciens se demandent si ces différences structurelles du cerveau peuvent expliquer certaines disparités observées entre les deux sexes en ce qui a trait aux processus cognitifs. Par exemple, en moyenne, les femmes réussissent généralement les tests d'habileté verbale mieux que les hommes, alors que c'est le contraire pour les tests d'habileté spatiale (Ganley et coll., 2014 ; Hyde, 2014 ; Mantyla, 2013). Plusieurs théoriciens, cependant, soutiennent que ces différences d'habiletés cognitives entre les sexes sont dues à des facteurs psychosociaux (Hyde, 2014 ; Mann et DiPrete, 2013 ; Robinson-Cimpian et coll., 2014).

Par exemple, depuis 30 ans, les résultats des enquêtes nationales portant sur les tests de mathématiques standardisés indiquent qu'il y a très peu de différences dans les habiletés en sciences et en mathématiques chez les adolescentes et les adolescents (Kurtz-Costes et coll., 2008).

Selon une étude récente, les inscriptions des filles au cours de physique étaient égales ou supérieures à celles des garçons dans presque la moitié des écoles secondaires (Riegle-Crumb et Moore, 2014). D'autres études ont aussi révélé que les résultats en mathématiques étaient similaires chez les filles et les garçons, de la deuxième à la onzième année (Hetzner, 2010 ; Hyde, 2006). Cependant, les étudiantes sont moins portées à choisir une profession liée aux mathématiques (par exemple, le génie, les sciences informatiques et la physique), mais il semble que cet écart dépendrait plus des facteurs sociaux et familiaux que des différences en matière d'habiletés cognitives (Ahlquist et coll. 2013 ; Else-Quest et coll., 2013 ; Gati et Perez, 2014). Une autre étude récente révèle aussi que, lorsque les collégiennes s'identifient d'une façon positive à une professeure de sciences, elles manifestent des attitudes plus favorables à l'égard des cours de sciences et de mathématiques et considèrent plus volontiers la perspective d'une carrière scientifique (Young et coll., 2013). De plus, les données empiriques indiquent que les différences entre les hommes et les femmes quant au choix de carrière sont beaucoup moins importantes depuis plusieurs années (Gati et Perez, 2014).

En ce qui nous concerne, nous adhérons à l'opinion de l'éminente psychologue Carol Tavris (2005), qui affirme qu'en matière de comportements et d'aptitudes, les similitudes entre les sexes l'emportent très largement sur les différences.

Les variations du développement sexuel prénatal et l'identité de genre

Nous n'avons considéré jusqu'ici que la différenciation prénatale typique. Toutefois, une grande part de ce que l'on sait concernant l'impact de la différenciation sexuelle sur le développement de l'identité de genre provient des études faites auprès des individus dont la différenciation prénatale a connu un parcours inhabituel.

Nous avons vu que des signaux biologiques influent sur la différenciation des structures sexuelles internes et externes. Lorsque ces signaux ne suivent pas le cours typique, les caractères sexuels se développent de façon ambiguë ou contradictoire.

Hémisphère cérébral Chacune des moitiés droite et gauche du cerveau.

Corps calleux Épaisse lame de fibres nerveuses reliant les deux hémisphères cérébraux et assurant la communication entre eux.

Cortex cérébral Couche externe recouvrant chaque hémisphère cérébral et commandant les fonctions intellectuelles supérieures.

On emploie le terme *intersexué* pour qualifier une personne qui possède à la naissance un appareil génital, des chromosomes ou des hormones qu'il est difficile d'attribuer au sexe féminin ou masculin. La personne intersexuée peut avoir des organes génitaux externes qui ne ressemblent pas aux organes génitaux masculins ou féminins, ou avoir l'apparence des deux, ou encore posséder des organes génitaux d'un sexe tout en présentant certaines caractéristiques sexuelles secondaires de l'autre sexe. Elle peut aussi porter des combinaisons chromosomiques inhabituelles, c'est-à-dire qui ne sont ni XX ni XY. Les personnes présentant de tels caractères étaient parfois appelées *hermaphrodites,* un terme désormais considéré comme désuet et stigmatisant. Les milieux médicaux considèrent qu'une personne qui souffre d'un problème congénital résultant d'un développement atypique du sexe chromosomique, gonadique ou anatomique présente «un trouble du développement sexuel» (American Psychiatric Association [APA], 2015). Quant à nous, nous parlerons ici de *différences du développement sexuel.*

Les différences en termes de développement sexuel affectent environ 1,7 % de la population (Organization Intersex International [OII], 2015). L'intersexualité peut provenir d'une combinaison atypique des chromosomes sexuels ou de problèmes hormonaux au cours de la gestation. Le tableau 4.3 à la page suivante présente les données relatives à cinq types de variation du développement sexuel prénatal. Les études réalisées auprès des personnes intersexuées ont aidé à mieux cerner les rôles respectifs de la biologie et de l'apprentissage social dans le développement de l'identité de genre.

Les variations de la combinaison des chromosomes

Des variations surviennent parfois au cours de la première phase de détermination du sexe biologique, de sorte que l'individu naît avec un ou plusieurs chromosomes sexuels en trop ou avec un chromosome sexuel en moins. On connaît plus de 70 combinaisons de chromosomes sexuels (Nielson et Wohlert, 1991), et certaines d'entre elles peuvent avoir des conséquences importantes sur l'anatomie, la santé et le comportement. Nous examinerons deux de ces combinaisons les plus connues : le syndrome de Turner et le syndrome de Klinefelter.

Relativement rare, le **syndrome de Turner** se caractérise par la présence d'un seul chromosome sexuel, le chromosome X (Knickmeyer et coll., 2011 ; Rivkees et coll., 2011). On estime que ce syndrome touche un bébé féminin sur 2500 (Wells et coll., 2013). Dans ce cas, l'œuf fécondé possède 45 chromosomes au lieu des 46 habituels ; l'absence d'un chromosome sexuel donne alors une combinaison de type XO. Les personnes atteintes

de ce syndrome ont des organes génitaux externes féminins et sont donc assignées comme des filles. Or, leurs organes internes ne sont pas complètement développés, les ovaires sont absents ou ne contiennent que des tissus fibreux. Leurs seins ne se développent pas à la puberté (à moins qu'elles suivent un traitement hormonal substitutif) ; elles n'ont pas de menstruations et sont stériles. À l'âge adulte, les femmes atteintes de ce syndrome ont tendance à être beaucoup plus petites que la moyenne (Ross et coll., 2011 ; Zeger et coll., 2011) et leurs risques de mourir de troubles cardiovasculaires sont plus élevés (Fudge et coll., 2014).

Bien que les gonades soient inexistantes ou peu développées dans le cas du syndrome de Turner – ce qui entraîne une déficience hormonale –, l'identité de genre peut se développer malgré l'absence des influences hormonales et gonadiques (les deuxième et troisième niveaux de la différenciation sexuelle biologique). Les personnes atteintes du syndrome de Turner s'identifient comme des femmes et elles ont les mêmes champs d'intérêt et comportements que celles qui ont connu un développement biologique sans incident (Kagan-Krieger, 1998 ; Ros et coll., 2013). Cette donnée suggère donc qu'une identité de genre féminine peut se développer même en l'absence d'ovaires fonctionnels et des hormones qu'ils produisent.

Le **syndrome de Klinefelter** est une combinaison chromosomique plus commune puisqu'elle touche 1 fœtus masculin sur 660 (Groth et coll., 2013). Ce syndrome survient lorsqu'un spermatozoïde porteur d'un chromosome Y féconde un ovule contenant deux chromosomes X au lieu d'un seul, ce qui donne la combinaison XXY. Les garçons présentent l'apparence d'une anatomie masculine, mais le second chromosome féminin fait en sorte que deux courants structuraux interviennent simultanément. Cette combinaison génétique confirme l'hypothèse que la présence d'un chromosome Y déclenche la formation des structures masculines, mais que le second chromosome féminin freine leur développement,

Intersexué Se dit d'un individu né avec une anatomie sexuelle ou reproductive différente de ce qui est typiquement défini comme féminin ou masculin (aussi appelé *intersexuation*).

Syndrome de Turner Phénomène rare lié à la présence d'un seul chromosome sexuel (le chromosome X), entraînant une combinaison de type XO. Typiquement, les organes génitaux externes sont d'apparence féminine, mais le développement des organes reproducteurs internes est incomplet.

Syndrome de Klinefelter Présence d'un chromosome Y et de deux chromosomes X, donnant une combinaison XXY ; celle-ci produit l'apparence des organes génitaux externes masculins, mais insuffisamment développés.

TABLEAU 4.3 Quelques exemples de différences du développement sexuel prénatal

SYNDROME	SEXE CHROMO-SOMIQUE	SEXE GONADIQUE	ORGANES GÉNITAUX INTERNES	ORGANES GÉNI-TAUX EXTERNES	FERTILITÉ	CARACTÈRES SEXUELS SECONDAIRES	IDENTITÉ DE GENRE
Syndrome de Turner	45, XO	Tissu ovarien de stries fibreuses	Utérus et trompes de Fallope	Féminins normaux	Stérile	Sous-développés ; absence de seins	Féminin
Syndrome de Klinefelter	47, XXY	Petits testicules	Masculins normaux	Pénis et testicules sous-développés	Stérile	Certaine féminisation ; l'individu peut avoir des seins et des rondeurs	Souvent masculin, bien qu'il y ait une incidence plus forte que la normale de troubles dans ce sentiment
Syndrome de l'insensibilité aux androgènes (SIA)	46, XY	Testicules non descendus	Absence d'organes normaux, masculins ou féminins	Féminins normaux et vagin peu profond	Stérile	À la puberté, développement des seins et apparition des signes normaux de maturation sexuelle, mais absence de menstruations	Féminin
Syndrome d'androgénisation du fœtus humain femelle	46, XX	Ovaires	Féminins normaux	Ambigus (souvent plus masculins que féminins)	Fertile	Féminins normaux (les individus souffrant d'un mauvais fonctionnement des glandes surrénales doivent suivre un traitement à la cortisone afin d'éviter la masculinisation)	Féminin, mais niveau élevé d'insatisfaction par rapport à ce sentiment ; orientation marquée vers les activités traditionnellement masculines
Déficit de DHT (dihydrotestostérone) chez le fœtus masculin	46, XY	Testicules non descendus à la naissance ; descente des testicules à la puberté	Présence de canaux déférents, de vésicules séminales et de canaux éjaculateurs, mais absence de prostate ; vagin partiellement formé	Ambigus à la naissance (plus féminins que masculins) ; masculinisation des organes génitaux à la puberté	Stérile	Féminins avant la puberté ; masculinisés à la puberté	Féminin jusqu'à la puberté, et généralement masculin par la suite

ce qui entraîne la stérilité et le sous-développement du pénis et des testicules. Certaines personnes atteintes du syndrome de Klinefelter peuvent retrouver la fertilité par extraction directe des spermatozoïdes des testicules (Greco et coll., 2013 ; Rives et coll., 2013). De plus, certains individus manifestent peu d'intérêt pour l'activité sexuelle (Rabock et coll., 1979), probablement en raison de leur très faible taux de testostérone.

Les hommes atteints de ce syndrome sont généralement de grande taille et présentent certaines caractéristiques physiques féminines telles qu'une gynécomastie (poitrine féminisée) et des rondeurs aux hanches (Looy et Bouma, 2005). Un traitement à la testostérone à l'adolescence peut améliorer les caractères sexuels secondaires et augmenter la libido (Mehta et coll., 2014 ; Wikstrom et coll., 2011). Bien que ces hommes s'identifient surtout au sexe masculin, il n'est pas rare que certains manifestent une incertitude quant à leur identité de genre (Mandoki et coll., 1991).

Les variations des processus hormonaux prénataux

La présence de caractères sexuels ambigus chez les personnes intersexuées peut aussi découler de phénomènes biologiques d'origine génétique qui provoquent des variations dans les processus hormonaux prénataux. Examinons trois exemples de variations du développement sexuel prénatal dérivant d'irrégularités hormonales : le syndrome d'insensibilité aux androgènes, le syndrome d'androgénisation du fœtus féminin et le déficit en DHT chez le fœtus masculin.

Le **syndrome de l'insensibilité aux androgènes (SIA)** est une variation génétique rare par laquelle les cellules d'un fœtus masculin typique sur le plan chromosomique se montrent résistantes aux androgènes (Bertelloni et coll., 2014 ; Bhaskararao, 2014). Ce phénomène entraîne une féminisation du développement prénatal, et le bébé naît avec des organes génitaux d'apparence féminine et un vagin peu profond. Le sexe assigné de l'enfant à la naissance sera donc féminin. Ce n'est qu'à l'adolescence, lorsque les menstruations tardent à venir, que l'on découvre le syndrome (Gurney, 2007). Plusieurs études récentes sur le SIA montrent que les personnes atteintes de ce syndrome présentent un trouble de l'identité de genre féminine et se comportent en conséquence (Hamann et coll., 2014 ; T'Sjoen et coll., 2010). Dans l'une de ces études, les chercheurs ont comparé, à l'aide de variables psychologiques, un groupe de 22 femmes atteintes du SIA avec un groupe témoin de 22 femmes non atteintes du syndrome. Aucune différence significative n'a été relevée entre les deux groupes pour les critères psychologiques retenus, notamment l'identité de genre à un sexe, l'orientation sexuelle, les rôles sexuels et la qualité de vie en général (Hines et coll., 2003).

À première vue, ces résultats semblent confirmer le caractère déterminant de l'apprentissage social dans le développement de l'identité de genre. Néanmoins, ils peuvent également servir à démontrer la grande influence des facteurs biologiques sur le développement de ce sentiment. Ainsi, chez les personnes atteintes du SIA, la faible sensibilité aux androgènes pourrait empêcher la masculinisation des structures du cerveau et, conséquemment, le développement d'une identité de genre masculine, de la même façon qu'elle entrave le développement des organes génitaux masculins.

Le **syndrome d'androgénisation du fœtus féminin** est un deuxième type de dérèglement plutôt rare par lequel les cellules d'un fœtus féminin typique sur le plan chromosomique sont exposées à des quantités importantes d'androgènes, habituellement en raison d'un dysfonctionnement congénital des glandes surrénales (Achermann et coll., 2011). Par conséquent, les bébés atteints présentent des organes génitaux externes d'apparence masculine : le clitoris est assez gros pour être pris pour un pénis, et la soudure partielle des grandes lèvres laisse croire à la présence d'un scrotum.

Après des tests médicaux, les bébés atteints de ce syndrome sont souvent considérés comme des filles à la naissance et peuvent être soumis à des interventions médicales (chirurgies mineures, hormonothérapie, etc.) afin d'éliminer l'ambiguïté de leurs organes génitaux. Toutefois, ces interventions sont très controversées.

Plusieurs études ont révélé que la grande majorité des filles atteintes du syndrome d'androgénisation prénatale développent une identité de genre féminine ; toutefois, bon nombre d'entre elles pratiquent des activités traditionnellement masculines et rejettent les rôles habituellement attribués aux femmes (Rosario, 2011 ; Wong et coll., 2013). Une minorité d'entre elles, par contre, ressentent un tel malaise à l'égard de leur sexe assigné qu'elles cherchent à se donner une identité de genre masculine et adoptent les comportements les plus masculins possible (Meyer-Bahlburg et coll., 1996 ; Slijper et coll., 1998). Ces études sur les personnes surexposées aux androgènes durant la période fœtale semblent confirmer le rôle important que jouent

Syndrome de l'insensibilité aux androgènes (SIA) Affection génétique causant une insensibilité à l'action de la testostérone chez un fœtus masculin XY, ce qui entraîne le développement d'organes génitaux externes d'apparence féminine.

Syndrome d'androgénisation du fœtus féminin Dysfonction hormonale entraînant, chez un fœtus féminin XX, le développement d'organes génitaux externes d'apparence masculine en raison d'une exposition excessive aux androgènes pendant la période de différenciation prénatale.

les facteurs biologiques dans le développement de l'identité de genre.

Le **déficit en DHT chez le fœtus masculin**, un troisième type de dysfonction hormonale, est causé par une variation génétique qui empêche la transformation de la testostérone en dihydrotestostérone (DHT), nécessaire à la masculinisation des organes génitaux externes. Les testicules du fœtus masculin qui en est privé ne descendent pas avant la naissance. Le pénis et le scrotum ne se développent pas et ressemblent plutôt à un clitoris et à des grandes lèvres, et un vagin peu profond se développe partiellement.

À la naissance, les bébés atteints de ce trouble se voient généralement attribuer le sexe féminin et sont élevés comme des filles. Toutefois, puisque les testicules sont fonctionnels, la production de testostérone s'accroît à la puberté et vient compenser le déficit initial en DHT. Un changement stupéfiant se produit alors : les testicules, qui n'étaient pas descendus, le font subitement et le pénis augmente de taille, modifiant l'apparence des organes génitaux externes. En gros, c'est comme si ces garçons carencés en DHT perdaient leur apparence féminine et gagnaient une apparence masculine. Quelles sont leurs réactions ?

D'après les recherches, la majorité des personnes atteintes de ce syndrome adoptent une identité de genre masculine, habituellement entre l'adolescence et l'âge adulte (Cohen-Kettenis, 2005 ; Imperato-McGinley et coll., 1979). Ces constatations remettent en question la croyance très répandue que l'identité de genre développée au cours des toutes premières années de l'enfance ne peut être changée par la suite.

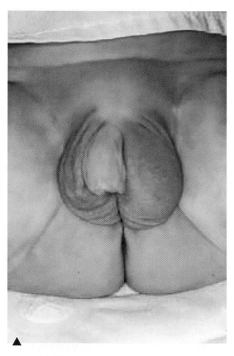

▲
Organes externes féminins masculinisés par une surexposition aux androgènes pendant le développement fœtal.

Ces exemples de variations du développement sexuel prénatal peuvent sembler contradictoires. Dans le premier, les garçons atteints de SIA développent une identité de genre féminine cohérente avec leur sexe assigné. Dans le deuxième exemple, les filles atteintes du syndrome d'androgénisation prénatal ont tendance à adopter des manières masculines, même si on leur assigne un sexe féminin à la naissance et qu'elles sont élevées comme des filles. Enfin, dans le troisième exemple, les garçons chromosomiques dont la masculinité biologique n'est pas apparente avant la puberté arrivent à faire passer leur identité de genre de féminine à masculine, bien qu'on leur ait assigné un sexe féminin à la naissance et qu'ils aient été élevés comme des filles. Ces données sont-elles vraiment contradictoires ou existe-t-il une explication plausible ?

Comme nous l'avons mentionné plus haut, certaines données indiquent que les androgènes prénataux influent sur la différenciation cérébrale tout autant que sur la différenciation des structures génitales. Ainsi, dans le SIA, l'irrégularité génétique empêcherait non seulement la masculinisation des organes génitaux, mais aussi celle du cerveau, ce qui pourrait expliquer le confort psychologique de ces individus à l'égard de l'identité féminine qu'on leur a assignée. De même, le syndrome d'androgénisation du fœtus féminin influerait aussi sur le développement du cerveau, ce qui expliquerait que les jeunes filles qui en sont atteintes développent une identité de genre masculine. L'énigme que représente le déficit en DHT chez le fœtus masculin peut, pour sa part, s'expliquer par un fonctionnement hormonal masculin typique, sauf en ce qui a trait au développement des organes génitaux externes, d'où le passage aisé d'une identité de genre féminine à une identité de genre masculine à l'adolescence.

Ces études fascinantes soulignent la complexité du développement de l'identité de genre à un sexe. En effet, la différenciation sexuelle suit de nombreuses étapes, et une variation biologique peut survenir à n'importe quel moment et avoir des conséquences importantes sur le développement des structures sexuelles et cérébrales.

Toutes ces considérations nous ramènent à notre question d'analyse critique au début du chapitre, si fondamentale : qu'est-ce qui fait qu'on est homme ou femme ? Pour mieux comprendre cette question complexe, examinons le rôle des apprentissages sociaux dans le développement d'une identité de genre après la naissance.

Déficit en DHT chez le fœtus masculin   Variation génétique entraînant, chez un fœtus masculin XY, le développement d'organes génitaux externes d'apparence féminine en raison d'une irrégularité génétique empêchant la transformation de la testostérone en dihydrotestostérone (DHT).

L'influence de l'apprentissage social sur l'identité de genre durant l'enfance et chez les enfants intersexués

Jusqu'à maintenant, nous avons tenu compte des facteurs biologiques intervenant dans le développement de l'identité de genre. Cependant, la conscience d'être un garçon ou une fille, un homme ou une femme, ne repose pas uniquement sur de tels facteurs. Selon la théorie de l'apprentissage social, notre identité de genre, qu'elle soit masculine ou féminine, ou une combinaison des deux, ou encore ni l'une ni l'autre, est avant tout le résultat des influences sociales et culturelles auxquelles une personne a été exposée en bas âge (Lips, 1997 ; Lorber, 1995).

Avant même la naissance de l'enfant, les parents et leur entourage ont des idées préconçues sur ce qui distingue les garçons et les filles, et ils transmettent ensuite ces idées à leur enfant par une multitude de moyens, certains subtils, d'autres moins. Leurs attentes influent sur l'environnement dans lequel l'enfant est élevé, depuis la couleur des murs de sa chambre jusqu'au choix de ses jouets. Ces attentes se manifestent également dans la façon dont les parents voient leur enfant. Il n'est pas surprenant alors de constater que les scénarios de genre influent sur la façon dont les parents réagissent envers leurs enfants. Ainsi, on encouragera un garçon à ravaler ses pleurs s'il se blesse et à manifester d'autres qualités dites viriles, telles que l'autonomie et l'agressivité, alors qu'on incitera les filles à se montrer tendres, dévouées et coopératives (Hyde, 2006).

Vers l'âge de 3 ans, la plupart des enfants ont déjà acquis un solide sentiment d'identité de genre (DeLamater et Friedrich, 2002). Cette notion est largement acceptée depuis les années 1960, lorsque Lawrence Kohlberg a proposé une théorie cognitive décrivant les diverses étapes du développement de l'identité de genre chez les enfants.

1. Entre 2 ans et 3 ans et demi, l'enfant acquiert une conscience du genre (*gender awareness*) et s'approprie des termes utilisés pour désigner les deux sexes, ce qui lui permet de se situer par rapport à son appartenance à un genre particulier, garçon ou fille. Puis il découvre que les mêmes termes s'appliquent à d'autres personnes. Par ailleurs, l'enfant peut différencier facilement les deux sexes en se basant sur les caractéristiques physiques stéréotypées de genre (coiffure, port de pantalons ou de robes, barbe ou maquillage, couleurs des vêtements, choix d'activités, etc.). Toutefois, à cet âge, il pense aussi qu'en changeant d'apparence (un garçon se déguisant en fille et vice-versa), le sexe change.

2. Entre 3 ans et demi et 4 ans et demi, l'enfant est au stade de la stabilité du genre (*gender stability*) et comprend que le sexe est permanent. Cependant, la rigidité de sa catégorisation stéréotypée est une source de confusion lorsqu'il se trouve en face de comportements non conventionnels ou encore d'apparences physiques inhabituelles (par exemple, une femme qui conduit un camion, un homme portant des cheveux longs, etc.).

3. Entre 4 ans et demi et 7 ans, l'enfant est au stade de la constance du genre (*gender constancy*). Il comprend que le sexe ne change jamais, quelle que soit la situation. La théorie de Kohlberg postule que, lorsque l'enfant apprend qu'il est un garçon ou une fille, il cherche des informations en accord avec son sexe et agit en fonction de ces données.

Donc, à partir de ce moment, cette identité se renforce d'elle-même, car la plupart des enfants cherchent à adopter le comportement qu'on leur a appris à considérer comme le plus approprié pour leur sexe (DeLamater et Friedrich, 2002). Il n'est pas rare de voir des petites filles insister pour porter de belles robes ou faire la cuisine. De même, les jeunes garçons sont souvent fascinés par les superhéros, les policiers et autres modèles culturels qu'ils s'efforceront d'imiter (Halim et coll., 2014).

Les études anthropologiques menées dans d'autres cultures tendent à confirmer le rôle de l'apprentissage social dans le développement de l'identité de genre. Dans plusieurs cultures, les différences qu'on tient souvent pour acquises entre les hommes et les femmes dans notre société ne vont tout simplement pas de soi. L'ouvrage de Margaret Mead, *Mœurs et sexualité en Océanie* (1969), a révélé que d'autres sociétés peuvent avoir des conceptions très différentes de ce qui est féminin ou masculin. Dans ce compte rendu abondamment cité de son travail sur le terrain en Nouvelle-Guinée, Mead étudie deux sociétés qui réduisent au minimum les différences entre les sexes. Elle note que chez les Mundugumors, les personnes des deux sexes font preuve d'agressivité, d'insensibilité, d'un manque de tendresse et de dévouement, autant de comportements qui seraient considérés comme masculins d'après nos normes. À l'opposé, chez les Arapeshs, les hommes et les femmes font preuve de douceur, de sensibilité, de coopération, de dévouement dépourvus de toute agressivité, ce qui, dans nos sociétés, serait considéré comme des comportements typiquement féminins. Dans une troisième société qu'étudia Mead, les Tchambulis, les rôles masculins et féminins sont à l'opposé de ce qui constitue la norme en Amérique du Nord. Comme il n'existe pas de preuves de différences biologiques entre ces peuples et ceux de l'Amérique du Nord, l'interprétation radicalement différente qu'ils

Bien que les parents soient davantage sensibles au choix des jouets de leurs enfants, plusieurs continuent de donner des jouets différents aux filles et aux garçons.

font de ce qui est masculin et féminin semble être le résultat de processus d'apprentissage social particuliers.

Tous les enfants sont touchés par l'influence de leurs parents et de leur entourage, y compris les enfants intersexués. Les tenants de la théorie de l'apprentissage social invoquent diverses études portant sur des enfants nés avec des organes génitaux ambigus, auxquels on a assigné un sexe et qu'on a élevés en conséquence.

Les premiers travaux dans ce domaine ont été réalisés en grande partie par une équipe de l'Université Johns Hopkins, dirigée par John Money. Au départ, Money et ses collaborateurs croyaient qu'une personne est neutre ou indifférenciée du point de vue psychosexuel à sa naissance et que ce sont ses expériences d'apprentissage social qui déterminent son identité de genre et les comportements qui en découlent (Money, 1963 ; Money et Erhardt, 1972). C'est pourquoi on prêtait peu attention à la congruence entre les organes sexuels externes et les chromosomes sexuels. Comme le but de l'intervention chirurgicale était de modifier l'apparence et les fonctions des caractéristiques sexuelles anatomiques pour qu'elles correspondent à celle du sexe choisi, on attribuait à la plupart de ces enfants le sexe féminin parce qu'il était plus simple, autant du point de vue chirurgical

qu'esthétique, et plus fonctionnel de transformer des organes génitaux ambigus en organes féminins que de construire un pénis (Nussbaum, 2000 ; Rosario, 2011).

Money et ses collaborateurs suivirent pendant des années les enfants ayant subi cette intervention chirurgicale et découvrirent que, dans la plupart des cas, les enfants auxquels on avait attribué un sexe différent de leur sexe chromosomique développaient une identité de genre typique du sexe qu'on leur avait assigné et selon lequel on les avait élevés (Money, 1965 ; Money et Erhardt, 1972).

Des recherches montrent cependant que certains enfants intersexués peuvent ne pas être aussi neutres du point de vue psychosexuel qu'on l'avait cru de prime abord. Le suivi à long terme de plusieurs enfants intersexués traités selon le protocole en vigueur à Johns Hopkins a révélé que certains d'entre eux éprouvaient de sérieux problèmes d'adaptation au sexe qu'on leur avait assigné (Diamond, 1997 ; Diamond et Sigmundson, 1997).

Plusieurs chercheurs réputés affirment maintenant que les hypothèses répandues sur la neutralité de l'identité de genre à la naissance et l'efficacité d'une opération de réassignation sexuelle des enfants sont probablement fausses.

En fait, on constate de plus en plus que malgré tout le soin déployé à élever en filles des enfants de sexe chromosomique masculin, certains, voire plusieurs d'entre eux, manifestent de fortes tendances masculines au cours de leur développement et peuvent même, à la puberté, renoncer au sexe qui leur a été assigné (Colapinto, 2000 ; Diamond et Sigmundson, 1997 ; Reiner, 1997b).

Les prétendus bienfaits ainsi que le caractère éthique des traitements classiques auxquels on soumet les personnes intersexuées alimentent un débat passionné tant parmi ces dernières que parmi les chercheurs et les praticiens, comme le montre l'encadré *Au-delà des frontières.*

QUESTION D'ANALYSE CRITIQUE

> Imaginez que vous êtes responsable d'une équipe de professionnels de la santé qui doit décider de la meilleure façon de traiter un enfant intersexué. Assigneriez-vous un sexe à cet enfant et lui feriez-vous subir une intervention chirurgicale ou suivre une hormonothérapie afin de rendre son anatomie conforme au sexe biologique que vous auriez décidé de lui assigner ? Dans l'affirmative, quel sexe choisiriez-vous ? Pourquoi ? Si vous décidiez de ne pas assigner un sexe, quel type de suivi ou de stratégie proposeriez-vous d'adopter durant les années de développement de l'enfant ?

AU-DELÀ DES FRONTIÈRES

Des stratégies de traitement pour les personnes intersexuées : débat et controverse

Nous vivons dans un monde qui adhère fortement à un modèle binaire de la condition humaine dans lequel il n'existe que deux sexes. Dans cette optique, les personnes nées avec des organes sexuels ambigus sont souvent vues comme des accidents de la nature qu'il faut corriger. John Money et ses collaborateurs de l'Université Johns Hopkins furent les premiers à élaborer un protocole de traitement pour les personnes intersexuées ; celui-ci est devenu pratique courante au début des années 1960. Selon ce protocole, une équipe de professionnels, aidée des parents, choisit le sexe à attribuer à l'enfant intersexué. Afin de réduire le risque de problèmes futurs reliés à l'adaptation ou à l'identité de genre, on a généralement recours à la chirurgie, à l'hormonothérapie, ou à une combinaison des deux. Money et ses collaborateurs ont affirmé que la plupart des individus traités selon ce protocole s'adaptaient relativement bien et s'identifiaient au sexe selon lequel ils avaient été assignés (Money, 1965 ; Money et Ehrhardt, 1972).

De sérieux doutes ont été soulevés quant aux bienfaits à long terme et au caractère éthique de ce protocole de traitement (Dreger, 2003 ; Gurney, 2007). Ainsi, Milton Diamond, un fervent opposant à la stratégie de traitement de John Money, a mené des études à long terme sur un certain nombre d'individus intersexués qui avaient été traités selon ce protocole thérapeutique. Ses études révèlent que quelques-uns connaissent d'importants problèmes d'adaptation qu'ils attribuent à la façon dont a été traitée leur intersexualité (Diamond, 1997 ; Diamond et Sigmundson, 1997).

Les recherches de Diamond et d'autres, ainsi que le témoignage de personnes ayant souffert des traitements reçus en vertu du protocole, ont déclenché un vif débat parmi les personnes intersexuées, les chercheurs et les professionnels de la santé quant au traitement le plus indiqué pour les nouveau-nés intersexués (Meyer-Bahlburg, 2005). De nombreux spécialistes adhèrent toujours au protocole de Money et affirment qu'on devrait assigner le plus tôt possible un sexe à l'enfant intersexué, de préférence avant qu'il développe une identité de genre à l'égard d'un sexe en particulier, habituellement au cours de sa deuxième année. Les tenants de cette position croient que l'intervention chirurgicale et l'hormonothérapie s'avèrent nécessaires afin de réduire le plus possible le désarroi de l'enfant à l'égard de son sexe. Par ailleurs, au cours des dernières années, des personnes intersexuées traitées selon ce protocole ont exprimé un profond ressentiment à l'égard des interventions qu'elles ont subies pendant leur enfance (Rosario, 2011). Enfin, certaines études relatent plusieurs cas de personnes qui n'ont pas subi de traitement et qui se sont pourtant très bien adaptées à leur identité de genre intersexuée (Fausto-Sterling, 2000 ; Laurent, 1995).

Diamond et d'autres chercheurs proposent une approche différente en trois volets. Premièrement, les professionnels de la santé devraient tenter de formuler la supposition la plus éclairée possible à l'égard du genre auquel l'enfant s'identifiera, puis recommander aux parents de l'élever en conséquence. Deuxièmement, toute chirurgie des organes génitaux (susceptible d'être renversée plus tard) devrait être évitée au cours des premières années du développement de l'enfant. Troisièmement, l'enfant et ses parents devraient recevoir un soutien professionnel de qualité et de l'information pertinente pendant le développement de l'enfant afin que celui-ci puisse, le moment venu, faire un choix éclairé en matière de chirurgie ou d'hormonothérapie.

Tant les chercheurs spécialisés que les militants pour les droits de personnes intersexuées prônent une approche non interventionniste, où l'enfant intersexué ne serait pas soumis à une chirurgie de transformation des organes génitaux, mais pourrait recourir à ce choix plus tard (Tamar-Mattis, 2011).

Les défenseurs des droits des intersexuels dénoncent également avec vigueur une des conséquences du traitement de l'intersexualité restée dans l'ombre jusqu'à maintenant. Il semble en effet que la modification chirurgicale des organes génitaux compromette la capacité à connaître le plaisir sexuel (Chase, 2003 ; Creighton et Liao, 2004). Par exemple, la réduction chirurgicale du clitoris d'une fille atteinte du syndrome adrénogénital peut entraîner une diminution des sensations érotiques et ainsi nuire au plaisir sexuel et à la capacité d'avoir des orgasmes (Minto et coll., 2003 ; Morris, 2003).

La stratégie de Diamond et le protocole normalisé de traitement soulèvent d'importantes questions. Par exemple, les interventions chirurgicales pratiquées sur les organes génitaux d'enfants en bas âge viole-t-elle leur droit à un consentement éclairé ? Les enfants qui conserveraient des organes génitaux ambigus éprouveraient-ils des difficultés à l'école ou ailleurs si leur apparence venait à être connue ?

L'opposition politique à la chirurgie chez des enfants ne cesse de grandir. En 2013, *The United Nations Special Report on Torture* a condamné les chirurgies pratiquées sur les bébés intersexués dans le but de normaliser leurs organes génitaux et, en 2015, la République de Malte est devenue le premier pays à interdire les chirurgies non essentielles sur ces bébés. La société pourrait-elle alors évoluer vers un modèle distinct du système binaire et reconnaître de façon légitime les variations de genre qui prennent place au sein du spectre entre le masculin et le féminin (Tamar-Mattis, 2014 ; Tanner, 2015) ? Un tel changement nécessitera bien des efforts pour éduquer la population et la sensibiliser à cette réalité.

Le modèle interactionnel du développement de l'identité de genre

Pendant des décennies, les scientifiques ont débattu de l'influence relative de l'inné (c'est-à-dire des déterminants biologiques) et de l'acquis (l'apprentissage social et l'environnement) sur le développement de l'être humain. Il semble clair aujourd'hui que l'identité de genre est le produit de facteurs biologiques et de l'apprentissage social (Brendgen et coll., 2014 ; Eagly et Wood, 2013). La somme des connaissances acquises ne permet plus aujourd'hui de conclure que, du point de vue psychosexuel, les bébés sont neutres à la naissance. Nous avons vu qu'ils possèdent un substrat biologique complexe encore méconnu qui les prédispose à interagir avec leur environnement social selon un mode typiquement masculin ou féminin.

Cependant, peu de chercheurs contemporains croient que le fondement de l'identité de genre, masculine ou féminine, est exclusivement biologique. De nombreuses preuves viennent confirmer le rôle clé des expériences de vie dans la construction de l'image de soi, non seulement en tant qu'individu de sexe masculin ou féminin, mais en regard de tous les aspects de la personnalité qui façonnent les relations avec les autres. La plupart des théoriciens recourent donc à un *modèle interactionnel*, qui reconnaît à la fois le rôle de la biologie et de l'expérience, pour expliquer le développement de l'identité de genre (Dragowski et coll., 2011 ; Looy et Bouma, 2005).

Souhaitons que de futures analyses longitudinales mènent à une meilleure compréhension de l'effet de ces deux puissantes forces sur le développement de l'identité de genre et les comportements associés aux rôles sexuels.

Le spectre de l'identité de genre

Dans le spectre de l'identité de genre, certaines personnes s'identifient à une catégorie autre que celles correspondant à la vision binaire des genres masculin ou féminin (Gander, 2014). Au cours des dernières années, les *personnes au genre dit variant* (un terme préférable à celui de *personnes au genre non conforme*, car il sous-entend un écart par rapport à une normativité de genre) sont parvenues à se faire entendre d'une voix beaucoup plus forte dans les médias populaires et les ouvrages spécialisés.

La société a pris davantage conscience de la diversité des identités de genre en 2014, lorsque le réseau social Facebook a commencé à offrir à ses utilisateurs plus de cinquante termes pour préciser leur genre. Avant cela, les seuls choix étaient *homme*, *femme* ou *autre*. Les hommes et les femmes dont le sexe biologique correspond à leur identité de genre appartiennent à la catégorie des **cisgenres** et sont parfois qualifiés de *femme cis* ou d'*homme cis* (Mendoza, 2014).

Cisgenre Se dit d'une personne dont l'identité de genre est conforme au sexe assigné à la naissance.

La diversité de l'expression du genre : une terminologie en constante évolution

La diversité des genres renvoie généralement à une conception plus flexible des rôles sexuels. Ainsi, la personne exprime son genre de la façon dont elle le ressent au lieu de le faire uniquement en conformité avec les stéréotypes liés aux genres. Rappelons que les termes utilisés pour décrire la diversité des genres évoluent constamment et que leur définition ne fait pas toujours consensus. Cela dit, le terme *transgenre* (ou *trans*) est un terme générique largement répandu qui englobe toutes les personnes dont l'identité de genre diffère de celle généralement associée au sexe biologique masculin ou féminin (GLAAD, 2014). Le mot *trans* s'applique à toutes les identités qui ne correspondent pas aux normes de genre traditionnelles et qui ne s'inscrivent pas dans le système binaire du genre décrit plus haut (Ryan, 2014). Le genre *queer* (allosexuel), défini au chapitre 5, revêt une signification semblable. Le générique *transgenre* englobe de nombreux termes employés par les principaux intéressés qui veulent se décrire comme des personnes au genre variant. Les personnes *bigenres* ou *de genre fluide* expriment un genre masculin ou féminin selon les situations. Quant aux personnes qui s'identifient comme *pangenres* et *androgynes*, elles font preuve de flexibilité et d'adaptation et présentent des traits à la fois masculins et féminins. Les personnes qui se disent *en questionnement* sont incertaines quant au genre auquel elles s'identifient. D'ailleurs, les individus qui ne s'identifient à aucune catégorie de genre se considèrent parfois comme *agenres* ou *de genre neutre* (Weber, 2014). En outre, bon nombre de personnes intersexuées jugent qu'elles font partie de la communauté LGBT (lesbiennes, gais, bisexuels et transgenres) (Goodrum, 2000). Certaines d'entre elles préconisent l'emploi de la dénomination LGBTI afin qu'il soit clair que les intersexués font bien partie de cette communauté minoritaire.

L'identité de genre est une notion indépendante de l'orientation sexuelle. Cette dernière renvoie à l'attirance affective ou sexuelle que ressent une personne envers une autre. Les personnes au genre variant peuvent donc se décrire comme hétérosexuelles, homosexuelles, bisexuelles, asexuelles, etc. (*voir le chapitre 5*). L'orientation sexuelle se définit à partir de l'identité de genre et indépendamment du sexe biologique assigné à la naissance. Donc une femme transgenre qui est attirée sexuellement par les hommes uniquement pourrait décrire son orientation sexuelle comme étant hétérosexuelle. Un homme transgenre attiré par les hommes, les femmes et les personnes de genre *queer* ou fluide pourrait dire de son orientation sexuelle qu'elle est bisexuelle ou pansexuelle (*voir le chapitre 5 pour les définitions de ces termes*).

Parmi les autres termes qui s'appliquent à toutes les personnes qui ne sont ni cisgenres ni hétérosexuelles, on trouve notamment les minorités sexuelles et de genre (MSG), les minorités sexuelles, de genre et amoureuses (MSGA) et la diversité sexuelle et de genre (DSG). Le but de ces acronymes est de faire preuve d'une plus grande ouverture que celle de l'appellation LGBT. Qui plus est, l'acronyme LGBT ne cesse de s'allonger pour inclure un nombre sans cesse croissant de minorités. En 2014, sa plus longue version comptait 14 lettres, soit LGGBBTTQQIAAPP (lesbiennes, gais, bisexuels, bigenres, transgenres, trans, *queer*, en questionnement, intersexués, asexués, agenres, pansexuels et polyamoureux) (Lattimer, 2014).

Certains individus transgenres préfèrent parler d'eux en employant un pronom personnel neutre (par exemple *iel*, *yel*, *ille*, *yol* ou *ol*). D'autres souhaitent utiliser les pronoms traditionnels *il* ou *elle* ou seulement leur prénom, et ce, sans aucun pronom. Finalement, nombreuses sont les personnes de genre *queer* qui emploient un titre de civilité neutre, par exemple *Mx* au lieu de *M.* ou *Mme*. L'encadré *Parlons-en* à la page suivante propose quelques conseils pour communiquer de manière respectueuse avec une personne trans.

Le transvestisme, quant à lui, fait référence aux personnes, principalement des hommes hétérosexuels, qui sont à l'aise avec leur sexe biologique, et qui s'habillent selon les conventions sociales typiques du genre qui correspondent à l'autre sexe. Certaines formes de transvestisme sont considérées comme un trouble paraphilique dans le DSM-5. Nous en traitons au chapitre 9.

> **Transgenre**   Appellation générique de portée générale qui englobe toutes les personnes qui s'identifient de manière transitoire ou permanente à un genre différent de leur sexe de naissance.

XYZ - Portraits d'une transformation (2014), un long métrage de Marie-Julie Garneau et Geneviève Philippon, propose un regard lucide et une réflexion humaine sur les étapes de la transition corporelle et identitaire d'Alexandre.

La plupart des gens qui s'identifient à l'une ou l'autre des variations de genre, telles que celles énoncées précédemment, vivent en harmonie avec le sexe biologique qui leur a été assigné à la naissance. Cependant, dans certains cas, l'identité de genre ne correspond pas au sexe biologique de la personne. Les personnes vivant avec ce conflit sont souvent qualifiées de *transsexuelles* dans le milieu médical. Un individu transsexuel *homme vers femme* (H → F), aussi décrit comme une femme trans, s'identifie comme femme, mais ses organes génitaux sont masculins. Quant au transsexuel *femme vers homme* (F → H), aussi décrit comme un homme trans, c'est l'inverse : la personne s'identifie comme homme et considère que les organes génitaux féminins avec lesquels elle est née ne correspondent pas à son identité. Cette inadéquation entre la définition identitaire de genre et le sexe biologique entraîne un malaise allant de léger à extrême. Sur le plan clinique, ce malaise porte le nom de *dysphorie de genre*.

La plupart des hommes et des femmes transgenres ressentent une incongruence entre leur identité de genre et leur anatomie sexuelle depuis leur plus tendre enfance. Certaines personnes se souviennent qu'elles s'identifiaient à l'autre genre dès l'âge de 3 ans. Dans certains cas, le fait de s'imaginer appartenir à l'autre genre soulage partiellement la dysphorie de l'enfant, mais bon nombre d'entre

Dysphorie de genre Malaise lié à l'inadéquation entre l'identité de genre et le sexe biologique assigné à la naissance d'une personne.

PARLONS-EN

Communiquer de manière respectueuse avec une personne trans

Plusieurs documents rédigés par des chercheurs, des défenseurs et des membres de la collectivité peuvent nous aider à entretenir des relations respectueuses avec des personnes trans (trans, transgenres, transsexuelles, travesties, non binaires, etc.). Que vous soyez étudiants, intervenants, citoyens ou bien chercheurs, voici quelques pistes tirées de Goodrum (2000) et de Ansara et Hegarty (2014) qui vous permettront de mieux communiquer et de collaborer avec ces personnes.

- Une personne est dite *trans* lorsque son genre ou son identité sexuelle ne correspond pas à celui qui lui a été assigné à la naissance. Le fait d'être trans n'est donc pas considéré comme un troisième sexe ou un parcours de vie spécifique, et il est erroné de présumer que toutes les personnes trans sont semblables.

- Une personne qui n'est pas *trans* (c'est-à-dire qui s'identifie au sexe qu'on lui a assigné à la naissance) est cis (cisgenre, cissexuelle). Ce préfixe (*cis*) permet de parler des personnes non trans sans utiliser un langage blessant, comme *normal*, ou des expressions portant à confusion, comme *génétiquement mâle* (car le sexe assigné à la naissance d'un individu n'est pas toujours en concordance avec ses chromosomes).

- Le respect de l'identité de genre exprimée par la personne concernée est primordial. Si une personne sait qu'elle est une femme, on utilise le pronom personnel approprié (*elle*, le cas échéant) ; il en va de même pour quelqu'un qui sait qu'il est un homme (*il*, dans ce cas). Enfin, on accorde les adjectifs en conséquence.

- Si l'on se méprend accidentellement sur le genre d'une personne (par exemple en utilisant un pronom personnel ou un nom inapproprié), il faut se reprendre et continuer son interaction comme si de rien n'était. Si vous croyez avoir blessé la personne concernée, présentez-lui vos excuses de façon confidentielle. Faites de votre mieux pour utiliser les bons pronoms à l'avenir.

- Toute personne a droit à son intimité et au respect de ses limites, et ce principe s'applique aussi aux personnes trans. Il faut éviter de poser des questions sur l'anatomie sexuelle ou sur la vie sexuelle d'une personne, à moins d'y être invité.

- Le droit à la confidentialité doit être respecté. On doit éviter de communiquer de l'information personnelle au sujet de la personne concernée sans son consentement, incluant son statut trans ou d'autres renseignements personnels. Si la personne donne son accord, l'information doit être traitée avec discrétion.

- L'identité de genre et l'orientation sexuelle sont des notions distinctes. Ainsi, une personne trans peut être hétérosexuelle, homosexuelle, bisexuelle, asexuelle, entre autres. Il est donc important de ne pas présumer de l'orientation sexuelle d'une personne trans. Seule cette personne est en mesure de confirmer son orientation.

- Le monde de la diversité sexuelle et de genre est en constante évolution. Il ne faut pas hésiter à s'informer sur ce sujet et à participer à des discussions portant sur ces questions.

Bruce Jenner a remporté la médaille d'or au décathlon lors des Jeux olympiques de 1976. Vers le milieu de l'année 2015, il a entrepris sa transition pour devenir Caitlin Jenner. Dans une entrevue télévisée diffusée en 2015, elle explique qu'elle se considère comme une femme trans et qu'elle souffre d'une dysphorie de genre depuis l'enfance.

eux commencent très tôt à porter des vêtements tradition-nellement associés au sexe qui correspond à leur identité.

Au cours des dernières années, les cliniques spécia-lisées ont fait état d'un nombre important d'enfants transgenres et ont indiqué que leurs parents sont à la recherche de soins. À Boston, une clinique spécialisée dans la clientèle d'enfants et d'adolescents transgenres a d'ailleurs connu une croissance vertigineuse : en 11 ans, de 1998 à 2009, le nombre de ses patients a été multiplié par quatre (Spack et coll., 2012). Plus récemment, une clinique britannique a rapporté que, sur une période de quatre ans, elle avait reçu cinq fois plus de jeunes trans, ceux-ci étant passés de 91 en 2009-2010 à 441 en 2013-2014 (Harvey et Smedley, 2015).

En 2015, à l'occasion d'un entretien télévisé avec Diane Sawyer, Bruce Jenner, champion olympique de décathlon aux Jeux de 1976, a parlé de son expérience et de ses émotions éprouvantes relativement à son identité de genre féminine (Bruce Jenner employait alors des pro-noms personnels masculins pour parler de lui). Il a commencé à souffrir de dysphorie à un très jeune âge. À 8 ans, il a ressenti le désir ardent d'enfiler l'une des robes de sa mère et il se souvient à quel point il s'est senti bien. Au moment d'écrire ces lignes, elle a eu recours à la chirurgie esthétique, elle prend des hormones et a

subi une opération de réassignation sexuelle. En juin 2015, elle est apparue en couverture du magazine *Vanity Fair* sous le nom de Caitlin Jenner.

La transition et les choix offerts aux personnes transgenres

Les personnes transgenres souhaitent parfois ardem-ment que leur apparence concorde avec leur identité de genre et entreprennent leur transition. Ce terme réfère aux étapes qu'elles suivent en vue d'atteindre cet objectif. Il s'agit d'un long processus qui peut s'éche-lonner sur plusieurs années. Puisque le genre et le sexe sont deux dimensions distinctes, la transition peut s'effectuer de diverses façons et toucher à un ou plu-sieurs aspects de ces dimensions.

La transition médicale comporte des décisions relatives au corps et aux interventions médicales qu'il est possible

> **Transition** Processus complexe comportant plusieurs phases, allant du changement d'habillement à la modification de l'ana-tomie par voie chirurgicale, dans lequel peut s'engager une personne transgenre qui veut harmoniser son anatomie, son apparence et son expression de genre avec son identité de genre.

d'effectuer. Cette transition peut faire appel à la prise d'hormones et à différentes chirurgies pour modifier l'apparence du torse ou pour modifier l'appareil urogénital, par exemple. La transition sociale est marquée par des décisions relatives à la façon d'entrer en contact avec les autres. Cette forme de transition pourrait donc inclure notamment un changement de pronom personnel, de nom, d'habillement, la modification d'informations inscrites sur les pièces d'identité ou sur d'autres documents.

Certains individus trans se contentent de recourir sur une base quotidienne à diverses solutions non médicales (habillement, changements cosmétiques, rasage, etc.), qui leur permettent d'exprimer leur identité de genre et de vivre en harmonie avec cette identité. Les interventions médicales autres que les opérations lourdes, par exemple l'épilation au laser et l'hormonothérapie, peuvent favoriser encore davantage l'harmonie entre l'image corporelle et l'identité de genre. Certaines personnes transgenres commencent alors une nouvelle vie en accord avec leur identité de genre. Elles suivent éventuellement une hormonothérapie et décident d'entreprendre une chirurgie mammaire ou génitale (Unger, 2014).

La première étape de la transition médicale comporte un suivi clinique rigoureux. Au Québec, les sexologues et quelques autres professionnels de la santé mentale spécialisés dans le domaine des variations de l'identité de genre et de l'évaluation de la dysphorie de genre sont en mesure de fournir un soutien aux personnes souhaitant une transition de genre et de travailler en collaboration avec les chirurgiens responsables de la transition médicale.

Au cours de ces rencontres, les professionnels de la santé évaluent avec soin les motivations du sujet à l'égard des modifications corporelles qu'il souhaite. Si le thérapeute conclut qu'il y a une disparité significative entre l'identité de genre du patient et son sexe biologique, alors il peut inviter ce dernier à adopter un style vestimentaire et un comportement qui concordent avec son identité de genre (si ce n'est déjà fait avant la transformation physique).

L'étape suivante est généralement l'hormonothérapie, un traitement destiné à accentuer les traits latents relatifs au sexe souhaité. Les personnes ayant des organes génitaux masculins, mais qui sont des femmes, doivent prendre des inhibiteurs de la testostérone ainsi que des œstrogènes afin de favoriser le développement des seins, d'adoucir la peau, de réduire la pilosité faciale et corporelle et de féminiser la silhouette. L'hormonothérapie entraîne une diminution de la force musculaire et de l'intérêt sexuel, mais ne change pas le ton de la voix.

Les individus possédant des organes génitaux féminins, mais qui sont des hommes, reçoivent de la testostérone. Cette hormone bloque les cycles menstruels, accentue la pilosité faciale et corporelle, rend la voix plus grave et diminue légèrement le volume de la poitrine (Costantino et coll., 2013; Davis et Meier, 2014; Wierckx et coll., 2014a). La plupart des médecins qui pratiquent les **opérations de réassignation sexuelle** exigent que leur patient suive les étapes ci-dessus sur une période minimale d'un an précédant l'intervention (Bockting et coll., 2011). À ce stade, certains patients sont suffisamment satisfaits et préfèrent en rester là, alors que d'autres n'ont pas les moyens financiers nécessaires pour procéder à l'opération de réassignation sexuelle. Toutefois, un certain nombre de personnes souhaitent la chirurgie des organes génitaux.

À Montréal, la clinique Gender Reassignment Surgery (GRS) se vante d'être l'une des équipes les plus expérimentées au monde en matière de soins chirurgicaux destinés aux personnes transsexuelles. La clinique GRS est la seule clinique au Canada qui pratique des opérations de réassignation sexuelle des organes génitaux. On y effectue plus de 200 chirurgies de ce type par année. Les résidents des provinces autres que le Québec sont tous dirigés vers la clinique GRS, et la liste d'attente y est de plusieurs mois. Au Canada, les coûts des chirurgies sont défrayés dans des proportions variables par les régimes provinciaux d'assurance maladie.

Au Canada, comme aux États-Unis, l'âge minimal pour l'opération de réassignation sexuelle est de 18 ans (Milrod, 2014). Auparavant, la majorité des personnes demandant une réassignation sexuelle étaient des femmes trans (identité de genre féminine, mais sexe masculin assigné à la naissance) (Green, 1974), mais des données plus récentes révèlent que la différence s'est considérablement réduite (Dhejne, 2014). Selon le sondage Trans Pulse effectué en 2009-2010 en Ontario ($n = 433$ personnes trans), on estime que 30 % des Ontariens trans vivaient selon leur sexe assigné à la naissance et 23 % vivaient leur genre sans intervention médicale. Au total, 42 % prenaient des hormones, 15 % avaient subi une vaginoplastie et 0,4 % avait subi une phalloplastie (Scheim et Bauer, 2015).

Toujours selon cette étude, 28 % des personnes avaient l'intention de s'engager dans une transition, mais ne l'avaient pas entamée; et 10 % n'étaient pas sûres de vouloir en commencer une. Enfin, 13 % ont indiqué qu'elles ne prévoyaient pas de transition ou que le concept de transition n'était pas pertinent pour elles (Coleman et coll., 2011).

Opération de réassignation sexuelle Interventions chirurgicales destinées à modifier l'apparence et les fonctions des caractéristiques physiques afin de mieux exprimer l'identité de genre d'une personne. Aussi appelée *chirurgie d'affirmation sexuelle* et *opération de changement de sexe*.

Les thérapies hormonales et les techniques opératoires sont plus efficaces dans le cas des personnes qui cherchent à féminiser leur corps. L'hormonothérapie permet parfois un développement suffisant des seins, mais la plupart des patientes ont recours à des implants mammaires. Certaines femmes trans s'en tiennent à une augmentation mammaire et décident de conserver leurs organes génitaux masculins. Si on procède à une vaginoplastie, on enlève le scrotum et le pénis, puis on crée un vagin par la reconstruction du tissu pelvien. Au cours de cette intervention, on prend soin de conserver les nerfs sensoriels et on place ce tissu cutané dans le vagin nouvellement formé. Les relations sexuelles sont possibles, d'ailleurs plusieurs personnes ont signalé qu'à la suite de cette intervention chirurgicale, elles arrivaient à ressentir une excitation sexuelle et à parvenir à l'orgasme (Lawrence, 2005).

La réduction de la pilosité corporelle et faciale obtenue par l'hormonothérapie peut être complétée par l'épilation au laser. Finalement, si la personne le désire, il est possible de pratiquer une intervention chirurgicale permettant de rendre plus aiguë la voix des femmes trans (Brown, 2000).

Les individus qui souhaitent masculiniser l'apparence de leur corps ont aussi recours à toute une série d'interventions médicales. On peut procéder à l'ablation des seins, de l'utérus et des ovaires, fermer le vagin effectuer une métoidoplastie (construction d'un pénis en allongeant le clitoris), masculiniser le torse et réaliser plusieurs autres interventions esthétiques. La construction d'un pénis est une opération bien plus complexe que celle d'un vagin. Généralement, le pénis est formé à partir d'un prélèvement de la peau de l'abdomen ou de tissus des grandes lèvres et du périnée. L'organe ainsi formé ne possède pas les structures internes permettant de produire une érection à la suite d'une excitation sexuelle. Toutefois, il est possible de ménager un petit tube à la base du pénis dans lequel on peut insérer une tige de silicone. Une autre option consiste à implanter un dispositif gonflable. (*Ce dispositif est décrit au chapitre 9.*) Si les tissus sensibles du clitoris sont laissés à la base du pénis formé chirurgicalement, les sensations érotiques et l'orgasme sont parfois possibles (Lief et Hubschman, 1993).

De nombreuses études portant sur les répercussions psychosociales d'une opération de réassignation sexuelle permettent d'être optimiste quant au succès de ce type d'intervention. En effet, la plupart de ces recherches concluent que la majorité des personnes qui ont subi cette opération ont amélioré de façon significative leur bien-être et leur qualité de vie générale (Heylens, 2014 ; Khoosal et coll., 2011). Toutefois, les femmes trans ont rapporté une diminution de leur désir sexuel à la suite de l'opération de réassignation sexuelle, alors que c'est l'inverse qui se produit chez les hommes trans (Wierckx et coll., 2014b).

Le développement de l'identité transgenre

Une abondante documentation clinique porte sur les caractéristiques des personnes transgenres et les causes (étiologie) qui expliquent ce phénomène. Certains facteurs ont été clairement définis. Nous savons que la plupart des individus transgenres possèdent des organes reproducteurs sains, que leur taux d'hormones sexuelles est normal à l'âge adulte, que leurs structures reproductrices internes sont intactes et qu'ils présentent les chromosomes XX ou XY habituels (Meyer-Bahlburg, 2005 ; Zhou et coll., 1995). De plus, les recherches sur le sujet ont démontré que les psychopathologies ne sont pas plus fréquentes chez les transgenres que dans la population en général (Cohen-Kettenis et Gooren, 1999).

Deux personnes transgenres qui ont fait une transition.

En revanche, on comprend moins bien pourquoi ces personnes ressentent une discordance entre leur identité de genre et leur anatomie (Jayson, 2013). De nombreuses théories ont tenté d'expliquer ce phénomène, mais les résultats obtenus ne sont pas convaincants (Cole et coll., 2000; Money, 1994). Selon l'une des théories avancées, l'exposition avant la naissance à une quantité inappropriée d'hormones entraîne des problèmes de différenciation cérébrale (Dessens et coll., 1999; Zhou et coll., 1995). Certaines données indiquent une discordance entre la différenciation sexuelle du cerveau et celle des organes génitaux (Krujiver et coll., 2000; Meyer-Bahlburg, 2005). Cette interprétation a d'ailleurs été appuyée par une étude australienne qui atteste d'un lien génétique possible avec l'identité transgenre (Hare et coll., 2009). Les chercheurs ont analysé l'ADN de 112 femmes transgenres chez qui le gène récepteur des androgènes présente une séquence génique plus longue que la normale. Une telle séquence est liée à une plus faible production prénatale de testostérone. Or, une action réduite de cette hormone pourrait se répercuter sur le développement du genre en raison d'une masculinisation insuffisante du cerveau pendant le développement prénatal, ce qui expliquerait l'identité de genre féminine de ces individus.

Selon une autre théorie qui présente certaines données probantes, les expériences vécues durant l'apprentissage social pourraient jouer un rôle déterminant dans le développement des personnes transgenres. Par exemple, un enfant peut être élevé dans un contexte qui l'incite à adopter des comportements traditionnellement associés à l'autre sexe (Bradley et Zucker, 1997; Cohen-Kettenis et Goorend, 1999). Ces comportements seraient si fortement encouragés et récompensés qu'il deviendrait difficile, voire impossible, pour la personne de développer une identité de genre correspondant à son sexe assigné à la naissance.

L'acceptation sociale et les droits de la personne

On attendait depuis longtemps une plus grande acceptation sociale des transgenres et une meilleure protection de leurs droits. Ces progrès semblent se concrétiser, mais il est encore fréquent d'observer de la discrimination, des préjugés et de l'hostilité envers les personnes qui ne s'insèrent pas dans le système binaire homme-femme/masculin-féminin. Aussi appelées *cisnormativité, cissexisme* et *transphobie*, ces formes de discrimination reposent sur la conviction de la supériorité des personnes cisgenres par rapport aux autres, sur l'obligation de se comporter conformément aux attentes sociales selon le genre et sur la nécessité de punir ou de mettre à l'écart de la société ceux qui ne satisfont pas à ces attentes. Par exemple, le rejet des personnes transgenres par leur famille demeure courant. Les personnes transgenres sont discriminées dans leur travail, dans les lieux publics, et

Michelle Blanc a souffert de dysphorie d'identité de genre avant d'entreprendre une thérapie hormonale et une chirurgie de féminisation faciale. Elle parle de sa transition dans son blogue Femme 2.0. Son blogue, michelleblanc.com, est considéré comme l'un des plus influents blogues francophones au monde.

lorsqu'elles recherchent un logement ou veulent obtenir des soins de santé (60 % des individus se seraient vu refuser des soins par un professionnel de la santé). Aux États-Unis, près de 15 000 personnes transgenres qui servent dans l'armée américaine ne peuvent pas vivre ouvertement leur identité de genre sans risquer d'être renvoyées.

Les personnes au genre variant présentent un risque considérablement accru d'être victimes de violence comparativement à celles qui se conforment aux rôles sexuels traditionnels. En effet, plus de 60 % des transgenres ont subi de mauvais traitements physiques ou

Cisnormativité   Croyance adoptée comme une norme et selon laquelle tous les individus sont cisgenres, engendrant ainsi la marginalisation des personnes transgenres.

Cissexisme   Présomption et adhésion à une conception binaire du monde, structurée par deux genres seulement, correspondant aux deux sexes (féminin et masculin). Ce système de pensée jugé normal et naturel détermine l'identité de genre et, par le fait même, exclut les personnes intersexuées, transgenres et au genre variant.

Transphobie   Crainte irrationnelle ou aversion à l'égard des personnes transgenres.

sexuels (Haas et coll., 2014). En raison du stress et des difficultés auxquels ce groupe est confronté, l'incidence de dépression et des troubles anxieux est bien plus élevée chez les personnes transgenres que dans la population en général (Bockting et coll., 2013 ; Budge et coll., 2013). Les tentatives de suicide atteignent des taux alarmants. Une étude sur le sujet a d'ailleurs révélé que 46 % des hommes trans et 42 % des femmes trans ont tenté de mettre fin à leurs jours à un moment ou à un autre de leur vie (comparativement à 4,6 % de la population en général) (Haas et coll., 2014).

Selon une enquête qui a été effectuée en Ontario auprès de 433 personnes trans âgées de 16 ans et plus, 77 % d'entre elles rapportaient avoir sérieusement considéré le suicide et 43 % ont déclaré avoir déjà fait une tentative de suicide (Scanlon et coll., 2010). Dans ce groupe, 50 % avaient envisagé le suicide parce qu'elles étaient trans. Il ressort également de cette étude que le risque suicidaire est élevé chez les jeunes trans. L'enquête a en effet montré que 47 % des jeunes trans de 16-24 ans et 27 % des adultes trans avaient sérieusement envisagé de se suicider (Scanlon et coll., 2010).

Par ailleurs, les risques de suicide étaient quatre fois plus élevés chez les personnes trans qui avaient subi des agressions physiques ou sexuelles en raison de leur identité ou de leur expression de genre (Scanlon et coll., 2010). Une enquête en ligne auprès de plus de 6000 personnes trans a révélé que 51 % de leur échantillon avaient été victimes d'intimidation ou de harcèlement à l'école, avaient perdu un emploi à cause de préjugés anti-trans ou de discrimination (55 % de taux de tentative de suicide), ou avaient un faible revenu (Scanlon et coll., 2010).

Toutefois, on observe des changements positifs en ce qui concerne l'attitude à l'égard de la collectivité transgenre et de leurs droits. À cet effet, la présence positive de personnes transgenres dans les médias reflète une plus grande acceptation. De plus, les rôles de personnes transgenres à la télévision, notamment dans les séries américaines comme *Orange is the New Black*, *Transparent* et *Glee*, dépeignent des personnages multidimensionnels. L'industrie de la mode, quant à elle, constitue un chef de file dans l'acceptation des personnes transgenres. Effectivement, elle emploie des mannequins transgenres androgynes au genre variant et elle fait appel à des femmes en vêtements masculins ou des hommes en vêtements féminins lors des défilés de mode pour présenter ses nouveaux modèles (Gregory, 2015).

Certaines universités sont également à l'avant-garde de l'acceptation. En 2015, aux États-Unis, sept collèges pour femmes avaient déjà adopté une politique d'admission inclusive à l'égard des personnes trans. Qui plus est, des dizaines d'universités américaines, dont Stanford, Harvard et Yale, offrent à leurs étudiants une assurance qui couvre l'hormonothérapie et les opérations de réassignation sexuelle.

Au moment de rédiger la nouvelle édition de cet ouvrage, le gouvernement du Canada proposait un projet de loi mettant à jour le *Code criminel* et la *Loi canadienne sur les droits de la personne*. L'identité de genre et l'expression de genre seraient désormais considérées comme une des caractéristiques distinctives de ces personnes, et le système judiciaire canadien les reconnaîtrait et les protégerait afin qu'elles puissent mener une vie exempte de discrimination, de harcèlement et de violence fondés sur cette caractéristique.

À L'AFFICHE

▸*Laurence anyways* (2012), du réalisateur Xavier Dolan, raconte les difficultés personnelles, conjugales et sociales du personnage de Laurence qui veut se libérer de son corps d'homme pour vivre pleinement ce qu'il ressent : être femme.

Les rôles sexuels

Nous avons vu qu'au cours de la petite enfance, l'apprentissage social exerce une profonde influence sur le développement de l'identité de genre, si bien que, vers l'âge de 2 ou 3 ans, la plupart des enfants ne doutent pas de leur appartenance sexuelle. Cette influence continue de s'exercer toute la vie puisque chaque personne est amenée à adopter les comportements qui, dans une société, sont jugés normaux et appropriés pour un homme ou une femme, c'est-à-dire les rôles sexuels.

Il va sans dire que l'attribution de rôles sexuels conduit à des idées toutes faites sur la façon dont les hommes et les femmes devraient se comporter. Par exemple, en Amérique du Nord comme dans d'autres régions, les rôles traditionnels veulent que les hommes soient autonomes et agressifs et que les femmes soient dépendantes et soumises. Dès lors que ces croyances sont largement acceptées au sein d'une population, elles deviennent des **stéréotypes**. Les stéréotypes sont des perceptions qui font abstraction des différences individuelles et sont exclusivement basées sur le sexe, l'ethnie, la religion, ou d'autres caractéristiques de cet ordre. Plus précisément, on les définit comme des «croyances préconçues que se font les personnes ou les collectivités non à partir de l'observation de la réalité, mais de préjugés et du sens commun» (Élbaz, 2001, cité dans Tremblay et l'Heureux, 2010). Les gens s'appuient sur des stéréotypes parce que ceux-ci leur dictent leur façon d'agir et ce qu'ils doivent attendre des autres, sans avoir à faire appel à leur propre jugement. Les stéréotypes deviennent problématiques lorsqu'ils incitent à des comportements et à des gestes négatifs et qu'ils conduisent à certaines formes d'oppression. Plusieurs stéréotypes liés au genre sont de ce type. Le genre est dès lors associé à une hiérarchie sociale que plusieurs considèrent comme injuste au lieu de renvoyer à des caractéristiques individuelles (Lindeman, 2015). Les stéréotypes liés à la différence entre les sexes ont récemment fait l'objet d'une grande étude interculturelle, décrite dans l'encadré *Pleins feux sur la recherche*.

De nombreux stéréotypes sexuels sont largement répandus dans la société. Les idées reçues sur les hommes les décrivent comme agressifs (à tout le moins sûrs d'eux), logiques, froids, autonomes, dominateurs, compétitifs, objectifs, sportifs, actifs et, surtout, *capables*. Inversement, les femmes sont souvent considérées comme peu sûres d'elles, illogiques, émotives, soumises, chaleureuses et dévouées. L'étude de Jandt et Hundley (2007) révèle que ces stéréotypes sexuels étaient le fait de nombreuses cultures, et celle de Williams et Best (1990) a montré avec quelle remarquable constance ces stéréotypes sont entretenus dans 30 cultures différentes.

Par ailleurs, une étude effectuée auprès de collégiennes rapporte que celles qui appuient des rôles sexuels traditionnels considèrent que le partenaire masculin idéal se conforme aux rôles sexuels traditionnels masculins, notamment leur domination sur les femmes, l'autosuffisance, le contrôle émotionnel et la prise de risques. À l'inverse, pour les femmes qui se disent féministes et qui dénoncent les rôles sexuels traditionnels, un partenaire idéal ne se conformerait pas aux normes masculines d'agression et de violence, de pouvoir envers les femmes ainsi que d'autosuffisance (Backus et Mahalik, 2011).

Toutefois, les stéréotypes sexuels ne recueillent pas l'assentiment de tous. Depuis quelques années, on observe une certaine diminution des comportements stéréotypés, particulièrement chez les jeunes gens (Ben-David et Schneider, 2005 ; Lindberg et coll., 2008). Des recherches indiquent que les stéréotypes sexistes auraient moins de prise sur les femmes et qu'elles seraient plus portées à adopter des positions égalitaires avec les hommes (Ben-David et Schneider, 2005). Malgré cette évolution observée dans la culture américaine, les stéréotypes sexuels y sont encore répandus (Hyde, 2004 ; Rider, 2000). En fait, de nombreuses personnes s'accommodent fort bien de leurs rôles sexuels traditionnels ; nous ne souhaitons pas dévaloriser ou remettre en question leur mode de vie, mais bien comprendre pourquoi les stéréotypes sexuels sont si répandus dans la société. C'est cette question que nous allons maintenant aborder.

> **Stéréotypes**   Croyances générales à l'égard d'une personne selon son sexe, sa religion, ses origines ethnoculturelles ou par rapport à un critère du même ordre.

PLEINS FEUX SUR LA RECHERCHE

Les différences sexuelles interculturelles dans les traits de personnalité

Les spécialistes des sciences sociales s'accordent généralement à dire que les différences entre les rôles sexuels traditionnels apparaissent tôt et s'incrustent souvent la vie durant. L'origine de ces différences demeure cependant controversée. D'un côté, les psychologues évolutionnistes soutiennent que plusieurs comportements et caractéristiques personnelles sont innés et hérités de nos ancêtres chasseurs-cueilleurs. De l'autre côté, les psychologues de l'apprentissage social défendent l'idée que les caractéristiques personnelles et les comportements des deux sexes sont largement façonnés par les rôles sociaux traditionnels. Les psychologues évolutionnistes posent l'hypothèse

que les différences sexuées dans les traits de personnalité auraient des caractères communs dans des cultures différentes. Si, tout au long de l'évolution, la sélection naturelle a favorisé les gènes qui ont contribué à la survie des espèces, on peut s'attendre à retrouver des constantes à travers les sous-catégories de notre espèce (comprendre ici *les cultures*). Dans l'autre camp, les tenants de l'apprentissage social avancent que les différences personnelles entre les sexes diminueront à mesure que les femmes passeront plus de temps dans le monde compétitif du travail plutôt que dans les rôles traditionnels de mères au foyer.

Ces deux hypothèses ont récemment été mesurées par l'administration d'un questionnaire à l'échelle mondiale, le BFI (*Big Five Inventory*), traduit de l'anglais en 28 langues, auquel 17 637 personnes de 55 pays ont répondu. Ce formulaire d'autoévaluation visait à mesurer des traits comme l'extraversion, l'amabilité, le souci de l'autre, la tendance névrotique et l'ouverture. Les résultats de l'enquête se sont avérés très éloignés de toute prédiction reposant sur les deux perspectives psychologiques mentionnées ici. En premier lieu, l'ampleur des différences entre les traits de personnalité de chaque sexe s'est révélée très variable d'une culture à l'autre parmi les 55 pays étudiés, ce qui ne cadre pas avec l'hypothèse des psychologues évolutionnistes. Le plus surprenant fut sans doute de constater que les différences entre les hommes et les femmes sont moindres dans les cultures traditionnelles, comme au Botswana ou en Inde, que dans les sociétés plus égalitaires, comme aux États-Unis, dans les pays scandinaves ou en France. Ainsi, dans la culture patriarcale du Botswana, contrairement à ce que soutient l'hypothèse de l'apprentissage social, un homme qui travaille à l'extérieur et sa femme au foyer ont des personnalités qui se ressemblent plus que celles d'un couple de travailleurs au Danemark. Autrement dit, plus un homme et une femme vivent dans une culture égalitaire sur les plans du travail et des droits, plus leurs traits de personnalité semblent diverger (Schmitt et coll., 2008).

Ces résultats sont à ce point contre-intuitifs et éloignés des prédictions inspirées des perspectives de l'apprentissage social ou de la psychologie évolutionniste que certains chercheurs ont soutenu qu'ils découlaient de problèmes culturels par rapport au BFI (Tierney, 2008). David Schmitt et ses collaborateurs concluent cependant que leur étude révèle des tendances générales valides, quoique controversées, dans un contexte de théories largement répandues. Doit-on s'attendre à ce que les différences de personnalité entre les sexes s'atténuent à mesure que l'égalité gagnera du terrain dans les sociétés qui valorisent les valeurs égalitaires et réduisent les barrières entre les hommes et les femmes? Souhaitons que d'autres recherches apportent de nouveaux éléments et aident à y voir plus clair.

L'apprentissage des rôles sexuels

On a tous déjà entendu l'argument voulant que les différences de comportement entre l'homme et la femme soient déterminées, du moins en partie, par des facteurs biologiques. Les hommes ne peuvent porter ni allaiter un enfant. De même, les différences biologiques relatives aux hormones, à la masse musculaire ainsi qu'à la structure et au fonctionnement du cerveau peuvent influer sur certains aspects du comportement. Cependant, la majorité des théoriciens considèrent que les rôles sexuels sont pour une bonne part le fruit de la **socialisation**, c'est-à-dire le processus par lequel les individus apprennent à répondre aux attentes de la société en matière de comportements. L'encadré *Les uns et les autres* à la page suivante montre qu'au sein même d'une société, les attentes envers les hommes et les femmes varient d'un groupe ethnique et d'une culture à l'autre.

Comme le montrent ces exemples, l'apprentissage social, basé sur les traditions culturelles, influe sur les comportements liés aux rôles sexuels. Comment la société transmet-elle ces attentes? Nous consacrons les prochains paragraphes à cinq agents de socialisation: les parents, les pairs, l'école, la télévision et la religion.

Socialisation   Processus par lequel la société transmet à ses membres ses attentes en matière de comportements.

Les parents

De nombreux spécialistes des sciences sociales considèrent les parents comme d'importants agents de socialisation des rôles attribués à chaque sexe (Dragowsky et coll., 2011; Roberts-Douglas et Curtis-Boles, 2013). Les premiers modèles d'homme ou de femme que voit l'enfant sont généralement ses parents. Comme nous l'avons vu plus haut lorsque nous avons abordé le développement du sentiment d'appartenance à un sexe, les parents ont souvent des attentes différentes à l'égard des garçons et des filles, et ils les manifestent dans leurs interactions (Eliot, 2009). En général, les parents couvent et protègent davantage leurs bébés de sexe féminin; en revanche, ils interviennent moins auprès des garçons et leur laissent plus de liberté (Skolnick, 1992). Les résultats de recherche montrent d'ailleurs qu'on encourage plus souvent les garçons à s'affirmer et à réprimer leurs émotions, et les filles à adopter un comportement axé sur l'engagement social (Leaper et coll., 1998).

Une étude récente démontre que les pères qui ont des filles ont tendance à moins valoriser les rôles sexuels traditionnels que ceux qui ont des garçons (Shafer et Malhotra, 2011).

De plus en plus de parents sont conscients de l'influence des jouets dans l'apprentissage des rôles sexuels et tentent de ne pas inculquer à leurs enfants des stéréotypes sexuels. Toutefois, beaucoup d'autres donnent encore à leurs enfants des jouets qui leur inculquent des rôles sexuels

LES UNS ET LES AUTRES

Les variations ethniques en matière de rôles sexuels

Tout au long de ce manuel, nous nous concentrons surtout sur les scénarios de genre en vigueur dans le courant dominant : celui des Américains d'origine européenne. Posons ici un bref regard sur les rôles sexuels au sein de trois autres groupes ethniques : les Américains d'origines hispanique, africaine et asiatique.

Dans la tradition hispano-américaine, les rôles sexuels s'incarnent dans les stéréotypes culturels du *marianismo* et du *machisme*. Le terme *marianismo* dérive de la notion catholique romaine voulant qu'une femme doive être pure et chaste comme la Vierge Marie. Ce stéréotype impose à la femme le rôle de mère croyante, vertueuse, passive et soumise à son mari, qui agit comme gardienne de la famille et de la tradition (Bourdeau et coll., 2008 ; Estrada et coll., 2011). Le concept de machisme (notons que *macho* veut dire *homme* en espagnol) renvoie à l'image de l'homme fort, indépendant, viril et dominateur, qui est le chef de famille et celui qui prend les grandes décisions (Bourdeau et coll., 2008 ; Estrada, 2011). Le machisme comprend aussi la notion d'agressivité sexuelle et le désir de conquêtes extraconjugales. La culture hispanique applique la règle du deux poids deux mesures, selon laquelle les femmes doivent être fidèles à leur mari tandis que les hommes peuvent avoir des aventures (McNeill et coll., 2001). Ce double standard trouve son origine dans la socialisation précoce des jeunes Hispaniques qui encourage les garçons à être sexuellement aventuriers et les filles à être vertueuses et virginales (Bourdeau et coll., 2008 ; Estrada, 2011).

Bien sûr, le *marianismo* et le machisme sont des stéréotypes, et bien des Hispano-Américains n'adhèrent pas à ces scénarios de genre (Vasquez, 1994). En outre, l'assimilation, l'urbanisation et la mobilité ascendante des Hispano-Américains contribuent à atténuer l'impact de ces stéréotypes sexuels en réduisant les inégalités entre les sexes (McNeill et coll., 2001). Cela est particulièrement vrai chez les jeunes Hispano-Américains qui ne partagent pas les croyances traditionnelles de leurs parents quant aux rôles sexuels (Cespedes et Huey, 2008).

Dans le deuxième groupe, celui des Afro-Américains, les femmes tiennent au sein de la famille un rôle central différent de celui des mères issues du modèle traditionnel de famille nucléaire (Gonzalez et coll., 2014 ; Reid et Bing, 2000). Depuis l'époque de l'esclavage, les Afro-Américaines ont été des remparts dans leur communauté (Lindeman, 2015). Puisque dans le système esclavagiste, les femmes ne pouvaient compter sur les hommes pour assurer leur bien-être économique, ceux-ci n'ont généralement pas endossé le rôle dominant dans la famille. C'est en partie pourquoi l'égalité et la parité économique caractérisent davantage les relations hommes-femmes dans la communauté afro-américaine qu'au sein d'autres groupes culturels, notamment la culture blanche dominante

(Blee et Tickamyer, 1995 ; Bulcroft et coll., 1996). Cette absence historique de dépendance économique aide aussi à expliquer pourquoi beaucoup de ménages afro-américains sont gérés par des femmes qui définissent elles-mêmes leur statut.

Le taux élevé du chômage chez les hommes afro-américains – plus du double de celui des Blancs (Bureau of Labor Statistics, 2012) – constitue un facteur supplémentaire. La réalité du chômage et du maigre filet social aux États-Unis contribue indéniablement au fait que certains hommes évitent le mariage (responsabilités parentales et charges financières) et quittent le foyer. Ainsi, les comportements des Afro-Américaines témoignent souvent d'un renversement des rôles sexuels traditionnels observables auprès de la majorité blanche.

Le troisième groupe, composé d'Américains d'origine asiatique, est très diversifié tant sur le plan des traditions que du pays d'origine (Chine, Philippines, Japon, Inde, Corée, Vietnam, Cambodge, Thaïlande, etc.). Les étudiants d'origine asiatique ont tendance à mieux performer que les Européens-Américains, les Afro-Américains et les Hispano-Américains (Tao et Hon, 2014). Les membres de ce groupe accordent davantage de valeur à la famille, à la solidarité et à l'interdépendance que les Américains d'origine européenne (Okazaki, 2002 ; Yoshida et Busby, 2012). Les parents des Asio-Américains auraient plus d'influence sur le choix de métier de leurs enfants que ceux des autres groupes (Shen et coll., 2014). À l'image des Hispano-Américaines, les Asio-Américaines placent leurs responsabilités familiales au-dessus de leurs aspirations personnelles (Pyke et Johnson, 2003). Ainsi, même si les Asio-Américaines sont plus nombreuses que les femmes de toute autre minorité ethnique à occuper un emploi, plusieurs passent leur vie à faire passer les besoins de leur famille au premier plan. Par conséquent, une double contrainte guette les Asio-Américaines performantes, qui se trouvent déchirées entre les valeurs américaines d'individualisme et d'indépendance et les rôles sexuels traditionnels de la culture asiatique.

Bien qu'aucun profil type n'existe, les diverses cultures asio-américaines tendent à accorder plus de liberté sexuelle aux hommes qu'aux femmes en perpétuant le postulat de la domination masculine (Ishii-Kuntz, 1997a, 1997b ; Pyke et Johnson, 2003). Les cultures asio-américaines tendent aussi vers un plus grand conservatisme sexuel, tant chez les hommes que chez les femmes, que les autres groupes ethniques des États-Unis, y compris les Blancs (Benuto et Meana, 2008 ; Meston et Ahorld, 2010). Par contre, les stéréotypes sexuels propres aux cultures asiatiques sont moins susceptibles d'être adoptés par les jeunes Asio-Américains qui adhèrent de plus en plus aux valeurs culturelles américaines (Yeung, 2013 ; Ying et Han, 2008).

précis (Jadva, 2010) ou qui les entraînent vers des jeux et des tâches ménagères stéréotypés (Menvielle, 2004). Par exemple, les filles se voient offrir une poupée, un service à thé ou une cuisinière miniature, alors que les garçons reçoivent un camion, une auto, un ballon ou des armes jouets. Les filles font ainsi plus de travail domestique que les garçons, si bien que la division sexuelle du travail commence dès l'enfance (Berridge et Romich, 2011). Souvent, on réprimande l'enfant qui s'amuse avec des jouets perçus comme étant réservés à l'autre sexe. Les enfants sont très sensibles à ce genre de reproche et en viennent à préférer les jeux qui correspondent aux attentes de leurs parents en matière de rôles sexuels.

L'influence des pairs

Les pairs constituent une deuxième source d'influence majeure en ce qui a trait à l'apprentissage des rôles sexuels (Choukas Bradley et coll., 2014 ; Stautz et Cooper, 2014). La ségrégation volontaire des sexes constitue une manifestation précoce de l'influence des pairs (Maccoby, 1998). Cette ségrégation commence avant l'entrée à l'école et,

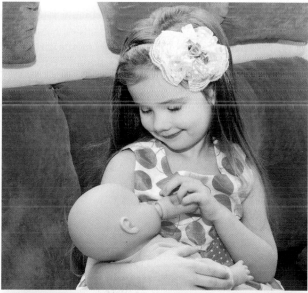

L'acquisition de rôles sexuels passe souvent par l'imitation du parent de même sexe.

dès la première année du primaire, les enfants choisissent dans une proportion de 95 % des compagnons de jeu de leur sexe (Maccoby, 1998). La ségrégation des sexes, qui continue tout au long des années scolaires, contribue à stéréotyper les jeux selon le sexe et, ainsi, à préparer les enfants à endosser des rôles sexuels d'adultes (Moller et coll., 1992). Les filles jouent souvent ensemble à la poupée ou à servir le thé tandis que les garçons se livrent à des compétitions sportives et jouent à la guerre. C'est par les pairs que les femmes apprennent à être dévouées et réservées et que les hommes apprennent à être compétitifs et sûrs d'eux.

Au début de l'adolescence, l'influence des pairs devient encore plus marquée (Doyle et Paludi, 1991 ; Hyde, 2006). Les jeunes accordent alors beaucoup d'importance à la conformité, et l'adhésion aux rôles sexuels traditionnels garantit leur acceptation par les pairs (Absi-Semaan et coll., 1993 ; Chrisler, 2013). La plupart de jeunes qui s'écartent du modèle correspondant à leur sexe risquent d'être ostracisés ou ridiculisés. De plus, les adolescents qui sont rejetés par leurs pairs sont enclins aux comportements antisociaux (Kretschmer et coll., 2014 ; Sitnick et coll., 2014).

L'école et les manuels scolaires

Des études montrent que les garçons et les filles ne sont pas traités de la même façon en classe, ce qui contribue fortement à une socialisation différente selon le sexe (Duffy et coll., 2001 ; Eccles et coll., 1999 ; Keller, 2002). Ces études montrent notamment que les enseignants choisissent plus souvent les garçons pour répondre à des questions et ils leur prodiguent plus d'encouragements qu'aux filles. Les enseignants tolèrent davantage les mauvais comportements chez les garçons que chez les filles, et les garçons reçoivent plus d'attention, d'aide et de compliments de la part de leurs enseignants.

Heureusement, certains signes montrent qu'on cherche à freiner la perpétuation des rôles sexuels stéréotypés en milieu scolaire. L'arrivée de jeunes enseignants qui sont eux-mêmes le produit d'une plus grande sensibilisation à la question des rôles sexuels contribue à la transformation graduelle de l'environnement scolaire. Des efforts concertés, au sein des écoles canadiennes comme des écoles américaines, permettent d'améliorer l'égalité des chances en mathématiques et en sciences, et de créer un environnement éducatif où filles et garçons sont encouragés à s'investir dans ces matières.

Les manuels scolaires ont eux aussi contribué à perpétuer les stéréotypes sexuels. Au début des années 1970, deux études importantes sur les manuels scolaires destinés aux enfants révélèrent que les filles y étaient généralement représentées comme dépendantes, malhabiles, dénuées d'ambition et ne réussissant pas très bien, alors que les garçons y étaient décrits de façon exactement contraire (Saario et coll., 1973 ; Women on Words and Images, 1972). Au début des années 1980, les rôles

Les enfants ont tendance à choisir des compagnons de jeu de leur sexe, renforçant ainsi la division traditionnelle des rôles sexuels.

importants étaient tenus par des personnages masculins dans les deux tiers des histoires proposées dans les manuels scolaires, alors que cette proportion était de quatre cinquièmes au début des années 1970 (Britton et Lumpkin, 1984). Au cours des années 1990 et au début des années 2000, les éditeurs de manuels scolaires ont fait des efforts remarquables pour éviter les stéréotypes sexuels dans leurs ouvrages. Au Québec, une réglementation serrée encadre désormais la publication des manuels scolaires, qui sont expurgés de toute forme de sexisme.

Une recension des illustrations figurant dans les livres primés destinés aux enfants et publiés entre 1990 et 2009 a établi que les personnages féminins manipulaient plus souvent des objets relatifs à la vie domestique que les personnages masculins, et que ces derniers s'activaient à des tâches plus souvent associées à des objets se trouvant à l'extérieur de la maison (Crabb et Marciano, 2011).

Les stéréotypes à la télévision

La télévision constitue un autre agent important de transmission des stéréotypes sexuels. Les hommes et les femmes y sont souvent représentés de façon outrageusement stéréotypée (Gerding et Signorielli, 2014; Mcanally et Hancox, 2014). Les hommes y apparaissent généralement plus actifs, plus intelligents et plus audacieux que les femmes et y jouent davantage le rôle de meneurs. Toutefois, la télévision présente de plus en plus de séries dramatiques qui brisent ces stéréotypes et mettent en vedette des personnages féminins plus complexes et plus compétents. Quoi qu'il en soit, aux heures de grande écoute, la télévision demeure un média où les hommes prédominent. Aux nouvelles et aux émissions d'information politique, les personnes-ressources consultées sur la plupart des sujets sont beaucoup plus souvent des hommes que des femmes. Les réseaux québécois se démarquent toutefois avec un nombre accru

de femmes à la barre des bulletins de nouvelles, des émissions d'affaires publiques et de variétés.

Les enfants regardent beaucoup de films à la maison et sont témoins de rôles sexuels stéréotypés. Une étude portant sur les films destinés aux enfants en a analysé 122 parmi lesquels se trouvaient des œuvres très bien cotées. Il est ressorti de cette analyse que moins de 30 % des personnages étaient des femmes et que la plupart de celles-ci n'accomplissaient rien d'important ou d'héroïque. Une proportion de 1 personnage féminin sur 4 montrait une allure sexy, alors que les personnages masculins ne l'étaient que dans 1 cas sur 25 (Baird, 2010; Davis, 2013).

La publicité télévisée contribue aussi à la propagation des stéréotypes sexuels. La promotion des produits destinés aux consommateurs adultes, à l'exception des produits liés à la maison, est surtout l'affaire de personnages masculins qui incarnent une source autoritaire d'information. Toutefois, la diminution de la représentation des femmes en tant qu'objets sexuels passifs traduit une certaine évolution (Halliwell et coll., 2011).

Comme la majorité des jeunes regardent la télévision plusieurs heures par jour, il n'est pas exagéré de dire que les stéréotypes sexuels qu'elle véhicule jouent un rôle important sur le plan de la socialisation. Heureusement, les télédiffuseurs présentent de moins en moins d'émissions à contenu sexiste, sans doute à cause des pressions incessantes exercées par des groupes voués à la promotion de l'égalité des sexes dans les médias.

La religion

Les religions instituées jouent un rôle prépondérant dans la vie d'un grand nombre de personnes. En dépit de leurs différences doctrinales, la plupart des religions semblent partager des points de vue similaires en ce qui concerne les rôles sexuels (Eitzen et Zinn, 2000; Dawkings, 2006). Tout enfant qui reçoit une instruction religieuse est susceptible d'apprendre à accepter certains stéréotypes sexuels, et les croyants ont tendance à les accepter davantage (Robinson et coll., 2004). Dans les traditions juive, chrétienne et musulmane, ces stéréotypes consacrent la suprématie de l'homme sur la femme, Dieu y étant décrit avec des termes comme *Père*, *Lui* ou *Roi* (Dawkings, 2006). L'idée selon laquelle Ève a été créée à partir d'une côte d'Adam est une adhésion claire à l'idée que la femme est inférieure à l'homme.

Il existe en ce moment un mouvement visant à changer la structure traditionnellement patriarcale de la religion dans certains pays. En 2006, Katharine Jefferts Schori a été élue archevêque de l'Église épiscopale des États-Unis, une première dans l'histoire de la communauté épiscopale mondiale (Banerjee, 2006). Geneviève Beney, une femme mariée de 56 ans, a été ordonnée prêtre à Lyon (France), sans l'approbation toutefois du Vatican, qui l'a excommuniée. Les femmes sont de plus en plus présentes dans les séminaires et les facultés de théologie, et leur nombre a plus que doublé parmi les pasteurs protestants. Le nombre de femmes rabbins a également connu une croissance importante dans le judaïsme (Ribadeneira, 1998). Les Églises cherchent de plus en plus à éliminer les propos sexistes dans leurs discours comme dans leurs écrits (Grossman, 2011 ; Haught, 2009).

Nous voyons donc que la famille, les amis, l'école et les manuels scolaires, la religion et la télévision (ainsi que les autres médias, que ce soit le cinéma, les magazines, les médias sociaux ou la musique populaire) contribuent souvent à transmettre et à renforcer les stéréotypes sexuels. Tout le monde est affecté à divers degrés au conditionnement des rôles sexuels et nous pourrions discuter longuement de la façon dont ce processus freine le développement optimal de chaque personne. Cependant, comme cet ouvrage traite de sexualité, nous allons plutôt, dans les lignes qui suivent, aborder la question de l'impact du conditionnement aux stéréotypes sexuels sur la vie sexuelle.

L'impact des attentes liées aux rôles sexuels sur nos sexualités

Les attentes liées aux rôles sexuels exercent une profonde influence sur la sexualité. La façon de concevoir les hommes et les femmes ainsi que les croyances sur les comportements appropriés pour chaque sexe peuvent avoir un impact sur plusieurs aspects de la vie sexuelle. Le regard que porte une personne sur elle-même en tant qu'être sexué, ses attentes en ce qui a trait aux relations intimes, sa perception de la qualité de telles expériences de même que la réponse des autres à sa sexualité peuvent être influencés de façon appréciable par son expérience en tant qu'homme ou femme.

Dans les pages qui suivent, nous analysons quelques stéréotypes de rôles sexuels et leurs effets potentiels sur les relations entre les sexes. Nous ne prétendons pas que seuls les couples hétérosexuels sont touchés par ces idées reçues. Les stéréotypes sexuels peuvent avoir une influence sur tout un chacun, peu importe l'orientation sexuelle et les différentes identités de genre, bien que les couples de même sexe puissent en être affectés de façon différente.

L'homme est sursexualisé, la femme est sous-sexualisée

Dans les sociétés occidentales, on a longtemps cru, à tort, que l'appétit sexuel des femmes était moins grand que celui des hommes. Même si ce stéréotype est de moins en moins ancré, il exerce toujours une influence sur un grand nombre de femmes et d'hommes. Comment une femme peut-elle se montrer attirée sexuellement ou rechercher son plaisir de façon active si elle croit qu'elle n'est pas censée avoir de besoins sexuels ? Certaines femmes,

croyant qu'elles ne devraient pas être facilement excitées sexuellement ou qu'elles connaîtront des conséquences sociales négatives si elles le sont, pourraient avoir tendance à bloquer leurs réactions (Petersen et Hyde, 2011).

Quant au stéréotype de l'hypersexualité masculine, il peut nuire à l'homme. Celui qui n'est pas immédiatement excité par une personne qu'il perçoit comme attirante ou disponible peut se sentir médiocre ou être jugé moins *viril* (Petersen et Hyde, 2011). Après tout, ne devrait-il pas être prêt lorsque se présente l'occasion d'avoir une relation sexuelle ? Un tel stéréotype est dévalorisant pour l'homme et le réduit à une pure machine réagissant instantanément lorsqu'on appuie sur un bouton. Les hommes expriment fréquemment leur frustration et leur perplexité à ce sujet, comme le montre le témoignage suivant.

> Quand je sors avec une femme pour la première fois, je ne sais plus trop comment aborder la question du sexe. Je me sens poussé à poser des gestes, même si je n'ai pas nécessairement envie de le faire. N'est-ce pas ce à quoi s'attend une femme ? Si je n'essaie rien, elle croira peut-être qu'il y a quelque chose qui cloche. Je me sens presque tenu de fournir des explications si je n'ai pas envie de faire l'amour. En général, il est plus simple de poser un geste et de la laisser décider. (Note des auteurs)

Visiblement, cet homme se sent obligé de rechercher une relation sexuelle. Le stéréotype voulant que l'homme doive faire les premiers pas pour avoir une relation sexuelle peut être angoissant autant pour l'homme que pour la femme, comme nous allons le voir dans les lignes qui suivent.

L'homme prend l'initiative, la femme réagit

Selon la division traditionnelle des rôles sexuels dans notre société, il appartient à l'homme de prendre l'initiative en matière de relations intimes (que ce soit pour inviter l'autre à une première sortie ou pour poser les premiers gestes de nature sexuelle) et à la femme d'y répondre en acceptant ou en repoussant ses avances (Dworkin et O'Sullivan, 2005). Comme le révèle le commentaire ci-dessous, cela peut représenter un fardeau pour l'homme et exercer sur lui une pression indue.

> Les femmes devraient faire l'expérience de l'angoisse que cela provoque. Je suis fatigué d'être celui qui fait la proposition, étant donné qu'il existe toujours la possibilité d'un refus. (Note des auteurs)

Une femme qui se sent obligée d'accepter le rôle passif peut éprouver de la difficulté à prendre l'initiative d'une rencontre sexuelle. Il peut être encore plus difficile pour elle de prendre une part active à l'activité sexuelle. De nombreuses femmes éprouvent de la frustration, du regret et une colère justifiée à l'égard de tels stéréotypes si profondément ancrés dans notre société. Les commentaires suivants, recueillis au cours d'une conversation entre femmes, le reflètent bien.

> J'aime demander à un homme de sortir avec moi et je l'ai souvent fait. Mais il est frustrant de constater que plusieurs d'entre eux tiennent pour acquis que, parce que je prends l'initiative, je ne pense qu'à aller au lit avec eux. (Note des auteurs)

> Il est difficile pour moi de laisser savoir à mon homme ce que je voudrais qu'il me fasse quand nous faisons l'amour. Après tout, il est censé savoir, n'est-ce pas ? Si je le lui dis, c'est comme si j'usurpais son rôle de *celui qui sait tout*. (Note des auteurs)

L'homme propose, la femme dispose

De nombreuses femmes grandissent avec l'idée que les hommes ne pensent qu'au sexe. Il devient alors tout à fait logique pour elles de contrôler ce qui se passe au cours de la relation sexuelle. Il ne s'agit pas ici de prendre l'initiative de certaines activités, ce qu'elles considèrent comme la prérogative de l'homme, celui qui agit. La femme se sent plutôt dans l'obligation de freiner les ardeurs de son partenaire et de veiller à ce qu'il ne l'entraîne pas dans des activités répréhensibles. Ainsi, au lieu de jouir du fait qu'il lui caresse les seins, elle se concentrera sur la façon de l'empêcher de toucher son sexe. Cette préoccupation pour le contrôle qui lui est imposée par la pression sociale et l'automatisme de dire «non » pour ne pas être considérée comme une fille facile peuvent être très présents chez les adolescentes qui sortent avec des garçons (Lang, 2011). Il n'est donc pas surprenant qu'une femme qui passe une bonne partie de son temps à contrôler l'activité sexuelle puisse éprouver de la difficulté à prendre conscience de ses besoins lorsqu'elle consent finalement à s'abandonner sans arrières pensées.

Les hommes, quant à eux, sont souvent conditionnés à considérer les femmes comme des défis sexuels et cherchent à aller aussi loin qu'ils le peuvent lors d'une relation sexuelle. Eux aussi peuvent éprouver de la difficulté à apprécier la joie d'être près d'une personne et de la toucher, préoccupés qu'ils sont par ce qu'ils vont faire ensuite. Les hommes qui ne font que répéter ce modèle de relation auront du mal à abandonner leur rôle actif et à se montrer plus réceptifs au cours d'une relation sexuelle. Ils peuvent se sentir déstabilisés par une femme qui décide d'inverser les rôles et de prendre l'initiative.

L'homme est fort et maître de soi, la femme est bienveillante et dévouée

Un des stéréotypes sexuels qui perdure est celui qui veut que l'expression des émotions, de la tendresse et du dévouement soit l'apanage de la femme (Plant et coll.,

2000). Les hommes apprennent souvent à taire leurs émotions. Un homme qui cherche à paraître fort peut éprouver de la difficulté à se montrer vulnérable, à exprimer des sentiments profonds et des doutes. Il peut être extrêmement difficile pour un homme conditionné de la sorte de développer des relations intimes satisfaisantes. Les hommes qui adoptent des attitudes sexistes à l'égard des rôles de la femme sont fortement portés vers les relations sexuelles non conjugales (*casual sex*) sans se soucier de la satisfaction de leurs partenaires (Danabe et coll., 2014).

Par exemple, si l'homme croit qu'il ne peut afficher ses émotions, il peut tenter d'aborder la sexualité comme une activité purement physique où les émotions n'ont pas leur place. L'expérience qui en résultera pourra être très limitée et laisser les deux parties insatisfaites.

Il faut se rappeler cependant que de nombreux hommes doivent, lorsqu'ils tentent d'exprimer des émotions enfouies depuis longtemps, lutter contre un conditionnement machiste qui leur a été imposé dès l'enfance (Tremblay et L'Heureux, 2010). Ils peuvent nier leur implication affective, mais il y en a toujours une dans le besoin d'être reconnu que demande généralement le désir sexuel. Éduqués selon les stéréotypes, ces hommes ne peuvent voir une femme que si elle se conforme à ceux-ci, autrement soit ils l'ignorent, soit ils la rejettent ou la dénigrent (Goldberg, 1990).

Les femmes, quant à elles, peuvent se sentir désabusées et vouloir arrêter de jouer le rôle de la personne dévouée, surtout quand leurs efforts ne rencontrent que peu ou pas d'écho. Celles qui ont été éduquées selon les stéréotypes, à l'inverse des hommes machistes, peuvent se refuser à tout contact sexuel en dehors d'un engagement amoureux, même si elles en ressentent plus ou moins clairement le désir (Goldberg, 1990). En l'absence d'un modèle masculin différent de celui qu'elles ont appris à reconnaître comme le bon modèle, ces femmes peuvent faire preuve d'ambivalence envers les hommes en souhaitant un compagnon imperméable au doute et à la peur pour mieux les protéger, mais aussi capable de tendresse et de vulnérabilité dévoilée (Goldberg, 1990).

Nous avons vu comment la stricte adhésion aux stéréotypes sexuels traditionnels peut limiter et restreindre l'expression de la sexualité. Cet héritage peut s'exprimer de façon plus subtile aujourd'hui, mais les attentes liées aux rôles masculins et féminins amènent les gens à tenir un rôle qui ne leur convient pas nécessairement. Même s'il peut sembler que de plus en plus de personnes cherchent à s'écarter de ces rôles stéréotypés et apprennent à s'accepter et à s'exprimer plus librement, on ne peut sous-estimer l'influence qu'exercent encore les rôles attribués à chaque sexe dans notre société.

De nombreuses personnes tentent maintenant d'intégrer à leur façon de vivre des comportements à la fois masculins et féminins et rejettent les notions d'une binarité rigide des rôles sexuels. Cette tendance, souvent appelée *androgynie*, fait l'objet de la dernière partie de ce chapitre.

Au-delà des rôles sexuels : l'androgynie

Dérivé des racines grecques *andros*, qui veut dire «homme», et *gunê*, qui veut dire «femme», le mot *androgyne* signifie *qui possède les caractéristiques des deux sexes*. Ce terme est utilisé pour traduire une certaine flexibilité dans les rôles sexuels. Les personnes androgynes ont intégré des aspects masculins et féminins à leur personnalité et à leur comportement. L'androgynie permet d'adopter le comportement qui semble le plus indiqué dans une situation plutôt que celui prescrit par le rôle sexuel stéréotypé. Ainsi, les androgynes peuvent faire preuve d'assurance au travail, mais être dévoués envers leurs amis, leur famille ou les gens qu'ils aiment (Bem, 1975).

De nombreuses personnes présentent des caractéristiques correspondant à certains scénarios de genre traditionnels tout en ayant des champs d'intérêt et des comportements généralement attribués à l'autre sexe. En fait, il existe toutes les nuances chez les êtres humains, depuis les individus très masculins ou très féminins jusqu'à ceux qui sont à la fois masculins et féminins, c'est-à-dire androgynes.

La psychologue sociale Sandra Bem (1975, 1993) a créé un inventaire pour mesurer chez des individus leur degré de comportements masculins ou féminins, ou une combinaison des deux. D'autres outils semblables ont été conçus par la suite (Spence et Helmreich, 1978). À l'aide de ces instruments de mesure de l'androgynie, des chercheurs ont étudié comment les androgynes se comparent avec les personnes fortement stéréotypées.

Un certain nombre d'études indiquent que les androgynes démontrent plus de souplesse dans leurs comportements, sont moins prisonniers des stéréotypes, ont une plus grande estime d'eux-mêmes, prennent de meilleures décisions lorsqu'ils sont dans un groupe, ont de meilleures habiletés de communication, de plus grandes aptitudes sociales et sont plus motivés à réussir que les personnes fortement stéréotypées (Hirokawa et coll., 2004 ; Kirchmeyer, 1996 ; Shimonaka et coll., 1997). La recherche montre que les androgynes des deux sexes sont plus indépendants et moins susceptibles de se laisser influencer que les personnes qui se conforment étroitement au rôle féminin (Bem, 1975). En fait, l'androgynie comme une forte masculinité semblent favoriser une meilleure capacité d'adaptation pour les deux sexes, et ce, à tout âge (Sinnott, 1986). Par contre, les femmes et les androgynes des deux sexes seraient significativement plus dévoués que les hommes dits masculins (Bem, 1993 ; Ray et Gold, 1996).

Les recherches sur l'androgynie se poursuivent et il serait certainement hâtif de ne trouver que des avantages à ce style de comportement. Les données recueillies à ce jour laissent néanmoins penser que les personnes qui arrivent à transcender les rôles sexuels traditionnels parviennent à mieux fonctionner dans une large palette de situations. Les personnes androgynes peuvent choisir parmi un éventail plus large de comportements masculins et féminins. Ils peuvent ainsi s'affirmer, se montrer autonomes, dévoués ou tendres, non pas en vertu de normes dictées par les rôles sexuels, mais selon ce qui leur procure, à eux et à leurs proches, la plus grande satisfaction personnelle dans une situation donnée.

Androgyne Personne dont le comportement et la personnalité présentent des caractéristiques connotées masculines et féminines.

RÉSUMÉ

Homme et femme, masculin et féminin

- Les processus par lesquels sont déterminés la masculinité ou la féminité et la manière dont ils influent sur le comportement, sexuel ou autre, sont d'une grande complexité.

- Le mot *sexe* renvoie au sexe biologique qui comporte deux aspects principaux : le sexe chromosomique (aussi appelé *sexe génétique*), déterminé par nos chromosomes sexuels, et le sexe anatomique, qui concerne les différences physiques apparentes

entre les mâles et les femelles d'une espèce (comme lorsqu'on parle du sexe d'un bébé).

- le mot *genre* (*gender*, en anglais) renvoie plutôt aux comportements, aux attitudes et aux rôles qu'une société et une culture attribuent différemment aux hommes et aux femmes.

- L'identité de genre est l'expérience intime et personnelle que chacun vit profondément de son genre (être et se sentir homme ou femme, homme et femme, ni homme ni femme), indépendamment du sexe qu'on lui a assigné à la naissance.

L'individu va exprimer son identité de genre par l'habillement, le comportement, les attitudes, le langage, la voix, les activités, etc.

- Les rôles sexuels et les scénarios de genre constituent un ensemble d'attentes, d'attitudes et de comportements considérés comme appropriés pour les personnes appartenant à l'un et à l'autre sexe. Ces attentes sont définies par la culture et varient donc d'une société à l'autre et d'une époque à l'autre.

Le développement de l'identité de genre

- Les recherches menées dans le but d'isoler les nombreux facteurs biologiques influant sur l'identité de genre d'une personne ont permis de dégager six étapes ou niveaux biologiques : le sexe chromosomique, le sexe gonadique, le sexe hormonal, les structures génitales internes, les organes génitaux externes et la différenciation sexuelle du cerveau.

- Typiquement, ces variables biologiques interagissent afin de déterminer le sexe biologique. Des variations au cours du développement peuvent cependant survenir à n'importe lequel des six niveaux. Ces variations dans le développement du sexe biologique d'une personne peuvent grandement affecter son identité de genre.

- Selon la théorie de l'apprentissage social, l'identification aux rôles masculins ou féminins dépend d'abord des influences sociales et culturelles auxquelles une personne est exposée.

- La plupart des théoriciens contemporains ont adopté le modèle interactionnel selon lequel le développement de l'identité de genre, féminine ou masculine, est le résultat d'une interaction complexe entre des facteurs liés à l'apprentissage social et des facteurs d'ordre biologique.

- Le terme *transgenre* désigne généralement toutes les personnes dont l'identité de genre diffère de celle généralement associée au sexe biologique masculin ou féminin qui leur est assigné à la naissance.

- Plusieurs personnes transgenres choisissent d'entreprendre une démarche de transition médicale ou sociale afin d'harmoniser leur anatomie, leur apparence et leur expression de genre avec leur identité de genre.

Les rôles sexuels

- Une fois qu'ils sont largement acceptés, les scénarios de genre se transforment en stéréotypes, c'est-à-dire en idées préconçues basées non pas sur l'individualité de chacun, mais plutôt sur l'appartenance à un groupe plus vaste défini par l'âge, le sexe, etc.

- De nombreux stéréotypes sexuels amènent les gens à entretenir des préjugés à l'égard des autres et restreignent leurs possibilités.

- La socialisation est le processus par lequel la société transmet à ses membres ses attentes en matière de comportements. Les parents, les pairs, la télévision, la religion et l'école contribuent tous à la transmission des stéréotypes sexuels.

- Les attentes liées aux rôles sexuels exercent une influence profonde sur la sexualité. La manière dont une personne s'affirme en tant qu'être sexué, ses attentes à l'égard des relations intimes, sa perception de la qualité de ces expériences ainsi que les réactions des autres à sa sexualité sont toutes grandement influencées par la façon dont elle perçoit les rôles sexuels.

- Les personnes adoptant un style androgyne ont fait éclater le cadre des stéréotypes sexuels traditionnels en intégrant à leur façon de vivre des aspects à la fois masculins et féminins.

Les orientations sexuelles

> Le présent chapitre traite de divers aspects de l'orientation sexuelle. Après avoir examiné les différentes catégories d'orientations sexuelles, nous présenterons les théories et les résultats des recherches portant sur les facteurs déterminants de ces orientations. Nous aborderons ensuite d'importantes questions d'attitudes sociétales et nous décrirons le processus d'affirmation de l'orientation sexuelle. Nous terminerons en abordant la question du vécu des couples de même sexe.

Les variations de l'orientation sexuelle

Nous commençons cette section en expliquant pourquoi il est difficile de définir le concept d'orientation sexuelle. Nous présenterons ensuite les différentes variations de l'orientation sexuelle, leur place au sein d'un continuum, et nous en décrirons les principales caractéristiques.

L'orientation sexuelle : un concept complexe

Homosexualité, *bisexualité*, *hétérosexualité* et *asexualité* sont quelques termes souvent utilisés pour désigner l'**orientation sexuelle**. L'orientation sexuelle est un concept complexe et dont la définition doit considérer les quatre dimensions suivantes :

1. Des comportements sexuels à l'égard des hommes, des femmes, des deux ou envers ni l'un ni l'autre.

2. Un désir sexuel vis-à-vis des hommes, des femmes, des deux ou envers ni l'un ni l'autre.

3. Un sentiment amoureux à l'égard des hommes, des femmes, des deux ou envers ni l'un ni l'autre.

4. L'identification à une orientation sexuelle particulière.

C'est la prise en compte d'une combinaison simultanée de ces quatre dimensions et les nuances propres à chacune d'elles qui rendent à la fois complexe et floue la définition de l'orientation sexuelle.

Par exemple, dans quelle proportion une personne peut-elle ressentir un désir sexuel et vivre des expériences sexuelles avec quelqu'un du même sexe tout en demeurant hétérosexuelle ? Il en va de même du contraire : dans quelle proportion une personne peut-elle ressentir un désir sexuel et vivre des expériences sexuelles avec quelqu'un de l'autre sexe tout en demeurant quand

même homosexuelle ? Toute personne qui ne présente pas une combinaison globale cohérente de ces quatre dimensions est-elle considérée comme bisexuelle ? Si l'on pousse cette idée plus loin, une personne qui s'identifie comme étant hétérosexuelle peut-elle l'être vraiment si elle n'a des comportements sexuels qu'avec des partenaires du même sexe ? Même les chercheurs qui se spécialisent dans le domaine de l'orientation sexuelle n'ont pas systématiquement recours aux mêmes critères pour catégoriser les participants en fonction de leur orientation sexuelle. Dans certaines études, les participants sont considérés comme bisexuels/homosexuels s'ils ont le moindre désir sexuel ou comportement sexuel à l'égard de personnes de même sexe, ou s'ils s'identifient à l'une ou l'autre de ces orientations sexuelles. Alors que dans d'autres études, ils sont considérés comme homosexuels seulement si leur désir sexuel, leurs comportements sexuels et leur identification ont toujours été, de manière constante, liés à des personnes du même sexe qu'eux, et ce, depuis la puberté.

Voir l'orientation sexuelle comme un phénomène multidimensionnel est probablement la façon la plus pertinente de conceptualiser cette dimension complexe de

Homosexualité   Attirance sexuelle ou amoureuse envers une personne du même sexe.

Bisexualité   Attirance sexuelle ou amoureuse envers les hommes et les femmes.

Hétérosexualité   Attirance sexuelle ou amoureuse envers une personne de l'autre sexe.

Asexualité   Absence d'attirance sexuelle à l'égard de l'un ou de l'autre des deux sexes (ou genres).

Orientation sexuelle   Attirance sexuelle ou amoureuse vis-à-vis des personnes de son propre sexe ou de son propre genre (homosexualité), des personnes de l'autre sexe ou genre (hétérosexualité) ou des deux sexes ou genres (bisexualité), ou absence d'attirance sexuelle ou amoureuse (asexualité).

l'être humain (Jordan-Young, 2010 ; Laumann et coll., 1994). Cependant, selon sa définition la plus simple, l'orientation homosexuelle correspond à un désir sexuel et à des relations sexuelles vécus exclusivement avec des partenaires du même sexe. Le terme *gai* est courant pour parler d'un homme homosexuel, alors que son équivalent chez la femme est *lesbienne*. Un désir sexuel et des relations sexuelles exclusivement vécus avec des partenaires de l'autre sexe correspondent à l'orientation hétérosexuelle. Quant à la bisexualité, elle renvoie au désir sexuel qu'une personne peut éprouver, à divers degrés, à l'égard des deux sexes. Finalement, l'asexualité correspond à une absence d'attirance sexuelle pour l'un ou l'autre des sexes. Étant donné que l'orientation sexuelle ne constitue que l'un des aspects de la vie d'un individu, nous avons choisi d'employer ces quatre termes sous la forme d'adjectifs descriptifs plutôt que de noms pour éviter de catégoriser l'identité d'une personne dans son ensemble.

Les termes *hétéroflexibilité* et *homoflexibilité* sont par ailleurs des notions récentes pouvant s'avérer utiles pour décrire les individus qui sont principalement hétérosexuels ou homosexuels, mais qui présentent, dans une certaine mesure, un intérêt sexuel pour les deux sexes ou qui ont des rapports sexuels avec des personnes des deux sexes. Une étude récente sur le sujet a démontré qu'aux États-Unis, près de 13 % des femmes et plus de 5 % des hommes ont déjà eu des rapports sexuels avec les deux sexes (Chandra et coll., 2011). En outre, un sondage du site OkCupid effectué auprès de 3,2 millions d'abonnés, tant homosexuels qu'hétérosexuels, a révélé que 33 % des femmes hétérosexuelles et 13 % des hommes hétérosexuels ont déjà eu des comportements sexuels avec une personne du même sexe. Qui plus est, une proportion encore plus grande en aurait le désir (Rudder, 2011).

Certaines personnes considèrent que ces quatre orientations sexuelles – l'homosexualité, la bisexualité, l'hétérosexualité et l'asexualité – ne permettent toutefois pas d'exprimer précisément ou entièrement les dynamiques de leur attirance sexuelle. À cet égard, une personne qui s'identifie à la *sapiosexualité* trouve que l'intelligence est l'élément le plus attirant sur le plan sexuel. Pour ce qui est des termes tels que *pansexualité* (*omnisexualité*), *polysexualité* et *queer* (*allosexualité*), ils font référence à une attirance sexuelle, à l'amour ou à une attirance émotionnelle éprouvés pour une personne indifféremment de son sexe ou de son identité de genre. En effet, les personnes qui s'identifient à l'orientation pansexuelle sont attirées par des personnes qui se définissent, ou non, comme uniquement un homme ou une femme, un *genderqueer*, un transgenre ou un intersexuel. *Bispiritualité* est un terme utilisé par des peuples autochtones d'Amérique du Nord pour désigner la présence de deux esprits dans un même corps ; un masculin et un féminin. Les personnes bispirituelles peuvent aussi se présenter comme un homme gai, une femme lesbienne, bisexuelle, transgenre, intersexuée, transsexuelle ou une combinaison de plusieurs identités de genre. En somme, l'identification à une orientation sexuelle en particulier constitue l'une des variables de l'orientation sexuelle.

L'homosexualité, la bisexualité et l'hétérosexualité forment ainsi un vaste spectre ou continuum. La figure 5.1, à la page suivante, présente les sept catégories du continuum établi par Alfred Kinsey dans les années 1940 pour analyser les orientations sexuelles au sein de la société américaine (Kinsey et coll., 1948). L'échelle va de 0 (contact et attirance exclusivement hétérosexuels envers les personnes de l'autre sexe) à 6 (contact et attirance exclusivement homosexuels). Entre les deux pôles prennent place différents degrés d'orientations et d'expériences homosexuelles et hétérosexuelles ; la catégorie 3 renvoie à une attirance et à une expérience à la fois homosexuelle et hétérosexuelle. L'échelle de Kinsey ne tient pas compte de l'asexualité, dont nous parlerons dans la prochaine section.

▌ QUESTION D'ANALYSE CRITIQUE

> Où vous situeriez-vous selon l'échelle de Kinsey ?

Hétéroflexibilité Orientation hétérosexuelle qui comporte un certain degré d'intérêt sexuel envers le même sexe (ou genre) ou expérience sexuelle avec le même sexe (ou genre).

Homoflexibilité Orientation homosexuelle qui comporte un certain degré d'intérêt sexuel envers l'autre sexe (ou genre) ou expérience sexuelle avec l'autre sexe (ou genre).

Sapiosexualité Attirance à l'égard de l'intelligence d'une personne.

Pansexualité (omnisexualité) Attirance sexuelle, amour romantique ou attirance émotionnelle vers des personnes de tous les sexes et toutes identités de genre.

Polysexualité Attirance sexuelle, amour romantique ou attirance émotionnelle envers des personnes de tous les sexes ou toutes identités de genre.

***Queer* (allosexualité)** Terme générique marquant l'affirmation de soi, unificateur et sociopolitique englobant une vaste gamme d'expression de genre, y compris les gais, les lesbiennes, les bisexuels, ainsi que les personnes transgenres, intersexuées, au genre variant, ou toute autre orientation sexuelle ou identité de genre non conforme.

Bispiritualité Terme utilisé par des peuples autochtones pour désigner la présence de deux esprits, l'un masculin et l'un féminin, dans un même corps.

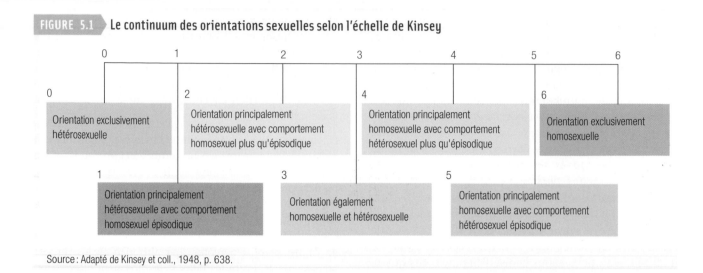

FIGURE 5.1 Le continuum des orientations sexuelles selon l'échelle de Kinsey

Source : Adapté de Kinsey et coll., 1948, p. 638.

La fluidité sexuelle

Bien qu'intéressante, l'échelle de Kinsey peut donner la fausse impression que toutes les personnes ont une orientation sexuelle stable et immuable alors qu'en fait, les tendances dans le temps la déterminent avec plus de précision qu'un moment précis de la vie (Baumgardner, 2007). La chercheuse et psychologue Lisa Diamond (2008) utilise l'expression *fluidité sexuelle* pour rendre compte des variations de l'attirance sexuelle et amoureuse ainsi que des comportements sexuels d'une personne envers son propre sexe (ou genre) et l'autre sexe (ou genre) à divers moments et dans diverses situations de la vie. Sa recherche montre que, pour certaines femmes, le sexe et le genre des partenaires sexuels choisis peuvent varier au fil du temps et connaître des transitions inattendues. Chez les hommes, la fluidité sexuelle serait moins fréquente. Les scientifiques s'entendent généralement pour expliquer ces différences entre hommes et femmes par des variations dans les trajectoires de développement biologique (Diamond, 2008), comme nous le verrons plus loin dans ce chapitre.

La recherche menée par Lisa Diamond a permis de suivre pendant 10 ans près de 80 femmes âgées entre 18 et 25 ans. Au début de l'étude, elles vivaient toutes une relation avec une autre femme et se disaient lesbiennes, bisexuelles ou sans étiquette. À la fin de l'étude, un tiers environ se disaient toujours lesbiennes et en quête de relations sexuelles avec d'autres femmes. Toutes les autres, qui s'étaient déclarées lesbiennes, bisexuelles ou sans étiquette au début de l'étude, avaient changé de statut au moins une fois durant les 10 années de la recherche. Soulignons que ces changements étaient variés : de lesbienne à bisexuelle ou sans étiquette, de bisexuelle à lesbienne ou sans étiquette, de sans étiquette à bisexuelle ou lesbienne et, dans certains cas, de lesbienne, bisexuelle ou sans étiquette à hétérosexuelle. Certaines invoquèrent une attirance sexuelle ou amoureuse envers un homme ou une relation avec un homme pour justifier leur changement d'orientation. En revanche, les femmes qui se sont tournées vers les hommes ont conservé le même degré d'attirance envers les femmes qu'au début de l'étude (Diamond, 2008).

Comparativement aux hommes, plus de femmes ont connu des expériences sexuelles avec une personne du même sexe, et les chiffres ont augmenté depuis quelques décennies. La fluidité entre l'attirance envers le même sexe et celle envers l'autre sexe (ou genre) est moins commune chez les hommes, à l'exception de ceux qui se disent bisexuels (Mock et Eiback, 2011). Selon une étude britannique, en 1990, 4 % des femmes ont affirmé avoir engagé une relation sexuelle avec une autre femme, comparativement à 16 % en 2010. Quant aux hommes, 6 % d'entre eux, en 1990, ont dit avoir entretenu une relation sexuelle avec un autre homme, pourcentage qui ne dépassait pas 7 % en 2010 (Cox, 2013). On ignore dans quelle mesure la stigmatisation de l'homosexualité masculine, plus forte que celle de l'homosexualité féminine, est susceptible de restreindre la fluidité sexuelle masculine, mais il pourrait s'agir d'une variable importante. Au fur et à mesure que le stigma envers l'homosexualité masculine s'atténue, la fluidité sexuelle chez les hommes pourrait devenir plus apparente, surtout chez les jeunes hommes qui tendent à trouver l'homosexualité acceptable. Une grande étude longitudinale étendue sur 13 années a de fait démontré que les sujets, des jeunes qui étaient âgés de 12 à 25 ans au début de l'étude et qui s'identifiaient à une minorité sexuelle, étaient susceptibles de changer d'orientation sexuelle à tout moment au cours de ces 13 années (Ott et coll., 2011).

Fluidité sexuelle Variabilité dans l'identification à une orientation sexuelle ou dans l'attirance envers des personnes de son sexe (ou genre) et de l'autre sexe (ou genre) à différentes périodes et dans diverses situations de la vie.

Nous allons maintenant approfondir trois catégories d'orientation sexuelle – l'asexualité, la bisexualité et l'homosexualité – en gardant toutefois en tête qu'elles ne sont pas des catégories statiques, mais seulement une façon de se situer lorsque l'on discute de la nature fluide et complexe de notre sexualité.

L'asexualité

L'asexualité vient heurter la prémisse voulant que les individus sont définis par l'attirance sexuelle, peu importe pour qui cette attirance est ressentie (Emens, 2014 ; Yule et coll., 2014). Selon le site Web aven-fr (Asexual Visibility and Education Network), une personne asexuelle n'éprouve pas d'attirance sexuelle. À la différence du célibat volontaire, l'asexualité est une dimension intrinsèque à une personne (Asexual Visibility and Education Network, 2009). Une étude menée auprès de 18 000 personnes en Grande-Bretagne a révélé que 1 % des répondants se disent asexuels (Bogaert, 2004), et selon d'autres recherches, la prévalence varie de 0,6 à 5,5 % (Van Houdenhove et coll., 2014).

La plupart des hommes et des femmes asexuels l'ont été toute leur vie et ont indiqué ne ressentir aucune détresse par rapport à leur asexualité (Brotto et coll., 2014 ; Decker, 2014). Les individus asexuels sont aussi plus susceptibles de n'avoir jamais eu des fantasmes sexuels.

Bien qu'ils n'éprouvent pas d'attirance sexuelle pour autrui, leur intérêt s'exprime sous forme d'amitié, d'affection, de romance et de compagnonnage, voire par le mariage (Carrigan et Falconer, 2015 ; Clark-Flory, 2014). Une étude a montré que 73 % des personnes qui se disent asexuelles n'ont jamais eu de relation sexuelle. La majorité d'entre elles (80 % des hommes et 77 % des femmes) disent se masturber, mais ne ressentent aucun intérêt pour une expression sexuelle à deux. Par ailleurs, une étude menée auprès de femmes qui s'identifiaient à une orientation asexuelle, bisexuelle, lesbienne ou hétérosexuelle a montré qu'une orientation asexuelle n'était pas liée au manque de réponse sexuelle. Quand elles écoutent et visionnent du matériel audiovisuel érotique, les femmes asexuelles vivent les mêmes expériences d'excitation sexuelle subjective et physiologique que celles des autres groupes de femmes (Brotto et Yule, 2011).

La bisexualité

Le terme *bisexuel* (ou *bi*) qualifie une personne qui est attirée par des hommes et des femmes, et qui peut établir des relations affectives ou sexuelles avec les uns comme avec les autres, mais pas nécessairement dans la même mesure ni parallèlement (Veltman et Chaimowitz, 2014). L'orientation des personnes qui se disent bisexuelles est souvent ignorée des autres parce que la perception dominante suppose qu'une personne est soit homosexuelle soit hétérosexuelle, conformément au sexe de son ou de sa partenaire de couple (Hartman-Linck, 2014 ; Plato, 2008).

La recherche sur la bisexualité est plutôt limitée, mais elle connaît tout de même une certaine croissance. Celle-ci est due en grande partie au soutien à la recherche universitaire et scientifique de l'American Institute of Bisexuality (Denizet-Lewis, 2014). Mais que peut nous dire la recherche actuelle sur la bisexualité ? Une étude menée auprès de sujets de sexe masculin a révélé que l'excitation sexuelle chez les hommes qui s'identifient à l'orientation bisexuelle est associée à un schéma tout à fait unique et particulier. L'étude a mesuré les réponses subjectives – dans quelle mesure le sujet ressentait de l'excitation – et érectiles chez des hommes bisexuels, homosexuels et hétérosexuels alors qu'ils visionnaient divers types de films érotiques. Ces vidéos présentaient des rapports sexuels entre deux hommes, entre un homme et une femme ainsi qu'entre une femme et deux hommes. Tel que prévu, les sujets homosexuels ont manifesté de l'excitation à la vue des rapports sexuels entre les deux hommes, et les hétérosexuels ont réagi en voyant des rapports sexuels entre l'homme et la femme. Quant aux hommes bisexuels, ils ont ressenti de l'excitation à la vue de ces deux types de vidéos, mais l'excitation mesurée lors du visionnement des ébats entre une femme et deux hommes était considérablement plus grande que celle mesurée chez les hommes homosexuels et hétérosexuels à la vue de cette même vidéo (Cerny et Janssen, 2011). Par ailleurs, une étude semblable est arrivée aux mêmes conclusions, et ce, tant chez les bisexuels de sexe féminin que chez ceux de sexe masculin (Rullo et coll., 2014).

En outre, une étude a montré une différence distincte entre les hommes et les femmes quant à leur orientation sexuelle et leur réaction génitale lorsqu'ils sont exposés aux vidéos. L'étude en laboratoire de Chivers et ses collaborateurs (2005) a permis d'observer les réactions d'excitation sexuelle physiques et subjectives chez des hommes et des femmes qui regardaient différentes scènes de films : des relations sexuelles hétérosexuelles, gaies et lesbiennes, un homme se masturbant, une femme se masturbant, puis des singes bonobos s'accouplant. Pendant le visionnement de chaque extrait, les sujets devaient évaluer leur niveau d'excitation subjective à l'aide d'un clavier. En même temps, les chercheurs mesuraient l'excitation génitale des participants (*voir le chapitre 1*). L'étude a montré que les femmes, peu importe leur orientation sexuelle déclarée, présentaient une excitation génitale variable devant chaque extrait, y compris celui des bonobos s'accouplant. Or, selon l'évaluation subjective de leur excitation, les femmes ont indiqué n'être excitées que par les scènes correspondant à l'orientation sexuelle qu'elles avaient déclarée : les hétérosexuelles se sont dites excitées uniquement par les scènes hétérosexuelles, et les lesbiennes, que par les scènes montrant deux femmes ensemble ou se masturbant. Par contre, les hommes gais et hétérosexuels se sont dits excités par les extraits qui les ont fait réagir physiquement. En outre, les sources d'excitation correspondaient à l'orientation sexuelle des hommes : les homosexuels n'ont été excités que par les interactions entre hommes, et les hétérosexuels ne l'ont été que par les scènes entre un homme et une femme et celles montrant deux femmes ensemble (Chivers et coll., 2005). Ces données concordent avec les résultats d'une autre étude canadienne sur ce qui pourrait s'appeler la *congruence psychophysiologique* de l'excitation sexuelle, c'est-à-dire le niveau de concordance entre ce que montrent les mesures d'excitation physiologiques et l'excitation sexuelle que disent ressentir les personnes. Cette concordance est plus marquée chez les hommes que chez les femmes (Suschinsky et Lalumière, 2012).

Les recherches menées auprès de personnes à fort appétit sexuel donnent à penser que chez ces dernières, l'expression de l'orientation sexuelle présente une grande variabilité. En effet, des données recueillies auprès de plus de 3600 sujets ont démontré que les femmes à forte libido qui se considèrent comme hétérosexuelles manifestent une attirance sexuelle accrue tant envers les hommes qu'envers les femmes. Plus grand est l'appétit sexuel de la femme, plus fortes sont les chances qu'elle ressente du désir pour les deux sexes. En revanche, une forte libido chez les hommes hétérosexuels ainsi que chez les femmes et les hommes homosexuels est associée à une attirance sexuelle accrue, mais uniquement pour l'un des deux sexes, selon leur préférence sexuelle. On observe les mêmes résultats dans tous les groupes d'âge ainsi que dans de nombreuses régions du monde, notamment l'Amérique latine, l'Australie, l'Inde et l'Europe occidentale (Lippa, 2006). De plus, les femmes qui se considèrent comme bisexuelles démontrent un intérêt plus marqué pour le visionnement et la possession de matériel pornographique que les femmes hétérosexuelles ou lesbiennes (Ogas et Gaddam, 2012).

Il arrive également que les personnes bisexuelles se montrent réticentes à dévoiler leur orientation sexuelle. Effectivement, seulement 27 % des personnes bisexuelles (33 % des femmes et 12 % des hommes) affirment que leurs proches sont au fait de leur orientation sexuelle, comparativement à 77 % des gais et à 71 % des lesbiennes (Pew Research, 2013). De plus, les bisexuels ont moins tendance que les homosexuels, hommes ou femmes, à informer leurs fournisseurs de soins de santé de leur orientation sexuelle (Movement Advancement Project, 2014).

Il s'avère que tant les hétérosexuels que les homosexuels portent parfois des jugements à l'égard des bisexuels. En réalité, ils se sentiraient plus à l'aise si les personnes bisexuelles *choisissaient* une seule orientation sexuelle (Baumgardner, 2008 ; Denizet-Lewis, 2014). Il pourrait

s'agir là de l'une des raisons qui expliqueraient pourquoi les femmes et les hommes bisexuels ont davantage tendance à cacher leur orientation sexuelle que les gais et les lesbiennes (Pew Research, 2013 ; Schrimshaw et coll., 2013). De plus, les femmes et les hommes homosexuels perçoivent parfois la personne bisexuelle comme une personne homosexuelle qui n'a pas le courage de s'afficher ouvertement comme tel (Movement Advancement Project, 2014). Les bisexuels peuvent avoir de la difficulté à accepter ces perceptions, comme en témoigne cette femme bisexuelle : « je sens que je n'ai plus ma place nulle part… je ne me sens pas suffisamment hétérosexuelle pour faire partie de ce groupe ni suffisamment gaie pour faire partie des homosexuels. Quel que soit le groupe, il est impossible pour moi de m'y sentir entière » (Levy, 2010, p. 66).

Une étude sur le sujet a comparé l'attitude des hétérosexuels à l'égard de la bisexualité. Les chercheurs ont découvert que les femmes hétérosexuelles font preuve de la même acceptation envers les femmes qu'envers les hommes bisexuels, mais les hommes hétérosexuels acceptent moins facilement les hommes bisexuels que les femmes de cette même orientation sexuelle. S'il s'avère que les hétérosexuels, tous sexes confondus, doutent de la crédibilité de la bisexualité, ce qu'ils pensent des hommes bisexuels, toutefois, est à l'opposé de ce qu'ils pensent des femmes bisexuelles. Règle générale, les hétérosexuels soutiennent que les hommes bisexuels sont en réalité des homosexuels, mais que les femmes bisexuelles sont en fait hétérosexuelles (Yost et Thomas, 2012).

La bisexualité performative

Pour la professeure Breanne Fahs, auteure du livre *Performing Sex: The Making and Unmaking of Women's Erotic Lives*, la femme qui se considère comme hétérosexuelle, mais qui a des rapports sexuels avec d'autres femmes dans le but de plaire et d'exciter un homme présente une *bisexualité performative*. La bisexualité performative signifie que la femme n'a pas de rapports sexuels avec une autre femme pour satisfaire un désir et un plaisir intrinsèques. Elle joue un rôle qui lui permet de paraître sexy et désirable aux yeux des hommes et pour réaliser le fantasme des hommes de voir deux femmes ayant un rapport sexuel ensemble.

La bisexualité performative est devenue si courante que certains hommes jugent qu'ils ont le droit d'exercer une pression sur leur partenaire pour la convaincre d'avoir des relations sexuelles avec d'autres femmes. Plus particulièrement, les jeunes femmes peuvent avoir l'impression que le fait d'avoir des rapports sexuels avec d'autres femmes correspond à l'image de la femme actuelle. Parmi les exemples de bisexualité performative, on peut mentionner les jeunes universitaires des films *Girls Gone Wild* qui s'embrassent, se caressent et ont des

Une étude a révélé que tant les femmes hétérosexuelles que les femmes homosexuelles ont ressenti une excitation génitale en regardant des vidéos de singes bonobos en train de copuler.

rapports sexuels oraux à la demande du réalisateur. La bisexualité performative peut également avoir lieu dans des espaces publics, notamment dans des fêtes universitaires, des bars, des boîtes de nuit, ou encore dans un contexte privé, soit à l'occasion de relations sexuelles de groupe ou de relations à trois entre deux femmes et un homme (Fahs, 2011).

QUESTION D'ANALYSE CRITIQUE

> La bisexualité performative est-elle une source de libération ou d'exploitation sexuelle pour les femmes ? Crée-t-elle de nouvelles possibilités pour les femmes d'explorer des expériences avec d'autres femmes ? Ou bien éloigne-t-elle les femmes de leur expression sexuelle authentique afin de satisfaire les intérêts sexuels des hommes hétérosexuels ?

L'homosexualité

Ma vie de jeune lesbienne a été très différente de celle des jeunes lesbiennes d'aujourd'hui. Dans le temps, personne de mon entourage ne parlait d'homosexualité et je sortais avec des garçons pour faire comme mes amies. J'avais la jeune trentaine lors de ma première expérience sexuelle avec une autre femme et, malgré le bonheur de cette rencontre, je ne me croyais pas lesbienne. Il m'a fallu encore plusieurs années avant de m'identifier comme telle et d'avoir des amis homosexuels autres que ma partenaire. Les lesbiennes d'aujourd'hui sont mieux renseignées et disposent de modèles positifs. Ça les aide à se comprendre et à s'accepter. Mais elles sont également la cible de la réaction conservatrice des opposants au mouvement gai. De mon temps, parce que l'homosexualité était taboue, les gens préféraient fermer les yeux, et ça

protégeait considérablement notre droit à l'intimité et à la vie privée. Nous n'avons jamais connu le harcèlement, la violence et l'activisme homophobe qu'on rencontre aujourd'hui. (Note des auteurs)

Plusieurs recherches ont tenté d'établir le pourcentage d'homme et de femmes qui sont homosexuels, mais les pourcentages varient selon les études. Le *National Survey of Family Growth* (NSFG) de 2011, se basant sur des entrevues réalisées auprès de 13 495 individus aux États-Unis âgés de 15 à 44 ans, a établi que 1,1 % des femmes et 1,7 % des hommes se disaient **lesbiennes** ou **gais**, respectivement. Un plus grand pourcentage de répondants ont connu au moins un contact sexuel avec une personne du même sexe, soit 13 % des femmes et 5,2 % des hommes (Chandra et coll., 2011).

Une orientation sexuelle homosexuelle renvoie à une personne qui éprouve une attirance affective ou sexuelle envers une personne de même sexe. Étant donné que ce terme renvoie au modèle médical, la plupart des personnes homosexuelles préfèrent les termes *gai*, *lesbienne* ou *queer* (Veltman et Chaimowitz, 2014). À l'origine, le mot *gai* était un mot de reconnaissance utilisé entre homosexuels et, dans l'usage populaire, il en est venu à désigner tant les femmes et les hommes homosexuels que les questions sociales et politiques relatives à l'orientation homosexuelle. Il a aussi été récupéré, surtout par les ados, qui l'emploient péjorativement dans des expressions du genre *C'est tellement gai !* (Caldwell, 2003 ; Charlebois, 2011). Les termes péjoratifs *pédé*, *fifi*, *fif*, *tapette*, *homo*, *gouine*, *fifine*, *butch* sont aussi traditionnellement utilisés en signe de mépris envers les homosexuels. Dans certaines sous-cultures gaies et lesbiennes, néanmoins, des personnes les emploient entre elles d'une façon complice et humoristique (Bryant et Demian, 1998).

Beaucoup d'hommes et de femmes non hétérosexuels nés après les années 1970 se disent eux-mêmes de la génération *queer* (ou génération Q) dans leur effort pour désamorcer la connotation négative du mot *queer* (mot anglais qui signifie *étrange*) et tenter d'estomper les frontières entre les sous-groupes d'hommes gais, de lesbiennes, de personnes bisexuelles et de toute une variété d'individus transgenres appartenant à la *nation « queer »*. L'acronyme LGBTQ (lesbienne, gai, bisexuel, transgenre et *queer*/en questionnement) s'utilise dans

Lesbienne　Se dit d'une femme qui éprouve une attirance physique et de l'affection envers une autre femme.

Gai　Se dit d'une personne, typiquement un homme, qui éprouve une attirance physique et de l'affection envers une personne du même sexe (ou genre).

les discussions sur les droits civiques pour désigner les personnes non hétérosexuelles (Vary, 2006).

Dans les recherches, on fait appel à plusieurs concepts pour mesurer l'orientation sexuelle : le comportement, l'attirance et l'auto-identification (l'identification par la personne elle-même). La plupart des enquêtes mesurent seulement une dimension de l'orientation sexuelle, ce qui explique en partie la variété et la variabilité des résultats (Beaulieu-Prévost et Fortin, 2015).

Au Canada, l'*Enquête sur la santé dans les collectivités canadiennes* (Statistique Canada, 2015a) constitue la première enquête de Statistique Canada à inclure une question utilisant le concept d'auto-identification de son orientation sexuelle. Selon les résultats, en 2014, 1,7 % des Canadiens âgés de 18 à 59 se sont déclarés homosexuels et 1,3 % se sont dits bisexuels. Selon les résultats de cette même enquête publiés en 2011, «environ 1,3 % des hommes se considéraient comme des homosexuels, soit près du double de la proportion des femmes (0,7 %). Cependant, 0,9 % des femmes se sont déclarées bisexuelles, une proportion légèrement supérieure à celle des hommes (0,6 %)» (Statistique Canada, 2011).

L'interprétation des données d'autres pays donne à penser que le nombre de personnes qui se déclarent homosexuelles est beaucoup plus faible que le nombre de personnes qui ont déclaré avoir eu des relations sexuelles avec une personne du même sexe. Cependant, les personnes sont plus enclines à répondre à des questions portant sur l'identité plutôt que sur le comportement (Statistique Canada, 2015b).

Par ailleurs, pour ce qui est des jeunes, l'étude du Conseil des ministres de l'Éducation du Canada sur les jeunes, la santé sexuelle, le VIH et le sida au Canada révèle que, parmi les élèves de 1re, 3e et 5e secondaire, moins de 3 % répondent qu'ils sont attirés par des personnes de leur sexe. D'autre part, 9 % des élèves de 1re secondaire et moins de 2 % des élèves de 3e et 5e secondaire déclarent n'être attirés ni par un sexe ni par l'autre (CMEC, 2003).

Qu'est-ce qui détermine l'orientation sexuelle ?

La croyance préjudiciable voulant que l'hétérosexualité soit *correcte* et l'homosexualité *mauvaise* a malheureusement influencé les recherches sur les causes de l'homosexualité. On a échafaudé de nombreuses théories pour tenter d'expliquer les origines de l'orientation sexuelle, particulièrement celles de l'homosexualité. Force est de constater que les résultats des recherches sont souvent contradictoires et qu'il n'existe pas, à ce jour, de consensus scientifique sur cette question. Cette incertitude serait largement attribuable aux facteurs physiologiques et environnementaux qui accompagnent le développement de l'orientation sexuelle de chaque personne (Jannini et coll., 2010b). Dans les pages qui suivent, nous présentons quelques théories courantes sur les causes de l'homosexualité et plusieurs recherches qui tentent de comprendre les facteurs biologiques influant sur l'orientation sexuelle.

Les théories psychosociales

Les théories psychosociales sur le développement de l'orientation homosexuelle prennent en compte des expériences de vie, des modèles parentaux ou des attributs psychologiques individuels. Le chercheur Alan Bell et ses collaborateurs (1981) ont mené l'étude la plus complète à ce jour sur le développement de l'orientation sexuelle. Ils ont analysé les données recueillies au sein d'un échantillon de 979 femmes et hommes homosexuels qu'ils ont jumelé à un groupe témoin de 477 personnes hétérosexuelles. Dans le cadre d'entrevues en tête-à-tête d'une durée de quatre heures, tous les sujets ont été interrogés sur leur enfance, leur adolescence et leurs habitudes sexuelles. Les chercheurs ont ensuite eu recours à des méthodes statistiques poussées pour analyser les causes possibles du développement de l'homosexualité ou de l'hétérosexualité. L'étude de Bell vient éclairer et contredire de nombreuses conceptions erronées sur l'homosexualité. C'est pourquoi, dans la section suivante, nous citons fréquemment cette recherche en raison de son excellente méthodologie, et ce, même si nous reconnaissons des limites quant à la généralisation des résultats compte tenu des facteurs sociaux et du contexte historique.

Le mythe du choix par défaut

Certains croient que les expériences hétérosexuelles malheureuses peuvent rendre une personne homosexuelle. Contrairement à ce mythe, les données indiquent que l'orientation homosexuelle ne témoigne ni d'un manque d'expérience hétérosexuelle ni d'un bagage d'expériences hétérosexuelles décevantes (Bell et coll., 1981). Bell et ses collaborateurs ont découvert que les sujets homosexuels avaient eu autant de fréquentations durant l'école secondaire que les sujets hétérosexuels. Toutefois, peu de sujets homosexuels ont déclaré avoir apprécié leurs fréquentations hétérosexuelles.

Le mythe de la séduction

Certains croient que les jeunes femmes et les jeunes hommes deviennent homosexuels parce qu'ils ont été séduits par des personnes homosexuelles plus âgées, ou qu'ils ont été *convertis* par quelqu'un d'autre, généralement une enseignante ou un enseignant que l'élève aime et respecte ou un parent d'une famille homoparentale. Cependant, la recherche déboulonne cette croyance en montrant que l'orientation sexuelle est le plus souvent établie avant l'âge scolaire et que la plupart des homosexuels ont leurs premières expériences sexuelles avec quelqu'un de leur propre groupe d'âge (Bell et coll., 1981). En outre, la plupart des gais et lesbiennes se sont identifiés comme homosexuels avant leur premier contact sexuel avec une personne du même sexe (Calzo et coll., 2011).

La théorie psychanalytique de Freud

Une autre théorie répandue a trait à certains modèles d'influence familiale. La théorie psychanalytique met en cause à la fois les expériences de l'enfance et les relations avec les parents: Sigmund Freud (1905 [2000]) soutenait que la relation avec le père et la mère était cruciale à cet effet. Il croyait que dans un développement normal, chaque personne passe par une phase *homoérotique*. Il alléguait que les garçons peuvent faire une fixation durant cette phase homosexuelle s'ils ont une piètre relation avec leur père et une relation excessivement étroite avec leur mère; la même chose pourrait arriver à une fille si elle développait l'envie du pénis (Black, 1994). Or, des hommes gais comme hétérosexuels ont connu à l'occasion cette dynamique familiale au cours de leur enfance, et de nombreux homosexuels ne l'ont jamais expérimentée. Bell et ses collaborateurs (1981) en concluent que, malgré certains témoignages suggérant que l'homosexualité masculine puisse être dans certains cas liée à une relation père-fils déficiente, aucun phénomène particulier de la vie familiale ne permettait à lui seul d'expliquer le développement homosexuel ou hétérosexuel. Leurs résultats furent corroborés par une autre étude (Epstein, 2006).

Les théories biologiques

Malgré les nombreuses recherches qui se sont penchées au fil des ans sur de possibles facteurs biologiques qui contribueraient à l'homosexualité, les résultats concernant cette dimension demeurent contradictoires. À ce jour, aucune réponse scientifique ne peut être considérée comme définitive. Il est tout à fait plausible qu'un mode comportemental aussi complexe et variable que l'orientation sexuelle, et particulièrement l'homosexualité, ne puisse découler d'une seule et simple cause biologique (Schwartz, 2008). En fait, comme nous l'avons

mentionné plus haut, les chercheurs semblent en désaccord sur les caractéristiques qui définissent et qui distinguent les orientations sexuelles. Nous en présentons quelques exemples dans l'encadré *Pleins feux sur la recherche* à la page suivante.

L'hypothèse génétique

Les chercheurs mènent souvent des études sur des jumeaux pour tenter de mieux comprendre les influences relatives de l'environnement (culture) et de l'hérédité (nature) sur les comportements. Les vrais jumeaux (homozygotes) sont issus d'un seul et même ovule fécondé, qui se divise en deux fœtus dont le code génétique est identique. Par conséquent, toute différence entre eux devrait découler de facteurs environnementaux. Pour leur part, les faux jumeaux (hétérozygotes) sont issus de la fécondation de deux ovules. Leurs codes génétiques ne présentent donc pas plus de similitudes entre eux qu'avec celui de n'importe quel autre frère ou sœur. Les différences physiques et comportementales entre les faux jumeaux peuvent donc être attribuables à des facteurs génétiques, à des facteurs environnementaux ou à une combinaison des deux. Lorsqu'une caractéristique commune est plus marquée chez les vrais jumeaux (elle est dite *concordante*) que chez de faux jumeaux de même sexe, on peut présumer de la présence d'un solide fondement génétique. Inversement, quand une caractéristique présente un degré de concordance comparable chez les deux types de jumeaux, on peut raisonnablement penser que la culture exerce davantage d'influence.

C'est en Australie qu'a été menée une des plus grandes études sur les jumeaux (Bailey et coll., 2000). Plus de 1500 paires de vrais et de faux jumeaux de même sexe en ont fait partie. Chaque participant a rempli un questionnaire anonyme comportant de grandes sections sur la sexualité, y compris des questions sur l'orientation sexuelle. En se fondant sur un critère strict pour définir l'orientation sexuelle, les chercheurs ont relevé des taux de concordance (le pourcentage de jumeaux qui sont tous deux homosexuels) de 20 % chez les vrais jumeaux masculins et de 0 % chez les faux jumeaux. Chez les femmes, les taux de concordance correspondants étaient de 24 % chez les vraies jumelles et de 10,5 % chez les autres (Bailey et coll., 2000). Bien qu'il n'y ait pas de concordance d'orientation sexuelle chez 80 % des vrais jumeaux et 76 % des vraies jumelles, le taux plus élevé de concordance observé chez les vrais jumeaux appuie fortement la thèse d'une probable contribution génétique dans l'orientation sexuelle. Deux autres études qui ont utilisé des critères plus larges pour définir l'homosexualité ont rapporté des taux de concordance plus importants parmi les jumeaux identiques chez les hommes et les femmes (52 % et 48 %, respectivement)

PLEINS FEUX SUR LA RECHERCHE

La frontière entre l'hétérosexualité et l'homosexualité

Idéalement, toutes les recherches portant sur l'orientation sexuelle devraient utiliser les mêmes paramètres pour catégoriser les participants selon qu'ils sont homosexuels, bisexuels ou hétérosexuels. Si l'on employait des paramètres identiques, il serait possible de procéder à une comparaison rigoureuse des résultats obtenus et de s'en servir pour poursuivre les recherches. Malheureusement, dans les faits, il y a énormément de variations dans les études portant sur les caractéristiques des individus se réclamant d'une orientation sexuelle donnée (Jordan-Young, 2010).

La figure 5.2 illustre l'échelle de Kinsey et montre à quel point les chercheurs classent différemment leurs sujets selon leur orientation sexuelle.

Comme vous pouvez le remarquer, les personnes considérées comme hétérosexuelles varient d'une hétérosexualité exclusive (depuis toujours) pratiquement jusqu'à la parité entre les sexes quant à l'attirance, au comportement et à l'identité du moi. En revanche, l'éventail de critères servant à classer les sujets dans la catégorie *bisexualité/homosexualité* est bien plus large. D'ailleurs, dans l'étude de Gastaud, toute personne qui n'a pas toujours été exclusivement hétérosexuelle est classée dans cette catégorie. On constate également dans ce graphique que certaines études excluent de la catégorie *homosexualité* les personnes qui se considèrent comme homosexuelles, mais dont les fantasmes et le comportement sexuel n'ont pas toujours été les mêmes depuis la puberté. Or, le choix de ce critère a pour effet d'éliminer « la majorité des femmes qui se considèrent comme homosexuelles et de nombreux hommes gais qui participent à des études sur l'orientation sexuelle » (Jordan-Young, 2010, p. 172).

Par ailleurs, lorsque vous lirez sur le sujet, il est important que vous gardiez à l'esprit que les résultats obtenus lors de recherches portant sur l'orientation sexuelle ne sont pas tous établis à partir des mêmes critères d'inclusion lors de la constitution des groupes de recherche composés d'homosexuels, de bisexuels ou d'hétérosexuels. La conséquence la plus importante d'une telle disparité sur le plan des catégories établies en fonction de l'orientation sexuelle est que, bien souvent, ces catégories présentent des écarts extrêmes entre les paramètres analysés par les chercheurs. Par conséquent, les différences mises en relief entre les groupes de sujets tendent à l'exagération (Jordan-Young, 2010).

FIGURE 5.2 ▶ **Quelques sujets classés selon le score de Kinsey**

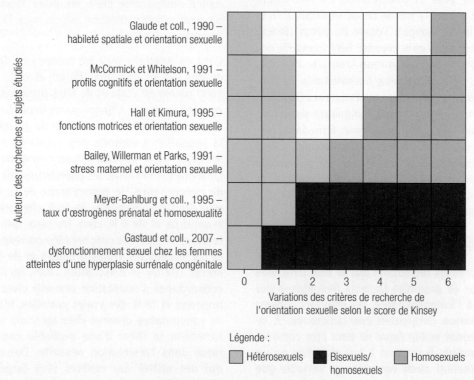

Source : Traduit et adapté de Jordan-Young, 2010.

comparativement aux faux jumeaux chez les hommes et les femmes avec 22 % et 16 % de concordance (Bailey et coll., 1991, 1993).

L'hypothèse de la non-conformité de genre

La non-conformité de genre est le degré de différenciation par rapport aux caractéristiques masculine et féminine stéréotypées de l'expression de son identité de genre, par exemple, l'habillement, le comportement, les attitudes, le langage, la voix ou les activités que manifeste une personne durant l'enfance. Le fort lien entre l'homosexualité à l'âge adulte et le genre non conforme durant l'enfance vient aussi étayer la thèse d'une prédisposition biologique à l'homosexualité (Bailey et coll., 2000 ; Ellis et coll., 2005). La plupart des recherches à cette fin reposent sur les souvenirs des répondants et visent à vérifier dans quelle mesure ils étaient masculins ou féminins durant leur enfance et à quel point ils appréciaient les activités traditionnellement associées aux garçons et aux filles. Comme l'exactitude des souvenirs d'enfance peut être discutable, une étude récente s'est plutôt appuyée sur des vidéos de bébés et d'enfants de 15 ans et moins. Sans connaître l'orientation sexuelle des adultes dont ils visionnaient les vidéos d'enfance, les chercheurs ont évalué la conformité ou la non-conformité aux stéréotypes de genre des enfants. Les résultats montrent une plus grande non-conformité de genre durant l'enfance chez les personnes homosexuelles que chez les personnes hétérosexuelles (Rieger et coll., 2008). Cette hypothèse se base sur la présomption que l'expression non conforme de genre chez l'enfant est influencée par son tempérament, un aspect inné. Elle a été fortement critiquée puisque le modèle sous-entend que si nous pouvons changer la nature du comportement de l'enfant pour être plus conforme, nous pouvons aussi influer sur son orientation sexuelle. Les psychologues s'entendent pour reconnaître que ce modèle est très peu plausible (LeVay, 2010).

L'hypothèse des différences neurologiques

Les recherches utilisant les technologies de scintigraphie cérébrale, d'imagerie par résonance magnétique (IRM) ou de tomographie par émission de positrons (TEP) montrent généralement des différences entre les hommes et les femmes dans les aires du cerveau liées à l'expression des émotions et aux habiletés verbales. Une étude suédoise, publiée en 2008, a eu recours à la scintigraphie cérébrale pour comparer ces aires chez des sujets homosexuels et hétérosexuels. Les chercheurs ont trouvé des caractéristiques sexuées atypiques chez les sujets homosexuels. Les structures cérébrales liées au langage et à l'expression des émotions étaient semblables chez les hommes homosexuels et les femmes hétérosexuelles. Dans une moindre mesure, les mêmes aires cérébrales des lesbiennes présentaient des similitudes avec celles des hommes hétérosexuels. Ces résultats indiquent des différences importantes selon l'orientation sexuelle au niveau des structures et des fonctions du cerveau adulte.

Les chercheurs concluent que ces résultats ne peuvent être imputés principalement à l'apprentissage, et ils avancent l'hypothèse qu'un lien génétique influerait sur les dimensions neurobiologiques de l'orientation sexuelle (Savic et Lindstrom, 2008). En outre, d'autres études ont démontré que les réactions cérébrales aux odeurs dégagées par les stéroïdes sexuels diffèrent selon que les participants sont des homosexuels ou des hétérosexuels des deux sexes, et que ces résultats sont congruents quant à leur orientation sexuelle (Savic et coll., 2005 ; Zhou et coll., 2014).

Les différents résultats entre les hommes et les femmes homosexuels

Des facteurs biologiques affecteraient différemment les hommes et les femmes. Le déclenchement de la puberté ne se produit pas au même âge chez les lesbiennes que chez les gais et les hommes bisexuels. Dans la population en général, la puberté s'amorce 12 mois plus tard chez les garçons que chez les filles. Cependant, un certain nombre d'études ont établi que la puberté survient plus rapidement chez les hommes gais et bisexuels que parmi la population hétérosexuelle, mais à peu près au même âge dans le cas des femmes lesbiennes et hétérosexuelles (Bogaert et coll., 2002).

Certaines recherches ont relevé une corrélation entre l'homosexualité et le fait d'avoir des frères ou des sœurs aînés chez les hommes, mais pas chez les femmes. Statistiquement parlant, les hommes qui ont des frères plus âgés sont nettement plus susceptibles d'être homosexuels, et chaque frère plus âgé accroît cette probabilité. On n'observe pas de tels liens avec les aînés des deux sexes du côté des femmes lesbiennes. Les chercheurs formulent l'hypothèse qu'une réaction immunitaire maternelle surviendrait de plus en plus fortement à chacune des grossesses d'un fœtus masculin, et que cette réaction immunitaire influerait sur la différenciation sexuelle prénatale du cerveau (Bogaert, 2005 ; Schagen et coll., 2011). Cependant, la plupart des études excluent les participants volontaires qui s'identifient comme gais ou hétérosexuels, mais qui ne répondent pas aux critères de l'étude, qui exigent des fantasmes ou des comportements constants de la part des sujets. Pour

Non-conformité de genre Manière d'être d'une personne qui ne se conforme pas aux normes de la société quant à l'expression de genre fondée sur le système binaire ainsi que sur le système social structuré en fonction des sexes masculin et féminin.

cette raison, une étude a dû rejeter 33 % des participants (Jordan-Young, 2010). En outre, une recherche ultérieure réalisée à partir d'un échantillon national américain représentatif, comptant dix fois plus d'hommes et de femmes que les échantillons d'autres études, n'a pas permis d'établir de corrélation statistiquement importante entre l'homosexualité masculine et la présence de frères plus âgés. Ces résultats viennent donc remettre en question les conclusions précédemment avancées (Francis, 2008).

En conclusion, l'hypothèse avancée par certains chercheurs quant à une prédisposition pour l'homosexualité demeure difficile à valider, et les études empiriques réalisées jusqu'à maintenant comportent d'importants problèmes méthodologiques. La recherche sur les causes de l'homosexualité demeure donc extrêmement laborieuse. Au lieu de penser que l'orientation sexuelle s'explique par une seule cause, il conviendrait plutôt de considérer les orientations sexuelles comme le produit de l'interaction de divers facteurs biologiques, environnementaux, culturels et historiques propres à chaque personne et fluctuant au cours de la vie. Comme le précise la chercheuse Lisa Diamond, l'attirance et les émotions sexuelles – comme tous les modèles complexes de l'expérience humaine – sont les fruits d'échanges incessants entre des facteurs biologiques, environnementaux et culturels (2008).

Les conséquences d'une explication biologique

L'idée que l'homosexualité est innée est-elle très répandue dans la population? Un sondage Gallup de 2014 révèle qu'environ 42 % des gens le pensent, comparativement à 37 % qui croient que l'environnement et l'acquis seraient en cause (McCarthy, 2014). Les indices donnant à penser que l'homosexualité serait de nature biologique soulèvent d'importantes questions d'ordre politique et éthique. On peut en effet se demander si l'homosexualité serait plus facilement acceptée si on découvrait qu'elle repose hors de tout doute sur un fondement biologique. Serait-elle alors étiquetée comme un trouble qu'on tenterait de prévenir au moyen de traitements médicaux pour inhiber ou corriger les facteurs susceptibles d'y contribuer avant ou après la naissance? Selon une recherche récente, les personnes croyant que les homosexuels sont nés ainsi ont à leur égard des sentiments plus positifs et les soutiennent davantage dans leurs demandes relatives aux droits civils, à l'union civile et au mariage entre conjoints de même sexe que les personnes qui pensent que l'homosexualité est acquise ou qu'elle relève d'un choix personnel (Jones, 2011).

Les attitudes sociétales

Les attitudes sociétales à l'égard de l'homosexualité varient considérablement dans le monde. Comme nous l'apprend l'encadré *Les uns et les autres*, la plupart des sociétés admettent au moins certaines manifestations d'homosexualité.

Le judéo-christianisme et l'homosexualité

La tradition judéo-chrétienne dans laquelle baigne la culture nord-américaine a toujours porté un regard négatif sur l'homosexualité. Du moins si l'on fait exception de cas présentés comme des couples homosexuels qui ont été sanctifiés par la suite. Quoique cela soit impossible à vérifier, l'historien John Boswell (1996), souvent cité dans la communauté homosexuelle, se base notamment sur l'iconographie et présente les martyrs saint Serge et saint Bacchus comme formant un couple. Beaucoup de spécialistes des religions croient que la condamnation des contacts sexuels entre partenaires de même sexe a connu une recrudescence au VIIe siècle avant notre ère à l'occasion d'un mouvement de réforme entrepris par des dirigeants religieux juifs désireux de créer une communauté distincte, fermée, en marge des autres groupes de l'époque. Les activités sexuelles entre personnes du même sexe faisaient alors partie des pratiques religieuses de nombreux peuples, et le rejet de ces pratiques était une façon de distinguer la religion juive (Fone, 2000; Kosnik et coll., 1977). Dans l'Ancien Testament, on relate le sort de deux villes, Sodome et Gomorrhe, où les hommes se livraient à des activités homosexuelles. Le mot *sodomie* désignant la pénétration anale provient du nom d'une de ces villes. Selon le texte biblique, Dieu détruisit par le feu du ciel ces villes pour en éliminer ce péché (Dawkings, 2006). L'Ancien Testament sert d'ailleurs de sérieux avertissements à ce sujet: «Tu ne t'uniras pas avec un homme comme on le fait avec une femme. C'est une horreur» (Lv 18,22). (Le Lévitique interdit également de manger des crustacés [Lv 11,10] ou, pour un homme, de couper ses cheveux [Lv 19,27].) De nos jours, la position de leur religion sur l'homosexualité divise les juifs (Teibel, 2012). La réforme du judaïsme a autorisé les mariages entre conjoints de même sexe en 2000, et les leaders religieux conservateurs sont en train de réévaluer leur opposition traditionnelle à ce type d'union et à la nomination de rabbins ouvertement homosexuels (Friess, 2003).

LES UNS ET LES AUTRES

Une perspective interculturelle sur l'homosexualité

Les attitudes envers l'homosexualité varient considérablement d'une culture à l'autre. Nombre d'études sur d'autres cultures, incluant des cultures anciennes, ont montré une large acceptation des comportements sexuels entre personnes du même sexe. Par exemple, dans la Grèce antique, les relations sexuelles entre des hommes étaient considérées comme l'expression d'un amour de niveaux intellectuel et spirituel supérieurs, tandis que les relations sexuelles avec des femmes offraient des avantages plus pratiques tels que les enfants et la cellule familiale. Autre exemple, au milieu du XXe siècle plus de la moitié des 225 tribus autochtones aux États-Unis acceptaient l'homosexualité masculine et 17 % l'homosexualité féminine (Pomeroy, 1965).

Certaines sociétés exigent que leurs membres s'adonnent à des activités sexuelles avec les personnes du même sexe. Ainsi, jusqu'à récemment, tous les hommes de la société sambia, établie dans les montagnes de Nouvelle-Guinée, avaient des activités exclusivement avec d'autres hommes à partir de l'âge de 7 ans environ jusqu'au début de la vingtaine, l'âge du mariage (Bering, 2013). Les Sambias croyaient que, pour devenir un redoutable guerrier et un bon chasseur, un garçon prépubère devait boire autant de sperme que possible du pénis de garçons postpubères. À partir de la puberté, un garçon ne devait plus faire de fellation, mais pouvait goûter au plaisir de la recevoir de ceux qui ne pouvaient pas encore éjaculer. Dès le début de leur vie érotique et durant leurs années de puissance orgasmique maximale, les jeunes hommes jouissaient assidûment et obligatoirement d'activités sexuelles avec d'autres hommes encore plus jeunes qu'eux. Durant cette période, regarder ou toucher une femme était tabou. Or, à mesure qu'approchait l'âge du mariage, ces jeunes avaient de puissants rêves éveillés de nature érotique à propos des femmes. Durant les premières semaines du mariage, la fellation demeurait la seule activité sexuelle du couple, à laquelle s'ajoutait ensuite le coït. Une fois mariés, les hommes cessaient toute activité avec des hommes et montraient beaucoup de désir sexuel pour les femmes ; ils n'avaient dès lors et jusqu'à la fin de leur vie que des activités sexuelles avec des femmes (Breton, 1994 ; Stoller et Herdt, 1985).

Au sein de la tribu afghane des Pachtounes, toutefois, la définition de l'orientation sexuelle n'a pratiquement aucun lien avec le comportement sexuel des individus. D'ailleurs, les équipes de recherche des forces armées américaines et britanniques ont récemment fait état de la longue tradition culturelle selon laquelle les hommes pachtounes entretiennent principalement des relations sexuelles avec des garçons prépubères ainsi qu'avec d'autres hommes adultes. Cependant, même les hommes qui ont eu des rapports sexuels uniquement avec d'autres hommes ne se considèrent pas comme des homosexuels, pas plus que leurs partenaires. Dans cette culture musulmane, l'homosexualité est définie de façon très étroite comme étant l'amour qu'un homme ressent à l'égard d'un autre homme et non la satisfaction sexuelle auprès d'un autre homme. Dans l'Islam, l'homosexualité constitue un péché extrêmement grave et l'identification homosexuelle peut être une question de vie ou de mort (Cardinalli, 2011).

Alors que dans certains pays, les comportements sexuels avec un individu du même sexe sont acceptés ou ne sont pas considérés comme de l'homosexualité, dans d'autres, les droits fondamentaux des gais et des lesbiennes sont fréquemment bafoués (Clark, 2014). En effet, l'homosexualité est illégale dans 78 pays et passible de la peine de mort dans cinq d'entre eux, soit l'Iran, la Mauritanie, l'Arabie saoudite, le Soudan et le Yémen, de même que dans certaines régions du Nigeria et de la Somalie (Bruce-Jones et Itaborahy, 2011 ; Taylor, 2013 ; International Gay and Lesbian Human Rights Commission, 2014). Entre la révolution islamique de 1979 qui s'est déroulée en Iran et l'année 2011, le gouvernement a exécuté 4000 personnes accusées de s'être livrées à des actes homosexuels (Shah, 2011). En outre, l'État islamique, une organisation djihadiste présente en Iraq et en Syrie, condamne à la mort les personnes qui ont des relations homosexuelles (Trimel, 2014). La plupart des pays d'Afrique, plusieurs pays asiatiques, la Russie ainsi que les pays de l'Europe orientale et de l'Europe centrale sont des régions qui désapprouvent fortement l'homosexualité (Smith et coll., 2014). Dans certains pays où la peine de mort a été abolie, un sort terrible est réservé aux homosexuels quand on évoque, par exemple, le *nettoyage social* par des escadrons de la mort en Colombie, les cliniques illégales en Équateur où l'on emploie la violence physique et psychologique pour *guérir* l'homosexualité, la persécution des homosexuels et des défenseurs des droits des personnes atteintes du sida dans de nombreux pays, etc. (Luongo, 2007 ; Romo, 2012 ; Samuels, 2008).

À Cuba, durant les 35 premières années de la révolution communiste, les gais et lesbiennes étaient considérés comme des contre-révolutionnaires déviants, exclus du Parti communiste et des emplois dans la fonction publique et les universités. Certains ont été envoyés dans des camps de travail. En 1992, le chef d'État cubain de l'époque, Fidel Castro, a taxé cette homophobie de la première heure d'attitude machiste invétérée. Sa nièce, Mariela Castro, a joué un rôle clé au sein d'un organisme gouvernemental dans la promotion d'une meilleure acceptation des personnes homosexuelles et transgenres. On peut interpréter comme la conséquence heureuse des efforts entrepris depuis cette époque le fait qu'en 2008, Cuba ait adopté une résolution permettant aux individus transgenres d'avoir recours gratuitement à l'opération de réassignation sexuelle (Rowe, 2009).

En outre, ces dernières années ont été le théâtre d'une nouvelle vague de criminalisation de la *propagande homosexuelle*, émergeant d'abord en Russie en 2006. À ce jour, ces nouvelles lois ont été adoptées en Algérie, en Lituanie, au Nigeria, au Burundi, au Cameroun, en Ouganda et en Russie, et des débats portant sur cette question ont lieu dans d'autres pays (Envisioning Global LGBT Human Rights, 2015).

En décembre 2013, la Cour suprême indienne a renversé une loi de 2009, réinstituant une loi de l'époque coloniale criminalisant l'homosexualité (Envisioning Global LGBT Human Rights, 2015). Sur le contenant africain, en 2014, le Nigeria a criminalisé le mariage entre personnes de même sexe, et celles-ci sont désormais passibles d'une peine de 14 ans d'emprisonnement. Ce pays interdit également la tenue de toute annonce et de tout rassemblement dans des lieux fréquentés par des personnes gaies, tels que les boîtes de nuit ainsi que les sociétés et les organisations militant pour la défense des homosexuels (Envisioning Global LGBT Human Rights, 2015). La même année, le président de la Gambie a modifié le Code criminel, qui prévoit désormais un délit d'*homosexualité aggravée* passible d'emprisonnement à vie. Un cas d'homosexualité est dit aggravé s'il comprend des infractions répétées, comme dans le cas d'une relation intime avec une personne du même sexe (Envisioning Global LGBT Human Rights, 2015).

Depuis 2015, le Malawi impose une sanction pénale d'emprisonnement de cinq ans ou une amende pour tout mariage célébré entre conjoints de même sexe, sachant qu'il ne se conforme pas à la loi (Envisioning Global LGBT Human Rights, 2015).

Dans la région des Caraïbes, malgré les contestations judiciaires visant les lois pénalisant l'homosexualité au Bélize, en Jamaïque et à Trinidad et Tobago, les personnes LGBT sont la cible d'une grande hostilité. Tous les pays anglophones de la région maintiennent leurs lois criminalisant une activité sexuelle entre adultes consentants de même sexe (Envisioning Global LGBT Human Rights, 2015).

En terminant, précisons que l'homosexualité masculine est plus largement passible de sanctions dans les pays islamiques et les pays africains que ne l'est l'homosexualité féminine. La moitié de ces pays ne considérerait pas cette dernière comme illégale. Le cas de l'Île Maurice en est un bon exemple ; le mariage entre hommes est illégal, mais pas celui entre femmes. De plus, un article de loi y associe la sodomie à la bestialité (Bruce-Jones et Itaborahy, 2011).

Dans d'autres pays, par contre, la situation est tout autre, alors que les droits protégeant les personnes gaies, lesbiennes et bisexuelles prennent plus d'ampleur. En 2016, le mariage entre deux personnes de même sexe avait été légalisé dans 23 pays (Pew Research Center, 2015). Par ailleurs, en 2011, le Conseil des droits de l'homme de l'Organisation des Nations unies a adopté une résolution appelant au respect des droits de la personne selon l'orientation et l'identité de genre afin de protéger les minorités sexuelles contre la violence et la discrimination dans le monde entier.

Le gouvernement russe a retiré le iPhone géant d'une rue à Saint-Pétersbourg après que Tim Cook, directeur général d'Apple, eut déclaré qu'il était gai.

jusqu'en 1969, année où l'on a retiré du Code criminel canadien les dispositions relatives à la criminalisation des relations sexuelles entre personnes de même sexe (Schabas, 1995). À travers l'histoire occidentale, on trouve même des pays où l'homosexualité entraînait la torture, voire la peine de mort.

Les positions théologiques actuelles sur l'homosexualité témoignent d'une vaste diversité d'opinions parmi les Églises chrétiennes (Haffner, 2004). Selon une enquête effectuée en 2014, 50 % de la population étasunienne affirment que l'homosexualité est un péché (Pew Research, 2014). Les positions diffèrent selon les confessions et selon les groupes d'une même confession. Dans plusieurs religions traditionnelles, des groupes militent pour que leur Église accepte gais et lesbiennes au sein de leur clergé, mais les fondamentalistes s'y opposent. Les conflits entre ces deux points de vue vont probablement s'intensifier à mesure que les Églises tenteront d'établir des positions claires sur l'homosexualité, surtout que les jeunes croyants acceptent mieux l'homosexualité que leurs aînés.

Historiquement, les lois interdisant les comportements homosexuels découlaient des interdits bibliques et prévoyaient des peines extrêmement sévères pouvant aller jusqu'à l'emprisonnement. C'était le cas au Canada

La plupart des Églises protestantes d'importance au Canada admettent l'ordination des gais et des lesbiennes. L'Église unitarienne universaliste a été parmi les premières à adopter une politique d'ouverture à l'égard des gais et lesbiennes et à se doter d'une politique officielle qui reconnaît la légitimité de leurs relations. De ce groupe d'Églises, seule l'Église unie du Canada, après un long et déchirant débat, a fini par accepter que des homosexuels qui ont une vie sexuelle fassent partie du clergé. Toutes les autres confessions exigent, du moins dans leur politique officielle, que les gais et lesbiennes ne puissent devenir membres du clergé que s'ils sont célibataires. Dans l'Église catholique romaine, où le célibat est de rigueur, seuls les hommes ont accès à la prêtrise, indépendamment de leur orientation sexuelle, et le mariage gai n'est pas reconnu.

QUESTION D'ANALYSE CRITIQUE

›Comment vos croyances religieuses ou autres valeurs influencent-elles votre attitude à l'égard de l'homosexualité ?

Du péché à la maladie

Durant des siècles, la pensée judéo-chrétienne dominante en Occident a étroitement associé les notions de péché et de maladie. L'idée était que Dieu avait créé un monde parfait et que les maladies ne pouvaient être que le fait du diable, celui qui répand le Mal (d'où le mot *maladie*). Être vertueux, c'est-à-dire hétérosexuel, n'avoir des relations sexuelles que pour la procréation et qu'à l'intérieur du mariage, garantissait la santé ; au contraire, pécher entraînait la maladie (Comfort, 1967). Cette conception persiste encore chez les fondamentalistes religieux américains qui croient et enseignent que le sida est une punition que Dieu inflige aux homosexuels (Dawkings, 2006).

La première moitié du XXᵉ siècle a été marquée par des changements de l'attitude sociétale envers l'homosexualité. Considérés auparavant comme pécheurs, les homosexuels ont alors été perçus, dans une certaine mesure, comme des malades mentaux. Médecins et psychologues ont usé de traitements draconiens pour tenter de guérir la *maladie* de l'homosexualité. Au XIXᵉ siècle, on procédait à des opérations chirurgicales comme la castration pour l'éliminer. Jusqu'en 1951, on a eu recours à la lobotomie (chirurgie consistant à sectionner des fibres nerveuses du lobe frontal du cerveau) pour *guérir* les homosexuels. La psychothérapie, les électrochocs, les médicaments, les hormones, l'hypnose, les thérapies aversives (association de stimuli homosexuels avec l'administration de décharges électriques ou de vomitifs) ont tous été utilisés à cette même fin (Murphy, 2008).

En 1973, après d'importants débats internes, l'Association américaine de psychiatrie a rayé l'homosexualité de la liste des troubles mentaux du DSM-III. Faisant écho aux recherches contemporaines sur l'homosexualité infirmant l'idée que l'homosexualité est une maladie mentale – et parce que ni l'Association américaine de psychiatrie ni l'Association américaine des psychologues avaient cessé de la classer parmi les maladies mentales –, la plupart des thérapeutes ont progressivement changé leur type d'intervention auprès de cette clientèle. Ceux-ci offrent désormais aux personnes homosexuelles une thérapie appelée *thérapie d'affirmation de son homosexualité* pour les aider à surmonter les attitudes négatives et les sentiments internalisés que peuvent éprouver les gais ou les lesbiennes. Cette thérapie les aide aussi à mieux vivre dans une société qui leur encore est passablement hostile et elle ne cherche plus à les guérir en changeant leur orientation sexuelle (American Psychological Association, 2012 ; Bolton et Sareen, 2011 ; Gonzales, 2014).

Il est reconnu, par exemple, que les individus des minorités sexuelles internalisent des attitudes négatives (homophobie intériorisée, une notion que nous aborderons plus loin dans ce chapitre). Chez les hommes gais et bisexuels, ces attitudes négatives constituent d'importants facteurs de risques de problèmes de santé mentale (Meyer, 2013), de comportements sexuels à risque et de toxicomanie (Hatzenbuehler et coll., 2011 ; Newcomb et Mustanski, 2011).

Quelques praticiens en santé mentale et des groupes religieux convaincus que l'homosexualité est un symptôme d'un développement défectueux ou de faiblesses spirituelles ou morales continuent toutefois d'offrir des **thérapies réparatrices (ou thérapies de conversion)** pour aider les personnes homosexuelles insatisfaites à réduire ou à annihiler leurs désirs et comportements homosexuels (Erzen, 2006 ; Nicolosi et coll., 2000).

Des groupes religieux ou des organisations chrétiennes non rattachées à une confession introduisent l'enseignement religieux dans les groupes de thérapie en prétendant que l'homosexualité serait causée par des traumatismes survenus durant l'enfance : abandon du père, mère absente, agressions sexuelles ou violence parentale. Le processus de transformation vise à stimuler

---

Thérapie d'affirmation de son homosexualité Thérapie aidant les personnes homosexuelles à accepter leur orientation sexuelle et à composer avec les attitudes sociales négatives manifestées à leur endroit.

Thérapies réparatrices (ou thérapies de conversion) Ensemble de traitements pseudoscientifiques visant un changement de l'orientation sexuelle d'une personne homosexuelle vers l'hétérosexualité.

le désir hétérosexuel ou, en cas d'échec, l'abstinence. Les individus adhérant à une religion fondamentaliste et dont les familles ne réagissent pas favorablement à l'homosexualité ont plus tendance à participer à une thérapie réparatrice ou de conversion (Maccio, 2010). Récemment, certains leaders de ces organisations chrétiennes *pray away the gay* ont reconnu publiquement que l'homosexualité n'a pas de *remède*, ou admettent devoir en venir à la dissolution de leurs groupes de conversion. Ils avouent ainsi leurs échecs personnels à éliminer leurs propres sentiments gais et leur incapacité à s'abstenir de relations avec des personnes du même sexe (Besen, 2015 ; Krattenmaker, 2013). Par exemple, deux des fondateurs d'Exodus International, Michael Bussee et Garry Cooper, ont quitté leur femme pour vivre ensemble (Goldberg, 2006). D'autres personnes qui ont suivi en vain une thérapie de réorientation disent avoir caché à leur thérapeute qu'elles continuaient à avoir des comportements homosexuels pendant leur thérapie et que celle-ci avait alimenté leur haine d'elles-mêmes (Nguyen, 2006 ; Shidlo et coll., 2003).

Les associations canadienne et américaine de psychiatrie réprouvent pour des raisons éthiques les traitements thérapeutiques qui se basent sur la perspective que l'homosexualité serait un trouble mental ou sur l'hypothèse que l'individu doit à priori changer son orientation homosexuelle (Veltman et Chaimowitz, 2014). Par ailleurs, l'Association américaine des psychologues affirme que la thérapie réparatrice est inefficace. Une des rares études a montré que, parmi les personnes bisexuelles qui avaient suivi une thérapie de conversion, 23 % d'entre elles ont indiqué une augmentation de leur auto-identification, une plus grande attirance envers les hétérosexuels et des comportements hétérosexuels plus nombreux, mais elles ont également indiqué qu'elles se sentaient toujours attirées, à des degrés variables, par les personnes du même sexe (Jones et Yarhouse, 2011 ; Throckmorton, 2011). Pour ceux qui n'ont pu changer d'orientation comme ils l'auraient souhaité, la conviction de ne pouvoir qu'« être avec Dieu ou être gai » présente des choix inconciliables. Plusieurs études ont démontré qu'un tel dilemme peut conduire au suicide (Crary, 2009 ; Reitan, 2011). Pour le sociologue Michel Dorais (2001), un grand nombre de suicides chez les adolescents gais proviendrait de leur difficulté de se reconnaître comme tels et d'assumer leur homosexualité, une difficulté essentiellement attribuable aux attitudes sociales homophobes.

La stigmatisation et la discrimination fondées sur l'orientation sexuelle (ou l'identité de genre) ont de graves répercussions sur la santé mentale des gens. On compte parmi d'autres facteurs de risques les agressions physiques ou sexuelles ainsi que l'intimidation (Veltman et Chaimowitz, 2014). À cela s'ajoutent les obstacles qui entravent l'accès aux services de santé et de soutien en raison de la marginalisation et de l'insuffisance des connaissances et des compétences chez les professionnels de la santé en matière de santé des personnes LGBTQ. Certaines de ces personnes déplorent les démarches qu'elles ont entreprises et vont même éviter des établissements et fournisseurs de services de santé pour plusieurs raisons : par crainte des réactions homophobes, pour se soustraire à la violence mentale ou physique, ou encore pour ne pas s'exposer à un refus de la part des soignants (Veltman et Chaimowitz, 2014).

Selon l'*Enquête sur la santé dans les collectivités canadiennes* (Statistique Canada, 2015a), les personnes homosexuelles et bisexuelles ont moins de chances que les personnes hétérosexuelles de pouvoir consulter un médecin généraliste, et elles sont plus nombreuses à croire qu'elles n'ont pas reçu les soins dont elles pensaient avoir eu besoin au cours des 12 mois précédents. Par contre, la probabilité de consulter un psychologue au cours des 12 derniers mois était supérieure à celle des personnes hétérosexuelles. Un tiers (33,4 %) des participants qui faisaient partie de l'étude ont déclaré que la plupart de leurs journées étaient assez ou extrêmement stressantes, une proportion nettement plus élevée que celle des personnes hétérosexuelles (26,7 %).

L'homophobie

Le terme *homophobie* renvoie à la crainte irrationnelle, la haine ou l'aversion et la discrimination à l'égard des personnes homosexuelles ou du comportement homosexuel (Veltman et Chaimowitz, 2014). L'homophobie décrit aussi des attitudes contre l'homosexualité qui stigmatise et dénigre des identités, des relations, des communautés et des comportements qui ne sont pas hétérosexuels (Van Voorhis et Wagner, 2002). Elle peut être comprise comme un préjugé du même ordre que le racisme, l'antisémitisme, l'islamophobie ainsi que le sexisme. Il est possible de considérer l'expression de l'homophobie sous deux angles, selon qu'elle met en cause des individus ou qu'elle est la manifestation d'un phénomène social. L'**homophobie interpersonnelle ou extériorisée** réfère à l'expression de préjugés chez une personne qui peuvent prendre différentes formes, telles que l'évitement social, la violence verbale,

---

Homophobie   Crainte irrationnelle, haine, aversion et discrimination manifestées à l'égard des personnes homosexuelles ou du comportement homosexuel.

Homophobie interpersonnelle ou extériorisée   Expression des préjugés d'une personne homophobe par des comportements tels que l'exclusion, l'évitement, le mépris, le dénigrement, ou la violence envers les personnes homosexuelles.

l'humour méprisant et dénigrant ou la violence physique (Veltman et Chaimowitz, 2014). L'**homophobie intériorisée** fait référence aux sentiments de culpabilité, de honte ou de haine de soi en raison de sa propre attirance envers une personne de même sexe (ou genre). Ces sentiments sont liés à l'homophobie et à l'hétérosexisme (Veltman et Chaimowitz, 2014). L'**hétérosexisme**, aussi appelé *homophobie culturelle*, s'appuie sur le postulat que, au sein de la société, tous les individus sont hétérosexuels, ou devraient l'être, et sur l'affirmation que les hétérosexuels sont supérieurs aux autres identités et aux autres orientations sexuelles, surtout sur le plan moral (Veltman et Chaimowitz, 2014). Selon certains auteurs, l'homophobie et l'hétérosexisme sont institutionnalisés. Cette aversion à l'égard des homosexuels est en partie liée aux administrations publiques, aux entreprises, aux établissements religieux, aux écoles et aux organismes dont les politiques, les programmes et les modalités d'allocation des ressources sont marqués par la discrimination fondée sur l'orientation sexuelle (Veltman et Chaimowitz, 2014). La reconnaissance de l'homophobie et de l'hétérosexisme comme des problèmes sociétaux constitue un important changement par rapport à l'idée que l'homosexualité elle-même est le problème.

Malheureusement, l'homophobie demeure très répandue à travers le monde et bouleverse souvent considérablement la vie des gais, des lesbiennes et des personnes bisexuelles (Szymanski, 2009). Elle se manifeste de bien des manières selon la personne, l'environnement ou la région du monde. Les manifestations d'hostilité nourrissent le harcèlement quotidien et la discrimination dont sont victimes les personnes ne répondant pas aux critères hétérosexuels jugés convenables. Dans sa forme extrême, l'hostilité peut aller jusqu'aux crimes haineux contre les personnes de la communauté LGBTQ.

Les crimes haineux

Les crimes haineux sont des voies de fait, des vols ou des meurtres dont sont victimes des personnes en raison de leur race, de leur religion, de leur appartenance ethnique ou de leur orientation sexuelle (Ghent, 2003 ; Herek et coll., 1999). Aux États-Unis, une étude a montré que 30 % des gais, lesbiennes et bisexuels faisant partie d'un échantillon représentatif ont subi des violences physiques ou des menaces (Pew Research, 2013).

> **Homophobie intériorisée** Manifestation des sentiments de culpabilité, de honte ou de haine de soi que ressent une personne en raison de son attirance envers une personne de même sexe ou genre.

> **Hétérosexisme** Présupposition que l'hétérosexualité est une norme sociale et que les hétérosexuels sont supérieurs aux autres identités et aux autres orientations sexuelles.

Cependant, les crimes haineux sont rapportés moins fréquemment que d'autres actes violents, car les victimes ne s'attendent pas à obtenir le soutien des autorités (Herek et coll., 1999).

Selon les derniers chiffres compilés par Statistique Canada et disponibles au moment de mettre à jour cette troisième édition, en 2013, 186 crimes haineux motivés par l'orientation sexuelle avaient été rapportés à la police dans l'ensemble du Canada, et ces crimes étaient plus susceptibles d'être violents comparativement aux crimes haineux visant d'autres groupes (Allen, 2015). De 2010 à 2013, environ les deux tiers de ces crimes haineux comportaient des infractions avec violence, parmi lesquelles les voies de fait avec des armes ou causant des lésions corporelles étaient les plus courantes (Allen, 2015). De 2010 à 2013, 83 % des victimes de crimes violents motivés par la haine d'une orientation sexuelle étaient de sexe masculin, et 48 % étaient âgées de moins de 25 ans. Les hommes de moins de 25 ans représentaient 39 % des victimes (Allen, 2015).

En juin 2016, la pire fusillade condamnée comme crime haineux dans l'histoire des États-Unis a été perpétrée dans une boîte de nuit fréquentée par une clientèle gaie à Orlando en Floride, entraînant la mort de 50 personnes et faisant de nombreux blessés. Survenue en pleine célébration de la Fierté gaie, cette tragédie a provoqué une onde de choc internationale. L'ancien président Barack Obama l'a condamnée comme « un acte de terreur et de haine » et a ordonné que les drapeaux soient mis en berne dans tout le pays.

Les causes de l'homophobie et des crimes haineux

On pourrait croire qu'il n'existe aucun lien entre assassiner un homme parce qu'il est homosexuel, voter de façon à légitimer la discrimination envers les homosexuels en milieu de travail et insulter une lesbienne en la traitant de *gouine* ; pourtant, il y a des traits communs à ces trois manifestations d'aversion envers l'autre qui n'est pas hétérosexuel. Ces comportements reflètent en partie le piètre bilan mondial dans l'acceptation de la diversité. Le manque de tolérance face aux différences raciales, religieuses ou ethniques est à l'origine de graves tragédies et d'actions inhumaines comme l'épuration ethnique, l'Holocauste et l'Inquisition. Les nombreuses religions qui définissent négativement l'homosexualité prédisposent les groupes et les personnes à adopter cette vision négative de l'autre que tout le monde peut intérioriser : « L'homophobie n'est pas le problème exclusif des hétérosexuels. La plupart des personnes gaies, lesbiennes et bisexuelles ont intégré les valeurs de leur culture et, du moins à un certain point dans leur vie, croient qu'il est mal d'être gai, lesbienne ou bisexuel » (Ryan, 2003, p. 14). Les recherches montrent que les personnes les plus conservatrices sur le plan religieux sont aussi celles dont les attitudes sont les plus négatives envers l'homosexualité (Negy et Enseinman, 2005).

L'homophobie et les crimes haineux ont aussi un rapport avec les stéréotypes sexuels traditionnels : les personnes qui adhèrent à ces stéréotypes sont généralement plus hostiles envers l'homosexualité (Morrison et Morrison, 2011). Les hommes qui ne se conforment pas aux attentes stéréotypées de la masculinité ont tendance à susciter l'hostilité d'autres hommes et les hommes ont généralement une attitude plus négative que les femmes à l'égard de l'homosexualité, ce qui reflète peut-être la plus grande rigidité des paramètres régissant les rôles sexuels des garçons et des hommes dans notre culture (McDermott et coll., 2014 ; Wellman et McCoy, 2014 ; Woodford et coll., 2013).

D'autre part, les hommes hétérosexuels ont une attitude moins négative envers les lesbiennes qu'envers les gais (Mahaffey et coll., 2005). C'est peut-être, en partie, parce que les hommes hétérosexuels ne sont pas mal à l'aise devant le désir qu'ils éprouvent pour les femmes en général et l'érotisation de la sexualité entre femmes. Cependant, une étude a montré que les participants interrogés percevaient comme lesbiennes les femmes qui ne se conformaient pas à une expression de genre stéréotypée féminine et qu'elles étaient jugées plus négativement que celles qui étaient perçues comme hétérosexuelles (Lick et Johnson, 2014).

La principale motivation de la plupart de ceux qui commettent des crimes haineux contre les gais est que l'homosexualité constituerait une violation des normes masculines. Agissant souvent à deux ou en groupe, les agresseurs affirment leur virilité, tant la leur que celle de leurs amis, en agressant ceux qui ne se conforment pas au modèle rigide du rôle masculin. Les hommes transgenres sont souvent la cible d'actes violents pour les mêmes motifs. Heureusement, nombre de personnes et d'organisations luttent contre l'homophobie et toutes les formes de discrimination fondées sur l'orientation sexuelle ou l'identité de genre. La collaboration accrue entre les personnes transgenres, les groupes qui les représentent et les associations de défense des droits des gais découle en partie de la reconnaissance de l'importance de la diversité sexuelle (Coleman, 1999).

L'homophobie et les crimes haineux peuvent aussi témoigner d'une tentative de nier ou de supprimer ses propres émotions homosexuelles. Mal à l'aise dans sa propre sexualité, la personne homophobe s'attache à ce qui *ne va pas* dans la sexualité des autres. Cependant, les recherches qui tentent d'établir un lien entre des préjugés contre les gais et une attirance cachée envers les hommes ne sont pas concluantes (Mahaffey et coll., 2011).

L'homophobie vise moins fréquemment les lesbiennes. Les gestes sexuels entre femmes sont excitants pour bien des personnes, et l'évocation de la sexualité entre lesbiennes est courante dans la publicité.

Une autre forme d'homophobie consiste à éviter rigoureusement tout comportement susceptible d'être interprété comme homosexuel. En ce sens, l'homophobie peut restreindre l'expérience des personnes hétérosexuelles. Par exemple, au cours des ébats amoureux, les hommes hétérosexuels pourront être incapables d'accepter la stimulation de leurs mamelons, l'usage de jouets, la stimulation digitale de l'anus ou se montrer réticents à laisser leur partenaire prendre l'initiative s'ils interprètent ces comportements comme des *tendances homosexuelles*. Les amis de même sexe ou les membres d'une famille refuseront les étreintes cordiales ; des femmes bouderont les vêtements dont l'aspect et le style leur paraissent peu féminins, et des hommes feront peu de cas des vêtements qui leur semblent peu virils. De même, des femmes s'abstiendront de s'affirmer comme féministes de peur de passer pour des lesbiennes, et des hommes s'abstiendront de dire qu'ils ont apprécié le défilé de la fierté gaie de peur de passer pour homosexuels, etc.

L'homophobie peut constituer un frein à l'intimité dans les amitiés entre hommes (Plummer, 1999). Ceux qui craignent d'être attirés par les personnes de leur propre sexe s'interdisent souvent la vulnérabilité affective nécessaire aux amitiés profondes et, ce faisant, confinent leurs relations à la compétitivité et à la camaraderie. Cette crainte est également un frein puissant à la participation des hommes au sein des groupes d'entraide qui leur sont destinés. Cela va au-delà des relations entre hommes, car comme l'écrivent Gilles Tremblay et Pierre L'Heureux (2010, p. 105) : «Par ailleurs bien démontré sur le plan empirique […], le principe d'"antiféminité" ou peur du féminin qu'on retrouve chez plusieurs hommes influence leur manière d'entrer en relation avec les femmes. Plus un homme adhère à ce principe, plus il a tendance à établir une relation de séduction et de domination envers les femmes.»

Vers une plus grande acceptation des minorités sexuelles

Un sondage Angus Reid (2010) rapporte que les Canadiens sont largement plus ouverts envers les relations homosexuelles que ne le sont les Américains. Les gens peuvent abandonner leur attitude homophobe en s'y attaquant consciemment par l'expérience ou l'éducation. En fait, ceux qui connaissent personnellement une lesbienne ou un gai sont généralement plus ouverts à l'égard de l'homosexualité (Loehr et coll., 2015). Selon une enquête réalisée en 2016 auprès de 1513 Canadiens, 66 % des répondants affirment connaître dans leur entourage immédiat au moins une personne LGBT de 65 ans et moins (Breault, 2016). Des actions individuelles peuvent aussi avoir un impact et faire évoluer les mentalités. C'est ce que feraient, par exemple, l'étudiant qui inviterait des personnes à une fête sans se soucier de leur orientation sexuelle, la comptable qui garderait une photo de sa partenaire sur son bureau au travail ou le médecin hétérosexuel dont la sœur est lesbienne et qui confronterait l'auteur d'une plaisanterie homophobe (Solmonese, 2005).

Selon une enquête nationale longitudinale réalisée aux États-Unis, l'acceptation des activités sexuelles entre adultes du même sexe a connu une nette recrudescence, alors qu'elle est passée de 22 % en 1993 à 44 % en 2012. Les femmes se sentent plus acceptées (51 %) que les hommes (35 %) (Twenge et coll., 2015). De plus, dans les années 2010, 56 % des jeunes adultes de 18 à 29 ans, soit la nouvelle génération du millénaire (en anglais, les *Millennials*), affirmaient que les activités sexuelles entre personnes du même sexe sont tout à fait acceptables, point de vue partagé par seulement 26 % de la génération X, qui avait entre 18 et 29 ans dans les années 1990 (Twenge et coll., 2015).

Les représentations des personnages homosexuels et des personnalités homosexuelles dans les médias sont à la fois le reflet et la source des attitudes changeantes par rapport à l'homosexualité dans une société qui tend vers l'acceptation. En étant de plus en plus fréquentes, ces représentations procurent une certaine visibilité à ces groupes de personnes, et permettent aux spectateurs de mieux les comprendre. Des séries américaines telles que *Glee*, *True Blood*, *Game of Thrones*, *Modern Family* et *Orange Is The New Black* et des séries québécoises telles que *30 vies*, *Unité 9*, *Le Chalet*, *Mémoires vives* et *Nouvelle adresse* sont autant d'exemples de productions favorisant l'acceptation de l'homosexualité.

L'affirmation de son orientation sexuelle

Voyons maintenant comment les personnes non hétérosexuelles doivent composer avec la façon dont elles vivent leur orientation sexuelle dans une société où prédomine l'hétérosexualité. Pour une personne gaie, lesbienne, bisexuelle ou asexuelle, la décision de tenir secrète son orientation sexuelle ou de la révéler a, de toute évidence, un effet incontestable sur sa vie. Il existe diverses formes de clandestinité, et le processus d'**affirmation de son orientation sexuelle** (en termes populaires, *sortir du placard*) comprend plusieurs étapes : la reconnaissance, l'acceptation et l'expression ouverte de sa propre homosexualité (Patterson, 1995). Les gais, les lesbiennes et les bisexuels décident d'affirmer ou de taire leur orientation sexuelle en prenant en compte les questions de sécurité et de tolérance, pour eux-mêmes et à l'égard des autres. En effet, s'il est libérateur de vivre au grand jour son homosexualité ou sa bisexualité, cette décision ne convient pas nécessairement à toutes les personnes ni à toutes les situations (Legate et coll., 2012).

Une personne peut parfois éviter les conséquences sociales négatives liées à la divulgation de son homosexualité en se faisant passer pour hétérosexuelle, mais garder le secret est source de stress et peut avoir des effets dévastateurs (Malcom, 2008). L'affirmation de son orientation sexuelle dépend de circonstances individuelles, bien que l'époque ait aussi son importance, comme l'indiquent les résultats d'une étude portant sur trois générations de lesbiennes, soit :

1. les lesbiennes devenues adultes avant l'ère de revendication des droits des gais dans les années 1970 ;
2. les lesbiennes devenues adultes pendant la période de revendication des droits des gais, de 1970 à 1985 ;
3. les lesbiennes devenues adultes après 1985.

Plus on avance dans les nouvelles générations jusqu'à la génération d'aujourd'hui, plus les femmes tendent à s'engager tôt dans leur prise de conscience et dans

---

Affirmation de son orientation sexuelle Processus au cours duquel un individu prend conscience de son orientation sexuelle jusque-là tenue secrète, se déclare gai, lesbienne ou bisexuel et l'annonce volontairement à autrui.

l'affirmation de leur orientation sexuelle et de leur vie sexuelle d'homosexuelle. Par exemple, dans le groupe de la 3e génération (lesbiennes devenues adultes après 1985), c'est en moyenne à l'âge de 20 ans que les femmes se sont reconnues elles-mêmes comme lesbiennes, contre 32 ans dans le groupe le plus âgé (1re génération). Le changement le plus important dans le temps est qu'un nombre grandissant de femmes ont eu des expériences sexuelles avec d'autres femmes avant d'en avoir avec des hommes. Cela a été le cas pour la plupart des femmes du groupe le plus jeune, alors que les deux autres groupes plus âgés ont vécu l'inverse (Parks, 1999).

La décision d'affirmer publiquement son orientation est personnelle et propre à chaque situation. Ce processus d'affirmation se produit à un moment important et se prolonge tout au long de la vie avec chacune des personnes à qui l'on fait part de ce choix (Veltman et Chaimowitz, 2014).

La reconnaissance de soi

Dans la première phase d'affirmation de son orientation sexuelle, la personne prend généralement conscience qu'elle se sent différente du modèle hétérosexuel (Meyer et Schwitzer, 1999). Certaines personnes disent avoir pris conscience de leur homosexualité dès la petite enfance. Selon une enquête représentative, c'est vers 12 ans en moyenne que les personnes homosexuelles et bisexuelles sentent qu'elles ne sont pas hétérosexuelles (Pew Research, 2013). Durant l'adolescence, plusieurs jeunes se rendent compte qu'ils ne se sentent pas à l'aise dans leurs relations hétérosexuelles et qu'ils sont attirés sexuellement par des camarades de même sexe (Cloud, 2005). Selon une autre étude, environ 2 % des jeunes âgés de 12 à 25 ans se disent incertains de leur orientation sexuelle (Ott et coll., 2011).

Une fois que la personne a reconnu ses sentiments homosexuels, elle doit habituellement composer avec son homophobie internalisée et assumer son appartenance à une minorité marginalisée (Herek et coll., 2015). En effet, les hommes et les femmes homosexuels et bisexuels qui ont beaucoup de difficulté à assumer leur homosexualité tentent parfois de nier leur orientation sexuelle. Ces personnes recherchent activement des relations sexuelles avec des personnes de l'autre sexe, et il n'est pas rare qu'elles se marient pour correspondre au modèle dominant hétérosexuel, dit *normal* (Hudson et coll., 2007 ; Malcolm, 2008). Il est assez commun pour des personnes qui s'identifient aux LGBT de vivre au sein d'un couple hétérosexuel, et environ 60 % de ceux et celles qui sont mariés le sont avec une personne de l'autre sexe (Newport, 2015). Plus le tabou de l'homosexualité est fort, plus grande est la probabilité que des homosexuels se marient avec une personne de l'autre sexe. Par exemple, en Chine, bien que le préjugé envers l'homosexualité ait légèrement régressé, 80 % des hommes qui se disent homosexuels sont mariés ou ont l'intention de se marier (Cui, 2006). Certaines personnes mariées peuvent avoir des contacts sexuels clandestins avec des personnes du même sexe (Walker, 2014).

L'acceptation de soi

L'étape importante qui suit la prise de conscience de son orientation est celle de l'acceptation. Cette acceptation est souvent pénible, car elle oblige la personne à surmonter l'homophobie intériorisée, c'est-à-dire à se défaire des préjugés sociétaux homophobes et négatifs (Szymanski et Henrichs-Beck, 2014). Quand les personnes font partie d'un groupe socialement dévalorisé, l'acceptation de soi est difficile, mais essentielle (Ryan et Futterman, 2001).

Il peut être difficile et problématique pour les adolescents et les adolescentes d'affirmer leur orientation homosexuelle. La plupart des jeunes gais ou lesbiennes éprouvent des sentiments ambigus et ne savent pas trop où aller chercher conseil et soutien. À un stade du développement où le sentiment d'appartenance à leur groupe de pairs est si important, presque la moitié des adolescents gais et des adolescentes lesbiennes ont perdu au moins une amitié après avoir révélé leur orientation sexuelle (Ryan et Futterman, 1997). En outre, s'ils ne se conforment pas aux normes de la société en ce qui a trait à l'expression de genre selon le sexe, ils subissent généralement beaucoup d'hostilité, d'intimidation et de rejet, ce qui peut avoir des conséquences négatives sur leur bien-être psychologique (Lea et coll., 2014 ; Rieger et Savin-Williams, 2011).

Le jugement de leur famille est une grande source de stress pour ces jeunes gens (Ueno, 2005). Certains parents

À L'AFFICHE

▶ Le film *C.R.A.Z.Y.* (2005), réalisé par Jean-Marc Vallée, raconte la relation difficile entre un homme et son fils qui va jusqu'à nier son homosexualité pour garder l'estime de son père.

somment leur enfant de quitter le foyer familial et coupent tout soutien financier pour ses études lorsqu'ils découvrent son homosexualité. D'après une étude menée auprès de 60 000 jeunes fréquentant une école secondaire au Massachusetts, 25 % des étudiants gais et étudiantes lesbiennes se déclaraient sans-abri, comparativement à 3 % des élèves hétérosexuels (Lazar, 2011). De plus, selon des recherches américaines et canadiennes, les jeunes sans-abri qui faisaient partie des minorités sexuelles avaient un bilan nettement plus sombre que celui des jeunes sans-abri hétérosexuels en matière de problèmes de santé mentale, de comportements suicidaires, de consommation de drogues, de victimisation sexuelle, de comportements sexuels à risque, de violence physique, de discrimination et de stigmatisation, de relations familiales et de relations sociales (Ecker, 2016).

Les recherches démontrent également que les jeunes des minorités sexuelles risquent plus de souffrir de dépression et font plus de tentatives de suicide que les jeunes hétérosexuels (Rosario et coll., 2014 ; Stone et coll., 2014). Les lesbiennes, les gais et les bisexuels qui ont été rejetés par leur famille durant leur adolescence en raison de leur orientation sexuelle sont trois fois plus susceptibles de tenter de se suicider (Ryan et coll., 2009). Comparativement à leurs pairs qui n'ont subi que peu ou pas de rejet familial, la probabilité qu'ils souffrent d'un état dépressif profond est six fois plus élevée, et le risque de consommer des drogues illégales ou d'avoir des relations sexuelles non protégées est trois fois plus grand (Ryan et coll., 2009). Par ailleurs, les recherches montrent qu'une réaction positive de la mère est un facteur de protection contre la dépression chez les jeunes après qu'ils ont déclaré leur orientation sexuelle (Padilla et coll., 2010).

En dépit de la discrimination à laquelle ils s'exposent, bon nombre d'adolescentes et d'adolescents homosexuels savent composer efficacement avec la situation et arrivent à acquérir une image de soi cohérente et positive (Mustanski et coll., 2013 ; Savin-Williams, 2005). L'orientation sexuelle en soi ne cause pas un moindre bien-être psychologique à l'école secondaire (Rieger et Savin-Williams, 2011), mais ces jeunes doivent pouvoir parler avec au moins une personne adulte ouverte en qui ils ont confiance et qui ne les jugera pas (Seil et coll., 2014). Par ailleurs, grâce à Internet, ils peuvent briser leur isolement et établir des liens avec d'autres personnes capables de les soutenir (Mustanski et coll., 2011). C'est notamment le but des sites Internet québécois comme Gai écoute et Rézo. Des groupes d'entraide et des organismes ont été créés pour aider les jeunes LGB à composer avec leurs difficultés (Higa et coll., 2014 ; Plöderl et coll., 2014). Au Canada, les personnes homosexuelles et bisexuelles peuvent compter sur des organismes de services, des groupes d'intérêt et

des organisations nationales, comme EGALE (Equality for Gays and Lesbians Everywhere), et provinciales, telle que le GRIS (Groupe de Recherche et d'Intervention Sociale), au Québec, et la Coalition for Lesbians and Gay Rights, en Ontario. Elles peuvent également compter sur des ressources Internet pancanadiennes bilingues, dont *Jer's Vision*. Plusieurs écoles secondaires encouragent maintenant la création de Clubs des Alliés, où l'on favorise l'acceptation des élèves de minorités sexuelles. Les recherches effectuées au Canada auprès de ces groupes indiquent une diminution de la discrimination homophobe et des idées suicidaires chez les élèves de minorités sexuelles. Fait à noter, dans les écoles qui ont mis en œuvre ces programmes, les tentatives de suicide chez les garçons hétérosexuels sont également moins nombreuses (Cantu, 2014).

▍ QUESTION D'ANALYSE CRITIQUE

> Que pensez-vous des Clubs des Alliés ? Croyez-vous qu'ils peuvent aider à diminuer les tentatives de suicide chez les garçons hétérosexuels à l'école secondaire ?

La révélation

Après la prise de conscience et l'acceptation de soi vient la décision de faire connaître ou de taire son orientation sexuelle. L'expression souvent utilisée au Québec pour désigner le fait de révéler son orientation homosexuelle est *sortir du placard* ou *faire son « coming out »*. L'expression *façade publique* est parfois employée pour désigner le masque d'hétérosexualité qu'une personne choisit de maintenir sur le plan social. Il est généralement très facile de passer pour hétérosexuel, car la plupart des gens présument que tout le monde l'est. Il peut arriver que les individus voient leur orientation divulguée inopinément par quelqu'un d'autre (en langage populaire, c'est de se faire *outer*). Toutefois, lorsqu'on est homosexuel, bisexuel ou asexuel, il faut décider, au fil des relations et des situations, si on se révélera ou pas. Les personnes hétérosexuelles ne comprennent pas toujours le problème de l'affirmation de l'orientation sexuelle, comme en témoigne le commentaire suivant.

> Je ne vois vraiment pas pourquoi ils devraient le dire à quiconque. Ils pourraient bien se contenter de mener leur vie sans en faire tout un plat. (Note des auteurs)

Dans certaines interactions quotidiennes, l'orientation sexuelle n'a aucune importance, mais elle est en même temps porteuse de puissantes influences sous-jacentes qui touchent plusieurs aspects de la vie. Imaginez ce que vous pourriez ressentir si vous étiez une personne homosexuelle non déclarée et qu'un ami faisait en votre présence un commentaire désagréable sur les *tapettes* ou les *gouines*. Ou qu'on vous disait : «pis, as-tu un chum?» (si vous êtes une femme) ou «pis, as-tu une blonde?» (si vous êtes un homme). Comment réagiriez-vous si on vous invitait à participer à une fête de bureau accompagné de votre partenaire du même sexe, alors que vous ne savez pas trop comment il sera accueilli, ou encore si vous n'étiez jamais capable de vous tenir près de votre partenaire dans un groupe d'amis, en famille ou en public? Comme le disait le sociologue John H. Gagnon (1977), en raison du discrédit dont est frappée l'homosexualité, le geste d'affirmation (ou de négation) a plus de poids et entraîne plus de conséquences sur une personne homosexuelle qu'un geste semblable ne pourrait jamais en avoir pour une personne hétérosexuelle. L'encadré *Parlons-en* fournit des conseils utiles à ceux et celles qui souhaitent révéler leur orientation sexuelle à des amis.

À quelques exceptions près, plus une personne est intégrée à la société conventionnelle ou plus elle désire s'y assimiler, plus elle risque gros en révélant son orientation

Tu t'interroges sur l'orientation sexuelle de ton enfant?

Ici, pour **toi**
Depuis plus de 35 ans

Pour les personnes concernées par la diversité sexuelle et de genre

GAI ÉCOUTE

1 888 505-1010 • 514 866-0103 • gaiecoute.org

Plusieurs campagnes publicitaires parrainées par Gai écoute visent à combattre l'homophobie.

sexuelle. Elle risque de perdre son emploi, sa position sociale et ses amitiés. Le degré de conservatisme de la communauté environnante peut aussi influer sur la décision de révéler ou non son orientation sexuelle (Stein, 2001). Le milieu urbain accroît souvent la probabilité qu'une personne dévoile cette information aux autres (Chiang, 2009).

Il peut être plus difficile de divulguer son homosexualité aux membres de sa famille qu'à d'autres personnes, et plusieurs individus choisissent de ne pas partager cette information. Selon une enquête nationale réalisée auprès d'adultes LGBT, 56 % des personnes interrogées l'ont dit à leur mère et 39 % l'ont révélé à leur père. Parmi ceux qui ont dévoilé leur orientation sexuelle, environ 39 % ont subi du rejet de la part d'un membre de leur famille ou d'un ami proche (Pew Research, 2013). Il s'agit donc d'une étape particulièrement marquante, comme en témoigne ce jeune homme de 35 ans.

> Dans l'ensemble, mes vacances à la maison s'étaient bien passées, mais la fin a été très éprouvante. Les allusions aux gais revenaient constamment sur le tapis. Ma mère s'acharnait particulièrement sur eux (nous) et, bien sûr, je n'étais pas d'accord avec elle. Finalement, elle m'a demandé si j'étais *l'un d'eux*. J'ai dit oui. Cela a été très dur pour elle. Elle m'a posé un tas de questions, auxquelles j'ai répondu aussi calmement, honnêtement et rationnellement que j'ai pu. Nous avons passé ensemble une journée plutôt tendue. C'était pénible de la voir tant souffrir pour cela et de constater qu'elle n'avait aucune idée de l'oppression que subissent les personnes homosexuelles. Je voudrais seulement que ma mère n'ait pas eu à pâtir autant de tout cela. (Note des auteurs)

Les parents peuvent se mettre en colère ou se reprocher d'avoir *mal fait* quelque chose. Les attitudes sociales envers l'homosexualité étant de plus en plus positives, la recherche montre que les parents tendent à mieux accepter la révélation que leur fait leur enfant (Pearlman, 2005). Ce sont les familles aux attitudes les moins conservatrices et rigides qui acceptent le mieux la révélation de l'homosexualité de l'un des leurs (Willoughby et coll., 2006). Il peut être plus difficile de déclarer son homosexualité à ses parents qu'à ses enfants ou à son conjoint. Le site Rézo offre les coordonnées de ressources québécoises pour les parents désireux d'obtenir de l'aide ou des conseils, et le site www.alterheros.com offre une plateforme permettant de poser des questions à des professionnels. De plus, le site de la Coalition Santé Arc-en-ciel Canada fournit une mine de ressources et de renseignements sur divers sujets relatifs aux personnes LGBT.

Comment révéler son orientation sexuelle à des amis

Une personne doit s'attendre à tout lorsqu'il ou elle révèle son orientation sexuelle à un ami. Il est essentiel de se rappeler que les réactions des autres sont révélatrices de leurs propres forces et faiblesses, et non des vôtres. Les conseils suivants devraient vous aider à mettre au point votre plan de révélation. Ils sont adaptés du livre de Michelangelo Signorile, *Outing Yourself* (1995).

1. Le réseau d'entraide. Vous devriez avoir tissé un réseau d'entraide composé d'homosexuels, surtout de personnes qui ont déjà révélé leur orientation à plusieurs personnes dans leur vie. Leur expérience pourra vous inspirer, et leur soutien vous fournir l'élan pour agir. Ce type de réseau se trouve assez facilement en ligne sur des réseaux sociaux et des forums, par exemple www.alterheros.com.

2. Le premier choix. Faites en sorte de bien choisir la première personne hétérosexuelle à qui vous révélez votre orientation. Il vaut peut-être mieux ne pas commencer par votre meilleur(e) ami(e) hétérosexuel(le), car l'enjeu est élevé. Optez pour quelqu'un qui devrait vous manifester de la compréhension. Cette personne doit aussi être fiable et discrète pour éviter qu'elle en parle aux gens de votre entourage avant vous.

3. La visualisation. Planifiez vos confidences en en visualisant les détails concrets. Mettez-vous en scène dans un décor familier où vous serez à l'aise avec l'autre personne. Songez au sentiment agréable que vous éprouverez d'avoir révélé un aspect de vous dont vous êtes fier (et non dont vous devez vous excuser). Exercez-vous à dire : « Je veux te dire quelque chose sur moi, parce que notre amitié compte à mes yeux. Je te fais confiance et je me sens proche de toi. Je suis lesbienne/gai/bi. »

4. La planification. Choisissez le moment et prévoyez suffisamment de temps pour avoir une longue conversation, si les choses se passent bien. Choisissez l'endroit, un lieu où vous serez tous deux à l'aise. Planifiez l'après-rencontre. Assurez-vous d'avoir au moins un ami homosexuel ou une amie homosexuelle auprès de qui vous trouverez du soutien et à qui vous pourrez raconter ce qui s'est passé. Préparez-vous à répondre calmement à des questions du genre : « Comment le sais-tu ? Depuis quand le sais-tu ? Comment ça se fait ? Peux-tu changer ? As-tu déjà eu une relation sexuelle avec une fille/gars ? »

5. Misez sur la patience. Souvenez-vous que vous faites aux gens une révélation à laquelle ils n'ont pas pu se préparer, tandis que vous avez eu tout le temps de le faire. Plusieurs seront surpris, choqués ou perplexes, et auront besoin de temps pour réfléchir et poser des questions. Une première réaction négative ne signifie pas forcément que la personne n'acceptera pas la nouvelle. Si un ami réagit négativement, mais avec respect, restez et discutez avec lui. Montrez que vous comprenez sa surprise et sa stupéfaction : « Je peux comprendre que cela te trouble. »

6. Maîtrisez votre colère. Si la personne devient hostile ou insultante, mettez poliment fin à la rencontre. « Je regrette que tu ne prennes pas bien cette nouvelle, et il vaut mieux que je m'en aille maintenant. » Ne lui donnez pas de raison de se fâcher contre vous en faisant preuve de mesquinerie ou d'impolitesse ou en sortant de vos gonds. Au fur et à mesure que vous partagez cette information avec d'autres personnes, vous constaterez que certaines d'entre elles sont incapables de maintenir cette amitié ou la refusent catégoriquement. Avec d'autres, le fait de s'ouvrir à ce sujet permettra un rapprochement et un approfondissement de votre relation. Avec le temps, vous réussirez à développer un solide réseau d'amis avec qui vous vous sentirez libre d'être vous-même.

Comparativement aux gais, aux lesbiennes et aux bisexuels issus des populations caucasiennes, les personnes homosexuelles ou bisexuelles originaires de différents groupes ethniques craignent plus de révéler leur orientation à leur famille ou à leur communauté, car elles risquent d'être rejetées par leur famille et d'être déshéritées (Span et Vidal, 2003). Par exemple, les cultures collectivistes et traditionnelles d'Asie font passer la loyauté et la conformité envers la famille avant les besoins et les désirs de l'individu. Pour la famille, il est honteux d'être gai, et il est perçu comme un échec de refuser de se marier et de ne pas transmettre son nom à une nouvelle génération.

Les individus appartenant à un genre non conforme peuvent vivre bien des difficultés dans certaines sociétés africaines, tout comme dans les sociétés hispaniques où règne le machisme. Une étude démontre que les adolescents latinos gais sont la cible de réactions négatives de la part de leur famille, comparativement à tout autre groupe ethnique d'adolescents gais, de lesbiennes ou de bisexuels (Ryan et coll., 2009). Une autre étude indique que le risque de suicide pourrait être plus important chez les jeunes Afro-Américains et hispaniques gais, lesbiennes et bisexuels que chez les jeunes américains de type caucasien (O'Donnell et coll., 2011). De façon générale, la communauté afro-américaine fait montre d'une opinion à l'égard de l'homosexualité plus négative que celle des Blancs (Craig et Richeson, 2014). Conséquemment, les lesbiennes et les gais afro-américains sont plus exposés à la détresse psychologique que les personnes caucasiennes parce qu'ils sont la cible d'attitudes à la fois racistes et homophobes (Szymanski et Gupta, 2009).

L'engagement dans la communauté LGBTQ

Le besoin d'appartenir à un groupe est quelque chose de profondément humain. Pour l'individu d'une minorité sexuelle, un sentiment d'appartenance à la communauté (ou à la collectivité) permet d'affirmer et d'accepter son orientation, ce qu'il ne peut pas faire dans la société en général (Russel et Richards, 2003). Aujourd'hui, l'Internet permet de se joindre à des communautés virtuelles. L'engagement politique et social auprès d'autres personnes de minorité sexuelle est une autre étape du processus d'affirmation collective de son orientation sexuelle. Dans les grandes villes, certains bars et cafés servent de lieux de rencontre, comme c'est le cas pour les hétérosexuels, où il est possible de socialiser discrètement ou de draguer en public. De même, certaines aires de loisir particulières – saunas ou bains publics –, sont aussi des lieux de rencontres, surtout pour les hommes gais. Avec San Francisco et New York, Montréal est une des villes les plus accueillantes envers la communauté LGBTQ en Amérique du Nord. Son quartier gai est connu même hors frontières sous le nom de *Village gai*.

Les couples de même sexe

Selon les données canadiennes fournies par les recensements (Statistique Canada, 2012a, 2012b, 2015c), le nombre de couples de même sexe mariés a presque triplé entre 2006 et 2011 (les mariages entre personnes de même sexe ont été légalisés en 2005), tandis que les couples de sexe différent mariés ont enregistré une croissance plus modeste (+2,9 %). Le nombre de couples

Un défilé de la Fierté gaie a lieu à Montréal tous les ans.

de même sexe en union libre a crû de 15,0 %. En 2011, on comptait 64 575 familles composées d'un couple de même sexe dont 54,5 % étaient formées par des hommes et 45,5 %, par des femmes. Les couples mariés représentaient environ 3 couples de même sexe sur 10. Dans l'ensemble, les couples de même sexe représentaient 0,8 % de tous les couples au Canada en 2011. Cette proportion est comparable à celles que l'on observe, selon des données récentes, en Australie, au Royaume-Uni et en Irlande pour la même année.

Certaines personnes croient à tort que les couples homosexuels reproduisent les rôles stéréotypés de l'homme actif et de la femme passive. Il est cependant acquis que les couples d'aujourd'hui sont plus égalitaires ou aspirent à un idéal d'égalité, quelle que soit l'orientation sexuelle des partenaires. Sur le plan des rôles, les relations homosexuelles peuvent même s'avérer plus souples que les relations hétérosexuelles dans notre société.

Les couples gais et lesbiens font face aux mêmes défis que les couples hétérosexuels dans la recherche d'une vie de couple satisfaisante, mais auxquels s'ajoutent les problèmes qui découlent de leur appartenance à une minorité dévalorisée (Mohr et Daly, 2008). Accepter son orientation sexuelle serait important puisque les recherches montrent que l'homophobie intériorisée est associée à une augmentation des problèmes relationnels (Frost et Meyer, 2009). En l'absence d'acceptation sociale, les couples homosexuels doivent souvent composer avec les préjugés et la discrimination lorsqu'ils révèlent leur union (Otis et coll., 2006). En dépit de ces sources de stress, la recherche montre que le taux de stabilité relationnelle des couples de même sexe qui vivent une relation sous le signe de l'engagement ou qui sont mariés est comparable à celui des couples hétérosexuels (Rosenfeld, 2014).

Le Gottman Institute a suivi pendant 12 ans des couples gais et lesbiens en vue de déterminer ce qui peut faire qu'une relation entre personnes de même sexe fonctionne ou échoue (Gottman et coll., 2004). Lorsque les chercheurs de l'institut ont comparé les résultats obtenus avec ceux de leur recherche auprès de couples hétérosexuels, ils ont découvert que la satisfaction générale à l'égard de la relation et sa qualité étaient similaires pour les couples lesbiens, gais ou hétérosexuels. Cependant, la plupart des différences observées entre les couples hétérosexuels et les couples de même sexe révèlent plus de forces chez ces derniers. Comparés aux couples hétérosexuels, les couples gais et lesbiens :

- recouraient davantage à la tendresse et à l'humour pour résoudre les conflits et les désaccords ;
- étaient plus susceptibles de demeurer positifs après un désaccord ;
- exprimaient moins d'agressivité, de peur et de comportements de domination.

Cependant, les hommes gais étaient moins habiles à se réconcilier après un désaccord que les couples hétérosexuels et lesbiens.

D'autres recherches ont montré que les partenaires dans une relation gaie ou lesbienne ont une plus grande compatibilité, une plus grande intimité et qu'ils font face à moins de conflits; les lesbiennes étaient particulièrement à même de vivre ensemble dans l'harmonie. Pour certains chercheurs, les points forts des couples du même sexe pourraient s'expliquer par l'absence de conflits liés aux rôles sexuels, qui sont inhérents aux couples hétérosexuels (Balsam et coll., 2008; Mundy, 2013; Roisman et coll., 2008).

Les couples lesbiens semblent donc présenter des caractéristiques uniques. Par exemple, des études récentes indiquent que les lesbiennes ont de plus hautes attentes envers leur partenaire que celles des hommes pour leur copine ou leur conjointe (Willis, 2014). Selon une autre étude réalisée auprès de couples de même sexe et de couples hétérosexuels, les femmes en couple avec une femme désirent moins de rapprochements physiques que les hommes gais et les couples hétérosexuels (Frost et Eliason, 2014).

Sur le plan des interactions sexuelles, les lesbiennes ont tendance à présenter un plus grand nombre des caractéristiques souvent associées à un plaisir sexuel accru, qui pourrait être reflété par le nombre d'orgasmes expérimentés. En effet, selon une étude portant sur un échantillon représentatif des femmes américaines célibataires, lors des rencontres sexuelles, les femmes lesbiennes parviennent à l'orgasme dans 75 % de leurs activités sexuelles, comparativement à 62 % chez les femmes hétérosexuelles et à 57 % dans le cas des femmes bisexuelles (Garcia et coll., 2014). (Peu importe leur orientation sexuelle, les hommes parviennent à l'orgasme 85 % du temps lors de leurs rencontres sexuelles.) Par ailleurs, une revue des recherches comparant les expériences sexuelles des femmes lesbiennes avec celles des femmes hétérosexuelles montre que les couples lesbiens ont plus d'interactions sexuelles non génitales avant d'avoir des contacts génitaux, que leurs relations sexuelles durent plus longtemps, qu'ils sont plus à l'aise de tenir un langage érotique à leur partenaire, qu'ils s'affirment davantage sexuellement et qu'ils ont moins de problèmes d'orgasme que les femmes hétérosexuelles (Iasenza, 2000). Une autre étude qui a comparé les aspects subjectifs des expériences sexuelles dans les relations hétérosexuelles et les relations homosexuelles indique que les hommes hétérosexuels tirent une moins grande satisfaction des aspects affectifs, sensuels et érotiques de leurs activités sexuelles que les femmes hétérosexuelles et les couples gais ou lesbiens (Holmberg et Blair, 2008). Un sondage réalisé auprès de 6955 Américains a montré que, lors des relations sexuelles entre des partenaires

qui ne forment pas un couple, les hommes gais font état d'un niveau plus élevé de satisfaction sexuelle et émotionnelle que les participants et participantes hétérosexuels et bisexuels et les lesbiennes. Dans ce contexte, les femmes lesbiennes rapportent le plus faible niveau de satisfaction sexuelle et émotionnelle comparativement aux autres groupes (Mark et coll., 2015).

Les différences d'attitudes et de comportements sexuels

Des chercheurs ont comparé les attitudes et les comportements sexuels des hommes gais et des femmes lesbiennes. Celles-ci se distinguent des gais quant au nombre moyen de partenaires sexuels. Les lesbiennes ont tendance à avoir beaucoup moins de partenaires que les gais, et les couples lesbiens sont plus résolument monogames que les couples gais (Dubé, 2000; Rothblum, 2000). Par exemple, une enquête récente a trouvé 66 % des lesbiennes vivaient en couple, comparativement à 40 % des hommes gais (Pew Forum, 2013). Les lesbiennes associent davantage l'intimité affective à la sexualité que les hommes homosexuels, ce qui rejoint le modèle hétérosexuel présenté au chapitre 7. Une étude montre d'ailleurs que les lesbiennes attendent d'avoir développé une intimité affective avec leur partenaire avant d'avoir des relations sexuelles. Bien que 46 % des gais aient développé une amitié avec leur partenaire avant d'avoir des relations sexuelles, ils sont, comme groupe, plus susceptibles que les lesbiennes d'avoir des relations sexuelles avec de simples connaissances ou des personnes qu'ils viennent juste de rencontrer (Sanders, 2000). Aux endroits de rencontres habituels, tels que les bars, les boîtes de nuit et autres lieux, s'ajoutent désormais d'autres possibilités qui permettent de draguer par téléphone ou par Internet par l'intermédiaire des sites de rencontre et de diverses applications disponibles sur les téléphones intelligents, comme Grindr ou Hornet, qui facilitent la communication avec des partenaires sexuels potentiels en partageant des photos et des profils d'hommes qui se trouvent à proximité.

La vie familiale

La vision d'une famille traditionnelle est souvent celle composée d'un couple d'hétérosexuels et de leurs enfants, mais il existe beaucoup d'autres types de familles dans la société contemporaine. Les personnes d'orientation homosexuelle forment aussi des cellules familiales composées d'un seul parent ou d'un couple et d'enfants qui s'y trouvent pour toutes sortes de raisons. Aux États-Unis, en 2011, les données indiquent qu'un couple de même sexe sur cinq élevait des enfants de moins de 18 ans (Gates, 2013). Plusieurs parents ont des enfants issus de relations hétérosexuelles antérieures et d'autres sont devenus des parents adoptifs ou nourriciers: entre 2000 et 2010, le nombre de couples de même sexe qui ont adopté a triplé pour atteindre le nombre de 22 000 (Seager, 2011). Aussi, certains individus et couples ont eu recours à une mère porteuse pour avoir un bébé (Murphy, 2013). Au Canada, le recensement de 2011 a permis d'établir qu'il y avait 64 575 familles formées de partenaires de même sexe, soit une hausse de 42,4 % par rapport aux 45 345 familles recensées en 2006. Toujours selon Statistique Canada, environ 9,4 % de ces couples de même sexe ont des enfants à la maison. Les couples composés de femmes sont presque cinq fois plus susceptibles d'avoir un enfant à la maison (16,5 %) que les couples composés d'hommes (3,4 %); autrement dit, quatre familles homoparentales sur cinq sont des couples lesbiens (Statistique Canada, 2015c) et, en 2011, elles accueillaient 80 % des 2160 enfants vivant dans une famille formée de conjoints de même sexe (Ministère de la Famille et des Aînés du Québec, 2015).

Il est fort probable que ces chiffres constituent des sous-estimations puisqu'ils ne tiennent pas compte des enfants qui vivent dans un foyer monoparental; les jeunes ne sont toutefois pas nécessairement adoptés par deux pères ou deux mères. Ils peuvent aussi être nés dans un couple hétérosexuel dont un des membres est sorti du placard tardivement.

Certaines personnes mettent en doute la capacité des parents homosexuels d'assurer un environnement sain à leurs enfants. Toutefois, les études faites depuis 30 ans ne soutiennent aucunement ces craintes (Goldberg et Smith, 2013; Perrin et Siegel, 2013). L'étude *U.S. National Longitudinale Lesbian Family Study* (NLLFS) a suivi des mères lesbiennes et leur enfant depuis 1980, et les résultats montrent que ces enfants ne diffèrent pas des autres sur le plan de l'estime de soi, des problèmes se rapportant au genre, des rôles sexuels, de l'orientation sexuelle et du développement en général (Bos et van Balen, 2008; Bos, 2012). De plus, il ressort d'une étude britannique réalisée auprès des familles adoptives que les pères gais font un plus grand usage des pratiques parentales positives que les parents hétérosexuels (Golombok et coll., 2014). Une étude québécoise sur la qualité de la relation mère-enfant menée auprès de mères homosexuelles, bisexuelles et hétérosexuelles arrive à des conclusions similaires. De fait, les mères homosexuelles ou bisexuelles ne seraient ni plus ni moins nombreuses que les mères hétérosexuelles à rapporter des problèmes avec leurs enfants.

Malheureusement, les enfants de parents gais ou lesbiens sont souvent victimes de préjugés et d'homophobie qui s'expriment, par exemple, par l'intimidation, des injures à l'école ou par l'interdiction d'autres parents que leurs enfants rendent visite à ces amis chez eux (Signorile, 2011; van Rijn-van Gelderen et coll., 2015). Des efforts sont mis en œuvre pour que les choses changent. Une recherche montre que les discussions sur l'homosexualité instituées par un programme scolaire et la socialisation avec d'autres familles lesbiennes contribuent à diminuer l'impact de la stigmatisation homophobe des enfants (Bos, Van Balen et coll., 2008). Plusieurs chercheurs croient que les progrès accomplis dans l'acceptation des minorités sexuelles amélioreront le bien-être des parents gais et lesbiens et celui de leurs enfants, qui profiteront d'un climat juridique favorable, d'une ouverture d'esprit de leurs voisins, et d'un soutien en milieu de travail, de la part des amis et des familles (Goldberg et Smith, 2011; Moore et Stambolis-Ruhstorfer, 2013).

La recherche montre que les enfants vivant avec des parents de même sexe connaissent un niveau de bien-être similaire aux enfants de parents hétérosexuels.

RÉSUMÉ

Les variations de l'orientation sexuelle

- L'orientation sexuelle est un concept complexe dont la définition doit considérer plusieurs dimensions (comportements sexuels, désir sexuel, sentiment amoureux, auto-identification).

- Certaines personnes considèrent que les quatre orientations sexuelles – l'homosexualité, la bisexualité, l'hétérosexualité et l'asexualité – ne permettent pas d'exprimer précisément ou entièrement les dynamiques de leur attirance sexuelle et ont recours à d'autres termes pour décrire leur orientation sexuelle : hétéroflexibilité, homoflexibilité, sapiosexualité, pansexualité, polysexualité, omnisexualité, *queer*.

- Le continuum de Kinsey comprend sept catégories d'orientation sexuelle, allant de l'hétérosexualité exclusive à l'homosexualité exclusive. Cette classification est basée sur une combinaison des comportements sexuels manifestes et de l'attirance.

- La fluidité sexuelle apparaît plus souvent chez les femmes que chez les hommes.

- L'asexualité est l'absence d'attirance sexuelle pour un sexe ou l'autre.

- Une personne est bisexuelle si elle a des activités sexuelles avec des personnes des deux sexes ou si elle éprouve de l'attirance envers des personnes des deux sexes. La bisexualité est difficile à définir nettement.

- Une femme qui se considère comme hétérosexuelle, mais qui a des rapports sexuels avec d'autres femmes dans le but de plaire et d'exciter un homme présente une *bisexualité performative*. Elle joue un rôle qui lui permet de paraître désirable aux yeux des hommes et pour réaliser leur fantasme de voir deux femmes ayant un rapport sexuel ensemble.

- Selon le NSFG de 2011, 1,1 % des femmes et 1,7 % des hommes se disent lesbiennes ou gais, respectivement. Un plus grand pourcentage de répondants ont connu au moins un contact sexuel avec une personne du même sexe, soit 13 % des femmes et 5,2 % des hommes.

Qu'est-ce qui détermine l'orientation sexuelle ?

- Plusieurs théories psychosociales et biologiques ont tenté d'expliquer les origines de l'orientation sexuelle, particulièrement celles de l'homosexualité.

- Certaines théories psychosociales évoquent les modèles parentaux, les expériences de vie ou les traits psychologiques de la personne.

- Les théories biologiques s'intéressent aux facteurs génétiques, à la non-conformité de genre durant l'enfance et aux différences neurologiques entre les hommes et les femmes.

- L'hypothèse d'une prédisposition pour l'homosexualité est difficile à valider. Les études empiriques réalisées jusqu'à maintenant comportent d'importants problèmes méthodologiques.

- L'orientation sexuelle, peu importe sa position dans le continuum hétérosexualité/homosexualité, semble être le produit de l'interaction de divers facteurs biologiques, environnementaux, culturels et historiques propres à chaque personne et fluctuant au cours de la vie.

Les attitudes sociétales

- Les attitudes des diverses cultures vis-à-vis de l'homosexualité vont de la condamnation à l'acceptation.

- La vision judéo-chrétienne qui perdure depuis des siècles présente des positions variées à l'égard de l'homosexualité.

- Pendant longtemps, la pensée judéo-chrétienne dominante en Occident a étroitement associé les notions de péché et de maladie. Cette conception persiste encore chez les fondamentalistes religieux américains qui croient et enseignent que le sida est une punition que Dieu inflige aux homosexuels.

- L'homophobie est une crainte irrationnelle, une haine, une aversion ou une discrimination à l'égard des personnes homosexuelles ou du comportement homosexuel. Elle englobe plusieurs formes d'expression des préjugés telles que l'exclusion, l'évitement, le mépris, le dénigrement ou, dans sa forme extrême, la violence et les crimes haineux contre les personnes de la communauté LGBTQ.

- L'hétérosexisme est une norme sociale présupposant que l'hétérosexualité est supérieure aux autres identités et aux autres orientations sexuelles.

- L'homophobie et les crimes haineux peuvent s'expliquer par différentes causes, dont le manque de tolérance face à la diversité, le conservatisme religieux, les stéréotypes sexuels traditionnels ou le déni de ses propres émotions homosexuelles.

- Depuis les années 1990, les médias montrent de plus en plus l'homosexualité sous un jour positif, un changement qui a conduit à une meilleure compréhension et à une plus grande acceptation de l'homosexualité.

- Le choix d'affirmer son orientation ou de la taire a souvent une grande influence sur le style de vie. Le processus d'affirmation de son orientation homosexuelle comprend trois étapes : la reconnaissance, l'acceptation et l'expression ouverte de son homosexualité. L'engagement dans la communauté LGBTQ consolide l'affirmation de son orientation sexuelle.

- Les couples gais, lesbiens et hétérosexuels partagent plusieurs caractéristiques communes. Cependant, les couples homosexuels composeraient mieux avec les conflits que ne le font les couples hétérosexuels.

- Les études démontrent que les familles homoparentales ne comptent pas plus d'enfants homosexuels que les autres types de familles.

- Les enfants des familles homosexuelles ne démontrent pas plus de problèmes d'adaptation que les autres. Ils sont toutefois plus exposés à l'intimidation en raison du modèle parental différent.

CHAPITRE 06

Les développements sexuels au cours de la vie

SOMMAIRE

Disponible sur

- Activités interactives

> Dans de nombreuses sociétés occidentales, y compris la nôtre, la sexualité est encore souvent vue comme quelque chose qui commence avec la puberté. Cette vision est inexacte et contraire aux observations scientifiques, et même aux observations communes. Dans le présent chapitre, nous présentons d'abord quelques comportements sexuels propres à l'enfance et à l'adolescence. Par la suite, nous nous intéressons à la sexualité à l'âge adulte et à celle des personnes âgées.

La sexualité chez le nourrisson et l'enfant

> Mon plus ancien souvenir de ce qui pourrait s'appeler un geste de nature sexuelle est de m'être frotté contre mon oreiller dans mon berceau et d'avoir ressenti quelque chose de très agréable; je crois aujourd'hui que c'était un orgasme (en fait, je me souviens de l'avoir fait à plusieurs reprises). Je devais avoir deux ans, plus ou moins quelques mois. Ce qui est étonnant à propos de ces expériences précoces est que je dormais dans la chambre de mes parents – je m'en souviens clairement – et que je n'ai jamais été réprimandé pour ce comportement *auto-abusif*. Ou bien mes parents dormaient profondément, ou bien ils étaient très avant-gardistes en matière de sexualité. Connaissant mes parents, je pense que c'est la première hypothèse qui est juste. (Note des auteurs)

Les recherches des dernières décennies ne laissent plus de doute: l'être humain a une sexualité dès la petite enfance. Ce potentiel n'est pas systématiquement réalisé chez tous les jeunes enfants. Une combinaison de facteurs – personnalité, environnement familial et culturel, pairs, etc. – influe sur le développement de la sexualité durant l'enfance. Et ce qui se passe dès les premières années de la vie continuera d'influencer le comportement sexuel à l'âge adulte.

La sexualité du nourrisson et du fœtus

Avec l'utilisation de l'échographie prénatale, l'érection chez un fœtus masculin est devenue une observation courante. Des érections sont aussi observées chez des bébés dès leur naissance.

Chez la plupart des gens, la capacité d'avoir une réponse sexuelle est présente dès la naissance (DeLamater et Friedrich, 2002; Newman, 2008; Thanasiu, 2004). Durant les deux premières années de la vie, période dite *du nourrisson*, plusieurs filles et garçons découvrent les plaisirs de la stimulation génitale (Yang et coll., 2005). Il s'agit de poussées ou de frottements de la zone génitale contre un objet, tels un oreiller ou une poupée, comme dans le témoignage ci-dessous. Les poussées du bassin et d'autres signes d'excitation sexuelle chez le nourrisson, par exemple la lubrification vaginale ou l'érection pénienne, sont souvent mal interprétés ou simplement ignorés. Toutefois, les observateurs attentifs noteront ces marques de sexualité chez les très jeunes bébés (Ryan, 2000; Thanasiu, 2004). On a pu constater chez des nourrissons des deux sexes ce qui ressemble à s'y méprendre à un orgasme (Newman, 2008). Le nourrisson ne peut, bien entendu, confirmer verbalement la nature sexuelle de son activité. Toutefois, celle-ci est tellement similaire à la réponse sexuelle de l'adulte que son caractère sexuel ne laisse guère de doutes. Alfred Kinsey et son équipe, dans leur livre sur la sexualité féminine, rapportent en détail les observations d'une mère à propos de sa fillette de trois ans, occupée à n'en pas douter à une activité masturbatoire.

Couchée sur le ventre, genoux repliés, elle se mit à effectuer des poussées pelviennes rythmiques environ toutes les secondes. C'étaient avant tout des poussées du bassin et les jambes étaient tendues en position fixe. Les poussées vers l'avant s'effectuaient à un rythme soutenu et régulier que la petite n'interrompait que le temps de replacer ses organes génitaux sur la poupée contre laquelle elle se pressait; la reprise après chaque poussée était spasmodique et saccadée. Il y eut 44 poussées à un rythme soutenu, une brève pause, 87 poussées suivies d'un léger temps d'arrêt, puis un moment de concentration et de respiration intense, accompagné de spasmes soudains signalant l'approche de l'orgasme. Elle était complètement absorbée durant cette dernière phase de l'activité. Elle avait le regard vague, fixe et vide. Le soulagement et la relaxation qui suivirent l'orgasme étaient évidents.

(Kinsey et coll., 1954, p. 104-105.)

Kinsey décrit aussi des manifestations de la sexualité d'un nourrisson de sexe masculin.

> *Mis à part l'absence d'éjaculation, l'orgasme du nourrisson ou de tout autre jeune garçon ressemble à s'y méprendre à l'orgasme chez l'adulte. Le comportement est constitué d'une série de changements physiologiques qui prennent place graduellement avec l'adoption de mouvements corporels rythmés accompagnés de pulsations péniennes et de poussées du bassin, d'une altération évidente des capacités sensorielles, d'une tension finale particulière des muscles de l'abdomen, des hanches et du dos, suivie d'un soudain relâchement accompagné de spasmes, incluant des contractions anales régulières – et se terminant avec la disparition de tous les symptômes. Un bébé agité se calme dès la première stimulation sexuelle, perd tout intérêt pour d'autres activités, entreprend des poussées pelviennes rythmiques, se tend à l'approche de l'orgasme, est pris de convulsions, est souvent agité de violents mouvements des bras et des jambes et pleure parfois au moment de l'orgasme.*
>
> (Kinsey et coll., 1948, p. 177.)

Il est impossible de déterminer le sens de ces premières expériences sexuelles pour les nourrissons, mais il est assez certain qu'elles sont agréables. Beaucoup d'enfants des deux sexes s'y adonnent tout naturellement si leurs parents ou les personnes qui prennent soin d'eux ne s'y opposent pas.

Il est clair que les nourrissons sont incapables de différencier le plaisir sexuel des autres formes de plaisir sensuel. Plusieurs soins quotidiens du nourrisson, comme l'allaitement, le bain, la toilette ou le changement de couches, comportent des stimulations tactiles qui, bien qu'essentiellement sensuelles, peuvent entraîner une réponse génitale ou sexuelle (Frayser, 1994; Martinson, 1994).

La sexualité durant l'enfance

Qu'est-ce qui constitue un comportement sexuel sain et normal chez l'enfant? Voilà une question à laquelle on ne peut apporter de réponse définitive, vu la rareté des données sur la sexualité durant l'enfance. La recherche en ce domaine demeure parcellaire pour de nombreuses raisons, la principale étant la difficulté d'obtenir du financement pour la recherche fondamentale sur la sexualité de l'enfant; ici comme ailleurs, les lignes directrices qui guident la recherche rendent la conduite de ce type d'étude difficile. Il y a quelques années, aux États-Unis, une équipe a surmonté ces obstacles en interrogeant un vaste échantillon de mères d'enfants âgés de 2 à 12 ans. L'encadré *Pleins feux sur la recherche* à la page 157 présente des résultats de cette étude riche en informations au sujet

Il est possible que les contacts chaleureux et agréables qu'on a connus dans l'enfance, particulièrement avec ses parents, conditionnent le plaisir qu'on retire de l'intimité sexuelle à l'âge adulte.

des comportements sexuels explicites des enfants. À l'heure actuelle, nous ne disposons d'aucune étude récente qui analyse un aussi grand éventail de comportements.

Le développement sexuel de l'enfant est varié et soumis à diverses influences (Bancroft, 2003). Il semble toutefois se dégager une certaine séquence commune dans ce développement, bien que les connaissances dans ce domaine soient quelque peu limitées. Il faut garder à l'esprit que l'histoire sexuelle de chaque individu est unique et qu'elle peut donc s'écarter du modèle commun. Il est aussi important de comprendre que, mis à part ce que nous en disent les personnes qui prennent soin des petits, notre connaissance du comportement sexuel dans l'enfance repose en grande partie sur des souvenirs d'adultes. Et comme nous l'avons dit au chapitre 1, il peut être très difficile pour les adultes de se remémorer avec exactitude des expériences survenues de nombreuses années auparavant.

L'enfant apprend à exprimer ses sentiments affectueux et sensuels par le baiser et l'étreinte. L'accueil qui sera fait à ses manifestations de tendresse pourra vivement conditionner l'expression de sa sexualité. En effet, les dispositions d'une personne à donner et à recevoir de l'affection, une fois adulte, semblent liées à ses premiers contacts chaleureux et agréables avec des gens significatifs, particulièrement ses parents (Fraley et coll., 2013; Newman, 2008). Plusieurs chercheurs croient que les enfants privés de contact réconfortant (qu'on ne caresse pas ou qu'on ne prend pas dans ses bras) durant les premiers mois et les premières années de la vie peuvent éprouver des difficultés à établir des relations intimes plus tard (Harlow et Harlow, 1962 ; Houde et Drapeau, 2012 ; Prescott, 1989). De plus, d'autres recherches suggèrent que l'affection et la violence physique sont, dans une certaine mesure, mutuellement exclusives. Ainsi, une étude portant sur 49 sociétés différentes a révélé qu'il y avait peu de violence adulte dans les cultures où les enfants étaient élevés affectueusement. Inversement, elle était manifeste dans celles où les enfants étaient privés de contacts physiques affectueux (Prescott, 1975).

L'attachement

L'*attachement* est un terme qui désigne le lien émotif intense qui s'établit entre deux individus, comme celui qui se tisse entre un enfant et un de ses parents, ou entre deux amoureux (Rholes et coll., 2006). La manière dont les personnes adultes créent des liens d'attachement remonte à l'enfance, et la façon dont elles apprennent à établir des liens durant cette période de vie a une profonde influence sur le type de relations qu'elles formeront plus tard avec leurs partenaires (Zayas et coll., 2011). Nous étudierons les styles d'attachement dans les relations sexuelles et relationnelles adultes au chapitre 7.

Nous devons à Mary Ainsworth un certain nombre de connaissances scientifiques au sujet de l'établissement des modes d'attachement et de la façon dont ils nous influenceront plus tard (Ainsworth, 1979, 1989 ; Ainsworth et coll., 1978). Ainsworth est une psychologue développementaliste qui a conçu un protocole de laboratoire original qu'elle a intitulé *la situation étrange*, grâce auquel elle a pu découvrir plusieurs modes d'attachement. Ce protocole consiste à placer un enfant âgé d'un an dans un environnement peu familier, puis à évaluer son comportement selon différentes conditions : en présence de sa mère, en présence de sa mère et d'un étranger, en présence d'un étranger seulement et lorsqu'il est tout seul.

Ainsworth a ainsi découvert que les enfants en bas âge réagissent différemment à ces situations inhabituelles pour eux. Ceux qui avaient établi un type d'attachement dit *attachement sécurisant* ont utilisé leur mère comme base de sécurité pour explorer avec entrain leur nouvel environnement et s'amuser avec les jouets dans la pièce. Une fois séparés de leur mère, ces enfants ont semblé se sentir en sécurité ; ils ont protesté, mais en exprimant une détresse modérée et ils ont paru confiants que

leur mère reviendrait prendre soin d'eux et les protéger. Lorsqu'ils ont retrouvé leur mère, ces enfants ont recherché son contact ; ils ont manifesté leur joie, et ont souvent repris l'exploration de leur environnement. Par contre, les enfants qui manifestaient un *attachement insécurisant* ont réagi différemment. Ils ont montré plus d'appréhension et, au retour de leur mère, ils ont eu moins tendance à s'en détacher pour repartir à la découverte de leur environnement. Le départ de leur mère les a profondément troublés et il a provoqué des pleurs bruyants. À son retour, ils ont souvent exprimé de l'hostilité ou de l'indifférence.

L'analyse des données des recherches effectuées par Ainsworth à partir de *la situation étrange* a permis de classer les enfants à l'attachement insécurisant dans deux sous-groupes distincts, selon qu'ils exprimaient un attachement anxieux-ambivalent ou un attachement anxieux-évitant. Les premiers manifestent une inquiétude extrême quand leur mère les laisse, alors que les seconds semblent vouloir un contact physique étroit avec leur mère, tout en étant peu disposés à le rechercher, apparemment parce qu'ils percevaient son détachement ou son indifférence.

Comment expliquer ces différences dans les modes d'attachement ? La réponse se trouve probablement dans un ensemble de facteurs relevant de l'inné et des pratiques parentales. Certains enfants sont plus naturellement disposés que d'autres à former un attachement sécurisant ; ainsi, des nouveau-nés réagissent mieux que d'autres lorsqu'on les prend dans les bras ou qu'on les câline (Picardi et coll., 2011). La manière dont les mères s'occupent de leur enfant à la maison constitue un autre facteur contribuant aux différentes réactions des bébés dans le contexte de *la situation étrange*. Les mères qui ont des enfants au style d'attachement sécurisant ont tendance à être plus sensibles et plus réceptives à leurs besoins.

Selon les recherches sur l'attachement, la qualité des contacts affectueux, tels que les caresses et les étreintes entre le bébé et ses parents, influe sur les interactions de cette nature entre amoureux à l'âge adulte.

Attachement Lien émotif intense entre deux individus, comme celui qui s'établit entre un enfant et un de ses parents, ou entre des amoureux.

Le comportement sexuel des enfants

Le psychologue William Friedrich et ses collaborateurs (1998) de l'Institut Mayo ont soumis à un vaste échantillon de mères un questionnaire sur les comportements de nature sexuelle qu'elles avaient observés chez leurs enfants. On a ainsi obtenu des données sur les comportements sexuels de 834 enfants de 2 à 12 ans n'ayant pas été victimes d'agressions sexuelles. On a demandé aux mères combien de fois elles avaient vu leurs enfants s'adonner à 38 comportements sexuels différents, durant les 6 mois précédents. Quand 20 mères ou plus déclaraient avoir observé un comportement donné, les chercheurs considéraient celui-ci comme une manifestation normale de l'expression sexuelle chez les enfants. Voici les principaux résultats de cette importante étude.

Un large éventail de comportements sexuels a été observé et la fréquence de ceux-ci variait selon l'âge des enfants. Comme le montre le tableau 6.1 ci-dessous, les comportements les plus fréquents étaient l'autostimulation, l'exhibitionnisme (consistant souvent à montrer ses parties intimes à un autre enfant ou à un adulte) et des comportements liés à l'espace personnel, comme toucher les seins de sa mère ou ceux d'une autre femme. Les comportements sexuels importuns – par exemple, l'enfant qui met sa main sur les organes génitaux d'un autre enfant – furent moins fréquemment observés.

Chez les deux sexes, la fréquence des comportements sexuels observés était inversement liée à l'âge, culminant à cinq ans pour ensuite décliner durant les sept années suivantes. Selon les auteurs de l'étude, cette diminution n'indique pas nécessairement que les enfants ont moins de comportements sexuels en vieillissant, mais qu'ils s'y adonnent avec plus de discrétion. Les enfants plus âgés passent également plus de temps avec leurs pairs, et leurs parents ont donc moins d'occasions de les observer.

Les chercheurs n'ont relevé aucun lien significatif entre l'origine ethnique et les comportements sexuels observés. Le lien entre les attitudes maternelles envers la sexualité et la fréquence de ces comportements est cependant indéniable. Les mères qui disaient ne pas s'en faire avec la nudité dans la famille, par exemple, ou qui ne voyaient pas d'inconvénient à dormir ou à prendre un bain avec leurs enfants ont rapporté un plus grand nombre d'activités sexuelles chez ces derniers.

Les auteurs de cette étude ont conclu que le comportement sexuel explicite, particulièrement chez les jeunes enfants, semble être un aspect normal du développement. Cette constatation est particulièrement intéressante à une époque où les agressions sexuelles d'enfants font partie des préoccupations bien réelles de nombreux parents et des corps enseignant et médical. En conclusion, Friedrich et ses collègues font remarquer qu'il est important que les parents (et les autres adultes) comprennent que l'enfant de cinq ans qui touche à l'occasion ses parties génitales, même au retour d'une fin de semaine chez l'autre parent, n'a pas pour autant été agressé.

TABLEAU 6.1 ▶ Le pourcentage des mères ayant observé un comportement donné au moins une fois, dans les six derniers mois

COMPORTEMENT OBSERVÉ	GARÇONS			FILLES		
	2 À 5 ANS	6 À 9 ANS	10 À 12 ANS	2 À 5 ANS	6 À 9 ANS	10 À 12 ANS
Touche ses organes génitaux en public.	26,5	13,8	1,2	15,1	6,5	2,2
Touche ses organes génitaux à la maison.	60,2	39,8	8,7	43,8	20,7	11,6
Touche les organes génitaux d'autres enfants.	4,6	8,0	1,2	8,8	1,2	1,1
Touche les organes génitaux des adultes.	7,8	1,6	0,0	4,2	1,2	0,0
Touche les seins.	42,4	14,3	1,2	43,7	15,9	1,1
Montre ses organes génitaux aux autres enfants.	9,3	4,8	0,0	6,4	2,4	1,1
Montre ses organes génitaux aux adultes.	15,4	6,4	2,5	13,8	5,4	2,2
Se masturbe manuellement.	16,7	12,8	3,7	15,8	5,3	7,4
Se masturbe avec un objet.	3,5	2,7	1,2	6,0	2,9	4,3
Parle d'actes sexuels.	2,1	8,5	8,9	3,2	7,2	8,5
Met sa bouche sur les seins.	5,7	0,5	0,0	4,3	2,4	0,0
En sait beaucoup sur la sexualité.	5,3	13,3	11,4	5,3	15,5	17,9

Source : Adapté de Friedrich et coll., 1998.

Par exemple, certaines mères nourrissent leur bébé quand il a faim plutôt qu'à heures fixes. Elles sont également plus enclines à câliner leur bébé en dehors des moments consacrés à l'alimentation ou au changement de couche. En revanche, les mères qui ont des enfants inquiets (attachements anxieux-ambivalent et anxieux-évitant) ont tendance à être moins sensibles et moins réceptives à leurs besoins, et à y répondre de manière inconstante. Par exemple, elles nourrissent leur bébé seulement lorsqu'elles le veulent et vont même jusqu'à ignorer ses pleurs exprimant la faim. Ces mères sont également plus susceptibles d'éviter de prendre leur bébé dans les bras.

L'établissement d'un lien de confiance et d'un attachement sécurisant entre un enfant et un parent semble influer de façon manifeste sur le développement futur du petit. Plusieurs études ont prouvé que les enfants manifestant un attachement sécurisant apprennent que les parents sont une source de sécurité et de fiabilité. Ces enfants font également preuve d'une compétence sociale beaucoup plus grande que ceux qui ont acquis l'un ou l'autre des types d'attachement insécurisant (Milyavskaya et Lydon, 2013 ; Verissimo et coll., 2014). Les enfants de type anxieux-ambivalent, dont les parents répondent de manière inconstante à leurs besoins, se montrent souvent indécis quand ils font face à de nouvelles situations ; de plus, ils ont fréquemment des réactions négatives, telles que des accès de colère, un besoin obsessif d'être près de leurs parents. Ces enfants réagissent également de façon inconstante, ce qui reflète leur ambivalence sur la façon de répondre aux autres (MacDonald et coll., 2013). Les enfants vivant un lien d'attachement insécurisant gèrent leur stress en compensant par des comportements alimentaires incontrôlés. Ils font donc souvent de l'embonpoint ou ils sont obèses. De plus, rendus à l'âge adulte, ces enfants auront plus de maladies physiques et leur santé mentale sera moins bonne, comparativement à ceux qui ont établi un attachement sécurisant (Jaremka et coll., 2013 ; Puig et coll., 2013 ; Stanton et Campbell, 2014). Quant aux enfants de type anxieux-évitant, souvent négligés par leurs parents, ils acquièrent une vision négative des autres et sont peu disposés à laisser les étrangers s'approcher d'eux.

Ces divers styles d'attachement acquis pendant l'enfance tendent à persister tout au long de la vie et ils ont une influence fondamentale sur la capacité de chacun à créer des liens affectueux avec un partenaire (*voir le chapitre 7*).

La masturbation

> Je garde ma cousine de 21 mois et je l'ai surprise à se caresser l'intérieur du vagin avec une débarbouillette. Fait-elle cela pour découvrir son corps ou bien a-t-elle été attouchée [*sic*] ? J'avoue que j'ai une certaine crainte à l'idée de la garder encore. Merci. (Site Élysa)

Le mot *masturbation* décrit la stimulation de ses propres parties génitales pour obtenir du plaisir sexuel. *Autoérotisme* est un autre terme pour désigner la masturbation. Nous exposons quelques points de vue sur la masturbation, puis nous en donnons les buts et expliquons certaines techniques d'autostimulation.

Selon Jean-Yves Desjardins (2007), dès que l'enfant acquiert le contrôle de ses mouvements, il est susceptible de pratiquer une forme quelconque d'autostimulation. Parfois, les bébés se caressent, comme mentionné plus haut, mais la manipulation rythmique des organes génitaux propre à la masturbation adulte ne se produit généralement pas avant l'âge de deux ans et demi ou trois ans (DeLamater et Friedrich, 2002 ; Kaestle et Allen, 2011).

La masturbation est l'une des manifestations sexuelles les plus courantes durant l'enfance (Thanasiu, 2004). L'étude présentée dans l'encadré *Pleins feux sur la recherche*, à la page 157, indique qu'environ 16 % des mères ont déclaré avoir vu leurs enfants de deux à cinq ans se masturber manuellement (Friedrich et coll., 1998). Diverses autres études ont révélé que le tiers des répondantes et les deux tiers des répondants disaient s'être masturbés avant l'adolescence (Elias et Gebhard, 1969 ; Friedrich et coll., 1991). Selon une enquête récente menée auprès d'étudiants du collégial, un peu plus de filles (40 %) que de garçons (38 %) ont déclaré s'être masturbées avant leur puberté (Bancroft et coll., 2003). Une revue récente de plusieurs études montre qu'une proportion substantielle de personnes a expérimenté l'orgasme avant la puberté, souvent par la masturbation (Janssen, 2007).

La réaction des parents à l'autostimulation de l'enfant peut avoir une très grande influence sur le développement de sa sexualité. Dans notre société, la plupart des parents et des personnes qui s'occupent des enfants ont tendance à les dissuader de s'y adonner ou à interdire ce genre d'activité, et même à s'en inquiéter auprès d'autres adultes, la trouvant inusitée. Les parents ne parlent généralement pas de la masturbation à leurs enfants. Quand ils le font, c'est souvent de manière désobligeante. Repensez à votre jeunesse. Vos parents ne vous ont-ils jamais dit qu'ils acceptaient cette activité ? Aviez-vous l'impression qu'ils admettaient l'autoérotisme chez leurs enfants ? Probablement pas. La plupart du temps, les parents gratifient l'enfant qui se masturbe d'un regard désapprobateur ou d'une tape sur la main, ou lui disent « d'arrêter de faire ça ». Ces gestes de condamnation n'échappent pas aux enfants, pas même aux très jeunes dont les capacités langagières ne sont pas encore développées.

Masturbation Stimulation de ses parties génitales dans le but d'obtenir du plaisir sexuel.

Comment les adultes peuvent-ils montrer qu'ils comprennent cette forme d'autoexploration si naturelle et normale? D'abord, en s'abstenant de réprouver l'habitude qu'ont les bébés et les enfants en bas âge de caresser leurs parties génitales. Plus tard, en répondant aux questions des enfants concernant leur corps, il peut être souhaitable de mentionner le potentiel de plaisir émanant des organes génitaux («C'est bon quand tu te touches là»). En respectant l'intimité des petits – par exemple, en frappant avant d'entrer dans leur chambre –, on leur permet d'être à l'aise durant cette activité très personnelle. Les adultes peuvent montrer qu'ils acceptent ouvertement l'activité autoérotique de leur enfant, comme dans l'exemple suivant.

> Un jour, mon fils de sept ans est venu me rejoindre sur le divan pour regarder un match de football. Il venait de sortir de la douche et, serviette en main, finissait de se sécher. Alors qu'il paraissait absorbé par ce qui se passait à l'écran, j'ai remarqué qu'il se caressait le pénis d'une main. Tout à coup, son regard a croisé le mien alors que je le regardais. Il a eu un sourire gêné. Je ne savais pas trop comment réagir, alors j'ai simplement dit: «C'est agréable, n'est-ce pas?» Il n'a rien dit, pas plus qu'il n'a continué à se caresser, mais il a souri un peu plus. Je dois admettre que j'hésitais au départ à lui signifier mon approbation pour ce genre de comportement. Je craignais qu'il ne commence à se masturber devant d'autres personnes. Mais mes craintes se sont avérées infondées puisqu'il a continué cette activité en privé. Je suis heureux de savoir qu'il peut expérimenter les plaisirs que lui procure son corps sans le désagréable sentiment de culpabilité avec lequel son père a grandi.
> (Note des auteurs)

Certains craignent, comme dans l'exemple ci-dessus, que les enfants ne se mettent à se masturber devant les autres s'ils savent que leurs parents acceptent ce comportement. C'est une réaction bien naturelle. Personne n'a vraiment envie de devoir intervenir parce que Jade ou Samuel se masturbe devant leur grand-mère. Toutefois, les enfants sont généralement assez conscients des convenances pour agir très discrètement dans un domaine aussi intime et personnel que l'autoérotisme. La plupart d'entre eux sont capables de faire preuve de plus de discernement que le croient leurs parents. Mais advenant qu'un enfant se masturbe en présence d'autres personnes, les parents doivent alors agir avec circonspection et lui indiquer clairement que c'est l'endroit qui est mal choisi, et non l'activité. Une façon de réagir avec tact et sensibilité est de dire à l'enfant: «Je sais que tu as du plaisir, mais c'est une façon très personnelle d'avoir du plaisir. Trouvons un endroit où tu pourras avoir l'intimité dont tu as besoin» (Planned Parenthood Federation of America, 2002).

Beaucoup d'enfants se masturbent. On réussira rarement à éliminer ce comportement en le leur interdisant, en les menaçant de punition, ou en prétendant que la masturbation peut les mener à la dégénérescence mentale ou physique. Tout ce qu'on risque ainsi, c'est d'amplifier le sentiment de culpabilité et l'anxiété associés à ce comportement.

Les jeux sexuels

Outre l'autostimulation, les enfants prépubères s'adonnent également à des jeux qu'on peut considérer comme sexuels (Sandnabba et coll., 2003; Thanasiu, 2004). Ils s'y adonnent avec des amis des deux sexes ou avec leurs frères et sœurs du même âge (Thanasiu, 2004). Cela peut se produire dès l'âge de deux ou trois ans, mais plus généralement entre quatre et sept ans (DeLamater et Friedrich, 2002). Alfred Kinsey (1948, 1954) indique que 45 % des femmes et 57 % des hommes de son échantillon ont déclaré s'être adonnés à ces expériences avant l'âge de 12 ans. D'autres recherches ont révélé que 61 % des étudiants de niveau collégial avaient participé à certains jeux sexuels avec d'autres enfants avant l'âge de 13 ans (Greenwald et Leitenberg, 1989), que 83 % des élèves d'une école secondaire en Suède (81 % des garçons, 84 % des filles) avaient aussi eu des jeux sexuels avant l'âge de 13 ans (Larsson et Svedin, 2002) et que 56 % des membres d'un groupe de professionnels se rappelaient avoir eu des activités considérées comme sexuelles avec d'autres enfants avant l'âge de 12 ans (Ryan et coll., 1988). À l'occasion de ces jeux, les enfants montraient leurs organes génitaux ou les faisaient examiner (sous prétexte de jouer au docteur), et simulaient le coït en se frottant mutuellement les parties génitales. La plupart des adultes, surtout les parents, ont tendance à s'inquiéter de la nature apparemment érotique de ces jeux; pour les enfants, cependant, le côté ludique de ces gestes importe bien davantage que leur contenu sexuel. Pour le professeur belge, pédopsychiatre et docteur en psychologie Jean-Yves Hayez (2004), à la préadolescence, l'enfant a une attitude *scientifique* devant la sexualité. Il essaie (en théorie et en pratique) de comprendre bien plus qu'il ne recherche une véritable sexualisation érotique.

La curiosité envers ce qui est défendu joue probablement un rôle important dans ces jeux (Comfort, 1967). Cette curiosité suscite l'exploration sexuelle précoce (Hayez, 2004). La curiosité envers les attributs sexuels des autres, surtout ceux de l'autre sexe, est parfaitement normale (DeLamater et Friedrich, 2002; Hayez, 2004; Thanasiu, 2004). Plusieurs garderies et classes de prématernelle disposent maintenant de salles de bains communes, permettant ainsi aux enfants d'apprendre leurs différences anatomiques au jour le jour.

QUESTION D'ANALYSE CRITIQUE

> Imaginez que vous êtes le parent d'un garçon de sept ans et que vous venez de le surprendre en train de *jouer au docteur* avec une petite amie de son âge. Tous deux ont enlevé leurs sous-vêtements et s'examinent attentivement l'un l'autre. Que faites-vous ? Agiriez-vous différemment selon le sexe de votre enfant ?

Outre leur intérêt manifeste pour les comportements sexuels, beaucoup d'enfants de cinq à sept ans commencent à reproduire dans leurs agissements le modèle du mariage hétérosexuel prédominant dans notre société parce qu'ils veulent faire *comme les adultes* (Hayez, 2004). La chose est claire quand ils *jouent au papa et à la maman*, jeu typique des enfants de cet âge. Certains des jeux sexuels décrits plus tôt prennent place dans le cadre de cette activité.

Autour de huit ou neuf ans (certaines sources parlent de six ans), les filles et les garçons commencent à jouer séparément, quoique l'intérêt romantique envers l'autre sexe continue d'exister (DeLamater et Friedrich, 2002 ; O'Sullivan et coll., 2007). Et si l'attrait des jeux sexuels avec autrui diminue, la curiosité envers la sexualité demeure importante. C'est l'âge des nombreuses questions sur la procréation et la sexualité (Gordon et Gordon, 1989 ; Hayez, 2004).

La plupart des enfants de 10 et 11 ans s'intéressent vivement aux changements corporels, particulièrement ceux ayant trait aux organes sexuels et aux caractères sexuels secondaires, comme la pilosité aux aisselles et la formation des seins. Ils sont souvent impatients de voir apparaître chez eux ces signes annonciateurs de l'adolescence. Beaucoup d'enfants prépubères deviennent alors extrêmement embarrassés par leur corps et très réticents à le montrer aux autres. Vivre séparément de

Chez beaucoup d'enfants, l'aspect ludique d'une interaction comme celle-ci l'emporte sur toute connotation sexuelle.

l'autre sexe fait loi et les enfants de cet âge protestent souvent avec véhémence contre toute allusion à un quelconque intérêt romantique de leur part envers l'autre sexe (Goldman et Goldman, 1982 ; Hayez, 2004).

Les jeux sexuels entre amis de même sexe sont courants durant ces dernières années de l'enfance (DeLamater et Friedrich, 2002 ; Sandnabba et coll., 2003). En fait, au cours de cette période où l'homosociabilité est particulièrement marquée, ils sont probablement plus fréquents qu'entre amis des deux sexes (DeLamater et Friedrich, 2002). Dans la plupart des cas, ces jeux sont transitoires et bientôt remplacés par les premières fréquentations hétérosexuelles de l'adolescence (Reinisch et Beasley, 1990). Toutefois, chez certains enfants, ils peuvent être annonciateurs d'une orientation homosexuelle ou bisexuelle qui s'épanouira durant l'adolescence et à l'âge adulte (*voir le chapitre 5*). En elles-mêmes, cependant, ces expériences sexuelles de jeunesse avec des amis de même sexe sont rarement déterminantes de l'orientation homosexuelle (Bell et coll., 1981 ; Van Wyk, 1984). Nous conseillons aux parents qui remarquent de tels comportements d'éviter les réactions hostiles et de ne pas y voir des activités homosexuelles de type adulte.

La découverte de soi et les interactions avec les pairs sont manifestement très importantes durant l'enfance, alors que commence le développement de la sexualité. L'influence de ces facteurs se poursuit pendant l'adolescence.

La sexualité à l'adolescence

L'adolescence est la période des changements physiologiques spectaculaires et du développement du rôle social (Blakemore et Mills, 2014). Dans les sociétés occidentales, elle marque le passage de l'enfance à la maturité et s'étend habituellement de l'âge de 11 à 20 ans. La plupart des changements physiques majeurs de l'adolescence ont lieu durant les premières années de cette période. Par contre, des changements importants en matière de comportements et de rôles sociaux se produisent durant toute cette étape de la vie.

Les changements physiques

La *puberté* (du latin *pubescere*, «se couvrir de poils») est le terme couramment utilisé pour désigner la période de rapides changements physiques du début de l'adolescence.

> **Puberté**   Période de changements rapides du début de l'adolescence pendant laquelle les organes reproducteurs deviennent matures.

On ne connaît pas encore tous les mécanismes qui déclenchent la séquence de ce développement, mais on sait que l'hypothalamus y joue un rôle clé (Cunningham et coll., 2013 ; Perry et coll., 2014 ; Villanueva et Argente, 2014). En général, quand l'enfant a entre 8 et 14 ans, l'hypothalamus se met à sécréter davantage d'hormones, ce qui amène l'hypophyse à libérer dans le sang d'importantes quantités de **gonadostimuline** (Koenis et coll., 2013). Cette hormone, chimiquement identique chez les garçons et les filles, stimule l'activité des gonades. Chez les garçons, elle accroît la production de testostérone, tandis que, chez les filles, elle stimule les ovaires qui commencent à produire d'importantes quantités d'œstrogènes. Vers 9 ou 10 ans, la présence de ces hormones se met à augmenter à l'approche de la puberté (Peper et Dahl, 2013). La puberté commence généralement vers 9 ou 11 ans chez les filles, et un peu plus tard chez les garçons, en moyenne vers 11 ou 12 ans. Dans notre société, l'étape de l'adolescence commence plus précocement et se termine plus tard, comparativement à ce qu'on observe dans d'autres sociétés. C'est pourquoi les chercheurs contemporains ont ajouté une autre période, appelée *adulte émergent*, pour caractériser les 18-25 ans et les étapes de développement qu'ils traversent entre l'adolescence et la vie de jeune adulte (Arnett, 2015).

La recherche démontre que la puberté tend à survenir plus tôt depuis quelques années (Lee et Styne, 2013). Aux États Unis, 15 % des filles commencent leur puberté vers l'âge de 7 ans (Newman, 2011 ; Szabo, 2013). Les études montrent également que la puberté est plus précoce chez les filles qui font de l'embonpoint (Szabo, 2013). Par ailleurs, on a constaté chez ces filles un lien entre une puberté précoce et une augmentation du risque de maladies cardiovasculaires, de diabète, de cancer du sein et de cancer de l'endomètre (Szabo, 2013). Celles qui sont pubères plus tôt ont aussi tendance à avoir des relations coïtales à un âge plus jeune que celles qui se situent dans la norme et à connaître des relations instables (Moore et coll., 2014).

Sous l'effet de l'augmentation des taux d'hormones, des signes extérieurs de la maturation sexuelle mâle et femelle commencent à apparaître. Ces changements – formation des seins, mue de la voix, pilosité faciale, corporelle et pubienne – sont appelés *caractères sexuels secondaires*. L'apparition des poils pubiens chez les deux sexes et des bourgeons mammaires (légère protubérance sous le mamelon) chez les filles est habituellement le premier signe de la puberté. La taille des organes génitaux externes augmente aussi : chez le garçon, le pénis et les testicules se développent, alors que chez la fille les petites et grandes lèvres grossissent (*voir la figure 6.1*).

Gonadostimuline Hormone hypophysaire stimulant l'activité des gonades (testicules et ovaires).

Caractères sexuels secondaires Changements physiques autres que génitaux qui indiquent une maturité sexuelle, comme la pilosité corporelle, les seins, la voix plus grave.

FIGURE 6.1 **Les changements hormonaux de la puberté, déclenchés par l'action de l'hypothalamus sur l'hypophyse, stimulent une croissance rapide et le développement des caractères sexuels secondaires**

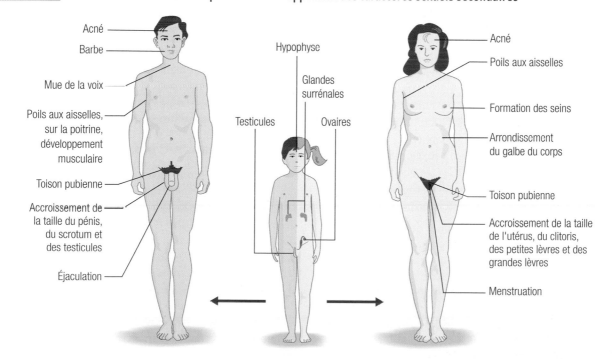

La seule chose qui distingue clairement la puberté des garçons et celle des filles est la croissance. Parce que les œstrogènes facilitent davantage que la testostérone la sécrétion de l'hormone de croissance par l'hypophyse, les filles commencent à grandir beaucoup plus vite dès les premiers signes de puberté. Même si l'ampleur de la poussée de croissance est à peu près comparable chez les deux sexes, elle commence environ deux ans plus tôt chez les filles (Westwood, 2007). C'est ainsi qu'en moyenne, les filles de 12 ans sont considérablement plus grandes que les garçons du même âge.

Les menstruations débutent ensuite; l'apparition des premières règles est appelée *ménarche* (*voir le chapitre 2*). Les premières menstruations peuvent être irrégulières et se produire sans ovulation. La plupart des filles ont leurs premières règles vers 12 ou 13 ans, mais l'âge de la ménarche varie beaucoup (Chumlea et coll., 2003).

Chez les garçons, la taille de la prostate et des vésicules séminales s'accroît considérablement durant la puberté. Bien que certains garçons aient parfois des orgasmes durant l'enfance, l'éjaculation n'est possible que lorsque la prostate et les vésicules séminales commencent à fonctionner sous l'effet de l'augmentation du taux de testostérone.

En général, la première éjaculation se produit un an après le début de la poussée de croissance, habituellement vers l'âge de 13 ans, mais comme pour les menstruations, l'âge exact varie beaucoup (Janssen, 2007). La présence de sperme dans l'éjaculat survient généralement vers l'âge de 14 ans (Wheeler, 1991). Il semble y avoir une période d'infertilité chez plusieurs garçons et filles, après la première éjaculation ou la ménarche. Néanmoins, on trouve des spermatozoïdes viables dès le début de la puberté dans l'éjaculat de certains garçons.

La mue de la voix causée par l'élargissement du larynx se produit chez les deux sexes, mais elle est plus évidente chez les garçons, dont la voix passe rapidement de l'aigu au grave et du grave à l'aigu, et peut devenir source d'embarras. La pilosité, faciale chez les garçons, et axillaire (aisselles) chez les deux sexes, survient environ deux ans après l'apparition de la toison pubienne. L'accroissement de l'activité des glandes sébacées peut causer des boutons ou de l'acné.

Toutes ces transformations physiques sont à la fois des sources de fierté et d'inquiétude pour les adolescents et adolescentes, de même que pour leurs proches. Les jeunes sont souvent embarrassés par tant de changements, et ceux qui ont une puberté précoce ou tardive par rapport à la moyenne le sont tout particulièrement. La recherche récente montre également que les filles dont la puberté est plus précoce expriment des niveaux significativement plus élevés d'anxiété sociale et de comportements problématiques, notamment l'abus d'alcool, comparativement aux filles qui deviennent matures selon les âges considérés comme normaux (Mrug et coll., 2014; Verhoef et van den Eijnden, 2014). Chez les garçons comme chez les filles, une maturation plus précoce ou plus tardive que la moyenne est liée à différents problèmes, tels la dépression et les troubles du comportement (Graber, 2013; Hamlat et Strange, 2014).

Des changements sur le plan de la sociabilité ont également lieu. Souvent, les amitiés entre garçons et filles se transforment, et les adolescents et adolescentes deviennent – du moins pour un temps – plus homosociaux, recherchant davantage les contacts avec les personnes de leur propre sexe. La recherche montre que le temps passé avec les pairs du même sexe atteint son pic vers la mi-adolescence (Lam et coll., 2014). Cette phase ne dure pas très longtemps, cependant. L'adolescence est également marquée par d'importants changements dans les comportements sexuels.

Les comportements sexuels à l'adolescence

L'adolescence est une période exploratoire durant laquelle l'activité sexuelle – tant par autostimulation que par stimulation mutuelle des partenaires – s'intensifie (Fortenberry, 2013). Toutefois les résultats du *National Survey of Sexual Health and Behavior* (NSSHB), dont l'échantillon national incluent des adolescents, montrent que le comportement sexuel chez les adolescents est moins omniprésent que l'affirment les médias (Fortenberry et coll., 2010). Bien que la sexualité adolescente soit en grande partie la suite logique de la sexualité enfantine, elle acquiert alors une signification nouvelle.

Examinons quelques aspects de la sexualité qui se développent particulièrement durant l'adolescence, notamment le double standard sexuel, la masturbation, les jeux sexuels, les relations sexuelles suivies, la relation coïtale et l'homosexualité.

Le double standard sexuel

Les enfants font l'apprentissage des stéréotypes sexuels dès leur plus jeune âge, mais c'est à l'adolescence, avec l'importance accrue de la sexualité, que la différenciation des rôles sexuels peut se cristalliser. La politique du deux poids deux mesures en matière sexuelle est révélatrice des scénarios de genre, où l'on observe en effet que les normes sont généralement permissives pour les hommes et restrictives pour les femmes (Dunn et coll., 2014; Fasula et coll., 2014; Vrangalova et coll., 2014). Des données recueillies au cours des dernières années tendent cependant à montrer que le deux poids deux mesures est en perte de vitesse en Amérique du Nord, surtout chez les femmes (Coontz, 2012; Fasula et coll., 2014; Lyons et coll., 2011).

Puisque le double standard continue d'exercer son influence, jetons un coup d'œil sur quelques-uns de ses effets potentiels sur les adolescents. Chez les hommes, le but de la sexualité peut être la conquête sexuelle. Les jeunes hommes qui ne sont pas entreprenants ou qui n'ont aucune expérience sexuelle risquent donc d'être affublés d'une étiquette négative du genre *fif*. Les pairs contribuent souvent à renforcer des attitudes et comportements masculins stéréotypés en approuvant l'agressivité et l'indépendance. Faute de ne pas être à la hauteur de ces stéréotypes de genre, l'orientation sexuelle du garçon peut être remise en question ou ridiculisée. Pour certains jeunes hommes, parler de leurs rencontres sexuelles est plus important que l'activité elle-même.

> L'image que j'avais de moi était en jeu : belle gueule, drôle, sportif, toujours prêt à faire la fête, mais toujours vierge. Tout le monde tenait pour acquis que j'étais expert dans l'art de faire l'amour. J'ai joué le jeu en laissant toujours sous-entendre : « Oui, on l'a fait et je t'assure, c'était super ! » (Note des auteurs)

Le message et les attentes sont souvent très différents pour les femmes. Le témoignage suivant rend compte de la politique du deux poids deux mesures telle que perçue par une femme.

> Cela me paraissait bien étrange : la société valorisait la virginité chez les filles, mais les gars avaient le feu vert pour perdre la leur. Je viens d'une famille nombreuse et mon frère était l'aîné. Je me souviens quand la rumeur a commencé à décrire mon frère comme un *player* (il avait environ 18 ans). Loin de s'en inquiéter, mes parents semblaient plutôt fiers. Mais lorsque mes sœurs et moi avons voulu commencer à sortir, nos parents sont devenus méfiants. Je me souviendrai toujours du sentiment qui m'habitait ; je me disais que si j'avais des enfants, je ne permettrais pas une telle injustice et n'accorderais pas une telle importance à la virginité féminine. (Note des auteurs)

Beaucoup de jeunes femmes sont confrontées au même dilemme. Elles apprennent à avoir l'air *sexy* pour attirer les jeunes hommes, mais se sentent ambivalentes à l'égard d'une certaine liberté sexuelle. En refusant d'avoir des rapports sexuels, la jeune femme redoute que son ami se désintéresse d'elle et cesse de la voir. Si, au contraire, elle lui cède, elle craint de se faire une réputation de fille facile.

La masturbation

Bien que bon nombre d'adolescents n'aient pas de rapports sexuels avant l'âge de 19 ans, beaucoup se masturbent. Selon le NSSHB, la masturbation est considérablement plus commune que les activités sexuelles avec un ou une partenaire durant l'adolescence (Herbenick et coll., 2010a). La masturbation est beaucoup moins fréquente chez les adolescentes (26 %) que chez les adolescents (60 %). À l'âge de 19 ans, environ 66 % des adolescentes et 86 % des adolescents affirment s'être masturbés seuls (Herbenick et coll., 2010a).

La masturbation peut être une voie d'expression sexuelle importante durant l'adolescence (Kaestle et Allen, 2011). En plus de fournir un exutoire à la tension sexuelle, l'autostimulation est une excellente façon de découvrir son propre corps et le potentiel sexuel qu'il recèle. Les adolescents peuvent essayer différentes façons d'atteindre le plaisir et accroître ainsi leur connaissance d'eux-mêmes. Cette connaissance pourrait leur être utile plus tard, lors d'interactions sexuelles avec un ou une partenaire.

Les activités sexuelles non coïtales

Il existe d'autres formes d'expressions sexuelles non coïtales que les jeunes utilisent pour entrer en contact et parfois comme substitut aux rapports sexuels. Les activités sexuelles non coïtales comprennent des contacts physiques érotiques pouvant inclure baisers, étreintes, touchers, stimulations manuelles ou buccogénitales – mais sans qu'il y ait coït. Au Québec, on dit parfois *se taponner* ou *se minoucher* pour parler de ces séances de pelotage. Peut-être que l'un des changements les plus remarquables quant au répertoire sexuel des adolescents est le recours à la stimulation buccogénitale. De nombreuses enquêtes ont révélé que la fréquence de ce comportement a augmenté chez les adolescentes et adolescents (Brady et Halpern-Felsher, 2007 ; Halpern-Felsher et coll., 2006). Selon le NSSHB, la pratique des activités buccogénitales n'est pas très fréquente chez les adolescentes et les adolescents de 14 et 15 ans, mais elle est beaucoup plus importante chez les jeunes près de la vingtaine. En effet, plus de 62 % des filles et près de 59 % des garçons ont rapporté avoir été stimulés de cette façon par un partenaire de l'autre sexe (Herbenick et coll., 2010a).

Beaucoup d'adolescents et d'adolescentes considèrent que les relations buccogénitales sont plus acceptables en contexte amoureux et qu'elles sont significativement moins risquées que le coït en termes de santé et de conséquences sociales et affectives (Brady et Halpern-Felsher, 2007 ; Knox et coll., 2008). Malheureusement, plusieurs ne semblent pas conscients des risques de transmission d'infections, comme le VIH, l'herpès génital et la gonorrhée, que comportent les contacts buccogénitaux (*voir le chapitre 12*).

Les activités sexuelles non coïtales sont très appréciées de certains jeunes parce qu'ils offrent la possibilité d'expérimenter l'intimité sexuelle tout en restant techniquement vierge. La notion de virginité est par contre ambiguë pour plusieurs raisons. La plus importante est qu'elle laisse entendre que le *vrai sexe* relève d'une seule activité – le coït ou la pénétration du pénis dans le vagin – et que la virginité est liée uniquement au coït hétérosexuel. Qu'en est-il alors des lesbiennes, des gais et des hétérosexuels qui n'ont jamais connu le coït, mais qui ont expérimenté d'autres formes de comportements sexuels, telles que la masturbation mutuelle, les contacts buccogénitaux, la pénétration anale et les contacts entre les organes génitaux? Ces personnes sont-elles toutes *techniquement vierges*? Que dire alors d'une femme qui n'a connu qu'une seule pénétration vaginale et qu'il s'agissait d'un viol? A-t-elle perdu sa virginité même si elle n'était pas consentante?

L'idée que des personnes puissent se livrer à toutes les formes imaginables de rapports sexuels tout en demeurant *vierges* apparaît comme une notion discutable et même anachronique. Peut-être le temps est-il venu d'accorder moins d'importance à ce mot porteur de jugements de valeur et d'exclusion.

Les adolescents et Internet

La majorité des adolescents canadiens ont accès à Internet à la maison et possèdent un ordinateur dans leur chambre à coucher. Ils utilisent également d'autres appareils mobiles tels que les téléphones intelligents et les iPads (Buzi et coll., 2014; Moreno, 2014a).

Les activités en ligne des adolescents sont très diverses et comprennent les blogues (sites personnels permettant à l'auteur de partager du contenu et au public de commenter), l'échange de messages sur des réseaux sociaux et des sites de clavardage, la recherche d'information sur la santé, le visionnement de pornographie, la recherche de sujets pour des travaux scolaires, la mise à jour des profils personnels sur les réseaux sociaux comme Facebook, etc. (Arie, 2014; Houck et coll., 2014; Temple et Choi, 2014).

Les jeunes passent un temps considérable à naviguer sur les réseaux sociaux (Lenhart, 2015 Moreno, 2014a). Selon une enquête réalisée auprès de 10 272 élèves de la 7e à la 12e année en Ontario, environ 86 % des jeunes visitent quotidiennement Facebook, Snapchat, Instagram, Twitter et autres réseaux sociaux, et un jeune sur six consacre plus de 5 heures par jour à cette activité (Boak et coll., 2016).

Les sections suivantes traitent de quelques-unes des façons dont les adolescents utilisent Internet pour répondre à leurs besoins en matière de sexualité.

Internet comme source d'information

Internet est une ressource importante pour les jeunes à la recherche d'informations sur la sexualité et sur les relations amoureuses (HabiloMédias, 2014). Selon l'enquête *Jeunes Canadiens dans un monde branché*, en moyenne, le cinquième des élèves canadiens de la 6e à la 11e année utilise Internet pour s'informer au sujet de la sexualité. Ils sont 1 % à le faire en 6e année, mais la proportion grimpe jusqu'à 20 % en 11e année. De plus, un jeune sur six utilise Internet pour s'informer à propos des difficultés relationnelles et chercher des conseils sur les relations amoureuses. Fait à noter, la consultation de ce genre de sites semble plus importante chez les filles (18 %) que chez les garçons (9 %).

Par ailleurs, l'anonymat de l'Internet offre aux jeunes l'occasion d'exprimer leur sexualité. Ainsi, près de 14 % des garçons et 12 % des filles indiquent qu'ils ont déjà dissimulé leur identité en ligne pour flirter, et ce pourcentage augmente avec l'âge: de 4 % en 5e année, il passe à 22 % en 10e année. Bien que les médias sociaux offrent des occasions de s'engager dans une relation amoureuse et de l'entretenir, les jeunes affirment que, de façon générale, leurs interactions en ligne sont plus nombreuses, et qu'ils passent plus de temps à surveiller et à gérer les relations avec leurs amis et les membres de leur famille qu'à échanger avec des partenaires amoureux (HabiloMédias, 2014).

Le sextage

Le **sextage** est devenu une pratique de plus en plus populaire chez les adolescents et les adultes émergents (Houck et coll., 2014; Winkleman et coll., 2014; Ybarra et Mitchell, 2014) (*voir l'encadré* Pleins feux sur la recherche). Le sextage se définit comme toute création et distribution d'images sexuelles ou de textes à l'aide de médias numériques, comme les téléphones cellulaires, le courriel, la messagerie instantanée ou les sites de réseautage social (Société des obstétriciens et gynécologues du Canada [SOGC], 2012).

Cette nouvelle tendance préoccupe certains parents, les professionnels de la santé ainsi que les instances gouvernementales. En effet, on considère que les **sextos** sont une forme de pornographie juvénile puisque les individus concernés et montrés dans les photos sont, la plupart du temps, des jeunes de moins de 18 ans, ce qui correspond effectivement à la définition d'un acte illégal. Par contre, d'autres intervenants s'opposent à la criminalisation du sextage par les mineurs, car ils le voient plus comme une expression de communication sexuelle normale chez les jeunes, même si elle comporte un certain manque de jugement et qu'elle ne tient pas compte des conséquences néfastes que peuvent occasionner ces

---

Sextage Utilisation d'un téléphone cellulaire ou de médias numériques pour créer, transmettre ou échanger des sextos.

Sextos Messages à contenu sexuel suggestif ou explicite qui contiennent de courts textes, des photos ou des vidéos destinés à être transmis par un téléphone cellulaire ou par l'utilisation de médias numériques sur Internet.

PLEINS FEUX SUR LA RECHERCHE

Le sextage chez les jeunes

Selon l'enquête canadienne *Jeunes Canadiens dans un monde branché*, réalisée auprès de 5436 élèves de la 4ᵉ à la 11ᵉ année de toutes les provinces et territoires, 8 % des adolescents et adolescentes en moyenne ont envoyé un sexto à quelqu'un. La proportion augmente avec l'âge, puisqu'elle passe de 2 % en 7ᵉ année à 15 % en 11ᵉ année, et il n'y a pas de différence entre les filles et les garçons. En outre, 24 % des jeunes rapportent avoir reçu de quelqu'un un sexto créé par la personne qui l'a envoyé. Cependant un plus grand nombre de garçons (32 %) que de filles (17 %) affirme avoir reçu un sexto qui a été créé pour eux personnellement.

L'autre préoccupation est la distribution des sextos sans le consentement de l'auteur. De fait, près d'un quart des élèves qui ont envoyé un sexto indiquent que le receveur l'a fait suivre à quelqu'un d'autre. Plus précisément, 9 % des élèves de 7ᵉ année affirment avoir reçu un sexto qui leur a été expédié par quelqu'un, mais cette proportion grimpe jusqu'à 30 % en 11ᵉ année. Il semble y avoir des différences entre les sexes : les garçons envoient et reçoivent plus de sextos que les filles.

En outre, les recherches indiquent que la probabilité de transmettre des sextos n'était pas plus faible chez les jeunes qui doivent respecter à la maison une règle exigeant de traiter les gens avec respect lors de leurs échanges en ligne (HabiloMédias, 2014).

Certaines études ont établi la prévalence du sextage chez les jeunes adultes émergents. Par exemple, parmi un échantillon total de 760 individus âgés de 18 à 24 ans, 30 % auraient mentionné qu'ils ont déjà envoyé un sexto au cours de leur vie, tandis que 41 % en auraient déjà reçu un par l'intermédiaire de leur téléphone cellulaire (Gordon-Messer et coll., 2013). Une autre étude montre qu'environ 80 % des 18-26 ans auraient rapporté qu'ils se sont engagés dans au moins un comportement de sextage au cours de leur vie (envoi, publication en ligne, partage/transfert de messages ou d'images sexuellement explicites) (Hudson et Fetro, 2015). Cependant, pour la plupart d'entre eux, ils ne pratiqueraient généralement le sextage que de façon occasionnelle ou rare (moins de trois fois par mois), en termes de fréquence du comportement (Dir et Cyders, 2015).

sextos (Hoffman, 2011). À ce jour, au Canada, la police n'a jamais poursuivi d'adolescents pour la distribution consensuelle de ces contenus à connotation sexuelle à d'autres jeunes de moins de 18 ans (SOGC, 2012). Toutefois, selon le Code criminel du Canada, il est théoriquement possible que certains cas de sextage mettant en cause des jeunes de moins de 18 ans soient considérés comme une distribution non consensuelle et fassent l'objet de poursuites.

La pornographie sur Internet

L'accès en ligne des enfants et des adolescents à du contenu sexuellement explicite et pornographique réservé aux adultes constitue un autre sujet de préoccupation pour les autorités, les professionnels de la santé et les parents.

Le nombre de jeunes qui recherchent activement de la pornographie en ligne a connu une forte augmentation, passant de 16 % en 2005 à 23 % en 2013, et les garçons sont beaucoup plus susceptibles de le faire (40 %, comparativement à 7 % des filles) (HabiloMédias, 2014). De plus, 88 % des garçons qui déclarent regarder de la pornographie en ligne le font au moins une fois par mois, voire plus souvent. Les jeunes qui indiquent avoir une règle à la maison concernant les sites qu'ils ne sont pas censés visiter sont plus susceptibles de dire qu'ils n'ont jamais recherché de pornographie en ligne (86 %, comparativement à 72 % sans cette règle) (HabiloMédias, 2014).

Par ailleurs, les résultats des recherches montrent certaines différences régionales et culturelles. Ainsi, les élèves francophones du Québec seraient plus nombreux que les élèves anglophones du reste du Canada à rechercher de la pornographie tous les jours ou toutes les semaines (25 % chez les francophones contre 12 % chez les anglophones) (HabiloMédias, 2014).

Les relations sexuelles

La tendance au deux poids deux mesures en matière sexuelle subsiste encore, mais les études indiquent aussi qu'en général les activités sexuelles et les rapports coïtaux se produisent maintenant davantage dans le cadre d'une relation durable. Il semble que les adolescents d'aujourd'hui ont plus tendance à partager leur intimité sexuelle avec quelqu'un qu'ils aiment ou pour qui ils éprouvent un attachement affectif (Cheng et Landale, 2011 ; Overbeck et coll., 2003). Une étude américaine révèle que 80 % des filles et 66 % des garçons disent qu'une des principales motivations à avoir des relations sexuelles était d'avoir un compagnon ou une compagne qu'ils aimaient (Patrick et coll., 2007). Une autre étude américaine menée auprès de plus de 8000 adolescents rapporte que la plupart d'entre eux ont eu une relation romantique avant la fin de leur adolescence et qu'ils ont manifesté des comportements romantiques, comme se tenir la main, s'embrasser et s'afficher publiquement comme un couple, avant d'avoir des relations sexuelles. Cette étude a aussi montré que la tendance à s'assurer d'une base sécurisante en développant une relation amoureuse avant d'en arriver aux activités sexuelles se retrouvait chez les adolescents de plusieurs cultures, notamment asiatique, hispanique et chez la population noire (O'Sullivan et coll., 2007).

Des changements notables d'attitudes et de comportements chez les deux sexes sont en train de réduire le décalage entre les hommes et les femmes. Les adolescentes font plus volontiers l'amour avec quelqu'un pour qui elles éprouvent de l'affection ; elles croient moins devoir *se garder* pour une relation amoureuse. De même, les adolescents ont de plus en plus tendance à faire l'amour dans le cadre d'une relation tendre ou amoureuse, plutôt que d'avoir des rencontres sexuelles avec des connaissances ou des inconnues, comme c'était le cas auparavant (Laumann et coll., 1994 ; O'Sullivan, 2007). Malgré ce qui précède, les relations sexuelles occasionnelles ou de passage demeurent relativement fréquentes chez les adolescents (Bersamin et coll., 2014 ; Puentes et coll., 2008) (*voir le chapitre 8*).

▲ Beaucoup d'adolescents entretiennent de tendres relations avec une compagne ou un compagnon.

L'incidence du coït chez les adolescentes et les adolescents

Une enquête de Statistique Canada (2010) démontre que l'âge moyen des premiers rapports sexuels est demeuré relativement stable depuis la dernière décennie (Rotermann, 2012). Dans la plus récente *Enquête sur la santé dans les collectivités canadiennes 2009/2010*, 30 % des jeunes de 15 à 17 ans et 68 % des 18 et 19 ans ont répondu par l'affirmative à la question « Avez-vous déjà eu des relations sexuelles ? » (Rotermann, 2012).

Toujours selon cette enquête, 43 % des adolescents (filles et garçons) de 15 à 19 ans ont dit avoir eu au moins une relation sexuelle, comparativement à 47 % en 1996-1997. Cette diminution est attribuable à une plus faible activité sexuelle déclarée chez les adolescentes (qui est passée de 51 à 43 %) en 2005, alors que l'activité sexuelle des adolescents s'est maintenue à 43 %. Les résultats font également ressortir que l'activité sexuelle augmente avec l'âge : pendant la période couverte par l'enquête, près du tiers des 15 à 17 ans ont déclaré avoir eu des relations sexuelles, contre environ les deux tiers des 18 et 19 ans.

Au Québec, en 2005, 58 % des adolescents ont dit avoir eu des relations sexuelles, un taux supérieur à celui établi pour le Canada, sans le Québec. Pour la même période, l'Ontario affiche un taux de 37 % et la Colombie-Britannique, un taux de 40 %, tandis que dans les autres provinces, le taux se rapproche de celui de l'ensemble du pays (Rotermann, 2008).

Une grande étude nationale de l'Agence de la santé publique du Canada a révélé que, pour la période de 2002 à 2010, le pourcentage des élèves de 9e et de 10e année, c'est-à-dire âgés de 14 et 15 ans, qui ont déclaré avoir déjà eu des relations sexuelles a légèrement augmenté, sauf chez les filles de 9e année (Freeman et coll., 2014).

Certains chercheurs et professionnels de la santé se disent préoccupés par les adolescents qui ont des rapports coïtaux à un âge dit *précoce*. Plusieurs recherches ont en effet montré un lien entre les rapports coïtaux précoces et des effets nuisibles comme la toxicomanie, la dépression, une grossesse non désirée, la transmission des infections transmissibles sexuellement et par le sang (ITSS), et des condamnations pour des actes criminels (Donahue et coll., 2013 ; Pearson et coll., 2012 ; Sandberg-Thoma et Dush, 2014).

Comparativement aux études réalisées dans le passé, les études récentes montrent que l'expérience du premier rapport coïtal est plus positive pour les deux sexes ; les filles rapportant plus de plaisir et moins de culpabilité et les garçons, moins de culpabilité (Else-Quest, 2014 ; Sprecher, 2014).

Les raisons d'accomplir le coït

Les adolescents et adolescentes ont des rapports coïtaux pour de nombreuses raisons. L'afflux d'hormones sexuelles, particulièrement la testostérone, accroît le désir sexuel et l'excitabilité chez les deux sexes. Certains sont motivés par la curiosité et le sentiment d'être mûrs pour l'expérience. Ce sont du moins les raisons qu'ont invoquées environ la moitié des hommes et le quart des femmes ayant participé à l'enquête NHSLS (Laumann et coll., 1994). Un grand nombre d'adolescents considèrent le rapport coïtal comme une manifestation naturelle de tendresse ou d'amour (Guttmacher Institute, 2014a ; O'Sullivan et coll., 2007). Presque la moitié des répondantes et le quart des répondants de l'enquête NHSLS ont déclaré que c'était là la principale raison de leur premier rapport coïtal (Laumann et coll., 1994). L'envie de se comporter en *adulte*, la pression des pairs, l'insistance du ou de la partenaire et un sentiment d'obligation envers un partenaire loyal sont d'autres raisons susceptibles d'inciter les adolescents à avoir une relation coïtale (Lammers et coll., 2000 ; Rosenthal et coll., 1999).

Des études plus récentes montres que les adolescents et adolescentes ayant une expérience positive lors de leur premier rapport coïtal vont souvent exprimer une bonne satisfaction relationnelle (Smith et Shaffer, 2012).

Les facteurs prédisposant les adolescents au coït précoce ou tardif

Les chercheurs ont découvert plusieurs facteurs psychologiques qui semblent prédisposer les très jeunes adolescents au rapport coïtal. En voici quelques-uns : la pauvreté, les conflits familiaux, un désintérêt pour l'école, la vie au sein d'une famille monoparentale ou recomposée, le peu d'instruction des parents, le manque de surveillance parentale, la toxicomanie, la piètre estime de soi et le sentiment de désespoir (Bailey et coll., 2014 ; Fomby et Bosick, 2014 ; Scott-Sheldon et coll., 2014). Parmi les autres facteurs, citons le faible rendement scolaire, le peu de crédit accordé à l'éducation (Lammers et coll., 2000 ; Steele, 1999), la tolérance des comportements antisociaux, la fréquentation de pairs délinquants (French et Dishion, 2003), la consommation excessive d'émissions de télévision à fort contenu sexuel (Ashby et coll., 2006 ; Chandra et coll., 2008) et le fait d'avoir été victime d'une agression sexuelle (Lammers et coll., 2000). Les adolescentes qui fréquentent un partenaire de quelques années plus âgé qu'elles sont beaucoup plus susceptibles d'avoir des rapports coïtaux que celles ayant un partenaire de leur âge (Kaestle et coll., 2002 ; Ryan et coll., 2008).

Certaines recherches ont révélé une corrélation entre le jeune âge au premier rapport sexuel et une pauvre

santé sexuelle, notamment une plus grande difficulté à atteindre une stabilité relationnelle et divers problèmes de nature sexuelle (Rapsey, 2014).

Les recherches donnent aussi un aperçu des caractéristiques et des expériences des adolescents qui choisissent d'attendre avant d'avoir des rapports coïtaux. Quelques études indiquent qu'une profonde croyance religieuse, une pratique religieuse assidue de même qu'un sentiment d'appartenance spirituelle à un groupe d'amis réduisent en général la probabilité de rapports sexuels précoces (Cheng et Landale, 2011 ; Pearson et coll., 2012). Les résultats d'une enquête nationale américaine ont révélé qu'une puberté tardive, la réprobation parentale du coït chez les ados, le bon rendement scolaire et les croyances religieuses bien ancrées contribuaient tous à retarder le premier rapport coïtal (Resnick et coll., 1997). Selon une autre étude menée aux États-Unis auprès de 26 000 élèves de la 7e à la 12e année, les facteurs qui contribuent le plus à reporter le moment du premier coït comprennent le statut socioéconomique supérieur, le bon rendement scolaire, les attentes élevées des parents et le sentiment d'être aimé par au moins un adulte (Lammers et coll., 2000). La recherche récente montre qu'attendre pour vivre l'expérience coïtale est généralement associé à des relations positives (Willoughby et coll., 2014a). Plusieurs autres études ont aussi permis d'établir un lien positif entre le report de l'activité sexuelle chez les adolescents et d'excellents rapports et échanges interpersonnels parents-enfants (Akers et coll., 2011 ; Johnson et Galamboo, 2014).

Les jeunes gais, lesbiennes et bisexuels

Une enquête menée auprès de 17 000 adolescents a révélé qu'environ 1 jeune sur 10 a eu des contacts sexuels avec une personne du même sexe (Pathela, 2011). La grande majorité de ces contacts se sont produits avec des pairs plutôt qu'avec des adultes. Toutefois, ces données ou les comportements auxquels elles renvoient ne constituent pas une indication nette de l'orientation sexuelle définitive. Les contacts entre personnes du même sexe peuvent en effet être expérimentaux et transitoires, ou encore refléter une orientation sexuelle durable. Plusieurs personnes homosexuelles n'expriment pas leurs sentiments et leur attirance avant l'âge adulte, et beaucoup d'hétérosexuels ont eu dans leur jeunesse une ou plusieurs expériences sexuelles avec une personne de leur sexe (voir le chapitre 5).

QUESTION D'ANALYSE CRITIQUE

> Vous êtes parent et votre ado vous demande : « Comment je saurai si je dois avoir des rapports sexuels ? » Que lui répondez-vous ? Justifiez votre réponse.

Les adolescents gais, les adolescentes lesbiennes et les bisexuels se heurtent fréquemment à des réactions hostiles par rapport à leur orientation (Savage et Miller, 2001). Il est donc parfois plus difficile pour eux de développer harmonieusement leur sexualité. Contrairement à d'autres sociétés, la nôtre, même si elle a une réputation d'ouverture, n'accueille pas bien l'homosexualité chez les jeunes, ce qui s'observe particulièrement chez les garçons adolescents (Charlebois, 2011), et d'ailleurs pas beaucoup mieux l'hétérosexualité à l'adolescence. Ceux qui s'écartent du modèle hétérosexuel dominant pourront donc se sentir doublement exclus du fait de leur orientation sexuelle et parce qu'ils s'adonnent à des activités sexuelles.

Les épisodes de dépression, la solitude, l'hostilité envers les autres, l'abus d'alcool et de stupéfiants, les difficultés scolaires et les tentatives de suicide ne sont pas rares chez les jeunes gais, lesbiennes et bisexuels qui ont de la difficulté à concilier leur sexualité avec les attentes de leurs pairs et de leurs parents (Craig et Smith, 2014 ; Newcomb et coll., 2014 ; Stone et coll., 2014 ; Talley et coll., 2014). Ne pas être comme tout le monde, sur le plan affectif, est très pénible, et les jeunes homosexuels risquent de se sentir exclus et méprisés par leurs pairs. Les adolescents soupçonnés d'homosexualité sont fréquemment victimes de violences verbales ou physiques (Green et coll., 2014 ; Russell et coll., 2014). Les adolescents victimes d'intimidation sont plus à risque de subir des effets négatifs consécutifs à ces menaces sur les plans social, économique et de santé quand ils seront rendus à l'âge adulte (Bowes et coll., 2014 ; Costello, 2014 ; Takizawa et coll., 2014). L'intimidation des individus homosexuels dans les milieux scolaires est un phénomène persistant, et Internet constitue maintenant un autre lieu d'intimidation (Moreno, 2014b). Beaucoup de jeunes gais et lesbiennes sont incapables de discuter ouvertement de leur orientation sexuelle avec leurs parents. Ceux et celles qui le font sont souvent rejetés par leur famille, émotivement comme physiquement (Dempsey, 1994 ; Frankowski, 2004), et il arrive qu'ils en viennent à quitter la maison, volontairement ou non, parce que leurs parents ne peuvent accepter leur sexualité. Certains sont parfois même violentés par des membres de leur famille (Saewyc et coll., 2008 ; Safren et Heimberg, 1999). Bien que les parents puissent réagir avec désapprobation et colère lorsqu'ils apprennent que leur enfant est homosexuel, plusieurs finissent par s'en remettre et soutiennent de nouveau leur enfant (LaSala, 2007). Les jeunes d'orientation homosexuelle ont souvent du mal à trouver une personne de confiance avec qui partager leurs préoccupations et à qui demander conseil (Espelage et coll., 2008).

Cependant, comme nous l'avons mentionné au chapitre 5, plusieurs écoles offrent des programmes et des groupes de rencontre pour soutenir les adolescents gais, les adolescentes lesbiennes, les jeunes bisexuels et transgenres, et certains peuvent trouver dans les clavardoirs et les forums de discussion des sources d'aide et d'information particulièrement utiles. De plus, depuis quelques années, les diverses identités sexuelles jouissent d'une plus grande visibilité et sont présentées sous un meilleur jour dans les médias. Plusieurs personnalités du monde du spectacle, de la politique et des sports ont fait connaître publiquement leur orientation sexuelle et peuvent maintenant servir de modèles aux jeunes.

Les comportements sexuels non protégés chez les adolescents

Nombre de professionnels de la santé sont d'avis que les adolescents nord-américains risquent davantage d'être infectés par le VIH, virus qui cause le sida (Szabo, 2012 ; Trepka et coll., 2008). Au Canada, entre 2002 et 2011, parmi les 5406 cas de séropositivité signalés à l'Agence de la santé publique du Canada pour le groupe des 15 à 29 ans, on dénombrait 418 jeunes âgés de 15 à 19 ans, soit 7,7 %. Les adolescentes sont plus nombreuses, avec 236 infections déclarées, comparativement à 182 adolescents (Agence de la santé publique du Canada, 2012a).

Plusieurs enquêtes montrent que les adolescents possèdent les connaissances de base sur le sida et savent quelles sont les activités à haut risque de transmission du VIH. Cela ne suffit pas pour autant à changer leurs comportements. Selon plusieurs études américaines, les adolescents des écoles secondaires, des collèges et des universités aux États-Unis se croient pour la plupart à l'abri d'une infection au VIH, de sorte qu'ils ne cherchent pas à modifier leurs comportements sexuels (Feroli et Burstein, 2003 ; Trepka et coll., 2008).

Les adolescents et leur système de pensée très égocentré leur fait croire qu'ils sont à l'abri des conséquences des comportements à risque. Ainsi, plusieurs adolescents continuent d'avoir des pratiques sexuelles à risque, non pas par ignorance à l'égard du VIH et des autres infections transmissibles sexuellement (ITS), mais parce qu'ils considèrent qu'ils sont peu (voire pas du tout) susceptibles d'en subir les conséquences négatives (Feroli et Burstein, 2003). En outre, la recherche montre que les jeunes ayant un ami ou une amie qui a des rapports sexuels non protégés sont plus susceptibles d'avoir, eux aussi, des rapports non protégés (Kim et coll., 2011).

Les comportements à risque de transmission du VIH sont, notamment, les relations coïtales sans condom, la consommation d'alcool, de cocaïne ou d'autres drogues – qui altèrent le jugement et réduisent l'inhibition des pulsions, augmentant par le fait même les comportements sexuels à risque –, le partage d'aiguilles contaminées par les utilisateurs de drogues intraveineuses, les relations sexuelles avec de multiples partenaires ou des inconnus (Dariotis et coll., 2011 ; Grossbard et coll., 2007 ; Trepka et coll., 2008). La tendance, chez certains jeunes, à vivre leur première relation sexuelle de plus en plus tôt en inquiète plusieurs : les personnes actives sexuellement depuis l'âge de 15 ans cumulent généralement un plus grand nombre de partenaires sexuels au cours de leur vie que ceux qui vivent leur première expérience plus tard (Cheng et Landale, 2011). (Le chapitre 12 traite du comportement à risque que constitue l'exposition à de multiples partenaires sexuels.)

En outre, les jeunes adolescentes qui ont leur première expérience sexuelle avec un partenaire masculin plus âgé sont plus susceptibles de ne pas se protéger et d'avoir des comportements sexuels à risque à l'âge adulte (Senn et coll., 2011).

Conscients des risques que courent les adolescentes de contracter une ITSS, la plupart des conseillers dans les cliniques de santé familiale leur recommandent maintenant l'usage du condom, même si elles prennent un contraceptif oral. Malheureusement, ce conseil est rarement suivi pour diverses raisons. Plusieurs jeunes femmes ne veulent pas avoir à négocier le port du condom avec leurs partenaires, malgré les inconvénients mineurs que cela comporte, et se disent suffisamment à l'abri d'une grossesse non désirée (Zimmerman et coll., 2007). Une étude menée en 2002 auprès de 436 adolescentes sexuellement actives a révélé que l'usage du condom était moins fréquent chez celles qui prenaient un contraceptif oral que chez celles qui n'en prenaient pas (Ott et coll., 2002).

L'utilisation de moyens de contraception

Malgré le stress sur les plans physique, économique et émotionnel qu'entraînent la grossesse et la parentalité, malgré leur incidence sur le mode de vie et la facilité avec laquelle il est de nos jours possible d'avoir accès à des moyens de contraception, nombreux sont les adolescentes et adolescents actifs sexuellement qui n'utilisent pas de contraceptif de façon systématique ou efficace (Barclay, 2010 ; Reece et coll., 2010b ; Tepper et coll., 2014). De plus, certains n'en utilisent tout simplement pas les premières fois qu'ils ont des relations sexuelles (Centers for Disease Control, 2012 ; Guttmacher Institute, 2014a). Cela touche particulièrement les jeunes filles qui ont leurs premiers rapports sexuels à l'âge de 14 ans ou moins (Finer et Philbin, 2013). Heureusement, des études récentes indiquent que la majorité des adolescents actuels, soit 85 % des garçons et 78 % des filles, ont recours à la contraception lors de leur première expérience coïtale (Guttmacher Institute, 2014a).

Les données recueillies par le NSSHB révèlent qu'il y a consensus au sein des sexologues concernant la tendance marquée chez les jeunes à utiliser de plus en plus le condom lors de leurs rapports sexuels vaginaux (Fortenberry et coll., 2010 ; Reece et coll., 2010b). Toutefois, le recours à la contraception hormonale (orale ou en injection), seule ou combinée au condom, demeure rare (Centers for Disease Control, 2011). Cela est malheureux, car l'utilisation du condom en concomitance avec un autre moyen de contraception s'avère une méthode hautement efficace (Ong et coll., 2014 ; Walsh et coll., 2014b). Une récente étude a révélé des données encourageantes indiquant que le pourcentage des garçons ayant recours au condom lors de leur première relation sexuelle connaît une augmentation. En effet, il est passé de 71 % en 2006 à 85 % en 2010 (National Center for Health Statistics, 2011). Par ailleurs, chez les 15 à 19 ans qui ont déclaré avoir eu des relations sexuelles, 74,8 % des adolescents ainsi que 65,6 % des adolescentes disent avoir utilisé un condom durant leurs dernières relations sexuelles (Statistique Canada, 2015d).

Il reste que beaucoup d'adolescents attendent souvent plusieurs mois après être devenus sexuellement actifs avant de se renseigner sur la contraception, et certains ne le font même jamais. Les idées fausses sur les risques pour la santé de certaines méthodes contraceptives (par exemple, les contraceptifs oraux et les dispositifs intra-utérins [DIU]), la crainte de l'examen pelvien, l'embarras à l'idée de demander ou d'acheter des contraceptifs et le désir de confidentialité empêchent de nombreux adolescents de solliciter des conseils sur la contraception (Guttmacher Institute, 2006 ; Iuliano et coll., 2006). En fait, la plupart des professionnels de la santé vont fournir des moyens de contraception aux adolescentes et adolescents sans aviser leur parents (Lawrence et coll., 2011).

On a également découvert que plusieurs caractéristiques ou facteurs personnels pouvaient influer sur l'utilisation ou le rejet de la contraception. Les adolescentes dont les relations sexuelles sont peu stables ou qui n'ont que des rapports sexuels épisodiques sont généralement de mauvaises utilisatrices de la contraception (Glei, 1999 ; Klein, 2005). De plus, celles dont le partenaire est plus âgé sont moins susceptibles de recourir à la contraception que celles ayant un partenaire sensiblement de leur âge (Ryan et coll., 2008 ; Senn et coll., 2011). Les garçons et les filles qui ont des rapports coïtaux précoces sont moins susceptibles de recourir aux moyens contraceptifs que ceux et celles qui les ont plus tard (Manlove et Terry-Humen, 2007 ; Ryan et coll., 2007). Sous l'effet de l'alcool, les jeunes ont aussi plus tendance à adopter des comportements sexuels à risque (Hingson et coll., 2003 ; LaBrie et coll., 2005).

Les recherches ont révélé que les adolescents engagés dans des relations stables et durables sont moins susceptibles d'utiliser le condom pour prévenir la grossesse et les ITSS que ceux qui ont des relations occasionnelles (Reece et coll., 2010b). Ces données laissent entendre que les adolescents en couple privilégient la confiance, le romantisme et l'amour plutôt que de penser à se protéger contre une grossesse non désirée et les ITSS, et adopteraient donc des comportements à risque (Zimmerman et coll., 2007).

Le manque d'équité dans les relations intimes peut nuire à la capacité d'une adolescente de négocier l'usage du condom efficacement (Silverman et coll., 2011). Plusieurs jeunes femmes sexuellement actives croient qu'elles n'ont pas le droit de discuter ou de contrôler des aspects de leurs relations sexuelles avec leurs partenaires masculins, et ce manque d'assurance sur le plan sexuel expliquerait leur usage irrégulier de contraceptifs (Manlove et Terry-Humen, 2007 ; Rickert et coll., 2002).

Les discussions parents-enfants sur la contraception ont un impact positif sur l'utilisation des contraceptifs par les jeunes (Halpern-Felsher et coll., 2004 ; Manlove et Terry-Humen, 2007). La réussite scolaire et le fait que les parents soient très scolarisés sont aussi des facteurs contribuant à l'utilisation de contraceptifs chez les adolescents (Klein, 2005 ; Manlove et Terry-Humen, 2007).

La recherche montre également que les adolescents de familles où la responsabilité personnelle constitue une valeur importante sont de meilleurs utilisateurs de contraceptifs (Whitaker et coll., 1999 ; Wilson et coll., 1994). Enfin et surtout, plus les adolescents en savent sur la contraception, plus ils sont susceptibles d'y recourir régulièrement et efficacement (Lagana, 1999).

QUESTION D'ANALYSE CRITIQUE

› Les parents devraient-ils fournir des moyens de contraception à leurs adolescents et adolescentes qui ont des fréquentations ou qui sortent régulièrement avec quelqu'un ? Justifiez votre réponse.

Des stratégies pour réduire les grossesses chez les adolescentes

Au Canada, les taux de grossesses à l'adolescence entre 2006 et 2010 ont augmenté de 1,1 à 15,1 % ou plus au Nouveau-Brunswick, à Terre-Neuve, en Nouvelle-Écosse et au Manitoba (McKay, 2012). Un grand nombre de spécialistes de la sexualité adolescente s'entend pour dire que l'éducation sexuelle visant à sensibiliser les jeunes à la contraception et à d'autres aspects de la sexualité sera beaucoup plus efficace si celle-ci

est présentée comme un élément positif de la nature humaine plutôt que comme quelque chose de répréhensible ou de honteux.

L'adoption par les adolescents de pratiques sexuelles sans risque devrait être une question de santé plutôt que de politique ou de religion. La recherche montre d'ailleurs que les adolescentes qui ont bénéficié d'une éducation sexuelle approfondie risquent beaucoup moins de tomber enceintes que celles n'ayant pas eu cette chance, surtout si l'information est dispensée avant le début de la vie sexuelle active (Masters et coll., 2008 ; Zimmerman et coll., 2008).

Pour réduire le nombre de grossesses non désirées chez les adolescentes, on doit également tenir compte du fait que les garçons ont un important rôle à jouer en matière de contraception. Ces derniers considèrent souvent que la responsabilité de la contraception incombe à leur partenaire. D'ailleurs, la plupart des recherches sur la grossesse durant l'adolescence portent principalement, sinon exclusivement, sur les jeunes femmes enceintes, rarement sur les jeunes hommes ayant contribué au résultat. La compréhension des différentes causes des grossesses à l'adolescence s'en trouve donc limitée. Les recherches futures devraient cibler davantage les attitudes et comportements sexuels masculins qui contribuent au taux élevé de grossesse chez les adolescentes.

Enfin, une recherche montre que la disponibilité des condoms à l'école secondaire peut réduire les grossesses chez les adolescentes et diminuer les ITSS, dont le VIH/sida. Les résultats de plusieurs études confirment que leur distribution n'accélère pas la fréquence des relations sexuelles ni n'abaisse l'âge des premières relations (Vamos et coll., 2008).

La sexualité à l'âge adulte

Socialement, l'adulte est guidé par une série d'exigences telles que l'acquisition d'un travail, d'un domicile et la création d'une famille. Plus précisément, dans les sociétés occidentales, on s'attend à ce que l'adulte forme un couple à long terme. On s'attend aussi à ce que les couples se marient, cohabitent et qu'ils aient des enfants.

Au cours de la vie, de nombreux adultes vivent des situations sociales et relationnelles et des styles de vie qui auront des répercussions sur leur vie sexuelle. Plusieurs personnes vont passer du célibat à la cohabitation en couple. Certaines personnes vont aussi se remarier. Ces étapes de la vie adulte sont importantes sur les plans social et identitaire, et donnent lieu à différentes expériences de la sexualité. Nous examinons ici plusieurs situations de vie à l'âge adulte et étudions les effets du vieillissement sur les relations intimes.

QUESTION D'ANALYSE CRITIQUE

> Comment expliqueriez-vous le fait que de plus en plus d'individus choisissent d'être célibataires ?

Vivre seul

Selon les estimations de Statistique Canada, en 2015, les adultes célibataires (c'est-à-dire âgés de 15 ans et plus, jamais mariés, divorcés, séparés et veufs) représentaient une tranche importante de la population canadienne, soit 43,1 % (Statistique Canada, 2015e). De plus, il s'agit d'une tendance à la hausse, comme le confirme chaque recensement. Au Québec, la proportion de célibataires est de 44,4 % (Statistique Canada, 2015e).

Malgré les attentes socioculturelles à l'égard du mariage ou de la vie en couple, plusieurs individus préfèrent vivre seuls (Petrovic, 2014). Une étude récente a montré que plus de la moitié des individus déclarent ne pas chercher à établir une relation de couple (DePaulo, 2012). Chez les individus divorcés, 45 % disent ne pas vouloir se remarier, 31 % ne sont pas certains de le vouloir et seulement 21 % le souhaitent (Wang et Parker, 2014).

Sur le plan de la sexualité, le célibat englobe un éventail de modes de vie qui procurent divers degrés de satisfaction personnelle. Certaines personnes vivant seules sont célibataires par choix ou parce qu'elles n'ont pas rencontré de partenaire avec qui elles ont envie de partager leur vie. D'autres sont engagées dans une relation à long terme avec une ou un partenaire sexuel exclusif. Certains s'adonnent à la monogamie sérielle, passant d'une relation sexuelle exclusive à l'autre. D'autres encore préfèrent mener de front plusieurs relations sexuelles et affectives avec des partenaires différents. Enfin, certaines personnes célibataires entretiennent une relation privilégiée avec un ou une partenaire tout en ayant à l'occasion des rapports sexuels avec d'autres (*voir le chapitre 7*). Le degré d'activité sexuelle des célibataires varie beaucoup, tout comme chez les gens mariés. Bien que les personnes célibataires affirment que leur vie sexuelle est plus excitante, les études tendent à montrer que les gens mariés sont plus actifs et plus satisfaits sexuellement que les célibataires (Laumann et coll., 1994 ; Rutter, 2014).

La cohabitation (de couple)

Il existe diverses appellations pour désigner les personnes de même sexe ou de sexe différent qui vivent en couple.

Selon différentes sources et les auteurs, les expressions *union de fait* et *union libre* ou le mot *cohabitation* (sous-entendu *de couple*) sont courants. Dans le présent ouvrage, nous employons le terme *cohabitation*, mais pour respecter les préférences des auteurs ou des sources cités, les autres expressions sont aussi utilisées.

Au cours des dernières décennies, ce mode de vie, autrefois exceptionnel, a fait de plus en plus d'adeptes et est de mieux en mieux accepté. Le Québec se distingue des autres provinces du Canada par le nombre de couples cohabitants. Selon Statistique Canada, au Québec, en 2015, 36 % des personnes en couple vivaient en union libre, soit près du double de la moyenne canadienne (incluant le Québec) (Statistique Canada, 2015d). La plupart des couples en cohabitation considèrent leur relation comme étant sexuellement exclusive. Les principales raisons qui motivent les couples à cohabiter sont le désir de passer plus de temps ensemble et l'aspect pratique, comme le partage des coûts (Huang et coll., 2011).

La fréquence et la durée des situations de cohabitation ont contribué au phénomène du mariage tardif (Manning et coll., 2014). Environ la moitié des mariages sont précédés d'une cohabitation, mais les données montrent que de moins en moins de couples cohabitants choisissent de se marier (Benjamin-Guzzo, 2014 ; Kettner, 2014). Aux États-Unis, les deux tiers des couples mariés en 2012 ont cohabité au moins deux ans avant de se marier (Fox, 2014). La cohabitation en série chez les jeunes adultes continue d'augmenter (Vespa, 2014). Les couples en cohabitation peuvent, dans certaines provinces au Canada et dans plusieurs pays, s'engager mutuellement par un contrat qui s'inspire des liens légaux du mariage. Il s'agit de l'**union de fait**.

L'impact de la cohabitation avant le mariage

Pour expliquer ce phénomène chez les Québécois, Solène Lardoux, professeure au Département de démographie de l'Université de Montréal affirme que « au Québec, l'union libre est très bien acceptée et est un cadre de formation de la famille comme le mariage. Par contraste, dans le reste du Canada, l'union libre est plus un prélude au mariage, et le mariage reste le cadre commun pour la constitution de la famille. Les unions libres au Québec sont plus stables (c'est-à-dire qu'elles durent

Cohabitation Situation de deux personnes qui vivent en couple (avec ou sans relations sexuelles) sans être mariées (union de fait, union libre).

Union de fait Situation d'un couple non marié vivant sous le même toit dans une relation d'engagement mutuel, pas nécessairement officialisée.

plus longtemps) que dans le reste du Canada (et même du reste de l'Amérique du Nord), mais elles sont plus instables que les mariages» (Radio-Canada, 2016).

Plusieurs chercheurs se sont demandé si la cohabitation avant le mariage prédispose les couples au divorce. Une étude menée auprès de 7000 individus a révélé que la probabilité que survienne un divorce dépend principalement de l'âge auquel une personne s'engage dans une relation de couple, et ce, quelle que soit la forme de l'union (mariage ou cohabitation). De fait, le taux de rupture est de 60 % chez les personnes qui ont cohabité ou qui se sont mariées avec un partenaire alors qu'elles étaient âgées de 18 ans, mais ce taux n'est que de 30 % chez ceux qui ont cohabité ou qui se sont mariés à 23 ans (Manning et Cohen, 2012 ; Kuperberg, 2014). Il s'agirait plus d'une question de maturité et d'expérience relativement au choix d'un partenaire compatible et à la capacité de se comporter de façon à maintenir une relation à long terme (Kuperberg, 2014).

Fonder ou non une famille pendant la période de cohabitation précédant le mariage semble avoir un impact sur la qualité de la relation conjugale. Une étude auprès de 3500 femmes montre que les couples qui ont cohabité sans avoir d'enfant pendant cette période ont une même qualité de vie conjugale que les couples n'ayant pas cohabité avant de se marier. En revanche, les couples qui ont eu un enfant pendant la cohabitation ont des relations conjugales moins satisfaisantes que les couples n'ayant pas cohabité avant de se marier (Tach et Halpern-Meekin, 2012).

Le mariage

Le mariage est une institution en évolution qu'on retrouve dans presque toutes les sociétés. Il a rempli dans l'histoire plusieurs fonctions, tant pour la société que pour les personnes. Le mariage sert généralement de base à la société et permet la formation de cellules familiales stables à partir desquelles les normes sociales sont transmises. Le mariage structure la cellule familiale en un partenariat économique intégrant l'éducation des enfants, l'accomplissement des tâches domestiques et l'acquisition d'un revenu. Le mariage définit aussi les droits de succession à la propriété familiale.

Nous estimons qu'en 2015, 45,9 % des individus de 15 ans et plus étaient mariés au Canada, dont 35,4 % au Québec (Radio-Canada, 2016).

Plusieurs sociétés modernes se préoccupent de la façon dont le mariage influe sur l'ordre social et cherchent à en modifier l'impact, comme le souligne l'encadré *Les uns et les autres*.

Le mariage dans les cultures collectivistes et individualistes

Les scientifiques qui étudient les cultures ont identifié deux caractéristiques opposées permettant de les différencier : le collectivisme et l'individualisme (Oh, 2013). Le but du mariage n'est pas le même selon qu'une culture est collectiviste ou individualiste. Dans les cultures de type collectiviste, comme celles de l'Inde contemporaine, de la Thaïlande, des Philippines, du Moyen-Orient ainsi que de certaines régions de l'Asie et de l'Afrique, les intérêts du groupe ou de la collectivité passent avant ceux de l'individu. Dans de telles cultures, le mariage a pour fonction d'unir des familles plutôt que deux personnes. Souvent, les parents arrangent le mariage de leurs enfants (Allendorf, 2013). Dans l'Inde contemporaine, par exemple, 90 % des mariages sont arrangés et 70 % des célibataires croient que ces unions réussissent mieux que les mariages *d'amour* (Cullen et Masters, 2008). Lorsque, dans une culture collectiviste,

---

LES UNS ET LES AUTRES

Le mariage en crise

Plusieurs pays considèrent que le statut et la fonction du mariage sont en crise, mais pas tous pour les mêmes raisons. Par exemple, en Espagne, les planificateurs économiques voudraient bien que les 50 % de femmes âgées de 25 à 29 ans qui sont célibataires se marient plus tôt et aient plus d'enfants afin de stimuler la croissance économique. En Allemagne, en Autriche, en Corée, en Russie, en France et au Japon, les gouvernements sont préoccupés par le déclin de la natalité ; quelques-uns fournissent même de l'aide financière et offrent des logements et des garderies aux gens qui ont des enfants, et ce, quel que soit l'état matrimonial des parents. En Russie, les parents d'un deuxième enfant reçoivent 9200 $, jouissent d'un congé de maternité prolongé et d'une allocation pour voir au soin des enfants (Niedowski, 2006). En République tchèque, par contre, on encourage les gens à vivre seuls dans l'espoir de réduire le taux de divorce, qui est de 50 %. Chez nous, le Régime québécois d'assurance parentale a prolongé la durée du congé parental après une naissance, notamment pour aider économiquement les couples à avoir des enfants ; en outre, la province s'est dotée d'un système de garderies qui offre des tarifs subventionnés pour un certain nombre de parents. L'âge moyen des mères au premier enfant est de 30 ans et les tendances citées plus haut sont toujours à la hausse (Institut de la statistique du Québec, 2012).

Plusieurs pays se préoccupent des différents obstacles au mariage des hommes. Les dirigeants de l'Arabie saoudite et des Émirats arabes unis demandent aux familles de réduire la dot payée par le fiancé afin de permettre aux jeunes hommes de se marier. En Italie, les analystes critiquent les quelque 33 % d'hommes célibataires de 30 à 35 ans qui préfèrent continuer à profiter des talents de cuisinière et de femme de maison de leur mère. En Chine et en Inde, les millions d'hommes qui pourraient ne pas trouver à se marier vers 2020 en raison du déséquilibre démographique préoccupent les gouvernements comme la population (Hesketh et Xing, 2006). La Fondation Bill et Melinda Gates a financé une étude dans une région rurale de l'Inde qui a montré que, chez les enfants de moins de 6 ans, on comptait 628 filles pour 1000 garçons. Cette différence s'explique par le plus grand nombre de fœtus féminins avortés et tués à la naissance en raison des préférences culturelles très marquées pour les garçons (Chung, 2006 ; Power, 2006). En Inde, selon la tradition hindoue, les fils ont l'importante responsabilité d'allumer le bûcher funéraire de leurs parents. Les garçons sont tenus de pourvoir au bien-être de la famille, alors que les filles doivent fournir une dot en se mariant, ce qui représente une perte financière pour la famille. Le gouvernement indien offre aux familles des bourses d'études destinées aux filles dans le but de susciter davantage de naissances féminines. Mais la tradition plusieurs fois centenaire associant les enfants mâles à un statut social plus élevé est très difficile à changer.

Environ 60 millions de filles dans le monde sont mariées si jeunes qu'elles courent des risques particuliers pour leur santé physique et économique. Au Niger, 82 % des filles sont mariées avant l'âge de 18 ans ; dans une région de l'Éthiopie, 50 % des filles prennent mari avant l'âge de 15 ans et 7 % des filles au Népal le font avant l'âge de 10 ans. Ces jeunes filles subissent des rapports sexuels forcés, sont privées d'une éducation et sont exposées à des risques de santé particuliers (Tamimi, 2011). Elles ont très peu d'options de mode de vie après le mariage. Lorsqu'elles se marient, la plupart des filles quittent l'école, ce qui réduit leurs possibilités économiques futures (International Center for Research on Women, 2009). Au Cameroun, où 46 % des filles sont

mariées de force avant l'âge de 18 ans, les mères apposent des pierres chaudes sur les seins de leurs filles pour essayer de ralentir leur croissance et de retarder leur mariage (Wu, 2008). Les jeunes épouses sont exposées à de nombreux problèmes de santé potentiels et ceux-ci peuvent être permanents (Jyoti, 2013). Ces jeunes filles, dont le corps n'a pas fini de se développer, accouchent souvent dans des conditions propices aux traumatismes : le travail peut durer plusieurs jours et causer la mort de l'enfant à naître en plus d'endommager la filière pelvigénitale de façon définitive (Pathfinder International, 2006). Au Yémen, par exemple, les complications durant la grossesse sont la principale cause de décès chez les jeunes femmes de 15 à 19 ans (Khalife, 2011). En outre, les jeunes filles sont généralement mariées à des hommes beaucoup plus âgés qu'elles ; l'âge et la polygamie du mari augmentent le risque qu'il ait contracté le VIH et qu'il le transmette à sa jeune épouse (Ali, 2006).

La pauvreté contribue également à favoriser le mariage des jeunes femmes (Batha, 2015). Dans les familles pauvres, le mariage met fin à la nécessité d'entretenir une fille, et ces familles reçoivent une dot (compensation financière ou autre) de la famille du marié. Il s'agit d'un phénomène commun pour les filles dans les camps de réfugiés. Les Nations Unies, l'UNICEF et d'autres organismes font campagne au Moyen-Orient et dans diverses régions d'Afrique et d'Asie pour empêcher les mariages de filles âgées de 13 ans et moins et pour que ces jeunes filles obtiennent le droit de consentir de façon libre et éclairée (Veneman, 2009). Malheureusement, dans les pays où ce type de mariage est une tradition, les lois ne sont pas dissuasives.

En Afghanistan, cette fillette de 11 ans a dû abandonner l'école pour se fiancer à un homme de 40 ans son aîné.

l'individualisme s'installe, les unions peuvent devenir moins stables, comme on peut le constater en Chine où le relâchement des contrôles gouvernementaux et l'influence croissante de l'Occident ont entraîné une augmentation de 21 % du nombre de divorces pour la seule année 2004 (Beech, 2005).

À l'opposé, dans les cultures individualistes comme celles du Canada, de l'Europe, de l'Australie, du Brésil et des États-Unis, les désirs et les objectifs personnels l'emportent sur ceux de la famille (Lykes et Kemmelmeier, 2014). Dans ces cultures, on accorde beaucoup plus d'importance aux sentiments amoureux comme fondement du mariage que dans les cultures collectivistes (Levine et coll., 1995). Il s'agit d'un phénomène récent dans la longue histoire de l'humanité. En effet, ce n'est pas avant la fin du XVIIIᵉ siècle que les choix personnels basés sur l'amour ont remplacé les intérêts familiaux comme fondement du mariage dans le monde occidental (Coontz, 2006). Autrement dit, notre conception moderne du mariage pour l'amour et la satisfaction existe seulement depuis 200 ans (Haisha, 2014).

La polygamie

Les cultures collectivistes sont plus susceptibles de pratiquer la polygamie (dont la forme prédominante est le mariage entre un homme et plusieurs femmes). Bien qu'elle soit peu connue dans le monde occidental, la polygamie a été la forme de mariage la plus répandue à travers les âges et elle prévaut toujours au Moyen-Orient et dans certaines parties de l'Afrique. L'islam permet à un homme d'avoir jusqu'à quatre femmes ; sa fortune personnelle et sa capacité à faire vivre plusieurs femmes déterminent habituellement combien il en épousera (Arusha, 2008).

La polygamie compte ses opposants même dans les pays où elle constitue la norme (Al-Mograbi, 2011 ; Amnesty International, 2011). Par exemple, au Swaziland, un pays africain, le droit d'un homme à la polygamie est inscrit dans la nouvelle Constitution. Cependant, bien que le roi ait 14 épouses, sa fille, la princesse Sikhanyiso, âgée de 24 ans en 2012, a déjà exprimé son opposition à cette tradition. Les opposants à la polygamie – notamment des femmes des milieux ruraux et urbains – considèrent cette pratique comme un prétexte aux aventures extraconjugales. Les hommes épousent leurs petites amies pour un temps limité, puis les rejettent pour en marier d'autres. La principale raison pour laquelle les femmes s'opposent à la polygamie est leur désir de satisfaire leurs besoins amoureux et sexuels sans avoir à partager un homme avec d'autres femmes, une motivation qui reflète la tendance à l'individualisme dans les cultures collectivistes. Une étude qui a comparé les épouses de Bédouins arabes polygames et monogames a montré que les femmes en mariage polygame étaient plus dépressives et anxieuses, qu'elles vivaient des difficultés familiales, qu'elles avaient une moins bonne estime personnelle et une moins grande satisfaction conjugale que les femmes en mariage monogame (Al-Krenawi et Slonim-Nevo, 2008).

Au Canada, le Code criminel interdit la polygamie. Outre des cas illégaux dénombrés essentiellement parmi les groupes issus de pays où la pratique est permise, l'Église fondamentaliste de Jésus-Christ des saints des derniers jours, une dénomination de l'Église mormone, à Bountiful, en Colombie-Britannique, a revendiqué le droit de pratiquer la polygamie en vertu de la liberté de religion garantie par la Charte canadienne des droits et libertés, mais un jugement de la Cour suprême de Colombie-Britannique, rendu en novembre 2011, confirme que la loi interdisant la polygamie respecte la Charte. Il y a aussi un temple mormon dans la région métropolitaine de Montréal. Des recours en justice n'ont pas permis encore de trancher le statut juridique de la polygamie mormone même si un rapport de 2006 du département de la Justice du Canada en recommandait la décriminalisation (Soukup, 2006).

Peu de cultures pratiquent la polyandrie (le fait pour une femme d'avoir plusieurs maris) ; encore plus rares sont les cultures qui permettent aux femmes d'avoir des activités sexuelles hors mariage. Une culture matriarcale présente dans une région éloignée en Chine inverse la conception mormone du mariage, comme le précise l'encadré *Les uns et les autres*.

Le mariage dans le monde occidental

Le mariage fondé sur l'amour renferme les promesses d'un engagement amoureux durable avec un partenaire régulier, la gratification sexuelle et la possibilité de fonder une famille, tout en bénéficiant de la sécurité qu'apporte une institution sociale légitime. Les études révèlent une forte corrélation entre le statut conjugal et la satisfaction générale dans la vie (Carr et coll., 2014). Une méta-analyse portant sur la question de la satisfaction maritale révèle que chez les couples hétérosexuels, les deux sexes rapportent un degré de satisfaction similaire, sauf chez les couples en thérapie conjugale, où 51 % des femmes se disent moins satisfaites que leurs conjoints (Jackson et coll., 2014). La recherche montre que les individus qui vivent un amour véritable avec un partenaire qui est à l'écoute de leurs besoins, de leurs préoccupations et de leurs objectifs voient une amélioration de leur bien-être psychologique, sont en meilleure santé et vivent plus longtemps (Selcuk et Ong, 2013).

Ces avantages ne valent cependant que dans certaines conditions. Les personnes dont le mariage est dysfonctionnel sont en moins bonne santé que celles dont le mariage est harmonieux, comme le montre une enquête longitudinale. Plus encore, les effets négatifs d'un mariage dysfonctionnel sont cumulatifs et s'aggravent avec l'âge (Umberson et coll., 2006). En fin de compte, le fait d'être en couple n'est pas garant d'un meilleur bien-être (DePaulo et Morris, 2005).

Les nouvelles attentes à l'égard du mariage

Un fossé profond sépare l'idéal nord-américain du mariage et la réalité. La cohabitation, le nombre élevé de divorces et les aventures extraconjugales sont des réalités très courantes et contraires à l'idéal traditionnel du mariage.

Les couples actuels se marient en s'attendant à ce que leurs besoins sexuels, affectifs, spirituels, sociaux, financiers,

---

LES UNS ET LES AUTRES

Quand les femmes choisissent

Dans une région reculée de la Chine, sur les rives d'un lac en haute altitude entouré de montagnes, les Mosuo observent l'une des plus atypiques pratiques du mariage au monde. Cette ancienne **société matriarcale** comprenant environ 50 000 personnes existe depuis près de 2000 ans et continue de prospérer de nos jours. En raison de leur situation isolée, les Mosuo ont résisté à l'imposition du modèle patriarcal traditionnel répandu ailleurs en Chine. Comme il s'agit d'une société matriarcale, ce sont les femmes qui transmettent leur nom à leurs enfants et qui gèrent les affaires économiques et sociales de la famille étendue. Tous les enfants de chaque femme vivent toute leur vie dans la maison de leur mère.

Après une cérémonie d'initiation au monde adulte, vers l'âge de 13 ans, chaque jeune fille se voit attribuer une chambre personnelle dans la maison familiale. Là, elle peut inviter les amoureux de son choix à passer la soirée et la nuit avec elle. À l'aube, son amoureux retourne dans la maison de sa propre mère, où il vit. Selon cette tradition, qu'on pourrait appeler *mariage ambulatoire*, l'homme doit se rendre à la maison de la femme pour y passer la nuit. La femme entreprend un mariage ambulatoire en jetant un regard vers l'élu ou en lui touchant la paume de la main d'une manière particulière. Les hommes ne peuvent jamais prendre l'initiative, mais ils peuvent décliner une invitation.

Lorsqu'une femme mosuo devient enceinte et donne naissance à un enfant, elle continue de vivre dans la maison de sa mère, et ses frères l'aident à élever son enfant. Le père biologique n'assume aucun rôle paternel, sauf envers les enfants de ses propres sœurs. Les seules raisons pour lesquelles les hommes et les femmes se rencontrent sont l'amour et l'intimité sexuelle, non le soin des enfants. En conséquence, les mariages ambulatoires commencent et se terminent facilement : la femme s'aperçoit que les visites nocturnes de son amoureux cessent ou ce dernier peut se cogner le nez à une porte verrouillée (Bennion, 2005 ; Ryan et Jetha, 2010).

Vêtue pour une grande fête annuelle, cette femme mosuo choisit l'homme avec qui elle désire passer la nuit dans sa chambre, à la maison de sa mère.

Société matriarcale   Société dans laquelle le nom de famille se transmet par les femmes et où celles-ci assument la gestion économique et sociale de la collectivité.

et peut-être aussi de coparentage, soient pleinement satisfaits (Li et Fung, 2011). Dans une étude récente, les répondants ont été plus nombreux à déclarer que la raison principale du mariage était l'amour.

Le réseau familial et la parentalité

Plusieurs personnes souhaitent que le mariage soit garant du bonheur. Toutefois, alors que grandissent les attentes à l'égard du mariage, les structures sociales sur lesquelles l'institution s'appuyait se sont affaiblies. Le soutien que procuraient les familles étendues et les petites communautés, aujourd'hui tricotées moins serré, n'est plus ce qu'il était, si bien que le mariage doit répondre à une plus grande variété de besoins. Les couples sont souvent contraints de faire appel à des ressources externes pour accomplir les tâches domestiques, pour garder les enfants ou pour obtenir de l'aide financière et un soutien affectif. En 2015, la proportion de couples canadiens avec deux revenus et avec des enfants était de 69 % (73 % au Québec) (Statistique Canada, 2016a).

Le visage de la parentalité a beaucoup changé depuis le milieu du XXᵉ siècle au Canada. En comparant les données des recensements de 1961 et 2011, Statistique Canada (2011) indique que les familles monoparentales sont à la hausse (de 8,4 à 16,3 %) et que le nombre moyen d'enfants par famille est à la baisse (de 2,7 à 1,9 %). En 2011, 11 % des enfants au Canada vivaient au sein d'une famille recomposée, où «au moins un enfant biologique ou adopté est l'enfant d'un seul des époux ou des partenaires en union de fait» (Bohnert, Milan et Lathe, 2014, p. 4). Entre 2001 et 2011, Statistique Canada (2012) a observé une légère augmentation du nombre de couples sans enfants (40,3 à 44,5 %).

Alors que le partage du quotidien dans le mariage peut enrichir et combler certains couples, le défi que représente ce partage peut en désillusionner bien d'autres (Patz, 2000). La naissance des enfants apporte également des changements qui peuvent avoir un impact sur la vie sexuelle du couple.

Le comportement sexuel dans le mariage

Comparativement aux groupes des recherches de Kinsey, les couples nord-américains d'aujourd'hui semblent posséder un répertoire de comportements sexuels beaucoup plus vaste et avoir des rapports sexuels plus nombreux. La fréquence et la durée des activités précoïtales ont augmenté. Plus de gens prennent en effet plaisir à ces activités, qu'ils ont cessé de considérer comme un simple prélude au coït. La stimulation buccale des seins et la stimulation manuelle des organes génitaux sont plus fréquentes ; il en est de même des contacts buccogénitaux, que ce soit la fellation ou le cunnilingus (Herbenick et coll., 2010a ; Laumann et coll., 1994).

Toujours selon cette enquête, les couples mariés ont en moyenne une fréquence de 1,2 relation sexuelle par semaine, ce qui est un peu moins fréquent que les couples qui cohabitent (1,6), mais plus fréquent que les personnes célibataires sans partenaires (0,3) ou qui fréquentent des partenaires (1,1).

Les mariages sans relations sexuelles ne sont pas rares. Les exigences du travail, la lessive, la tondeuse à réparer, les relations avec deux familles, les amis et combien d'autres activités contribuent à réduire le temps et l'énergie disponibles pour des moments d'intimité. Il faut noter, par contre, qu'un manque d'activités sexuelles ne veut pas dire nécessairement qu'un mariage est malheureux. Pour certains couples, le sexe n'est pas et n'a peut-être jamais été une priorité.

Le mariage est en général un défi et, en dépit des difficultés qu'il présente, plusieurs couples homosexuels y aspirent. Au Canada, les mariages entre personnes de même sexe ont été légalisés en 2005 (*voir le chapitre 5*). Le nombre de couples de même sexe légalement mariés a presque triplé entre 2006 et 2011, avec 9475 couples de femmes et 11 540 couples d'hommes mariés au pays. Ceux-ci représentent une proportion d'environ 3 couples de même sexe sur 10 (Statistique Canada, 2015f).

Une étude réalisée en Californie, où le mariage entre les personnes de même sexe est légalisé depuis 2008, révèle que les couples de même sexe anticipent une meilleure stabilité de leur relation, mais surtout qu'ils attendent du mariage un soutien financier et légal au même titre que les couples hétérosexuels mariés (Shulman et coll., 2012).

Les officiers de la Gendarmerie royale du Canada, Jason Tree et David Connors, se sont mariés le 30 juin 2006. Ils avaient commencé à se fréquenter huit ans plus tôt à l'université.

La sexualité des personnes âgées

Dans les derniers âges de la vie, la plupart des gens notent des changements dans le déroulement de leur réponse sexuelle (Herbenick et coll., 2010a). Certaines personnes comprennent et acceptent la nature de ces changements. D'autres en sont troublées. Une part importante des sentiments de confusion et de frustration vécus par les personnes âgées découle du discours dominant voulant que la sexualité n'existe pas (ou n'a pas sa place) quand on est vieux (Kellett, 2000).

Pourquoi le vieillissement est-il si souvent associé à l'asexualité ? Une partie de la réponse vient de la culture nord-américaine qui continue de croire que sexe égale procréation et qui proclame que les personnes âgées n'ont pas de besoins sexuels ni d'intérêt envers la sexualité, ou encore que ceux qui en ont ne devraient pas les exprimer. «On qualifie d'*âgisme* l'attitude stéréotypée qui se traduit par le dégoût, le rejet et le malaise profond des jeunes adultes et des adultes d'âge moyen» envers d'autres personnes du fait de leur âge (Bergeron et Badeau, 1991, p. 20), surtout si celles-ci se montrent ouvertement sexuelles (Bergeron et Badeau, 1991). Les médias associent souvent la sexualité, l'amour et les idylles à la jeunesse. Avec l'accroissement continu du nombre d'aînés dans nos sociétés, les publicités montrent plus souvent des personnes âgées radieuses et sensuelles (Jarrell, 2000). Et comme la génération dite *de la révolution sexuelle* fait aujourd'hui partie de la tranche des aînés, la notion d'asexualité du troisième âge devient caduque (Kingsberg, 2002 ; Zilbergeld, 2001), et la vision de la sexualité comme une source de plaisir pour la vie devient plus commune (Elders, 2010). La sexualité demeure présente à tout âge. Se référant à Willy Pasini (1979), André Bergeron et Denise Badeau écrivent, au sujet de la sexualité des femmes âgées, que «l'érotisme prend sa source dans l'imaginaire et dans la vie fantasmatique, lesquels ne sont nullement atténués par l'âge» (Bergeron et Badeau, 1991).

> Quand je me suis mariée il y a 47 ans de cela, mon mari et moi avions 29 ans et étions tous les deux vierges. On m'avait appris que le sexe était pour la procréation uniquement, ce qui n'a pas facilité notre adaptation mutuelle. Pendant des années, les enfants et, pour mon mari (un bourreau du travail), la carrière monopolisaient beaucoup de temps et d'énergie, si bien que le sexe ne constituait pas une part importante de notre vie de couple. À 76 ans aujourd'hui, nous avons la chance d'avoir du temps, une bonne santé et la sécurité financière, et notre vie sexuelle est merveilleuse et joue un grand rôle dans notre plénitude ; vraiment, ce sont les meilleures années de notre existence. (Note des auteurs)

Deux poids deux mesures

Plus tôt dans ce chapitre, nous avons abordé la question du double standard dans l'expression de la sexualité adolescente. Or, ce déséquilibre qui s'exerce aussi envers les personnes âgées inflige des contraintes particulières aux femmes, comme c'est le cas dans les autres groupes d'âge. Même si la femme conserve ses capacités sexuelles tout au long de sa vie, la culture continue d'associer le fait d'être *sexy* à la jeunesse.

À L'AFFICHE

> *Les petits ruisseaux* (2010), un film de Pascal Rabaté relatant la redécouverte de deux septuagénaires qui reprennent goût aux choses de la vie, de l'amour et de la sexualité.

Chez les hommes, l'âge est souvent vu comme un facteur de séduction. Bien que les fabricants de cosmétiques tentent d'imposer des produits masquant le vieillissement masculin, il reste que les cheveux gris et les rides sont fréquemment associés à la distinction et considérés comme des signes d'une grande expérience de vie et de sagesse. Ainsi, il est relativement commun d'associer le *sex-appeal* chez les hommes à leur réussite et à leur statut social. Il en va différemment pour les femmes qui réussissent sur le plan professionnel : on les perçoit comme une menace et elles risquent de repousser certains partenaires sexuels masculins.

Les couples formés d'un homme âgé influent et d'une jolie jeune femme reflètent cette mentalité du deux poids deux mesures. Le mariage d'un homme de 55 ans avec une femme de 25 ans provoque moins de réactions que la situation inverse. Par ailleurs, une enquête a montré que 34 % des femmes de plus de 40 ans fréquentent des hommes plus jeunes qu'elles et que les femmes qui se marient avec un homme plus jeune sont plus nombreuses qu'autrefois (Coontz, 2006 ; Mahoney, 2003).

La recherche montre que l'attirance envers les femmes âgées est plus importante que le laisse entendre la croyance populaire. Par exemple, parmi les participants que l'on a questionnés sur le fantasme d'avoir des relations sexuelles avec quelqu'un de beaucoup plus âgé qu'eux, 48 % des hommes ont répondu par l'affirmative, contre seulement 34 % des femmes (Orwig, 2014). De plus, le fait que, dans les sites pornographiques, le groupe des femmes de 40 à 60 ans, appelées *cougar* ou *MILF*, représente la deuxième catégorie la plus recherchée par les jeunes de 16 à 18 ans (Ogas et Gaddam, 2012) témoigne de la réalité de cette attirance.

L'activité sexuelle durant le troisième âge

Que nous apprend la recherche sur la sexualité des personnes âgées dans notre société ? Pour beaucoup d'entre elles, la sexualité est essentielle à une vie riche et pleine. En fait, les recherches ont montré que l'activité et l'intérêt sexuels s'intègrent naturellement au processus de vieillissement (Beckman et coll., 2006 ; Nusbaum et coll., 2005). Pour certaines personnes, la vie sexuelle s'améliore sur le tard. Selon une étude menée auprès d'adultes sexuellement actifs de 60 ans et plus, 61 % affirment que leur vie sexuelle était aussi, sinon plus satisfaisante sur le plan physique que dans la quarantaine (Dunn et Cutler, 2000). Il s'agit d'un phénomène commun pour les femmes qui, rendues au milieu de leur vie, ont appris à découvrir leurs désirs sexuels et acquis la confiance pour les rechercher, de sorte que leur vie sexuelle s'est considérablement améliorée (Gullette, 2011). En outre, une recherche récente a révélé que les couples mariés depuis 50 ans connaissaient une petite hausse en termes de fréquence de leur activité sexuelle à partir de ce moment (Stroope et coll., 2015).

▲ Le besoin d'affection et d'intimité sexuelle ne se dément pas durant le troisième âge, souvent propice au partage et au rapprochement.

D'autres études montent que plusieurs personnes âgées continuent d'avoir une vie sexuelle active. Selon une enquête nationale américaine menée auprès d'un échantillon représentatif d'hommes et de femmes de 50 ans et plus, les personnes âgées pratiquent diverses activités sexuelles, qu'ils soient en couple ou non (Herbenick et coll., 2010a). La masturbation est une activité très commune chez les deux sexes, malgré une diminution avec l'âge, et plus fréquente chez les hommes (*voir le tableau 6.2*). Les hommes avec des partenaires rapportent se masturber moins souvent que ceux sans partenaire. Chez les femmes, la masturbation n'est pas liée à un ou une partenaire (Herbenick et coll., 2010a). Les hommes affirment pratiquer (recevoir et donner) les activités buccogénitales plus que les femmes, surtout avec un partenaire de l'autre sexe. Environ 58 % des hommes âgés de 50 à 59 ans déclarent avoir des rapports

ACTIVITÉ	HOMMES			FEMMES		
	50-59 ANS *n = 454*	60-69 ANS *n = 317*	70 ANS ET + *n = 179*	50-59 ANS *n = 435*	60-69 ANS *n = 331*	70 ANS ET + *n = 192*
Masturbation seul(e)	72,1	61,2	46,4	54,1	46,5	32,8
Masturbation avec partenaire	27,9	17,0	12,9	17,7	13,1	5,3
Recevoir stimulation buccogénitale d'une femme	48,5	37,5	19,2	0,9	0,6	1,5
Recevoir stimulation buccogénitale d'un homme	8,4	2,6	2,4	34,2	24,8	7,8
Donner stimulation buccogénitale à une femme	44,1	34,3	24,3	0,9	0,9	1,5
Donner stimulation buccogénitale à un homme	8,0	2,6	3,0	36,2	23,4	6,8
Rapport coïtal vaginal	57,9	53,5	42,9	51,4	42,2	21,6
Pénétration de l'anus	11,3	5,8	1,7	–	–	–
Recevoir une pénétration de l'anus	4,6	6,0	1,7	5,6	4,0	1,0

TABLEAU 6.2 Le pourcentage des activités sexuelles depuis 12 mois selon le sexe et l'âge

Source : Traduit et adapté de Herbenick et coll., 2010a. Données tirées du *National Survey of Sexual Health and Behaviour* (NSSHB).

coïtaux, comparativement à 43 % des hommes de 70 ans et plus. L'écart chez les femmes est plus important puisque 51 % des femmes de 50 à 59 ans disent avoir des rapports coïtaux, mais dans le groupe des 70 ans et plus, elles ne sont que 22 %. On attribue cette diminution au fait que nombre de femmes de ce groupe n'ont plus de partenaire.

De nombreuses personnes âgées ont des fréquentations et plusieurs utilisent des sites de rencontre sur Internet. De cette façon, elles peuvent avoir un nouveau partenaire sexuel plus tard dans la vie. Une grande étude a montré que 14 % des adultes célibataires entre 57 et 85 ans fréquentaient quelqu'un (Brown et Shinohara, 2013). Selon une enquête, 22 % des hommes et 14 % des femmes se fréquentent principalement pour trouver quelqu'un avec qui se marier ou cohabiter (Kantrowitz, 2006).

L'activité sexuelle des personnes d'âge mûr est aussi confirmée, malheureusement, par l'accroissement des cas d'infection au VIH et des cas de sida chez les personnes de 50 ans et plus (Negin et coll., 2014). Seulement 20 % d'hommes et 24 % de femmes célibataires et sexuellement actifs affirment avoir utilisé un condom lors de leur dernier rapport sexuel (Schick et coll., 2010). Dix pour cent des gens âgés de plus de 50 ans présentent un ou plusieurs facteurs de risque, mais peu d'entre eux auront recours à un test de dépistage. La majorité des professionnels de la santé ne font pas ce type de test chez les personnes âgées, mais plusieurs organismes de santé publique leur offrent des séances d'information sur les mesures à prendre pour avoir des rapports sexuels sans risque (Levy, 2001 ; McGinn et Skipp, 2002).

Le vieillissement et le cycle de la réponse sexuelle

Avec le vieillissement, certaines personnes constatent que leur réponse sexuelle se modifie. Nous consacrons cette section à quelques-uns des changements les plus courants qui surviennent chez les hommes et les femmes.

Le cycle de la réponse sexuelle chez l'homme âgé

La plupart des changements qui surviennent dans le cycle de la réponse sexuelle des hommes plus âgés ont trait à l'intensité et à la durée de cette réponse (Masters et Johnson, 1968 ; Segraves et Segraves, 1995).

Lorsqu'ils sont jeunes, bien des hommes peuvent avoir une érection en quelques secondes. Cette capacité diminue généralement avec l'âge. Au lieu de 8 à 10 secondes, un homme d'un certain âge peut avoir besoin de plusieurs minutes de stimulation efficace pour avoir une érection. Les érections d'un homme âgé sont parfois moins fermes que lorsqu'il était plus jeune. Il se peut qu'il ait besoin d'une stimulation plus directe, comme une fellation ou la masturbation, pour parvenir à une érection.

La plupart des hommes en bonne santé conservent leur potentiel érectile pendant toute leur vie. Lorsqu'un homme et sa ou son partenaire se rendent compte qu'il est normal d'avoir besoin d'un peu plus de temps pour obtenir une érection, ce changement mineur n'a aucune conséquence sur le plaisir que procurent les relations sexuelles.

Chez les hommes plus âgés, la tension musculaire est moindre pendant la phase de plateau. L'érection ne devient souvent complète que tardivement, juste avant l'orgasme. C'est pourquoi les hommes plus âgés peuvent maintenir la phase de plateau plus longtemps que lorsqu'ils étaient plus jeunes, et augmenter sensiblement leur plaisir. Bien des hommes, ainsi que leur partenaire, aiment pouvoir profiter d'autres sensations de plaisir avant le déclenchement de l'éjaculation. Lorsqu'un homme entreprend une relation sexuelle, sa ou son partenaire peut aussi apprécier ce meilleur contrôle de l'éjaculation.

La plupart des hommes âgés continuent d'avoir des orgasmes. En fait, selon une enquête, 73 % des hommes âgés ont dit que l'orgasme était « très important » dans leurs expériences sexuelles (Starr et Weiner, 1981). Cependant, ces orgasmes sont moins intenses, et la sensation d'atteindre un *point de non-retour* pendant la phase d'émission est moins fréquente. Enfin, le nombre de contractions musculaires et la force de l'éjaculation diminuent (Nusbaum et coll., 2005).

La phase de résolution est habituellement plus rapide chez les hommes âgés (Nusbaum et coll., 2005). La perte de l'érection se fait plus rapidement, comparativement aux hommes plus jeunes. La période réfractaire entre l'orgasme et la prochaine phase d'excitation s'allonge graduellement (DeLamater et Friedrich, 2002). Certains hommes peuvent observer ces changements dès l'âge de 30 ou 40 ans. Souvent, dans la soixantaine, la période réfractaire dure plusieurs heures, voire plusieurs jours dans certains cas.

Le cycle de la réponse sexuelle chez la femme âgée

Généralement, chez les femmes plus âgées, toutes les phases de la réponse sexuelle se maintiennent, mais leur intensité est moindre (Masters et Johnson, 1968 ; Segraves et Segraves, 1995).

À la première phase de la réponse sexuelle, la lubrification vaginale survient généralement plus lentement chez la femme âgée et, la plupart du temps, la lubrification est également réduite (Nusbaum et coll., 2005). Cette réduction importante de la lubrification peut causer de l'inconfort ou de la douleur (Kingsberg et coll., 2013). Certaines femmes rapportent une diminution de leur désir sexuel et de la sensibilité de leur clitoris, ce qui nuit à l'excitation sexuelle. L'hormonothérapie ou l'emploi d'une crème vaginale avec œstrogènes ou d'un lubrifiant peuvent aider à atténuer ces symptômes (Kingsberg et Krychman, 2013).

Les contractions de la plateforme orgasmique et de l'utérus continuent de se produire chez la femme âgée, mais elles sont généralement moins nombreuses. La femme âgée demeure capable d'avoir des orgasmes multiples. Cependant, de nombreuses femmes ont besoin d'une plus longue période de stimulation pour atteindre l'orgasme et quelques-unes y arrivent plus difficilement (Nusbaum et coll., 2005).

L'orgasme semble être un aspect important de l'activité sexuelle de la femme âgée. Lors d'une enquête où l'on posait la question «Que considérez-vous comme une bonne expérience sexuelle?», 69 % des femmes âgées de 60 à 91 ans ont répondu «l'orgasme» (Starr et Weiner, 1981). Seulement 17 % ont répondu «le coït». De plus, «l'orgasme» a aussi été la réponse la plus fréquente à la question: «Qu'est-ce qui est le plus important pour vous dans une relation sexuelle?» Pour 65 % des répondantes, la fréquence des orgasmes était la même que lorsqu'elles étaient plus jeunes.

La phase de résolution est plus courte chez la femme ménopausée (Nusbaum et coll., 2005). La plateforme orgasmique disparaît rapidement. Le vagin et le clitoris reviennent plus rapidement à l'état de repos en raison d'une moins grande vasocongestion pelvienne pendant l'excitation.

QUESTION D'ANALYSE CRITIQUE

> Quelle est votre perception de la sexualité des personnes âgées?

Les effets du vieillissement sur la sexualité féminine sont divers. La plupart des femmes ne connaissent que des changements mineurs, alors que quelques-unes voient leur intérêt sexuel et leur capacité orgasmique diminuer sérieusement. Cependant, les changements physiologiques associés au vieillissement chez l'homme et la femme ne mènent pas nécessairement à la réduction de l'activité sexuelle. Ce sont plutôt les valeurs sociales et l'attitude de la personne âgée vis-à-vis de ces changements qui influent sur la fréquence de l'activité sexuelle. Dans une société valorisant la jeunesse et la performance, les hommes et les femmes âgés peuvent sentir qu'ils ne sont plus désirables, ce qui mine leur désir et leur intérêt pour la sexualité (Delamater, 2012).

Les facteurs de maintien de l'activité sexuelle

La recherche montre de façon constante que la présence d'une ou d'un partenaire intéressé et en santé ainsi qu'une bonne communication dans le couple sont des éléments qui contribuent au maintien d'une vie sexuelle gratifiante (Delamater, 2012). Il existe de plus en plus une forte corrélation entre le niveau d'activité sexuelle au début de l'âge adulte et celui du troisième âge (Bretschneider et McCoy, 1988; Kinsey et coll., 1948; Leiblum et Bachmann, 1988). Le maintien d'activités sexuelles tout au long de la vie pourrait témoigner d'une pulsion sexuelle plus grande et d'une attitude positive à l'égard de la sexualité puisque les deux exercent une influence considérable sur le désir et la réponse sexuels (DeLamater et Sill, 2005).

Le plus important facteur influant sur l'activité sexuelle des personnes âgées est généralement la santé. Une santé défaillante ou la maladie agissent plus sur la sexualité que le vieillissement lui-même (Bergeron et Badeau, 1991; DeLamater et coll., 2008; Kontula et Haavio-Mannila, 2009). Faire régulièrement de l'exercice, bien manger, maintenir un poids santé et consommer peu ou pas d'alcool contribuent à se garder en forme, en plus d'agir positivement sur le désir et la réponse sexuels (Harvard Health Publication, 2006).

Les personnes âgées adoptent souvent de nouvelles méthodes pour maintenir ou améliorer leur plaisir sexuel, malgré les changements physiologiques progressifs. Certains changements physiques font en sorte que les rapports coïtaux deviennent impossibles; de plus, il arrive que les traitements médicamenteux tels que le Viagra[MD], l'hormonothérapie ou les lubrifiants soient incapables de remédier à la situation. Le sexe oral, les contenus sexuellement explicites, les fantasmes, la stimulation manuelle, l'utilisation d'un vibrateur sont autant de moyens que les personnes âgées peuvent intégrer à leur vie sexuelle. En même temps que les contacts génitaux diminuent en nombre, les activités non génitales telles que les baisers, les caresses, les étreintes gardent tout leur attrait, ou deviennent même plus fréquentes (Kellett, 2000). L'ouverture à de nouvelles expériences sexuelles et le développement de nouvelles stratégies avec un ou une partenaire complice jouent un rôle clé dans le maintien de la satisfaction sexuelle (Trudel et coll., 2008).

Les gais et les lesbiennes âgés

Tous les adultes, quelle que soit leur orientation sexuelle, connaissent les difficultés du vieillissement, de même que ses bons côtés. Toutefois, pour les personnes gaies et lesbiennes, cette étape de la vie présente certaines particularités. La stigmatisation qu'ils ont vécue au cours de leur vie les a peut-être mieux préparés que les hétérosexuels à vivre les changements qui accompagnent le vieillissement et à faire face aux pertes qui y sont liées (Altman, 1999). De nombreuses personnes gaies et lesbiennes ont développé un plus grand réseau d'entraide et d'amis que les personnes hétérosexuelles (Alonzo, 2003). Des centres pour personnes âgées homosexuelles ont également fait leur apparition (Lisotta, 2007). Au fur et à mesure que les personnes LGBTQ sont mieux acceptées dans la société, la stigmatisation due à des attitudes homophobes constituera un facteur de stress moins important dans la vie des personnes âgées appartenant aux minorités sexuelles (Jones, 2011 ; Kuyper et Fokkema, 2011).

Globalement, les études montrent que les hommes gais et les femmes lesbiennes âgés ont une vie qui les satisfait autant, sinon davantage, que les personnes du même groupe d'âge dans la population en général (Woolf, 2001). Une étude menée auprès d'hommes gais âgés révèle que le nombre de partenaires diminue avec le temps, mais que l'activité sexuelle se maintient, et 75 % des sujets se disent satisfaits de leur vie sexuelle. La plupart de ces hommes ont dit socialiser surtout avec des pairs du même âge. Cette socialisation ainsi que la présence d'un partenaire du même âge sont des aspects importants de leur satisfaction ; le marché sexuel des bars et des saunas, où la jeunesse et l'apparence physique sont les critères de désirabilité, s'avère d'ailleurs souvent inhospitalier pour les hommes gais plus âgés (Berger, 1996).

En tant que groupe, les femmes lesbiennes âgées bénéficient de certains avantages par rapport aux femmes hétérosexuelles. Selon la recherche, elles préfèrent les partenaires de leur âge (Daniluk, 1998). Aussi, en raison de la plus grande longévité des femmes, une femme lesbienne âgée court moins de risques de devenir veuve tôt. Et si la mort frappe, le bassin de partenaires disponibles n'est pas aussi restreint que pour les femmes hétérosexuelles. Comme les femmes ont moins tendance que les hommes à rechercher la beauté physique, les femmes lesbiennes souffrent moins de la discrimination sexuelle qui afflige les hétérosexuelles (Berger, 1996).

RÉSUMÉ

La sexualité chez le nourrisson et l'enfant

- Aucune donnée de recherche ne permet de valider le point de vue traditionnel voulant que la sexualité ne s'exprime pas chez les nourrissons et durant l'enfance.

- Les nourrissons des deux sexes sont capables de réactions et de plaisir sexuels. On peut observer l'orgasme chez certains d'entre eux.

- L'autostimulation des organes génitaux n'est pas rare chez les garçons et les filles durant les deux premières années de la vie.

- Les dispositions d'une personne à donner et à recevoir de l'affection à l'âge adulte semblent conditionnées par le plaisir qu'elle a tiré de ses contacts avec les autres dans l'enfance, particulièrement avec ses parents.

- La masturbation est l'une des expressions sexuelles les plus courantes de l'enfance. La façon dont les parents réagissent à cette manifestation peut être déterminante pour le développement de la sexualité de l'enfant.

- Les jeux sexuels entre enfants peuvent avoir lieu dès l'âge de deux ou trois ans, mais ils sont plus fréquents de cinq à sept ans.

- La séparation entre les sexes tend à s'accentuer vers l'âge de huit ou neuf ans. Toutefois, l'intérêt romantique pour l'autre sexe et la curiosité en matière sexuelle demeurent très élevés durant cette étape du développement.

- La période de 10 à 11 ans est marquée par un vif intérêt pour les modifications corporelles, la séparation entre les sexes et la fréquence des expériences homoérotiques.

La sexualité à l'adolescence

- La puberté englobe les changements physiques découlant de l'augmentation du taux d'hormones dans l'organisme. Ces changements comprennent la maturation des organes génitaux, laquelle marque le début des menstruations chez les filles et de l'éjaculation chez les garçons.

- La discrimination en matière de rôles sexuels pousse souvent les hommes à faire de la conquête le but du sexe et place les femmes devant une double impasse : accepter ou refuser les avances sexuelles.

- Le pourcentage d'adolescents et d'adolescentes qui se masturbent s'accroît entre 13 et 19 ans.

- Les jeux sexuels non coïtaux sont une forme d'expression courante chez les jeunes.

- La majorité des adolescents canadiens ont accès à Internet dans leur chambre à coucher et ils passent un temps considérable à naviguer sur les réseaux sociaux.

- Pour les jeunes, Internet est une source d'information importante sur la sexualité.

- Le sextage est devenu une pratique de plus en plus populaire chez les adolescents et les adultes émergents.

- Le nombre de jeunes qui recherchent activement de la pornographie en ligne a connu une forte augmentation.

- Aujourd'hui, les relations sexuelles entre adolescents sont plus susceptibles d'avoir lieu dans le cadre d'une relation suivie qu'à l'époque de l'enquête Kinsey.

- Au cours des cinq dernières décennies, le nombre de personnes qui, à 19 ans, avaient eu des relations sexuelles s'est accru de façon importante.

- Les relations homosexuelles qui ont lieu durant l'adolescence peuvent être de simples expériences ou l'expression d'une orientation sexuelle permanente.

- De nombreux adolescents n'utilisent pas le condom, et plusieurs adolescentes n'ont recours à aucun moyen contraceptif.

- Le faible taux d'utilisation des moyens contraceptifs chez les adolescents est lié à plusieurs facteurs, notamment la crainte de l'examen pelvien, l'embarras à l'idée d'acheter des moyens de contraception et le désir de confidentialité.

- Le taux de grossesse chez les adolescentes canadiennes est d'environ la moitié de celui des Américaines, l'un des plus élevés du monde.

La sexualité à l'âge adulte

- Vivre seul est souvent considéré comme une période transitoire avant ou après le mariage, mais c'est aussi un choix de vie pour de nombreuses personnes.

- La proportion d'hommes et de femmes dans la vingtaine qui ne se sont jamais mariés a augmenté spectaculairement depuis les années 1970.

- Plusieurs gouvernements dans le monde considèrent que le mariage est en crise et essaient d'agir sur son rôle social.

- Les attentes à l'égard du mariage et des besoins qu'il doit combler, de même que la faiblesse du réseau de soutien pour les couples et leurs enfants constituent des obstacles à la réussite des unions.

- Dans une société matriarcale unique en Chine, les hommes et les femmes vivent sous le toit maternel. Une femme choisit l'homme qui l'intéresse et celui-ci peut venir passer la nuit avec elle. Au matin, il rentre chez lui. Cela dure aussi longtemps qu'ils éprouvent de l'attirance ou de l'amour l'un envers l'autre.

- Les couples mariés adoptent aujourd'hui des comportements sexuels plus variés qu'auparavant.

La sexualité des personnes âgées

- L'expression de la sexualité change avec l'âge, et de nombreuses personnes âgées continuent d'apprécier leurs relations sexuelles.

- Avec le vieillissement, plusieurs changements surviennent dans le cycle de la réponse sexuelle.

- Chez l'homme âgé, la plupart des changements ont trait à l'intensité et à la durée de la réponse sexuelle. Chez la femme âgée, toutes les phases de la réponse sexuelle se maintiennent, mais leur intensité est moindre.

- Une bonne santé physique est souvent le facteur le plus déterminant dans le maintien d'une vie sexuelle satisfaisante.

- Les gais et les lesbiennes sont peut-être mieux préparés à composer avec le vieillissement en raison des diverses difficultés qu'ils ont connues par le passé et du réseau d'amis qu'ils ont souvent tissé au cours de leur vie.

CHAPITRE 07

L'amour, les dynamiques et la communication dans les relations sexuelles

SOMMAIRE

> Les relations sexuelles et amoureuses sont des aspects importants et complexes de la vie des gens. Dans ce chapitre, nous examinons ces interactions humaines à partir de différents points de vue et nous présentons certaines recherches qui s'y sont intéressées. Nous nous penchons sur des questions telles que : Qu'est-ce que l'amour ? Quelles sont les différentes composantes de l'amour ? Comment nos styles d'attachement influencent-ils nos relations intimes ? Pourquoi devient-on amoureux de telle personne plutôt que de telle autre ? Quelles sont les différentes configurations relationnelles possibles et comment vont-elles influencer les dynamiques entre les partenaires ? Quel rapport y a-t-il entre jalousie et amour ? Et, enfin, comment communiquer ses besoins et sentiments sexuels ?

Qu'est-ce que l'amour ?

À travers l'histoire, l'amour a intrigué bien des personnes. Ses joies et ses douleurs ont inspiré des artistes, des poètes, des romanciers, des producteurs de films et d'autres penseurs des relations humaines. De fait, l'amour est l'un des thèmes les plus présents dans l'art et la littérature de nombreuses cultures. Nous avons tous été influencés de façon importante par l'amour sous diverses formes, à commencer par celui que nous avons reçu enfants. Nos meilleurs comme nos pires moments dans la vie peuvent être reliés à l'amour.

Mais qu'est-ce que l'amour ? Comment peut-on le définir ? L'amour serait souvent conçu comme un état d'esprit particulier fait d'émotions fortes et de comportements spécifiques. C'est un phénomène difficile à décrire ou à expliquer. Le concept et l'expérience de l'amour, ainsi que le rôle qu'il joue dans la vie, diffèrent selon le contexte individuel, interpersonnel, socioculturel et historique. Les perspectives de l'amour qui seront présentées s'inscrivent dans la plupart des sociétés occidentales d'aujourd'hui.

Si l'amour est difficile à définir, peut-on le mesurer de manière significative ? Certains spécialistes des sciences sociales s'y sont essayés avec des résultats divers (Davis et Latty-Mann, 1987 ; Hatfield et Sprecher, 1986). Depuis 60 ans, on a mis au point plus de 30 outils de mesure pour l'évaluer (Hatfield et coll., 2012 ; Watts et Stenner, 2104). La plus audacieuse tentative a probablement été réalisée il y a plusieurs années par le psychologue Zick

Rubin (1970, 1973), qui a conçu un questionnaire en 13 points (l'échelle de l'amour) pour évaluer le désir d'intimité d'une personne envers une autre, son attachement et son souci de l'autre. Une recherche à propos du dicton populaire affirmant que les amants passent beaucoup de temps à se regarder dans les yeux a permis de valider cette échelle (Rubin, 1970). Au cours de cette recherche, on a observé des couples à travers un miroir sans tain, alors qu'ils attendaient pour participer à une expérience en psychologie. Les résultats ont révélé que les partenaires peu amoureux (ceux qui avaient un résultat en dessous de la moyenne sur l'échelle de l'amour) se regardaient beaucoup moins dans les yeux que les partenaires très amoureux (ceux dont le résultat sur l'échelle était au-dessus de la moyenne).

Les années à venir nous apporteront peut-être de nouvelles perspectives sur ce qu'est l'amour, en raison notamment de l'intérêt que portent à ce sujet de nombreux scientifiques, dont des psychologues, des sociologues, des anthropologues et des historiens.

Les composantes de l'amour

L'amour prend plusieurs formes. Il y a l'amour entre un parent et un enfant, et l'amour entre les membres de la famille. L'amour entre amis, ce que les Grecs de l'Antiquité appelaient *philia*, est celui qui incite à se soucier du bien-être de l'autre. Mais il y a aussi le sentiment passionné d'une personne envers une autre. Dans cette section, nous nous penchons sur les composantes de l'amour, les styles d'attachement dans les relations amoureuses ainsi que les facteurs déclenchant les sentiments amoureux envers quelqu'un.

L'amour a été la source d'inspiration de plusieurs grands chefs-d'œuvre de la littérature, des beaux-arts et de la musique.

> Chez moi, l'attirance physique précède le sentiment amoureux. Mais la beauté physique seule ne suffit pas à me rendre amoureux. J'ai besoin d'intimité affective avec la personne. La confiance est aussi un aspect essentiel d'une relation pouvant mener à l'amour. Une bonne partenaire devrait également partager certains de mes champs d'intérêt, et moi, certains des siens. Enfin, et c'est peut-être l'essentiel, pour devenir vraiment amoureux, je dois pouvoir établir une bonne communication dans ma relation avec l'autre. (Note des auteurs)

La théorie triangulaire de l'amour de Sternberg

Le psychologue Robert Sternberg (1986, 1988) a approfondi la distinction entre l'amour-passion et l'amour-amitié en élaborant un cadre théorique permettant de conceptualiser l'amour. Selon Sternberg, l'amour comporte trois dimensions ou composantes : la passion, l'intimité et l'engagement (*voir la figure 7.1 à la page suivante*).

1. La **passion** est la composante motivationnelle de l'amour. Elle nourrit les sensations, l'attirance physique et le désir sexuel. La personne ressent un profond désir d'union avec l'être aimé. Dans un certain sens, la passion est comme une dépendance : étant une source de désir et de stimulation intenses, elle peut susciter un fort sentiment de *besoin* chez la personne.

2. L'**intimité** est la composante affective qui procure le sentiment d'être lié à une autre personne. Elle est faite de sentiments chaleureux, de partage et de rapprochement affectif. L'intimité comprend aussi le désir d'aider l'être aimé et une disposition à partager ses pensées et ses sentiments intimes avec lui. Un haut niveau d'intimité implique d'avoir une haute considération de l'autre, une confiance que cette personne sera là aux moments de besoin et une complicité mutuelle.

3. L'**engagement** est l'aspect réfléchi ou cognitif de l'amour. C'est la décision consciente d'aimer l'autre et de préserver à long terme la relation malgré les difficultés qui pourraient survenir. Parfois, ces deux facettes de l'engagement ne se présentent pas simultanément. Une personne peut décider qu'elle aime l'autre, mais sans s'engager à préserver la relation à long terme. Et inversement, une personne peut s'engager à maintenir une relation sans véritablement croire qu'elle aime l'autre.

Habituellement, ces trois dimensions sont en interaction. Par exemple, un fort sentiment d'intimité à l'égard du partenaire peut mener à plus de sentiments de passion ou d'engagement ; un haut degré d'engagement peut mener à vivre plus d'intimité.

Les trois composantes de l'amour selon Sternberg sont des dimensions importantes d'une relation amoureuse, mais comme elles varient à divers degrés, elles créent différents modèles de relations. De plus, elles peuvent varier au fil du temps au cours d'une même relation. Sternberg considère que de telles variations produisent différents types d'amour – ou du moins qu'elles génèrent des différences dans la façon dont chaque personne vit ses expériences amoureuses (*voir la figure 7.1 à la page suivante*). L'absence des trois composantes, que Sternberg nomme le *non-amour,* correspond à ce que la plupart des gens ressentent envers des personnes qui ne

Passion   Composante motivationnelle de l'amour, selon la théorie triangulaire de Sternberg.

Intimité   Composante affective de l'amour, selon la théorie triangulaire de Sternberg.

Engagement   Composante cognitive de l'amour, selon la théorie triangulaire de Sternberg.

font que traverser leur vie. Quand seule l'intimité est présente, la relation est de l'ordre de l'amour complice, en d'autres termes de l'*amitié*. Si la passion existe, sans l'intimité ou l'engagement, c'est l'*amour-toquade* ou le coup de foudre. La présence de l'engagement sans la passion et l'intimité donne un *amour vide* (tel qu'il peut se présenter dans une relation stable de longue durée). Si l'intimité et l'engagement sont présents, mais sans la passion, on éprouve alors de l'*amour-amitié* (ce qui est souvent le cas des couples heureux qui ont vécu plusieurs années ensemble, mais dont les partenaires ont moins de désir sexuel entre eux). Lorsque la passion et l'engagement sont présents, mais sans l'intimité, l'expérience relationnelle, désignée par l'expression *amour fou*, est caractérisée par des jeux de séduction ou des situations dans lesquelles on adule et désire ardemment une personne à distance. L'amour caractérisé par une passion et une intimité sans engagement est considéré par Sternberg comme un *amour romantique*. Enfin, quand chacune des trois composantes est présente, on parle d'un *amour accompli,* le plus complet des types d'amour, celui que les gens recherchent et idéalisent généralement, mais qu'ils trouvent difficile à atteindre et à garder. Bien que Sternberg conçoive qu'en théorie un amour accompli implique ces trois composantes, un couple peut parfaitement se sentir accompli sans la présence prépondérante d'une de ces composantes (*voir l'amour-amitié*).

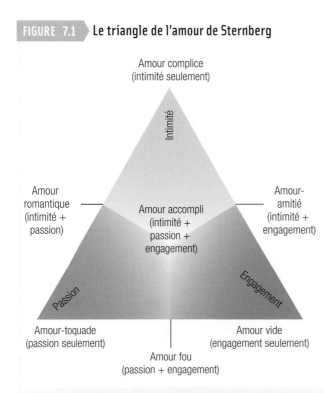

FIGURE 7.1 ▶ **Le triangle de l'amour de Sternberg**

Amour complice
(intimité seulement)

Intimité

Amour romantique
(intimité + passion)

Amour accompli
(intimité + passion + engagement)

Amour-amitié
(intimité + engagement)

Passion

Engagement

Amour-toquade
(passion seulement)

Amour vide
(engagement seulement)

Amour fou
(passion + engagement)

Selon le triangle de l'amour de Sternberg, les diverses combinaisons des trois composantes de l'amour (passion, intimité et engagement) produisent différents types d'amour. À noter que l'absence des trois composantes indique l'indifférence, autrement dit le non-amour.

Selon Sternberg, la passion a tendance à surgir rapidement et intensément dans les premiers moments de la relation amoureuse pour décliner alors que la relation évolue. Inversement, l'intimité et l'engagement continuent à croître avec le temps, bien qu'à des rythmes différents (*voir la figure 7.2*). La théorie de Sternberg propose ainsi une base conceptuelle pour étudier le passage de l'amour-passion à l'amour-amitié. L'amour-passion, marqué par le romantisme et l'attirance physique, atteint vite un sommet et décline ensuite rapidement. L'**amour-passion**, qu'on appelle aussi *choc amoureux,* est un état de fusion intense avec l'autre et de désir ardent. Il se caractérise par de vifs sentiments de tendresse, d'exaltation, d'anxiété, de désir sexuel et de ravissement. Ce type d'amour s'accompagne souvent d'une excitation physiologique généralisée comprenant accélération du pouls, transpiration, rougissement, surexcitation et la sensation d'avoir l'estomac à l'envers. Les pensées ou les déclarations typiquement associées à cet état sont, par exemple, «je passe par toute la gamme des émotions»; «j'ai parfois l'impression de ne pas pouvoir contrôler mes pensées, je ne pense qu'à lui ou elle, cela tient de l'obsession»; «j'ai toujours envie de lui faire des caresses et d'en recevoir»; «je suis extrêmement déprimé quand les choses ne vont pas bien dans ma relation»; «personne ne pourrait l'aimer comme moi» (Alberoni, 1993). Cet état comprend aussi habituellement une forte composante de désir sexuel.

L'amour-passion est généralement intense au début de la relation. Il semble que moins on connaît l'autre, plus on l'aime passionnément. Durant ce choc amoureux, tout se passe comme si les gens fermaient les yeux sur les défauts de l'autre et évitaient les conflits. La logique et la raison cèdent le pas à l'excitation. Il arrive que l'on considère l'objet de sa passion comme la source d'un épanouissement personnel total. Il ne faut donc pas s'étonner que l'amour-passion soit souvent de courte durée, généralement l'affaire de quelques mois plutôt que de quelques années. Au fur et à mesure que la familiarité se développe dans le couple, cet amour qui repose sur l'ignorance de la personnalité véritable de l'autre se modifie forcément. Or, les gens ferment souvent les yeux sur cet aspect temporaire de l'amour-passion. Convaincus de la permanence de la passion, certains couples qui brûlent d'amour-passion n'hésitent pas à s'engager (ils se fiancent, emménagent ensemble, se marient, etc.). Et la déception risque de les atteindre par la suite. Lorsque le ravissement fait place à la routine et qu'émergent les contrariétés et les conflits caractéristiques des relations suivies, il arrive que les amants se mettent à douter de leur relation.

Amour-passion État de fusion intense avec l'autre; aussi appelé *choc amoureux.*

FIGURE 7.2 La théorie de Sternberg

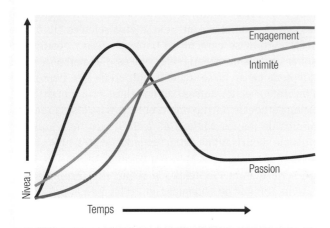

Selon la théorie de Sternberg, la passion, une des composantes de l'amour, atteint rapidement un sommet dans la relation, puis elle décline, tandis que l'intimité et l'engagement continuent de croître avec le temps.

> Les premières semaines et les premiers mois de ma relation avec lui étaient incroyables. J'avais l'impression d'avoir trouvé le conjoint parfait, quelqu'un qui comblait les vides dans ma vie. Puis, après un certain temps, il s'est mis à me tomber sur les nerfs, et nous avons commencé à nous disputer à chaque rencontre. Nous avons mis quelque temps à comprendre que nous nous voyions enfin comme des personnes réelles et non plus comme des compagnons de rêve. (Note des auteurs)

Certains couples réussissent à traverser cette période et finissent par trouver une base solide sur laquelle construire une relation d'amour durable. D'autres découvrent, consternés, qu'ils n'ont jamais rien eu d'autre en commun que leur passion. Malheureusement, quand la passion s'estompe, de nombreuses personnes croient que c'est la fin de l'amour, plutôt qu'une possible transition vers une autre forme d'amour.

À mesure que la passion s'apaise, l'intimité et l'engagement croissent chez de nombreux couples et leur relation évolue vers l'amour-amitié (Sprecher et Regan, 1998). L'amour-amitié est une émotion moins intense que l'amour-passion. Il se caractérise par une tendresse bienveillante et un attachement profond reposant sur une connaissance intime de l'être aimé (Reis et coll., 2014). L'amour-amitié est souvent fait de tolérance envers les défauts de l'autre, de même que d'un désir de surmonter les difficultés et les conflits inhérents à

Amour-amitié Type d'amour caractérisé par une bienveillante tendresse et un attachement profond reposant sur une connaissance intime de l'être aimé.

toute relation. Dans ce type d'amour, les partenaires s'investissent continuellement dans leur relation. Bref, l'amour-amitié est souvent durable, tandis que l'amour-passion est presque toujours transitoire.

QUESTION D'ANALYSE CRITIQUE

› Selon vous, quelles sont les principales différences entre l'amour-passion et l'amour-amitié? Parmi les caractéristiques que vous avez énumérées, lesquelles vous semblent essentielles à une relation amoureuse réussie et durable?

Dans une relation d'amour-amitié, les rapports sexuels sont généralement empreints de sentiments associés à une connaissance approfondie de l'autre, et particulièrement à la confiance que procure le fait de savoir ce qui plaît au partenaire. Cette connaissance fondamentale et cette confiance peuvent favoriser la discussion sur des sujets délicats concernant la sexualité (Humphreys et Newby, 2007). Dans l'ensemble, le plaisir sexuel peut renforcer le lien dans une relation d'amour-amitié. Bien que les rapports sexuels soient généralement moins excitants que dans l'amour-passion, les partenaires les considèrent parfois comme plus riches, plus signifiants et plus profondément satisfaisants, comme l'indique le témoignage suivant.

> Après l'échec de mon premier couple, j'ai vraiment apprécié l'ivresse de la nouveauté en matière de relations sexuelles, surtout après toutes les frustrations que j'avais connues dans ma première relation. Pourtant, même si la fièvre de cette période me manque parfois, je n'y reviendrais jamais s'il me fallait pour cela sacrifier la sérénité et la profondeur de l'intimité sexuelle que je connais dans mon mariage depuis maintenant 17 ans. (Note des auteurs)

La recherche empirique a fourni un certain appui au modèle de l'amour de Sternberg. Une étude sur des couples qui se fréquentaient a indiqué que la présence de deux des composantes de l'amour de Sternberg – intimité et engagement – était annonciatrice de la stabilité et de la longévité de la relation (Hendrick et coll., 1988). Une autre étude a établi que les couples mariés montraient un degré plus élevé d'engagement envers leur partenaire que les personnes non mariées, une conclusion conforme au modèle de Sternberg (Acker et Davis, 1992). Cette même étude a relevé que, même si l'intimité continue à grandir dans les relations de longue durée, la passion diminue chez les deux sexes, et ce, beaucoup plus rapidement chez les femmes que chez les hommes. Dans d'autres recherches sur la théorie triangulaire de Sternberg, on a remarqué que la façon dont les couples définissent les trois composantes de base de l'amour est relativement stable au fil du temps (Reeder, 1996) et que la compatibilité d'un couple augmente si les deux partenaires possèdent un degré semblable de passion, d'intimité et d'engagement (Drigotas et coll., 1999).

Les composantes de l'intimité et l'engagement sont aussi fortement liées aux notions d'attachement interpersonnel. La prochaine section présentera les styles d'attachements possibles dans nos relations sexuelles et romantiques.

L'amour et les styles d'attachement

Il est possible d'éprouver de l'attachement sans amour, mais il est peu pensable que l'amour d'une personne pour une autre puisse exister en l'absence d'attachement.

Dans le chapitre 6, nous avons présenté le processus d'attachement primaire qui se forme au début de la vie entre l'enfant et ses parents. Selon cette approche, à l'âge adulte, une personne reproduit avec des partenaires romantiques et sexuels les styles d'attachement qu'elle a acquis durant l'enfance. En s'inspirant des trois styles de base chez l'enfant (attachement sécurisant, anxieux-ambivalent et anxieux-évitant), Kim Bartholomew, de l'Université Simon Fraser, en Colombie-Britannique, a mis au point un modèle expliquant les relations adultes selon quatre styles d'attachement qui se basent sur deux dimensions sous-jacentes établies durant l'enfance, soit le modèle interne de soi (si la personne se voit digne de l'amour) et le modèle interne de l'autre (si la personne peut dépendre sur les autres). Les personnes ayant une vision positive d'elles-mêmes s'attendent à ce que les autres réagissent positivement à leur égard; les personnes qui ont une vision positive des autres s'attendent que les autres soient là pour elles et que les autres se fient émotivement sur elles. Un modèle positif de soi est associé à la confiance dans les relations (contrairement aux gens anxieux et dépendants), alors qu'un modèle positif de l'autre est associé à la recherche de l'intimité (plutôt que l'évitement).

D'abord, Bartholomew (1990) souligne qu'un **style d'attachement sécurisant** est associé à une perspective positive à la fois envers soi et envers les autres. Les personnes au style sécurisant ont une haute estime de soi et elles sont capables de former et de maintenir une relation intime. Un **style préoccupé** se caractérise par une vision négative de soi et une vision positive des autres. Les individus présentant un style préoccupé se sentent souvent indignes d'être aimés et sont nettement dépendants des autres, cherchant leur approbation pour remédier à une piètre estime de soi. Parfois ces personnes vont tenter de se rapprocher en renonçant à leur indépendance au cours de ce processus. Un **style craintif** découle d'une vision

négative de soi et des autres. Les personnes avec un style craintif ont une faible estime de soi, et bien qu'elles puissent désirer l'intimité, elles l'évitent activement avec les autres, car elles ont peur d'être rejetées. Enfin, le **style évitant** se caractérise par une vision positive de soi et une vision négative des autres. Les personnes qui adoptent ce style se sentent autonomes et perçoivent l'intimité avec les autres comme étant sans importance. Selon l'étude de Bartholomew et Horowitz (1991) réalisée auprès de jeunes adultes, 47 à 57 % des individus ont un style sécurisant de l'attachement; de 10 à 14 % ont un style préoccupé, 15 à 21 % ont un style craintif et 18 %, un style évitant. Toutefois, la recherche récente révèle que le nombre de collégiens et collégiennes présentant un style d'attachement sécurisant a diminué depuis quelques années (Konrath et coll., 2014).

L'évitement (d'intimité) et l'anxiété (face au rejet ou de l'abandon) influent sur la dynamique dans les relations qui s'établissent à l'âge adulte et caractérisent les quatre styles d'attachement. La figure 7.3 présente les modèles internes et les quatre styles d'attachement; elle montre également comment ces styles influent sur les relations interpersonnelles. En examinant les quatre styles d'attachement à l'aide de ce cadre, on peut constater que les personnes au style sécurisant ont un faible niveau d'évitement et d'anxiété. De leur côté, les individus préoccupés ont un faible niveau d'évitement et un niveau élevé d'anxiété, tandis que les individus craintifs ont un niveau élevé d'évitement et d'anxiété. Quant aux individus évitants, ils ont un niveau élevé d'évitement, mais un faible niveau d'anxiété (Fraley et Shaver, 2000).

La théorie de l'attachement et les études connexes permettent de comprendre les relations intimes dans une certaine mesure. Par exemple, bien que les styles d'attachement puissent changer (dans le temps, au cours d'une relation et avec différents partenaires), la théorie de l'attachement nous invite à penser que l'histoire et les expériences passées contribuent à façonner nos relations actuelles (Hazaen et Shaver, 1987). Beaucoup de personnes établissent un style particulier de relation d'attachement avec toutes les personnes importantes dans

---

Style d'attachement sécurisant Style caractérisé par une haute estime de soi et une capacité d'intimité.

Style préoccupé Style caractérisé par un pauvre concept de soi et la peur du rejet.

Style craintif Style caractérisé par une vision négative de soi, un manque de confiance dans les autres, l'évitement de l'intimité et une peur du rejet.

Style évitant Style caractérisé par une bonne estime de soi, une vision négative des autres et l'évitement de l'intimité.

FIGURE 7.3 Les styles d'attachement à l'âge adulte et leur influence sur les relations intimes

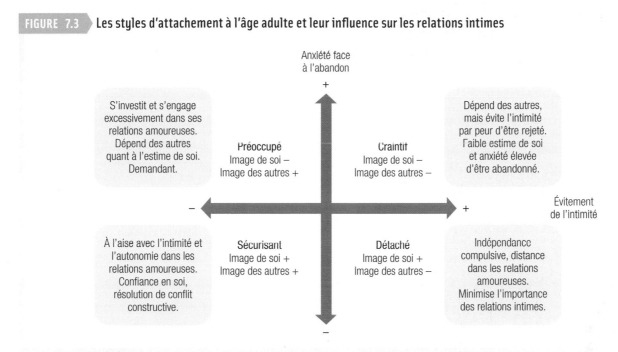

Le modèle bidimensionnel de l'attachement chez l'adulte de Bartholomew (1990), illustrant les quatre styles d'attachement.
Source : Traduit et adapté de Henderson et coll., 2005.

leur vie, mais d'autres qui ont vécu des relations d'attachement insécurisantes au sein de leur famille créeront des relations d'attachement sécurisantes avec leur partenaire romantique (Caron et coll., 2012).

Les styles d'attachement de type anxieux et évitant (styles préoccupé, craintif et évitant) influent sur la qualité perçue d'une relation de couple. La recherche indique que les membres d'un couple ont généralement le même mode d'attachement, ce qui constitue une autre preuve que la similarité exerce une influence sur le choix de la personne dont on devient amoureux (Gallo et Smith, 2001 ; Latty-Mann et Davis, 1996). L'appariement de couple le plus répandu se fait entre des personnes qui ont un mode d'attachement sécurisant (Chappell et Davis, 1998). Cela n'est pas étonnant, puisque les personnes qui se sentent confiantes ont tendance à réagir positivement aux autres et se sentent à l'aise avec la proximité. Ainsi, leur style d'attachement les rend plus désirables comme amoureux que les personnes avec un autre style d'attachement. Les individus ayant un style d'attachement sécurisant ont déclaré un degré plus élevé de satisfaction relationnelle, surtout lorsque leur partenaire a le même mode d'attachement qu'eux (Kirkpatrick et Davis, 1994). En ce qui concerne les autres styles d'attachement, on constate que l'attachement évitant s'accompagne d'une moindre satisfaction relationnelle, et que les personnes se sentent moins liées émotivement à leur partenaire et moins soutenues dans leur relation (Li et Chan, 2012). Quant au style d'attachement anxieux, il est associé à plus de conflits (Givertz et coll., 2016). Dans

certaines relations, un mauvais appariement de styles d'attachement entre les partenaires peut être la source de conflits. Par exemple, une personne au style sécurisant qui veut établir une relation intime pourrait se sentir frustrée et insatisfaite de vivre avec un partenaire qui a du mal à composer avec l'intimité (Latty-Mann et Davis, 1996). Des recherches récentes suggèrent également que les styles d'attachement peuvent influer sur la communication. Un style d'attachement anxieux peut mener à l'expression malsaine de la colère (par exemple de la critique du partenaire) (Guerrero et coll., 2009).

Une étude sur la première cohorte de couples de même sexe légalement mariés au Canada (20 couples de lesbiennes et 6 couples gais) a montré que le style d'attachement de ces couples se caractérisait par moins d'anxiété et d'évitement et par une plus grande satisfaction relationnelle, comparativement à ce que l'on observe dans les couples hétérosexuels mariés (MacIntosh, Reissing et Andruff, 2010). La totalité des couples homosexuels de cette étude s'identifiaient à la catégorie de style d'attachement sécurisant, comparativement à seulement 70 % des couples mariés hétérosexuels ayant participé à l'étude (MacIntosh, Reissing et Andruff, 2010). Les couples de même sexe ont rapporté de nombreux effets positifs du mariage, y compris un grand sentiment d'intimité.

Les styles d'attachement peuvent également influer sur les relations et les rapports sexuels. Le tableau 7.1 à la page suivante présente plusieurs caractéristiques des relations sexuelles propres aux styles anxieux et évitant.

TABLEAU 7.1 Les styles d'attachement anxieux et évitant et la sexualité	
ANXIÉTÉ (VIS-À-VIS DE L'ABANDON)	**ÉVITEMENT (DE L'INTIMITÉ)**
Motivation pour les rapports sexuels : intimité, expression de l'amour, peur du rejet et de l'abandon	Motivation pour les rapports sexuels : augmentation de la valeur personnelle
Femmes : plus de rapports sexuels et plus jeunes	Femmes : moins de rapports sexuels, plus tard et plus de masturbation
Hommes : moins de rapports sexuels et plus tard	Hommes : moins de rapports sexuels, plus tard et plus de masturbation
Préférence pour des relations à long terme	Préférences pour des relations à court terme
Préférence pour des touchers non sexuels	Préférence pour des touchers sexuels
Plus d'émotions négatives durant les relations sexuelles Moins d'émotions positives Moins d'orgasmes Moins bonne communication	Plus d'émotions négatives durant les relations sexuelles Moins d'émotions positives Moins d'orgasmes Moins bonne communication

Source : Traduit et adapté de Mikulincer et Shaver, 2007.

À la lumière de toutes ces études, le style d'attachement des partenaires, et particulièrement la recherche ou l'évitement de l'intimité avec les autres, peut fortement influer sur la dynamique des relations sexuelles et amoureuses.

Être amoureux : pourquoi et avec qui ?

Pourquoi tombe-t-on amoureux et s'éprend-on d'une personne plutôt que d'une autre ? Ces questions sont extrêmement complexes. Certains auteurs croient qu'on tombe amoureux pour surmonter un sentiment de solitude et d'isolement. Selon le psychanalyste Erich Fromm (1956), l'union avec une autre personne serait le plus profond besoin des êtres humains. Rollo May, également psychanalyste et écrivain, auteur de *Love and Will* (1969), croit aussi que lorsqu'ils connaissent la solitude, les gens aspirent au refuge que leur offre l'union amoureuse. Pour d'autres observateurs, la solitude n'est pas inhérente à la condition humaine ; elle serait plutôt une conséquence de notre société individualiste et extrêmement mobile (Seepersad et coll., 2008). Ceux-ci font valoir les liens que tous les gens entretiennent avec leur entourage grâce aux relations sociales, à la langue et à la culture. Suivant ce point de vue, les relations amoureuses ne sont qu'un aspect du réseau social d'une personne plutôt qu'un *remède* à la solitude.

L'amour peut être expliqué, du moins en partie, à l'aide de différentes théories psychosociales. Mais la raison pour laquelle on tombe amoureux pourrait bien aussi relever, jusqu'à un certain point, de processus neurochimiques complexes qui se produisent dans le cerveau quand on est attiré par une personne. Nous présentons quelques découvertes concernant la chimie de l'amour dans la section qui suit.

La chimie de l'amour

Les gens submergés par l'intense passion d'un amour naissant disent souvent qu'ils se sentent transportés ou qu'ils éprouvent une sorte d'euphorie naturelle. Selon plusieurs auteurs, ce genre de réactions pourrait bien s'expliquer, du moins en partie, par la chimie du cerveau (Damasio, 2003 ; Liebowitz, 1992 ; Vincent, 1986 ; Walsh, 1991). D'après ces auteurs, l'exultation première ainsi que l'ivresse que procurent l'excitation, la légèreté et l'euphorie caractéristiques de l'amour passionnel découlent du déferlement de trois importantes substances chimiques du cerveau : la norépinéphrine, la dopamine et surtout la phényléthylamine (PÉA). Ces neurotransmetteurs, grâce auxquels les cellules du cerveau communiquent entre elles, sont chimiquement similaires aux amphétamines et procurent donc le même genre d'effets, tels que l'euphorie, le plaisir grisant et l'allégresse. Comme le fait remarquer le criminologue Anthony Walsh, quand une personne rencontre quelqu'un qui l'attire, il y a libération de PÉA dans le cerveau (Toufexis, 1993). De plus, comme nous l'avons appris au chapitre 3, l'ocytocine et la dopamine contribuent à l'excitation sexuelle, ce qui ajoute du feu à la passion.

L'euphorie et l'excitation sexuelle accrue – comme l'effet des amphétamines – ne durent généralement pas, en partie peut-être parce que le corps devient progressivement tolérant à la PÉA et aux neurotransmetteurs associés à ces états, comme il le fait avec les amphétamines. Il est probable qu'avec le temps, le cerveau soit de moins en moins capable de satisfaire à la demande toujours accrue de PÉA nécessaire pour produire l'émoi particulier de l'amour. Ainsi, l'euphorie qu'on ressent au début d'une relation finit par diminuer. Voilà qui explique biologiquement, de façon plausible, pourquoi l'amour-passion est de courte durée.

Le psychiatre Michael Liebowitz fait un autre parallèle avec l'usage des amphétamines. Il fait remarquer que l'anxiété, le désespoir et la douleur qui suivent la perte – ou même l'idée de la perte – d'une relation d'amour-passion s'apparentent à ce qu'éprouve, durant le sevrage, une personne dépendante des amphétamines. Dans les deux cas, la privation de substances chimiques euphorisantes entraîne parfois une longue période de douleur affective, une sensation de manque (1992).

Y aurait-il dans le cerveau d'autres substances chimiques permettant d'expliquer pourquoi certaines relations survivent à l'euphorie de l'amour-passion? Selon Walsh et Liebowitz, la réponse est oui. Il se pourrait, en effet, que le passage de l'engouement à l'attachement profond, une caractéristique des longues relations amoureuses, soit causé par le fait que le cerveau se met graduellement à produire davantage d'un autre groupe de neurotransmetteurs appelés *endorphines*. Ces substances chimiques, de la même famille que la morphine, sont des inhibiteurs qui contribuent à produire un sentiment de sécurité, de tranquillité et de paix. Cela peut aider à comprendre pourquoi les amants abandonnés sont si malheureux après qu'on les a quittés: ils sont désormais privés de leur dose quotidienne de substances chimiques réconfortantes.

Comme nous l'avons vu au chapitre 3, la dopamine et l'ocytocine sont des substances chimiques présentes dans le cerveau qui contribuent à l'excitation sexuelle et au sentiment amoureux. Les résultats d'une étude confirment le rôle important de la dopamine dans la chimie de l'amour. Les auteurs de cette étude ont utilisé l'imagerie par résonance magnétique (IRM) pour scruter le cerveau d'hommes et de femmes alors qu'ils regardaient des photographies d'un amoureux et celles d'un ami intime. Ce sont les photographies des amoureux, et non celles d'amis intimes, qui ont *allumé* les régions du cerveau riches en dopamine (Bartels et Zeki, 2004). D'autres études utilisant l'IRM ont indiqué un lien entre les sentiments d'être amoureux et la production des neurotransmetteurs tels que la dopamine, la sérotonine, l'ocytocine et la vasopressine (Fischetti, 2011).

S'il est difficile d'expliquer pourquoi les gens deviennent amoureux et pourquoi ils s'éprennent de telle personne plutôt que de telle autre, on sait que plusieurs facteurs ont souvent une grande importance, dont la proximité et la familiarité, la ressemblance, la réciprocité et l'attirance physique.

La proximité et la familiarité

Lorsqu'ils énumèrent les facteurs qui les ont attirés vers une personne, les gens omettent généralement la **proximité**, ou le voisinage géographique, bien que ce soit l'une des plus importantes variables. On établit souvent d'étroites relations avec les gens qu'on fréquente dans son voisinage, à l'école, au travail ou dans les lieux d'activités de loisirs. Lorsque deux personnes se permettent mutuellement, de façon délibérée et consciente d'envahir leur espace personnel, les sentiments d'intimité peuvent croître (Epstein, 2010).

Pourquoi la proximité est-elle un si puissant facteur d'attirance interpersonnelle? Les spécialistes en relations sociales ont apporté à cette question plusieurs explications plausibles. L'une d'elles est simplement que la familiarité est source d'affection ou d'amour. Les recherches ont révélé que lorsqu'on est exposé de façon répétée à de nouveaux stimuli – qu'il s'agisse de pièces musicales, de tableaux ou de visages humains –, on finit par les aimer (Bornstein, 1989; Brooks et Watkins, 1989). Ce phénomène, appelé *effet de la simple exposition*, explique en partie pourquoi une personne est attirée par les gens qui sont très proches d'elle.

La proximité influe aussi sur l'attirance personnelle parce que les gens se rencontrent souvent dans des lieux où ils ont des activités qui reflètent leurs champs d'intérêt communs. L'enquête NHSLS (*voir le chapitre 1*) tend à valider cette observation, notamment par les questions concernant l'endroit où les gens avaient le plus de chances de rencontrer un partenaire intime. Edward Laumann et ses collaborateurs (1994) ont classé les données en deux groupes: lieux à forte présélection et lieux à faible présélection. Les lieux à forte présélection étaient ceux où les gens partageaient des activités communes telles que l'exercice physique (s'entraîner au même centre) ou l'apprentissage (étudier dans la même classe, la même école). Les lieux à faible présélection touchaient les endroits où divers groupes de personnes pouvaient se rassembler, comme les bars ou les centres de villégiature. Comme on peut s'y attendre, Laumann et ses collaborateurs ont constaté que les lieux à forte présélection étaient plus propices aux rencontres de partenaires sexuels que les lieux à faible présélection.

Proximité   Voisinage géographique de deux personnes; facteur important dans l'attirance interpersonnelle.

Effet de la simple exposition   Phénomène par lequel une exposition répétée à un nouveau stimulus tend à faire croître chez une personne le goût de ce stimulus.

La ressemblance

La ressemblance a également de l'influence sur le type de personne dont nous devenons amoureux. Contrairement à l'adage populaire qui veut que les contraires s'attirent, nous avons tendance à aimer les gens qui nous ressemblent sur le plan de la culture, de l'intelligence, des valeurs, des croyances, des attitudes et des goûts (Graf et Schwartz, 2011 ; Morry et coll., 2011). Nous sommes également enclins à nous unir aux personnes dont le niveau d'attirance physique s'apparente au nôtre (Garcia et Markey, 2007 ; Taylor et coll., 2011). On observe par ailleurs une corrélation positive entre, d'une part, la satisfaction et la stabilité relationnelles et, d'autre part, le fait d'avoir des buts similaires dans la vie et de partager certaines valeurs et plusieurs traits de personnalité (Becker, 2013).

Nous sommes aussi plus attirés par les gens qui nous ressemblent sur le plan de l'âge, de la scolarité, de la foi religieuse et ethnique (Laumann, 1994). La ressemblance des caractéristiques personnelles ou la tendance à s'associer avec des personnes dont les attributs sociaux et personnels sont semblables aux nôtres s'appelle l'*homophilie.*

Les gens qui deviennent amoureux l'un de l'autre ont souvent des champs d'intérêt communs.

Pourquoi sommes-nous attirés par les personnes qui nous ressemblent ? Chose certaine, les gens ayant des attitudes et des goûts semblables tendent à participer aux mêmes types d'activités et de loisirs. Encore plus important, nous communiquons généralement mieux avec les personnes dont les idées et les opinions sont semblables aux nôtres, et la communication est un aspect crucial du maintien d'une relation. Il est également rassurant d'être avec des personnes qui nous ressemblent, parce que cela nous permet de confirmer notre vision du monde, de valider nos propres expériences et de conforter nos opinions et nos croyances (Amodio et Showers, 2005).

Les similitudes que nous percevons chez les autres nous attirent particulièrement parce que nous nous attendons à ce que les personnes qui nous ressemblent nous acceptent et nous apprécient (Sprecher et McKinney, 1993). Ces attentes sont souvent comblées, comme en témoignent diverses recherches montrant que les personnes qui partagent certains traits personnels et sociaux ont plus tendance à rester ensemble que celles qui n'en ont pas (Weber, 1998).

La réciprocité

La perception qu'une personne s'intéresse à nous joue un rôle dans l'attirance qu'on éprouve pour elle. Les gens ont tendance à réagir positivement à la flatterie, aux compliments et aux autres expressions de sympathie et d'affection. Dans l'étude de l'attirance interpersonnelle, ce concept renvoie au principe de **réciprocité** selon lequel nous avons tendance à réagir positivement à l'expression d'affection ou d'amour (Whitchurch et coll., 2011). À leur tour, les réactions de réciprocité peuvent déclencher le développement de la relation.

En réagissant chaleureusement aux gens qui semblent bien disposés à notre égard, nous les amenons souvent à nous aimer davantage. De plus, l'estime de soi est liée à l'attachement et à l'appréciation que les autres nous témoignent. Savoir que quelqu'un nous apprécie augmente notre sentiment d'appartenance ou notre sentiment d'être socialement intégré dans une relation et renforce alors l'estime de soi (Baumeister et Leary, 1995).

L'attirance physique

Comme on peut s'y attendre, l'**attirance physique** joue souvent un rôle de premier plan dans l'union de deux êtres (Meltzer et coll., 2014a ; O'Sullivan et Vannier, 2013 ; Poulsen et coll., 2013). Même si l'on entend souvent dire que la beauté est superficielle, des expériences ont montré que les gens séduisants sont plus recherchés comme amis et amants, et qu'ils sont perçus comme plus aimables, intéressants, sensibles, équilibrés, heureux, *sexy*, compétents et socialement habiles que les personnes d'apparence ordinaire ou peu séduisante (Baron et coll., 2006 ; Jaeger, 2011 ; Marcus et Miller, 2003). La taille d'une personne est aussi un facteur important, surtout chez les femmes hétérosexuelles, qui sont attirées par les hommes plus grands qu'elles (Stulp et coll., 2013).

Réciprocité Principe selon lequel une personne qui reçoit des marques d'affection ou d'amour aura tendance à y répondre de façon similaire.

Attirance physique Beauté physique perçue qui est importante dans l'attirance que deux personnes éprouvent l'une envers l'autre.

Pourquoi la beauté physique est-elle un si puissant facteur d'attirance? Il y a d'abord là une question d'esthétique. Nous aimons tous regarder quelque chose ou quelqu'un que nous trouvons beau. De plus, beaucoup de gens semblent croire que les belles personnes ont plus de qualités personnelles désirables que celles qui sont moins attirantes. Il se peut aussi que nous soyons attirés par les jolies personnes parce qu'elles nous offrent la possibilité de gagner du prestige par association. Et peut-être que ces personnes, parce qu'elles ont été très bien traitées par les autres durant toute leur vie, ont plus confiance en elles-mêmes et se sentent mieux dans leur peau, ce qui se traduit par des relations particulièrement satisfaisantes. Enfin, il est établi scientifiquement que les gens considèrent spontanément la beauté physique comme un signe de bonne santé et que nous sommes attirés par les gens que nous percevons comme sains (Marcus et Miller, 2003; Swami et Furnham, 2008).

Des chercheurs se sont employés à déterminer si les deux sexes sont impressionnés de façon égale par la beauté. Plusieurs études ont révélé que lors du choix d'un ou d'une partenaire en vue d'un rapport sexuel ou d'une relation à long terme, les étudiants valorisaient beaucoup plus l'apparence physique que les étudiantes. Celles-ci accordaient plus de valeur à la chaleur humaine, à l'ambition, au statut social, au revenu potentiel et aux traits de personnalité (Eastwick et coll., 2008; McGee et Shevlin, 2009). D'autres études ont également montré que la beauté physique est plus importante pour les Américains que pour les Américaines (Coutino, 2007; Fisher et coll., 2008; Meltzer et coll., 2014a, 2014b).

▌ QUESTION D'ANALYSE CRITIQUE

▷ Comment croyez-vous que cette différence s'observe aussi chez les hommes et les femmes d'autres cultures?

Une étude interculturelle portant sur les différences entre les sexes quant aux préférences en matière de partenaire hétérosexuel a bien montré que, partout sur la planète, il est plus important pour les hommes que pour les femmes d'avoir des partenaires à la fois jeunes et physiquement séduisants. Dans cette étude, menée par le psychologue David Buss (1994), on a demandé aux sujets des 37 échantillons sélectionnés en Afrique, en Asie, en Europe, en Amérique du Nord et du Sud, en Australie et en Nouvelle-Zélande de coter un large éventail d'attributs personnels qu'ils aimeraient retrouver chez une ou un partenaire potentiel. Ces caractéristiques comprenaient notamment la fiabilité, la beauté, l'âge, un avenir prometteur sur le plan financier, l'intelligence, la sociabilité et la chasteté.

Les hommes, dans toutes les cultures examinées, avaient tendance à accorder plus d'importance à la jeunesse et à l'apparence physique de leur partenaire que ne le faisaient les femmes (Buss, 1994). Au contraire, ces dernières valorisaient davantage les partenaires un peu plus âgés, qui avaient un avenir prometteur sur le plan financier, et étaient fiables et travaillants. Cela ne signifie pas pour autant que l'attirance physique ne comptait pas pour les femmes de ces diverses cultures. En fait, plusieurs d'entre elles la considéraient comme importante, mais moins que la responsabilité financière et la fiabilité.

Pourquoi cette apparente uniformité dans tant de cultures sur ce qui plaît aux hommes et aux femmes chez un éventuel partenaire? Et comment interpréter les différences entre les sexes? Buss propose un raisonnement *sociobiologique*: chaque espèce développe des stratégies adaptatives pour combler ses besoins et sa survie. Selon lui, l'évolution oriente les préférences quant aux partenaires autant chez les humains que chez d'autres animaux. Les mâles sont attirés par les femelles jeunes et physiquement attrayantes parce que ces caractéristiques laissent augurer une reproduction réussie. Bref, une jeune femme a plus d'années à consacrer à la reproduction qu'une femme plus âgée. De plus, des caractéristiques comme une peau douce et sans taches, un bon tonus musculaire et des cheveux lustrés sont des indices de bonne santé, et donc autant de signes de la valeur reproductive de la personne. Par ailleurs, les femmes sont généralement plus attirées par des hommes plus âgés et bien établis, car des caractéristiques comme la richesse, un bel environnement ou un rang social élevé seraient des gages de sécurité pour les enfants. La jeunesse d'un homme importerait généralement moins aux femmes, parce que la fertilité masculine est moins liée à l'âge que la fertilité féminine.

Des études ont, de plus, révélé que pour les femmes américaines, des traits comme l'ambition et la capacité à être un bon pourvoyeur comptaient davantage dans le choix d'un partenaire que pour les hommes (Eastwick et coll., 2008; Janssens et coll., 2011; McGee et Shevlin, 2009).

La diversité des configurations relationnelles et sexuelles

Des études récentes ont documenté une grande diversité de relations amoureuses et sexuelles. Ici, le concept de configurations relationnelles et sexuelles réfère aux diverses manières dont les relations sont nommées, structurées et vécues. Nous présenterons cette diversité en deux temps, soit les configurations relationnelles et sexuelles non conjugales et les configurations relationnelles conjugales.

Les configurations relationnelles et sexuelles non conjugales

Les **configurations relationnelles et sexuelles non conjugales (CNC)** réfèrent à tout type de relation sexuelle vécue par des partenaires qui ne se considèrent pas comme étant en couple. Ce concept est l'équivalent francophone de *casual sexual relationships and experiences* ou *casual sex* (Rodrigue et coll., 2015). La proportion de jeunes adultes aux États-Unis ayant déjà vécu une CNC au cours de leur vie se situerait entre 36 % (Bisson et Levine, 2009) et 75 % (Paul, McManus et Hayes, 2000). Selon les données de l'*Enquête sociale générale* de 2004 à 2012 aux États-Unis, 71 % des étudiants universitaires avaient eu une relation sexuelle avec un ou une amie au cours de la dernière année, et 33 % avaient eu une relation sexuelle avec une connaissance au cours de la dernière année (Monto et Carey, 2014). Depuis une vingtaine d'années, les chercheurs ont identifié et défini plusieurs types de CNC. En raison de la prépondérance des travaux effectués dans ce domaine par des anglophones, les termes retenus pour désigner ces concepts n'ont pas toujours d'équivalents français. Ces concepts, dont le nom renvoie souvent à un vocabulaire populaire ou vulgaire, donnent lieu à des définitions qui s'entrecroisent parfois beaucoup. Ainsi, au même titre que plusieurs concepts abordés dans les chapitres précédents, ces termes ne devraient pas être utilisés comme des cadres rigides, mais plutôt comme des outils interprétatifs.

L'expression *hook-up*, parfois utilisée comme synonyme de *casual sex*, désigne une rencontre sexuelle pouvant être répétée ou non et qui inclut ou non des contacts sexuels génitaux (Holman et Sillars, 2012 ; Owen et coll., 2010 ; Paul et coll., 2000). La relation sans lendemain, ou relation d'un soir (*one-night stand*), décrit une relation sexuelle à occurrence unique (Klipfel, Claxton et van Dulmen, 2014). Le *booty call* réfère à une personne communiquant avec un partenaire sexuel potentiel dans l'objectif d'avoir une relation sexuelle dans l'immédiat (Jonason, Li et Cason, 2009; Singer et coll., 2006; Wentland et Reissing, 2014). Le *fuck buddy* décrit une relation impliquant des relations sexuelles régulières entre partenaires qui se connaissent (Wentland et Reissing, 2014). Le *friend with benefits* décrit soit une amitié dans laquelle les partenaires ont des relations sexuelles, soit une amitié préexistante dans laquelle s'est ajoutée une composante sexuelle, mais cette relation est aussi comprise comme un hybride d'amitié et de relation de couple

(Bisson et Levine, 2009 ; Hughes, Morrison et Asada, 2005 ; Karlsen et Traeen, 2013 ; Klipfel et coll., 2014 ; Lehmiller, VanderDrift et Kelly, 2011 ; Puentes, Knox et Zusman, 2008). Le *fuck buddy* et le *friend with benefits* ont plusieurs équivalents en français, dont *ami sexuel*, *ami avec bénéfices*, *ami amant* et *ami moderne*. Dans le manuel, nous utiliserons *amis avec bénéfices* pour parler des *friends with benefits*. À partir d'un échantillon de jeunes adultes Canadiens célibataires et de toutes orientations sexuelles, Rodrigue et ses collaborateurs (2015) ont distingué et défini cinq types de CNC: 1) la *relation sexuelle à occurrence unique* ; 2) l'*ex-partenariat de couple*, où des ex-partenaires de couple continuent à avoir des relations sexuelles ; 3) le *partenariat sexuel centré sur l'amitié*, où des partenaires forment une amitié dans laquelle la sexualité a été ajoutée et où dominent des interactions principalement amicales ; 4) le *partenariat centré sur la sexualité*, où des partenaires ont des interactions de nature majoritairement sexuelle ; 5) le *partenariat intime et sexuel*, où des partenaires entretiennent un lien affectif ou amoureux sans projet de couple et s'adonnent à des activités sexuelles et sociales de façon régulière.

La structure des configurations relationnelles et sexuelles non conjugales En nous inspirant des travaux des chercheures de l'Université d'Ottawa Wentland et Reissing (2011), nous discuterons de la structure des CNC en fonction de quatre composantes : le contexte relationnel, la fréquence des relations sexuelles, les activités autres que sexuelles et les règles de fonctionnement.

Le contexte relationnel Le contexte relationnel réfère au lien qu'entretiennent les partenaires sexuels. La représentation ou la définition typique du *hook up* ou de la relation d'un soir met généralement en cause un inconnu ou une connaissance (Barriger et Vélez-Blasini, 2013 ; Paul et coll., 2000 ; Wentland et Reissing, 2011). Toutefois, plusieurs relations sexuelles à occurrence unique se déroulent aussi entre amis (Rodrigue et coll., 2015). Les *booty calls* impliqueraient généralement des connaissances (Wentland et Reissing, 2011). Selon Wentland et Reissing (2011), l'amitié des *fuck buddies* émergerait avec les relations sexuelles, tandis que l'amitié des amis avec bénéfices serait présente avant les relations sexuelles. Le partenariat intime et sexuel concerne soit des partenaires affectifs, soit des amis (Rodrigue et coll., 2015). Certains auteurs considèrent que les ex-partenaires de couple forment un type distinct de CNC (Rodrigue et coll., 2015). En conclusion, le type de relation vécue est intimement lié au lien qu'entretiennent les partenaires sexuels dans le temps. Étant donné que des amis peuvent vivre plusieurs types de CNC, il est nécessaire de qualifier la nature et la profondeur de l'amitié entre les partenaires pour comprendre les fondements de leur relation.

Configurations relationnelles et sexuelles non conjugales (CNC) Types de relations dont les partenaires ne se considèrent pas comme étant en couple. Aussi connues sous l'appellation *casual sex*.

La fréquence des relations sexuelles Par définition, le *hook up* et la relation d'un soir n'implique généralement qu'une seule relation sexuelle, mais ces expériences peuvent se répéter par la suite (Epstein et coll., 2009 ; Holman et Sillars, 2012 ; Lovejoy, 2015 ; Owen et coll., 2010). Les *booty calls* impliqueraient des relations sexuelles peu fréquentes et sporadiques (Wentland et Reissing, 2011). Quant au scénario typique du *booty call*, il est le fait d'un individu qui, après avoir consommé de l'alcool, contacte un partenaire potentiel par message texte ou par appel téléphonique tard le soir pour avoir des relations sexuelles (Farvid et Braun, 2013 ; Wentland et Reissing, 2011). Les *fuck buddies* et les amis avec bénéfices auraient des relations sexuelles régulièrement ou occasionnellement (Bisson et Levine, 2009 ; Wentland et Reissing, 2011). Dans l'étude de Rodrigue et ses collaborateurs (2015), le partenariat sexuel et intime et l'ex-partenariat de couple se caractérisent par une fréquence légèrement plus élevée des relations sexuelles, comparativement au partenariat sexuel centré sur l'amitié et au partenariat centré sur la sexualité. Au final, les CNC marqués par un lien plus significatif entre les partenaires sexuels semblent comporter des relations sexuelles plus fréquentes.

Les activités autres que sexuelles Les CNC se distinguent aussi par les activités autres que sexuelles que les partenaires peuvent accomplir (par exemple, sortir avec des amis, aller au restaurant, aller au cinéma). Les CNC où les partenaires se voient principalement pour avoir des relations sexuelles – relations d'un soir, *booty calls*, *fuck buddies*, certains types d'amitiés avec bénéfices, où l'amitié est moins importante, et partenariats centrés sur la sexualité – se caractérisent par une faible fréquence d'activités autres que sexuelles. En revanche, on observe que les partenaires entretenant des amitiés avec bénéfices comportant une dimension amicale plus importante ou prioritaire, de même que ceux impliqués dans des partenariats sexuels centrés sur l'amitié, des ex-partenariats de couple ou des partenariats intimes et sexuels ont moins tendance à se voir principalement pour avoir des relations sexuelles et sont plus portés à pratiquer des activités non sexuelles (Karlsen et Traeen, 2013 ; Mongeau et coll., 2013 ; Rodrigue et coll., 2015 ; Wentland et Reissing, 2011). En conclusion, malgré la croyance populaire que les CNC sont centrés sur la sexualité, plusieurs partenaires sexuels semblent accorder un rôle plus périphérique à la sexualité dans leurs relations.

Les règles de fonctionnement Selon plusieurs études récentes, les règles au sein des CNC peuvent porter sur différents aspects du fonctionnement relationnel : l'organisation des interactions entre les partenaires (par exemple, appeler ou envoyer un message texte pendant la nuit), la visibilité sociale de la relation (par exemple, en parler ou pas aux amis, manifester son affection en public), les obligations (par exemple, dévoiler ses relations sexuelles avec d'autres partenaires, arrêter les relations sexuelles si un partenaire exprime des sentiments amoureux) et l'entente relative à l'exclusivité sexuelle (exclusivité ou non-exclusivité sexuelle) (Karlsen et Traeen, 2013 ; Weaver, MacKeigan et MacDonald, 2011 ; Wentland et Reissing, 2011). Toutefois, ces études suggèrent que les règles sont souvent implicites puisque les partenaires n'en discutent que rarement. Selon les participants de l'étude de Wentland et Reissing (2011), il serait inacceptable d'appeler un ami avec bénéfices pendant la nuit pour avoir des relations sexuelles, tandis qu'il serait acceptable de le faire en contexte de *booty call*. Les règles de discrétion et de secret par rapport à la relation concerneraient uniquement les amitiés avec bénéfices. Les amis avec bénéfices seraient plus souvent exclusifs sexuellement, tandis que les *booty calls* ne seraient pas exclusifs. Dans l'étude de Rodrigue et ses collaborateurs (2015), la relation sexuelle à occurrence unique et le partenariat sexuel centré sur l'amitié se caractérisent par une absence d'entente relative à l'exclusivité sexuelle, contrairement à l'ex-partenariat de couple, principalement caractérisé par une exclusivité présumée. Quant au partenariat intime et sexuel, il est principalement caractérisé par une non-exclusivité discutée. Enfin, le partenariat centré sur la sexualité est principalement caractérisé par une non-exclusivité présumée.

Le vécu et la satisfaction au sein des configurations relationnelles et sexuelles non conjugales Dans cette section, nous examinons la manière dont la structure des différentes CNC influe sur le vécu sexuel et émotionnel des partenaires. Il est à noter que la majorité des études sur le sujet ont été effectuées auprès de jeunes femmes universitaires résidant aux États-Unis.

Les motivations ou les raisons qu'ont les individus pour s'engager dans des CNC sont centrées sur la sexualité (Lehmiller et coll., 2011 ; Snapp, Ryu et Kerr, 2015 ; Uecker, Pearce et Andercheck, 2015). Les CNC sont notamment conçues comme un moyen facile d'avoir du plaisir sexuel, de gagner de l'expérience et d'explorer sa sexualité (Karlsen et Traeen, 2013 ; Stinson, Levy et Alt, 2014 ; Weaver et coll., 2011). Certaines études se sont intéressées aux comportements sexuels vécus au sein des CNC. Les baisers et le sexe anal seraient plus communs dans un contexte de *booty call* que dans celui d'une relation d'un soir (Jonason, Li et Richardson, 2011). Bay-Cheng, Robinson et Zucker (2009) ont effectué une étude approfondie du vécu de 38 femmes au sein de 303 relations avec des hommes. D'une part, en contexte de *hook up*, 11,4 % des femmes avaient reçu un cunnilingus, 17,4 % avaient donné une fellation et il y avait eu pénétration vaginale dans 25,4 % des cas. Par ailleurs, en contexte d'amitié avec bénéfices, 16,7 % des femmes avaient reçu un cunnilingus, 38,1 % avaient donné une fellation et 50,0 % avaient vécu une pénétration vaginale. Ici, nous pouvons observer que la fellation est plus prévalente que le cunnilingus, ce qui pourrait représenter une forme d'iniquité dans les rapports hétérosexuels. Cette iniquité a aussi été soulevée dans d'autres études, où le plaisir sexuel masculin était considéré comme plus important en contexte de *hook up* : les hommes se montraient peu enclins à donner du sexe oral après en avoir reçu, et les femmes ne se sentaient pas à l'aise de prioriser leur propre plaisir sexuel (Armstrong, England et Fogarty, 2012 ; Backstrom, Armstrong et Puentes, 2012). Certaines femmes expliquent que, dans les CNC, la pénétration vaginale est une dimension capitale des relations sexuelles. Toutefois, elles peuvent se sentir obligées de consentir à une pénétration vaginale avec leurs partenaires masculins, même si cette pratique n'est pas celle qui leur apporte le plus de plaisir (Moran et Lee, 2014).

Les résultats d'études précédentes témoignent d'un double standard sexuel faisant que les femmes sont non seulement jugées plus négativement que les hommes en matière de CNC, mais elles sont aussi plus limitées dans leur capacité d'action et dans leur appréciation de la sexualité qu'elles manifestent au sein des CNC (Kalish, 2013 ; Lovejoy, 2015 ; Moran et Lee, 2014). Le jugement négatif envers les femmes (par exemple, l'étiquette de pute ou de salope) expliquerait partiellement pourquoi les femmes acceptent moins les offres sexuelles de partenaires potentiels (Conley, Ziegler et Moors, 2013). Ainsi, les femmes auraient plus tendance à adopter un rôle passif au moment de s'engager dans une CNC, dans la mesure où les hommes adoptent souvent un rôle actif (Moran et Lee, 2014). Toutefois, cela n'empêche pas certains hommes de laisser les femmes prendre l'initiative de la séduction (Kalish, 2013).

Certaines études effectuées auprès de femmes indiquent que l'affection, la confiance, le confort et l'intimité favorisent le plaisir sexuel dans un contexte de *hook up* et d'amitié avec bénéfices (Armstrong et coll., 2012 ; Backstrom et coll., 2012 ; Karlsen et Traeen, 2013). Certains individus sentent que les activités sexuelles sont plus satisfaisantes avec un partenaire qui connaît bien leur corps et en qui ils ont confiance, comparativement à un étranger (Weaver et coll., 2011). De plus, chez les amis avec bénéfices, l'amitié favoriserait l'exploration et la communication sexuelles (Karlsen et Traeen, 2013).

D'autres études se sont intéressées à la protection contre les ITSS et à la contraception chez les personnes adeptes des CNC. Certains individus considéreraient que l'utilisation du condom est plus importante dans un contexte de *hook up* et d'amitié avec bénéfices (Weaver et coll., 2011). Les études tendent à indiquer qu'une majorité d'individus (entre 65 et 70 %) utilisent le condom lors d'une pénétration vaginale quand ils pratiquent un *hook up* ou quand ils ont une relation avec un partenaire

inconnu (Armstrong et coll., 2012 ; Fielder et Carey, 2010 ; Psutka, Connor, Cousins et Kypri, 2012). En outre, les hommes qui ont des relations sexuelles avec d'autres hommes seraient moins portés à utiliser un condom lors de pratiques anales avec un partenaire sexuel régulier (*sex buddy*) qu'ils ne le feraient avec un partenaire d'un soir (Van den Boom et coll., 2012). Au chapitre 12, nous verrons comment la relation qu'entretiennent des partenaires sexuels (le contexte relationnel, la confiance, l'intimité) peut restreindre l'usage du condom.

L'absence et l'évitement de l'engagement émotionnel sont des motivations communes pour s'engager dans des CNC (Gusarova, Fraser et Alderson, 2012 ; Lyons et coll., 2014). Certains individus n'ont pas de difficulté à séparer la sexualité et les émotions dans leurs relations (Karlsen et Traeen, 2013 ; Moran et Lee, 2014 ; Stinson et coll., 2014). La fonction principale des règles de fonctionnement serait de maintenir une séparation entre la sexualité et les émotions chez les partenaires (Karlsen et Traeen, 2013 ; Weaver et coll., 2011).

Malgré cela, plusieurs individus s'engageraient dans des CNC pour des motivations ou des raisons d'ordre émotionnel ou relationnel (Garcia et Reiber, 2008 ; Lehmiller et coll., 2011 ; Snapp et coll., 2015). Dans l'étude de Snapp et ses collaborateurs (2015), l'intimité était la deuxième motivation la plus souvent associée au vécu d'un *hook up* typique. Par ailleurs, certaines CNC peuvent comporter un engagement et une intimité psychologique et émotionnelle (Karlsen et Traeen, 2013 ; Lovejoy, 2015 ; Weaver et coll., 2011). Pour Rodrigue et ses collaborateurs (2015), le partenariat intime et sexuel et l'ex-partenariat de couple s'accompagnent d'un plus grand dévoilement de soi que lors d'une relation sexuelle à occurrence unique, d'un partenariat sexuel centré sur l'amitié ou d'un partenariat centré sur la sexualité. Il en est de même des amis avec bénéfices, qui se dévoileraient davantage que les *booty calls* (Wentland et Reissing 2011). À cet effet, plusieurs études ont tenté de qualifier l'engagement et l'intimité chez les amis avec bénéfices. D'une façon générale, dans ce type de relation, l'engagement vis-à-vis de l'amitié serait plus important que l'engagement à l'égard de la dimension sexuelle (Lehmiller et coll., 2011). Ainsi, le maintien de l'amitié serait une attente fréquente (Gusarova et coll., 2012 ; Wentland et Reissing, 2011). Les amitiés avec bénéfices procureraient plus d'intimité, de confort, de confiance et de sécurité que les relations sexuelles avec des étrangers (Karlsen et Traeen, 2013 ; Weaver et coll., 2011). La sexualité permettrait aux partenaires de se rapprocher et de consolider leur lien d'amitié, notamment chez les amis qui ont déjà un haut niveau d'intimité affective (Weaver et coll., 2011).

Plusieurs individus éprouveraient une certaine difficulté à rester détachés émotionnellement de leur partenaire, même s'ils perçoivent d'emblée les émotions comme étant indésirables au sein des CNC (Fahs et Munger, 2015 ; Karlsen et Traeen, 2013 ; Weaver et coll., 2011). Des individus s'engagent dans des CNC avec l'espoir de former un couple avec leur partenaire (Cooper et Gordon, 2015 ; Garcia et Reiber, 2008 ; Owen et Fincham, 2011). Ainsi, des partenaires développeraient des sentiments non partagés l'un à l'égard de l'autre. Les individus qui désirent former un couple avec leur partenaire auraient de la difficulté à restreindre leurs émotions et vivraient une souffrance importante (Fahs et Munger, 2015 ; Karlsen et Traeen, 2013 ; Lovejoy, 2015). Dans de telles circonstances, certains individus appartenant à la catégorie des amis avec bénéfices sentent qu'ils ont moins de pouvoir au sein de leur relation (Fahs et Munger, 2015 ; Karlsen et Traeen, 2013). De plus, certains individus vivent de la jalousie avec leurs amis avec bénéfices (Karlsen et Traeen, 2013 ; Knight, 2014 ; Weaver et coll., 2011). Mais d'autres considèrent la jalousie comme illégitime dans la mesure où les partenaires ne forment pas un couple ou ne se sont pas engagés à l'exclusivité (Knight, 2014 ; Weaver et coll., 2011).

En conclusion, il y a plusieurs façons de vivre des CNC. Le type de relation vécue et la manière dont elle est structurée (par exemple, si les partenaires sont des amis, s'ils ont des règles de fonctionnement) influeront sur le vécu sexuel et émotionnel des partenaires ainsi que sur la qualité de leur relation. Il revient à chaque individu de s'interroger sur ses besoins, ses motivations, ses attentes et ses intentions afin d'orienter ses choix relationnels et sa communication avec des partenaires sexuels potentiels. La communication continue entre les partenaires sur ces aspects est importante puisqu'un manque de réciprocité peut survenir sur le plan des sentiments.

Les configurations relationnelles conjugales

Les **configurations relationnelles conjugales** réfèrent à tout type de relation dans laquelle les partenaires se définissent comme un couple. Nous évitons d'utiliser des concepts tels que *relation amoureuse* ou *relation sérieuse*, car ils impliquent une présomption sur le vécu des partenaires. Ici, ces concepts supposent que les partenaires du couple vivent nécessairement un degré d'amour significatif ou qu'ils prennent leur relation au sérieux, ce qui n'est pas toujours le cas. Comme l'ont constaté les chercheurs, les configurations relationnelles conjugales sont très diversifiées.

La structure des configurations relationnelles conjugales Nous discuterons de la structure des configurations relationnelles conjugales en considérant les quatre composantes suivantes : l'entente relative à l'exclusivité

sexuelle et émotionnelle, la cohabitation, la parentalité et l'officialisation de la relation.

L'entente relative à l'exclusivité sexuelle et émotionnelle
L'entente relative à l'exclusivité sexuelle et émotionnelle détermine si les partenaires de couple peuvent vivre ou non des relations sexuelles ou amoureuses à l'extérieur du couple, donc se trouver dans une situation de monogamie ou de non-monogamie.

La **monogamie** implique que les partenaires du couple s'engagent à l'exclusivité sexuelle et émotionnelle ; autrement dit, ils s'interdisent d'avoir d'autres partenaires sexuels ou amoureux à l'extérieur du couple (Bairstow, sous presse). Les relations extraconjugales (hors couple) sont ici considérées comme non consensuelles, car elles sont vécues sans le consentement (et probablement à l'insu) de son ou de sa partenaire de couple. Les gens utilisent divers termes pour décrire ces relations : *tromper, commettre l'adultère, être infidèle, avoir des aventures, sauter la clôture*, etc. Dans ce chapitre, nous utiliserons le concept d'*infidélité* pour parler de relations extraconjugales non consensuelles qui surviennent dans le cadre d'une entente monogame.

La **non-monogamie** implique que les partenaires de couple se permettent d'avoir d'autres partenaires sexuels ou amoureux à l'extérieur du couple. On dit que ces relations extraconjugales sont consensuelles, c'est-à-dire que les partenaires sont au courant des relations sexuelles ou amoureuses extraconjugales de leur partenaire et qu'ils y consentent (Sheff et Tesene, 2015).

La nouvelle génération remet de plus en plus en question la monogamie en tant qu'idéal (Morris, 2014). On estime qu'à l'heure actuelle, environ de 4 à 5 % des adultes aux États Unis pratiquent une forme ou l'autre de non-monogamie consensuelle (Conley et coll., 2013 ; Penny, 2013). Ces relations peuvent être occasionnelles ou comporter un profond engagement affectif ; elles peuvent être de courte ou de longue durée. Il existe à ce chapitre toutes sortes d'ententes possibles. Nous en présentons brièvement trois formes : l'échangisme, le couple ouvert et le polyamour.

Configurations relationnelles conjugales Types de relations entre des partenaires qui se définissent comme un couple.

Monogamie Entente impliquant une exclusivité sexuelle et émotionnelle des partenaires de couple.

Infidélité Relations extraconjugales non consensuelles dans le contexte d'une relation monogame.

Non-monogamie Entente impliquant que les partenaires de couple consentent à des relations sexuelles ou amoureuses extraconjugales.

1. Dans l'échangisme, des couples s'adonnent à des relations extraconjugales dans le but de pimenter leur vie sexuelle. L'accent est mis sur le plaisir sexuel et on ne cherche pas nécessairement l'intimité affective (Megan, 2008). On parle d'*échange de partenaires* lorsque les conjoints ont des relations sexuelles avec d'autres couples, simultanément et dans un même lieu – généralement dans une maison privée, un club ou parfois dans le cadre de « congrès d'aventures sensuelles » (Nelson, 2010). Les principales motivations pour cette forme de non-monogamie sont le désir de variété sexuelle, d'observer son partenaire avoir des rapports sexuels avec d'autres et de réaliser des fantasmes (Bentzen et Traeen, 2014).

2. Dans le couple ouvert, les partenaires peuvent avoir des relations extraconjugales avec d'autres partenaires sexuels, mais le partenaire du couple garde une place prioritaire, tandis que les partenaires extérieurs au couple ont un rôle secondaire : leur degré d'engagement est moindre et ils ne prennent pas part aux décisions au sein du couple (Labriola, 1999 ; Sheff et Tesene, 2015). Toujours dans l'esprit du concept de couple ouvert, l'écrivain Dan Savage a créé le mot *monogamish* en anglais pour décrire des couples caractérisés par un attachement primaire, tout en se permettant certaines libertés quant au fait d'avoir des relations sexuelles avec d'autres partenaires (Karpel, 2011). Ces libertés consensuelles peuvent s'exprimer sous forme de règles telles que *partenaires d'un soir uniquement* ou *uniquement des trips à trois* (Grov et coll., 2014 ; Parsons et coll., 2013).

3. Depuis quelques années, on entend de plus en plus souvent le terme *polyamour* pour décrire des couples dans lesquels les partenaires s'engagent dans des relations sexuelles et amoureuses multiples et consensuelles (Sheff et Tesene, 2015). Les adeptes du polyamour distinguent ce type de relations des autres formes de non-monogamies par l'importance qu'ils accordent à l'engagement affectif dans leurs multiples relations (Megan, 2008). Le polyamour se définit comme un engagement dans des relations responsables, honnêtes et éthiques, constituées de trios, de groupes de couples et de familles. Ces relations sont librement consenties, comportent différents niveaux d'engagement, des libertés et certaines limites, et permettent aux membres d'avoir de multiples partenaires. Les membres d'une relation polyamoureuse s'attendent à une transparence concernant tant les personnes qu'ils rencontrent que ce qu'ils font avec elles. Certaines personnes établissent un contrat écrit avec leurs partenaires. Le maintien de ces relations multiples peut exiger un temps et une énergie considérables (Penny, 2013). Plusieurs personnes trouvent que les relations polyamoureuses sont une bonne façon de gérer l'attirance envers d'autres (Conley et Moors, 2014). En 2005, le gouvernement néerlandais a été le premier à reconnaître une union basée sur le polyamour. Un contrat de cohabitation a été établi entre un couple et une troisième personne, et la signature de ce contrat a été suivie d'une cérémonie et d'une lune de miel à trois (Hanus, 2006a).

Les relations extraconjugales non consensuelles, soit l'infidélité en contexte de monogamie, sont considérées comme moralement inacceptables par plus de 90 % de la population américaine (Schwyzer, 2013). Les formes et les définitions de l'infidélité sont très variables, allant de la rencontre unique d'un soir à l'établissement d'une relation durable comportant un engagement affectif (Allen et Rhoades, 2008). Il est difficile d'évaluer précisément combien de personnes ont été infidèles ou ont subi une infidélité. Par exemple, une enquête menée auprès de 5 000 femmes mariées a montré que dans le cadre d'un entretien face à face, 1 % d'entre elles ont déclaré avoir été infidèles au cours de la dernière année ; or, ce taux a grimpé à 6 % lorsque les mêmes femmes ont répondu à un questionnaire anonyme en ligne (Whisman et Snyder, 2007). Pour sa part, à l'enquête NHSLS, qui portait sur un échantillon de 3 432 Américains âgés de 18 à 59 ans, indique que le taux déclaré d'infidélité à un moment ou un autre du mariage se situait à 25 % chez les hommes et à 15 % chez les femmes (Laumann et coll., 1994). Une étude récente a révélé que plus de 23 % d'hommes et 19 % de femmes rapportent avoir *triché* leur partenaire de couple actuel (Mark et coll., 2011). Une autre étude réalisée auprès de personnes dans la quarantaine et moins a révélé des taux d'infidélité similaires chez les deux sexes (Gottlieb, 2013). On note également que beaucoup d'individus auraient des fantasmes sexuels mettant en scène des relations sexuelles avec d'autres partenaires. Dans une enquête, Orwig (2014) rapporte que 66 % de femmes et 83 % d'hommes ont révélé qu'ils avaient eu des fantasmes sexuels impliquant quelqu'un d'autre que leur partenaire. La difficulté à évaluer l'infidélité réside aussi dans sa définition changeante selon les individus. Par exemple, pour certains individus, regarder de la pornographie peut constituer une infidélité, tandis qu'embrasser un partenaire en état d'ébriété peut ne pas constituer une infidélité.

Échangisme Relations sexuelles extraconjugales d'un couple avec d'autres couples.

Couple ouvert Terme qui est utilisé pour décrire un couple non monogame dont l'entente permet aux partenaires d'avoir d'autres partenaires sexuels à l'extérieur du couple tout en considérant leur relation comme prioritaire.

Polyamour Terme qui est utilisé pour décrire des relations sexuelles et amoureuses multiples et consensuelles.

Malgré ces multiples conceptions de la monogamie, la plupart des individus mariés tiendraient pour acquis que leur couple est monogame et n'auraient pas discuté de ce sujet avec leur partenaire (Green, Valleriani et Adam, 2016).

Selon une enquête, 41 % des adultes (plus d'hommes que de femmes) ne considèrent pas que le fait d'entretenir une relation en ligne équivaut à tromper son partenaire, mais la plupart des thérapeutes conjugaux disent avoir observé une augmentation importante du nombre de couples en crise venus les consulter après que l'un des conjoints a découvert une liaison amorcée sur Internet (Cooper, 2004). L'accès à Internet et à des sites Web spécialement destinés à ceux qui recherchent des aventures extraconjugales offre de nouvelles possibilités pour établir des relations intimes à l'extérieur du couple (Hakim, 2012; Hymowitz, 2011). Une relation secrète par l'entremise de courriels peut acquérir une grande charge émotionnelle et amener les personnes à passer de l'échange de confidences à l'amour romantique (Teich, 2006). Si Internet facilite grandement la tâche de ceux qui recherchent une aventure extraconjugale, il en favorise aussi la découverte par le conjoint, la conjointe ou un employeur.

La cohabitation De nombreux couples vivent ensemble dans la même résidence – ils cohabitent –, alors que d'autres vivent séparément. La non-cohabitation chez les couples (*living apart together* en anglais) est un phénomène de plus en plus commun. Dans les pays occidentaux, 10 % de la population adulte serait en couple non cohabitant (Duncan et coll., 2014). Les motifs à l'origine de la non-cohabitation sont très variés (Carter et coll., 2016; Duncan et coll., 2014; Roseneil, 2006). Par exemple, un jeune couple considère qu'il est trop tôt pour s'installer ensemble; des jeunes partenaires étudiants et résidant encore chez leurs parents ne peuvent pas se permettre financièrement de cohabiter; des partenaires veulent garder leur indépendance; des partenaires avec des enfants à charge de relations précédentes ne veulent pas modifier le milieu de vie de leurs enfants; des partenaires attendent de se marier avant de cohabiter; des partenaires travaillent dans des villes différentes (couples à distance), etc. Dans certains cas, la non-cohabitation constitue un choix relationnel définitif, mais dans d'autres, elle est vécue comme une situation imposée ou transitoire. Certains partenaires cohabitent afin de tester leur couple avant le mariage, tandis que d'autres cohabitent sans avoir l'intention de se marier (Kerr, Moyser et Beaujot, 2006). Tout comme la non-cohabitation, la cohabitation non maritale peut être soit vécue comme un choix relationnel définitif, soit comme une situation transitoire. Les données de Statistique Canada donnent toutefois à penser que la non-cohabitation est transitoire pour la plupart des couples, puisqu'une majorité d'individus en couple non cohabitant déclare avoir l'intention de cohabiter avec leur partenaire actuel (Turcotte, 2013).

La parentalité Selon Favez (2013), la parentalité implique une reconfiguration du couple, dans la mesure où les partenaires apprennent ensemble à être parents et à concilier leurs rôles d'amoureux et de parents. Toutefois, ces apprentissages semblent se heurter à la diversification des structures familiales (les familles monoparentales, les familles recomposées, les couples sans enfants, etc.) que nous avons décrites au chapitre 6. Selon Garneau et Pasley (2015), cette diversification peut poser des enjeux particuliers quant à la gestion des nouvelles attentes et des nouveaux rôles de chaque membre de la famille (parents séparés, beaux-parents, garde des enfants, beaux-enfants). Par exemple, ces défis se manifestent dans le maintien d'une cohésion coparentale avec l'ancien ou le nouveau partenaire du couple (Favez et coll., 2015) et dans l'ambiguïté et la reconnaissance du rôle de beaux-parents (Riness et Sailor, 2015). Finalement, ne pas avoir d'enfant est une décision qui fait l'objet d'une discussion constante entre les partenaires de couple au fil du temps (Blackstone et Stewart, 2016). Pour plusieurs individus, le fait de ne pas avoir d'enfant est une situation temporaire ou involontaire, notamment parce que l'un des partenaires (ou les deux) se concentre sur sa carrière, parce qu'un partenaire ne veut pas d'enfant ou parce qu'il a l'impression de ne pas avoir trouvé le bon partenaire pour avoir des enfants (Carmichael et Whittaker, 2007).

L'officialisation de la relation Comme nous l'avons mentionné au chapitre 6, le mariage et l'union de fait, surtout au Québec, occupent une importance centrale dans la structure des couples contemporains. Même si on observe un déclin de la cohabitation et de la parentalité parmi les couples canadiens, c'est encore le mariage qui est le plus communément associé à la cohabitation et à la parentalité. Cette situation est conforme aux normes et aux valeurs traditionnelles à l'égard du couple (Bohnert et coll., 2014; Kerr et coll., 2006; Turcotte, 2013). Par ailleurs, les personnes divorcées peuvent se montrer hésitantes à se remarier ou à cohabiter de nouveau (Kerr et coll., 2006; Roseneil, 2006).

Le vécu et la satisfaction au sein des configurations relationnelles conjugales En 1992, les données de l'enquête NHSLS aux États-Unis ont montré que les Américains sexuellement actifs dans la dernière année avaient en moyenne 5,7 relations sexuelles par mois (Waite et Joyner, 2001). Récemment, une étude allemande effectuée à partir d'un échantillon aléatoire de 2 855 participants en couple a donné des résultats similaires, avec une moyenne de 5,4 relations sexuelles par mois. Plus précisément, la fréquence mensuelle moyenne des relations sexuelles était de 7,9 pour les participants en couple qui ne cohabitaient pas, de 5,6 pour ceux qui étaient en couples cohabitants non mariés et de 4,9 pour les couples mariés (Schröder et Schmiedeberg, 2015, p. 77).

Dans la même étude, 400 participants (soit 14 % de l'échantillon total), dont la majorité était des couples mariés, ont affirmé ne pas avoir eu de relations sexuelles au cours des trois derniers mois précédant l'enquête. La diminution de la fréquence des relations sexuelles au fil du temps chez les couples mariés est aussi corroborée par l'étude longitudinale de McNulty, Wenner et Fisher (2016). En fait, les couples qui n'ont pas de relations sexuelles ne sont pas rares. Les obligations professionnelles, les tâches ménagères et domestiques, les soins aux enfants, les relations avec la famille et la belle-famille, les amis et toutes les autres activités de la vie quotidienne contribuent à réduire le temps et l'énergie disponibles pour des moments d'intimité sexuelle. Il importe toutefois de noter qu'un faible niveau d'activités sexuelles n'est pas nécessairement signe d'un mariage malheureux. Pour certains couples, le sexe n'est pas une priorité et ne l'a peut-être jamais été. En ce qui concerne l'orientation sexuelle, l'étude de Blair et Pukall (2014) a montré que les femmes en couple de même sexe avaient moins de relations sexuelles que les hommes en couple de même sexe ou que les hommes et les femmes en couple de sexe différent.

On observe une association positive entre la fréquence des relations sexuelles et la satisfaction sexuelle chez les couples mariés et non mariés (Blair et Pukall, 2014; Philippsohn et Hartmann, 2009; Schoenfeld et coll., 2016). Au-delà des activités sexuelles proprement dites, la qualité perçue de la relation exerce une grande influence sur la satisfaction sexuelle. En effet, la satisfaction sexuelle et le bonheur conjugal vont souvent de pair, et ce, peu importe le temps depuis lequel le couple s'est formé. Plusieurs chercheurs ont en outre établi que chez les couples mariés et non mariés, la satisfaction sexuelle est associée positivement à la satisfaction relationnelle, à l'intimité, à l'engagement et à la stabilité de la relation (Birnie-Porter et Hunt, 2015; Haning et coll., 2007; Schoenfeld et coll., 2016; Sprecher, 2002).

Les données de l'enquête NHSLS aux États-Unis montrent que la satisfaction sexuelle est plus grande chez les personnes mariées que chez les célibataires, mais qu'elle diminue au fil du temps (Liu, 2003). Dans l'étude longitudinale de McNulty et ses collaborateurs (2015), la satisfaction sexuelle des époux a diminué progressivement, soit sur une période de quatre à cinq ans. Toutefois, cette diminution était plus marquée dans les premières années.

Les études qui se sont penchées sur les différences touchant la satisfaction sexuelle des hommes et des femmes vivant en couple donnent des résultats inconstants. Selon certaines études, les femmes se disent plus satisfaites sexuellement que les hommes (Haning et coll., 2007; Sprecher, 2002), mais d'autres indiquent le contraire (Liu, 2003; Mark, Garcia et Fisher, 2015) ou ne

rapportent aucune différence (MacNeil et Byers, 2005; McNulty et Fisher, 2008). De plus, Mark et ses collaborateurs (2015) n'ont pas trouvé de différence entre des individus de différentes orientations sexuelles (hétérosexuels, gais, lesbiennes, bisexuels) au niveau de la satisfaction sexuelle, peu importe qu'ils soient mariés ou non.

En ce qui concerne le désir sexuel, l'étude de Murray et Milhausen (2012) montre que le désir sexuel en couple diminue avec le temps chez les femmes, mais pas chez les hommes. De son côté, l'étude de Sims et Meana (2010) a exploré la baisse de désir sexuel chez les femmes mariées et a constaté que celles-ci mettaient en cause plusieurs facteurs. Ces femmes invoquaient notamment les responsabilités et les obligations associées au mariage (par exemple, les soucis financiers), le manque de piment dans la sexualité maritale, la trop grande familiarité sexuelle et la disponibilité sexuelle du mari, l'absence de romantisme, l'incompatibilité entre les rôles de mère et d'amante, ainsi que la crainte que les enfants surprennent les époux en train d'avoir des relations sexuelles.

Selon l'étude longitudinale de Frost et Forrester (2013), les individus dont le niveau d'intimité avec leur partenaire de couple s'approche du niveau idéal disent vivre un plus grand bien-être au sein de leur relation et affirment que leur couple est moins exposé aux risques de rupture. L'équité serait un autre aspect important à considérer dans la qualité perçue d'une relation. L'étude longitudinale de DeMaris (2010) réalisée auprès de couples mariés montre que les individus se disent d'autant plus satisfaits de leur relation que celle-ci est empreinte d'équité. De leur côté, Burke et Segrin (2014) ont montré que le dévouement s'accompagnait d'un plus faible sentiment de solitude chez les couples cohabitants ou mariés, sauf si l'engagement est placé sous le signe de la contrainte (se sentir coincé dans sa relation); en effet, ce type d'engagement génère un plus grand sentiment de solitude. Comme nous l'avons mentionné au chapitre 5, chez les individus de minorités sexuelles, l'orientation sexuelle est une source de stigmatisation et, chez les couples de même sexe, celle-ci influerait sur la qualité perçue de la relation. Selon la méta-analyse de Doyle et Molix (2015), cette stigmatisation entraîne une légère baisse des niveaux d'engagement, d'intimité, de passion et de satisfaction.

Plusieurs études se sont penchées sur les différences et les similitudes susceptibles de caractériser les couples cohabitants et non cohabitants. D'abord, il faut souligner le fait que, même si les partenaires en couple non cohabitant n'ont généralement pas à partager les différents aspects relatifs à l'acquisition et à l'entretien d'une résidence commune, cela ne les empêche pas de se sentir autant engagés dans leur relation que les couples cohabitants (Carter et coll., 2016; Duncan et coll.,

2014 ; Karlsson et Borrell, 2002). Ainsi, l'équité est aussi importante chez les couples non cohabitants, notamment sur le plan des dépenses concernant les activités (Lyssens-Danneboom et Mortelmans, 2014). Les couples non cohabitants, vu leur absence présumée d'engagements financier et matériel communs, seraient plus à risque de se séparer.

Par ailleurs, les partenaires de couples non cohabitants, même s'ils se sentent responsables de leur conjoint, se fient moins à celui-ci pour recevoir de l'aide en cas de maladie ou de problèmes (Duncan et coll., 2014 ; Haskey et Lewis, 2006 ; Strohm et coll., 2009). Enfin, certains individus ont l'impression que la non-cohabitation limite leur capacité à établir une relation de proximité avec leur partenaire (Duncan et coll., 2014).

Dans un autre ordre d'idées, l'arrivée des enfants constitue un défi important pour les couples. En général, les couples mariés sans enfants se disent moins stressés, et certaines études montrent qu'ils sont plus heureux et qu'ils trouvent leur mariage plus satisfaisant que les couples mariés qui ont des enfants, surtout durant les années suivant la naissance du premier enfant (Bower et coll., 2013). De fait, une analyse de 90 enquêtes révèle que la satisfaction conjugale diminue de 42 % avec la naissance du premier enfant et qu'elle décroît graduellement avec chaque nouvel enfant. Près de 50 % des couples nouvellement parents vivent autant de tensions conjugales que les couples qui suivent une thérapie pour régler leurs problèmes conjugaux (Doss et coll., 2009 ; Picker, 2005). Selon une autre recherche, les parents les plus susceptibles de vivre une relation de couple heureuse sont ceux où le mari comprend ce que vit intérieurement sa conjointe, l'admire et maintient activement le sentiment amoureux (Gottman et Silver, 2001). Fonder ou non une famille pendant la période de cohabitation précédant le mariage semble avoir un impact sur la qualité de la relation conjugale. Une étude réalisée auprès de 3500 femmes montre que les couples qui ont cohabité sans avoir d'enfants pendant cette période ont une qualité de vie conjugale équivalant à celle des couples qui n'ont pas cohabité avant de se marier. En revanche, les couples qui ont eu un enfant pendant la cohabitation ont des relations conjugales moins satisfaisantes que les couples n'ayant pas cohabité avant de se marier (Tach et Halpern-Meekin, 2012).

Conformément aux normes faisant de la monogamie un idéal de couple, Conley et ses collaborateurs (2013) ont répertorié de nombreux bienfaits que les gens associent à la monogamie, notamment un niveau plus élevé d'engagement, de confiance et de satisfaction dans le couple. Bien que certaines études aient identifié des différences quant au niveau de qualité perçue de la relation chez des individus en couple monogame et non monogame (Hoff et coll., 2010 ; Hosking, 2013), d'autres n'ont observé aucune différence (Bricker et Horne, 2007 ; Rubel et Bogaert, 2014 ; Séguin et coll., 2017).

Chez les couples monogames, une infidélité peut avoir de lourdes conséquences pour ceux qui s'y engagent, notamment une moindre estime de soi, un profond sentiment de culpabilité, le stress occasionné par la nécessité de garder le secret, une réputation entachée, la perte d'un amour, ou encore des complications dues aux ITSS. La dynamique du secret nuit généralement à la qualité de la relation du couple. Cacher et mentir (même par omission) détériore le lien entre les conjoints tout en amplifiant l'intensité affective et l'illusion d'intimité avec la ou le partenaire extraconjugal. Le psychiatre Frank Pittman, auteur de *Privates Lies : Infidelity and the Betrayal of Intimacy*, soutient qu'on devient plus distant avec celle ou celui à qui l'on ment, et plus intime avec celle ou celui à qui l'on dit la vérité (Pittman, 1990).

Les thérapeutes conjugaux diffèrent d'opinion quant à la nécessité d'avouer une infidélité à son conjoint. Cependant, la recherche montre que les couples qui consultent un thérapeute conjugal à la suite d'un aveu ou de la découverte d'une infidélité retirent plus de bénéfices des rencontres que les couples qui consultent pour d'autres motifs. Toutefois, lorsqu'un des conjoints en thérapie conjugale maintient une infidélité (révélée en confidentialité aux chercheurs), la démarche du couple est moins susceptible de progresser. La recherche indique aussi qu'un couple survit mieux lorsque le conjoint infidèle révèle son infidélité à l'autre, plutôt que lorsque le conjoint trompé découvre l'infidélité (Aaronson, 2005). Quelle que soit la façon dont il apprend l'infidélité de son conjoint, le partenaire trompé se sent souvent anéanti et tourmenté par diverses émotions. Il peut avoir le sentiment de ne pas avoir été à la hauteur ou l'impression d'être rejeté ; il peut aussi vivre une colère extrême, du ressentiment, ou encore éprouver de la honte et de la jalousie. Selon certaines recherches, les hommes vivant dans les couples hétérosexuels ont plus tendance à croire qu'une infidélité de leur partenaire est motivée par les sentiments, alors que les femmes croient plutôt qu'une infidélité de leur conjoint est motivée par le sexe. La détresse psychologique des hommes et des femmes est plus grande si l'infidélité de leur partenaire repose sur des motifs différents de leurs attentes. La plupart des femmes étaient désemparées à l'idée que leur partenaire puisse tomber amoureux d'une autre, et en contraste, imaginer un partenaire avoir une relation sexuelle avec une autre personne semble déranger plus les hommes que les femmes, possiblement parce que les hommes ont, comparativement aux femmes, une imagination plus fertile en ce qui concerne les infidélités sexuelles (Kato, 2014 ; Cramer et coll., 2008).

Les personnes divorcées attribuent souvent leur rupture à une infidélité. Cela ne veut pas dire nécessairement que la découverte d'une infidélité met fin à un mariage ou en détériore complètement la qualité. Dans certains cas, une telle crise peut s'avérer bénéfique si elle motive le couple à rechercher les causes de la discorde dans la relation et à tenter d'y trouver une solution, une démarche qui peut, à la limite, consolider le mariage (Kalb, 2006). Certains couples vont explorer l'option des relations extraconjugales consensuelles comme façon de maintenir et élargir leur relation (Nelson, 2013). La sexualité extraconjugale est également acceptée dans différentes cultures, comme en témoigne l'encadré *Les uns et les autres*.

LES UNS ET LES AUTRES

La sexualité extraconjugale dans d'autres cultures

Les aborigènes de la Terre d'Arnhem approuvent les relations sexuelles extraconjugales pour les deux époux. Ils reconnaissent la variété des expériences et la rupture de la monotonie qu'offrent les engagements extraconjugaux. Plusieurs indiquent que cela augmente l'appréciation et l'attachement qu'ils ont envers leur conjoint. Pour leur part, les Marquisiens de la Polynésie n'autorisent pas ouvertement les aventures extraconjugales, mais les acceptent néanmoins tacitement. Les Marquisiennes prennent souvent comme amoureux des jeunes garçons, des amis de leur mari ou des relations de celui-ci. À l'inverse, le mari peut avoir des relations sexuelles avec des jeunes filles non mariées ou avec ses belles-sœurs. La culture marquisienne reconnaît ouvertement les pratiques de changement de partenaires et d'hospitalité sexuelle, celle-ci consistant à offrir aux visiteurs non accompagnés une relation sexuelle avec l'hôte de l'autre sexe. Certaines communautés inuites ont aussi pratiqué l'hospitalité sexuelle, où l'hôtesse, une femme mariée, avait une relation avec un visiteur masculin (Gebhard, 1971). Les Turus de Tanzanie centrale, quant à eux, considèrent le mariage essentiellement comme une coopération économique et un lien social. L'affection entre conjoints est généralement vue comme déplacée; la plupart des membres de cette société croient que l'amour et l'affection mettent en danger la relation conjugale. Les Turus ont développé un système d'amour romantique, appelé *mbuya*, qui leur permet de trouver de l'affection hors du foyer sans compromettre la stabilité du mariage qu'ils doivent privilégier. Dans cette culture, les maris comme leurs femmes ont de telles relations externes (Gebhard, 1971).

La jalousie dans les relations amoureuses

La **jalousie** est une réaction émotive d'aversion qu'une personne éprouve devant la liaison réelle ou imaginée de son partenaire avec une tierce personne (Bringle et Buunk, 1991). Plusieurs personnes croient que la jalousie est un indicateur de l'amour ressenti et que son absence indique un manque d'amour (Buss, 2000 ; Knox et coll., 2007). Les gens ont généralement des attitudes ambivalentes envers la jalousie, y voyant tantôt un signe d'insécurité, tantôt une preuve d'amour, parfois les deux simultanément (Puente et Cohen, 2003). Toutefois, la jalousie a davantage trait aux blessures d'amour-propre, ou à la crainte de perdre ce qu'on veut contrôler ou posséder, qu'à l'amour. Par exemple, une personne qui s'aperçoit que son conjoint se plaît en compagnie de quelqu'un d'autre peut devenir jalouse parce qu'elle ne se sent pas à la hauteur. Comme nous l'avons mentionné à propos de la réciprocité, on entre et on reste dans une relation notamment parce que cela procure un sentiment d'appartenance et rehausse l'estime de soi. On compte souvent sur son partenaire pour valider une perception positive de soi. En conséquence, une personne peut se croire menacée et sentir une perte potentielle de réciprocité et d'image de soi positive si elle perçoit que son partenaire pense à la remplacer (Boekhout et coll., 1999).

Certaines personnes sont plus portées à la jalousie que d'autres. Ainsi en est-il des individus qui souffrent de sentiments d'insécurité ou d'incompétence à cause de la piètre opinion qu'ils ont d'eux-mêmes (Brehm et coll., 2002 ; Buss, 1999). Cela nous ramène à un point auquel nous avons déjà fait allusion, à savoir qu'une saine estime de soi est primordiale dans la création de bonnes relations intimes. Par ailleurs, les gens qui constatent un grand écart entre ce qu'ils sont et ce qu'ils voudraient être sont aussi portés à la jalousie. Comme on peut s'y attendre, de tels individus ont aussi une piètre estime d'eux-mêmes. Enfin, les gens qui chérissent des valeurs comme la richesse, la renommée, la popularité et l'apparence physique sont plus susceptibles de se montrer jaloux dans une relation (Salovey et Rodin, 1985).

La jalousie est fréquemment un facteur qui accélère l'émergence de la violence dans les mariages et les fréquentations

Jalousie Réaction émotive devant une liaison réelle ou imaginée de son partenaire avec une tierce personne.

(Knox et coll., 2007 ; Puente et Cohen, 2003). La recherche montre que la violence déclenchée par la jalousie est plus communément dirigée contre sa ou son propre partenaire ou amant que contre la ou le rival (Mathes et Verstrate, 1993 ; Paul et Galloway, 1994).

Les nombreux effets négatifs de la jalousie sont évidents, mais les moyens de composer avec les sentiments de jalousie sont loin de l'être autant. L'encadré *Parlons-en* offre des conseils aux gens qui veulent endiguer les sentiments de jalousie, les leurs ou ceux de leur partenaire.

PARLONS-EN

Comment déjouer le démon de la jalousie

Il est courant que le démon de la jalousie montre sa face hideuse au moins une fois au cours d'une relation. Il est parfois très difficile de composer avec la jalousie, parce que les sentiments qu'éprouvent les jaloux découlent souvent d'une profonde impression d'inaptitude inhérente à la personne plutôt qu'à la relation. La personne que des sentiments d'insécurité poussent à la jalousie se détourne souvent de son ou sa partenaire ou passe à l'attaque en proférant des accusations ou des menaces, quand ce n'est pas les deux. Ces comportements inadéquats provoquent fréquemment une réaction similaire chez le ou la partenaire non jaloux – retrait ou contre-attaque. Il vaudrait pourtant mieux pour la personne jalouse de reconnaître ses propres sentiments de jalousie et de tenter d'en déterminer la source. Ainsi, le jaloux peut prendre l'initiative de la discussion en disant, par exemple : « Sophie, j'ai peur pour nous, et je m'inquiète un peu en pensant à tout le temps que tu passes à travailler tard avec tes collègues, et spécialement avec ce Mathieu ! » Cette façon de mettre cartes sur table, sans menaces ni accusations, va probablement inciter Sophie à rassurer son partenaire, et un dialogue positif pourrait s'ensuivre.

Dans de nombreuses situations, la personne jalouse n'admettra pas le problème et n'exprimera pas le désir d'y remédier. Si c'est le cas, il est essentiel de commencer par motiver la personne à s'efforcer d'éliminer le douloureux sentiment de jalousie et les comportements destructeurs qu'ils suscitent souvent. Robert Barker (1987), un psychothérapeute conjugal, donne de précieux conseils à ce sujet dans son livre *The Green-Eyed Marriage: Surviving Jealous Relationships.* Selon Barker, une personne jalouse sera plus portée à vouloir remédier à son problème et acceptera l'aide des autres si :

- *Elle croit qu'elle n'a pas à craindre de perdre le ou la partenaire qu'elle aime.* Il ne sert souvent à rien de tenter de convaincre la personne jalouse que la relation n'est pas en danger ; cela peut même se révéler contre-productif. Il est plus efficace de faire allusion, de temps à autre, à l'avenir qu'on envisage ensemble. Ainsi, le conjoint non jaloux, qui prévoit prendre l'initiative d'une discussion sur la jalousie à un certain moment, pourrait commencer par dire, lorsque l'occasion s'y prête, des choses du genre : « Ce sera formidable quand les enfants auront grandi et que nous aurons plus de temps, juste pour nous. »

- *Elle est convaincue que le problème émane de la relation plutôt que de défauts de son caractère.* Une personne jalouse sera plus encline à essayer de s'en sortir si les deux conjoints reconnaissent que la jalousie est un problème commun. Le partenaire non jaloux peut amener l'autre à penser cela en disant, par exemple : « C'est notre problème et nous devons tous deux nous efforcer de le régler. »

- *Elle se croit sincèrement aimée et respectée.* Comme la jalousie découle de sentiments d'incompétence et d'insécurité personnelle, le partenaire non jaloux peut réduire ces émotions négatives et nourrir l'estime de soi et la confiance en soi de l'autre en lui réaffirmant régulièrement son affection verbalement, émotionnellement et physiquement.

- *Elle n'est pas acculée à la honte ou à la culpabilité.* Il est compréhensible que les personnes qui font indûment l'objet de jalousie se mettent en colère et soient tentées de contre-attaquer en utilisant le sarcasme, le ridicule ou le dénigrement, dans l'idée de susciter chez leur partenaire jaloux suffisamment de culpabilité et de honte pour qu'il cesse ses accusations injustifiées. Malheureusement, en provoquant la colère et en mettant l'autre sur la défensive, ce genre de contre-attaque négative aura probablement l'effet inverse. Pis encore, ainsi repoussés dans leurs retranchements, les jaloux pourraient avoir plus de difficulté à reconnaître leur besoin de changer.

- *Elle est capable d'empathie envers la personne blessée par son comportement jaloux.* Quand les gens jaloux sont capables de comprendre la douleur que leur comportement cause à leur conjoint, le désir de changer augmente. La difficulté pour le partenaire non jaloux est de favoriser le développement de l'empathie plutôt que celui de la culpabilité. Il peut pour cela exprimer sa peine et sa douleur, mais sans en attribuer la responsabilité au partenaire jaloux. Par exemple, Sophie pourrait dire à son conjoint jaloux : « Je t'aime vraiment, Gabriel, et je trouve terriblement difficile de travailler tard, car je sais que tu es à la maison et que tu aimerais que nous y soyons ensemble. J'ai de la peine de penser que mon travail puisse parfois paraître plus important que notre relation. »

Une fois que la motivation à changer est établie et que le couple engage un dialogue destiné à contrer la jalousie, plusieurs des stratégies de communication esquissées dans les pages qui suivent peuvent faciliter le processus. Certaines des suggestions concernant les révélations sur soi, l'écoute, la rétroaction et les questions à poser peuvent aider à déterminer ce que chaque partenaire désire et attend de la relation. Par exemple, après avoir exprimé ses craintes, Gabriel pourrait dire à Sophie que cela l'apaiserait si elle passait moins de temps à travailler avec Mathieu après les heures de bureau ou si elle était aussi en présence d'autres collègues dans ces moments-là.

L'expression de la jalousie selon le sexe

On ne réagit pas tous à la jalousie de la même manière, et de nombreuses études ont permis de dégager certaines différences entre les réactions des femmes et celles des hommes. En général, les femmes ont plus tendance à admettre leur sentiment de jalousie que les hommes (Barker, 1987 ; Clanton et Smith, 1977). De plus, la jalousie d'une femme porte davantage sur la liaison affective de son partenaire avec une autre, tandis que la jalousie de l'homme est plus susceptible de viser la liaison sexuelle de sa partenaire avec un autre (Kato, 2014 ; Treger et Sprecher, 2011).

Autre différence entre les sexes par rapport au modèle de la jalousie : les femmes s'attribuent souvent le blâme quand un problème de jalousie surgit, tandis que les hommes jettent le blâme sur la tierce partie ou sur le comportement de leur partenaire (Barker, 1987 ; Daly et coll., 1982). Les femmes sont également plus portées à susciter délibérément la jalousie chez leur partenaire (Sheets et coll., 1997 ; White et Helbick, 1988). Peut-être est-ce parce que les jalouses souffrent d'un sentiment d'incompétence tout en ayant l'impression de ne pas compter suffisamment aux yeux de leur partenaire. En tentant d'inciter à la jalousie, elles cherchent probablement à soutenir leur estime de soi et à reporter sur elles l'attention du partenaire qu'elles rendent inquiet par leurs actions. Les hommes aussi éprouvent souvent un sentiment d'inaptitude lorsqu'ils souffrent de la jalousie. Toutefois, le rapport entre les deux est souvent inverse chez eux : la jalousie précède le sentiment d'incompétence (White et Helbick, 1988).

La jalousie et les réseaux sociaux

À la lumière de l'importance des nouvelles technologies de communications dans la gestion des relations interpersonnelles, les occasions de surveiller les activités des partenaires intimes ont augmenté de façon significative. La recherche a montré que l'utilisation des médias sociaux comme Facebook peut mener à des sentiments de jalousie (Elphinston et Noller, 2011 ; Marshall et coll., 2013).

La jalousie peut être évoquée chez certaines personnes qui utilisent des lieux d'échanges virtuels notamment parce qu'elles y trouvent des informations sur leur partenaire qui leur seraient autrement inaccessibles. De plus, ces médias sociaux permettent l'affichage de contenus et d'images ambigus qui risquent d'être perçus comme menaçants (Muise et coll., 2009). Par ailleurs, chez certaines personnes, la jalousie peut survenir lorsque leur partenaire est *ami* avec d'anciens partenaires ou d'autres personnes qu'elles ne reconnaissent pas (Muise et coll., 2009).

Selon une enquête menée auprès de 342 étudiants universitaires, le risque d'éprouver des sentiments de jalousie croît avec le temps que la personne passe sur Facebook (Elphinston et Noller, 2011). Selon les auteurs, il se constituerait le cercle vicieux suivant : l'individu va lire ou trouver quelque chose sur Facebook qui provoque une réaction de jalousie, ce qui mène à une plus grande surveillance de leur partenaire en ligne. En approfondissant sa recherche de *preuves*, l'individu interprète des informations *ambiguës* qui nourrissent son sentiment de jalousie.

Une étude a montré que les individus qui possèdent une faible estime d'eux-mêmes et qui ont besoin d'être populaires ont tendance à se sentir menacés par le comportement en ligne de leur partenaire. Ces individus rapportent plus de comportements de surveillance en ligne (Utz et Beukeboom, 2011). La surveillance du comportement d'un partenaire sur les réseaux sociaux est plus commune que les autres surveillances en ligne parce qu'il s'agit d'un domaine public. La surveillance en ligne est aussi plus commune que la surveillance des comportements dans la vie réelle (Utz et Beukeboom, 2011). En ce qui concerne les différences entre les sexes, les études indiquent que les femmes ont plus tendance que les hommes à surveiller les activités en ligne de leur partenaire (Marshall et coll., 2013 ; Muise et coll., 2014).

Par ailleurs, il existe une association positive entre un style d'attachement préoccupé (anxieux-ambivalent) et la jalousie et les comportements de surveillance en ligne (Marshall et coll., 2013). Ces individus déclarent avoir moins confiance envers leur partenaire et ils ont peur que celui-ci les abandonne pour quelqu'un d'autre. Cependant, les auteurs ont constaté que le comportement de regarder la page du profil de son partenaire sur Facebook n'était pas toujours un acte de surveillance déclenché par l'insécurité. En effet, en accord avec la théorie de Sternberg, les personnes vivant un amour dans lequel la passion prend une place importante peuvent prendre plaisir **à** suivre les mises à jour et l'affichage des photos de leur partenaire. Un tel comportement symboliserait une recherche de proximité (Marshall et coll., 2013).

En conclusion, les réseaux sociaux sont très utiles comme outils de communication qui permettent de maintenir les relations sexuelles et amoureuses, mais ils peuvent en même temps avoir un effet nuisible chez certaines personnes.

Dans les sections suivantes, nous aborderons la question de la communication sexuelle, c'est-à-dire la façon dont les personnes expriment leurs sentiments, leurs besoins et leurs désirs à leurs partenaires sexuels. Nous verrons aussi pourquoi les tentatives de communication échouent parfois et comment il est possible d'améliorer cet aspect important de notre vie sexuelle.

L'importance de communiquer en sexualité

La communication sexuelle peut grandement contribuer à la satisfaction qu'on retire d'une relation intime. Parler à son amoureux et toucher son corps procurent de la joie et du plaisir. C'est un moment merveilleux pour développer l'intimité tout en se renseignant sur ses besoins et ses préférences. Un des plus importants rôles de la communication est d'établir et de maintenir le consentement dans les expériences sexuelles. Le consentement mutuel est le fondement d'une connexion sexuelle plaisante et éthique. L'encadré *Parlons-en* décrit la notion du consentement ainsi que la façon de l'obtenir et de l'offrir.

PARLONS-EN

Le consentement pour tous

Qu'est-ce que le consentement ?

Consentir signifie *accepter quelque chose*, dire *oui*, et le faire de manière sincère. Ce concept peut paraître simple et direct, mais dans la réalité, les choses ne sont pas aussi évidentes. Si le moindre doute persiste, il est inacceptable d'avoir des rapports sexuels ou de les poursuivre.

Le consentement :

- *est donné librement*, sans pression, sans manipulation, sans être demandé en plein ébat ou après-coup ;
- *peut être repris* – il n'y a rien de mal à s'arrêter et à changer d'idée à tout moment. Dire *oui* à une occasion ne signifie pas que vous direz toujours *oui* ou que vous acceptez d'emblée d'autres activités sexuelles ;
- *est exprimé avec enthousiasme* – le consentement, c'est aussi avoir envie de quelque chose, et ne pas simplement la laisser se produire. Nous associons souvent au consentement l'expression *non, c'est non*, mais il ne faut pas oublier que le *oui* est également très important. Un *oui !* spontané indique qu'aucun des partenaires n'a besoin d'essayer de deviner ce que pense l'autre ni de supposer quoi que ce soit. Avec une telle réponse, vous savez que l'autre personne est vraiment intéressée.

Le consentement éclairé :

- c'est d'informer votre partenaire si vous avez une ITSS, car

cette personne doit être mise au courant. C'est aussi faire preuve d'honnêteté en ce qui a trait au port du condom, à la contraception ainsi qu'aux rapports sexuels que vous avez avec d'autres partenaires.

Comment exprimer son consentement ?

La façon la plus simple d'exprimer son consentement est évidemment de dire *oui*. Garder le silence, ce n'est pas donner son consentement ; répondre *je ne sais pas* non plus.

Même dans une relation de couple à long terme, lors de vos relations sexuelles, vous devriez être en mesure de dire librement *oui* à ce qui vous fait envie, à ce qui vous intéresse, et vous devriez vous sentir suffisamment à l'aise pour refuser ce qui ne vous plaît pas. Par ailleurs, voici quelques exemples de phrases clés qui traduisent le consentement : « Oui ! », « J'aime quand… », « C'est bon ! », « Ça m'excite quand… ».

Comment demander le consentement de son partenaire ?

La seule façon de savoir si votre partenaire vous accorde son consentement, c'est de vous demander si cette personne a accepté avec enthousiasme vos avances et s'il n'y a aucun doute à cet effet dans votre esprit. Vous n'êtes pas tout à fait sûr ? Posez la question. La réponse n'est pas *oui* ? ARRÊTEZ-VOUS !

Il ne suffit pas de recevoir le consentement de son partenaire une seule fois. Vous devez l'obtenir chaque fois. Tout le monde a le droit de dire *non*, et ce, en tout temps, peu importe ce qui a déjà été dit ou fait à une autre occasion. De plus, n'oubliez pas que toute personne a le droit de changer d'idée. Alors si votre partenaire vous demande d'arrêter, vous devez vous arrêter. Le consentement ne dépend pas uniquement d'une personne, mais de toutes les personnes concernées. « Ai-je obtenu le consentement de mon partenaire ? » est donc une question importante que toute personne devrait se poser avant d'avoir des rapports sexuels.

Finalement, le consentement ne casse pas nécessairement l'ambiance. En fait, donner son consentement peut être très excitant. Le demander peut l'être tout autant. Vous pouvez dire, par exemple : « Aimerais-tu que je… ? » ou « Voudrais-tu essayer… ? » De cette façon, non seulement vous demandez le consentement de votre partenaire, mais en plus vous parlez chacun de vos préférences sexuelles, ce qui est primordial pour entretenir une relation saine.

Source : Traduit et adapté de Planned Parenthood, 2015.

Les gens affirment souvent qu'une bonne communication sur leurs préoccupations et désirs sexuels est un précieux apport au développement et à la préservation d'une relation satisfaisante et durable (Mark et Jozkowski, 2013 ; Montesi et coll., 2013 ; Yoo et coll., 2014). Nous ne voulons pas dire par là qu'un dialogue approfondi est essentiel à tout échange sexuel ; il y a des moments où la communication verbale peut être plus nuisible qu'utile à l'appréciation de l'échange. Néanmoins, les partenaires qui ne parlent jamais des aspects sexuels de leur relation se privent d'une occasion d'améliorer l'intimité et le plaisir que leur procurerait la connaissance de leurs besoins et désirs réciproques.

Selon nous, le point central de cet exposé repose sur le fait que l'empathie mutuelle – c'est-à-dire la conviction profonde de chacun des partenaires d'être important pour l'autre – constitue le fondement d'une bonne communication sur le plan sexuel. Comme en témoigne l'encadré *Parlons-en* ci-dessous, l'empathie mutuelle demeure lorsque les deux partenaires expriment leur amour et leur appréciation de l'autre.

Nous présentons maintenant plusieurs approches de la communication sexuelle qui ont servi à améliorer les

Empathie mutuelle   Dans une relation, conviction profonde de chacun des partenaires d'être apprécié et considéré par l'autre.

PARLONS-EN

Les bienfaits des manifestations d'affection

La recherche montre invariablement que recevoir des manifestations d'affection et d'amour (qu'on pourrait appeler une *communication affectueuse*) d'un être cher comble un profond besoin humain et procure un large éventail de bienfaits psychologiques, biologiques et relationnels (Floyd, 2006 ; Floyd et coll., 2007).

Différentes études ont montré que, comparés aux gens qui ne reçoivent pas ce type de démonstrations, ceux qui font l'objet de manifestations d'affection constantes présentent un moins grand risque d'être malades et de souffrir de stress psychologique, de dépression, de solitude ou d'alcoolisme ; ils sont aussi moins susceptibles de vivre de la violence interpersonnelle et font preuve d'une plus grande capacité à guérir de blessures ou de maladies (Downs et Javidi, 1990 ; Floyd et coll., 2007 ; Schwartz et Russek, 1998 ; Shuntich et coll., 1998).

Les manifestations d'affection par des moyens verbaux ou non verbaux (contacts physiques, étreintes, etc.) semblent

procurer les bienfaits mentionnés précédemment de diverses façons. Premièrement, l'échange de marques d'affection est une caractéristique commune chez les couples qui présentent un degré élevé d'intimité affective et de satisfaction interpersonnelle. Dans ces couples, les partenaires sont particulièrement vigilants ou attentifs au bien-être physique et émotionnel de l'autre (Floyd et Morman, 2000). De plus, les personnes qui reçoivent et donnent souvent des marques d'appréciation et d'amour ont tendance à avoir une meilleure estime d'elles-mêmes et à être plus confiantes et heureuses, autant de traits de personnalité qui augmentent leur capacité à bien composer avec leurs besoins physiques et émotionnels (Floyd et coll., 2007).

En définitive, la recherche montre aussi que la communication affectueuse peut aider le corps à se défendre contre les effets négatifs du stress, notamment par la réduction du rythme cardiaque et de la production des hormones de stress. Ces deux réponses augmentent souvent en réaction aux événements stressants (Floyd et coll., 2007).

relations auprès de nombreuses personnes. Nous ne prétendons pas avoir le dernier mot sur les nuances de la communication humaine ni que les idées offertes ici conviennent à tous. En effet, il est souvent nécessaire d'adapter les stratégies de communication à chaque individu, et il arrive parfois que les différences entre deux personnes soient si profondes, que même la meilleure communication ne peut être garante d'une relation mutuellement satisfaisante. Toutefois, nous espérons que plusieurs des expériences et suggestions partagées pourront être utiles.

Les principales raisons pour lesquelles la communication sexuelle verbalisée est difficile tiennent notamment à la pauvreté du vocabulaire utilisé pour parler de sexualité et à la crainte de s'exprimer sur le sujet.

Comment amorcer la discussion?

Comment entame-t-on une discussion sur un sujet comme la sexualité? Voici quelques façons de briser la glace. Ces suggestions valent pour toute relation, qu'elle soit récente ou plus ancienne.

Savoir en parler

Quand les gens sont mal à l'aise à l'égard d'un sujet, la meilleure chose à faire est souvent de commencer par parler de cette difficulté. Ce peut être une bonne idée d'amorcer la discussion en tentant de comprendre *pour quoi* il est difficile de discuter de sexualité. Chaque partenaire a ses raisons propres et les expliquer peut aider à renforcer la relation. Si les partenaires sont capables d'échanger sur leurs précédentes tentatives de discussion avec leurs parents, des professeurs, des médecins, des amis ou des partenaires sexuels, ils pourraient aussi aborder graduellement la communication sexuelle en ayant d'abord des discussions sur des sujets rassurants, moins personnels (comme les méthodes de contraception, les lois sur la pornographie, etc.). Plus tard, quand ils se sentiront plus à l'aise, ils auront plus de facilité à parler de leurs sentiments et de leurs besoins personnels.

Lire et discuter

Comme beaucoup de gens trouvent plus facile de lire sur la sexualité que d'en parler, les articles et les livres sur le sujet peuvent favoriser les conversations personnelles. Les partenaires peuvent lire la documentation chacun de leur côté et en discuter ensuite, ou la lire ensemble et discuter de leurs réactions personnelles. Passer d'un livre ou d'un article aux sentiments personnels est souvent moins contraignant que d'aborder immédiatement ses préoccupations. On peut aussi engager le dialogue avec son ou sa partenaire en

parlant de l'éducation et des valeurs sexuelles reçues au moyen de questions comme celles-ci: Quel genre d'éducation sexuelle dispensait-on chez toi ou à l'école? Quel genre de relation tes parents avaient-ils entre eux? Détectais-tu une composante sexuelle dans leur relation? Quand as-tu découvert la sexualité et quelles ont été tes réactions? Plusieurs autres sujets pourraient s'ajouter à cette courte liste, selon les sentiments et les besoins de chacun.

En lisant ensemble sur des sujets délicats, on peut faciliter la discussion.

S'ouvrir à l'autre

Les questions directes mettent souvent les gens sur la sellette. Si votre partenaire vous demandait «Aimes-tu le sexe?» ou «Que penses-tu du sexe?», vous pourriez trouver difficile de lui répondre franchement, simplement parce que vous ne savez pas ce qu'il ou elle en pense, ou les raisons qui l'amènent à poser cette question. Si le sujet de la question a de fortes charges émotives, il pourrait être très malaisé de répondre, et ce, que la demande ait été brillamment formulée ou non. C'est la teneur de la question et non la technique de communication qui pose problème. Avec les sujets délicats, il vaut souvent mieux commencer par dire ce qu'on ressent et ce qu'on pense.

Découvrir ce qu'aime son ou sa partenaire est un aspect important de l'intimité sexuelle.

S'ouvrir à l'autre nécessite quelques concessions mutuelles. Il est beaucoup plus facile de partager ses sentiments sur des sujets délicats quand le partenaire est disposé à s'ouvrir également (Maisel et coll., 2008). Il faut convenir que ce genre de démarche n'est pas sans risques et qu'on peut occasionnellement se sentir vulnérable en révélant ses pensées et ses sentiments personnels. Toutefois, la perspective d'un dialogue ouvert et honnête peut valoir l'embarras qu'une personne pourrait ressentir en prenant l'initiative de se révéler d'abord. Les recherches indiquent clairement que la révélation de soi concernant les désirs et besoins sexuels est associée positivement à la satisfaction sexuelle du couple (Bauminger et coll., 2008 ; Greene et Faulkner, 2005 ; Oattles et Offman, 2007). D'autres études indiquent également que lorsqu'un partenaire discute ouvertement de ses sentiments, l'autre tend à le faire aussi (Derlego et coll., 1993 ; Hendrick et Hendrick, 1992).

Il est de plus en plus fréquent que les gens aient des conversations intimes en ligne. L'absence de contact visuel peut augmenter tant la rapidité que l'intensité émotionnelle des révélations sur soi (Ben-Ze'ev, 2003). Ainsi, les discussions sexuelles en ligne pourraient avoir comme inconvénient d'inciter les gens à se révéler de façon prématurée ou imprudente. Cependant, l'anonymat relatif du cyberespace peut aussi amener des personnes à exprimer leurs sentiments personnels sur des questions sexuelles. Cela peut être particulièrement vrai pour des hommes qui trouvent difficile de discuter de leurs sentiments (Basow et Rubenfeld, 2003 ; Bowman, 2008 ; Levant, 1997). Nous abordons la question des relations en ligne plus en détail dans l'encadré *Au-delà des frontières*.

QUESTION D'ANALYSE CRITIQUE

> À quel point dans une relation intime croyez-vous que la révélation de soi est appropriée ? Quels sont les avantages et les inconvénients potentiels d'une révélation de soi trop hâtive ? Ou trop tardive ?

AU-DELÀ DES FRONTIÈRES

Les relations par Internet

Internet a créé une communauté virtuelle qui a transformé et considérablement accru les moyens de rencontrer un partenaire potentiel et de parler de sexualité (Kreager et coll., 2014 ; Fox et coll., 2013 ; Parker-Pope, 2011). Plus tôt dans ce chapitre, nous avons décrit comment la proximité géographique influence notre attirance envers quelqu'un. Le cyberespace a créé un monde de proximité virtuelle dans lequel les gens peuvent se sentir proches tout en étant séparés par des centaines ou des milliers de kilomètres.

Des internautes peuvent être tentés de visiter des sites spécialisés dans les rencontres sexuelles et amoureuses en y voyant l'occasion de communiquer avec d'autres personnes qui partagent leurs goûts. Certains peuvent naviguer sur le Web à la recherche d'une relation de couple. D'autres peuvent être motivés par le désir de discuter de fantasmes sexuels ou de partager certains comportements sexuels en ligne (Grov et coll., 2011 ; Shaughnessy et coll., 2011). L'absence des contraintes qui accompagnent l'interaction en personne peut expliquer la popularité croissante des rencontres par l'intermédiaire de technologies de l'information et de la communication (TIC). La recherche indique que les hommes sont plus enclins que les femmes à amorcer des rencontres en faisant appel aux TIC (Kreager et coll., 2014). L'anonymat des relations en ligne permet à ceux et celles qui ont de la difficulté à créer des relations directes d'améliorer leur capacité à établir des liens sociaux et à construire en ligne des liens d'attachement très forts (Fleming et Rickwood, 2004 ; Ross et coll., 2007). Par ailleurs, les interactions en ligne donnent aussi aux internautes la possibilité de refuser une demande de liaison romantique tout en se sentant moins stressés que s'ils devaient le faire de vive voix (Tom Tong et Walther, 2011).

La communication en ligne peut contribuer au développement de relations amoureuses en limitant, dans une certaine mesure, l'influence de l'apparence physique dans le processus de séduction. En l'absence de contacts visuels, la perception qu'on se fait de l'autre peut être fortement influencée par l'imaginaire, conférant à cette personne encore plus de puissance attractive (Ben-Ze'ev, 2004 ; Ross et coll., 2007). Les relations romantiques et érotiques peuvent se développer en mettant davantage l'accent sur l'intimité émotionnelle plutôt que sur l'attirance physique (Munger, 1997).

Ces avantages sont contrebalancés par ses inconvénients sous-jacents. Par exemple, une rapide intensification de la relation peut se produire en raison du sentiment de sécurité que procurent l'anonymat (relatif) de l'échange et le confort du foyer lorsqu'on veut révéler ses pensées intimes. Il se peut qu'il y ait une érotisation accélérée de la relation, ce qui pourrait plaire à certaines personnes mais en brusquer d'autres. Les attentes et le sentiment de confiance mis de l'avant en ligne pourraient poser problème lorsque la relation virtuelle se transforme en une relation concrète (Cooper et Sportolari, 1997). Par exemple, en rencontrant le potentiel partenaire en personne, un individu pourrait vivre un malaise ou être déçu de ne pas ressentir la même complicité qu'en ligne ou de constater que l'autre n'est pas à la hauteur de ses attentes.

Il est vrai que certaines personnes mentent lors des rencontres face à face, mais l'Internet offre une plateforme qui rend le mensonge encore plus facile. Par exemple, les gens peuvent mentir lorsqu'ils décrivent leurs champs d'intérêt personnels, leur métier, leur situation familiale, leur âge et même, parfois, leur apparence. En outre, les rencontres en personne de partenaires d'Internet comportent certains risques. Les médias rapportent de nombreux cas d'agression, de violence ou de harcèlement qui surviennent à l'issue de relations par Internet.

Le phénomène des relations en ligne est en pleine évolution et les recherches à venir nous fourniront sans aucun doute une meilleure compréhension de l'impact du Web sur la vie intime des gens.

Discuter de ses préférences sexuelles

Lorsqu'ils planifient une sortie, de nombreux partenaires trouvent naturel d'échanger sur leurs préférences : « Aimerais-tu aller au concert ou préférerais-tu le ciné ? », « Dans quelle rangée aimerais-tu t'asseoir ? », « Préfères-tu la cuisine végétarienne ou italienne ? » En fin de soirée, ils évalueront probablement leur sortie en toute franchise : « Le percussionniste était formidable ! », « Je crois qu'on devrait s'éloigner des haut-parleurs la prochaine fois », « Tu parles : c'est bien la dernière fois que je choisis les langoustines ! » Et pourtant, bien des couples ne songeraient même pas à échanger sur leur plaisir sexuel réciproque.

Admettons qu'il y a une marge entre discuter d'une soirée et débattre de ses préférences sexuelles. Néanmoins, des gens ont bel et bien ce type de dialogue sur la sexualité. Certaines personnes n'hésitent pas à discuter de leurs préférences sexuelles avec un nouveau partenaire avant d'avoir des relations sexuelles. Elles pourront parler des zones de leur corps qui réagissent le mieux, dire comment elles aiment être touchées, indiquer leurs positions sexuelles préférées, la façon la plus agréable pour elles de parvenir à l'orgasme, leurs moments et leurs lieux favoris pour faire l'amour, ce qui les excite ou les rebute particulièrement et une variété d'autres choses qu'elles aiment ou n'aiment pas.

Cette démarche ouverte et franche a l'avantage de permettre aux partenaires de se concentrer sur les activités les plus agréables plutôt que d'avoir à les découvrir après des essais et erreurs. Toutefois, il y a des gens qui trouveront ce genre de dialogue trop clinique, considérant même qu'il les prive de l'excitation et de l'expérimentation sexuelles liées à la découverte mutuelle. De plus, ce qui plaît à une personne varie généralement selon le partenaire, les circonstances, le moment, etc. Il peut donc être difficile de déterminer ses propres préférences à l'avance.

Certains partenaires jugent bon de parler de ce que chacun ressent après une relation sexuelle. Les partenaires se disent alors ce qu'ils ont aimé et ce qui pourrait être amélioré. Chacun peut profiter de l'occasion pour renforcer ce qui a été plutôt satisfaisant (« J'ai aimé ta façon de me toucher à l'intérieur des cuisses »). C'est pourquoi des moments de rétroaction réciproque peuvent être extrêmement profitables et contribuer à approfondir l'intimité entre deux personnes.

QUESTION D'ANALYSE CRITIQUE

> La nature de votre relation sexuelle ou amoureuse (amitié avec bénéfices, cohabitation, mariage) pourrait-elle influer sur ce que vous choisissez de dire ou de taire à votre partenaire ?

Comment refuser une demande sexuelle?

Plusieurs d'entre nous ont de la difficulté à dire non (Chen et coll., 2014). Notre malaise à communiquer un message aussi direct atteint probablement son comble lorsqu'il est question d'intimité relationnelle. Cette situation délicate est illustrée dans les anecdotes suivantes.

> Parfois, ma partenaire veut avoir des rapports intimes alors que je ne recherche qu'un peu d'affection. Le problème? Je n'arrive pas à dire non. J'ai peur de la blesser ou de la mettre en colère. Malheureusement, la seule personne qui est en colère dans ces cas-là, c'est moi. Je m'en veux de ne pas être capable d'exprimer ce que je ressens vraiment. Dans de telles circonstances, disons qu'il n'est pas vraiment plaisant de faire l'amour. (Note des auteurs)

> Il est vraiment difficile de dire non à un homme qui veut faire l'amour avec moi à la fin d'un rendez-vous, surtout si on a passé une bonne soirée. Impossible de savoir si, en refusant ses avances, il aura un air de chien battu ou s'il sera plutôt en colère et agressif. (Note des auteurs)

Ces témoignages mettent en lumière des préoccupations que nous avons tous en commun et qui nous empêchent de dire non. Nous croyons que notre refus blessera l'autre ou le mettra en colère jusqu'à le rendre agressif. Hantés par de telles craintes, nous croyons parfois qu'il est moins angoissant de simplement accepter. Malheureusement, le fait de dire oui à contrecœur peut générer des sentiments négatifs au point que les rapports sexuels seront loin d'être plaisants, et ce, pour les deux partenaires.

Bon nombre de personnes n'ont tout simplement jamais appris qu'il est acceptable de dire non. Plus grave encore, certains d'entre nous n'ont jamais développé de stratégies pour arriver à exprimer un refus. Dans la section suivante, nous présentons certaines manières utiles de dire non.

Une approche en trois temps pour dire non

Plusieurs personnes trouvent utile de prévoir une stratégie ou un plan précis en vue de refuser une invitation ou des rapports intimes. Élaborer une telle stratégie pourrait vous éviter d'être pris au dépourvu et de ne pas savoir comment gérer avec tact une interaction qui risque de s'avérer déplaisante. Une des stratégies possibles comporte les trois étapes, ou phases, suivantes.

1. Exprimez votre reconnaissance de l'invitation (par exemple: «Merci d'avoir pensé à moi» ou «Il est flatteur de savoir que tu m'apprécies assez pour m'inviter»).

Il peut également être une bonne idée de valoriser votre interlocuteur («Tu es quelqu'un de bien»).

2. Refusez de façon claire, sans équivoque («Je ne veux pas avoir de relation sexuelle/aller danser/former un couple avec toi»).

3. Proposez une solution, s'il y a lieu («Mais j'aimerais bien aller dîner avec toi/te faire un massage»).

Les avantages de cette approche sont évidents. D'emblée nous témoignons notre reconnaissance de l'intérêt qui nous est porté. En même temps, nous exprimons clairement que nous ne voulons pas accepter la demande. Finalement, nous mettons fin à l'échange sur une note positive, en proposant une autre solution. Évidemment, cette dernière étape ne sera pas toujours une option envisagée (par exemple, lorsque l'interlocuteur est une personne que nous ne voulons plus revoir). Or, entre deux partenaires, il est souvent possible de trouver une solution qui conviendra à l'un comme à l'autre.

La communication sexuelle non verbale

La communication sexuelle ne se limite pas aux mots. Parfois, un contact de la main ou un sourire peut véhiculer une foule d'informations. Le ton de la voix, les gestes, l'expression du visage et les changements dans la respiration sont aussi d'importants éléments du processus de communication.

> Je peux habituellement dire quand ma chérie a envie d'amour. Son visage est alors empreint d'une douceur spéciale et sa voix est plus rauque. Elle me touche davantage avec ses mains, et c'est comme si son corps devenait plus accessible et plus vulnérable. Il y a du vrai dans tous ces trucs qu'on raconte sur le langage corporel. Elle a rarement besoin d'exprimer verbalement son désir de faire l'amour, parce que je comprends généralement ce qu'elle veut. (Note des auteurs)

> Parfois, lorsque je veux que mon amoureux me touche à un certain endroit, je ne fais qu'approcher cette partie de mon corps de ses mains ou changer de position. Parfois, je guide sa main pour lui montrer quel genre de stimulation je veux. (Note des auteurs)

Ces exemples sont révélateurs de la richesse de sens que la communication non verbale peut apporter à la sexualité, mais ils le sont aussi de l'importance de bien interpréter les signes non verbaux. Une étude a montré que la plupart des participants déclarent savoir quand leur partenaire est ou n'est pas intéressé aux activités sexuelles (Beres, 2010).

Plusieurs disent avoir acquis ces connaissances avec l'expérience ou par *essais et erreurs*, en utilisant une combinaison d'indices contextuels (par exemple, dans un bar), de gestes non verbaux (par exemple, se raidir, se rapprocher physiquement) et du contexte relationnel (aucun intérêt romantique auparavant, fréquentation, etc.) (Beres, 2010). Dans cette section, nous nous intéressons à quatre composantes importantes de la communication sexuelle non verbale : l'expression du visage, la distance interpersonnelle, le toucher et les sons.

L'expression du visage

Malgré l'indiscutable variété d'expressions faciales, nous avons pour la plupart appris à reconnaître les émotions qu'elles transmettent. Le rapprochement et l'intimité entre amoureux sont susceptibles d'accroître encore cette habileté.

On peut ainsi mesurer rapidement le niveau de plaisir de son ou sa partenaire en observant son visage durant l'activité sexuelle. Si l'on constate le ravissement complet, il est probable qu'on poursuivra le même type de stimulation. Sinon, on voudra passer à autre chose ou peut-être inciter l'autre à donner quelques indications verbales.

L'expression du visage fournit aussi de précieuses informations lorsqu'on discute avec son ou sa partenaire de questions sexuelles. Si son visage reflète la colère, l'anxiété ou toute autre perturbation, il pourrait être bon d'en parler immédiatement («Je vois bien que tu es en colère. Pouvons-nous en parler?») Inversement, un visage qui exprime de l'intérêt, de l'enthousiasme ou de la sympathie encouragera vraisemblablement l'autre à partager un sentiment ou une inquiétude. Il est bon aussi d'être attentif aux messages non verbaux qu'on peut transmettre lorsque son ou sa partenaire confie ses pensées ou ses sentiments. Il arrive qu'un dialogue qui pourrait se révéler utile soit interrompu simplement parce qu'un des partenaires a serré les mâchoires ou froncé les sourcils à un moment inopportun.

L'expression du visage reflète nos émotions et constitue un élément très important de la communication non verbale.

La réduction de l'espace interpersonnel est souvent un signe d'attirance et parfois de désir d'un contact plus intime.

La distance interpersonnelle

Les psychologues sociaux et les experts en communication ont beaucoup à dire sur l'*espace personnel*. Essentiellement, cette notion renvoie à la distance, variant d'une culture à l'autre, que nous avons tendance à maintenir avec les gens, selon la nature de nos relations (réelles ou souhaitées) avec eux. L'espace intime dans lequel nous admettons nos amis chers et nos amants permet davantage les contacts que la distance que nous maintenons avec les personnes que nous n'aimons ou ne connaissons pas.

Généralement, lorsqu'une personne tente de réduire la distance qui la sépare d'une autre, c'est un signe non verbal d'attirance ou de désir d'un contact plus intime. Inversement, si quelqu'un recule lorsque son interlocuteur s'approche, on conclura habituellement à un manque d'intérêt ou à un rejet discret.

Les amoureux, dont l'espace interpersonnel est généralement minimal, peuvent utiliser ces indices pour signaler leur désir d'intimité. Quand un des partenaires se rapproche, en offrant son corps aux touchers et aux caresses de l'autre, le message de désir d'intimité physique (pas nécessairement de rapports sexuels) est très manifeste. De même, quand il ou elle se met en boule à l'autre extrémité du lit, c'est peut-être une façon de dire : «S'il te plaît, garde tes distances ce soir.»

Le toucher

Toucher quelqu'un n'est jamais neutre émotionnellement (Houde et Drapeau, 2012). Le toucher est un puissant moyen de communication non verbale entre les amants. Les mains peuvent transmettre des messages extraordinaires. Par exemple, en accroissant le rythme des caresses, une personne peut signaler à son ou sa partenaire son désir d'une plus grande stimulation. En étendant le bras pour l'attirer à elle, elle lui indique ses

Le toucher est un puissant véhicule de la communication sexuelle non verbale.

Les sons

Bien des gens aiment produire des sons ou en entendre durant l'activité sexuelle. Pour certains, l'accélération de la respiration, les gémissements, les grognements et les cris de l'orgasme sont extrêmement excitants. Ces sons peuvent par ailleurs être de bons indices de la réaction du partenaire à l'activité sexuelle. Il y a des personnes que l'absence de sons contrarie tout à fait :

> Mon homme n'émet presque jamais de sons quand nous faisons l'amour. Je trouve cela très ennuyeux. En fait, ça me rebute complètement. Parfois, je ne peux même pas dire s'il est ou non parvenu à l'orgasme. S'il ne bougeait pas, j'aurais vraiment l'impression de faire l'amour à un cadavre. (Note des auteurs)

dispositions pour un contact plus intime. Dans les premiers stades d'une relation, le toucher peut aussi servir à exprimer un désir de rapprochement.

> Lorsque je rencontre un homme qui m'intéresse, j'utilise le contact pour lui transmettre mes sentiments. Toucher son bras pour insister sur un point de discussion ou laisser mes doigts frôler légèrement sa main sur la table sont des façons de faire connaître mes sentiments. (Note des auteurs)

Le toucher sert également à désamorcer la colère et à régler les désaccords entre des amants provisoirement fâchés.

> J'ai découvert qu'un léger contact, amoureusement administré à ma partenaire, fait des merveilles pour nous réunir après une dispute. La toucher, c'est ma façon de rétablir le lien. (Note des auteurs)

Certaines personnes s'efforcent consciemment de réprimer les sons qui pourraient leur échapper durant les ébats amoureux. Ce faisant, elles se privent d'une forme de communication sexuelle non verbale qui pourrait être très évocatrice et agréable. Et il n'est pas rare que ce silence délibéré nuise aussi à l'excitation sexuelle du partenaire, comme l'illustre le témoignage précédent.

Nous avons mentionné plus haut qu'entre amants, tout n'avait pas à être dit. Toutefois, l'expression du visage, la distance interpersonnelle, le toucher et les sons ne peuvent transmettre toute la complexité des besoins et des émotions qui tissent une relation intime ; les mots sont également nécessaires. De plus, les gestes non verbaux requièrent une interprétation et dans certaines situations, cela peut mener à une mésinterprétation et à un conflit potentiel (Humphreys et Newby, 2007). Comme le faisait remarquer l'auteur Bernie Zilbergeld, les actes et les gestes font l'affaire en tant que compléments de la communication verbale, mais, comme substituts, ils ne sont pas vraiment à la hauteur (Zilbergeld, 1978).

RÉSUMÉ

Qu'est-ce que l'amour ?

- Zick Rubin a élaboré un questionnaire en 13 points pour mesurer l'amour.
- L'amour-passion se caractérise par de vifs sentiments de ravissement qui sont généralement de courte durée.

- L'amour-amitié se caractérise par une tendresse et un attachement profonds.
- Selon la théorie triangulaire de Sternberg, l'amour comporte trois dimensions : la passion et l'intimité, qui en sont respectivement les dimensions motivationnelle et affective, et l'engagement, qui en est la

dimension cognitive. Les combinaisons de ces trois dimensions donnent lieu à sept types d'amour.

- Dans un couple, les partenaires ont souvent un mode d'attachement de même type. Les unions les plus répandues sont celles dans lesquelles les deux partenaires ont un mode d'attachement sécurisant.

- Notre mode d'attachement, qui prend sa source dans l'enfance, détermine en grande partie notre manière d'entrer en relation avec nos partenaires amoureux.

- Les enfants qui ont établi des liens sécurisants avec leurs parents font preuve, à l'âge adulte, de meilleures capacités sociales que ceux qui ont établi des liens ambivalents-anxiogènes ou d'évitement avec leurs parents.

- Les adultes qui ont établi un attachement sécurisant sont plus à même d'établir des relations de couple satisfaisantes. Ils sont à l'aise avec les autres dans l'intimité, ne se sentent pas menacés par une relation et n'ont pas peur d'être abandonnés.

- Les adultes dont le mode d'attachement est de type anxieux-ambivalent ont souvent une piètre image d'eux-mêmes, se sentent en danger dans une relation et sont ambivalents dans leurs rapports intimes avec les autres.

- Les adultes dont le mode d'attachement est de type anxieux-évitant perçoivent souvent négativement les autres, leur font peu confiance et n'aiment pas dependre d'une autre personne.

- La liaison amoureuse viendrait d'un besoin de combler sa solitude, d'un désir de justifier son engagement dans une relation sexuelle ou d'une attirance sexuelle.

- L'intense sensation qui accompagne la passion amoureuse a probablement des bases neurochimiques puisqu'elle s'accompagne d'une augmentation forte et subite, dans le cerveau, de noradrénaline, de dopamine et, surtout, de phényléthylamine (PÉA). La passion qui évolue vers l'attachement profond résulterait de l'augmentation progressive des endorphines dans le cerveau.

- Les facteurs qui contribuent à l'attirance interpersonnelle sont la proximité et la familiarité, la similarité, l'humour, la réciprocité et l'attirance physique. Bien souvent, nous entretenons des relations amoureuses avec des gens que nous voyons fréquemment, qui partagent nos goûts et nos opinions, qui nous font rire, qui semblent nous apprécier et qui nous attirent physiquement.

- Les configurations relationnelles et sexuelles non conjugales (CNC) réfèrent à tout type de relation sexuelle vécue par des partenaires qui ne se considèrent pas comme étant en couples. Ces CNC sont conçues comme des moyens faciles d'avoir du plaisir et d'explorer sa sexualité.

- On reconnaît divers de types de CNC en se basant sur des critères tels que le contexte relationnel, la fréquence des relations sexuelles, les activités autres que sexuelles et les règles de fonctionnement.

- Les configurations relationnelles conjugales réfèrent à tout type de relation dans laquelle les partenaires se définissent comme un couple.

- On caractérise les différentes formes de configurations relationnelles conjugales en se basant sur des critères tels que l'entente relative à l'exclusivité sexuelle et émotionnelle, la cohabitation, la parentalité et l'officialisation de la relation.

- Les femmes associent davantage l'amour et le sexe que les hommes, mais la recherche montre que cette différence s'estompe de plus en plus.

- Certains considèrent que la jalousie est un signe d'amour, mais elle exprimerait plutôt la peur de perdre l'autre ou le besoin de contrôler le ou la partenaire.

- La jalousie contribue souvent à accélérer l'émergence de la violence entre conjoints.

- Les recherches ont révélé que les hommes et les femmes réagissent différemment à la jalousie et que les médias sociaux peuvent induire des sentiments de jalousie.

- Les ingrédients généralement présents dans une relation de couple durable sont, notamment, l'acceptation de soi, l'acceptation de l'autre, l'appréciation de l'autre, l'engagement, une bonne communication, des attentes réalistes, l'égalité dans la prise de décision, des champs d'intérêt communs et la capacité d'affronter les conflits efficacement.

- La variété est souvent un ingrédient majeur pour maintenir le bonheur sexuel dans une relation à long terme. Pour certains couples, par contre, la sécurité qu'apporte la routine est plus satisfaisante.

L'importance de communiquer en sexualité

- La communication sexuelle contribue au plaisir et à la satisfaction qu'on retire d'une relation intime ; la communication sexuelle peu fréquente ou inefficace est une raison courante d'insatisfaction par rapport à la vie sexuelle.

- Le fondement d'une véritable communication sexuelle est l'empathie mutuelle, cette assurance tacite que chacun des partenaires se soucie de l'autre.

- La pauvreté du vocabulaire sexuel nuit à une communication efficace.

- Il est souvent difficile de parler de sexualité. Une bonne façon de commencer est de soulever le problème, de lire sur la sexualité et d'en discuter, et d'échanger sur ses expériences sexuelles passées.

- La révélation de soi peut aider le ou la partenaire à faire connaître ses besoins et ses préférences. Il peut être précieux d'échanger sur ses fantasmes, en exprimant d'abord ses désirs les plus inoffensifs.

- Il est plus facile de formuler ses demandes en assumant la responsabilité de son propre plaisir.

- La communication sexuelle ne se limite pas aux mots. L'expression du visage, la distance interpersonnelle, le toucher et les sons transmettent aussi de l'information.

- La communication non verbale prend toute sa valeur surtout lorsqu'elle complète la communication verbale.

CHAPITRE 08

La diversité des pratiques sexuelles

SOMMAIRE

> Les gens expriment leur sexualité de nombreuses façons. Les pratiques sexuelles chez l'humain varient grandement ainsi que les émotions et les sens qui y sont associés. Dans ce chapitre, nous allons décrire les divers comportements et les différentes formes qu'ils peuvent prendre en soulignant l'importance du contexte dans l'expression de la sexualité tant sur le plan individuel qu'interpersonnel.
>
> Avant d'aller plus loin dans la présentation de certains résultats, une mise en garde s'impose. L'esprit humain est ainsi fait que la plupart des gens, à la lecture de statistiques, se comparent naturellement avec la moyenne et, plus ou moins consciemment, la considère comme ce qui est normal. Pourtant, la norme statistique n'a aucune signification en termes de préférences et de satisfaction individuelles ni en termes de recommandations. Il serait donc erroné de considérer les chiffres uniquement sous cet angle. Intéressons-nous d'abord à l'aspect personnel que revêt l'expression de la sexualité.

L'expression sexuelle personnelle

L'individu peut exprimer sa sexualité de différentes façons sans partenaire. Cette section du chapitre discute des pensées et des pratiques sexuelles dans un contexte solitaire.

L'abstinence

Certaines personnes ne sont pas sexuellement actives durant une période de leur vie ou tout au long de leur vie, et ce, pour différentes raisons. On qualifie l'abstinence comme étant une renonciation volontaire aux comportements sexuels individuels ou interpersonnels. Les raisons pour ce choix sont très diverses.

L'abstinence est une notion différente de la *virginité*, cette dernière pouvant être définie comme le fait de ne jamais avoir eu de relation sexuelle au cours de sa vie. La plupart du temps, une personne est considérée comme vierge si elle n'a jamais vécu de rapport coïtal (Gesselman, Webster et Garcia, 2016). Certains adolescents et adolescentes choisissent de rester *techniquement vierges* en n'ayant que des pratiques sexuelles interpersonnelles n'impliquant pas la pénétration vaginale (par exemple, une stimulation manuelle ou buccogénitale) (Uecker, Angotti et Regnerus, 2008). Ces notions peuvent toutefois être contestées (*voir le chapitre 6*).

Les données de l'enquête représentative *Add Health* aux États-Unis ont montré que 8,2 % des adultes âgés de 18 à 27 ans n'ont jamais eu de rapport coïtal (Halpern et coll., 2006). La virginité chez les adultes peut faire l'objet d'un choix personnel (par exemple, chez les personnes asexuelles) ou peut être subie, notamment en raison d'un manque d'opportunités (Boislard, van de Bongardt et Blais, 2016).

En règle générale, on n'a pas tendance à considérer l'abstinence comme une forme d'expression sexuelle. Toutefois, quand elle résulte de la décision délibérée de se refuser à tout comportement sexuel, elle est en soi une expression personnelle de sa sexualité. Il y a deux degrés d'abstinence. Dans l'**abstinence sexuelle complète**, la personne ne se livre ni à la masturbation ni à des pratiques sexuelles avec une autre personne. Dans l'**abstinence sexuelle partielle**, elle se masturbe, mais n'a pas de pratiques sexuelles avec autrui.

L'abstinence est généralement associée à la ferveur religieuse; l'adhésion à un ordre religieux ou la prêtrise commande souvent de faire vœu de chasteté. L'idéal religieux

Abstinence sexuelle complète Renonciation complète aux pratiques sexuelles; la personne ne se masturbe pas et n'a aucune pratique sexuelle avec autrui.

Abstinence sexuelle partielle Renonciation partielle aux pratiques sexuelles; la personne n'a aucune pratique sexuelle avec autrui, mais elle se masturbe.

du célibat est de transformer l'énergie sexuelle en une énergie qui servira au bien de l'humanité (Abbott, 2000). Mère Teresa et, à partir d'un certain âge, le Mahatma Gandhi, en Inde, ont incarné cet idéal et sont toujours admirés pour leur autorité morale (Sipe, 1990). Historiquement, des femmes ont choisi l'abstinence pour éviter les contraintes du mariage et des rôles sexuels associés à la maternité. Par exemple, au Moyen Âge, une femme qui voulait recevoir une éducation se devait de devenir religieuse.

Aujourd'hui, bien des considérations peuvent amener à choisir l'abstinence. Ainsi, des personnes pratiquent l'abstinence jusqu'au mariage pour des motifs moraux, religieux ou culturels. L'abstinence peut sembler une solution valable pour certaines personnes qui choisissent de repousser les relations sexuelles jusqu'au moment de trouver le contexte idéal pour une relation (Zafar, 2010). D'autres, troublées ou déçues par des relations sexuelles passées, désirent prendre le temps d'établir de nouvelles relations, mais en évitant que le facteur sexuel vienne brouiller les cartes (Terry, 2007). Il arrive aussi que la sexualité devienne secondaire pour certaines personnes très préoccupées par d'autres aspects de leur vie. Il faut enfin prendre en considération diverses questions liées à la santé, comme la crainte d'une grossesse ou des infections transmissibles sexuellement et par le sang (ITSS), qui peuvent aussi influer sur la décision de ne pas avoir de relations sexuelles.

D'autres personnes vivent une abstinence dite involontaire quand elles éprouvent des difficultés à trouver un partenaire, quand elles sont soumises à diverses contraintes (par exemple, l'interdiction de relations sexuelles dans certains foyers d'accueil) ou quand un partenaire désiré n'est pas accessible en raison d'une séparation (un déploiement militaire, un travail dans un pays étranger, etc.). Pour certaines personnes, l'expérience est difficile, mais d'autres trouvent enrichissant de vivre des périodes d'abstinence. Elles peuvent alors profiter de ce moment de répit pour se recentrer sur elles-mêmes et explorer des plaisirs personnels d'une autre nature, apprendre à apprécier la solitude et l'autonomie, ou accorder la priorité au travail et aux relations interpersonnelles sans échanges sexuels. L'amitié peut apporter de nouvelles dimensions à l'accomplissement personnel.

En tant que choix possible d'expression de la sexualité, l'abstinence est souvent très mal comprise surtout dans un contexte social où les relations sexuelles sont considérées comme faisant obligatoirement partie de la vie adulte. Malgré tout, l'abstinence demeure un choix personnel valable.

Les rêves érotiques et les fantasmes sexuels

Certaines expériences sexuelles se passent mentalement, qu'elles soient accompagnées ou non de pratiques sexuelles. Les rêves érotiques et les fantasmes sexuels sont des productions mentales d'un contenu sexuel explicite ou symbolique. Cette faculté qu'a l'humain de se représenter mentalement des désirs érotiques fait de l'imaginaire une véritable zone érogène (Crépault et Samson, 1999). Les rêves érotiques et les fantasmes sexuels sont les fruits de notre créativité et de notre imaginaire, des expériences de vie. Ils prennent aussi leur source dans l'Internet, tout comme dans des livres, des dessins, des photographies, des films et d'autres sources médiatiques.

Les rêves érotiques

Les rêves érotiques et, à l'occasion, l'orgasme peuvent se produire durant le sommeil, indépendamment de la volonté. Une étude rapporte que 93 % des hommes et 86 % des femmes ont des rêves érotiques (Schredl et coll., 2004). Une personne peut s'éveiller durant un rêve érotique et noter des signes d'excitation : érection, lubrification vaginale, mouvements du bassin. Un orgasme peut aussi survenir pendant le sommeil : on parle alors d'un *orgasme nocturne*. Celui-ci s'accompagne habituellement d'une éjaculation, d'où l'expression *rêve mouillé* ou *éjaculation nocturne*. Les femmes ont aussi des orgasmes nocturnes, mais ceux-ci sont moins faciles à déterminer en raison de l'absence de signes clairs.

Les fantasmes sexuels

Les fantasmes sexuels se produisent généralement durant un rêve éveillé, la masturbation ou une activité sexuelle avec une autre personne. Les résultats de plusieurs recherches montrent qu'environ 95 % des hommes et des femmes ont des fantasmes sexuels (Leitenberg et Henning, 1995). Selon une étude utilisant l'imagerie cérébrale, certaines femmes sont capables d'atteindre l'orgasme par le seul fait de fantasmer (Broad, 2013).

Une enquête en ligne récente réalisée par des chercheurs du département de psychologie à l'Université du Québec à Trois-Rivières a examiné les sujets des fantasmes de 1516 québécoises et québécois âgés de 18 à 77 ans (Joyal et coll., 2014). Le tableau 8.1 à la page suivante indique les pourcentages d'hommes et de femmes dont les fantasmes sexuels portent sur un sujet particulier. Joyal et ses collaborateurs affirment qu'il faut faire preuve de prudence quand il s'agit de considérer qu'un fantasme est rare, anormal ou malsain. (*Au chapitre 9, nous discuterons des fantasmes jugés problématiques selon une perspective médicale.*) Dans le cadre de cette étude, les seuls fantasmes qui étaient statistiquement rares étaient ceux qui mettaient en cause des rapports sexuels avec des animaux et ceux avec des enfants de moins de 12 ans.

La fonction des fantasmes sexuels Les fantasmes sexuels et la rêverie ont plusieurs fonctions. D'abord, ils contribuent à l'éveil et à l'activation de l'excitation sexuelle (Stockwell et Moran, 2014). Les pensées

TABLEAU 8.1 La présence de certains sujets de fantasmes sexuels chez les hommes et les femmes en ordre décroissant

SUJET	PRÉSENCE DU FANTASME (%) FEMMES (n=799)	PRÉSENCE DU FANTASME (%) HOMMES (n=717)
Éprouver des émotions romantiques au sein d'un couple.	92,2	88,3
Pratiquer une stimulation buccogénitale.	78,5	87,6
Avoir un rapport sexuel dans un endroit inhabituel (par exemple, au bureau ou dans des toilettes publiques).	81,7	82,3
Avoir un rapport sexuel dans un endroit romantique (par exemple, sur une plage déserte).	84,9	78,4
Avoir un rapport sexuel avec quelqu'un qui n'est pas le partenaire habituel.	66,3	83,4
Masturber son partenaire.	68,1	76,4
Se faire masturber par son partenaire.	71,4	71,4
Avoir un rapport sexuel avec deux femmes.	36,9	84,5
Regarder deux femmes faire l'amour.	42,4	82,1
Avoir un rapport sexuel avec une personne inconnue.	48,9	72,5
Avoir une relation sexuelle à la vue du public.	57,3	66,1
Être dominé(e) sexuellement.	64,6	53,3
Faire un cunnilingus.	35,7	78,1
Avoir un rapport sexuel avec une célébrité ou une personne bien connue.	51,7	61,9
Faire une fellation.	72,1	26,8
Dominer une personne sexuellement.	46,7	59,6
Se faire masturber par une connaissance.	36,8	64,7
Être attaché(e) par quelqu'un pour obtenir du plaisir sexuel.	52,1	46,2
Masturber une connaissance.	33,1	65,9
Se faire masturber par une personne inconnue.	33,4	62,5
S'adonner à la pénétration anale.	32,5	64,2
Avoir un rapport sexuel avec plus de deux femmes.	24,7	75,3
Masturber une personne inconnue.	28,0	62,4
Attacher quelqu'un pour obtenir du plaisir sexuel.	41,7	48,4
Regarder quelqu'un se déshabiller en cachette.	31,8	63,4
Éjaculer sur son (sa) partenaire.	--	80,4
Peloter une personne inconnue dans un endroit public (par exemple, dans le métro).	19,8	48,4
Taper ou fouetter les fesses de quelqu'un pour obtenir du plaisir sexuel.	23,8	43,5
Se faire taper ou fouetter les fesses pour obtenir du plaisir sexuel.	36,3	28,5
Avoir un rapport sexuel avec une personne du même sexe.	36,9	20,6
Pratiquer l'échangisme avec un couple connu.	17,5	42,3

TABLEAU 8.1 La présence de certains sujets de fantasmes sexuels chez les hommes et les femmes en ordre décroissant (*suite*)

SUJET	PRÉSENCE DU FANTASME (%) FEMMES (*n*=799)	PRÉSENCE DU FANTASME (%) HOMMES (*n*=717)
Être forcé d'avoir un rapport sexuel.	28,9	30,7
Avoir un rapport sexuel avec un objet fétiche ou un objet non sexuel.	26,3	27,8
Avoir un rapport sexuel avec une prostituée ou une danseuse.	12,5	39,5
Avoir un rapport sexuel avec plus de trois hommes.	28,3	13,1
S'exposer nu ou partiellement nu dans un endroit public.	16,6	23,2
Forcer une personne à un rapport sexuel.	10,8	22,0
Abuser d'une personne qui est soûle, qui dort ou qui est inconsciente.	10,8	22,6
Avoir un apport sexuel avec un animal.	3,0	2,2
Avoir un rapport sexuel avec un enfant de moins de 12 ans.	0,8	1,8

Source : Traduit de Joyal et coll., 2014.

érotiques servent typiquement à rehausser l'excitation sexuelle lors de la masturbation et des relations sexuelles. Les fantasmes sexuels servent également à se préparer à de nouvelles expériences sexuelles. En imaginant des regards séducteurs, un premier baiser ou une nouvelle position coïtale, certaines personnes seront peut-être plus à l'aise quand viendra le temps d'en faire réellement l'expérience (Leitenberg et Henning, 1995).

Les fantasmes sexuels permettent aussi l'évacuation partielle des désirs irréalisés et irréalisables; ils peuvent combler certains besoins psychoaffectifs, conscients ou non, tels que les besoins de valorisation de soi, de dépendance, de consolidation de l'identité sexuelle et de sécurité. Les fantasmes sexuels se prêtent bien aussi aux usages défensifs, car ils permettent de combler un vide, de surmonter l'ennui ou une expérience sexuelle traumatisante (Birnbaum, 2007; Crépault et Samson, 1999; Kahr, 2008). Ainsi, par ses fantasmes sexuels, la personne peut, par exemple, se donner l'illusion d'être aimée et désirée, d'avoir beaucoup de charme ou de *sex-appeal*.

Les fantasmes sexuels sont également une manière d'exprimer des *désirs interdits*. L'aspect interdit peut d'ailleurs rendre un fantasme plus excitant. Les gens en couple monogame peuvent ainsi fantasmer sur leurs anciens amants ou d'autres personnes qui les attirent en demeurant fidèles à leur partenaire sans avoir de relations sexuelles extraconjugales. Les fantasmes ayant trait aux *désirs défendus* sont nombreux : une personne peut s'imaginer avoir des relations sexuelles en groupe, avec une personne d'un autre sexe que d'habitude, avec un étranger, des amis ou des connaissances, un membre de la famille, avec des animaux et toute autre activité imaginable, sans que cela porte à conséquence.

Une autre fonction des fantasmes sexuels est d'aider à se libérer des attentes liées aux rôles masculins et féminins (Pinhas, 1985). Une femme qui fantasme à l'idée de forcer quelqu'un à un rapport sexuel et un homme qui fantasme d'être contraint à un rapport sexuel vont à contre-courant des stéréotypes sexuels. Selon l'étude de Joyal et ses collaborateurs (2014), 30,7 % des hommes et 28,9 % des femmes ont eu ce fantasme (*voir le tableau 8.1*). Traditionnellement, la recherche montre que les femmes vivent plus de fantasmes de rapports sexuels forcés que les hommes, puisque de 31 à 57 % d'entre elles indiquent avoir eu ce type de fantasmes (Critelli et Bivona, 2008). Les notions de contrôle, d'agression et de sexualité n'ont pas la même signification chez les deux sexes. Pour les femmes qui ont appris à entretenir des sentiments mitigés par rapport à leur sexualité, ce genre de fantasmes peut être une façon de se déresponsabiliser et de ne pas se sentir coupables (Critelli et Bivona, 2008). Toutefois, selon une recherche récente, les femmes ayant des fantasmes de viol rapportent plus communément une attitude «ouverte à l'expérience sexuelle» qu'une dynamique «d'évitement de la culpabilité sexuelle» (Joyal et coll., 2014). De plus, ces femmes sont également plus ouvertes aux fantasmes en général, plus susceptibles d'avoir des fantasmes consensuels, et plus susceptibles de déclarer avoir des fantasmes de domination à l'égard des hommes pour les forcer à se soumettre sexuellement contre leur volonté. Une autre étude a révélé que les femmes ayant des fantasmes de rapports sexuels forcés avaient une bonne estime de soi (Bivona et coll., 2012). Ce type de fantasme sexuel ne serait pas un signe que la femme a subi des sévices dans le passé (Critelli et Bivona, 2008). En outre, le fait d'avoir des fantasmes sexuels de soumission ne signifie aucunement qu'une personne désire être agressée. En effet, dans le fantasme, la personne invente le scénario et contrôle ce qui lui arrive, ce qui n'est pas le cas de la victime d'une agression sexuelle.

Les différences et les ressemblances entre les fantasmes sexuels chez les hommes et les femmes
Quelles sont les situations qui vous portent à fantasmer? Lisez les deux descriptions qui suivent et déterminez celle qui vous incite le plus au fantasme.

A   Pour des raisons obscures, vous vous retrouvez soudain seul(e) dans un lieu paradisiaque. Vous découvrez que cet endroit est habité par des gens qui font de vous leur chef suprême. Vous obtenez alors tous les pouvoirs et plus rien ne vous est interdit. Dans ces conditions, imaginez une mise en scène érotique qui serait la plus stimulante pour vous, celle qui réunit les composantes susceptibles de vous apporter le maximum de plaisir.

ou

B   Seul(e) depuis longtemps, vous êtes en voyage; la soirée est douce, la musique et les odeurs sont envoûtantes. Vous avez besoin de vous retrouver, de ne plus faire de compromis. L'autre danse; son corps est souple et ferme. Son regard rempli de désir pour vous est presque douloureux: une émotion d'intensité, une invitation au plaisir. Des souvenirs de moments particulièrement érotiques cherchent à occuper votre esprit, vos sens. Et si…

Cet exercice, tiré d'un cours de formation en sexologie, fait ressortir des différences entre les hommes et les femmes quant à la fantasmatique. La première situation inspire plus d'hommes que de femmes, et la seconde, plus de femmes que d'hommes. Et vous, laquelle avez-vous choisie?

Bien que ces différences témoignent beaucoup de la socialisation différentielle des sexes et qu'elles soient largement associées aux stéréotypes de genre, les vies fantasmatiques des hommes et des femmes présentent certains points communs. Premièrement, la fréquence des fantasmes est similaire chez les deux sexes durant une activité sexuelle avec une autre personne (Leitenberg et Henning, 1995). Deuxièmement, comme l'a montré l'enquête de Joyal et ses collaborateurs (2014), le contenu fantasmatique le plus commun et rapporté par 92 % des femmes et 88 % des hommes comprend des sentiments romantiques à l'égard de son partenaire durant une relation sexuelle, suivi par le sexe oral et des endroits inhabituels et romantiques (*voir le tableau 8.1 la page 218*). Par ailleurs, les sujets de fantasmes sont aussi diversifiés chez les deux sexes (Joyal et coll., 2014).

Mais les rapports de recherche portant sur les fantasmes sexuels des individus hétérosexuels font aussi ressortir certaines différences:

- Le contenu des fantasmes sexuels suit souvent les stéréotypes sexuels modernes (Zurbriggen et Yost, 2004). Par exemple, ceux des hommes se concentrent généralement davantage sur les actes sexuels explicites, les corps nus et le plaisir sexuel, tandis que ceux des femmes sont généralement à plus forte teneur affective et romantique.

- Les hommes ont plus de fantasmes sexuels en dehors des activités sexuelles que les femmes. Cette différence semble être liée à leur plus grande habileté à codifier érotiquement les stimulations sexuelles, peut-être parce qu'ils ont appris, au cours du processus de socialisation, à être plus audacieux et moins inhibés que les femmes (Crépault et Samson, 1999; Pasini et Crépault, 1987).

- Les fantasmes des femmes portent généralement sur ce que l'autre va leur faire et sur l'intérêt que leur propre corps suscite chez leur partenaire, tandis que ceux des hommes sont souvent plus actifs et portent davantage sur le corps de la femme ainsi que sur ce qu'ils voudraient lui faire (Leitenberg et Henning, 1995).

- Une étude examinant les réactions à différents types d'histoires érotiques a montré que les femmes se disent plus excitées par les histoires érotiques explicites et suggestives, comparativement aux hommes, qui manifestent une plus grande excitation sous l'effet des histoires érotiques explicites seulement (Scott et Cortez, 2011).

- Les hommes fantasment plus souvent que les femmes, décrivent leurs fantasmes de façon plus détaillée et souhaitent plus réaliser leurs fantasmes dans la vraie vie que les femmes (Joyal et coll., 2014).

- Comparativement aux femmes, les hommes rapportent significativement plus souvent des fantasmes à contenus particuliers, par exemple des relations sexuelles avec une personne autre que leur partenaire et qui leur est inconnue, le sexe anal, l'acte d'uriner, et le fait de regarder leur partenaire féminin avoir des relations sexuelles avec un autre homme (Joyal et coll., 2014).

- Plus de femmes vont rapporter des fantasmes de soumission, et plus d'hommes, des fantasmes de domination (Joyal et coll., 2014).

De plus, Joyal et ses collaborateurs (2014) font remarquer que le pourcentage d'hommes et de femmes qui ont des fantasmes sexuels mettant en scène des personnes de même sexe surpasse les pourcentages déclarés de fantasmes d'homosexualité et de bisexualité.

Les fantasmes sexuels: utiles ou nuisibles?   On considère généralement les fantasmes sexuels comme des aspects sains et utiles de la sexualité (Goleman, 2006).

Pour certaines personnes, les fantasmes sexuels favorisent l'excitation et l'orgasme lors des activités sexuelles. Inversement, l'absence de fantasmes sexuels et le fait de ne pas avoir de pensées érotiques peuvent contribuer à des troubles du désir sexuel et de l'excitation sexuelle (Boss et Maltz, 2001 ; Purdon et Watson, 2011).

Les agressions sexuelles subies pendant l'enfance s'accompagnent parfois, chez l'adulte, de fantasmes sexuels envahissants et indésirables. Parvenir à développer de nouveaux fantasmes sexuels basés sur l'acceptation de soi et l'amour peut alors s'inscrire dans une démarche thérapeutique (Boss et Maltz, 2001). Comme pour la plupart des autres aspects de la sexualité, ce qui fait qu'un fantasme sexuel est bénéfique ou nuisible à la relation dépend de sa signification et des objectifs poursuivis par les individus. Claude Crépault, cofondateur du département de sexologie de l'UQAM, a élaboré, au début des années 1980, une approche thérapeutique de type psychodynamique dans le traitement des divers troubles sexuels. Le but de cette approche est de découvrir, dans un premier temps, les conflits inconscients à l'origine des troubles sexuels que présente la personne, puis de neutraliser ces conflits en travaillant sur l'imaginaire érotique. La personne est ainsi appelée à comprendre le rôle de ses fantasmes dans sa sexualité et à apprendre à s'en servir pour améliorer sa qualité de vie sexuelle. Cette approche porte le nom de *sexoanalyse* (Crépault, 1997, 2007).

Certaines personnes décident de partager leurs fantasmes, voire de réaliser concrètement un fantasme particulier dans une relation sexuelle avec leur partenaire. Vivre un fantasme peut être une source de plaisir ; par contre, si cela rend l'autre mal à l'aise ou va à l'encontre de son système de valeurs, les conséquences peuvent être négatives. Chacun doit soupeser les avantages et les inconvénients qu'il y a à concrétiser ainsi ses fantasmes sexuels. Il y a des gens pour qui les fantasmes sexuels sont plus excitants lorsqu'ils demeurent comme tels, sans actualisation. Le seul fait de confier un fantasme à son partenaire peut créer de l'inconfort ou provoquer un conflit.

Plusieurs technologies et activités liées à Internet offrent un compromis entre les fantasmes sexuels privés et leur réalisation. Le partage de ses fantasmes sexuels sur Internet – à l'occasion de séances de clavardage, de jeux érotiques multijoueurs ou à l'aide d'une caméra Web nécessite de se dévoiler à des étrangers. Or, le fait de communiquer ainsi ses fantasmes à des inconnus peut amener certaines personnes à les dévoiler à leur partenaire réel, ce qu'elles n'auraient pas osé faire auparavant.

Bien que la plupart des rapports de recherche indiquent que l'imaginaire érotique joue un rôle positif, certains fantasmes sont parfois associés à des relations sexuelles moins satisfaisantes ainsi qu'à d'autres problèmes (Perel, 2003). Par exemple, certains hommes ont de la difficulté

Certaines personnes ont recours à des technologies telles que la caméra Web pour partager leurs fantasmes sexuels sur Internet.

à atteindre l'orgasme parce que les fantasmes sexuels dont ils ont besoin pour parvenir à un niveau élevé d'excitation ne concordent pas avec les pratiques sexuelles qu'ils ont avec leur partenaire (Crépault et Samson, 1999 ; Perelman, 2001).

La plupart des gens font la différence entre le monde des fantasmes et le monde réel, de sorte qu'ils s'abstiennent de réaliser des fantasmes sexuels potentiellement nuisibles pour eux ou pour leur relation. Il arrive cependant que le fantasme oriente une personne vers une conduite dangereuse pour elle ou pour les autres. Il s'agit de comportements problématiques qui peuvent faire l'objet d'un diagnostic médical, comme les troubles paraphiliques, que nous aborderons au chapitre 9. C'est notamment le cas des agresseurs sexuels lorsqu'ils s'en prennent à des personnes non consentantes. Les personnes qui se croient capables de commettre de tels actes devraient demander de l'aide professionnelle.

La masturbation

Durant l'histoire judéo-chrétienne, la masturbation a régulièrement été source d'opprobre et objet de censure. Voilà qui explique les faussetés qui circulent toujours à son sujet, de même que la honte et la crainte considérables qu'elle suscite chez beaucoup de personnes. Plusieurs attitudes négatives à l'égard de la masturbation émanent des conceptions du judaisme et du christianisme, selon lesquelles la procréation est l'unique fin légitime de la sexualité. Comme la masturbation n'est manifestement pas liée à la conception, on la condamna (Wiesner-Hanks, 2000). À une époque, on croyait que la semence masculine était faite de petits êtres humains et que le ventre maternel servait à les nourrir pour qu'ils grandissent (Allgeier et Allgeier, 1989). Toute éjaculation hors du corps féminin étant alors considérée comme une sorte de meurtre de milliers de petits êtres, il fallait donc la combattre par tous les moyens. Au milieu du XVIIIe siècle, surtout sous la plume d'un médecin européen nommé Samuel Tissot, les *fléaux* de la masturbation défrayèrent la chronique scientifique. Pendant des générations, cette vue négative modela les attitudes sociales et médicales en Europe et en Amérique du Nord.

Au XIXe siècle, on considérait l'abstinence sexuelle, les aliments simples et la bonne forme physique comme les composantes essentielles de la santé. Le révérend Sylvester Graham, un Américain qui faisait la promotion des farines de grains entiers et dont le nom demeure associé à une marque de biscuits, écrivait que l'éjaculation disséminait de *précieuses substances vitales*. Il conjurait les hommes de renoncer à la masturbation et même aux rapports conjugaux de façon à éviter la dégénérescence morale et physique. John Harvey Kellogg, un médecin, poussa plus loin les enseignements de Graham et créa les flocons de maïs qui devaient être un remède contre la masturbation et le désir sexuel, consommés de préférence avec seulement de l'eau tiède. On recommandait par ailleurs d'autres techniques de contrôle de la masturbation qui consistaient à s'envelopper les parties génitales de bandages, à s'attacher les mains durant la nuit, à pratiquer la clitoridectomie, à enduire le clitoris de phénol (un acide pouvant causer des brûlures) et à suturer le prépuce. On proposait également des dispositifs mécaniques (Planned Parenthood Federation of America, 2003).

Sigmund Freud et la plupart des premiers psychanalystes ont reconnu que la masturbation n'était pas nuisible à la santé physique et ils la considéraient comme normale durant l'enfance. Toutefois, ils croyaient qu'elle pouvait mener ceux qui la pratiquaient à l'âge adulte à souffrir d'un développement sexuel *immature* et d'une inhabileté à établir de bonnes relations sexuelles (Rosewarne, 2014).

Bien que les opinions contemporaines sur la masturbation soient principalement positives, la condamnation traditionnelle est encore en vigueur. En 1976, le Vatican a émis sa *Déclaration sur certaines questions d'éthique sexuelle* dans laquelle la masturbation est décrite comme un acte intrinsèquement et profondément immoral. Cette position a été réitérée en 1993 par le pape Jean-Paul II, qui a condamné la masturbation en la qualifiant de moralement inacceptable. Bon nombre de religions fondamentalistes partagent cette opinion et renoncent à la masturbation.

> Je ne me masturbe pas, parce que je tiens de l'Église et de mes parents que l'amour sexuel dans le mariage est une manifestation de l'amour de Dieu. Toute autre forme de sexualité réduit le sens que j'y trouverai avec mon épouse. (Note des auteurs)

Par contre, plusieurs voient la masturbation comme une dimension positive et saine de la sexualité. Par exemple, selon Betty Dodson, auteure et éducatrice en sexualité, la masturbation est la première activité sexuelle naturelle. C'est par elle qu'on découvre l'érotisme, qu'on apprend à répondre sexuellement, à s'aimer soi-même et à construire son estime de soi (Dodson, 1974). Les résultats des recherches récentes confirment le point de vue de Dodson : les femmes qui se masturbent ont plus de fantasmes sexuels que les femmes qui ne se masturbent pas, elles ont également plus de facilité à atteindre l'excitation sexuelle et l'orgasme, et leur répertoire sexuel est plus grand (Carvalheira et Leal, 2013).

Les motifs et les bienfaits de la masturbation

Les gens se masturbent pour diverses raisons, parmi lesquelles l'excitation et l'orgasme occuperont toujours une place importante. Les gens y voient le plus souvent un moyen de relâcher la tension sexuelle (Michael et coll., 1994), mais c'est aussi une façon de mieux se connaître. De fait, l'autostimulation permet d'en apprendre énormément sur ses réactions sexuelles. Elle est souvent d'une grande aide pour les femmes qui apprennent à atteindre l'orgasme et pour les hommes qui veulent expérimenter des façons d'augmenter leur contrôle éjaculatoire (Bowman, 2014). (*Nous présentons la masturbation en tant que moyen d'accroître la satisfaction sexuelle au chapitre 9.*) Enfin, plusieurs personnes trouvent que la masturbation les aide à s'endormir le soir, car elle leur procure le même sentiment de relaxation qu'une relation sexuelle (Ellison, 2000 ; Freeman, 2009).

La satisfaction tirée d'une séance d'autoérotisme est parfois plus grande que celle que procure une relation sexuelle, comme en témoigne ce qui suit.

> J'avais toujours considéré la masturbation comme une manifestation sexuelle de second ordre. Jusqu'au jour où, en comparant mon agréable expérience de masturbation matinale avec l'échange sexuel peu satisfaisant que j'avais eu en soirée avec un partenaire, j'ai compris que ce genre de jugement est très relatif. (Note des auteurs)

Le *National Survey of Sexual Health and Behaviour* (NSSHB) a montré que 60 à 72 % des femmes et 81 à 84 % des hommes âgés de 18 à 29 ans se sont masturbés au cours de la dernière année (Herbenick et coll., 2010a). Selon la même étude, la masturbation continue d'être une pratique courante chez les personnes d'un âge plus avancé, tant chez les hommes que chez les femmes. Bien que les analyses dans cette recherche indiquent que les hommes se masturbent plus fréquemment que les femmes, elles indiquent aussi que les attitudes par rapport à la masturbation chez les deux sexes sont très similaires.

Ces analyses ont montré que les différences en matière d'attitudes et de comportements sont moins grandes dans les pays où les rapports entre les sexes sont égalitaires, comparativement aux pays moins égalitaires, ce qui démontre la forte influence des facteurs socioculturels (Petersen et Hyde, 2011).

Certaines personnes considèrent que la détente sexuelle distincte et particulière que leur offre la masturbation peut les aider à prendre de meilleures décisions concernant leurs relations sexuelles. Par exemple, la masturbation peut s'avérer une option sécuritaire en matière de risque de transmission des infections (Shelton, 2010). De même, dans un couple, la masturbation peut contribuer à niveler les effets d'un intérêt sexuel divergent. Elle peut être une expérience partagée :

> Lorsque, contrairement à moi, mon partenaire n'a pas envie de faire l'amour, il me prend dans ses bras et m'embrasse pendant que je me masturbe. Aussi parfois, après avoir fait l'amour, j'ai envie de me caresser pendant qu'il m'étreint. C'est tellement meilleur que de se faufiler en solitaire vers la salle de bains. (Note des auteurs)

QUESTION D'ANALYSE CRITIQUE

> Selon vous, qu'est-ce que les parents devraient dire à leurs enfants à propos de la masturbation ?

Les gens qui s'adonnent à la masturbation craignent souvent de le faire trop fréquemment. Même dans les écrits qualifiant la masturbation de normale, l'excès est souvent présenté comme malsain. Mais on définit rarement ce qu'on entend par *excès*. Il est physiologiquement impossible de *trop* se masturber (Comfort, 1967). Si une personne se masturbait au point que ce comportement nuise à un aspect quelconque de sa vie, il y aurait probablement lieu de s'inquiéter. La masturbation serait alors le symptôme ou le signe d'un problème plutôt que le problème lui-même. Par exemple, quelqu'un qui éprouverait une très grande angoisse pourrait se masturber compulsivement dans l'espoir de trouver le calme et le réconfort. Le problème, dans ce cas, serait une intense anxiété émotionnelle et non la masturbation.

Plusieurs considèrent que la masturbation est inappropriée chez les personnes qui sont en couple. Certains croient qu'ils ne devraient pas s'engager dans une pratique sexuelle à laquelle leur partenaire ne participe pas, ou encore que le plaisir sexuel tiré de la masturbation prive leur partenaire, en quelque sorte, d'une certaine jouissance. D'autres interprètent à tort le désir de leur partenaire de se masturber comme un signe que quelque chose ne va pas dans leur relation. Pourtant, il est courant que les gens continuent à se masturber une fois en couple (Herbenick et coll., 2010b ; Reece et coll., 2010a). En fait, les individus dont les relations sexuelles sont les plus fréquentes sont aussi ceux qui se masturbent le plus souvent (Laumann et coll., 1994). La masturbation est une composante très commune du répertoire sexuel des individus, qu'ils soient en couple ou non. Or, bien qu'elle puisse apporter des bienfaits à certaines personnes dans certains contextes, ce n'est pas tout le monde qui souhaite la pratiquer. Parfois, lorsque l'on tente d'aider les gens à surmonter leurs sentiments négatifs au sujet de la masturbation, il peut arriver que certains d'entre eux croient qu'il faut absolument adopter ce comportement, mais ce n'est pas le cas. La masturbation est une option et non une obligation.

Des techniques de masturbation

Il y a plusieurs techniques de masturbation. Les hommes prennent généralement la hampe de leur pénis d'une main, comme l'illustre la figure 8.1 à la page suivante. Certains enduisent leur organe de lubrifiant ; d'autres préfèrent une friction naturelle. La stimulation s'obtient par des mouvements alternatifs de haut en bas le long de la hampe du pénis en variant le rythme et la pression des caresses. L'homme peut aussi caresser le gland et le frein du pénis et titiller le scrotum ou tirer dessus par petits coups. Ou, au lieu de se servir de ses mains, il peut frotter son pénis contre le matelas ou un oreiller.

Les femmes disposent d'une plus grande variété de techniques de masturbation que les hommes (Joannides, 2014). Généralement, elles effectuent des mouvements circulaires, d'avant en arrière et de haut en bas sur le mont de Vénus et la région clitoridienne (*voir la figure 8.2 à la page suivante*). Le gland du clitoris est rarement stimulé directement, bien qu'il puisse l'être indirectement lorsque le capuchon le recouvre. Certaines femmes frottent la région clitoridienne contre un drap, un oreiller ou un autre objet. D'autres se masturbent en pressant les cuisses l'une contre l'autre et en contractant les muscles de la paroi pelvienne qui sous-tendent la vulve. Certaines femmes vont pénétrer le vagin avec un doigt ou un objet durant la masturbation, surtout pour stimuler le complexe clitoridien, aussi connu comme la région du point G (*voir le chapitre 3*). Plusieurs femmes sont portées à caresser leurs seins ou d'autres parties de leur corps durant la masturbation.

FIGURE 8.1 **La masturbation masculine**

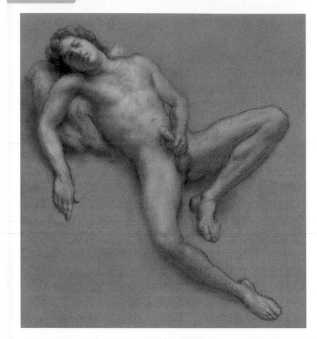

FIGURE 8.2 **La masturbation féminine**

Contrairement à la mise en scène pornographique courante, peu de femmes utilisent la pénétration vaginale pour atteindre l'orgasme par la masturbation.

Pour augmenter le plaisir et la variété, nombre d'individus et de couples se servent aussi de vibrateurs et de divers jouets sexuels. Leur utilisation a connu une recrudescence depuis quelques décennies (Sandell, 2014). La recherche montre qu'environ 53 % des femmes et 45 % des hommes ont utilisé un jouet sexuel en solitaire ou dans le cadre des activités sexuelles avec un partenaire, et que l'utilisation d'un vibrateur chez les deux sexes est associée à une meilleure fonction sexuelle (Herbenick et coll., 2011b ; Reece et coll., 2010a). L'utilisation des jouets sexuels est plus courante chez les hommes gais et bisexuels que chez les hommes hétérosexuels. Presque 79 % des hommes qui se disent gais ou bisexuels ont déjà utilisé un jouet sexuel seul ou avec un partenaire (Rosenberger et coll., 2012).

Quatre-vingt-dix pour cent des femmes qui se masturbent avec un vibrateur sont à l'aise d'en parler avec leur partenaire, et bon nombre de couples intègrent les vibrateurs dans leurs jeux sexuels (Berman, 2004).

Le vibrateur n'est que l'un des objets servant à l'autostimulation sexuelle. Le godemiché, ou similipénis, est utilisé pour accroître l'excitation sexuelle. On emploie aussi de petits godemichés pour la stimulation anale. Pendant des milliers d'années, les femmes, en Chine et au Japon, ont eu recours aux boules de *ben wa*, ou boules de geishas, pour parvenir au plaisir. Ces deux boules, l'une vide et l'autre remplie d'un liquide lourd, s'insèrent dans le vagin tandis que la femme est étendue dans un hamac ou assise sur une balançoire, de façon à ce que le mouvement fasse bouger les boules et lui procure des sensations internes. Ces boules chinoises sont aujourd'hui disponibles dans le monde occidental. Les hommes peuvent aussi se masturber à l'aide d'objets en latex ou en caoutchouc simulant les organes génitaux féminins. Une nouvelle version d'un jouet similivagin, le *Fleshlight*, s'attache à un iPad quand l'homme veut l'utiliser en regardant de la pornographie, ou en utilisant Skype ou FaceTime avec une autre personne. Certains gadgets sexuels plus élaborés permettent de stimuler simultanément plusieurs zones génitales, et on met constamment au point de nouvelles variétés (Davies, 2011). Le We-Vibe est la nouvelle génération des vibrateurs. La femme peut l'utiliser seule ou durant des relations sexuelles avec un partenaire. Ce vibrateur est accompagné d'une application téléchargeable sur un appareil intelligent, permettant ainsi le contrôle de l'intensité des vibrations par le partenaire à partir de n'importe quel endroit au monde.

L'expression sexuelle interpersonnelle

Jusqu'à maintenant, nous avons examiné diverses façons d'exprimer sa sexualité en solo. Toutefois, un grand nombre de pratiques sexuelles ont lieu dans le cadre

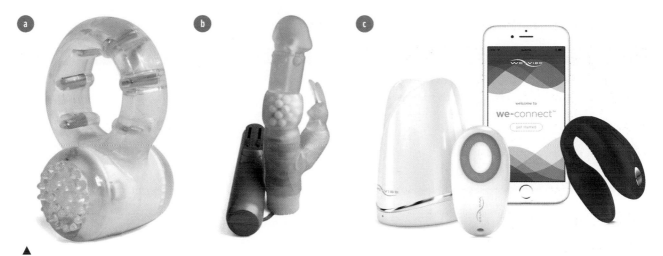

a) L'anneau de cet objet se fixe à la base du pénis et le tonnelet stimule le clitoris. b) Les vibrateurs se présentent sous différentes formes. c) Le We-Vibe est un vibrateur de nouvelle génération dont l'intensité est contrôlée à distance par une application installée sur un appareil intelligent.

de relations interpersonnelles. Dans cette partie, nous traitons des pratiques sexuelles les plus courantes en contexte interpersonnel.

Bien que nous présentions diverses techniques sexuelles dans les pages suivantes, il faut retenir que l'interaction sexuelle n'a pas de sens en soi; elle s'inscrit dans la motivation et les intentions des partenaires et dans la relation qu'ils entretiennent (Cooper et coll., 2011). Comme l'explique un auteur:

> *La sexualité peut être motivée par l'excitation ou l'ennui, le besoin physique ou la tendresse, le désir ou le devoir, la solitude ou le plaisir. Elle peut être un exercice de pouvoir ou un échange égalitaire, un relâchement purement machinal de tension ou une fusion profondément affective, une façon de s'épuiser avant le sommeil ou un moyen de se revigorer. La relation sexuelle peut être vue comme une récompense ou un encouragement, comme un don désintéressé ou une faveur; ce peut aussi être une manifestation d'égoïsme, d'insécurité ou de narcissisme. La sexualité peut exprimer et signifier presque n'importe quoi.*
>
> (Traduction libre, Fillion, 1996, p. 41.)

Le tableau 8.2 à la page suivante présente les 15 principales motivations (sur 237) qu'ont invoquées des étudiants universitaires pour avoir une relation sexuelle. À noter que 20 des 25 premières motivations exprimées étaient les mêmes chez les deux sexes (Meston et Buss, 2007).

La fréquence des relations sexuelles

Une vaste enquête internationale menée auprès de 317 000 personnes, le *Global Sex Survey* (Durex, 2005), a révélé que les gens rapportent avoir en moyenne 103 relations sexuelles par année, soit presque deux activités par semaine, un chiffre qui concorde avec l'enquête française *Contexte de la Sexualité en France* (CSF) de 2006 (Bajos et Bozon, 2008). Selon le *Global Sex Survey*, les Canadiens se situent dans la portion inférieure de l'échelle, puisque 59 % des répondants ont déclaré avoir des relations sexuelles chaque semaine; seuls le Japon (34 %), le Nigeria, les États-Unis (53 %) et le Royaume-Uni (55 %) en ont déclaré moins parmi 26 pays répertoriés (Durex, 2005). Par ailleurs, tous pays confondus, les hommes se déclarent moins satisfaits que les femmes de la fréquence de leurs relations sexuelles. La fréquence est également liée à la durée du couple plus qu'à l'âge des partenaires: elle est souvent plus élevée chez les couples récemment formés, puis elle diminue (Herbenick et coll., 2010a).

Cela dit, il importe de préciser que la fréquence des relations sexuelles n'est pas nécessairement liée à la satisfaction sexuelle (Trudel, 2000). D'autres éléments apparaissent importants, dont la compatibilité des conjoints et leur ouverture mutuelle face aux besoins de l'autre. À cet effet, les données de 2007 de l'enquête *Global Sex Survey* révèlent que seulement 44 % des répondants se disent satisfaits de leur vie sexuelle.

L'enquête du NSSHB, aux États-Unis, révèle que la prévalence de certaines pratiques sexuelles varie considérablement selon le sexe, l'âge, le statut relationnel et d'autres variables démographiques. Le tableau 8.3 à la page suivante présente un échantillon des prévalences, selon le sexe et l'âge, de huit pratiques sexuelles. Un minimum de participants dans chaque groupe d'âge rapportent chacune des pratiques sexuelles, ce qui vient contredire le stéréotype voulant que les personnes plus âgées ne désirent pas ou ne participent pas à certaines pratiques sexuelles.

TABLEAU 8.2 Les 15 principales raisons qu'invoquent les étudiants universitaires pour avoir une relation sexuelle

	FEMMES	HOMMES
1	J'étais attirée par la personne.	J'étais attiré par la personne.
2	Je voulais ressentir du plaisir physique.	C'est bon.
3	C'est bon.	Je voulais ressentir du plaisir physique.
4	Je voulais lui montrer mon affection.	C'est agréable.
5	Je voulais lui exprimer mon amour.	Je voulais lui montrer mon affection.
6	J'étais sexuellement excitée et désirais libérer cette tension.	J'étais sexuellement excité et désirais libérer cette tension.
7	Je désirais baiser pour baiser.	Je désirais baiser pour baiser.
8	C'est agréable.	Je voulais lui exprimer mon amour.
9	J'ai réalisé que j'étais amoureuse.	Je voulais jouir.
10	J'étais dans l'ambiance du moment.	Je voulais faire plaisir à ma (mon) partenaire.
11	Je voulais faire plaisir à mon (ma) partenaire.	Son apparence m'excitait.
12	Je voulais un rapprochement, une intimité affective.	Je voulais du pur plaisir.
13	Je voulais du pur plaisir.	J'étais dans l'ambiance du moment.
14	Je voulais jouir.	Je voulais un rapprochement, une intimité affective.
15	J'étais excitée par l'aventure.	J'étais excité par l'aventure.

TABLEAU 8.3 Les comportements sexuels chez les hommes et les femmes

H= HOMME F= FEMME

LES CHIFFRES REPRÉSENTENT LE POURCENTAGE DE PERSONNES QUI ONT RAPPORTÉ S'ÊTRE ADONNÉS À CETTE PRATIQUE AU COURS DE LA DERNIÈRE ANNÉE.

PRATIQUE	GROUPE D'ÂGE (ANS)															
	18-19		20-24		25-29		30-39		40-49		50-59		60-69		70 +	
	H	F	H	F	H	F	H	F	H	F	H	F	H	F	H	F
Se masturber seul.	81	60	83	64	84	72	80	63	76	65	72	54	61	47	46	33
Recevoir du sexe oral d'une F.	54	4	63	9	77	3	78	5	62	2	49	1	38	1	19	2
Recevoir du sexe oral d'un H.	6	58	6	70	5	72	6	59	6	52	8	34	3	25	2	8
Donner du sexe oral à une F.	51	2	55	9	74	3	69	4	57	3	44	1	34	1	24	2
Donner du sexe oral à un H.	4	59	7	74	5	76	5	59	7	53	8	36	3	23	3	7
Pratiquer un coït vaginal.	53	62	63	80	86	87	85	74	74	70	58	51	54	42	43	22
Recevoir une pénétration anale (pénis-anus).	4	18	5	23	4	21	3	22	4	12	5	6	1	4	2	1
Donner une pénétration anale (pénis-anus).	6	–	11	–	27	–	24	–	21	–	11	–	6	–	2	–

Source : Traduit et adapté de Herbenick et coll., 2010a. Données tirées du *National Survey of Sexual Health and Behaviour* (NSSHB).

Regarder, embrasser, toucher

À l'exception du coït vaginal, les pratiques sexuelles interpersonnelles que nous présentons concernent tout le monde sans égard à l'orientation sexuelle. En fait, parce que l'expression sexuelle entre deux partenaires de même sexe ne porte pas sur l'omniprésente pénétration (pénis-vagin) du modèle hétérosexuel, le répertoire sexuel des gais et des lesbiennes est souvent plus vaste et créatif que celui des hétérosexuels (Nichols, 2000 ; Sanders, 2000).

L'ordre de présentation des pratiques sexuelles, dans les pages qui suivent, n'en fait en rien une progression à respecter. Par exemple, un couple hétérosexuel peut désirer une stimulation orale génitale *après* le coït plutôt qu'avant. Par ailleurs, aucune des pratiques présentées ne doit nécessairement faire partie de chaque rencontre ou relation sexuelle : une relation sexuelle complète peut inclure l'une ou l'autre, ou plusieurs de ces pratiques, avec ou sans orgasme. Comme le relate une sexothérapeute :

> *Lorsqu'on commence à voir le sexe comme la création de plaisir érotique mutuel plutôt que comme une usine à orgasmes, il apparaît alors comme un continuum de possibilités. On peut découvrir qu'une simple stimulation génitale – voire non génitale – peut être étonnamment érotique et relaxante.*
>
> (Traduction libre, Ellison, 2000, p. 317.)

Le regard

Établir un premier contact par le regard serait une façon de faire dans toutes les cultures (Fisher, 2008). Comme le soulignent Robert Epstein, professeur et ex-rédacteur en chef de la revue *Psychology Today* (Bohler, 2009), et le psychologue David Schnarch (1991), le regard chez l'humain fait partie des messages pouvant conduire à l'intimité, à l'affection, voire à l'amour. Regarder l'autre dans les yeux pendant environ deux minutes ouvre la porte aux états émotionnels. Il s'agit d'une activité très puissante d'ouverture à l'autre, qui permet à chacun de se rendre disponible pour aller plus loin dans le partage de ce qui est intime et personnel. Faire cet échange de regards profonds tout en étant dans son espace personnel permet d'interpeller en toute confiance la sexualité des deux. Si l'intimité affective a été éveillée, la rencontre sexuelle qui s'ensuit sera empreinte de sentiments.

Le baiser

La plupart des gens se rappellent leur premier baiser romantique, parfois avec un sentiment d'inconfort. Pourtant, le baiser peut être une expérience intense, érotique et profonde. Les lèvres et la bouche sont généreusement pourvues de terminaisons nerveuses sensibles pouvant faire des baisers une expérience des plus voluptueuses avec d'infinies variations. Le *Kâma Sûtra*, célèbre traité indien de techniques philosophicoérotiques, répertorie 17 sortes de baisers (Ards, 2000). Le baiser à bouches closes est plus tendre et affectueux, tandis que le baiser lingual ou profond, à bouches ouvertes, est généralement plus intense sexuellement. Le baiser peut s'étendre à toutes les régions du corps et comprendre un ensemble d'activités buccales comme le léchage, la succion et le mordillement.

Les attitudes par rapport au baiser et les manières d'embrasser en Occident ne sont nullement universelles. Le baiser bouche à bouche est absent de l'art érotique hautement explicite des anciennes civilisations de la Chine et du Japon. Encore au XXe siècle, le baiser sur la bouche était considéré si négativement au Japon que la célèbre sculpture de Rodin, *Le baiser*, n'a pas été présentée au public lors d'une exposition sur l'art européen tenue en ce pays en 1920. Dans d'autres cultures – chez les Lepcha d'Eurasie, les Chewa et les Thongas d'Afrique, et les Siriono d'Amérique du Sud –, le baiser est considéré comme malsain et dégoûtant (Tiefer, 1995).

Le toucher

La peau est le plus grand des organes sensoriels impliquant l'affectivité (Houde et Drapeau, 2012). Le toucher est l'un des premiers et des plus importants sens dont on fait l'expérience dès la naissance. Des nourrissons qui ont été alimentés, mais privés de cette stimulation fondamentale en sont morts. Une étude classique a montré que les bébés singes et d'autres primates dont on a satisfait les besoins physiques, mais qui ont été privés d'un contact physique avec leur mère deviennent extrêmement mal adaptés en grandissant (Harlow et Harlow, 1962). Le toucher est fondamental à la communication humaine et à l'établissement de liens affectifs (*bonding*) (Keltner, 2010). Depuis dix ans, la reconnaissance de l'importance du toucher a évolué au point que l'on organise maintenant des *séances de câlins* où les participants partagent des contacts non sexuels, enjoués et réconfortants. Comme ces rencontres sont des options alternatives aux relations sexuelles, elles offrent l'occasion de former des liens émotifs et physiques approfondis par le toucher (Wheitner, 2014). Voici l'évaluation que font Masters et Johnson du toucher :

> *Le toucher est une fin en soi. C'est une forme primordiale de communication, une voix silencieuse qui nous sauve du piège des mots tout en permettant l'expression des sentiments du moment. Il comble le fossé de l'individualité physique auquel*

nul n'échappe en établissant littéralement un sens de solidarité entre deux individus. Le toucher est un plaisir sensuel consistant à explorer les textures de la peau, la souplesse des muscles, le galbe du corps, sans autre but que de se délecter des perceptions tactiles.

(Traduction libre, Masters et Johnson, 1976, p. 253.)

Il existe différents types de touchers, lesquels comportent quatre dimensions : 1) la localisation ; 2) l'intensité ; 3) la direction ; 4) le caractère agréable ou désagréable (Bohler, 2009). L'insula, une zone du cerveau très sollicitée par les émotions, détermine le caractère subjectif du toucher. C'est à ce niveau qu'un toucher sera perçu comme désagréable ou, au contraire, agréable ou même érotique. Les zones érogènes du corps sont particulièrement réceptives au toucher. Par exemple, environ 81 % des femmes et 51 % des hommes indiquent qu'une stimulation de leur poitrine et de leurs mamelons provoque ou augmente leur excitation sexuelle (Levin et Meston, 2006). Pour être sexuel, un toucher ne doit pas nécessairement être dirigé vers une zone érogène. Comme toute la surface du corps est sensible, un toucher – pratiquement n'importe où – peut susciter l'intimité et l'excitation sexuelles. Chacun a toutefois ses préférences ; une personne peut trouver un toucher hautement excitant à un certain moment, puis le trouver déplaisant à un autre, selon son état émotif. Il y a aussi des contextes qui se prêtent mieux à l'interprétation érotique et agréable du toucher. Par exemple, une palpation des seins à l'occasion d'un examen médical ne susciterait généralement pas d'excitation sexuelle. Un toucher sexuel prend son sens selon le contexte.

Dans les relations lesbiennes, le toucher serait particulièrement recherché et apprécié. Selon Shere Hite (1976), une chercheuse américaine en sexualité, il y aurait une plus grande satisfaction sexuelle entre femmes, comparativement aux relations sexuelles entre partenaires hétérosexuels, parce que leurs relations sexuelles durent généralement plus longtemps et parce qu'elles sollicitent davantage la sensualité du corps dans son ensemble.

Contrairement au stéréotype selon lequel l'expérience sexuelle entre hommes est entièrement centrée sur la génitalité, la sensualité et la tendresse sont des aspects importants des relations sexuelles de nombreux hommes gais. Comparativement aux autres hommes, les gais démontrent généralement plus de variété, d'expression de soi et de plaisir personnel dans leurs rapports sexuels (Sanders, 2000). Plusieurs hommes gais considèrent comme important de s'étreindre, de s'embrasser, de se blottir l'un contre l'autre et de se caresser tout le corps (Lever, 1994).

Frotter ses parties génitales contre celles de son partenaire ou contre une autre partie de son corps peut faire partie

Le regard et le toucher peuvent être des sources de plaisir et d'intimité tant pour la personne qui donne que pour celle qui reçoit.

de l'échange sexuel ; c'est une pratique répandue dans les relations sexuelles entre femmes. On appelle *tribadisme* la pratique consistant à se stimuler contre le corps de l'autre ou contre sa région génitale. De nombreuses partenaires apprécient ce type de jeu sexuel, car il procure des contacts sur tout le corps et il est extrêmement sensuel. Certaines femmes trouvent les mouvements de poussée très excitants ; d'autres chevauchent une jambe de leur partenaire et s'y frottent délicatement. Certaines encore frottent leur clitoris sur l'os pubien de leur partenaire (Loulan, 1984).

La stimulation manuelle des organes génitaux féminins

Les touchers génitaux qui suscitent l'excitation varient grandement selon les femmes. Les préférences de chacune sont même susceptibles de varier d'un moment à l'autre. Les femmes peuvent préférer des mouvements délicats ou fermes à différents endroits de la région vulvaire. La stimulation directe du clitoris est désagréable pour certaines d'entre elles ; des touchers au-dessus ou sur les côtés du clitoris sont souvent préférables. L'insertion d'un doigt dans le vagin peut aussi augmenter l'excitation. Une technique pour la stimulation du complexe clitoridien et de la région du point G consiste à insérer deux doigts dans le vagin et à palper fermement l'éponge urétrale de la paroi antérieure du vagin en effectuant un mouvement ressemblant à celui que l'on fait avec le doigt pour dire à quelqu'un « vient ici » (Taormino, 2011). Lorsqu'elles approchent de l'orgasme, la grande majorité des femmes ont généralement besoin qu'un toucher à la pression régulière et au rythme constant soit maintenu jusqu'à ce que celui-ci soit atteint (Ellison, 2000).

Les tissus vulvaires sont délicats et sensibles. S'il n'y a pas assez de lubrification pour rendre la vulve glissante, elle peut s'irriter facilement. On peut utiliser un lubrifiant à base d'eau, une lotion sans alcool ni parfum, ou encore de la salive pour enduire les doigts et la vulve de façon à rendre le toucher plus agréable. La stimulation ou la pénétration digitale de l'anus sont érotiques pour certaines femmes, mais pas pour d'autres. Il est important de ne pas toucher la vulve ou le vagin avec le doigt ou tout objet dont on s'est servi pour la stimulation anale, car les bactéries présentes dans le rectum peuvent causer des infections si elles sont introduites dans le vagin.

La stimulation manuelle des organes génitaux masculins

Les hommes ont aussi des préférences individuelles quant à la stimulation manuelle et, tout comme les femmes, ils peuvent désirer des touchers plus fermes ou plus délicats – des caresses plus rapides ou plus lentes – tandis que leur excitation monte. Ils peuvent aimer les caresses délicates ou fermes sur la hampe du pénis et sur le gland, et des touchers légers ou de petits étirements du scrotum comme le montre la figure 8.3. D'autres trouvent qu'une lubrification avec de la lotion ou de la salive accroît le plaisir. (Advenant le cas où un coït suivrait, la lotion ne doit pas être irritante pour les tissus génitaux de la femme, ou faite d'ingrédients qui pourraient endommager le matériel du condom.) Pour certains hommes, le gland est désagréablement sensible au toucher, au moment de l'éjaculation et immédiatement après l'orgasme. Certains aiment aussi la stimulation ou la pénétration digitale de l'anus.

La stimulation buccogénitale

La bouche et les organes génitaux sont deux zones érogènes primaires, des régions généreusement dotées de terminaisons nerveuses sensorielles. Les partenaires psychologiquement à l'aise avec la stimulation buccogénitale peuvent donc en tirer beaucoup de plaisir. La stimulation buccogénitale peut procurer l'excitation et l'orgasme, comme le constate une femme dans le témoignage suivant.

> Je crois que les hommes sont trop attachés à faire jouir une femme par la méthode classique. Je connais un tas de femmes, moi comprise, qui n'ont connu l'orgasme que grâce à des relations buccogénitales (la masturbation mise à part). J'aime les sons, le spectacle, les odeurs et les sensations propres à ce type de rapport. (Note des auteurs)

FIGURE 8.3 **Les stimulations manuelles**

Les stimulations manuelles peuvent être une façon très agréable pour les partenaires d'explorer leurs sensations.

La stimulation buccogénitale peut être faite individuellement (par un partenaire à l'autre) ou simultanément. Certaines personnes préfèrent se livrer individuellement à des caresses buccogénitales, de façon à ressentir davantage leurs effets quand elles les donnent ou les reçoivent (*voir la figure 8.4 à la page suivante*). D'autres apprécient particulièrement la réciprocité de la relation buccogénitale simultanée, qu'on appelle parfois la *position du 69*, à cause des positions corporelles que suggère ce nombre (*voir la figure 8.5 à la page suivante*). Il existe une variété d'autres positions, dont la position latérale ou une cuisse sert d'oreiller. À mesure que l'excitation s'intensifie durant la stimulation buccogénitale mutuelle, les partenaires doivent prendre soin de ne pas sucer ou mordre l'autre trop vigoureusement.

On utilise des termes différents pour désigner la stimulation buccogénitale des hommes et celle des femmes. Le

FIGURE 8.4 Le sexe oral

Pendant le sexe oral, un partenaire peut se concentrer complètement sur l'expérience de donner, tandis que l'autre peut simplement jouir du plaisir de recevoir.

FIGURE 8.5 La stimulation buccogénitale simultanée dans la position du 69

cunnilingus (du latin *cunnus*, «vulve», et *lingere*, signifiant à la fois «lécher» et «sucer») désigne la stimulation buccale de la vulve: clitoris, petites lèvres, vestibule et orifice vaginal. Beaucoup de femmes trouvent la chaleur, la douceur et la moiteur des lèvres et de la langue de leur partenaire extrêmement voluptueuses et efficaces pour susciter l'excitation sexuelle ou l'orgasme. En fait, la recherche indique que les femmes sont plus susceptibles d'avoir un orgasme lorsque la relation sexuelle inclut le cunnilingus (Richters et coll., 2006). Les différentes stimulations comprennent des mouvements de langue circulaires ou de va-et-vient rapides ou lents appliqués à la région clitoridienne, la succion du clitoris ou des petites lèvres et l'introduction de la langue

dans l'ouverture vaginale. Pour certaines femmes, une stimulation digitale du vagin doublée d'une stimulation buccale de la région clitoridienne est particulièrement excitante. Selon l'enquête du NSSHB, plus de la moitié des femmes âgées de 18 à 49 ans ont connu une stimulation buccogénitale d'un partenaire masculin au cours de l'année précédente (Herbenick et coll., 2010a) (*voir le tableau 8.3 à la page 226*).

La **fellation** (du latin *fellare*, «sucer») consiste en la stimulation buccale du pénis et du scrotum. Cette stimulation consiste, par exemple, à lécher et à sucer délicatement ou vigoureusement le gland de même que le frein et la hampe du pénis; la ou le partenaire peut également lécher les testicules ou les prendre dans sa bouche. Certains hommes aiment la stimulation buccale du gland combinée à la stimulation digitale de la hampe pénienne, des testicules ou de l'anus. D'autres préfèrent les caresses seulement au niveau de la hampe du pénis, car celles qui sont faites directement sur le gland sont parfois ressenties trop intensément, ce qui peut provoquer un inconfort ou une sensation désagréable. Selon le NSSHB, la prévalence de la fellation varie selon le groupe d'âge, mais elle reste une pratique chez certains individus plus âgés (Herbenick et coll., 2010a) (*voir le tableau 8.3*). Chez les hommes gais, la fellation est le mode d'expression sexuelle le plus répandu (Lever, 1994). Cette affirmation est corroborée par les résultats présentés dans le tableau 8.3 concernant le pourcentage d'hommes qui ont reçu une fellation comparativement à ceux qui ont reçu une pénétration anale, et ce, sans égard à leur orientation sexuelle.

Il vaut généralement mieux, pour l'homme qui reçoit une fellation, de surveiller les mouvements de son bassin pour ne pas que le rythme aille au-delà des limites personnelles et physiques de la personne qui fait la fellation. Des personnes peuvent se sentir inconfortables, se faire mal ou connaître une sensation de haut-le-cœur si la fellation est trop profonde ou vigoureuse. Le phénomène des *fellations forcées*, très présent dans la pornographie, tend à banaliser ce qui est peut être considéré, en l'absence de consentement, comme une forme d'agression sexuelle.

Les individus ont des préférences différentes en ce qui concerne l'éjaculation dans la bouche (Castleman, 2015). Les partenaires qui préfèrent ne pas recevoir d'éjaculation dans la bouche peuvent convenir que celui qui reçoit la fellation avertit son ou sa partenaire lorsqu'il sent l'orgasme venir afin de pouvoir se

Cunnilingus Stimulation buccale de la vulve.

Fellation Stimulation buccale du pénis.

retirer de sa bouche juste avant l'éjaculation. Quant aux partenaires qui sont à l'aise avec l'éjaculation dans la bouche, l'éjaculat peut être avalé ou non, selon le désir de chacun. Le goût de l'éjaculat varie d'un homme à l'autre et dépend des facteurs présentés dans le tableau 8.4.

TABLEAU 8.4 — Les facteurs qui influent sur le goût du sperme	
SOURCE DU GOÛT DÉPLAISANT, AMER OU SALÉ DE L'ÉJACULAT	**SOURCE DU GOÛT PLUS DOUX DE L'ÉJACULAT**
Café, alcool, cigarettes, malbouffe, drogues récréatives	Un à deux litres d'eau par jour
Viande rouge, produits laitiers	Fruits, particulièrement le jus d'ananas
Ail, oignon, chou, brocoli, chou-fleur, asperges	Cannelle, cardamome, menthe poivrée, citron, persil, céleri

Source : Traduit et adapté de Tarkovsky, 2006.

Certaines personnes expriment des réserves importantes à l'égard de la stimulation buccogénitale. Il faut se rappeler que les comportements sexuels ne menant pas à la grossesse dans le mariage ont traditionnellement été considérés comme des actes dénaturés et immoraux. Certaines personnes croient donc que la relation sexuelle buccogénitale est condamnable. D'autres réticences découlent de la conviction que cette stimulation n'est pas hygiénique ou que les organes génitaux ne sont pas beaux. Plusieurs croient que ces organes sont sales parce qu'ils se trouvent près de l'orifice urétral et de l'anus. Toutefois, les soins d'hygiène de base, à l'aide d'eau et de savon, en assurent la propreté. Il peut cependant être difficile pour qui entretient une vision négative de son pénis ou de sa vulve d'accueillir avec plaisir une stimulation buccogénitale.

Malgré ces attitudes négatives, la pratique du contact buccogénital est de plus en plus fréquente depuis une quinzaine d'années (Herbenick et coll., 2010a). La signification et la fréquence de ce type de contact ont beaucoup changé au cours des dernières décennies. Par exemple, la plupart des adultes considèrent les pratiques buccogénitales comme plus intimes que la pénétration, alors que les adolescents pensent le contraire (Chambers, 2007 ; Gelperin, 2005). Selon une étude, 55 % des jeunes de 15 à 19 ans ont eu des relations buccogénitales, soit 5 % de plus que ceux qui ont eu des relations avec pénétration (Duberstein et coll., 2008). En outre, une étude a révélé qu'environ 80 % des jeunes ne considèrent pas la stimulation buccogénitale comme étant un rapport sexuel, contrairement au coït vaginal (98 %) et à la pénétration anale (78 %) (Hans et coll., 2010).

Les attitudes et comportements des étudiantes et étudiants universitaires diffèrent à l'égard du sexe oral. Globalement, le plaisir est la motivation la plus répandue chez les deux sexes pour recevoir une stimulation buccogénitale, mais les femmes sont moins réceptives à cette perspective que les hommes (Chambers, 2007). Chez les étudiants, la relation buccogénitale serait même considérée comme un moyen d'éviter le rapport sexuel et de préserver techniquement leur virginité (Ellison, 2000). Certaines personnes croient à tort que cette pratique ne pose pas de risque de transmission d'ITSS comparativement au coït, surtout en ce qui concerne le VIH. Comme le contact buccogénital entraîne un échange de fluides organiques, il existe un risque de transmettre le VIH ou d'en être infecté. Ce virus peut entrer dans la circulation sanguine par de petites lésions buccales ou génitales. De plus, certains cancers oraux peuvent être causés par le virus du papillome humain (VPH) et le risque augmente avec le nombre de partenaires (Girshman, 2011). Nous en discuterons au chapitre 12.

Quoi qu'il en soit, il faut se rappeler que, malgré la popularité croissante de ce type de contact sexuel, il n'est pas essentiel de le pratiquer pour qu'une relation sexuelle soit pleinement satisfaisante. Il est important que chacun respecte ses limites et ses goûts en matière de sexualité.

Le coït et les positions coïtales

Chez les adultes hétérosexuels, le rapport pénien-vaginal, ou coït, est la pratique sexuelle interpersonnelle la plus courante (*voir le tableau 8.3*). Les partenaires peuvent adopter de nombreuses positions (*voir la figure 8.6 ci-dessous et les figures 8.7 à 8.9 à la page suivante*). Le tableau 8.5 à la page suivante présente les trois positions préférées des étudiantes et étudiants universitaires.

FIGURE 8.6 — La position coïtale face à face, où l'homme est au-dessus

FIGURE 8.7 ▸ La position coïtale face à face, où la femme est au-dessus

FIGURE 8.8 ▸ La position coïtale face à face, sur le côté

FIGURE 8.9 ▸ L'intromission en position arrière, plus confortable pendant la grossesse

Chaque position offre diverses possibilités d'expression physique et affective. Le goût pour une position particulière peut changer selon l'humeur du moment. Voici ce qu'en pense un homme de 30 ans.

> Chez moi, les différentes positions sexuelles signifient et évoquent généralement des émotions particulières. Quand je suis sur le dessus, je me sens plus combatif ; quand je suis en dessous, je suis plus sensuellement réceptif. La position latérale me porte à la douceur et à l'intimité. J'aime partager ces trois dimensions de mon être avec mon amante. (Note des auteurs)

Les préférences sont aussi souvent liées à l'état de santé, à l'âge, au poids, à la grossesse ou aux partenaires. Dans plusieurs positions, un des partenaires sera plus à même de décider du rythme, de l'angle ou du style de mouvements que prendra la stimulation devant mener à l'excitation et à l'orgasme. Dans d'autres positions, le

TABLEAU 8.5 ▸ Des étudiantes et étudiants de niveau universitaire répondent à la question « Quelle est votre position sexuelle préférée ? »

POSITION	HOMMES	FEMMES
L'homme au-dessus	25 %	48 %
La femme au-dessus	45 %	33 %
En levrette	25 %	15 %

Source : Traduit de Elliott et Brantley, 1997.

contrôle du rythme des poussées s'effectue d'un commun accord. Certaines positions se prêtent à la stimulation manuelle du clitoris durant le coït, par exemple quand la femme est au-dessus, assise, bien en croupe, sur le corps de l'autre.

Beaucoup de partenaires aiment une position qui leur permet d'avoir un contact visuel, de regarder le corps de l'autre ou de pouvoir s'embrasser. La position face à face, sur le côté, peut offrir un rapport particulièrement détendu, alors que chacun des partenaires dispose d'une main pour caresser le corps de l'autre. La pénétration par l'arrière est une bonne position durant la grossesse puisque la pression contre l'abdomen de la femme est désagréable. Le coït peut s'accomplir, qu'il y ait ou non orgasme de l'un ou des deux partenaires.

Mais il n'y a pas que le choix des positions; les aspects de coopération et de considération de l'autre sont aussi importants, surtout lors de l'**intromission**. La femme peut souvent mieux guider le pénis de son partenaire dans son vagin en bougeant son corps ou à l'aide de sa main. Si le pénis glisse et en ressort, ce qui peut facilement se produire dans certaines positions, il est habituellement plus simple que la femme aide à le réintroduire dans le vagin.

La stimulation anale

Quoique loin de faire l'unanimité, la stimulation anale est devenue une pratique plus courante. Le NSSHB a montré que 20 % des hommes âgés de 25 à 49 ans et des femmes âgées de 20 à 39 ans ont dit s'être adonnés à la pénétration anale au cours de la dernière année (*voir le tableau 8.3 à la page 226*). En outre, 40 % des hommes âgés de 25 à 59 ans et 40 % des femmes âgées de 20 à 39 ans ont rapporté avoir pratiqué une pénétration anale au moins une fois au cours de leur vie (Herbenick et coll., 2010b).

L'anus présente des amas denses de terminaisons nerveuses qui peuvent provoquer une réponse érotique. Le massage de l'extérieur de l'orifice anal, le baiser anal ou l'insertion d'un ou de plusieurs doigts (ou d'un jouet sexuel) dans l'anus peuvent procurer du plaisir à certaines personnes, que ce soit lors de la masturbation ou d'un rapport sexuel avec un partenaire. Certaines femmes et plusieurs hommes homosexuels ressentent du plaisir, de l'excitation sexuelle et atteignent l'orgasme lors de rapports sexuels par pénétration anale (Masters et Johnson, 1970; Stulhofer et Adjukovic, 2013). Certains hommes peuvent ressentir de l'excitation sexuelle et atteindre l'orgasme par la stimulation anale à l'aide d'un vibrateur ou d'un godemiché lors d'un coït. Une femme peut également porter un harnais muni d'un godemiché pour pénétrer son partenaire lors de relations sexuelles anales. Cette pratique est appelée *pegging* en anglais, terme qui s'apparente au verbe *pilonner*. Pour d'autres personnes, le sexe anal est repoussant, inconfortable et douloureux. En fait, une étude sur le sujet a révélé que près de la moitié des jeunes femmes hétérosexuelles ont dû interrompre leur première expérience de pénétration anale en raison de l'inconfort ou de la douleur (Carter et coll., 2010).

Ces constatations soulignent l'importance de l'information, de l'éducation et de la communication entre partenaires en

ce qui a trait au sexe anal (Stulhofer et Ajdukovic, 2011). Plus que tout autre rapport sexuel abordé jusqu'à maintenant dans le présent chapitre, les rapports sexuels anaux *requièrent* de la patience, de la détente, une progression lente et une excellente technique. Dans la pornographie en général, le sexe anal est dépeint de façon tout à fait irréaliste, ce qui donne l'impression à ceux qui regardent ce genre de vidéo que la technique consiste à effectuer la pénétration dans un mouvement de va-et-vient rapide et vigoureux sans aucune lubrification. Malheureusement, la coercition et la pénétration anale *accidentelle* sont banalisées (Marston et Lewis, 2014).

Étant donné que l'anus est constitué de tissus délicats, il est essentiel de prendre certaines mesures particulières pendant la stimulation anale. L'utilisation d'un lubrifiant non irritant et une pénétration délicate sont nécessaires pour éviter tout inconfort ou toute blessure. Il est recommandé d'appliquer du lubrifiant tant sur l'orifice anal que sur le pénis ou l'objet inséré dans l'anus. La personne qui effectue la pénétration doit y aller lentement et doucement, en s'assurant de garder son pénis ou l'objet utilisé dans l'angle du côlon de son partenaire (Morin et Moris, 2010). De plus, les jouets sexuels et autres objets utilisés lors de la pénétration anale doivent impérativement présenter une base plus large que leur extrémité, sans quoi l'objet pourrait glisser au-delà de l'orifice anal et rester coincé dans le sphincter. Dans un tel cas, la seule façon de retirer l'objet sera de se rendre à l'hôpital.

De graves risques pour la santé sont associés aux relations sexuelles anales (McBride et Fortenberry, 2010). Les partenaires sexuels ne devraient jamais avoir de rapports vaginaux tout de suite après une pénétration anale, car les bactéries présentes dans l'anus peuvent provoquer une infection vaginale. En outre, la stimulation buccale de l'anus, pratique appelée *anilingus* (ou, de l'argot anglais, *rimming*), présente également des risques. Diverses infections intestinales, l'hépatite ainsi que des ITSS peuvent être contractées ou transmises lors de relations bucco-anales, et ce, malgré un lavage minutieux de l'anus. L'utilisation d'une digue dentaire (carré mince et souple de latex ou de polyuréthane) contribue à prévenir la transmission de bactéries et de virus.

Les relations anales figurent parmi les comportements sexuels les plus à risque en ce qui a trait à la transmission du VIH, particulièrement pour le partenaire qui reçoit la pénétration, car les tissus dans l'anus sont relativement

Intromission	Introduction du pénis dans le vagin.
Anilingus	Stimulation buccale de l'anus.

fragiles et se déchirent facilement. Chez la femme, le risque de contracter le VIH à la suite d'une pénétration anale non protégée est plus grand que celui associé à une pénétration vaginale non protégée (Maynard et coll., 2009). En somme, les partenaires qui souhaitent réduire les risques de transmission ou de contraction du VIH et d'autres ITSS doivent avoir recours au condom ou éviter les relations sexuelles anales.

Les précautions à prendre contre la propagation du VIH sont présentées en détail au chapitre 12.

Les pratiques non conventionnelles

Les comportements sexuels décrits jusqu'à maintenant, à l'exception de la stimulation anale, pourraient être qualifiés de *vanilles* par certains. Les adeptes du BDSM (*bondage*, domination, sadisme, masochisme) emploient souvent le terme *vanille* pour distinguer les pratiques conventionnelles des pratiques *kink*, terme utilisé pour englober les pratiques associées au BDSM. Plusieurs individus ont élargi leur répertoire sexuel pour y inclure des comportements lubriques et des expériences hors de l'ordinaire. Le *kink* englobe un très vaste éventail de comportements, mais nous nous limiterons à quelques formes de jeux *kink* : les pratiques BDSM et le sexe multipartenaire (en groupe).

Sur la base de son étude de la communauté BDSM de Montréal, Jessica Caruso (2016) a écrit le premier ouvrage francophone sur le BDSM, dans lequel elle présente les pratiques et les règles du BDSM. Selon Caruso, l'érotisation de la douleur et les échanges de pouvoir sont au cœur des pratiques sexuelles réunies sous cet acronyme. L'acronyme BDSM recouvre trois groupes de pratiques interreliées : 1) le *bondage* et la discipline (BD) ; 2) la domination et la soumission (DS) ; 3) le sadomasochisme (SM).

Dans le premier groupe de pratiques, le *bondage* (ligotage) « implique la restriction du mouvement d'un partenaire, généralement par le fait d'être attaché » (Caruso, 2016, p. 27). Les personnes qui le pratiquent prennent plaisir à être attachées, ligotées ou entravées dans leurs mouvements d'une quelconque façon. Ce comportement nécessite généralement l'aide d'une autre personne, qui attache ou ligote son ou sa partenaire et lui administre des corrections, par exemple des fessées ou des coups de fouet (Santilla et coll., 2002). Quant à la discipline, elle « implique un contrôle psychologique d'un partenaire » (Caruso, 2016, p. 27), notamment par des règles strictes, des récompenses et des punitions.

Dans le deuxième groupe de pratiques, la domination et la soumission impliquent un échange de pouvoir entre les partenaires. L'érotisation se situe sur le plan de la

Certains couples utilisent la domination et la soumission pour stimuler leur vie sexuelle.

différence de pouvoir, où « le pouvoir du soumis est transféré au dominant » (Caruso, 2016, p. 27). Un jeu d'obéissance peut s'organiser autour de rituels obligeant le soumis à lécher les pieds du dominant, par exemple, ou à répondre aux ordres du dominant sans questionner.

La domination et la soumission font couramment l'objet de fantasmes sexuels. Un sondage mené auprès de 1500 adultes a révélé que 64 % des femmes et 53 % des hommes fantasment à l'idée de se faire dominer. Inversement, 46 % des femmes et 59 % des hommes fantasment à l'idée de dominer l'autre (Joyal et coll., 2014) (*voir le tableau 8.1 à la page 218*).

Au-delà du fantasme, la domination et la soumission peuvent s'exprimer d'une multitude de manières pour accroître l'excitation des partenaires qui aiment s'adonner à des pratiques sexuelles de ce type. Certaines personnes ne sont attirées que par une seule manière, alors que d'autres aiment varier les activités selon la situation. Dans le rôle de la personne dominante, c'est la sensation de contrôle qui est érotisante, alors que la personne soumise, quant à elle, est excitée à l'idée de s'abandonner entièrement à l'autre. Certains accessoires sexuels contribuent à renforcer les rôles de chacun. Ainsi, la personne dominante peut exprimer sa domination en bandant les yeux de son partenaire ou en l'attachant à l'aide de cordes ou de menottes. Tirer les cheveux et donner la fessée avec une main, une palette ou un fouet sont également des pratiques souvent utilisées dans l'expression de la domination (Atik, 2014). Il n'est pas rare que le port de costumes et les jeux de rôles (infirmière/patient, enseignant/élève) fassent partie des pratiques de domination et de soumission. Le port d'un costume lors de rapports sexuels semble d'ailleurs plutôt courant au sein de la population. En effet, 64 % des femmes ayant répondu à un sondage dans un magazine ont affirmé avoir déjà porté un costume lors de leurs ébats (Sandell, 2014).

Chercher à prolonger l'excitation sexuelle peut être une forme de domination. Dans la plupart des cas, ces jeux sexuels requièrent une grande syntonie entre les partenaires ainsi qu'une synchronisation et un toucher précis. Une pratique appelée *edging* en anglais (qui signifie « sur le bord ») consiste à prolonger l'excitation sexuelle de son partenaire par diverses formes de stimulation, à maintenir son partenaire à un très haut niveau d'excitation jusqu'à ce qu'il soit tout juste sur le point d'atteindre l'orgasme. Il s'ensuit un *orgasme gâché* lorsque la personne cesse de stimuler son partenaire alors qu'il est sur le point d'avoir un orgasme, ce qui donne lieu à une éjaculation partielle. Ensuite, la personne stimule à nouveau son partenaire et lui fait atteindre un ou deux autres orgasmes partiels. C'est ce qu'explique le témoignage suivant.

> Ma partenaire prend mon sexe dans ses mains ou le glisse dans sa bouche jusqu'à ce que mon érection soit à sa satisfaction. Elle fait grimper mon excitation d'une main de maître et me maintient dans cet état aussi longtemps qu'elle le désire, provoquant chez moi à la fois un plaisir et une torture intenses. Elle morcelle en quelque sorte mon orgasme en un, deux ou plusieurs orgasmes incomplets, s'interrompant et refusant de me toucher alors que je suis sur le point d'éjaculer. (Note des auteurs)

Dans le troisième groupe de pratiques, le sadomasochisme se caractérise par une érotisation de la douleur. De nombreuses personnes se prêtent à une certaine forme d'interaction agressive durant les jeux amoureux (les morsures et les égratignures, par exemple). Toutefois, il ne faut pas confondre cette douleur avec la violence et la cruauté. Elle est donnée ou reçue dans l'objectif de procurer du plaisir. Le consentement y est primordial : les pratiques font l'objet d'une négociation préalable entre les partenaires.

Un jeu de douleur érotique peut se pratiquer de plusieurs manières, soit avec le corps (par exemple, les mains) ou

des objets (par exemple, un fouet ou une palette) (Caruso, 2016). Pour certaines personnes manifestant une disposition sadique, il suffit parfois d'infliger une souffrance plus symbolique que réelle, tandis que d'autres trouvent les réactions de leur partenaire à la douleur très érotisantes. Les individus pratiquant le sadomasochisme peuvent être excités sexuellement par diverses activités, par exemple des *jeux de percussion* comportant des coups ou des fessées, des piqûres avec des aiguilles ou des épingles, des positions inconfortables, etc. (Caruso, 2016). L'idée répandue voulant que tout genre de douleur, physique ou morale, puisse exciter sexuellement les personnes prédisposées au masochisme est fausse. La douleur doit faire partie d'une mise en scène dont l'objectif délibéré est le plaisir sexuel.

Le degré de douleur nécessaire à l'obtention d'un état d'excitation sexuelle peut varier, allant de souffrances très légères et symboliques jusqu'aux corrections ou aux mutilations graves, lesquelles sont rares, cependant. Bien que quelques pratiques non conventionnelles puissent

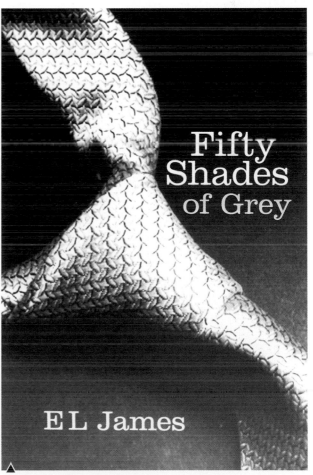

Le roman *Cinquante nuances de Grey*, publié en 2011 et tiré à plusieurs millions d'exemplaires, est le premier à avoir atteint le million de livres électroniques vendus pour la liseuse Kindle. Cette œuvre a joué un rôle prépondérant dans la levée du tabou sur le BDSM.

être dangereuses physiquement, la plupart des personnes qui s'y adonnent ne dépassent généralement pas les limites auxquelles elles avaient mutuellement consenti préalablement, se contentant de se livrer à ces jeux en compagnie d'un ou d'une partenaire de confiance.

Les individus qui ressentent de l'excitation à l'idée de voir leur partenaire avoir des rapports sexuels avec une autre personne sont attirés tout particulièrement par le multipartenariat sexuel (Cookerly, 2014). Les possibilités de stimulation sexuelle sont beaucoup plus grandes lorsque plus de deux personnes sont présentes. Les relations multipartenaires offrent également aux personnes qui aiment regarder les autres ou qui aiment se faire regarder lors d'ébats sexuels la possibilité de le faire en toute quiétude.

La communication est particulièrement importante lors d'activités sexuelles non conventionnelles (Castleman, 2013). Comme dans toute relation sexuelle, il est primordial de définir des lignes de conduite qui favorisent des rapports sécuritaires, sains et consensuels (Em et Lo, 2012). En outre, il est impératif que chacun des partenaires soit guidé par sa propre curiosité et ses propres désirs sexuels et non par une pression à s'adonner à une pratique sexuelle donnée. Il doit également être clair que l'un des partenaires peut vouloir mettre fin aux rapports sexuels à tout moment et que le second partenaire s'arrêtera alors immédiatement (Collins, 2015). La négociation ouverte du consentement et l'établissement d'ententes consensuelles font partie des valeurs fondamentales de nombreux organismes et communautés *kink* (Martinez, 2015).

RÉSUMÉ

L'expression sexuelle personnelle

- On entend par abstinence le renoncement à l'activité sexuelle ou l'impossibilité d'en avoir. L'abstinence peut être complète (aucune masturbation ni contact sexuel interpersonnel) ou partielle (la personne se masturbe). Dans de nombreuses circonstances, l'abstinence est un moyen positif d'exprimer sa propre sexualité.

- Les rêves érotiques s'accompagnent souvent d'une excitation sexuelle et d'un orgasme durant le sommeil.

- La masturbation est la stimulation de ses propres organes génitaux pour obtenir un plaisir sexuel.

- La masturbation est une activité qui se poursuit à l'âge adulte, bien qu'elle varie en fréquence selon l'âge et le sexe. Les données du NSSHB montrent que 60 à 72 % des femmes et 81 à 84 % des hommes âgés de 18 à 29 ans se sont masturbés au cours de la dernière année.

L'expression sexuelle interpersonnelle

- Selon une vaste enquête internationale, les gens ont en moyenne des relations sexuelles presque deux fois par semaine. La fréquence des relations n'est toutefois pas liée à la satisfaction sexuelle.

- Le regard est un puissant facteur d'appel au rapprochement, pratiqué dans toutes les cultures.

- La surface entière du corps est un organe sensoriel ; le baiser et le toucher sont les formes fondamentales de la communication et de l'intimité entre les personnes.

- La pratique de la stimulation buccogénitale est devenue plus courante ces dernières années. Les scrupules par rapport à ce type de contact découlent habituellement de la fausse idée voulant que cette façon de faire ne soit pas hygiénique, que c'est une pratique homosexuelle ou contraire à la morale.

- La diversité des positions coïtales aide à éviter la monotonie dans les rapports sexuels. Les positions les plus courantes sont les positions face à face, les positions latérales et la pénétration par l'arrière.

- Les couples s'adonnent à la stimulation anale pour faire monter l'excitation sexuelle, pour parvenir à l'orgasme ou par désir de variété.

- Il n'est pas recommandé d'avoir un rapport sexuel vaginal tout de suite après une pénétration anale, car les bactéries présentes dans l'anus peuvent provoquer une infection vaginale. Pour réduire les risques de transmission du VIH, les couples devraient éviter les pénétrations anales, sinon utiliser un préservatif.

CHAPITRE 09

Les difficultés sexuelles et leurs solutions

SOMMAIRE

> Dans les chapitres précédents, nous avons décrit un ensemble de pratiques constituant l'expression sexuelle des êtres humains. Toutefois, il arrive que l'expression sexuelle pose problème et qu'elle devienne la source de souffrances importantes. Quand l'expression sexuelle devient-elle problématique? Des thérapeutes et des chercheurs ont répertorié et étudié de nombreux problèmes sexuels cliniquement significatifs. Le présent chapitre traite des deux grandes familles de problèmes sexuels qui font l'objet d'évaluation et de traitement clinique, soit les troubles paraphiliques et les dysfonctions sexuelles.

Les troubles paraphiliques

Qu'est-ce qu'une paraphilie?

Signifiant littéralement «en dehors de l'amour usuel ou courant», le concept de **paraphilie** réfère à «tout intérêt sexuel intense et persistant, autre que l'intérêt sexuel pour la stimulation génitale ou les préliminaires avec un partenaire humain phénotypiquement normal, sexuellement mature et consentant» (American Psychiatric Association [APA], 2015, p. 807). Une paraphilie représente donc un intérêt ou un comportement sexuel inusité dans une société donnée et à une époque donnée. C'est surtout dans les ouvrages de psychologie et de psychiatrie que l'on rencontre le concept de paraphilie, et celui-ci implique que l'expression sexuelle n'est pas fondée sur une relation tendre ou aimante, mais plutôt que l'excitation ou la réponse sexuelle, ou les deux, sont conditionnées par une activité inaccoutumée (APA, 2013; Shindel et Moser, 2011). Ces expressions de la sexualité sont souvent qualifiées de *déviantes*, d'*anormales* ou de *perverses*. Étant donné la teneur moralisatrice de ces qualificatifs, nous discutons des paraphilies sous l'angle clinique du **trouble paraphilique**.

Paraphilie   Intérêt ou comportement sexuel préférentiel inusité dans une société donnée et à une époque donnée.

Trouble paraphilique   Trouble de santé mentale désignant une forme d'expression sexuelle peu commune, mais essentielle à la satisfaction sexuelle de ceux qui la pratiquent, et qui entraîne une détresse émotive, une perturbation du fonctionnement psychosocial ou qui met en danger l'individu ou d'autres personnes.

Quand une préférence sexuelle devient-elle un trouble paraphilique?

Avant d'aller plus loin et d'aborder des situations et des exemples plus précis, il importe d'éclaircir quelques points concernant les troubles paraphiliques en général. Soulignons, premièrement, que les pratiques décrites dans cette section représentent des préférences sexuelles extrêmes, de gravité variable et dont l'expression va de la tendance légère et épisodique à des formes généralisées et systématiques. Bien qu'il s'agisse de troubles paraphiliques, chaque individu peut reconnaître en lui-même, à divers degrés, plusieurs manifestations et certains des sentiments associés à ces troubles. Ces comportements peuvent être soit sporadiques, soit en grande partie réprimés, ou encore n'émerger qu'au cœur des fantasmes les plus secrets.

Dans la version récente du DSM-5, l'Association américaine de psychiatrie a clairement établi qu'on ne peut considérer un intérêt, une préférence de comportements sexuels paraphiliques comme un trouble en soi.

Pour que soit émise l'hypothèse d'un trouble paraphilique, la personne doit présenter «une détresse ou une altération de son fonctionnement et entraîner un préjudice personnel ou un risque de préjudice pour d'autres personnes et impliquant des personnes non consentantes. Le fait d'avoir une paraphilie est une condition nécessaire mais non suffisante pour présenter un trouble paraphilique et une paraphilie en soi ne requiert pas nécessairement une intervention clinique» (APA, 2013, p. 807).

Pour consolider la distinction entre une préférence sexuelle et un trouble, l'Association américaine de psychiatrie a modifié la dénomination de ces troubles afin de bien marquer la différence entre le comportement ou l'intérêt paraphilique et le trouble qui prend sa source dans ce comportement. Par exemple, le diagnostic de *masochisme sexuel* du DSM-IV-TR est maintenant nommé *trouble de masochisme sexuel* dans le DSM-5. Ces modifications introduisent une différence subtile, mais cruciale, qui permet à l'individu d'exprimer ses préférences sexuelles dans un contexte consensuel sans être dans la catégorie des personnes souffrant d'un trouble mental.

Deuxièmement, il importe de mettre en contexte l'état de nos connaissances sur ces comportements. Dans l'exposé qui suit, nous parlons principalement des hommes dans nos exemples, car la plupart des personnes inculpées pour des troubles paraphiliques (coercitifs) sont des hommes (Côté, 2001; Hucker, 2014a; Miller, 2009). Selon la sexologue Hélène Côté (2001, p. 88), «le fait qu'il y ait peu de cas connus ou rapportés ne signifie pas pour autant que l'érotisation atypique féminine est exceptionnelle. La dénégation sociale a contribué en partie à [cette perception]». Reconnaissons que cette présomption est peut-être faussée par la partialité des dénonciations et des plaintes en la matière. Il est ainsi beaucoup moins probable que soient signalés à la police des cas d'exhibitionnisme féminin, alors que l'exhibitionnisme masculin l'est presque immanquablement (Côté, 2001). Selon le psychologue et sexologue John Money (1981), un trouble paraphilique pourrait être plus fréquent chez les hommes parce que chez eux, la différenciation érotosexuelle (le développement de l'excitation sexuelle en réaction à divers types d'images ou de stimuli) est plus complexe et sujette à plus d'erreurs de construction que chez les femmes.

Troisièmement, il importe de mentionner que les troubles paraphiliques sont souvent interreliés. Il semble en effet que lorsqu'un trouble paraphilique se manifeste, d'autres risquent aussi de se présenter simultanément ou consécutivement (Frey, 2014; Hucker, 2014a). La recherche menée auprès d'hommes dont le trouble paraphilique a attiré l'attention des médecins ou des autorités judiciaires a montré que plus de la moitié d'entre eux présentaient plus d'un trouble paraphilique, et qu'un sur cinq avait fait l'expérience de quatre de ces troubles, voire plus (Abel et Osborn, 2000). Selon une hypothèse, en se livrant à un comportement paraphilique (par exemple l'exhibitionnisme), le sujet perd une partie de ses inhibitions, ce qui le rend plus susceptible de s'adonner à un autre type de trouble paraphilique (par exemple le voyeurisme) (Stanley, 1993).

Cette dernière considération concerne l'effet des troubles paraphiliques sur les personnes qui les manifestent et sur celles qui les subissent. Pour ceux qui s'y adonnent, ces pratiques sont souvent l'unique moyen de parvenir au plaisir sexuel et elles sont souvent une fin en soi. Comme ces individus s'aliènent probablement les autres par ces agissements inusités, ils ont de la difficulté à établir des relations sexuelles ou intimes satisfaisantes avec des partenaires. Pour certains, l'expression sexuelle peut devenir, par la force des choses, solitaire, obsessionnelle, voire irrépressible. Certaines de ces pratiques supposent que l'espace personnel d'un autre individu sera perturbé contre son gré et de façon importune. Dans la section qui suit, nous faisons la distinction entre les troubles paraphiliques coercitifs et les troubles paraphiliques non coercitifs. Le tableau 9.1 donne un aperçu des troubles paraphiliques présentés dans ce chapitre.

TABLEAU 9.1 ▶ Quelques paraphilies et leurs caractéristiques

NOM	DESCRIPTION	CLASSIFICATION
Fétichisme	Excitation sexuelle centrée sur des objets inanimés ou des parties du corps.	Non coercitive
Transvestisme	Excitation sexuelle à s'habiller comme l'autre sexe.	Non coercitive
Sadisme sexuel	Association du plaisir sexuel à la douleur physique, psychique ou à l'humiliation sexualisée infligée à autrui.	Non coercitive
Masochisme sexuel	Association du plaisir sexuel au fait d'être soumis à la douleur physique, psychique ou à l'humiliation sexualisée.	Non coercitive
Asphyxie autoérotique (asphyxiophilie, hypoxyphilie)	Augmentation de l'excitation sexuelle par la privation d'oxygène.	Non coercitive
Clystérophilie (klysmaphilie)	Plaisir sexuel associé au fait de recevoir ou d'administrer un lavement intestinal.	Non coercitive

TABLEAU 9.1 Quelques paraphilies et leurs caractéristiques (*suite*)

NOM	DESCRIPTION	CLASSIFICATION
Coprophilie (scatophilie) et urophilie (urolagnie)	Excitation sexuelle associée au contact des fèces ou de l'urine, respectivement.	Non coercitive
Exhibitionnisme	Excitation sexuelle associée à l'exposition de ses parties génitales devant une personne non consentante.	Coercitive
Voyeurisme	Excitation sexuelle associée à l'observation de la nudité ou de l'activité sexuelle de personnes sans leur consentement.	Coercitive
Frotteurisme	Excitation sexuelle obtenue en se pressant ou se frottant contre une autre personne dans un endroit public et sans son consentement.	Coercitive
Zoophilie	Contact sexuel entre une personne et un animal.	Coercitive
Nécrophilie	Plaisir sexuel obtenu en regardant un cadavre ou en ayant des relations sexuelles avec lui.	Coercitive

Les troubles paraphiliques coercitifs et non coercitifs

La présence ou l'absence de coercition, c'est-à-dire de contraintes et de force, est une caractéristique déterminante et distinctive des troubles paraphiliques. De nombreuses paraphilies sont des activités strictement solitaires, et d'autres se font entre adultes consentants. Aux yeux de plusieurs personnes, ces pratiques sont considérées comme relativement bénignes ou inoffensives parce qu'elles ne comportent aucune coercition. Mais, comme nous le verrons, ces pratiques non coercitives s'accompagnent parfois de conséquences négatives pour les personnes qui s'y adonnent ; c'est pourquoi nous axerons notre discussion sur le trouble.

En revanche, certains troubles paraphiliques sont carrément contraignants et coercitifs lorsque des personnes sont soumises contre leur gré à certaines pratiques. C'est ce qui se produit dans le trouble de voyeurisme ou le trouble de l'exhibitionnisme, par exemple. Des études indiquent d'ailleurs que les victimes de tels actes sont souvent psychologiquement traumatisées par l'expérience. Certaines ont l'impression d'avoir été violentées, craignent d'être agressées physiquement ou de voir se reproduire de semblables incidents désagréables. Voilà pourquoi les troubles paraphiliques qui s'exercent sous la contrainte sont illégaux, puisque les individus contraints de se soumettre à ces activités peuvent être troublés à des degrés variables. Cela dit, comme plusieurs de ces comportements coercitifs ne donnent pas lieu à des contacts physiques ou sexuels avec l'agresseur, ils sont généralement considérés par les autorités comme des infractions sexuelles mineures (parfois qualifiées de *simples nuisances*). Cependant, les données montrent que certains auteurs de ces simples nuisances passent à des agressions sexuelles plus graves, si bien qu'il

y aurait lieu de se demander si ces délits sont effectivement *mineurs* (Bradford et coll., 1992 ; Fedora et coll., 1992 ; Hucker, 2014a). Nous discuterons de cet aspect plus loin dans le chapitre.

Dans cette section consacrée aux troubles paraphiliques coercitifs et non coercitifs, nous examinerons la manière dont chacun de ces troubles s'exprime ainsi que les différents facteurs susceptibles de contribuer à l'émergence de ces comportements. Nous traiterons au chapitre 11 des formes les plus graves de coercition sexuelle, comme le viol, l'inceste et l'agression sexuelle sur des enfants.

Les troubles paraphiliques non coercitifs

Nous présentons dans cette partie quatre troubles paraphiliques non coercitifs assez courants : le trouble de fétichisme, le trouble de transvestisme, le trouble de sadisme sexuel et le trouble de masochisme sexuel. Nous décrirons ensuite quatre troubles paraphiliques moins courants.

Le trouble de fétichisme Le fétichisme désigne un comportement sexuel par lequel une personne parvient à l'excitation sexuelle en investissant d'une sorte de pouvoir érotique un objet inanimé ou une partie du corps humain. Pour qu'il y ait véritablement fétichisme, la personne doit faire une fixation sur des objets en particulier ou sur certaines parties du corps, à l'exclusion de toute autre chose (Lowenstein, 2002). Dans certains cas, la personne est incapable d'excitation sexuelle ou d'orgasme si elle est privée de son fétiche. Dans d'autres cas, si l'érotisation du fétiche est moins exclusive, l'excitation demeure possible, mais elle

Fétichisme Comportement sexuel par lequel une personne n'est sexuellement excitée, de façon exclusive ou presque exclusive, que par un objet inanimé ou une partie du corps.

est moins forte. Chez certains individus, le contact avec une personne est remplacé purement et simplement par le fétiche, mais celui-ci peut être délaissé si un ou une partenaire devient disponible. Parmi les fétiches les plus communs, mentionnons la lingerie féminine, les chaussures (surtout à talons hauts), les bottes (souvent associées à la domination), les cheveux, les bas (surtout les bas résille noirs) et une palette d'accessoires et de vêtements en cuir, en soie, en caoutchouc ou en latex (APA, 2013 ; Seligman et Hardenburg, 2000). Un diagnostic de *trouble de fétichisme* est pertinent seulement si les fantasmes, les pulsions sexuelles ou les comportements fétichistes entraînent la détresse chez l'individu ou nuisent à son fonctionnement. L'excitation sexuelle à la vue de sous-vêtements ou de certaines parties du corps, comme les pieds, les jambes, les fesses, les cuisses (partialisme) et les seins est relativement courante. Certaines personnes utilisent des vêtements et d'autres accessoires lorsqu'ils se masturbent ou lors d'une activité sexuelle avec un ou une partenaire.

Comment le fétichisme se développe-t-il? Plusieurs hypothèses ont été proposées par des chercheurs et des cliniciens, selon leurs approches théoriques respectives. Par exemple, ce trouble peut s'installer lorsqu'un fétiche, objet ou partie du corps, a été intégré à un fantasme auquel le sujet a recours pour parvenir au plaisir lors d'une séance de masturbation. L'orgasme vient ici renforcer l'association fétichiste (Juninger, 1997). Il s'agit en quelque sorte d'un conditionnement classique suivant lequel tel objet ou telle partie du corps est associé au plaisir sexuel. Selon une autre perspective, le trouble prendrait naissance durant l'enfance. En effet, certains enfants apprennent à associer l'excitation sexuelle à des objets (sous-vêtements ou chaussures) appartenant à une personne importante sur le plan affectif, comme leur mère ou leur sœur aînée (Freund et Blanchard, 1993). C'est un processus qu'on appelle parfois *transformation symbolique*. Ici, le fétiche est investi du pouvoir ou de l'essence de la personne à laquelle il appartient, de sorte que l'enfant (généralement un garçon) éprouve pour cet objet ce que lui inspire la personne elle-même (Gebhard et coll., 1965). Si ces schèmes s'enracinent suffisamment, le garçon n'aura que peu ou pas d'interactions sexuelles avec autrui durant ses années de croissance et, même une fois adulte, il continuera peut-être à préférer les fétiches aux contacts sexuels avec d'autres humains.

Il est rare que le trouble de fétichisme conduise à un acte dangereux. Le vol est le délit le plus souvent associé au fétichisme (Lowenstein, 2002). Il arrive qu'une personne pose un geste bizarre, par exemple couper une mèche de cheveux sans la permission de sa propriétaire. Dans les cas extrêmes, et rares, un homme peut aller jusqu'au meurtre et mutiler sa victime pour prélever et conserver certaines parties du corps qu'il utilisera pour nourrir ses fantasmes pendant qu'il se masturbe.

▲ Des objets ou une partie du corps humain, comme les pieds, peuvent être une source d'excitation sexuelle pour certaines personnes.

Le trouble de transvestisme Jusqu'à récemment, le terme *travesti* désignait toute personne portant les vêtements de l'autre sexe, quelles que soient ses motivations (affirmation de soi, divertissement, excitation sexuelle, etc.). On utilise maintenant l'expression *transvestisme* pour désigner les personnes qui se parent de vêtements de l'autre sexe pour s'exciter sexuellement (APA, 2013). C'est cette composante d'excitation sexuelle qui distingue le comportement de transvestisme de celui des personnes qui portent les vêtements de l'autre sexe à l'occasion d'un spectacle (*drag queens*, *drag kings*). Elle permet aussi de distinguer le comportement de transvestisme de celui des hommes qui se travestissent pour séduire d'autres hommes attirés par cette forme d'expression sexuelle, ainsi que des personnes transgenres, comme nous l'avons vu au chapitre 4, qui y trouvent un moyen d'atteindre une certaine plénitude identitaire.

Le DSM-5 reconnaît que le fait de porter les vêtements de l'autre sexe pour des fins érotiques n'est pas nécessairement problématique, sauf si ce comportement s'accompagne de détresse émotionnelle chez la personne ou s'il perturbe de façon pathologique d'importants aspects de son fonctionnement sur le plan social ou professionnel (APA, 2013). De nos jours, plusieurs membres de la communauté transgenre et leurs sympathisants (*voir le chapitre 4*), de plus en plus actifs dans les revues professionnelles et dans les médias populaires, soutiennent que le transvestisme est une source légitime d'excitation sexuelle et non le signe d'un désordre psychologique ou d'un trouble du comportement. Ils rejettent ainsi le diagnostic de trouble de transvestisme et ce qu'il implique d'anormal (Boskey, 2013).

Transvestisme Comportement par lequel une personne obtient du plaisir sexuel en s'habillant avec les vêtements de l'autre sexe.

Parmi les objets fétiches les plus communs se trouvent la lingerie féminine et les chaussures à talons hauts. Les fétichistes peuvent être excités par ces objets inanimés.

Le trouble de transvestisme peut englober une palette de comportements. En général, le transvestisme est une activité sporadique, solitaire, qui suscite l'excitation sexuelle et se termine par la masturbation ou une relation sexuelle avec un partenaire. Cependant, certaines personnes éprouvent des difficultés sexuelles si elles ne restent pas travesties ou si elles arrêtent de fantasmer qu'elles sont encore travesties (APA, 2013). D'autres préfèrent porter seulement certains vêtements de l'autre sexe. Très souvent, la personne s'excite en ne portant qu'un vêtement, par exemple une petite culotte ou un soutien-gorge. Il arrive aussi, mais plus rarement, qu'une personne s'habille complètement avec les habits de l'autre sexe et sorte en ville ainsi vêtue et maquillée.

Par ailleurs, ce sont les hommes qui ont tendance à souffrir d'un trouble de transvestisme (Zarel et Bidaki, 2014). Cette observation semble être représentative de l'ensemble des sociétés actuelles pour lesquelles nous disposons des données. Plusieurs études menées auprès de populations cliniques et non cliniques semblent indiquer que le transvestisme se rencontre principalement chez les hommes mariés et d'orientation sexuelle prédominante hétérosexuelle (Brown, 1990; Bullough et Bullough, 1997; Doctor et Prince, 1997). La documentation clinique rapporte cependant quelques rares cas de femmes s'habillant en hommes pour avoir du plaisir sexuel (Bullough et Bullough, 1993; Stoller, 1982).

Comme ce comportement contient une importante composante de fétichisme (Freund et coll., 1996), l'Association américaine de psychiatrie (APA, 2013) a formalisé le lien entre ces deux paraphilies (transvestisme et fétichisme) en créant la catégorie diagnostique de *trouble de transvestisme*. Ce qui distingue le transvestisme du fétichisme proprement dit, c'est que la personne doit porter le vêtement *fétiche* pour s'exciter, car le fait de le regarder ou de le caresser ne lui suffit pas. Les cliniciens ont observé que certaines personnes acquéraient des vêtements et des articles (chaussures, perruques, maquillage) de façon cyclique, puis qu'elles s'en débarrassaient quand l'envie de se travestir devenait irrépressible, et s'en achetaient ensuite de nouveaux (APA, 2013).

Plusieurs adeptes du travestisme fétichiste jugent que cette pratique constitue une façon appropriée et légitime de s'exciter sexuellement et non le signe d'un trouble de comportement ou d'un désordre psychologique.

Tout comme le trouble de fétichisme, le trouble de transvestisme se développerait sous l'effet d'un conditionnement. Le renforcement, sous forme d'excitation ou d'orgasme, pourrait provenir de certaines activités de transvestisme au début de l'apparition de l'intérêt sexuel, avant la puberté (APA, 2013). Il arrive que des individus avec un trouble de transvestisme souffrent par la suite d'une dysphorie de genre (*voir le chapitre 4*) lorsque, selon les témoignages cliniques, le fait de se travestir ne les attire plus ou ne leur procure plus aucune excitation sexuelle (APA, 2013).

Les troubles du sadisme et du masochisme sexuels
Comme nous l'avons vu au chapitre 8, on aborde souvent conjointement le sadisme et le masochisme, parce qu'ils constituent deux variantes d'un même phénomène associant l'expression sexuelle et la douleur dans une dynamique de pouvoir. De plus, la dynamique des deux comportements se ressemble et se complète. Il faut se rappeler qu'on ne devrait pas poser un diagnostic de trouble de sadisme ou de masochisme sexuel si ces comportements n'induisent pas de détresse, d'anxiété, d'obsessions, de culpabilité ou de honte et s'ils n'entravent pas l'individu dans ses projets personnels (APA, 2013). Le DSM-5 présente ces deux troubles paraphiliques selon des catégories distinctes: le trouble de sadisme sexuel et le trouble de masochisme sexuel. Cependant, certains chercheurs et

militants considèrent qu'en incluant des pratiques sexuelles consensuelles et en les considérant comme pathologiques, le DSM contribue à discriminer et à stigmatiser les personnes qui s'y adonnent (Keenan, 2013).

Le trouble de sadisme sexuel Les personnes souffrant d'un trouble de sadisme sexuel ressentent une excitation sexuelle lorsqu'elles infligent à autrui une souffrance physique ou psychologique, surtout quand celle-ci est dirigée contre une personne non consentante. Quand de telles situations surviennent, on peut considérer ce trouble comme une paraphilie coercitive en raison des risques de blessures physiques et psychologiques, pouvant aller jusqu'à la mort, auxquels est exposée la personne non consentante.

Par ailleurs, celui qui a besoin d'infliger de grandes douleurs à autrui pour parvenir à un état d'excitation sexuelle trouvera difficilement un partenaire consentant, même contre rémunération. Les meurtres sadiques, qui font occasionnellement les manchettes, servent parfois à assouvir ce type de besoin (Money, 1990). Dans ces cas, c'est souvent la violence meurtrière elle-même qui permet l'orgasme.

Selon les données médicolégales actuelles, tous les individus qui ont reçu un diagnostic de trouble de sadisme sexuel sont des hommes (APA, 2013).

Certaines personnes trouvent un plaisir sexuel dans les tenues et les rôles liés au ligotage.

Le trouble de masochisme sexuel Le trouble de masochisme sexuel se caractérise par l'excitation sexuelle intense que provoquent le fait d'être humilié, battu ou attaché, d'autres comportements entraînant de la souffrance physique et psychique, ainsi que le risque de blessures importantes et fatales. Les personnes qui ont besoin de ressentir une douleur intense pour atteindre un état d'excitation sexuelle risquent d'avoir de la difficulté à obtenir la coopération d'un partenaire. Certaines en sont donc réduites à s'imposer des souffrances en se brûlant ou en se mutilant.

Selon les observations cliniques, le trouble de masochisme est le seul trouble paraphilique que l'on observe avec une certaine fréquence chez les femmes (APA, 2013). Les personnes qui présentent un trouble de masochisme sexuel montrent des signes de culpabilité, de honte, de frustrations sexuelles intenses, de solitude, d'impulsivité sexuelle et d'autres troubles de santé mentale (APA, 2013). Selon des études cliniques réalisées auprès de personnes pratiquant le sadomasochisme, ce trouble pourrait naître de l'établissement d'un lien entre la sexualité et la souffrance lors des premières expériences sexuelles. Ainsi, l'enfant ou l'adolescent qui a été puni pour s'être adonné à certaines activités sexuelles (comme la masturbation) pourrait en venir à établir une telle association. L'enfant pourrait même ressentir de l'excitation sexuelle pendant la punition : par exemple, l'érection ou la lubrification se produira quand on lui découvrira le postérieur et qu'on lui administrera la fessée (Bezreh, 2012).

Il se pourrait aussi que les préférences pour le masochisme soient liées à un moyen d'échapper à l'intransigeance et à la rigidité du rôle que les personnes tiennent quotidiennement en public. Ce point de vue permettrait de comprendre pourquoi, dans ce contexte, les hommes jouent davantage les rôles masochistes que les femmes (Baumeister, 1997). Ces rituels de domination et de soumission seraient «un moyen subversif d'appréhender une société qui glorifie la maîtrise, déprécie la dépendance et réclame l'égalité» (Perel, 2006, p. 108). Selon une théorie du même ordre, les pratiques masochistes seraient une façon de décrocher d'un contrôle de soi très poussé. Le masochisme bloque des pensées et des sentiments indésirables, surtout ceux qui génèrent de l'anxiété ou de la culpabilité, ainsi que les sentiments d'incompétence ou d'insécurité. Il agirait donc comme le font l'ivresse ou d'autres comportements permettant à la personne de s'évader d'elle-même (Baumeister, 1988).

Rappelons que ce qui distingue le trouble clinique d'une préférence, c'est que, contrairement aux préférences sexuelles, les comportements sexuels associés au trouble clinique entraînent de la détresse psychologique et perturbent le fonctionnement psychosocial. Par ailleurs, il est approprié de porter un diagnostic de trouble de masochisme sexuel chez les personnes qui posent des gestes dangereux pour elles-mêmes, telle la mort accidentelle consécutive à des pratiques d'asphyxie autoérotique.

D'autres troubles paraphiliques non coercitifs

Dans cette section, nous présentons quatre autres paraphilies non coercitives moins courantes.

L'asphyxie autoérotique L'asphyxie autoérotique (aussi nommée *asphyxiophilie* ou *hydroxyphilie*) est un trouble paraphilique associé au trouble de masochisme sexuel, rare et périlleux: ses adeptes, la plupart du temps des hommes, tentent de réduire leur apport d'oxygène au cerveau pendant un état d'excitation sexuelle extrême (Hucker, 2009; Hucker et coll., 2011). L'arrêt d'oxygénation s'accomplit généralement par strangulation à l'aide d'une chaîne, d'une courroie en cuir, d'un garrot, ou par pendaison au moyen d'un nœud coulant. Il arrive aussi que l'asphyxie soit pratiquée à l'aide d'un sac de plastique ou en comprimant la cage thoracique. La personne peut s'adonner à ces activités de privation d'oxygène en solitaire ou en compagnie d'un partenaire (Hucker, 2014a; Jarvis, 2014).

Les données disponibles ne nous permettent pas de déterminer les motivations derrière cette pratique. Ceux qui s'y adonnent le révèlent rarement à leurs proches ou à leur thérapeute, gardant pour eux ce qui les motive à agir de la sorte (Garza-Leal et Landron, 1991; Saunders, 1989). Pour certaines personnes, l'augmentation de l'excitation sexuelle et de l'intensité de l'orgasme semble être le but recherché. Le cas échéant, l'accessoire utilisé pour stopper l'arrivée d'oxygène au cerveau (p. ex., une corde) est généralement enserré autour du cou pendant la masturbation, puis relâché au moment de l'orgasme. Les personnes développent souvent des techniques très élaborées pour se libérer de l'étranglement juste avant de perdre connaissance.

L'augmentation de l'excitation sexuelle par la privation d'oxygène tend à confirmer qu'on pourrait intensifier l'orgasme en inhalant du nitrite d'amyle (*poppers*), un médicament servant au traitement des douleurs angineuses. On sait que cette substance réduit temporairement l'oxygénation du cerveau en dilatant les artères périphériques amenant le sang à celui-ci. On a aussi avancé que l'asphyxie autoérotique était une variante assez rare de masochisme sexuel où les participants exécutent des rituels associés au ligotage (APA, 2013; Cosgray et coll., 1991).

Il faut retenir que la mort est souvent l'issue de cette pratique peu courante et dangereuse (Cooper, 1996; Hucker, 2014b). Les morts accidentelles surviennent en raison d'un mauvais fonctionnement du matériel ou d'une erreur dans la façon de faire le nœud coulant ou le garrot. Les données recueillies pour les États-Unis, l'Angleterre, l'Australie et le Canada indiquent qu'un à deux décès par million d'habitants sont attribuables à cette pratique chaque année (APA, 2013; Hucker, 2009).

La clystérophilie La clystérophilie (klysmaphilie) est une forme de trouble paraphilique par laquelle l'individu retire du plaisir sexuel en recevant des lavements intestinaux (Agnew, 2000). Plus rarement, c'est le fait d'administrer des lavements à autrui qui suscite l'excitation érotique. L'observation clinique de nombreux adeptes de la clystérophilie révèle que plusieurs ont eu une mère inquiète et aimante qui leur a administré de fréquents lavements alors qu'ils étaient tout jeunes. Il se peut que l'érotisation de l'expérience, chez certains, soit née de l'association des soins dévoués et de la stimulation anale, et qu'à l'âge adulte ces personnes expriment le besoin d'un lavement soit comme substitut, soit comme préalable indispensable au rapport sexuel. Ces pratiques peuvent causer une détresse psychologique et perturber le fonctionnement psychosocial de la personne.

La coprophilie et l'urophilie La coprophilie et l'urophilie désignent des catégories de troubles paraphiliques par lesquels les personnes parviennent à l'excitation sexuelle respectivement au contact de matières fécales et d'urine. Les personnes coprophiles atteignent des paroxysmes d'excitation sexuelle en regardant quelqu'un déféquer ou en déféquant sur quelqu'un. Dans certains cas rares, elles parviennent à l'excitation quand quelqu'un défèque sur elles. Dans la pratique de l'urophilie, l'excitation survient lorsqu'une personne urine sur quelqu'un ou que quelqu'un urine sur elle. Selon une enquête québécoise menée récemment, entre 8,9 et 10 % d'hommes et 3,5 % de femmes rapportent avoir des fantasmes sexuels associés à l'acte d'uriner (Joyal et coll., 2014). Les initiés feront parfois allusion à la *pluie d'or* (*golden shower*). Cependant, le diagnostic de trouble de santé mentale se pose seulement lorsque ces fantasmes ou ces actes sont la source de problèmes pour l'individu. On ne s'entend pas sur les causes de ces paraphilies.

Les troubles paraphiliques coercitifs

Dans la présente section, nous décrirons tout d'abord deux formes très courantes de troubles paraphiliques coercitifs: l'exhibitionnisme et le voyeurisme. Nous traiterons ensuite de trois autres troubles paraphiliques

Asphyxie autoérotique Augmentation de l'excitation sexuelle et de l'intensité de l'orgasme par la réduction de l'apport d'oxygène au cerveau.

Clystérophilie Obtention du plaisir sexuel au moyen de lavements intestinaux.

Coprophilie Obtention du plaisir sexuel par le contact avec des matières fécales.

Urophilie Obtention du plaisir sexuel par le contact avec l'urine.

coercitifs : le frotteurisme, la zoophilie et la nécrophilie. Puisque ces troubles impliquent des gestes ou des fantasmes de gestes posés sur des personnes non consentantes, on pose un diagnostic de trouble de santé mentale pour tous les troubles paraphiliques coercitifs chez l'individu qui a mis en actes ses pulsions sexuelles ou quand ses fantasmes entraînent une détresse significative (APA, 2013).

Le trouble d'exhibitionnisme L'exhibitionnisme désigne le comportement de celui (presque toujours un homme) qui exhibe ses organes génitaux en présence d'observateurs involontaires (adulte ou enfant) (APA, 2013 ; Marshall et coll., 1991). Généralement, l'homme qui s'est ainsi exhibé obtient une gratification sexuelle en se masturbant peu après. Il revoit alors en esprit les réactions de sa victime, ce qui accroît son excitation. Il existe des cas où l'exhibition des organes génitaux suffit à déclencher un orgasme, et un certain nombre d'exhibitionnistes se masturbent en même temps qu'ils s'exhibent (APA, 2013 ; Frey, 2014). En associant l'excitation sexuelle et l'orgasme à l'acte exhibitionniste lui-même ou à un fantasme le mettant en scène dans des actes d'exhibitionnisme, l'individu consolide son goût pour ce comportement. L'outrage à la pudeur peut se produire dans des lieux divers ayant, pour la plupart, la particularité de permettre une fuite aisée. Le métro, les rues relativement désertes, les parcs et les voitures dont une portière est ouverte sont tous propices à l'exhibitionnisme. Il arrive aussi que l'exhibition survienne dans une habitation privée, comme le montre cet extrait.

> Un soir, j'ai eu le choc d'ouvrir la porte de mon appartement à un homme nu. Je l'ai regardé juste assez longtemps pour constater qu'il ne portait rien sur lui et je lui ai claqué la porte au nez. Je suis certaine que mon air horrifié était ce qu'il recherchait. Mais c'est difficile de se contenir lorsque vous ouvrez la porte à un homme nu. (Note des auteurs)

QUESTION D'ANALYSE CRITIQUE

> L'interprétation d'un comportement relevant de l'exhibitionnisme semble différer selon le genre de la personne concernée. Un homme se déshabillant à sa fenêtre court plus de risque d'être considéré comme un exhibitionniste qu'une femme qui ferait de même. Que pensez-vous de cette façon d'interpréter les comportements ?

Exhibitionnisme Exhibition de ses parties génitales devant quelqu'un sans son consentement.

Les exhibitionnistes cherchent souvent à choquer, à susciter la crainte ou la terreur. La meilleure façon de réagir à ce type d'agression est de calmement ignorer l'agresseur et de passer tranquillement son chemin.

Beaucoup de gens ont des tendances exhibitionnistes ; certains s'adonnent au nudisme, d'autres paradent devant leurs amants admiratifs ou se parent de vêtements provocants et de maillots suggestifs. Toutefois, ces comportements sont admis en société, car notre culture ne répugne pas toujours à exploiter et à exalter l'érotisme du corps humain. Il s'agit aussi d'un fantasme relativement commun, surtout chez les hommes. Selon une enquête récente au Québec, 23,2 % d'hommes et 16,6 % de femmes ont déclaré avoir des fantasmes sexuels dans lesquels ils se montrent nus ou partiellement nus dans un lieu public (Joyal et coll., 2014).

Pour qu'un comportement exhibitionniste soit considéré comme un trouble, l'acte ou les pulsions doivent provoquer une détresse psychologique ou perturber le fonctionnement psychosocial de l'individu. Pour que l'acte soit considéré comme illicite, il faut généralement qu'il soit observé par des témoins non consentants. Le Code criminel canadien va dans ce sens en précisant les conditions qui rendent la nudité acceptable sur le plan juridique. Une différence notable existe si l'exhibitionnisme a lieu en présence d'enfants de moins de 14 ans ; d'ailleurs, un article du Code criminel traite spécifiquement de ce point (Schabas, 1995).

Les données dont nous disposons sur ce comportement proviennent largement des études sur les contrevenants qui ont été appréhendés, ce qui constitue sans doute un échantillon non représentatif. Ce problème d'échantillonnage est fréquent dans le cas des paraphilies coercitives définies comme criminelles. Selon ces données fragmentaires, la plupart des exhibitionnistes seraient des hommes dans la vingtaine et plus de la moitié d'entre eux sont ou ont été mariés (Frey, 2014 ; Murphy, 1997). Leurs relations sexuelles sont plutôt insatisfaisantes. Plusieurs sont issus d'un milieu caractérisé par une atmosphère puritaine où la sexualité était un objet de honte.

Le développement du trouble d'exhibitionnisme serait influencé par divers facteurs. Par exemple, plusieurs personnes ont un tel sentiment d'inaptitude qu'elles ne cherchent pas à rencontrer d'autres personnes par peur d'être rejetées (Minor et Dwyer, 1997). Considéré sous cet angle, l'exhibitionnisme serait une tentative d'avoir un quelconque contact sexuel, quoique seulement visuel, ne serait-ce qu'un court instant. En réduisant au minimum le contact, par exemple en ouvrant et en refermant tout de suite son imperméable, ces individus croient que le risque de rejet est limité d'autant. Certains hommes agissent ainsi dans le but d'affirmer leur masculinité. D'autres, se sentant seuls et délaissés, le font pour avoir un peu d'attention. Un petit nombre d'hommes ressentent de la haine et de l'hostilité envers les gens, surtout envers les femmes, qui n'auraient pas su leur accorder d'attention ou qui les auraient fait souffrir émotionnellement. Dans ces conditions, l'exhibitionnisme peut représenter pour eux une façon de se venger, en choquant ou en effrayant celles qu'ils considèrent comme la principale source de leur malaise. Ajoutons que le trouble d'exhibitionnisme n'est pas rare chez les personnes perturbées émotionnellement, intellectuellement déficientes ou psychologiquement désorientées. Dans ces cas, le comportement traduit une conscience limitée de ce que la société considère comme des gestes acceptables, une faille dans l'autocontrôle éthique, ou les deux.

Contrairement à l'image répandue de l'exhibitionniste tapi dans l'ombre et prêt à agripper de malheureuses victimes pour les agresser, la plupart des personnes souffrant d'un trouble d'exhibitionnisme ne font que s'exposer eux-mêmes (APA, 2013 ; Frey, 2014). Le mot *victime* peut toutefois être approprié dans le sens où les témoins du comportement exhibitionniste sont susceptibles d'être émotionnellement traumatisées (Cox, 1988 ; Marshall et coll., 1991). Certaines se sont senties en danger d'être violées ou autrement agressées. Un petit nombre de personnes, surtout les jeunes enfants, risquent de réagir négativement (peur, dégoût) à l'égard des organes sexuels.

Les enquêteurs ont observé que certains exhibitionnistes, probablement une petite minorité, agressent physiquement leurs victimes (Brown, 2000). De plus, il semble probable que certains exhibitionnistes masculins passent à des agressions plus graves comme le viol et la violence envers les enfants (Abel, 1981 ; Bradford et coll., 1992).

Quelle est la meilleure réaction à offrir à un exhibitionniste ? Il est important de garder à l'esprit que la plupart de ceux qui manifestent un comportement exhibitionniste cherchent à provoquer une réaction d'excitation, de choc, de peur ou de terreur. Bien qu'il soit difficile de faire comme si de rien n'était, la meilleure façon de réagir est de poursuivre ses activités normalement. Bien sûr, il importe de s'éloigner immédiatement de la personne et d'aviser les autorités policières ou les responsables de la sécurité de ce qui vient de se produire.

Le trouble de voyeurisme Le voyeurisme consiste à retirer du plaisir sexuel en épiant la nudité ou les activités sexuelles de personnes, souvent inconnues, sans leur consentement (APA, 2013). Au Canada, pour être considéré comme une infraction criminelle, l'acte de voyeurisme doit impliquer une personne qui est observée sans son consentement (Schabas, 1995). Il est ainsi impossible, par exemple, d'accuser de voyeurisme les clients d'un bar de danseuses nues. Comme une certaine forme de voyeurisme est socialement acceptée (comme en témoigne la popularité des sites de nature sexuelle sur Internet), il est parfois difficile de déterminer à partir de quel moment le voyeurisme devient problématique (Arndt, 1991 ; Forsyth, 1996). De plus, selon une enquête récente, 63,4 % d'hommes et 31,8 % de femmes ont rapporté avoir des fantasmes sexuels consistant à observer à son insu une personne en train de se déshabiller (Joyal et coll., 2014). Cependant, on peut croire à la présence d'un trouble paraphilique lorsqu'un individu préfère le voyeurisme à toute relation sexuelle avec une autre personne ou qu'il prend des risques pour s'y adonner (ou les deux). Le degré d'excitation sexuelle que procure ce comportement est souvent proportionnel au risque d'être découvert, ce qui explique sans doute pourquoi la plupart des voyeurs ne sont pas attirés par les camps et plages naturistes, où il est permis de regarder des personnes nues (Tollison et Adams, 1979).

Selon l'observation clinique, le trouble de voyeurisme est un problème qui affecte surtout les hommes (Davison et Neale, 1993). Le voyeur épie aux fenêtres des chambres à coucher, se tient près de l'entrée des toilettes pour femmes et perce des trous dans les murs des cabines d'essayage des grands magasins. Certains hommes parcourent des circuits élaborés plusieurs soirs

Voyeurisme Obtention de plaisir sexuel par l'observation, sans leur consentement, de personnes dénudées ou en train d'avoir des relations sexuelles.

par semaine, dans l'espoir qu'ils auront la rare chance de contempler par une fenêtre un corps nu ou des ébats amoureux. Depuis quelques années, certains voyeurs utilisent des caméras vidéo miniatures pour s'immiscer secrètement dans l'intimité de nombreuses personnes à leur insu. Voir à cet effet l'encadré *Au-delà des frontières*.

Ici encore, les personnes qui ont une tendance au trouble de voyeurisme s'apparentent à celles qui souffrent d'un trouble d'exhibitionnisme (Arndt, 1991 ; Langevin et coll., 1979). Comme les exhibitionnistes, les voyeurs ont acquis très peu d'habiletés sociosexuelles et se sentent profondément inférieurs et inaptes, particulièrement à l'égard d'une partenaire sexuelle potentielle (Kaplan et Krueger, 1997). Ce sont souvent de jeunes hommes, généralement au début de la vingtaine (Davison et Neale, 1993 ; Dwyer, 1988). Ils épient rarement une connaissance, préférant se rabattre sur des inconnues. En général, le voyeurisme n'est pas associé à d'autres comportements antisociaux. La plupart des hommes souffrant d'un trouble de voyeurisme se contentent d'observer, en gardant leurs distances. Cependant, il arrive que certains commettent des infractions plus graves, comme un cambriolage, un incendie criminel, des voies de fait et même un viol (Abel et Osborn, 2000 ; Langevin, 2003).

Il est difficile de cerner un facteur précis à l'origine du trouble de voyeurisme, d'autant plus que tout le monde exprime plus ou moins des tendances voyeuristes de façon contrôlée. L'adolescent ou le jeune adulte qui présente un tel comportement ressent souvent (comme beaucoup de gens) une grande curiosité à l'égard des activités sexuelles, mais il peut se sentir angoissé et peu sûr de lui. Le trouble de voyeurisme, qu'il se manifeste directement ou par l'entremise d'une caméra cachée, donne à son auteur un plaisir par procuration, car il est généralement incapable d'avoir de véritables relations sexuelles sans ressentir une vive anxiété. Dans quelques cas, le comportement voyeuriste est renforcé par un sentiment de supériorité et de pouvoir sur les personnes secrètement observées.

AU-DELÀ DES FRONTIÈRES

Le vidéovoyeurisme

De petites caméras vidéo bon marché sont de plus en plus utilisées pour filmer les moments les plus intimes de la vie des gens, portant ainsi atteinte à leur vie privée. Dans certains cas, les images captées sont ensuite mises en ligne ou sur un DVD. Les appareils vidéo de pointe, lorsqu'ils sont dissimulés dans un détecteur de fumée, une enseigne de sortie, un plafonnier ou un sac de sport, par exemple, rendent la vie bien facile aux individus sans scrupules qui ont un penchant pour le voyeurisme ou qui ont toujours des plans pour gagner de l'argent rapidement aux dépens des personnes filmées à leur insu.

Les médias locaux et nationaux signalent un essor de diverses formes de vidéovoyeurisme, notamment au moyen d'une caméra ou d'un téléphone dissimulé dans une salle de bain (en anglais, ce concept est appelé *bathroomcams*), une salle de douche (*showercams*), un vestiaire (*lockerroomcams*), une chambre (*bedroomcams*) ou sous le bureau d'une femme (*upskirtcams*). Les fonctions de vidéo et de photo des téléphones cellulaires ajoutent une nouvelle dimension à cet essor récent du vidéovoyeurisme. Par exemple, un enseignant de la Floride a été arrêté et accusé d'avoir dissimulé un téléphone cellulaire dans une cabine de toilette pour filmer des personnes, tant mineures qu'adultes, utiliser les toilettes (UPI Newstrack, 2011). Un cas semblable a été signalé en Illinois. L'employé d'une quincaillerie a été accusé de surveillance vidéo illégale par l'entremise d'une caméra installée dans la salle de toilette du commerce (Nagle, 2011).

Les individus qui pratiquent le vidéovoyeurisme le font pour leur propre satisfaction sexuelle ou pour des raisons financières. Les innovations technologiques du matériel vidéo, combinées à l'Internet, ont permis l'émergence d'un nouveau marché financier inquiétant au sein duquel des entrepreneurs malhonnêtes vendent des vidéos qui portent atteinte à la vie privée des gens et qui sont destinées pour le visionnement sur DVD ou sur des sites Web de visionnement à la carte. Le nombre de films voyeuristes, autorisés ou non, accessibles en ligne a véritablement explosé. Une foule de sites s'adressent aux voyeurs virtuels et offrent le visionnement à la carte ou sur abonnement. Les clients peuvent ainsi ouvrir une session et observer des gens dans leur vie privée, souvent de belles jeunes femmes, qui peuvent ne pas être au courant qu'elles sont observées.

Malheureusement, bon nombre de victimes de vidéovoyeurisme, humiliées et en colère, ont découvert qu'elles n'avaient que peu de recours juridiques lorsque des vidéos d'elles sont vendues par des entrepreneurs sans scrupules basés à l'étranger, dans des pays où ils peuvent poursuivre leur commerce sans grande crainte de représailles judiciaires. Espérons que les gouvernements travailleront à rendre de plus en plus efficace le processus judiciaire relativement à la poursuite criminelle des cas de vidéovoyeurisme, et que la population sera davantage sensibilisée quant à cette forme grave d'atteinte à la vie privée.

D'autres troubles paraphiliques coercitifs

Terminons cet exposé sur les troubles paraphiliques coercitifs en présentant brièvement trois autres comportements impliquant une intrusion dans l'intimité d'autres personnes. Les deux premiers, le frotteurisme et la zoophilie, sont à vrai dire fréquents. Le troisième, la nécrophilie, est très rare.

Le frotteurisme   Le frotteurisme est un trouble paraphilique coercitif répandu qui passe souvent inaperçu. Généralement de sexe masculin, les individus présentant ce trouble se donnent du plaisir sexuel en se pressant ou en se frottant contre une personne inconnue entièrement vêtue. Cela se produit habituellement dans un lieu public bondé tel qu'un ascenseur, un autobus, le métro ou dans de grands rassemblements, des manifestations sportives ou des concerts en plein air. La forme la plus courante de contact se fait entre le pénis non dénudé de l'homme et les fesses ou les jambes d'une femme. Il est moins courant que l'homme se serve de ses mains pour toucher les cuisses, le pubis, les seins ou les fesses d'une femme. Souvent, le toucher semble fortuit, et la victime ne s'en rend pas compte ou n'y prête pas attention. En revanche, il arrive qu'elle se sente molestée et qu'elle se mette en colère (Freund et coll., 1997).

Les hommes qui s'adonnent au frotteurisme parviennent parfois à l'excitation et à l'orgasme au moment du contact. La plupart du temps, ils intègrent mentalement leur geste à des fantasmes auxquels ils s'abandonnent

Le frotteurisme est un trouble paraphilique passablement commun, qui se produit dans un lieu public bondé tel que l'autobus ou le métro.

plus tard durant une séance de masturbation. Comme les personnes présentant un trouble d'exhibitionnisme, ces hommes se sentent souvent socialement et sexuellement incompétents. Les contacts brefs et furtifs qu'ils ont avec des inconnues dans des endroits bondés leur permettent d'intégrer, sans crainte et sans risque, d'autres personnes à leur sexualité. Plusieurs hommes qui s'adonnent au frotteurisme n'ont aucun désir d'éliminer leur comportement (Kulbarsh, 2014).

Comme pour d'autres troubles paraphiliques, il est difficile d'estimer jusqu'à quel point le trouble de frotteurisme est répandu. Selon un échantillon clinique, entre 10 et 14 % environ des patients consultant pour des troubles paraphiliques, ou pour une hypersexualité, répondent aux critères d'un trouble de frotteurisme (APA, 2013). Une enquête menée auprès d'étudiants universitaires a établi que 21 % d'entre eux avaient déjà manifesté un comportement frotteuriste au moins une fois (Templeman et Sinnett, 1991). Plus récemment, une étude réalisée au Québec a montré que 48,4 % d'hommes et 19,8 % de femmes avouent avoir des fantasmes de toucher sexuellement une personne inconnue dans un lieu public, par exemple dans le métro (Joyal et coll., 2014).

La zoophilie   La zoophilie, parfois appelée *bestialité*, comporte un acte sexuel entre des humains et des animaux (APA, 2013). Ce trouble paraphilique est considéré comme criminel au Canada (Schabas, 1995). Il est raisonnable de penser que les animaux, dans ce cas, sont des participants non consentants et que les actes auxquels ils sont soumis sont à la fois coercitifs et importuns. Il apparaît donc tout à fait justifié de classer ce trouble paraphilique dans la catégorie coercitive.

Dans l'échantillon de Kinsey, 8 % des hommes et près de 4 % des femmes reconnaissaient avoir déjà eu des rapports sexuels avec des animaux. Ce genre de comportement était plus fréquent chez les hommes élevés à la ferme (17 % d'entre eux déclaraient être parvenus à l'orgasme à la suite de contacts avec un animal). Les animaux les plus souvent utilisés à des fins sexuelles avec des humains sont les chèvres, les moutons, les ânes, les grosses volailles (canards et oies), les chiens et les chats. Les hommes sont plus susceptibles d'avoir des rapports avec pénétration ou à se faire lécher les organes génitaux par des animaux de la ferme (Hunt, 1974 ; Kinsey et coll., 1948 ; Miletski, 2002). Les femmes zoophiles sont plus susceptibles d'avoir des contacts avec des animaux de compagnie : elles se feront lécher les organes génitaux par eux ou masturberont un chien, par exemple. Plus rarement, certaines femmes dressent un chien pour qu'il les monte et accomplisse avec elles le coït (Gendel et Bonner, 1988 ; Kinsey et coll., 1954). Selon une étude récente au Québec, 3 % de femmes et 1,8 % d'hommes expérimentent le fantasme d'avoir un contact sexuel avec un animal (Joyal et coll., 2014).

Le contact sexuel avec des animaux n'est habituellement qu'une expérience transitoire de jeunes gens en mal de partenaire (Money, 1981). La plupart des adolescents et adolescentes qui expérimentent la sexualité par des contacts sexuels avec des animaux passent, à l'âge adulte, à des relations sexuelles avec des partenaires humains. La véritable zoophilie, ou zoophilie non transitoire, n'est présente que lorsque le contact sexuel avec les animaux est préféré à toute autre forme d'expression sexuelle. Selon les observations cliniques, ce trouble paraphilique, très rare, ne s'observe généralement que chez les gens affligés de profonds problèmes psychologiques ou qui ont une vision complètement déformée de l'autre sexe. Par exemple, le cas d'un homme qui ressent une haine pathologique des femmes peut exprimer sa façon de les rejeter en leur préférant un animal comme partenaire sexuel. Par ailleurs, certains hommes ayant eu des contacts sexuels avec des animaux ne correspondent pas à ce profil. Une enquête récente menée sur Internet auprès de 114 hommes qui se définissaient comme zoophiles a montré que si la majorité d'entre eux préféraient les contacts sexuels avec un animal, le besoin d'affection et la recherche du plaisir, et non une quelconque haine envers les femmes, étaient les principaux motifs de cette préférence (Williams et Weinberg, 2003).

La nécrophilie La nécrophilie est un trouble paraphilique extrêmement rare dans lequel une personne trouve un plaisir sexuel en observant un cadavre ou en ayant un rapport sexuel avec lui. Au Canada, cette pratique est illégale et définie comme un crime d'outrage, d'indécence ou d'indignité envers un cadavre (Schabas, 1995). Ce trouble paraphilique peut pousser ceux qui en sont atteints à exhumer des corps récemment inhumés dans les cimetières ou à se faire embaucher à la morgue ou dans des entreprises de pompes funèbres (Tollison et Adams, 1979). Néanmoins, l'immense majorité de ceux qui s'occupent des dépouilles mortelles ne présentent pas de tendances nécrophiles.

Les annales judiciaires rapportent quelques affaires d'hommes aux tendances nécrophiles qui ont tué une personne pour disposer de son cadavre (Milner et Dopke, 1997). Selon des experts en pathologie criminelle, le tristement célèbre Jeffrey Dahmer, qui tuait et mutilait ses jeunes victimes masculines, était motivé par des pulsions nécrophiles incontrôlables. Comme il est très difficile de se procurer une dépouille mortelle, certains nécrophiles cherchent plutôt à assouvir leur comportement déviant au moyen d'un simulacre. Certaines prostituées acceptent de se prêter au jeu. Elles se poudrent le corps pour simuler la pâleur cadavérique, se couvrent d'un linceul et demeurent parfaitement immobiles durant tout le rapport sexuel, car tout mouvement de leur part ferait probablement tomber l'excitation sexuelle de leurs clients.

Selon les observations cliniques, les hommes ayant un trouble paraphilique qui se livrent à la nécrophilie semblent presque toujours affligés de graves troubles affectifs (Goldman, 1992). Ils se considèrent comme sexuellement et socialement incompétents, et ils détestent et craignent les femmes tout à la fois. Pour eux, la partenaire sexuelle idéale est sans vie, donc soumise et inoffensive (Rosman et Resnick, 1989 ; Stoller, 1977).

La compulsion sexuelle existe-t-elle ?

Depuis quelques années, notamment avec la grande disponibilité de contenus à teneur sexuelle sur Internet, la presse spécialisée et les médias se sont beaucoup intéressés à ce qu'on appelle la *compulsion sexuelle*, parfois aussi nommée *dépendance sexuelle*, et l'*hypersexualité* (à ne pas confondre avec l'hypersexualisation). Cette idée que des gens puissent être la proie d'insatiables besoins sexuels ne date pas d'hier, comme en font foi les termes *nymphomanie*, *satyriasis* ou *donjuanisme*, le premier applicable aux femmes, les deux derniers, aux hommes. Beaucoup de professionnels réprouvent ces catégorisations, qu'ils jugent méprisantes et susceptibles de culpabiliser inutilement des individus jouissant d'une vie sexuelle active. De plus, ils objectent qu'on ne peut qualifier d'excessifs des rapports sexuels, alors même qu'on ne dispose pas de critères nets établissant ce que seraient des niveaux dits normaux d'activités sexuelles. Les critères sur lesquels se fonde le diagnostic d'hypersexualité – nymphomanie et satyriasis – sont entachés de jugements de valeur. Cette remise en question est illustrée notamment dans la onzième version de la Classification internationale des maladies (CIM-11) (en anglais *International Statistical Classification of Diseases and Related Health Problems*, ou ICD), qui qualifiera désormais de *troubles sexuels compulsifs* ce que la CIM-10 classait dans les catégories des troubles de *masturbation excessive* et *désir sexuel excessif*.

La définition des termes évoqués ci-dessus repose donc généralement sur des considérations plus morales que scientifiques ; c'est pourquoi bon nombre de sexologues les critiquent vivement (Klein, 1991, 2003 ; Levine et Troiden, 1988). Le psychothérapeute Marty Klein (2003 ; 2012a) est particulièrement critique envers le mouvement condamnant la compulsion sexuelle, car il estime que ce mouvement exploite la peur des gens à l'égard de leur propre sexualité en la présentant comme une pathologie malsaine.

Néanmoins, le concept de compulsion sexuelle a acquis sa légitimité avec la publication, en 1983, de *Sexual Addiction* (*S'affranchir du secret : sexualité compulsive*) de Patrick Carnes, réédité depuis sous le titre *Out of the*

Shadows : Understanding Sexual Addiction. Selon Carnes, beaucoup de ceux qui manifestent certains troubles paraphiliques décrits dans ce chapitre (y compris les cas extrêmes comme l'agression sexuelle d'enfants) présentent les symptômes de la compulsion psychologique. Déprimés, anxieux, isolés et souffrant d'une piètre estime de soi, ces gens trouvent dans l'euphorie sexuelle un soulagement provisoire analogue à celui que procure la consommation d'alcool ou de cocaïne.

Les idées de Carnes sur la compulsion sexuelle ont suscité beaucoup d'intérêt au sein de sa communauté professionnelle. Tandis que Carnes et ses disciples cherchent à faire accepter la compulsion sexuelle comme une catégorie diagnostique légitime, ses détracteurs font valoir que la documentation sur la compulsion sexuelle persiste à éviter les recherches empiriques et à présenter des hypothèses comme des faits (Campbell et Stein, 2015 ; Chivers, 2005). Beaucoup de sexologues croient que la compulsion sexuelle ne devrait pas faire l'objet d'une catégorie diagnostique distincte, car elle est à la fois rare et apparentée aux autres troubles obsessionnels, comme la dépendance au jeu et les troubles de l'alimentation, et qu'une telle étiquette enlève à la personne la responsabilité de ses pulsions sexuelles *incontrôlables* qui font des victimes (Levine et Troiden, 1988 ; Satel, 1993). Cette dernière conception a prévalu, et dans la plus récente édition du DSM-5, l'Association américaine de psychiatrie (APA, 2013) a décidé de ne pas créer de catégorie pour l'hypersexualité ou le trouble sexuel compulsif, faute de consensus entre les experts sur la conceptualisation (Hartmann, 2013).

Un certain nombre de professionnels reconnaissent la validité des arguments contre le concept de dépendance sexuelle, tout en constatant que certaines personnes peuvent être excessives dans leurs activités sexuelles (Hook et coll., 2014). Le sexologue Eli Coleman (1990, 1991, 2003), entre autres, préfère décrire ces comportements comme des symptômes de compulsion sexuelle et non comme une dépendance. Selon lui, une personne présentant des comportements sexuels excessifs se sent souvent honteuse, sans valeur, incompétente et seule. Ces sentiments négatifs lui causent une profonde souffrance affective qu'elle veut à tout prix *anesthésier*. Comme certains se tournent vers l'alcool, la nourriture ou le jeu pour soulager leur souffrance affective, d'autres choisissent la sexualité. Se tourner vers cette solution procure un soulagement temporaire des douleurs psychologiques, qui ressurgiront plus intenses, entraînant un besoin plus grand d'activités sexuelles pour trouver un apaisement toujours temporaire. Malheureusement, ces actes répétitifs et compulsifs vont à l'encontre du but recherché, car ils suscitent la honte et compromettent les possibilités de rapports intimes en empêchant le développement normal et sain des relations interpersonnelles.

Bien qu'elle n'ait pas été retenue dans le DSM-5, la proposition de Kafka (2010) d'y inclure un diagnostic de trouble hypersexuel précisait que pour considérer si un individu présente un trouble de santé mentale, il fallait qu'au moins trois des cinq critères suivants soient présents sur une période de six mois et fassent en sorte que les fantasmes, les excitations, les envies et les comportements sexuels répétitifs :

1. perturbent des activités, des obligations et des buts (non sexuels) importants ;

2. soient vécus en réponse à des états dysphoriques (par exemple, anxiété, dépression, irritabilité) ;

3. soient vécus en réponse à des événements stressants de la vie ;

4. ne puissent être contrôlés malgré les efforts répétitifs entrepris ;

5. soient vécus sans tenir compte des risques de blessures physiques ou émotionnelles dirigées contre les autres ou contre soi-même.

Nous pouvons nous attendre à ce que les professionnels de la sexualité poursuivent encore quelque temps leurs discussions sur la façon de diagnostiquer, de décrire et d'expliquer les problèmes de sexualité excessive ou incontrôlable. Même si le débat sur la réalité du phénomène se poursuit, on propose des plans de traitement aux *sexoliques* (néologisme québécois désignant les dépendants sexuels). L'approche la plus souvent retenue s'inspire de celle élaborée par le mouvement des Alcooliques Anonymes.

Les dysfonctions sexuelles

Sur le plan médical, on regroupe sous le terme de *dysfonctions sexuelles* l'ensemble des troubles qui perturbent le désir sexuel et la réponse sexuelle chez l'homme et chez la femme. Selon le DSM-5, un diagnostic de trouble sexuel devrait être posé lorsque la dysfonction se manifeste dans la totalité ou dans la majorité des relations sexuelles (de 75 à 100 % des contextes sexuels pertinents), dure depuis six mois et cause un profond malaise chez l'individu ou dans le couple (APA, 2013). Cette définition permet de faire la distinction entre la dysfonction sexuelle et les difficultés sexuelles associées à la fonction sexuelle, qui sont communes et que la majorité des personnes éprouvent au cours de la vie, et ce, pour différentes raisons. Qu'il s'agisse d'une difficulté à parvenir à l'orgasme après avoir bu trop d'alcool ou d'un manque de désir pour les contacts sexuels à la suite d'une rupture de couple, ces manifestations ne donnent pas lieu de s'inquiéter, mais ces problèmes occasionnels montrent combien notre réponse sexuelle est intimement liée aux facteurs biologiques, psychologiques et relationnels. Mais une difficulté peut devenir récurrente et créer une détresse émotive pour l'individu ou pour le couple. C'est alors qu'il faut parler de *dysfonction sexuelle*.

La dysfonction sexuelle et la satisfaction sexuelle

Avant d'aller plus loin, il importe de rappeler que l'absence de dysfonction sexuelle n'est pas synonyme d'une pleine satisfaction sexuelle pour une personne ou pour un couple. Inversement, une personne ou un couple peut connaître des problèmes sexuels tout en étant satisfait de sa vie sexuelle (Balon, 2008 ; Basson et coll., 2003). Autrement dit, la satisfaction sexuelle est une évaluation subjective et une composante importante à considérer dans la définition d'un problème sexuel (Gierhart, 2006 ; Shabsigh, 2006).

> J'aurais aimé que ma première fois soit meilleure. J'aurais voulu avoir une relation sexuelle avec quelqu'un que j'appréciais, à tout le moins, plutôt qu'avec quelqu'un qui voulait simplement coucher avec moi. Nous étions tous les deux passablement éméchés, mais pas assez ivres pour oublier à quel point je suis venu rapidement. La rumeur a circulé sur cette expérience et je n'ai plus eu de relations sexuelles pendant longtemps. Ma première blonde après cet épisode n'en a pas fait grand cas, après quelque temps, j'ai été plus détendu et j'ai pu tenir plus longtemps. (Note des auteurs)

Une recherche sur la façon dont les gens définissent la satisfaction sexuelle révèle que le plaisir réciproque en est une composante essentielle, mais cette définition englobe d'autres aspects importants d'une relation sexuelle, tels que le romantisme, l'expression des sentiments et des désirs, la créativité et la fréquence des contacts sexuels. L'ouverture à la sexualité, le plaisir, l'excitation, l'orgasme et les émotions positives sont aussi des expériences qui contribuent à la satisfaction sexuelle (Pascoal et coll., 2014). Si ces composantes sont présentes malgré des perturbations de la réponse sexuelle, il n'y a pas lieu de parler d'une *dysfonction sexuelle*.

L'enquête *National Health and Social Life Survey* (NHSLS) a montré la prévalence de certaines dysfonctions sexuelles selon l'âge (*voir le tableau 9.2*). Par exemple, l'enquête rapporte que 43 % des femmes ont déclaré avoir éprouvé une quelconque dysfonction sexuelle. Cependant, lors d'une enquête téléphonique ultérieure (moins rigoureuse que celle de la NHSLS) menée auprès d'une population aléatoirement sélectionnée, l'Institut Kinsey a demandé aux femmes si elles considéraient comme un problème leur manque d'intérêt sexuel, d'excitation ou d'orgasmes. Seulement 25 % ont alors déclaré vivre une détresse par rapport à la perturbation de la fonction sexuelle (Bancroft, Loftus et Long, 2003). Une étude plus récente a montré que 36,5 % des femmes ayant des problèmes sexuels rapportent une détresse émotive, comparativement à 16,5 % des femmes qui n'ont pas de problèmes sexuels (Burri et coll., 2011). Si vous êtes en couple et si vous désirez connaître votre degré de satisfaction dans ce domaine, vous pouvez remplir le questionnaire d'autoévaluation proposé dans l'encadré *Votre santé sexuelle* à la page suivante.

Toujours selon la recherche de Burri et ses collaborateurs, les femmes dont le bien-être affectif laisse à désirer, de même que celles qui vivent une relation difficile avec leur partenaire ou qui éprouvent de l'anxiété, sont plus susceptibles de se dire malheureuses sur le plan sexuel (Burri et coll., 2011). Certains hommes souffrant

TABLEAU 9.2 La prévalence des troubles sexuels selon l'âge							
GROUPE D'ÂGE*	**MANQUE D'INTÉRÊT POUR LE SEXE**		**ANORGASMIE**		**DYSFONCTIONNEMENT ÉRECTILE**	**DYSPAREUNIE**	**ÉJACULATION PRÉCOCE**
	F (%)	H (%)	F (%)	H (%)	H (%)	F (%)	H (%)
18-29	32	14	26	7	7	21	30
30-39	32	13	28	7	9	15	32
40-49	30	15	22	9	11	13	28
50-59	27	17	23	9	18	18	31

* Les difficultés sexuelles sont plus fréquentes chez les jeunes femmes et chez les hommes plus âgés.
Source : Traduit de Laumann et coll., 1999.

VOTRE SANTÉ SEXUELLE

Autoévaluation – Indice de satisfaction sexuelle

Grâce au questionnaire ci-dessous, vous pouvez mesurer le degré de satisfaction que vous procure votre vie sexuelle avec votre partenaire. Il ne s'agit pas d'un test : il n'y a donc ni bonnes ni mauvaises réponses. Évaluez chaque énoncé aussi soigneusement et rigoureusement que possible en inscrivant après chacun le nombre correspondant au barème suivant :

1 = Rarement ou jamais   2 = Pratiquement jamais   3 = Parfois   4 = La plupart du temps   5 = Pratiquement toujours

1. J'ai l'impression que mon ou ma partenaire aime notre vie sexuelle.
2. Ma vie sexuelle est très stimulante.
3. Nous avons tous deux beaucoup de plaisir à faire l'amour.
4. J'ai l'impression de n'être qu'un objet sexuel pour mon ou ma partenaire.
5. J'ai l'impression que le sexe est une chose sale et dégoûtante.
6. Ma vie sexuelle est monotone.
7. Nos rapports sexuels sont brefs et trop rapidement expédiés.
8. J'ai l'impression que ma vie sexuelle est pauvre.
9. Je trouve mon ou ma partenaire très excitant(e).
10. J'aime les techniques sexuelles que mon ou ma partenaire aime ou utilise.
11. J'ai l'impression que mon ou ma partenaire m'en demande trop sexuellement.
12. Je pense que la sexualité est merveilleuse.
13. Mon ou ma partenaire accorde trop d'importance au sexe.
14. J'essaie d'éviter les contacts sexuels avec mon ou ma partenaire.
15. Mon ou ma partenaire est trop rude ou brutal(e) quand nous faisons l'amour.
16. Mon ou ma partenaire est extraordinaire sur le plan sexuel.
17. J'ai l'impression que le sexe fait naturellement partie de notre relation.
18. Mon ou ma partenaire n'a pas envie de faire l'amour quand j'en ai envie.
19. J'ai l'impression que notre vie sexuelle enrichit vraiment beaucoup notre relation.
20. Mon ou ma partenaire semble éviter les contacts sexuels avec moi.
21. Mon ou ma partenaire n'a pas de mal à m'exciter sexuellement.
22. J'ai l'impression que mon ou ma partenaire est satisfait(e) sur le plan sexuel avec moi.
23. Mon ou ma partenaire est très sensible à mes besoins et désirs sexuels.
24. Mon ou ma partenaire ne me comble pas sexuellement.
25. J'ai l'impression que ma vie sexuelle est ennuyeuse.

Résultats : Les énoncés 1, 2, 3, 9, 10, 12, 16, 17, 19, 21, 22, 23 doivent être inversement cotés. (Par exemple, si vous avez attribué 5 à un de ces énoncés, vous le noterez 1.) Cela fait, assurez-vous de n'avoir omis aucune réponse. Additionnez ensuite toutes les notes et soustrayez 25. Cette évaluation a démontré sa validité et sa fidélité.

Interprétation : Les résultats peuvent s'échelonner de 0 à 100, le score le plus élevé indiquant l'insatisfaction sexuelle. Un résultat d'environ 30 ou plus est l'indice d'une insatisfaction par rapport à sa vie sexuelle.

Source : Traduit et adapté de Hudson, 1992.

de troubles érectiles se croient moins masculins que les autres (Stephenson et Meston, 2013). Les personnes qui ont des problèmes sexuels se déclarent moins satisfaites de leur vie en général que celles qui n'en souffrent pas (Hellstrom et coll., 2006 ; Mallis et coll., 2006). Les recherches montrent effectivement que les problèmes sexuels peuvent avoir un lien avec le bien-être et la satisfaction globale, mais elles n'indiquent pas si l'un cause l'autre (Jannini et coll., 2014b ; Stephenson et Meston, 2013).

Les types de dysfonctions sexuelles

Dans cette section, nous abordons quelques-uns des troubles liés à la fonction sexuelle que vivent des personnes relativement au désir, à l'excitation, à l'orgasme et à la douleur physique durant le coït. Dans la réalité, ils se rejoignent souvent : les problèmes de désir et d'excitation influent sur l'orgasme, et les difficultés liées à l'orgasme peuvent se répercuter sur l'intérêt sexuel et sur la capacité d'être excité (Jannini et coll., 2013). Par exemple, une étude a montré qu'environ 44 % des hommes qui éprouvent des problèmes érectiles se plaignent également d'éjaculation précoce (Fisher et coll., 2006).

Pour qu'une difficulté soit considérée comme une dysfonction sexuelle, elle doit survenir en dépit du fait qu'il y a eu une stimulation psychologique et physique adéquate. La recherche a mis en lumière l'importance des stimulations physiques. Une étude rapporte que 42 % des femmes vivant de la détresse ou des problèmes sexuels se plaignent aussi de «préliminaires insuffisants» (Witting, Santtila et Varjonen, 2008). Une stimulation psychologique adéquate est essentielle. Par exemple, un homme qui éjacule rapidement après que sa partenaire lui a demandé de faire vite ne se trouve pas dans une situation qui invite à faire durer la relation sexuelle. On ne peut donc pas considérer que cet homme présente un trouble d'éjaculation précoce du fait de cette seule expérience et de l'absence de stimulation physique et psychologique adéquate. De même, on ne pourrait poser un diagnostic de manque de désir sexuel chez une femme que son partenaire pousse constamment à manifester sa sexualité d'une façon qui lui plaît, à lui, mais qui ne la stimule pas et ne lui procure pas de plaisir.

Les dysfonctions que nous présentons varient quant à la durée et aux situations que vivent les personnes. Une dysfonction peut durer toute la vie (elle est alors dite *primaire* ou *de tout temps*) ou, au contraire, survenir à un moment particulier (elle est alors dite *secondaire* ou *acquise*). Une personne peut avoir une difficulté avec n'importe quel partenaire, quelle que soit la situation (le problème est alors de *type généralisé*), ou le problème ne peut se produire que dans des situations précises ou avec un certain type de partenaires (il est alors de *type situationnel* ou *circonstanciel*) (APA, 2000). La classification et les dénominations que nous utilisons dans le présent ouvrage proviennent du *Second International Consultation on Sexual Medicine : Sexual Dysfunctions in Men and Women* (Lue et coll., 2004a), de l'International Society for Sexual Medicine et du DSM-5 ; nous y avons ajouté quelques catégories et appellations que nous jugions pertinentes.

Les troubles du désir sexuel

La présente section traite des problèmes de manque de désir sexuel chez l'homme et chez la femme, de l'insatisfaction quant à la fréquence des relations sexuelles et du trouble de l'aversion sexuelle.

Le manque d'intérêt pour les relations sexuelles   Le DSM-5 a formulé un diagnostic distinct pour les hommes et pour les femmes qui souffrent de problèmes causés par un manque d'intérêt ou de désir sexuel.

Chez l'homme   Le **trouble de la diminution du désir sexuel chez l'homme** se caractérise par l'absence ou la quasi-absence de pensées sexuelles, de fantasmes et du désir d'activité sexuelle (APA, 2013). Jusqu'à récemment, on définissait le trouble de la diminution du désir sexuel exclusivement par l'absence d'intérêt sexuel, de pensées et de fantasmes en dehors de l'activité sexuelle. Plusieurs hommes et femmes qui ne ressentent pas de désir sexuel peuvent toutefois ressentir du plaisir et devenir excités une fois l'activité sexuelle amorcée (Elton, 2010). Bien que ce type de difficultés soit plus répandu chez les femmes (*voir le tableau 9.2 la page 251*), un nombre important d'hommes se plaint d'un manque de désir sexuel et consulte à cette fin (McCarthy et McDonalds, 2009). Lorsqu'on évalue la diminution ou l'absence du désir sexuel, il faut prendre en compte le contexte interpersonnel. Ainsi, on ne pourrait établir un diagnostic de trouble de la diminution du désir en constatant une divergence de désir, qui fait qu'un individu manifeste un désir plus faible d'activité sexuelle que sa ou son partenaire.

Trouble de la diminution du désir sexuel chez l'homme   Absence ou diminution des pensées sexuelles, des fantasmes et du désir d'activité sexuelle.

Chez la femme Le DSM-5 a modifié le diagnostic chez la femme en combinant le trouble du désir sexuel et le trouble de l'excitation sexuelle en une seule entité désormais qualifiée de *trouble de l'intérêt pour l'activité sexuelle ou de l'excitation sexuelle chez la femme* (APA, 2013). À la lumière des résultats des recherches et des témoignages cliniques obtenus sur plusieurs années, il est maintenant reconnu que le désir sexuel et l'excitation coexistent et que les problèmes rencontrés à la fois en termes de désir et d'excitation caractérisent souvent de manière simultanée les plaintes de femmes souffrant de ce trouble. On définit alors ce trouble comme l'absence ou la diminution de l'intérêt sexuel, de l'excitation ou du plaisir sexuel ainsi que des sensations génitales ou non génitales pendant les rencontres sexuelles.

Les troubles du désir sexuel reflètent souvent des problèmes relationnels.

La divergence de désir sexuel Les partenaires n'ont pas toujours les mêmes attentes quant à la fréquence, à la nature et au moment de leurs activités sexuelles, une situation nommée *divergence de désir sexuel* au plan clinique (Willoughby et Vitas, 2011). Bien que le DSM-5 n'ait pas classé ce problème sexuel parmi les dysfonctions sexuelles, un nombre important de couples consulte pour cette raison. L'incompatibilité dans un couple à l'égard de ces préférences peut contribuer à l'insatisfaction sexuelle, même lorsque l'une ou l'autre de ces préférences ne constitue pas en soi un problème sexuel (Laan et Tiefer, 2014 ; A. Smith et coll., 2011). De cette façon, ce n'est pas autant une dysfonction sexuelle qu'un problème relationnel. Les différences entre les hommes et les femmes se font sentir lorsqu'il est question de fréquence : l'enquête *Global Sex Survey* de 2005 a montré que 41 % des hommes aimeraient avoir des relations sexuelles plus souvent, comparativement à 29 % des femmes (Durex, 2005). Le couple peut bien entendu s'accommoder de ces divergences de goûts, mais il arrive qu'elles soient de véritables sources de conflit, d'insatisfaction et

même de détresse émotive (Willoughby et coll., 2014a). Au lieu de concilier leurs différences, les partenaires se polarisent, chacun accusant l'autre de ne *jamais* vouloir ou, au contraire, de *toujours* vouloir.

QUESTION D'ANALYSE CRITIQUE

> Selon vous, existe-t-il une fréquence normale des relations sexuelles dans un couple ?

L'aversion sexuelle Lorsque le simple fait de penser au sexe suscite la crainte et le désir d'éviter tout contact sexuel, on dit qu'il y a une aversion sexuelle. L'aversion sexuelle connaît plusieurs degrés, qui vont du malaise à la répulsion, au dégoût et à la peur extrême et irrationnelle de l'acte sexuel. Parfois, la seule pensée d'un contact sexuel peut faire naître une angoisse et une panique intenses. Sudation, accélération du rythme cardiaque, nausées, étourdissements, tremblements et diarrhée sont les symptômes physiologiques de l'aversion sexuelle. Même si le DSM-5 exclut désormais l'aversion sexuelle des troubles sexuels (Borg et coll., 2014), nous l'incluons ici puisqu'elle décrit l'expérience vécue par certains individus.

Les troubles de la phase d'excitation

L'inhibition de l'excitation sexuelle se produit lorsqu'il y a absence ou manque chronique d'excitation physiologique, de sensations érotiques, ou lorsque la personne n'arrive pas à se sentir excitée intérieurement. L'absence de lubrification vaginale ou de conscience subjective des manifestations physiques de l'excitation peut être le signe d'un problème de l'excitation sexuelle chez la femme (Basson, 2000), alors que chez l'homme, l'incapacité d'avoir ou de maintenir une érection en est la manifestation typique.

Le trouble de l'excitation sexuelle chez la femme Nous avons vu, aux chapitres 2 et 3, que chez les femmes, la lubrification vaginale est le premier signe physiologique d'excitation sexuelle. Comme il est mentionné plus haut dans les troubles du désir sexuel, la nouvelle version du DSM réunit dans un seul groupe les

Trouble de l'intérêt pour l'activité sexuelle ou de l'excitation sexuelle chez la femme Absence ou diminution de l'intérêt sexuel, de l'excitation ou du plaisir sexuel ainsi que des sensations génitales ou non génitales pendant les rencontres sexuelles.

Aversion sexuelle Peur extrême et irrationnelle de toute activité sexuelle.

troubles de l'excitation sexuelle chez la femme ainsi que les troubles de l'intérêt pour l'activité sexuelle. Les problèmes de l'excitation sexuelle chez la femme se manifestent par l'absence ou la diminution des sensations génitales ou non génitales pendant l'activité sexuelle et par l'incapacité d'obtenir ou de maintenir la vasocongestion et la lubrification vaginale. Les signes physiques de l'excitation peuvent être présents en l'absence des sensations de plaisir ou d'excitation ou vice-versa.

L'excitation sexuelle persistante Bien que ce trouble ne soit pas officiellement reconnu dans le DSM-5, l'excitation sexuelle persistante chez la femme se caractérise par une excitation génitale – picotements, battements, pulsations – spontanée, envahissante et non voulue, en l'absence de désir sexuel (Leiblum et Goldmeier, 2008). Le fait d'avoir un ou plusieurs orgasmes n'enlève pas l'inconfort, et l'excitation peut persister pendant des heures ou des jours (Basson, 2009). Ce trouble est peu commun et a été identifié pour la première fois en 2001. Les femmes qui ont été examinées pour ce trouble avaient des évaluations physiologiques et psychiatriques normales, quoique la consommation ou l'arrêt de consommation d'antidépresseurs ISRS ont été reliés à l'apparition du trouble de l'excitation sexuelle persistante (Leiblum et Goldmeier, 2008). Les recherches préliminaires semblent indiquer que des femmes souffrant du syndrome des jambes sans repos et d'une vessie hyperactive seraient plus sujettes à ce trouble, ce qui laisse supposer une cause commune aux trois phénomènes. Mentionnons que, du point de vue épidémiologique, le syndrome des jambes sans repos est plus fréquent au Québec pour des raisons héréditaires (Young, Vilariño-Güell et coll., 2009) et qu'alors il peut y avoir une plus grande proportion de personnes également touchées par le trouble de l'excitation sexuelle persistante. Des examens par IRM et échographie transvaginale ont montré la présence de varices pelviennes (des veines anormalement dilatées) chez des femmes atteintes de ce trouble (Waldinger et coll., 2009).

Le trouble de l'érection On parle de trouble de l'érection, ou de dysfonction érectile (DE), lorsqu'un homme ne parvient pas à obtenir ou à maintenir une érection suffisante pour permettre une activité sexuelle avec pénétration (Lue et coll., 2004a). On estime qu'un homme sur cinq âgé de plus de 20 ans présente une dysfonction érectile, qui est un motif fréquent de consultation en sexothérapie (Saigal et coll., 2006). L'incidence de ce trouble augmente avec l'âge (Muneer et coll., 2014), comme le montre la figure 9.1. Un homme dans la cinquantaine risque deux fois plus d'en souffrir qu'un homme dans la vingtaine. Par ailleurs, en France, chez les hommes de 60-69 ans, la proportion de DE est de 6 % (Bajos et Bozon, 2008). Ce résultat peut s'expliquer, du moins partiellement, par des différences culturelles dans la définition même du DE. Plus récemment, certaines cliniques observent une augmentation du nombre d'hommes âgés de moins de 40 ans présentant une dysfonction érectile (Capogrosso et coll., 2013).

Des protocoles ont été mis au point pour évaluer les facteurs physiques du trouble de l'érection. Certaines méthodes mesurent les érections nocturnes puisque les hommes ayant des érections pendant le sommeil ne sont généralement pas sujets à un trouble d'origine organique. D'autres méthodes mesurent la pression et le flux sanguin péniens afin de déterminer si la dysfonction érectile est attribuable à un problème vasculaire. On utilise aussi l'injection de médicaments provoquant

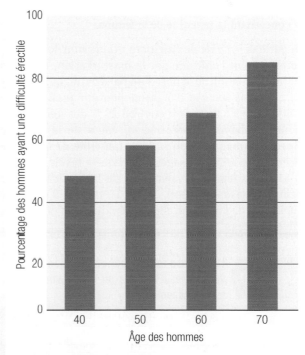

FIGURE 9.1 **L'incidence du dysfonctionnement érectile selon l'âge**

Source: Données tirées de Muneer et coll., 2014.

Troubles de l'excitation sexuelle chez la femme Absence ou diminution des sensations subjectives de l'excitation sexuelle et des réactions physiologiques de lubrification et d'engorgement des organes génitaux.

Excitation sexuelle persistante chez la femme Excitation génitale spontanée, envahissante et non désirée.

Trouble de l'érection Incapacité prononcée ou récurrente à obtenir ou à maintenir une érection lors des activités sexuelles.

des érections pour détecter d'éventuels problèmes. Si aucune érection ne se produit après une injection, alors il s'agit probablement d'un problème vasculaire (Lue et coll., 2004b).

Les troubles durant la phase orgasmique

D'autres troubles sexuels concernent la réponse orgasmique, et ce type de dysfonction touche autant les hommes que les femmes. Quelques-uns de ces troubles sont marqués par l'absence totale d'orgasmes ou par leur rareté. D'autres se caractérisent par une atteinte trop rapide ou trop lente de l'orgasme. Nous considérons aussi dans cette section la simulation de l'orgasme (*voir l'encadré* Parlons-en).

Les troubles de l'orgasme chez la femme Les troubles de l'orgasme chez la femme se caractérisent par l'absence ou le retard marqué de l'orgasme, ou sa faible intensité malgré une forte sensation subjective d'excitation provenant de tout type de stimulation (Basson et coll., 2004). La frustration est le principal sentiment que vivent les femmes atteintes de ce trouble (Kingsberg et coll., 2013). Selon une recherche menée aux États-Unis, de 5 à 10 % des femmes américaines n'ont jamais eu d'orgasme, que ce soit par autostimulation ou par stimulation de la part d'un partenaire, mais les données indiquent que ce nombre est en baisse depuis les années 1960 (LoPiccolo, 2000). Cette baisse apparente serait attribuable aux livres et vidéos d'auto-apprentissage destinés aux femmes désirant parvenir à l'orgasme, mais aussi aux innombrables articles publiés dans la presse féminine pour mieux connaître son corps ainsi qu'au recul du tabou socioculturel concernant la sexualité de la femme.

On parle de *trouble de l'orgasme situationnel* lorsqu'une femme atteint l'orgasme par la masturbation, mais pas par la stimulation de la part d'un partenaire. Les femmes qui n'ont pas souvent d'orgasme peuvent aussi avoir de la difficulté à l'atteindre : environ 25 % des femmes ont eu des problèmes d'orgasme au cours de la dernière année (Laumann et coll., 1999). L'atteinte de l'orgasme nécessite un apprentissage : une enquête révèle que près de 62 % des femmes avaient plus de 18 ans lors de leur premier orgasme (Ellison, 2000). Le tableau 9.3 montre l'incidence de l'orgasme chez les étudiants et étudiantes universitaires.

La plupart des thérapeutes sexuels croient que les femmes qui apprécient les relations sexuelles et qui parviennent à l'orgasme autrement que par le coït n'ont pas de problème sexuel (Hamilton, 2002 ; LoPiccolo, 2000). Beaucoup plus de femmes parviennent à l'orgasme par la masturbation, la stimulation de la part d'un partenaire et le cunnilingus plutôt que par le coït (Fugl-Meyer et coll., 2006). Pour de nombreuses femmes, la stimulation que procure le coït est tout simplement moins efficace que la stimulation manuelle ou buccale de la région clitoridienne. Comme le rappelait la sexologue et psychiatre Helen Kaplan, des millions de femmes ont une grande sensibilité sexuelle et sont souvent multi-orgasmiques, mais elles n'ont pas d'orgasme pendant le coït à moins de recevoir en même temps une stimulation clitoridienne (1974). Malheureusement, les hommes et les femmes ne le comprennent pas toujours : 23 % des participantes à une étude canadienne ont déclaré que le fait d'avoir rarement un orgasme pendant le coït constituait pour elles un problème (Gruszecki et coll., 2005).

Les troubles de l'orgasme chez l'homme Les troubles de l'orgasme chez l'homme, qu'on appelle aussi *éjaculation retardée*, renvoient généralement à l'incapacité de l'homme à éjaculer pendant une activité sexuelle (Sandstrom et Fugl-Meyer, 2007). Selon une étude, 8 % des hommes éprouvent ce problème (Laumann et coll., 1994). La masturbation est la méthode de stimulation préférée pour parvenir à l'orgasme des hommes avec cette dysfonction (Robbins-Cherry et coll., 2011). Les termes *anorgasmie coïtale masculine* (problèmes à atteindre l'orgasme pendant le coït) et *rapports sexuels sans orgasmes* (problèmes à atteindre l'orgasme par la stimulation manuelle ou buccale de la part du partenaire) sont des descriptions plus spécifiques que l'expression générique *troubles de l'orgasme masculin* (Apfelbaum, 2000).

L'éjaculation précoce est le trouble sexuel masculin le plus répandu (Strassberg, 2007). Selon l'International Society for Sexual Medicine, l'éjaculation précoce est celle qui survient rapidement et qui s'accompagne d'une incapacité pour l'homme d'exercer un contrôle sur le moment où elle se produit, d'une détresse psychologique ou de l'évitement de l'intimité sexuelle en raison de cette éjaculation rapide (McMahon, 2008). En général, environ 22 % des hommes sexuellement actifs ont des éjaculations précoces (Steggall

TABLEAU 9.3	La réponse fournie par des étudiants universitaires à la question « Avez-vous déjà eu un orgasme ? »

	FEMMES (%)	HOMMES (%)
Oui	87	94
Non	13	6

Source : Données tirées de Elliott et Brantley, 1997.

Troubles de l'orgasme chez la femme   Absence ou retard marqué de l'orgasme ou orgasme de faible intensité.

Troubles de l'orgasme chez l'homme   Incapacité à éjaculer pendant une activité sexuelle.

Éjaculation précoce   Éjaculation prématurée pendant une activité sexuelle en raison de l'incapacité à contrôler le moment où elle se produit.

et coll., 2008) et, parmi eux, 30 % éjaculent sans même avoir une pleine érection (Lue et coll., 2004a). Toutefois, le DSM-5 a établi une définition de l'éjaculation précoce qui précise que celle-ci doit survenir dans la minute suivant la pénétration vaginale (cette durée ne s'applique pas aux autres contextes sexuels). Selon ce nouveau critère, un moins grand nombre d'hommes souffriraient de ce trouble, comparativement aux taux indiqués par d'autres études (APA, 2013).

La recherche montre que les hommes souffrant d'éjaculation précoce sous-estiment l'intensité de leur excitation sexuelle, ressentent rapidement une forte excitation lors de la stimulation pénienne et éjaculent avant d'atteindre une pleine excitation sexuelle de sorte qu'ils éprouvent une moins grande satisfaction orgasmique que les hommes qui n'ont pas de problème d'éjaculation rapide (Rowland et coll., 2000). Certains hommes atteints de ce trouble présentent une hypersensibilité pénienne, ce qui contribue au déclenchement rapide de l'éjaculation (Wylie et Hellstrom, 2011).

Pour la plupart des sexothérapeutes des dernières décennies, tels que Masters et Johnson, Kaplan et Desjardins,

PARLONS-EN

La simulation de l'orgasme

La dernière difficulté liée à l'orgasme dont il est question dans cet ouvrage concerne sa simulation. On attribue généralement ce comportement aux femmes, mais certaines études indiquent qu'un plus grand nombre de jeunes hommes rapportent simuler l'orgasme. Selon un sondage en ligne mené auprès de 230 hommes âgés de 18 à 29 ans qui ont simulé l'orgasme avec leur partenaire actuelle au moins une fois, les participants ont déclaré l'avoir fait le plus souvent lors du coït et en moyenne 1 fois sur 4 relations sexuelles (Séguin et Milhausen, 2016). Les motifs invoqués par les participants étaient divers : pour des raisons liées à une mauvaise expérience sexuelle ou à un mauvais choix de partenaire, pour renforcer le bien-être émotionnel d'un partenaire, par désir d'améliorer la qualité de la rencontre sexuelle, parce qu'ils étaient en état d'ébriété ou parce qu'ils ne désiraient pas avoir de rapports sexuels (Séguin et Milhausen, 2016). Selon d'autres études, les hommes qui regardent compulsivement de la pornographie sont plus susceptibles de feindre l'orgasme puisqu'ils éprouvent des problèmes d'excitation avec une partenaire (Robinson, 2011 ; Rothbart, 2011). Le tableau 9.4 montre les taux de simulation d'orgasme. Une enquête a permis d'établir que 75 % des femmes ayant déjà simulé l'orgasme l'avaient fait plus de 50 fois, et que 10 % d'entre elles l'avaient fait à chaque relation sexuelle ou presque (Ellison, 2000). Comme

chez les hommes, les femmes rapportent feindre l'orgasme le plus souvent lors du coït, mais aussi durant les pratiques buccogénitales, la stimulation digitale et le sexe au téléphone (Cooper et coll., 2014 ; Muehlenhard et Shippee, 2010).

Les femmes qui simulent l'orgasme disent le faire le plus souvent pour ne pas décevoir ou blesser leur partenaire, un désir d'en finir avec la relation sexuelle (parfois à cause d'un inconfort ou de la douleur), ou pour paraître *normale* (Fahs, 2014 ; Muehlenhard et Shippee, 2010). Plusieurs personnes feignent l'orgasme parce qu'elles sont ou se croient tenues à certaines prouesses. Une communication déficiente, une méconnaissance des techniques sexuelles, la quête d'approbation de son ou de sa partenaire ou le désir de masquer l'effritement de la relation sont autant d'autres motifs (Ellison, 2000).

Est-il possible de savoir si une femme a simulé l'orgasme ? Une étude menée auprès de couples hétérosexuels a montré un écart de 20 % entre les hommes qui croient que leur partenaire est parvenue à l'orgasme et le nombre de femmes qui affirment en avoir eu un. En effet, environ 85 % des hommes rapportaient que leur partenaire avait eu un orgasme lors de leur dernière relation sexuelle, contrairement à 64 % des femmes (Reece et coll., 2010a).

Souvent, la personne qui simule l'orgasme entre dans un cercle vicieux. Comme leur partenaire ignore qu'elle feint l'orgasme, celui-ci refait les gestes qu'il croit efficaces, et la personne continue à feindre pour couvrir son mensonge. Les partenaires s'emprisonnent dans une dynamique d'illusions difficile à rompre. Bien que des femmes et des hommes qui feignent l'orgasme voient leur comportement comme une solution acceptable dans leur situation personnelle, d'autres estiment que feindre est en soi un problème. À tout le moins, l'orgasme simulé crée une distance affective au cours de moments d'intimité et de passion potentiels (Masters et Johnson, 1976 ; Sytsma et Taylor, 2008).

TABLEAU 9.4	La réponse fournie par des étudiants universitaires à la question « Avez-vous déjà simulé un orgasme ? »	
	OUI (%)	NON (%)
Hétérosexuelles	60	40
Lesbiennes ou bisexuelles	71	29
Hétérosexuels	17	83
Gais ou bisexuels	27	73

Source : Données tirées de Elliott et Brantley, 1997.

c'est plus précisément l'absence de prise de conscience de l'atteinte du point de non-retour dans la réponse sexuelle (*voir le chapitre 3*) qui empêche de moduler la montée de l'excitation. La plupart des hommes éjaculent rapidement lors de leur première relation coïtale, ce qui peut être décevant, mais ne constitue pas un problème sexuel, à moins que cette difficulté persiste.

Les troubles liés à des douleurs durant les relations sexuelles

Les troubles liés à des douleurs génitopelviennes ou à la pénétration sont un diagnostic médical désignant le fait de ressentir de la douleur au cours d'une relation sexuelle. Les symptômes les plus souvent rapportés comprennent la difficulté à avoir des rapports sexuels, la douleur génitopelvienne, la peur de la douleur ou de la pénétration vaginale, ainsi que la tension des muscles du plancher pelvien (APA, 2013). Auparavant, les troubles sexuels associés à la douleur étaient divisés selon deux catégories distinctes : la **dyspareunie** masculine et féminine, et le **vaginisme**. Nous conservons ces catégories pour en faire une description détaillée.

La dyspareunie chez l'homme La douleur durant les relations sexuelles chez l'homme est principalement causée par des problèmes médicaux. Peu répandue chez les hommes, la dyspareunie se manifeste surtout chez ceux qui ne sont pas circoncis et dont le prépuce est trop serré. Ce problème, connu sous le nom de *phimosis*, entraîne une sensation de douleur durant l'érection. Dans de tels cas, une intervention chirurgicale mineure peut être indiquée.

La **maladie de La Peyronie**, caractérisée par l'apparition d'une plaque fibreuse ou d'un dépôt calcaire au-dessus des corps caverneux du pénis et entre eux, est une autre source possible d'inconfort ou de douleur. Cette fibrose cause des douleurs et une incurvation du pénis pendant l'érection qui peut nuire à celle-ci et même au coït (Matsushita et coll., 2014). La maladie de La Peyronie est généralement due à une extension traumatique du pénis pendant le coït ou à une intervention médicale à l'urètre (Terrier et Nelson, 2016). Certains traitements médicaux ou des implants péniens permettent parfois de traiter efficacement ce problème (Chun et coll., 2014).

La douleur peut aussi être liée à une hygiène déficiente, causant une accumulation de smegma sous le prépuce, ou à une infection sous celui-ci entraînant l'irritation du gland pendant l'excitation sexuelle. Des problèmes comme des infections de l'urètre, de la vessie, de la prostate ou des vésicules séminales peuvent causer des sensations de brûlure, d'irritation ou de douleur pendant ou après l'éjaculation (Davis et coll., 2009 ; Davis et Noble, 1991). Des conseils médicaux appropriés peuvent aider à éliminer ces sources d'inconfort.

La dyspareunie chez la femme L'expérience de la douleur au moment d'une pénétration partielle du vagin, pendant ou après le coït, est courante chez les femmes : on estime que de 15 à 21 % des femmes de 40 ans et moins souffrent de ce trouble (Pazmany et coll., 2013) et pour un grand nombre d'entre elles, ces douleurs sont présentes depuis leur premier coït (Donaldson et Meana, 2011). Lorsque le problème est grave et constant, la dyspareunie risque d'être une source de profonde détresse.

Plusieurs facteurs peuvent causer l'inconfort et la douleur vaginale. Par exemple, la douleur durant l'intromission ou lors du coït est souvent causée par un manque d'excitation ou de lubrification. Certains états physiologiques comme l'insuffisance hormonale peuvent réduire la lubrification. Pour pallier cette difficulté, on peut recourir à une gelée lubrifiante à base d'eau, mais ce n'est là qu'une solution provisoire. Pour vraiment résoudre ce problème, il faut trouver la cause de la douleur et prendre les mesures pour y remédier.

Plusieurs autres problèmes médicaux et gynécologiques peuvent causer de la douleur pendant la pénétration. Par exemple, certaines infections transmises sexuellement et par le sang (ITSS) s'accompagnent d'une inflammation des parois du vagin qui rend le coït douloureux (*voir le chapitre 12*). Plusieurs produits contraceptifs risquent aussi d'irriter le vagin. Par ailleurs, une douleur à l'entrée du vagin peut être due à une rupture incomplète de l'hymen, à une infection des glandes de Bartholin ou à la présence de tissu cicatriciel périphérique (Kellog-Spadt, 2006).

Environ 10 % des femmes ressentent une vive douleur à l'entrée du vagin, connue sous le nom de *vestibulodynie*, et c'est peut-être la cause la plus répandue des coïts douloureux (Bergeron, 2009). Habituellement, une petite région rougeâtre s'avère très sensible à la moindre pression ; cette zone est parfois si petite qu'elle peut être difficile à déceler, même par un professionnel de la santé. L'utilisation de médicaments topiques ou une excision de la zone hypersensible comptent parmi les traitements possibles (Goldstein et coll., 2006).

Une douleur dans la région pelvienne durant les poussées coïtales peut résulter d'une irritation des ovaires ou d'un étirement des ligaments fixant l'utérus. Une femme n'éprouvera cette forme de douleur que dans certaines positions ou à des moments particuliers du cycle menstruel. Elle peut éviter ce qui cause la douleur en exerçant un contrôle sur la position et les mouvements pendant le coït. L'endométriose, caractérisée par une croissance

Dyspareunie Douleur ou inconfort pendant les relations sexuelles.

Maladie de La Peyronie Présence anormale de tissus fibreux ou de dépôts calcaires dans le pénis.

Vestibulodynie Douleurs intenses ressenties dans une petite zone à l'entrée du vagin lors de la pénétration.

anormale de tissus utérins dans différentes parties de la cavité abdominale, constitue une autre source de douleurs pelviennes (Tripoli et coll., 2011). Cette prolifération de tissus qui ne se développent normalement qu'à l'intérieur de l'utérus empêche les organes internes de bouger librement et peut causer des douleurs durant le coït. On prescrit parfois des contraceptifs oraux pour contrôler la prolifération de ces tissus durant le cycle menstruel (Eisenberg et Chahine, 2014).

Enfin, certains facteurs psychologiques sont susceptibles de contribuer à la dyspareunie. Le fait d'avoir subi au cours de l'enfance des influences qui ont suscité la crainte du rapport sexuel (une éducation sexuelle inadéquate, par exemple) et des problèmes relationnels qui ont nui à l'expérience sexuelle peut aussi entraîner un coït douloureux. En fait, il semble que la dyspareunie est dans la plupart des cas le fruit de la combinaison de facteurs physiques et psychologiques (Binik et coll., 2000). Elle peut également survenir à la suite d'un accouchement ou après la ménopause.

Le vaginisme Le vaginisme se définit comme des tensions ou des contractions marquées des muscles du plancher pelvien au cours des tentatives de pénétration. La contraction peut être si forte que toute tentative d'introduire le pénis dans le vagin, un tampon, un doigt et un spéculum durant l'examen pelvien devient très douloureuse ou même insupportable pour la femme (Pacik, 2014; Weiss, 2001). Les contractions douloureuses du vagin sont l'expression d'une réaction conditionnée et involontaire, généralement liée à un historique de pénétration douloureuse (van Lankveld et coll., 2006). Il est important que les femmes et leur partenaire sachent que le coït, les tampons hygiéniques et l'examen pelvien ne devraient pas être douloureux. S'ils le sont, il est essentiel d'en déterminer la cause.

Il est à noter que, bien qu'une femme souffrant de vaginisme puisse apprendre à prévenir les contractions, elle ne les provoque pas consciemment. En fait, les femmes qui s'efforcent de surmonter le problème en ayant des relations sexuelles malgré la douleur risquent d'obtenir l'effet contraire et d'alimenter un cercle vicieux qui empire le vaginisme. La sexualité imposée au sein d'un couple marié peut contribuer au problème. Par exemple, une étude des problèmes sexuels dans la culture islamique traditionnelle a montré que 58 % des femmes mariées sans leur consentement souffrent de vaginisme (Aziz et Gurgen, 2009). Selon les données de l'OMS, les femmes excisées sont aussi généralement plus sujettes au vaginisme que celles qui n'ont pas subi cette mutilation (OMS, 2001).

Vaginisme Contractions involontaires des muscles du premier tiers du vagin qui rendent toute pénétration difficile.

Certaines femmes atteintes de vaginisme parviennent à l'orgasme par une stimulation manuelle ou buccogénitale, tandis que d'autres ne rapportent pas de désir ou d'excitation (Borg et coll., 2011). Puisque la plupart des couples hétérosexuels considèrent le coït comme une composante très importante de leur vie sexuelle, le problème du vaginisme peut devenir très préoccupant, même pour les partenaires qui ont d'autres moyens d'expression sexuelle.

Les causes des dysfonctions sexuelles

Dans les paragraphes qui suivent, nous considérons quelques facteurs physiologiques, culturels, individuels et relationnels susceptibles de contribuer aux dysfonctions sexuelles. Il peut arriver que ces facteurs interagissent de façon notable. Par exemple, toute forme de difficulté physiologique peut fragiliser la réponse sexuelle et rendre la personne plus vulnérable aux déséquilibres découlant d'émotions ou de situations négatives. Ainsi, un homme ayant un diabète modéré pourra avoir une bonne érection lorsqu'il est reposé et détendu, mais être incapable d'en avoir une lorsqu'il est stressé, par exemple, après une dure journée de travail ou à la suite d'une discussion avec son ou sa partenaire. Il ne faut pas non plus perdre de vue qu'il est habituellement difficile de déterminer une cause spécifique à une difficulté sexuelle puisque différents facteurs chez différentes personnes peuvent induire un même type de trouble sexuel (Kempeneers et coll., 2013).

Les facteurs physiologiques

Quiconque éprouve des problèmes sexuels devrait d'abord faire un bilan de santé et se soumettre à un examen gynécologique ou urologique pour éliminer ces causes. Par ailleurs, des problèmes hormonaux, vasculaires et neurologiques peuvent contribuer au troubles sexuels (Maggi et coll., 2013; Sukel, 2013). Selon la recherche, malheureusement, plusieurs personnes aux prises avec des problèmes sexuels n'en parlent pas à leur médecin (Association of Reproductive Health Professionals, 2008).

La réalisation d'un plus grand nombre de recherches sur la part des composantes physiologiques dans les problèmes sexuels a permis de montrer que certaines difficultés, qu'on croyait auparavant imputables à des causes psychologiques, avaient également des causes physiques. Par exemple, l'éjaculation précoce est associée à l'hyperthyroïdie et s'améliore lorsqu'un traitement ramène les sécrétions thyroïdiennes à leur valeur normale (Cihan et coll., 2009). La prostatite peut aussi mener à l'éjaculation précoce (Lee et Lee, 2014). Il pourrait même y avoir une composante génétique chez certains hommes. En effet, comparativement aux hommes qui n'ont jamais souffert d'éjaculation précoce, ceux qui en sont affectés sont plus susceptibles d'avoir un génotype associé à une plus faible activité d'un neurotransmetteur, la sérotonine, dans l'aire du cerveau associée à l'éjaculation (Janssen et coll., 2009).

Des recherches récentes laissent penser que des variations individuelles, comme la sensibilité au toucher, peuvent jouer un rôle dans les difficultés sexuelles. Par exemple, certaines études révèlent que certaines femmes ayant de la difficulté à devenir sexuellement excitées présentent un degré plus faible de sensibilité générale au toucher (Frohlich et Meston, 2005). Nos connaissances actuelles relatives aux effets de maladies, de médicaments et de handicaps sur la sexualité des hommes dépassent celles dont nous disposons sur la sexualité des femmes, car les recherches sur le fonctionnement de la sexualité masculine ont été plus nombreuses (Heiman, 2009).

L'association de bonnes habitudes de vie et d'une bonne santé sexuelle

De bonnes habitudes de vie sont fortement liées à une bonne santé sexuelle. Une saine alimentation et le maintien d'un poids santé grâce à l'exercice sont les fondements d'un bon fonctionnement sexuel (Frisch et coll., 2011). Par exemple, le gras corporel, surtout à l'abdomen, réduit le taux de testostérone (hormone responsable du désir sexuel) chez les hommes. Un tour de taille élevé et l'inactivité physique sont associés à une plus grande probabilité de troubles érectiles (Janiszewski et coll., 2009). D'autres études corroborent la corrélation entre l'exercice intense et une diminution du risque de la dysfonction érectile (Ettala et coll., 2014).

Éviter l'usage du tabac et la consommation excessive d'alcool et des drogues récréatives constituent d'autres saines habitudes qui peuvent contribuer à une bonne fonction sexuelle. Par exemple, les femmes qui ne fument pas, qui ont un historique de consommation modérée d'alcool et qui présentent un poids santé sont moins à risque de connaître des insatisfactions ou des difficultés sexuelles (Addis et coll., 2006). Le tabagisme peut entraîner des effets négatifs notables sur la fonction érectile. Les fumeurs sont en effet deux fois plus susceptibles d'avoir des difficultés érectiles que les non-fumeurs (Harte et Meston, 2008). Le tableau 9.5 présente d'autres drogues récréatives qui risquent de nuire à la fonction sexuelle.

Les maladies chroniques

Au cours de leur vie, beaucoup de gens devront composer avec une maladie chronique. En s'attaquant au système nerveux, hormonal ou circulatoire, celle-ci perturbe la fonction sexuelle. Par exemple, la dysfonction érectile est souvent associée au diabète, à l'hypertension et aux problèmes cardiovasculaires (Glina et coll., 2012). La dépression qui accompagne souvent les maladies chroniques peut également affecter l'intérêt et la réponse sexuels (Lew-Starowicz et Rola, 2014). Certains médicaments exercent parfois des effets négatifs sur le désir ou la réponse sexuels. Toute douleur ou fatigue associée à la maladie peut prendre le pas sur les pensées et les sensations érotiques et limiter les activités sexuelles (Schover, 2000).

Les paragraphes suivants exposent brièvement les conséquences de certaines maladies sur la sexualité.

Le diabète Le diabète est une maladie du système endocrinien qui découle d'une incapacité du pancréas à sécréter suffisamment d'insuline. Cette maladie cause des dommages aux nerfs sacrés et au système circulatoire et une diminution de la sécrétion de la testostérone.

▲ Les effets positifs du cyclisme sur la santé cardiovasculaire et la résistance physique s'accompagnent malheureusement d'un coût à payer sur le fonctionnement sexuel. La pression exercée par la selle sur les organes génitaux peut endommager des nerfs et nuire à la circulation sanguine, ce qui risque de causer des difficultés sexuelles. Les cyclistes doivent utiliser une selle appropriée pour prévenir ce problème.

| TABLEAU 9.5 | Les effets sur la sexualité de l'abus de certaines substances et drogues illicites |

DROGUE	EFFETS
Alcool	Cause des changements hormonaux lors d'un abus chronique (réduction de la taille des testicules et inhibition de la fonction hormonale) et endommage de façon permanente les systèmes circulatoire et nerveux.
Marijuana	Abaisse le taux de testostérone chez les hommes et réduit le désir sexuel chez les deux sexes.
Tabac	Entraîne des effets néfastes sur les petits vaisseaux sanguins du pénis ; réduit la fréquence et la durée des érections (Mannino et coll., 1994).
Cocaïne	Cause des troubles érectiles et inhibe l'orgasme chez les deux sexes.
Amphétamines	Inhibent l'orgasme et perturbent l'érection et la lubrification par suite de l'usage de fortes doses ou d'une consommation chronique.
Barbituriques	Amoindrissent le désir sexuel, causent des troubles érectiles et retardent l'orgasme.

Source : Traduit de Finger et coll., 1997.

Chez près de 75 % des hommes atteints, ces problèmes réduisent la capacité à avoir une érection ou empêchent toute érection (Hackett et coll., 2013). Quant aux femmes diabétiques, elles sont plus susceptibles de présenter des problèmes de désir sexuel, de lubrification et d'orgasme (Pontiroli et coll., 2013 ; Rutte et coll., 2014).

Le cancer Le cancer et son traitement peuvent être particulièrement dévastateurs sur la sexualité parce qu'ils dérèglent les fonctions hormonales, vasculaires et cérébrales nécessaires à la bonne fonction sexuelle. La chimiothérapie et la radiothérapie peuvent provoquer la perte des cheveux, des changements cutanés et de la fatigue, toutes choses qui peuvent affecter négativement les sensations et l'intérêt sexuels (Incrocci, 2006). Certaines chirurgies peuvent laisser des cicatrices permanentes, des mutilations corporelles ou nécessiter une stomie (une ouverture corporelle faite par chirurgie pour permettre l'évacuation des déchets organiques

▲ Une cigarette ramollie permet d'illustrer les effets du tabagisme sur le fonctionnement sexuel masculin.

après une ablation du côlon ou de la vessie), tout cela pouvant laisser une image corporelle négative (Hill et coll., 2011). Les douleurs causées par le cancer ou son traitement peuvent aussi nuire grandement au désir et à l'excitation sexuels (Fleming et Pace, 2001).

Si tous les types de cancer peuvent nuire au fonctionnement sexuel, les cancers des organes reproducteurs ont souvent les pires impacts. Par exemple, les hommes qui ont eu un cancer de la prostate doivent généralement composer avec une dysfonction érectile (Harvard Health Publications, 2006).

La sclérose en plaques La sclérose en plaques (SP) est une maladie neurologique du cerveau et de la moelle épinière qui endommage la gaine de myéline recouvrant les fibres nerveuses. La vision, les sensations et les mouvements volontaires sont affectés. Les études ont révélé que la plupart des patients atteints de SP voient leur fonctionnement sexuel altéré et que près de la moitié d'entre eux doit composer avec la perte ou une diminution de l'intérêt sexuel, des sensations dans la région génitale, de l'excitation ou des orgasmes. Inversement, ces personnes peuvent aussi souffrir d'une hypersensibilité aux stimulations génitales (Burtchell, 2014).

Les médicaments

Au moins 200 médicaments sur ordonnance ou en vente libre ont des effets négatifs sur la sexualité (Finger et coll., 2000). Pas moins de 25 % des cas de dysfonction érectile seraient reliés aux effets indésirables de médicaments (Miller, 2000), y compris l'usage des médicaments anti-inflammatoires non stéroïdaux (Gleason et coll., 2011). Les professionnels de la santé ne précisent pas toujours ces effets sur la sexualité, aussi les patients doivent-ils aborder eux-mêmes la question lorsqu'on leur prescrit des médicaments. Il n'est pas rare qu'un autre médicament puisse faire l'affaire tout en produisant moins d'effets négatifs ou des effets moins importants sur la sexualité.

La médication psychiatrique Les antidépresseurs de la classe des inhibiteurs sélectifs du recaptage de la sérotonine (ISRS) entraînent fréquemment une réduction de l'excitation et de l'intérêt sexuels, et retardent ou empêchent l'orgasme chez près de 60 % des utilisateurs (Apantaku-Olajide et coll., 2011). Le ginkgo biloba (à raison de 240 à 900 mg par jour), le bupropion (Wellbutrin^MD) et le sildénafil (Viagra^MD) et autres médicaments du même ordre peuvent parfois contrer ces effets sur la réponse sexuelle (Balon et Segraves, 2008). Les médicaments antipsychotiques entraînent fréquemment une absence de désir et d'érection, de même qu'un retard ou une absence d'éjaculation et d'orgasme. Des tranquillisants comme le diazépam (Valium^MD) et l'alprazolam (Xanax^MD) peuvent perturber la réponse orgasmique.

Les médicaments variés Les médicaments pour traiter les maladies gastro-intestinales, la nausée et les antihistaminiques sont susceptibles de perturber la libido et l'excitation sexuelle. Quant à la méthadone, elle affaiblit souvent le désir sexuel, perturbe l'excitation, empêche l'orgasme et retarde l'éjaculation. La recherche montre que les femmes qui recourent à la contraception hormonale rapportent moins d'excitation sexuelle, des relations sexuelles moins fréquentes et moins d'orgasmes, comparativement aux femmes qui utilisent d'autres formes de contraception. Toutefois, les deux groupes mentionnent un niveau similaire de satisfaction sexuelle (M. Smith, 2011). Le finasteride, prescrit pour réduire la calvitie chez l'homme est fortement lié à une diminution du désir, de l'excitation ainsi que des problèmes d'érection et d'orgasme qui peuvent se poursuivre jusqu'à trois mois après l'arrêt de son utilisation (Irwig, 2014 ; Caruso et coll., 2015).

Les incapacités physiques

Les handicaps importants tels que les blessures médullaires, la paralysie cérébrale, la cécité et la surdité ont une grande variété d'effets sur la réactivité sexuelle. Certaines personnes atteintes de ces handicaps peuvent arriver à maintenir ou à retrouver une vie sexuelle satisfaisante, alors que d'autres voient l'expression de leur sexualité considérablement affectée. Voyons quelques-uns de ces problèmes ainsi que les possibilités d'adaptation qui s'offrent aux personnes concernées.

Les blessures médullaires Les personnes atteintes d'une blessure médullaire (lésion de la moelle épinière) voient leur motricité et leur sensibilité réduites parce que les dommages causés à la moelle épinière empêchent la communication neurale entre le corps et le cerveau. Même si les blessures médullaires n'influent pas nécessairement sur le désir sexuel et l'excitation psychologique,

une personne qui présente de telles lésions peut souffrir d'incapacité physiologique en ce qui a trait à l'excitation et à l'orgasme. Le degré d'incapacité varie considérablement selon la nature et l'endroit de la lésion neurologique (Alexander et Rosen, 2008 ; Ducharme, 2012). Selon des études récentes, 86 % des femmes et des hommes atteints d'une blessure médullaire éprouvent du désir sexuel, plus de la moitié d'entre eux ressentent de l'excitation par stimulation physique, environ 30 % deviennent sexuellement excités à la suite de stimulations psychologiques et 33 % ont des orgasmes ou des éjaculations (Mathieu et coll., 2006). Les inhibiteurs de la phosphodiestérase (PDE5) (commercialisés sous les noms de Viagra^MD, Cialis^MD, Levitra^MD et Staxyn^MD) peuvent augmenter l'excitation et les érections chez les hommes (DeForge et Blackmer, 2005 ; Ducharme, 2012).

La recherche de pointe sur les femmes souffrant d'une lésion complète de la moelle épinière indique qu'une autostimulation vaginale/cervicale peut produire un orgasme. Les techniques d'imagerie médicale ont montré que l'activité cérébrale pendant l'orgasme est la même chez les femmes sans lésion médullaire que chez celles avec une lésion complète de la moelle épinière (Pappas, 2012). Les données physiologiques indiquent que le nerf vague constituerait alors une voie alternative menant du vagin et du col de l'utérus au cerveau, contournant ainsi la moelle épinière (Whipple et Komisaruk, 2006).

Si un des partenaires du couple est un blessé médullaire, il est surtout conseillé de redéfinir et d'élargir les formes d'expression de la sexualité. Ainsi, l'amplification sensorielle – c'est-à-dire l'accroissement de la réactivité sexuelle sur la face interne des bras, la poitrine, le cou ou une autre région qui a conservé une certaine sensibilité – peut améliorer le plaisir et l'excitation (Rosengarten, 2007).

La paralysie cérébrale La paralysie cérébrale est le résultat de lésions cérébrales survenues avant ou à la naissance, ou pendant la petite enfance. Elle se caractérise par une défaillance modérée ou grave du contrôle musculaire volontaire. Sous l'effet de fortes contractions musculaires, les membres peuvent s'agiter brusquement ou se crisper maladroitement. Dans certains cas, l'intelligence est affectée, mais pas toujours.

Les sensations génitales ne sont pas touchées par la paralysie cérébrale. Cependant, les spasmes et la déformation des bras peuvent rendre difficile ou même impossible la masturbation sans aide, et il se peut qu'en raison de problèmes similaires aux hanches et aux genoux certaines positions coïtales soient douloureuses ou difficiles. Chez les femmes atteintes, les contractions chroniques des muscles entourant l'entrée du vagin risquent d'entraîner des douleurs lors du coït. La personne atteinte peut envisager diverses options, dont l'essai de différentes

›Dans *Murderball* (2007), documentaire réalisé par Henry Alex Rubin et Dana Adam Shapiro, un homme paraplégique évoque avec plaisir sa vie sexuelle et parle librement des façons de contourner ses limites.

Pendant l'amour, mes autres sens – le toucher, l'odorat, l'ouïe et le goût – sont des canaux privilégiés par lesquels je deviens excité. Les caresses de ma partenaire et la façon dont elle me touche, c'est terriblement excitant, peut-être plus encore que pour une personne qui voit. Le contact de ses seins sur mon visage, la fermeté de ses mamelons dans mes mains, le frôlement de ses cheveux sur ma poitrine... ce ne sont que quelques-uns des moyens par lesquels j'expérimente les incroyables plaisirs du sexe.

(Traduction libre, Kroll et Klein, 1992, p. 132.)

Des stratégies à l'intention des personnes gravement malades ou handicapées Les personnes et les couples peuvent mieux composer avec les limitations sexuelles qu'impose une maladie chronique ou un handicap en les acceptant et en misant sur les mesures à leur disposition. Par exemple, les couples peuvent minimiser les effets de la douleur en choisissant les moments les plus opportuns de la journée pour avoir des activités sexuelles, en utilisant des moyens de contrôle de la douleur tels que la chaleur humide ou des analgésiques, en trouvant des positions confortables et en se concentrant sur le plaisir génital ou sur des images érotiques pour se distraire de la douleur (Schover et Jensen, 1988). Comme nous le verrons plus loin, dans la section *Des suggestions pour prévenir les dysfonctions sexuelles*, il importe d'élargir le sens de la sexualité et d'aller au-delà de l'excitation et de la relation génitale en y ajoutant d'autres dimensions telles que les pensées érotiques et les touchers sensuels, il est également utile d'intégrer une certaine souplesse dans les rôles sexuels et d'innover dans les techniques sexuelles (Wittmann et coll., 2015).

Les facteurs culturels

La culture et la famille exercent une forte influence sur notre façon de percevoir et d'exprimer notre sexualité. Par exemple, notre société a du mal à percevoir la sexualité des personnes handicapées et a donc tendance à les *angéliser* en les désexualisant (Dupras, 2000). En fait, personne n'échappe aux perceptions sociales. Voyons ici comment certaines influences culturelles occidentales se répercutent sur notre sexualité et favorisent l'émergence de certains problèmes sexuels.

Plusieurs de nos attitudes fondamentales à l'égard de la sexualité se forment durant l'enfance. En grandissant, les enfants reçoivent de leur famille d'importantes leçons de relations humaines. Ils observent et intègrent les modèles qu'ils voient autour d'eux. Ils remarquent la façon dont leurs parents utilisent le toucher et ce qu'ils semblent éprouver l'un pour l'autre. Ainsi, une équipe de recherche a pu établir que les femmes qui ont peu de désir sexuel interprétaient les attitudes de leurs parents envers le sexe et leurs échanges affectueux de façon plus négative que les autres femmes (Stuart et coll., 1998).

positions, le placement d'oreillers sous les jambes pour atténuer les spasmes et l'exploration d'autres formes d'échanges sexuels. Avec l'aide de sa ou son partenaire pour adopter une position confortable, la personne, en se concentrant sur le plaisir ressenti dans la région génitale, peut oublier momentanément la douleur. L'adaptation sexuelle d'une personne atteinte de paralysie cérébrale ne relève pas uniquement de facteurs physiques, mais aussi du soutien que son environnement lui fournit sur le plan des contacts sociaux et de l'intimité. Ainsi, ces personnes sont susceptibles d'avoir besoin de quelqu'un pour les aider à se placer lorsqu'elles désirent avoir des relations sexuelles (Dune, 2013).

La cécité et la surdité La privation sensorielle liée à la cécité et à la surdité peut avoir des répercussions sur la sexualité, surtout si les incapacités ne permettent pas à la personne d'acquérir l'autonomie et les diverses habiletés nécessaires à l'interaction sociale (Mona et Gardos, 2000). Cependant, les autres sens peuvent jouer un rôle encore plus important, comme l'explique cet homme aveugle de naissance :

Selon plusieurs chercheurs thérapeutes, les personnes qui ont des problèmes sexuels ont souvent été élevées dans un environnement d'orthodoxie religieuse où le sexe est vu comme un péché et donc elles développent un sentiment de culpabilité qui peut miner le désir sexuel (Fox et coll., 2006; Hunt et Jung, 2009; Woo et coll., 2011). En outre, la recherche montre que les personnes qui s'éloignent de leur religion rapportent une importante amélioration de leur vie sexuelle, surtout lorsque la religion était rétrograde en matière de sexualité (Ray, 2012).

Les attentes par rapport aux rôles sexuels

Les recherches menées à travers le monde montrent que l'égalité entre les sexes est un facteur important de satisfaction sexuelle tant pour les hommes que pour les femmes. Bien qu'une plus grande égalité entre les sexes se soit installée au Québec, au Canada et aux États-Unis, il semble que plusieurs personnes continuent culturellement à nourrir des attentes distinctes envers les hommes et les femmes en matière de sexualité (*voir le chapitre 4*). Ainsi, on associe toujours les nombreuses conquêtes à la virilité et à la réussite sexuelle masculine, alors qu'on incite les femmes à plus de retenue en ce domaine sous peine de passer pour des traînées. Les restrictions qu'imposent ces conceptions stéréotypées nourrissent souvent chez les deux sexes des sentiments d'impuissance, de frustration et du ressentiment (Bonierbale et coll., 2006; Goldberg, 1990).

La façon dont les autres réagissent à l'exploration que fait l'enfant de sa génitalité peut conditionner sa manière de considérer ses organes sexuels.

Au contraire, l'intimité sexuelle qui transcende les stéréotypes sexuels – quand les partenaires sont à la fois actifs et réceptifs, entreprenants et tendres, enjoués et sérieux – permet de réaliser tout le potentiel d'humanité (Kasl, 1999; McCarthy, 2001). Quant aux partenaires de même sexe, ils n'ont pas à se battre contre de tels stéréotypes hétérosexuels pour exprimer leur sexualité. Comme ils ont peu de modèles rigides calqués sur des stéréotypes, les partenaires de même sexe bénéficient souvent d'un répertoire sexuel plus varié que les couples hétérosexuels (Nichols, 2000).

Une définition limitée d'une relation sexuelle

L'expression sexuelle chez les hétérosexuels est aussi conditionnée par l'idée que toute relation sexuelle digne de ce nom doit se terminer par un coït et que les femmes préfèrent nettement ce contact. Cette idée, comme nous le précisons souvent dans le présent ouvrage, limite le comportement sexuel, mène à une stimulation inadéquate des femmes et fait peser de lourdes attentes sur la relation coïtale. Selon la sexothérapeute Leonore Tiefer, l'attention accordée aux traitements médicaux qui améliorent l'érection, comme le sildénafil (Viagra^MD), ne fait que renforcer cette obsession du coït. Elle rappelle que, pour chaque dollar investi dans le perfectionnement du phallus, la même somme devrait être consacrée à aider les femmes dont le partenaire se montre inapte à les embrasser, à leur écrire des mots d'amour, à leur caresser le clitoris de façon érotique ou à changer la couche de bébé pour leur permettre de se reposer (Tiefer, 1995).

La pression et l'angoisse de la performance

En réduisant les sensations de plaisir, l'angoisse de la performance peut inhiber l'excitation et la réponse sexuelles. Le sexothérapeute Marty Klein décrit cette expérience: «Certaines personnes s'auto-observent durant les relations au lieu de vivre l'expérience sexuelle, ce qui va typiquement diminuer le plaisir» (Klein, 2012b, p. 16). Par exemple, chez une femme, la conviction de devoir atteindre l'orgasme pendant une expérience sexuelle – et se dépêcher de l'avoir – risque de faire obstacle aux sensations physiques et aux émotions qui pourraient l'exciter. La recherche montre que les hommes sont plus susceptibles que les femmes d'être distraits par l'idée de performer pendant l'acte sexuel (McCabe et Connaughton, 2014). L'angoisse de la performance peut aussi faire en sorte qu'un partenaire ne porte pas suffisamment attention au plaisir et à l'excitation de l'autre puisqu'il est très préoccupé par sa propre fonction sexuelle (Burri et coll., 2014).

Un problème sexuel passager, par exemple l'incapacité à atteindre l'orgasme ou à maintenir une érection en raison de la fatigue ou d'un manque circonstanciel d'intérêt, peut susciter suffisamment d'anxiété pour que le problème se produise de nouveau lors de la prochaine rencontre sexuelle (Benson, 2003). La dysfonction érectile naît souvent de l'inquiétude qui suit un premier incident en combinaison avec les attentes culturelles irréalistes voulant que l'homme et son pénis soient disposés aux relations sexuelles sur commande et à tout instant, mettant ainsi de la pression sur l'homme qui se croit obligé d'être toujours performant (Klein, 2015). Certains hommes perdent leur érection quand ils s'arrêtent pour mettre un condom (Janssen et coll., 2014 ; Sanders et coll., 2014).

> Un soir, lorsque j'avais 20 ans, ma compagne et moi étions dans sa chambre, chez ses parents, lorsque nous avons décidé de faire l'amour. Elle me dit de ne pas faire de bruit, car sa mère était dans la pièce à côté. Après quelques minutes d'activité, j'ai perdu mon érection. J'ai complètement paniqué. Par la suite, ma compagne m'a prêté un manuel sur la sexualité humaine, et j'ai pu relativiser et voir que mon problème était dû à une situation défavorable. (Note des auteurs)

Les problèmes d'éjaculation précoce sont aussi liés à la peur de perdre son érection et au manque d'intérêt sexuel à la suite de problèmes d'excitation sexuelle ou d'orgasme ou encore de douleurs durant les relations sexuelles (Corona et coll., 2013 ; Shaeer, 2013). L'inaptitude à atteindre l'orgasme peut provenir d'une pression trop forte à performer et d'une incapacité à penser à soi et à tenter d'amplifier son excitation au lieu de se concentrer sur le plaisir de l'autre (Apfelbaum, 2000).

Les facteurs individuels

Outre les influences culturelles sur les sentiments et l'expression de la sexualité, des facteurs psychologiques peuvent entraîner des dysfonctions sexuelles. Nos connaissances sur la sexualité et notre rapport à celle-ci ont bien sûr une influence sur notre expression sexuelle.

L'image de soi

L'expression *image de soi* renvoie aux sentiments et aux croyances que nous entretenons sur nous-mêmes. Les recherches ont montré qu'il y avait une corrélation positive entre l'estime de soi et la confiance en soi, d'une part, et une plus grande satisfaction sexuelle et l'absence de problèmes sexuels, d'autre part (Galinsky et Sonenstein, 2011 ; Higgins et coll., 2011). Par exemple, une femme bien dans sa peau, persuadée de son droit au plaisir sexuel et qui prend une part active dans l'atteinte de son épanouissement sexuel aura probablement une vie sexuelle plus satisfaisante que celle qui n'a pas ces sentiments envers

elle-même (Nobre et Pinto-Gouveia, 2006 ; Sanchez et coll., 2006). Inversement, un problème sexuel peut affecter l'image de soi (Althof et coll., 2006). L'analyse de plusieurs études portant sur l'utilisation des médicaments pour traiter la dysfonction érectile est d'ailleurs révélatrice à ce sujet. En effet, les résultats d'un test visant à mesurer l'estime de soi d'hommes qui présentaient un trouble érectile ont montré que ces derniers rapportaient, avant le traitement, un niveau d'estime de soi plus faible que celui des hommes qui n'avaient pas de trouble érectile ; or, après 10 semaines de traitement, cette différence entre le niveau d'estime de soi des deux groupes avait complètement disparu (McCabe et Althof, 2013).

L'image corporelle est un aspect de l'image de soi qui peut avoir une grande influence sur la sexualité. Plus une personne est préoccupée par son corps, moins elle peut se laisser aller au plaisir physique et émotionnel pendant une activité sexuelle (Seal et Meston, 2007). Dans les cultures occidentales, où minceur et beauté sont souvent synonymes de désirabilité sexuelle, le corps des femmes est beaucoup plus scruté, évalué et sexualisé que celui des hommes (Rivers, 2014). Par exemple, une enquête publiée dans une revue a montré que 39 % des femmes disent qu'elles prendraient plus de plaisir sexuel si elles perdaient du poids (Sandell, 2014). L'obsession des femmes à l'égard de leur poids se manifeste bien avant l'âge adulte ; même aux stades de la vie où garçons et filles ont le même pourcentage de graisse corporelle, les filles sont plus insatisfaites de leur poids et de leur image corporelle que les garçons (Rierdan et coll., 1998 ; Wood et coll., 1996).

Des études ont montré que le fait de se comparer avec des modèles minces peut entraîner des problèmes d'image corporelle (Bergstrom et coll., 2009). L'image des femmes dans les médias s'éloigne de plus en plus de celle de la femme de taille moyenne et a contribué à accentuer la perception que la minceur est importante. Seulement 1 % des femmes âgées de 18 à 34 ans ont des mensurations semblables à celles des mannequins de mode typiques (1,80 m et 53 kg) (Zwerling, 2014). Afin de contrer l'idée que la minceur malsaine correspond au corps idéalisé, l'Italie, L'Israël, L'Espagne et la France ont adopté des lois interdisant aux agences d'embaucher des mannequins trop maigres pour leurs annonces publicitaires et dans les défilés de mode (Rubin, 2015).

Il est courant pour une femme d'être gênée lorsqu'elle est nue dans un moment d'intimité physique avec son partenaire ; et plus grande est la gêne à l'idée d'être nue avec un partenaire, moins grande est la satisfaction sexuelle (Pujois et coll., 2010). Une recherche menée auprès d'étudiantes universitaires dans le Midwest américain indique que 35 % d'entre elles ont révélé être intimidées dans des moments d'intimité physique avec leur partenaire, se disant d'accord avec des affirmations

La maigreur des mannequins vedettes est frappante par rapport aux mannequins d'il y a 30 ans.

telles que «Si un partenaire mettait ses mains sur mes fesses, je me dirais qu'il peut sentir que je suis grosse» et «Je préfère que mon partenaire soit sur moi parce qu'alors il voit moins mon corps». Cette recherche a montré une relation entre l'image corporelle et la capacité à bien vivre sa sexualité. Les femmes qui se préoccupent moins de leur image corporelle se perçoivent comme de bonnes partenaires sexuelles, s'affirment plus avec leur partenaire et ont plus d'expériences hétérosexuelles que celles qui se soucient de leur apparence, et ce, même chez des femmes de poids similaire (Wiederman, 2000). La familiarité et l'attachement à un partenaire peuvent faire une différence: les femmes qui avaient une relation de couple exclusive se déclaraient moins embarrassées pendant l'activité sexuelle que celles qui n'avaient pas une relation exclusive (Steer et Tiggemann, 2008).

Les préoccupations problématiques au sujet de l'image corporelle semblent prédominer chez les femmes blanches hétérosexuelles, comparativement aux femmes issues de groupes minoritaires. La recherche montre que les femmes afro-américaines se trouvent plus attirantes sexuellement que les femmes blanches (Bancroft et coll., 2011). En outre, d'autres études ont montré que les femmes vivant avec des partenaires féminines se

sentent plus satisfaites de leur image corporelle que les femmes vivant avec des partenaires masculins (Huxley et coll., 2011). En revanche, plusieurs études montrent que les hommes gais sont plus préoccupés par leur apparence et se disent moins satisfaits de leur image corporelle que les hommes hétérosexuels (Jankowski et coll., 2013).

Bien que les hommes rapportent généralement moins d'inquiétudes à propos de leur image corporelle durant les relations sexuelles (Nelson et Purdon, 2011), les tendances récentes suggèrent que l'image masculine véhiculée par les médias contribue aussi à nourrir un sentiment d'insécurité chez les hommes à cet égard, au point de compromettre leur vie sexuelle. Par exemple, les étudiants universitaires qui consacrent plus de temps à lire des magazines pour hommes, à regarder des vidéoclips et des émissions de télévision aux heures de grande écoute se sentent plus préoccupés par leur pilosité et par leur transpiration que ceux qui consultent moins ces médias (Schooler et Ward, 2006). Les hommes apparaissant dans les magazines et à la télé n'ont généralement pas de poils visibles. L'insatisfaction des hommes envers leur propre corps est d'ailleurs ressortie dans les résultats d'une étude sur les préférences corporelles; la plupart des sujets ont dit qu'ils préféraient des photos montrant des hommes ayant 14 kilos de muscles de plus qu'eux (O'Neill, 2000). Une étude a montré que les hommes qui étaient davantage satisfaits de leur force physique, de leur stature et de leur fréquence d'entraînement, et qui étaient plus à l'aise avec leur nudité étaient aussi plus satisfaits sur le plan sexuel que ceux qui ne l'étaient pas à l'égard de ces variables (Penhollow et Young, 2008).

Même en considérant que la plupart des femmes n'accordent pas une importance majeure à la taille du pénis, les inquiétudes des hommes à ce sujet nuisent à leur excitation et à leur plaisir. Dans une enquête menée

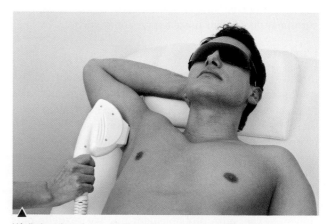

L'épilation n'est plus un rituel esthétique réservé aux femmes.

auprès de 52 000 hommes et femmes hétérosexuels, seulement 55 % des hommes se sont dits satisfaits de la taille de leur pénis, alors que 85 % des femmes étaient satisfaites de la taille du pénis de leur partenaire (Lever et coll., 2006). Contrairement aux pénis de grosseur normale représentés dans les œuvres d'art classiques telles que le célèbre *David* de Michel-Ange, la pornographie peut donner une fausse image de ce qu'est un pénis de taille moyenne puisque les acteurs de films pornos sont choisis en raison de leur sexe surdimensionné.

Les difficultés d'ordre affectif

L'enquête NHSLS fait ressortir une corrélation entre l'absence de bonheur et les problèmes sexuels. Les résultats ne permettent pas de déterminer quelle variable influe sur l'autre, mais on sait que les femmes et les hommes qui ont des problèmes sexuels sont, en général, beaucoup plus malheureux que ceux qui n'en ont pas (Laumann et coll., 1999). L'intelligence émotionnelle – la capacité à nommer ses émotions, à les accepter et à les gérer – semble avoir un impact important sur la sexualité. Une étude a révélé que les femmes qui nommaient et géraient le mieux leurs émotions avaient des orgasmes plus fréquents pendant le coït et par la masturbation que celles qui étaient moins habiles à le faire (Burri et coll., 2009). La recherche a montré que les hommes qui souffraient d'inhibition de l'orgasme avaient de la difficulté à se détendre, à jouer et à lâcher prise (Sandstrom et Fugl-Meyer, 2007).

Le manque de désir sexuel et l'absence de réponse sexuelle sont d'ailleurs des symptômes cliniques de la dépression (Quinta et Nobre, 2011). Des événements stressants comme le décès d'un proche, un divorce ou des problèmes d'ordre familial ou professionnel peuvent également réduire ou anéantir l'intérêt sexuel (Hamilton et Julian, 2013). Le stress extrême et les traumatismes, comme ceux qui affectent les anciens combattants, risquent aussi d'entraîner des problèmes sexuels (Hosain et coll., 2013).

Les traumatismes provoqués par des agressions sexuelles

Même si toutes les agressions sexuelles subies durant l'enfance ne se traduisent pas par des problèmes sexuels à l'âge adulte, il n'en demeure pas moins que le taux de problèmes sexuels chez les hommes et les femmes qui ont été victimes d'abus sexuel durant l'enfance est supérieur à celui de la population générale. Une étude menée auprès des clients qui consultaient en sexothérapie a montré que 56 % des femmes et 37 % des hommes avaient été abusés sexuellement (Berthelot et coll., 2014).

Les conditions essentielles à une interaction sexuelle positive – consentement mutuel, égalité, respect, confiance et sécurité – sont absentes lorsque des enfants subissent une agression sexuelle. De tels actes les empêchent d'explorer leur sexualité à un rythme qui convient à leur âge et à leur niveau de développement (Maltz, 2003). La recherche montre que les femmes qui ont été victimes de telles agressions ont plus de sentiments négatifs, se disent moins satisfaites sur le plan sexuel et sont de deux à quatre fois plus à risque de souffrir de douleurs pelviennes chroniques, de dépression, d'anxiété et d'une faible estime de soi (Meston et coll., 2006 ; Rellini et coll., 2011). Les recherches menées auprès d'hommes qui ont été agressés sexuellement lorsqu'ils étaient jeunes sont plus limitées, mais elles indiquent que ces victimes ont souvent des doutes profonds sur leur masculinité (Lew, 2004). Les survivants d'abus sexuel éprouvent fréquemment une aversion pour les comportements sexuels qui ressemblent à ceux qu'ils ont subis. Des odeurs, des sons, des images, des émotions ou des sensations peuvent ressurgir de leur passé sexuel et empêcher toute émotion positive ou tout plaisir sexuel (Courtois, 2000a, 2000b ; Koehler et coll., 2000).

La recherche fait aussi état de graves conséquences sexuelles chez les personnes qui ont été victimes d'agressions sexuelles à l'âge adulte (Lutfey et coll., 2006). Une recherche menée auprès de 372 femmes victimes d'une agression sexuelle a révélé que pas moins de 59 % d'entre elles ont eu des problèmes sexuels par la suite. Dans ce groupe, 70 % liaient ces troubles à l'agression. Les problèmes les plus fréquemment évoqués étaient la peur d'avoir une relation sexuelle et l'absence de désir ou d'excitation (Becker et coll., 1986). En outre, les séquelles de l'agression sont souvent durables : 60 % des victimes de viol ont souffert de problèmes sexuels pendant plus de trois ans après l'agression (Becker et Kaplan, 1991).

Soulignons enfin que les problèmes subséquents aux agressions sexuelles subies durant l'enfance ou à l'âge adulte sont souvent difficiles à comprendre et à vivre pour les partenaires (Haansbaek, 2006).

Les facteurs relationnels

Les facteurs relationnels influent sur la satisfaction sexuelle et la qualité d'une relation sexuelle. Les études montrent que la plus grande satisfaction à l'égard de la relation dans son ensemble est liée à une plus grande satisfaction sexuelle et à moins de problèmes sexuels (Witting, Santtila et Varjonen, 2008). En outre, la qualité de la relation joue un rôle crucial dans la démarche d'un couple qui cherche de l'aide pour ses problèmes sexuels ; la sexothérapie est souvent moins efficace chez les couples vivant de profondes insatisfactions relationnelles (Stephenson et coll., 2013). Par ailleurs, la recherche montre également que les sentiments de familiarité et de sécurité soutiennent la fonction sexuelle masculine puisque les hommes rapportent moins de problèmes érectiles lorsqu'ils vivent une relation de couple, comparativement à une relation sexuelle occasionnelle (Herbenick et coll., 2010a).

Le ressentiment latent, le manque de respect ou de confiance, l'antipathie à l'égard du partenaire peuvent entraîner le désintérêt sexuel et des problèmes d'excitation ou d'orgasme (Dennerstein et coll., 2009). Il est possible qu'un partenaire qu'on presse fréquemment de se prêter à des contacts sexuels, ou qui se sent coupable de refuser, se désintéresse de ce genre de relation et voie son désir s'affaiblir de plus en plus. Par ailleurs, une personne qui manque de pouvoir et de contrôle sur sa relation peut perdre tout désir ou réponse sexuels et regagner ainsi un certain contrôle sur la dimension sexuelle de la relation (Marzucco, 2005; LoPiccolo, 2000). Une trop grande dépendance des partenaires l'un envers l'autre peut aussi être la source de problèmes sexuels; les partenaires ont besoin d'un équilibre entre l'unité et la séparation (DeVita-Raeburn, 2006). Même en l'absence de conflit particulier, un manque d'intimité affective ou l'ennui sexuel peuvent perturber le désir et la réponse sexuels (Hayes et coll., 2008; Stuart et coll., 1998; Stulhofer et coll., 2013).

Une communication déficiente

Sans véritable communication verbale ou non verbale, les rencontres sexuelles des couples reposent sur des présomptions, sur leurs expériences antérieures et sur la pensée magique, toutes susceptibles de rendre les expériences sexuelles routinières et insatisfaisantes. La recherche indique qu'il y a une corrélation entre la satisfaction sexuelle et l'expression de ses préférences sexuelles (Hess et Coffelt, 2011; MacNeil et Byers, 2009). Ainsi, une femme anorgasmique pourrait éprouver plus de difficulté à communiquer son désir de stimulation clitoridienne directe qu'une femme qui connaît l'orgasme (Kelly et coll., 1990).

La crainte d'une grossesse ou d'une ITSS

La crainte d'une grossesse peut nuire au plaisir tiré du coït, surtout si le couple n'utilise pas une méthode contraceptive efficace (Sanders et coll., 2003). Par ailleurs, plusieurs couples qui tentent en vain de concevoir un enfant finissent par devenir anxieux, particulièrement s'ils doivent modifier leurs habitudes sexuelles et planifier leurs relations coïtales pour favoriser la conception. La crainte des ITSS peut aussi inhiber l'excitation sexuelle. Le chapitre 12 fournit des conseils pour adopter des pratiques sexuelles sans risque.

L'orientation sexuelle

Une femme ou un homme peut également vivre des insatisfactions ou des problèmes sexuels à l'intérieur d'une relation hétérosexuelle en raison d'un désir de relations avec des personnes de son sexe (Althof, 2000). Bien que les groupes de défense des droits des personnes homosexuelles et que les récentes modifications législatives aient largement contribué à faire évoluer les mentalités, les orientations autres qu'hétérosexuelles sont loin d'être acceptées inconditionnellement dans notre société. On s'expose donc à la désapprobation sociale, voire à la discrimination, lorsqu'on décide de s'engager dans des relations avec des partenaires du même sexe. Comme nous l'avons vu au chapitre 5, pour éviter ces conséquences, certaines personnes qui n'ont pas ou peu d'attirance envers l'autre sexe tentent de vivre des relations hétérosexuelles. Des problèmes sexuels peuvent aussi se manifester chez une personne qui vit une relation avec un partenaire du même sexe, mais qui n'a pas réussi à se défaire des idées négatives qu'elle a intériorisées à l'égard de cette orientation (Nichols, 1989), comme l'explique cette femme:

> Ça m'a pris 10 ans de combat avec moi-même pour accepter mon lesbianisme. J'ai essayé de sortir avec des hommes, mais un sentiment particulier, significatif, faisait toujours défaut. J'ai eu plusieurs relations avec des femmes qui n'ont pas abouti. Puis, j'ai rencontré Carole. Je l'appréciais et la respectais, et elle m'attirait beaucoup. J'aspirais à une relation à long terme; nos sentiments étaient réciproques et nous étions bien ensemble. Côté sexe, c'était fantastique, jusqu'à ce qu'elle me déclare son amour. Alors, un interrupteur s'est fermé dans mon esprit, je ne ressentais plus d'intérêt pour elle. En thérapie, j'ai réalisé que c'était le poids des sentiments négatifs liés à la désapprobation de ma mère qui me refroidissait et qui m'empêchait d'être pleinement heureuse et comblée dans une relation avec une femme. J'ai assumé ces sentiments et je peux maintenant avoir une vie sexuelle épanouie à l'intérieur d'une relation amoureuse stable pour la première fois de ma vie. (Note des auteurs)

Des suggestions pour prévenir les dysfonctions sexuelles

Cette section est consacrée aux exercices et suggestions proposés par des sexologues et qui se sont avérés utiles dans de nombreux cas (van Lankveld, 2009). Toutefois, compte tenu de la diversité des personnes, il sera souvent nécessaire d'adapter les exercices, car ils ne peuvent s'appliquer à tous. Par ailleurs, une aide professionnelle peut être indiquée si, malgré les efforts de l'un ou l'autre des partenaires, ou des deux, ceux-ci ne parviennent pas aux résultats escomptés. Conscients qu'une thérapie peut être parfois nécessaire, nous incluons des conseils-guides pour trouver un thérapeute sexuel à la fin de ce chapitre.

La conscience de soi

Pour jouir d'une vie sexuelle satisfaisante et pour éviter des problèmes sexuels, il est essentiel de se connaître soi-même et de pouvoir s'exprimer tant physiquement qu'affectivement (Morehouse, 2001 ; Schwartz, 2003). Une bonne façon d'améliorer sa conscience de soi est de bien connaître sa propre anatomie (*voir le chapitre 2*). Les exercices de masturbation représentent, tant pour les hommes que pour les femmes, un excellent moyen d'acquérir une connaissance pratique de leur réponse sexuelle.

La communication

Afin de prévenir ou de faire face à des problèmes sexuels, il est essentiel de maîtriser certaines habiletés de communication (*voir le chapitre 7*). Il importe aux partenaires de communiquer leurs préférences et leurs besoins sexuels de façon verbale et non verbale, et de montrer à l'autre la technique de stimulation qui leur procure du plaisir.

La focalisation sensuelle

Une activité qui peut s'avérer utile pour amplifier le plaisir sexuel mutuel des partenaires consiste en une série d'exercices tactiles appelée *focalisation sensuelle*. Masters et Johnson ont mis au point cette technique pour en faire un outil de base dans le traitement des dysfonctions sexuelles. La focalisation sensuelle (*voir la figure 9.2*) peut servir à réduire l'angoisse de la performance et favoriser la communication, le plaisir et l'intimité (De Villers et Turgeon, 2005).

Avant de commencer une séance, il faut prendre le temps de s'installer confortablement. Par exemple, on débranchera ou on éteindra le téléphone, la télévision, la radio, etc., et on créera une ambiance chaleureuse et intime, avec éclairage et musique propices à la détente.

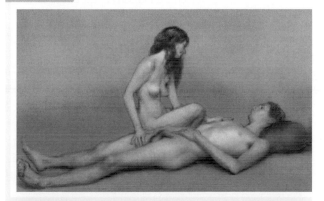

FIGURE 9.2 La méthode de focalisation sensuelle

Dans la méthode de focalisation sensuelle, les partenaires explorent avec sensualité le corps de l'autre, ce qui peut contribuer à l'épanouissement sexuel du couple.

Les partenaires se déshabillent, et celui qui tient le rôle actif commence à explorer le corps de l'autre en observant rigoureusement la consigne suivante : il ne touche l'autre ni pour lui plaire ni pour l'exciter, mais que pour en tirer *lui-même* du plaisir et des sensations. Il doit se concentrer sur sa perception des textures, des formes et de la chaleur du corps de l'autre. Comme cette expérience tactile ne vise aucun but (ce qui pourrait inhiber l'excitation des partenaires), l'angoisse de la performance est amoindrie, voire éliminée. La personne caressée reste passive sauf si un toucher n'est pas agréable. Dans ce cas, elle décrit l'inconfort et indique comment y remédier. Elle dira par exemple : « Ça chatouille ! S'il te plaît, touche-moi plutôt de l'autre côté du bras. » Cette démarche permet à la personne qui caresse l'autre de se concentrer exclusivement sur ses propres sensations et perceptions sans craindre constamment de lui déplaire.

Dans l'exercice suivant, les partenaires intervertissent les rôles, en respectant les mêmes consignes. Les attouchements et la stimulation des seins et des organes génitaux sont interdits. Ils ne sont permis dans l'exercice que lorsque les partenaires ont bien expérimenté les perceptions tactiles et ont pu indiquer à l'autre les sensations moins agréables. Ici encore, le partenaire actif explore le corps de l'autre pour son propre plaisir, pas pour celui de l'autre. Dans l'expérience de focalisation sensuelle simultanée, les caresses des seins et des organes génitaux sont permises. Les partenaires se caressent alors l'un l'autre en même temps et goûtent aux sensations de toucher et d'être touché.

Des conseils destinés aux femmes

Dans cette section, nous présentons des techniques qui peuvent aider les femmes à augmenter leur excitation sexuelle et à atteindre l'orgasme seul ou en présence d'un ou d'une partenaire. Nous donnons aussi des suggestions pour traiter le vaginisme.

Apprendre à parvenir à l'orgasme en solo Certains protocoles thérapeutiques pour apprendre à parvenir à l'orgasme sont basés sur une prise de conscience progressive de son potentiel grâce à des exercices que la femme doit faire chez elle entre les séances de thérapie. Au début, l'accent est mis sur des exercices d'exploration du corps, des organes génitaux et sur les exercices de Kegel (*voir le chapitre 2*) ; par la suite, le traitement et les exercices faits à la maison s'orientent graduellement vers des techniques de masturbation semblables à celles décrites au chapitre 8. Par la masturbation, une femme qui n'a pas de partenaire peut apprendre à atteindre l'orgasme par elle-même. Un vibrateur peut aider la femme à avoir un premier orgasme ; le vibrateur est moins fatigant à utiliser et procure une stimulation plus intense que les doigts. Lorsque la femme a connu quelques orgasmes par ce moyen mécanique, il est bon qu'elle revienne à la stimulation manuelle, de façon à apprendre à y réagir. Cette étape est très importante, car il sera plus facile pour son ou sa partenaire de reproduire les caresses manuelles que la stimulation d'un vibrateur.

Apprendre à atteindre l'orgasme avec un partenaire

Lorsqu'une femme a appris à parvenir à l'orgasme par la masturbation, elle peut partager ce qu'elle a découvert avec son ou sa partenaire. À tour de rôle, chaque partenaire peut explorer visuellement les organes génitaux (*voir le chapitre 2*) de l'autre et poursuivre en les touchant et en relevant verbalement ce que chaque partie procure comme sensation. L'étape suivante consiste, pour la femme, à se caresser en présence de son ou sa partenaire. Elle peut le faire en partageant son excitation avec son ou sa partenaire, qui peut la tenir dans ses bras et l'embrasser, ou rester étendu à ses côtés (*voir la figure 9.3*). Voici comment une femme s'y est prise pour franchir cette étape souvent embarrassante.

> Lorsque j'ai voulu montrer à mon partenaire ce que j'avais appris sur moi-même en me masturbant, je me suis demandé avec anxiété comment procéder. Finalement, nous avons décidé qu'il demeurerait d'abord dans le salon, en sachant que je serais dans la chambre à me masturber. Puis il viendrait s'asseoir sur le lit, mais sans me regarder. Il me prendrait ensuite dans ses bras et m'embrasserait tandis que je me caresserais. C'est ainsi que j'ai pu lui montrer comment je fais. (Note des auteurs)

Ensuite, le partenaire commence à caresser doucement les organes génitaux de la femme. Chaque partenaire choisit la position qui lui convient le mieux :

s'appuyant contre des coussins ou des oreillers ; la femme assise alors entre ses jambes, le dos appuyé contre sa poitrine, etc. La femme place sa main sur celle de son partenaire et le guide, par le geste et la parole, dans l'exploration de ses organes génitaux. Le but de ces premières séances n'est pas de parvenir à l'orgasme, mais d'amener le partenaire à découvrir ce qui est excitant pour elle. Si cette dernière pense qu'elle est prête à connaître l'orgasme, elle indique à son partenaire de continuer la stimulation jusqu'à ce qu'il se déclenche. Parvenir à l'orgasme peut cependant exiger plusieurs séances.

Les partenaires peuvent recourir à plusieurs techniques pour accroître l'excitation de la femme et les possibilités d'orgasme coïtal. Une d'elles se pratique au moment d'amorcer la pénétration. Plutôt que de se faire pénétrer dès que la lubrification est suffisante, la femme peut se laisser guider par ce qu'on pourrait appeler la *sensation d'être prête* ; c'est la sensation vaginale de désirer la pénétration. Les femmes ne ressentent pas toutes cette sensation, mais pour celles qui y arrivent, il est bon de ne commencer la pénétration qu'à ce moment (et pas avant), car cela peut amplifier les sensations érotiques subséquentes. Bien entendu, le partenaire doit accepter de se prêter à cette expérience et ne pas tenter d'amorcer le coït avant.

La femme qui désire augmenter la stimulation pendant le coït aurait avantage à entreprendre le genre de mouvements et de pressions qu'elle trouve les plus excitants. Elle peut aussi stimuler son clitoris, soit manuellement, soit avec un vibrateur, comme le montre la figure 9.4. La stimulation du clitoris par son partenaire peut aussi augmenter l'excitation. Le tableau 9.6 indique comment les femmes parviennent généralement à l'orgasme.

FIGURE 9.3 ▸ **La masturbation en présence de l'autre**

La masturbation en présence de l'autre est un bon moyen de lui faire voir quelles caresses nous excitent.

FIGURE 9.4 ▸ **L'utilisation d'un vibrateur durant le coït**

La femme peut utiliser un vibrateur pour stimuler son clitoris et augmenter l'excitation pendant le coït.

TABLEAU 9.6	Quelques moyens de parvenir à l'orgasme	
ACTIVITÉ		**RÉSULTAT (%)**
J'adopte une position qui me permettra d'obtenir la stimulation dont j'ai besoin.		90
Je prête attention à ce que je ressens physiquement.		83
Je contracte et relâche mes muscles pelviens.		75
Je synchronise mes mouvements avec ceux de mon partenaire.		75
Je demande à mon partenaire de faire ce dont j'ai besoin ou je l'y incite.		74
Je me mets en condition érotique avant de commencer.		71
Je me concentre sur le plaisir de mon partenaire.		68
Je songe à l'amour que j'ai pour mon partenaire.		65

Au cours d'une étude, 2371 femmes ont répondu à l'énoncé suivant: «Outre certaines stimulations physiques particulières, j'ai souvent fait ce qui suit pour parvenir à l'orgasme lors d'une relation sexuelle avec un partenaire.»
Source: Traduit de Ellison, 2000.

Le traitement du vaginisme Le traitement du vaginisme débute habituellement lors d'un examen pelvien pendant lequel le professionnel de la santé montre à la femme, ou au couple, que son vagin réagit par des spasmes. Les traitements suivants commencent par la relaxation et des exercices de conscientisation, dont un bain relaxant, une exploration globale du corps et des contacts agréables avec la main sur la partie externe des organes génitaux.

Ensuite la femme apprend à insérer un bout du doigt dans le vagin, puis un doigt, deux doigts et éventuellement trois doigts sans qu'il y ait de spasmes musculaires. À chaque étape, elle procède à des exercices de relâchement et de contraction des muscles entourant le vagin, comme dans les exercices de Kegel (*voir le chapitre 2*). Il est aussi possible de recourir à des dilatateurs de tailles différentes au lieu des doigts, si la femme le préfère. Ces dilatateurs, une sorte de tubes cylindriques de tailles croissantes, peuvent aussi servir à accoutumer les parois vaginales à se détendre (Leiblum, 2000). Le biofeedback et des traitements physiologiques peuvent également s'avérer utiles pour diminuer la tension des muscles du plancher pelvien caractéristique du vaginisme et de la dyspareunie (Reissing et coll., 2013; Rosenbaum, 2011).

Après que la femme a terminé ces étapes, le partenaire peut à son tour participer au traitement en suivant le même cheminement. Une fois que l'homme a pu insérer trois doigts dans le vagin de la femme sans qu'il y ait de spasme musculaire, celle-ci fait pénétrer lentement en elle le pénis de son partenaire, en y allant par étapes et en se ménageant des pauses de manière à se familiariser avec cette nouvelle sensation. Les mouvements du bassin et la recherche du plaisir ne viendront que plus tard, lorsque les deux partenaires seront familiers avec la pénétration.

Des conseils destinés aux hommes

Dans les paragraphes suivants, nous proposons quelques suggestions pour prévenir et aider les troubles de l'éjaculation précoce et le trouble érectile.

Quelques stratégies pour retarder l'éjaculation En appliquant certaines stratégies simples, les hommes peuvent dans certains cas contrôler mieux leur éjaculation et ainsi prolonger les activités sexuelles telles que le coït, s'ils le désirent.

Éjaculer plus fréquemment Les hommes peuvent mettre à profit l'allongement de la période réfractaire (*voir le chapitre 3*) en découvrant parfois qu'ils peuvent retarder leur éjaculation s'ils parviennent plus fréquemment à l'orgasme, en se masturbant ou en ayant une relation sexuelle.

Reprendre la pénétration Les partenaires peuvent poursuivre la relation sexuelle après une première éjaculation, puis recommencer la pénétration au retour de l'érection. Cette stratégie fonctionne surtout auprès des hommes plus jeunes, qui peuvent avoir une érection assez rapidement après une première éjaculation.

Varier les positions Il semble que la rapidité orgasmique soit associée à la tension musculaire surtout dans la région du bassin. S'il veut retarder son éjaculation, l'homme ne doit pas demeurer en position supérieure: ce n'est pas la meilleure position, particulièrement durant le coït, car il doit supporter son poids et cela ne fait qu'augmenter sa tension musculaire. Beaucoup d'hommes recouvrent un certain contrôle en restant étendus sur le dos. En soi, cette position ne suffit pas à retarder l'éjaculation: il faut aussi être détendu. S'il effectue des mouvements pelviens énergiques dans cette position, l'homme déplace son propre poids en plus de celui de son ou de sa partenaire, ce qui accroît encore la tension musculaire.

Se parler Pour retarder l'orgasme, il est souvent essentiel de ralentir ou de cesser tout mouvement. L'homme doit indiquer à son ou sa partenaire quand il ou elle doit réduire ou cesser la stimulation par ses mouvements.

Envisager des solutions de rechange Pour diminuer l'anxiété de la performance associée à l'éjaculation précoce (et à la plupart des autres problèmes dont nous avons parlé ici), il est souvent bon de considérer que diverses pratiques sexuelles (autres que le coït) peuvent faire partie d'une relation sexuelle.

La technique «arrêt-départ» La technique *arrêt-départ* vise à prolonger les sensations précédant l'orgasme, de façon que l'homme, en se familiarisant avec son réflexe éjaculatoire, en vienne à maîtriser la montée de l'excitation. Pour ce faire, son partenaire stimule son pénis manuellement ou oralement jusqu'à ce que l'homme sente qu'il approche du point de non-retour. Il faut alors cesser la stimulation jusqu'à ce que se dissipe la sensation de l'imminence de l'éjaculation (Semans, 1956). Un homme peut aussi recourir à cette méthode dans ses pratiques masturbatoires (Zilbergeld, 1992). Pour être efficace, cette technique doit être pratiquée de 15 à 30 minutes par jour, pendant plusieurs jours ou semaines. Durant chaque séance, les partenaires répètent la stimulation et la technique *arrêt-départ* avant de laisser l'éjaculation se produire durant le dernier cycle.

Une fois que la modulation de l'excitation de l'homme s'est améliorée, pour les partenaires qui le souhaitent, celui-ci peut passer à l'étape de la pénétration. Ayant une femme comme partenaire, la meilleure position est celle où elle est sur le dessus en position assise. L'homme commence par diriger son pénis dans le vagin de sa partenaire et demeure étendu calmement pendant un certain moment avant d'amorcer des mouvements lents. Lorsqu'il sent qu'il approche de l'orgasme, il s'arrête et se détend encore. Cette technique d'*arrêt-départ* est reprise jusqu'à ce que l'homme acquière progressivement une meilleure modulation de son excitation menant à l'éjaculation.

Un mot sur le traitement clinique de troubles d'éjaculation précoce Lorsque l'homme souffre d'un trouble de l'éjaculation précoce, une combinaison d'une thérapie sexuelle et d'un traitement médical peut s'avérer plus utile que l'utilisation d'une seule de ces méthodes pour faire durer l'excitation plus longtemps avant d'éjaculer (Steggall et coll., 2008). Certains médicaments contre la dépression, des ISRS, et particulièrement la dapoxétine, peuvent aider à retarder l'éjaculation. Un de leurs effets secondaires peut être l'orgasme retardé ou la suppression de l'orgasme chez les hommes et chez les femmes, ce qui est souvent utile pour le traitement de l'éjaculation rapide (McMahon, 2012).

La réduction de la sensibilité du pénis est une autre approche pour traiter l'éjaculation précoce (Carson et Wyllie, 2010). Dans une étude contrôlée avec placebo, l'utilisation d'un vaporisateur anesthésiant sur le pénis 5 minutes avant le coït en a augmenté la durée d'une moyenne de 36 secondes à près de 4 minutes. Les participants ont également noté une amélioration de leur orgasme: environ 62 % ont qualifié leur orgasme de bon ou très bon, contre 20 % seulement avant le traitement (Hellstrom, 2010).

Éviter des problèmes d'érection en réduisant l'anxiété de performance Mis à part les causes biologiques, l'anxiété est le principal obstacle à l'érection. La plupart des sexothérapeutes tentent donc de travailler avec la personne sur les moyens de réduire ou d'éliminer l'anxiété.

La focalisation sensuelle Les partenaires commencent par faire les exercices de focalisation sensuelle dont nous avons parlé précédemment, en comprenant que le but du toucher n'est pas de produire une érection, une éjaculation, un orgasme ou d'accomplir une pratique sexuelle particulière; il s'agit de se centrer sur le plaisir du toucher.

S'ils le souhaitent, les deux partenaires peuvent s'entendre au préalable sur une stimulation capable de mener le ou la partenaire à l'orgasme à la fin de la séance (la masturbation, la stimulation buccale, etc.). Lorsque le couple a suffisamment progressé pour profiter des plaisirs de l'exploration sensuelle, l'étape suivante consiste à se concentrer sur les types de stimulations génitales non coïtales que l'homme trouve particulièrement excitantes: stimulation manuelle, buccale ou les deux. Si l'homme obtient une érection complète, son ou sa partenaire doit cesser toute stimulation. Il est essentiel qu'il y ait perte de l'érection à ce moment-là. Pourquoi? En constatant qu'il peut perdre et reprendre une érection, l'homme craindra moins d'avoir tout fait rater parce que son érection de départ s'est dissipée. Lorsque le ou la partenaire cesse la stimulation, l'homme laisse son érection s'estomper jusqu'à l'état de repos. Cela peut prendre plusieurs minutes si l'excitation était très grande. Les partenaires peuvent passer ce temps à s'étreindre ou à échanger des caresses non génitales. Lorsque l'érection est complètement disparue, le ou la partenaire recommence les caresses génitales.

Si les partenaires désirent un coït vaginal, la dernière étape comprend la pénétration. L'homme est allongé sur le dos et la femme le chevauche. Le couple commence par les exercices de focalisation sensuelle, puis passe à la stimulation génitale. Lorsque l'homme a une érection, sa partenaire fait glisser le pénis dans son vagin et poursuit la stimulation par de doux mouvements du bassin. Il arrive parfois que les hommes perdent leur érection durant la pénétration. Si cela se produit, la partenaire peut recommencer la stimulation buccale ou manuelle qui a mené à l'érection.

Un mot sur le traitement clinique de troubles érectiles

Certains hommes dont le dysfonctionnement érectile est lié à des facteurs physiologiques modifient avec satisfaction leurs activités sexuelles en mettant l'accent sur d'autres façons d'obtenir du plaisir sexuel. D'autres, par contre, peuvent compter sur différents types de traitements médicaux, tels que le sildénafil (Viagra^MD), le vardénafil (Levitra^MD, Staxyn^MD) et le tadalafil (Cialis^MD), ce dernier ayant une durée d'action prolongée. Ces médicaments agissent en prolongeant l'effet vasodilatateur du monoxyde d'azote dans le corps. Les vaisseaux sanguins du pénis se dilatent, le sang s'accumule et produit une érection (Castleman, 2014). La recherche a montré plus d'une fois que la combinaison d'une médication et d'une sexothérapie donne de meilleurs résultats que l'une sans l'autre (Aubin et coll., 2009).

Pour de nombreux couples, les médicaments qui améliorent l'érection sont des remèdes miracles grâce auxquels ils peuvent de nouveau jouir de l'intimité du coït (Verheyden et coll., 2007). De fait, les études révèlent une amélioration notable, chez les partenaires d'hommes qui recourent à une telle médication, du sentiment d'être désirable, de la satisfaction et du fonctionnement sexuels (Eardley et coll., 2006 ; M. McCabe et coll., 2011). Certains hommes ont cependant constaté qu'une érection ferme est secondaire dans une bonne relation (Metz et McCarthy, 2008). Dans une relation tourmentée, l'utilisation de ce médicament peut aussi être l'occasion de prendre conscience d'autres problèmes relationnels et amener le couple à s'investir pour les résoudre (Cooper, 2006).

Parfois les hommes qui ne souffrent pas de dysfonction érectile en sont venus à utiliser de telles substances pour augmenter la fermeté et la durée de leurs érections, à des fins récréatives ou pour contrer les effets inhibiteurs de la capacité érectile qu'ont des drogues récréatives comme l'ecstasy (Boulware, 2000). Cet usage est fortement contre-indiqué en raison des comportements sexuels à haut risque et de l'effet dangereux sur le plan cardiovasculaire (Gouvernement du Québec, 2012).

Parmi les autres options de traitement pour la dysfonction érectile, on compte des dispositifs externes et des interventions chirurgicales. Les dispositifs mécaniques, ou les pompes péniennes, se composent d'un cylindre, d'une pompe à vide et de bandes de constriction péniennes (*voir la figure 9.5*). On insère le pénis dans le cylindre et on y crée le vide en actionnant la pompe pour chasser l'air. Le vide entraîne un afflux de sang dans le pénis, ce qui déclenche l'érection. On ajuste alors la bande élastique à la base du pénis pour retenir

FIGURE 9.5 Une prothèse pénienne gonflable

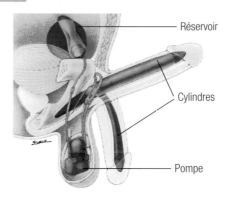

Réservoir

Cylindres

Pompe

le sang dans l'organe et on retire le cylindre (Levy et coll., 2000). Le VIBERECT est un nouvel appareil qui offre un traitement mécanique consistant à délivrer sur la surface du pénis des vibrations qui déclenchent un réflexe responsable de l'engorgement de sang nécessaire à l'érection (Medgadget, 2011).

Par ailleurs, les hommes insensibles au sildénafil (et autres produits pharmaceutiques du même ordre) ou aux autres méthodes peuvent recourir à une prothèse pénienne, mais son implantation nécessite une intervention chirurgicale (Carson, 2003b). De tels appareils permettent aux hommes qui le désirent de recouvrer mécaniquement la capacité d'avoir une érection, et 90 % de ceux qui y ont eu recours se disent satisfaits des résultats obtenus par cette solution chirurgicale (Caraceni et Utiszi, 2014 ; Trost et coll., 2013).

Les problèmes de désir

Plusieurs moyens utilisés pour traiter les problèmes du désir sexuel sont similaires à ceux employés pour d'autres troubles sexuels. Ils comprennent :

- le développement de la réponse érotique par la masturbation et des fantasmes excitants ;
- la réduction de l'anxiété par de l'information appropriée et des exercices de focalisation sensuelle ;
- l'amélioration des expériences sexuelles par une meilleure communication et le développement d'habiletés, en amorçant des activités sexuelles désirées et en refusant les activités sexuelles non désirées ;
- l'enrichissement de son répertoire d'activités affectives et sexuelles ;
- la planification de moments privés pour avoir des relations sexuelles.

La plupart des thérapeutes combinent des suggestions d'activités particulières et une thérapie en profondeur, laquelle peut aider une personne à comprendre et à résoudre un quelconque conflit plus ou moins conscient concernant le plaisir sexuel et l'intimité. Lorsque le trouble du désir sexuel est le symptôme d'un problème relationnel non résolu, la thérapie se concentre sur les interactions du couple susceptibles de contribuer à l'absence du désir sexuel (Alperstein, 2001).

En matière de traitement, les hommes ayant un faible taux de testostérone prennent souvent cette hormone sous forme de supplément – généralement une injection ou en gel transdermique – pour augmenter leur désir sexuel (Yassin et coll., 2014 ; Tomlinson et coll., 2006). Toutefois ce traitement est associé à des risques de maladies cardiaques et de la prostate (O'Connor, 2013 ; Carson et Kirby, 2015). Au Canada, ce traitement n'est pas autorisé pour les troubles de désir sexuel chez la femme, car les compagnies pharmaceutiques n'en ont pas démontré son innocuité pour celles qui voudraient en bénéficier.

Demander l'aide d'un professionnel

Bien que certains problèmes sexuels puissent se régler avec le temps, l'aide de spécialistes est quelquefois nécessaire. Décider de suivre une thérapie est souvent une étape difficile à franchir (Bergvall et Himelein, 2013). Les individus et les couples aux prises avec des problèmes sexuels tels que des troubles paraphiliques ou des dysfonctions sexuelles peuvent chercher de l'aide auprès des sexologues, des psychologues, des travailleurs sociaux et d'autres professionnels offrant des services de psychothérapie en privé, en groupe ou en milieu communautaire. Même si vous avez simplement des questions ou des préoccupations au sujet de votre sexualité, des consultations avec un professionnel peuvent s'avérer utiles.

Que se passe-t-il en thérapie ?

Plusieurs personnes appréhendent d'entreprendre une sexothérapie ; il peut être très utile d'avoir une idée de ce qui s'y passe. Chaque thérapeute travaille différemment, mais la plupart suivent les mêmes étapes. Lors du premier rendez-vous – il peut être nécessaire d'avoir deux ou trois rencontres d'évaluation selon la nature du problème –, le thérapeute aide le client (ou le couple) à identifier son problème (ou la perception qu'il en a) et à préciser ce qu'il attend de la thérapie. Il pose habituellement des questions pour savoir à quel moment le problème est apparu, comment il s'est développé avec le temps, à quelle cause le client l'attribue et comment il a tenté de le résoudre. Le thérapeute n'a parfois qu'à fournir au client des renseignements particuliers ou à le rassurer sur le caractère normal et inoffensif de certains sentiments, idées, fantasmes, désirs ou comportements

qui augmentent sa satisfaction personnelle. En revanche, certaines personnes peuvent trouver auprès du thérapeute l'autorisation de ne pas s'engager dans des activités sexuelles qu'elles n'aiment pas.

Pendant les rencontres suivantes (la plupart des thérapies comportent une rencontre hebdomadaire d'une heure), le thérapeute pourra recueillir plus d'informations sur l'historique personnel, sexuel et relationnel de la personne (ou du couple). Il cherchera aussi à connaître les antécédents médicaux et la fonction physiologique actuelle de la personne ; s'il y a lieu, il pourra ainsi l'orienter vers des services pour lui faire subir d'autres examens.

Une fois que le thérapeute et la personne (ou le couple) connaissent mieux la nature de la difficulté et qu'ils ont défini les buts de la thérapie, le thérapeute consacre les rencontres suivantes à aider son client à comprendre et à surmonter les obstacles qui l'empêchent d'atteindre ces objectifs. Souvent, le thérapeute fournit des informations de nature psychoéducative et prescrit des exercices. Dans certains cas, des problèmes émotionnels et relationnels sont la cause du trouble sexuel et diverses interventions thérapeutiques sont nécessaires.

La thérapie prend fin lorsque la personne (ou le couple) a atteint ses objectifs. Le thérapeute et le client peuvent aussi planifier une ou quelques rencontres de suivi. Il est souvent utile que le client ait un plan lui permettant de maintenir ses progrès et de continuer à évoluer.

Comment choisir un thérapeute

Pour choisir un ou une sexothérapeute, on peut demander conseil à un enseignant qui donne un cours sur la sexualité ou encore s'adresser à une association (ou corporation) professionnelle de thérapeutes ou de sexologues. Il est aussi possible consulter le site de l'Ordre professionnel des sexologues du Québec. Sur le site, vous trouverez une liste des membres, la région où ils exercent et leur domaine d'expertise. Pour pratiquer la thérapie au Québec, le sexologue doit être membre de l'Ordre professionnel des sexologues du Québec et posséder un permis de psychothérapeute.

Pour vous aider à savoir si un ou une thérapeute vous convient, prêtez attention à la façon dont vous vous sentez lorsque vous lui parlez. Une thérapie n'est pas une rencontre sociale superficielle, et il peut être difficile de parler de ses préoccupations personnelles et sexuelles. Pour qu'une thérapie soit utile, il faut avoir le sentiment que la personne choisie vous écoute et cherche réellement à vous comprendre.

Après la première entrevue, vous aurez la possibilité de poursuivre avec ce thérapeute ou de demander qu'on vous oriente vers une autre personne, compte tenu de votre personnalité ou de vos besoins. Si, en cours de thérapie, vos rencontres vous laissent insatisfait, discutez-en avec votre thérapeute. Décidez, d'un commun accord si possible, de continuer la thérapie ou de chercher un autre thérapeute. En général, il est préférable d'attendre quelques rencontres avant de prendre une décision. Certaines personnes s'attendent à une cure miracle plutôt qu'au travail difficile mais gratifiant qu'exige une thérapie.

Des actes contraires à l'éthique

Tous les thérapeutes membres d'une corporation ou d'un ordre professionnels ont l'obligation de se conformer à un code de déontologie. Les psychiatres, psychologues, sexologues, travailleurs sociaux et conseillers professionnels sont tous soumis à un code de déontologie leur interdisant les relations sexuelles avec leurs clients, et ce, pendant et après la thérapie (Lamb et coll., 2003 ; Reamer, 2003). Il appartient au professionnel de fixer les limites qui garantissent l'intégrité de la relation thérapeutique (Houde et Drapeau, 2012 ; Norris et coll., 2003). Une recherche a cependant montré que 3 % des femmes thérapeutes et 12 % des hommes thérapeutes reconnaissaient avoir des contacts sexuels avec une cliente ou un client actuel (Berkman et coll., 2000).

Un lien de nature sexuelle entre un thérapeute et son client peut avoir des effets néfastes sur celui-ci (Houde et Drapeau, 2012). Une recherche a montré que les femmes qui ont eu des contacts sexuels avec leur thérapeute (qu'ils soient psychothérapeutes ou sexothérapeutes) se sentent davantage méfiantes et hostiles envers les hommes et les thérapeutes que les femmes d'un groupe témoin. Elles présentent aussi davantage de symptômes psychologiques et psychosomatiques, notamment de la colère, de la honte, de l'anxiété et de la dépression (Finger, 2000 ; Regehr et Glancy, 1995). Dès qu'un ou une thérapeute fait des avances sexuelles verbales ou physiques, le client est en droit de quitter immédiatement les lieux et de mettre un terme à la thérapie. Pour éviter que d'autres personnes soient victimes d'un abus de pouvoir professionnel, il est conseillé de rapporter l'événement à l'organisme chargé de recevoir les plaintes relatives à des actes contraires à l'éthique de l'association, de la corporation ou de l'ordre professionnels du thérapeute (Schoener, 1995).

RÉSUMÉ

Les troubles paraphiliques

- Les paraphilies représentent un ensemble de préférences sexuelles qui, dans leurs formes les plus développées, sont peu répandues dans la population.

- Les troubles paraphiliques sont des catégories diagnostiques de trouble de santé mentale définies dans le DSM-5. Ces troubles se caractérisent par une détresse psychologique ou par une perturbation du fonctionnement psychosocial de l'individu. Une paraphilie peut être aussi considérée comme un trouble si le geste entraîne des risques de blessure ou de mort, ou encore s'il implique des personnes non consentantes.

- À l'exception du masochisme, ce sont très généralement les hommes qui présentent des troubles paraphiliques.

- De nombreuses paraphilies non coercitives sont souvent des activités solitaires ou des comportements accomplis par des adultes consentants. Cependant, certaines pratiques entraînent des conséquences négatives pour les personnes qui s'y adonnent.

- Les troubles de fétichisme, de transvestisme, de sadisme sexuel, de masochisme sexuel, d'asphyxie autoérotique, de clystérophilie, de coprophilie et d'urophilie sont tous des variantes de troubles paraphiliques non coercitifs.

- Le trouble de fétichisme est une forme de comportement sexuel par lequel une personne parvient à l'excitation en se concentrant sur un objet inanimé ou sur une partie du corps humain sans lesquels elle ne peut atteindre la satisfaction sexuelle.

- Les hypothèses quant au développement du fétichisme découlent souvent d'un conditionnement. L'association entre un fétiche et l'excitation sexuelle est renforcée par l'orgasme auquel l'individu parvient en se masturbant.

- Le trouble de transvestisme consiste à obtenir l'excitation sexuelle en s'habillant comme l'autre sexe. Il s'agit généralement d'une activité solitaire à laquelle un homme hétérosexuel s'adonne, en secret, à la maison.

- La personne souffrant d'un trouble de sadisme sexuel parvient à l'excitation grâce à la souffrance mentale ou physique qu'elle inflige à une personne. Si l'autre personne n'est pas consentante, le trouble est considéré comme coercitif.

- La personne avec un trouble de masochisme sexuel parvient à l'excitation grâce à la souffrance mentale ou physique qu'on lui inflige ou qu'elle s'inflige elle-même.

- Les préférences pour les activités sadomasochistes ne sont pas signe d'un trouble de santé mentale. Elles deviennent un problème lorsqu'elles causent des perturbations psychosociales ou quand elles comportent des risques de blessures ou de mort.

- D'autres individus qui se livrent au sadomasochisme ont parfois connu dans leur enfance des expériences associant sexualité et souffrance.

- Les hypothèses expliquant la source des préférences pour des activités sadomasochistes voient ces activités comme un exutoire permettant à certains individus d'échapper temporairement aux rôles stricts et contraignants qu'ils assument dans la vie courante.

- L'asphyxie autoérotique est un trouble paraphilique particulièrement dangereux associé au trouble de masochisme, par laquelle une personne tente d'accroître son excitation sexuelle et l'intensité de son orgasme en se privant volontairement d'oxygène.

- La clystérophilie est un trouble paraphilique qui consiste à parvenir au plaisir sexuel au moyen de lavements intestinaux.

- La coprophilie et l'urophilie consistent à trouver l'excitation sexuelle au contact de matières fécales et d'urine, respectivement.

- Les troubles paraphiliques coercitifs sont intrusifs en ce sens qu'ils imposent à des participants non consentants des comportements comme le voyeurisme et l'exhibitionnisme. Ces actes peuvent nuire aux victimes et celles-ci peuvent même subir des traumatismes psychologiques.

- Les troubles d'exhibitionnisme, de voyeurisme, de frotteurisme, de zoophilie et de nécrophilie sont tous des paraphilies coercitives, car ils impliquent la contrainte ; ces troubles sont considérés comme des actes illégaux.

- Le trouble d'exhibitionnisme consiste à exhiber ses organes génitaux devant une personne non consentante. Il s'agit le plus souvent de jeunes hommes qui se sentent inadéquats et vulnérables sur le plan sexuel. Leurs relations sexuelles sont plutôt insatisfaisantes.

- L'exhibitionniste tire son plaisir sexuel de la réaction apeurée, dégoûtée ou choquée de ses victimes. L'agression physique n'est habituellement pas associée à l'exhibitionnisme.

- Le trouble de voyeurisme se caractérise par le plaisir sexuel que prend un individu à observer les activités sexuelles ou les corps dénudés de personnes, habituellement des étrangers. Le voyeurisme est surtout le fait d'hommes qui ont acquis peu d'habiletés sociosexuelles et qui éprouvent un fort sentiment d'infériorité et d'inadaptation.

- Le trouble de frotteurisme consiste à s'exciter sexuellement en se pressant ou se frottant contre une personne sans son consentement dans les endroits publics bondés.

- La zoophilie comporte un contact sexuel entre des humains et des animaux ; elle est habituellement une expérience transitoire chez des jeunes qui n'ont pas de partenaire sexuel.

- La nécrophilie consiste à obtenir une satisfaction sexuelle par la contemplation d'un cadavre ou par son utilisation à des fins sexuelles.

- Suivant la notion de compulsion sexuelle, les symptômes de la dépendance psychologique seraient présents chez certaines personnes ayant une activité sexuelle excessive. On observe en effet chez eux des sentiments de dépression, d'anxiété, de solitude et d'inutilité dont ils arrivent à se soulager provisoirement grâce à l'euphorie sexuelle.

- Selon de nombreux sexologues, la compulsion sexuelle ne doit pas faire l'objet d'une catégorie diagnostique distincte.

Les dysfonctions sexuelles

- Selon une perspective médicale, les dysfonctions sexuelles représentent un ensemble de troubles de la fonction sexuelle qui perturbent le désir et la réponse physiologique sexuels.

- La santé sexuelle est un état de bien-être physique, émotionnel, mental et sexuel.

- Selon l'enquête NHSLS, de nombreuses personnes éprouveraient des difficultés dans leur vie sexuelle, mais toutes ne se plaignent pas que ces difficultés causent une détresse émotive.

- Les problèmes sexuels peuvent diminuer la satisfaction d'une personne à l'égard de sa vie en général.

- Pour être considéré comme un trouble sexuel ou une dysfonction sexuelle, un problème sexuel doit survenir dans un contexte de stimulation physique et psychologique adéquat.

- Le trouble de la diminution du désir sexuel chez l'homme et le trouble de l'intérêt pour l'activité sexuelle chez la femme sont deux catégories de troubles du désir sexuel. Généralement, les troubles du désir se caractérisent par l'absence ou la quasi-absence de désir avant et pendant l'activité sexuelle.

- Bien que la divergence de désir sexuel ne soit pas un diagnostic clinique, elle survient lorsque les partenaires n'ont pas les mêmes préférences quant à la fréquence et à la nature de leurs activités sexuelles, et ces différences peuvent nuire à la relation.

- L'aversion sexuelle est une peur ou un dégoût irrationnels de l'activité sexuelle.

- Chez les femmes, le trouble de l'excitation sexuelle se manifeste généralement par une inhibition de la lubrification vaginale et par une absence ou une diminution des sensations subjectives de l'excitation physique.

- Le trouble de l'excitation sexuelle persistante se caractérise par une excitation génitale spontanée et non désirée qui ne disparaît pas après l'orgasme.

- La dysfonction érectile se définit comme l'incapacité habituelle et récurrente d'obtenir ou de maintenir une érection.

- Les troubles de l'orgasme chez la femme se caractérisent par l'absence d'orgasme, par un délai excessif pour l'atteindre ou par sa faible intensité, malgré une grande excitation subjective.

- Le trouble de l'orgasme situationnel chez la femme se produit lorsqu'une femme peut avoir un orgasme en se masturbant, mais pas par stimulation de la part d'un ou d'une partenaire.

- La pénétration produit une stimulation indirecte du clitoris qui, pour plusieurs femmes, ne mène pas à l'orgasme.

- Les troubles de l'orgasme chez l'homme désignent l'incapacité d'éjaculer durant une activité sexuelle avec un ou une partenaire.

- L'éjaculation précoce se définit comme une éjaculation rapide et prématurée chez l'homme qui est incapable d'en contrôler le déclenchement.

- Tant les hommes que les femmes simulent l'orgasme, mais cela est plus fréquent chez les femmes. La simulation entretient une dynamique relationnelle inefficace et nuit à l'intimité de l'expérience sexuelle.

- La dyspareunie et le vaginisme sont deux manifestations de troubles liés à des douleurs durant les relations sexuelles.

- La dyspareunie, ou coït douloureux, réduit l'intérêt sexuel, tant chez les hommes que chez les femmes. Plusieurs causes physiques peuvent provoquer de la douleur lors du coït ; la vestibulodynie est la plus fréquente.

- La maladie de La Peyronie, par laquelle des tissus fibreux et des dépôts calcaires se développent dans le pénis, peut causer des douleurs et faire courber le pénis durant l'érection.

- Le vaginisme est une tension ou une contraction involontaire des muscles vaginaux qui rendent la pénétration douloureuse et difficile. De nombreuses femmes qui souffrent de vaginisme gardent malgré tout un intérêt pour la sexualité et les relations sexuelles.

Les causes des dysfonctions sexuelles

- Les facteurs physiques peuvent être la cause première des difficultés sexuelles, mais il s'agit souvent d'une combinaison de facteurs biologiques, psychologiques et sociaux. Il est important de procéder à des examens médicaux pour déterminer si les dysfonctions sexuelles ont une cause physiologique.

- Une bonne fonction sexuelle est associée à de saines habitudes de vie, telles que manger sainement, faire de l'exercice, consommer peu d'alcool et ne pas fumer.

- Les maladies chroniques et leur traitement imposent des contraintes sur le plan sexuel. Les maladies neurologiques, vasculaires et endocriniennes peuvent perturber le fonctionnement sexuel.

- Le diabète peut endommager les systèmes nerveux et circulatoire, ce qui nuit à l'excitation sexuelle.

- Les cancers et leur traitement peuvent perturber les fonctions hormonales, vasculaires et neurologiques nécessaires à une bonne fonction sexuelle. Les cancers des organes reproducteurs ont les pires effets sur la vie sexuelle.

- La sclérose en plaques est une maladie du système nerveux central qui peut affecter l'intérêt sexuel, les sensations génitales, l'excitation et l'orgasme.

- Des médicaments peuvent perturber la fonction sexuelle, notamment ceux qui permettent de traiter les troubles psychiatriques, la dépression et les cancers. La consommation de drogues récréatives (y compris les barbituriques, les narcotiques et la marijuana), d'alcool et de tabac peut se répercuter sur l'intérêt sexuel, l'excitation et l'orgasme.

- La plupart des personnes atteintes de blessures médullaires conservent leur intérêt pour le sexe, et plus de la moitié d'entre elles ressentent une certaine excitation sexuelle.

- Les personnes atteintes de paralysie cérébrale, qui se caractérise par un déficit de coordination musculaire moyen ou grave, peuvent avoir besoin d'aide lors de la préparation et du positionnement nécessaires à une activité sexuelle.

- Les personnes aveugles ou sourdes peuvent améliorer leurs interactions sexuelles en développant la sensibilité de leurs autres sens.

- L'égalité dans les rôles sexuels est associée à une plus grande satisfaction sexuelle des hommes et des femmes d'orientation hétérosexuelle. Mettre l'accent sur le coït peut engendrer de l'anxiété de performance et diminuer le plaisir associé à l'acte sexuel.

- Les dysfonctions sexuelles peuvent découler de facteurs individuels tels des connaissances sexuelles inexactes ou limitées, un problème d'image de soi et d'image corporelle ou des difficultés émotionnelles.

- Le fait d'avoir été l'objet d'une agression sexuelle durant l'enfance ou à l'âge adulte cause souvent des problèmes sexuels. Les victimes d'agression sexuelle associent fréquemment l'activité sexuelle à quelque chose de négatif et de traumatisant.

- Des problèmes relationnels, une mauvaise communication, la peur d'une grossesse ou la crainte d'une infection transmise sexuellement nuisent souvent à la satisfaction sexuelle.

- De la même manière qu'une femme ou un homme d'orientation hétérosexuelle éprouverait des difficultés dans une relation homosexuelle, une femme ou un homme d'orientation homosexuelle aura souvent des difficultés dans une relation hétérosexuelle, notamment en ce qui a trait au désir, à l'excitation et à l'orgasme.

- L'exploration de son propre corps, le partage d'information avec son partenaire et une bonne communication sont des éléments clés à la prévention des dysfonctions sexuelles.

- La focalisation sensuelle sert à traiter plusieurs difficultés et dysfonctions sexuelles.

- Se masturber en présence de l'autre peut être une excellente façon pour des partenaires de se montrer le type de caresses qui les excitent.

- Les protocoles thérapeutiques pour traiter les troubles de l'orgasme chez la femme sont basés sur des activités développant progressivement une meilleure conscience de son potentiel personnel.

- En général, les traitements contre le vaginisme misent sur une meilleure conscience de soi et sur la relaxation. L'insertion d'un doigt lubrifié (d'abord celui de la femme, ensuite celui de son ou sa partenaire) dans le vagin est une étape importante pour surmonter ce trouble. L'insertion du pénis constitue la dernière étape du traitement.

- Plusieurs méthodes sont susceptibles d'aider un homme à retarder son éjaculation ; un couple peut, par exemple, recourir à la technique *arrêt-départ*. Certains médicaments antidépresseurs peuvent également aider à retarder l'éjaculation.

- Il est possible d'avoir recours à une méthode comportementale conçue pour réduire l'anxiété de performance afin de traiter les dysfonctions érectiles d'origine psychologique.

- Les médicaments qui stimulent l'afflux sanguin dans le pénis sont largement utilisés dans le traitement du dysfonctionnement érectile. Les chirurgies vasculaires, les prothèses péniennes implantées par chirurgie et les pompes à vide externes sont autant de possibilités lorsque la médication s'avère inefficace.

- Une méthode comportementale peut être utilisée pour traiter le trouble de l'orgasme chez l'homme. Elle comprend l'autostimulation, la focalisation sensuelle et la stimulation manuelle par un ou une partenaire, et ce, jusqu'à ce que l'éjaculation se produise.

- Pour traiter les troubles du désir sexuel, plusieurs techniques de base des thérapies sexuelles sont mises à contribution, que les thérapeutes proposent souvent d'accompagner d'une thérapie en profondeur et de counseling de couple.

- La testostérone peut être utile aux hommes et aux femmes ayant un faible désir sexuel. En raison d'un lien possible avec le cancer et les cardiopathies, son innocuité sous forme de traitement reste cependant à démontrer.

- Une aide professionnelle est souvent utile, voire nécessaire, pour prendre en charge ses difficultés sexuelles ; cependant, peu de gens cherchent ce type d'aide en pareils cas.

- Un thérapeute compétent peut fournir de l'information et des méthodes pour résoudre divers problèmes.

- Pour tout thérapeute, il est contraire à l'éthique professionnelle d'avoir des relations sexuelles avec des clients, pendant ou après la thérapie.

Le commerce du sexe

SOMMAIRE

> Jusqu'à maintenant, nous avons abordé la sexualité sous plusieurs aspects : biologique, psychologique, développemental, socioculturel, etc. Dans ce chapitre, nous nous intéressons au commerce du sexe, c'est-à-dire à l'échange d'argent contre de l'excitation sexuelle. Comme nous le verrons, ce type de commerce suscite beaucoup de questionnements et de nombreuses controverses.

Le commerce du sexe

En général, le mot *pornographie* désigne tout document écrit, visuel ou sonore montrant une activité sexuelle ou des organes génitaux dans le but de provoquer l'excitation sexuelle. Une zone d'interprétation pouvant fluctuer existe cependant, comme le suggère une remarque attribuée à André Breton : «La pornographie, c'est l'érotisme des autres.»

La pornographie

> Je n'apprécie vraiment pas la pornographie, elle ne m'excite pas. J'aime les femmes nues en personne et dans un lit, mais en voir dans la porno me laisse complètement froid. La pornographie est vraiment dégradante pour les femmes et elle transmet des faussetés sur elles. (Note des auteurs)

> Je me suis rendu compte que lorsque nous regardons de la pornographie, mon partenaire et moi, je deviens extrêmement excitée et je me permets d'exprimer le côté débridé de ma sexualité. Une fois, j'étais si excitée que j'ai pris le contrôle de la soirée en lui faisant faire tout ce que je voulais, comme être rude, dominatrice ou sensible. Nous avons aussi essayé différents endroits dans la pièce, comme la table à café, le fauteuil ou le sofa. On s'est retrouvés défaits, nus au milieu du plancher, endormis et enlacés dans les bras l'un de l'autre. Je sens que mon partenaire et moi avons réellement tiré profit de l'inclusion de la pornographie dans notre sexualité. Nous sommes devenus si à l'aise, intimes et amoureux en sachant que le sexe est une bonne chose. (Note des auteurs)

Selon que les organes génitaux sont montrés ou pas, certains font une distinction entre la pornographie dure ou intégrale (*hard core*) et la pornographie légère ou suggestive

(*soft core*). Il est aussi possible de distinguer la pornographie selon qu'elle est dégradante ou non. La pornographie est devenue un phénomène social tellement important aux États-Unis que de nombreuses universités du pays proposent des programmes de littérature, de cinéma, d'anthropologie, de droit et d'études de la condition féminine et s'intéressent de très près à la question de la pornographie (Comella, 2014; Cullen, 2006). De plus, pour faciliter les discussions et les recherches universitaires portant sur la pornographie, la revue *Porn Studies Journal* a été lancée en 2014 (Attwood et Smith, 2014).

Le matériel érotique

Le matériel dit *érotique* constitue une sous-catégorie du matériel sexuellement explicite. Il s'agit d'un autre genre de pornographie, qui peut être dure (*hard core*) ou légère (*soft core*), selon le cas. Le matériel érotique est voué à l'éros ou à l'«amour-passion» (Steinem, 1998). Dans ce type de matériel, les scènes sexuelles sont empreintes de respect mutuel, d'affection et d'équilibre de pouvoir entre les sexes (Stock, 1985). La pornographie réalisée par des femmes est souvent comparable à celle des réalisateurs masculins, mais certaines, parmi celles qui participent à la production d'œuvres sexuellement explicites, y ont introduit de nouveaux thèmes (Gloudeman, 2014). Par exemple, les films pornographiques pour adultes de Femme Productions (États-Unis) mettent l'accent sur la sensualité, le plaisir féminin et l'affirmation de soi. Des films comme *Nina Hartley's Guide to Better Cunnilingus* et les films d'éducation à la sexualité *hard core* de Tristan Tamarino font la promotion du plaisir et de l'excitation sexuels féminins.

Est-ce que le matériel érotique n'intéresse que les femmes? Non, selon une étude faite auprès d'étudiants universitaires. Ceux-ci, qui étaient tous âgés d'au moins 21 ans, ont regardé

Pornographie Matériel (écrits, images, etc.) sexuellement explicite destiné à provoquer une excitation sexuelle.

Érotique Se dit des représentations de la sexualité empreintes de respect et d'affection.

quatre extraits vidéo, chacun comportant une combinaison différente de scènes d'amour et d'affection intenses ou légères avec des scènes sexuelles très explicites (*hard core*) ou légèrement explicites (*soft core*). L'étude a montré que les hommes comme les femmes ont coté les vidéos à la fois sexuellement très explicites et très romantiques comme les plus excitantes. À la lumière de ces résultats, les chercheurs ont émis l'hypothèse que les universitaires des deux sexes ont intégré l'amour et l'affection à l'excitation sexuelle (Quackenbush et coll., 1995). Une autre enquête par entrevues réalisée auprès de 150 hommes des États-Unis, du Canada et d'Europe a révélé que la pornographie la plus appréciée par les hommes était celle où les hommes et les femmes participaient de façon égale et celle où les hommes profitaient de l'affirmation sexuelle des femmes. Les hommes qui appréciaient ce type de vidéo insistaient sur l'importance de voir des femmes ressentir un plaisir sexuel authentique (Loftus, 2002).

Les films pornographiques et l'orientation sexuelle

Les films produits pour les clientèles hétérosexuelle, gaie ou lesbienne diffèrent par certaines caractéristiques générales. Beaucoup de porno hétérosexuelle montre en gros plan diverses positions de relations coïtales, orales et anales. Relations sexuelles entre deux femmes, **triolisme** et sexualité de groupe font souvent partie de la recette. Les personnages féminins éprouvent généralement un très grand désir sexuel pour les participants et leur corps occupe le devant de la scène. Par ailleurs, la plupart des vedettes pornos ont des corps stéréotypés : minces, avec des implants mammaires, péniens ou une labioplastie (chirurgie de réduction des petites lèvres). *La scène payante*, le gros plan de l'éjaculation masculine à l'extérieur du vagin de la femme ou de sa bouche, est la marque par excellence de la porno masculine hétérosexuelle (Ogas et Gaddam, 2012 ; Paul, 2005).

L'industrie de la porno gaie se compare en importance à celle de la porno hétérosexuelle et offre le même éventail de films à petit budget et de films d'une certaine qualité. La plus grande partie de la porno gaie recourt à des acteurs très soignés, beaux et musclés. Elle met l'accent sur l'érotisation du corps masculin et le désir sexuel variant de l'agressivité à la tendresse. Certaines sous-catégories de films présentent une plus grande variété de corps. Par exemple, la porno *bear* montre des hommes imposants et très poilus (Blue, 2003).

Il y a beaucoup moins de films pornos pour le public lesbien et ils sont généralement à petit budget et moins bien fignolés que la porno pour la clientèle hétérosexuelle et gaie. La plupart des films pornos lesbiens présentent de manière réaliste et diversifiée les interactions sexuelles lesbiennes. Plusieurs

Triolisme   Pratiques sexuelles entre trois personnes.

types de beauté y sont montrés : une grande variété de corps et de styles, du très masculin au très féminin, investit les films (Stites, 2007 ; Young, 2014). Les jeux de rôle, les dialogues, l'habillement et les accessoires érotiques y ont plus d'importance que l'intrigue. Les pratiques sexuelles sécuritaires y sont monnaie courante (Blue, 2003).

Pornographie hétérosexuelle, gaie et lesbienne : ce sont là des catégories générales qui sont loin de rendre compte de la très grande diversité des sujets érotiques abordés. La pornographie spécialisée témoigne des ressources illimitées de l'imaginaire humain (Hanus, 2006b).

Pour tous les goûts

La pornographie comprend une gamme immense de thèmes sexuellement explicites, traités aussi bien sous forme visuelle que sous forme d'écrits. La pornographie spécialisée « témoigne de la nature infinie de l'imagination humaine » (Hanus, 2006a, p. 59). À titre d'exemple, le site pornographique gratuit *YouPorn* présente environ 66 catégories générales qui ne constituent que la pointe de l'iceberg quant à la diversité de la pornographie. Voici quelques-unes des thématiques qui se retrouvent sur ce site : ligotage et discipline, obésité, sadomasochisme, ainsi qu'une énorme quantité de fétiches, dont les suivants : transgenres, femmes enceintes, personnes âgées, rapports interraciaux, menstruations, orgies (*gangbang*), films d'animation japonais (*hentai*), belles grosses femmes (*BBW - big, beautiful women*) ; et pratiquement tout autre thème possible et imaginable (Tibbals, 2014). La pornographie violente présente des images agressives et brutales sous la forme, par exemple, de pénétration orale vigoureuse (*deepthroat* et *face fucking* en anglais), de violence physique ou de viol. Les fantasmes violents ou qui ont trait à des sévices sont courants dans les clavardoirs. Par ailleurs, les clavardoirs aux titres grossiers comme *Femmes torturées* ou *Une fille suce son père* se trouvent facilement (Hedges, 2015). À l'autre extrême, la porno amateure propose un contenu réaliste où de vraies personnes ont de *véritables* rapports sexuels (Hoffer, 2014). La plupart des personnes qui œuvrent dans la pornographie en tant qu'amateurs ont l'apparence d'une personne tout à fait ordinaire et les femmes ont plus souvent une poitrine naturelle plutôt que siliconée (Klein, 2014a). De nombreux couples et individus produisent également leur propre pornographie en se filmant dans le cadre de leurs jeux sexuels (Sandell, 2014).

Certaines féministes soutiennent que toute forme de pornographie est nécessairement dégradante pour les femmes, alors que d'autres sont favorables à la pornographie et jugent que, plutôt que de bannir la pornographie, il faudrait se fixer l'objectif réaliste d'offrir une solution de remplacement à la pornographie commerciale en y diversifiant l'image de la femme qui assume ses désirs et en présentant le côté obscur des fantasmes féminins. Quant à la pornographie féministe, elle aborde souvent la question du plaisir de la femme et présente une offre diversifiée relativement aux préférences sexuelles, aux types corporels ainsi qu'aux rôles liés aux genres et aux sexes (Freleng, 2013; Gloudeman, 2015; Miller-Young et coll., 2013; Young, 2014).

Ces catégories permettent de se faire une idée des différents types de matériel sexuellement explicite existants. Toutefois, en réalité, les réactions individuelles à la pornographie sont beaucoup plus diversifiées. La pornographie de l'un est l'érotisme d'un autre, et l'érotisme de l'un peut susciter le dégoût chez un autre (Kipnis, 1996). Et ce qui peut être inoffensif dans un contexte donné (par exemple, un couple visionnant une vidéo érotique pour explorer différentes façons de faire l'amour ou ajouter un peu de piquant à sa vie sexuelle) peut se révéler dangereux dans un autre contexte – lorsque de jeunes enfants le trouvent (par hasard) et le regardent (avec curiosité).

La pornographie juvénile

Au Canada, la production, la vente, la distribution et la simple possession d'images à teneur sexuelle montrant des jeunes de moins de 18 ans constituent des infractions selon le Code criminel. Il en va de même pour ce qui est des images d'organes sexuels ou de la région anale présentées à des fins sexuelles. Les textes et les dessins de pornographie juvénile sont également prohibés (Schabas, 1995). Au Canada, Interpol Ottawa inclut ce type de crime dans ses dossiers prioritaires.

Internet permet aux adeptes de la pornographie juvénile d'accéder facilement à ce matériel illégal. Il s'agit d'une industrie en croissance dans le monde qui dépasse les 20 milliards de dollars annuellement. Les prédateurs sexuels s'en prennent à des enfants aussi jeunes que 18 mois et ils exploitent sexuellement des enfants en temps réel (Brockman, 2006). La surveillance d'Internet peut être couronnée de succès et a mené à plusieurs arrestations de producteurs de pornographie infantile. Depuis quelques années, surtout depuis l'arrivée des téléphones-caméra, des jeunes se sont mis à vendre des images sexuellement explicites d'eux-mêmes. L'autoexploitation juvénile désigne un comportement au cours duquel une personne crée, transmet ou partage avec d'autres personnes des photos ou des vidéos à caractère sexuel. Certains jeunes vont même jusqu'à vendre des images sexuellement explicites d'eux-mêmes. Connus aussi sous le nom de *sextage*, l'envoi et la réception de ces messages à caractère sexuel s'effectuent par l'entremise d'Internet ou d'appareils électroniques tels qu'un téléphone cellulaire, un service de messagerie vidéo ou d'un réseau social.

Comme nous l'avons vu dans la section *Sextage* au chapitre 6, au Canada, toute photo ou vidéo représentant une personne âgée de moins de 18 ans se livrant à une activité sexuelle explicite, ou qui expose des organes génitaux dans un but sexuel, est considérée comme de la pornographie juvénile et donc illégale.

Le gouvernement canadien a adopté une loi criminalisant le leurre d'enfant sur Internet. Elle vise au premier chef les pédophiles (ou pédosexuels) se faisant passer pour des jeunes afin de gagner la confiance des personnes mineures dans le but de les agresser sexuellement par la suite. Comme dans plusieurs autres pays, un site canadien (www.cyberaide.ca) est voué à la dénonciation de l'abus pédosexuel sur Internet.

Internet a permis d'accéder à du matériel sexuellement explicite de façon exponentielle. À travers l'histoire, tout progrès technologique a permis d'accroître l'accès à ce type de matériel et de réduire le contrôle exercé par l'Église ou les gouvernements.

Un survol historique

Les représentations de la sexualité sous forme d'images ou de dessins ne datent pas d'hier; on en retrouve même dans les fresques murales des cavernes de la préhistoire. Le *Kâma Sûtra*, le célèbre manuel philosophico-érotique indien datant de la fin du IVe siècle, allie sexualité et spiritualité en exposant dans le détail des techniques sexuelles permettant d'atteindre le nirvana. Au Japon, les *shungas*, des peintures et des gravures sur bois datant des XVe et XVIe siècles et représentant de façon très explicite le coït, sont considérés comme des chefs-d'œuvre. Les Grecs et les Romains de l'Antiquité utilisaient abondamment les thématiques sexuelles dans l'ornementation et la décoration des bâtiments publics et des objets domestiques.

Avec le triomphe du christianisme ainsi que la chute de l'Empire romain, l'Église catholique a étendu son autorité suprême sur tout l'Occident. Durant le Moyen Âge, elle contrôlait la production écrite et les beaux-arts, qui reflétaient évidemment ses idées restrictives en matière de sexualité. À cette époque, les écrits étaient rédigés à la main par des moines, et la richesse de l'Église catholique lui permettait de commander la majorité des œuvres d'art. Le monopole de l'Église sur la diffusion de l'écrit a cependant cessé vers 1450, lorsque Johannes Gutenberg a inventé la presse à imprimer et les caractères mobiles (Lane, 2000). On a d'abord imprimé différentes éditions de la Bible, puis des histoires pornographiques, ce qui aurait contribué à l'alphabétisation des masses. Vers le milieu du XVIe siècle, la parution des livres échappait tellement à l'influence de l'Église que le pape Paul IV a publié le premier *Index* des livres interdits (Lane, 2000).

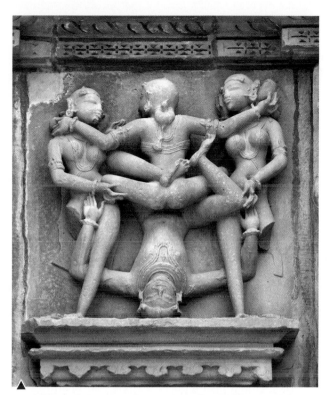

Ces sculptures érotiques ornent un temple hindou qui fait partie de l'ensemble monumental de Khajuraho, situé dans le nord de l'Inde, et datant de plus de 3000 ans.

Dans la première moitié du XVIIIe siècle, une autre découverte technologique, la photographie, a contribué à répandre la pornographie. Les daguerréotypes et les photographies érotiques se sont mis à proliférer tant et si bien que le Congrès américain a promulgué la première loi interdisant l'envoi postal d'obscénités (Johnson, 1998).

En 1953, avec le lancement de *Playboy*, le commerce de la pornographie est sorti de l'ombre pour devenir l'industrie multimilliardaire qu'on connaît aujourd'hui. La génération qui avait participé à la Seconde Guerre mondiale a acheté 50 000 exemplaires du premier numéro du magazine. Le lectorat de *Playboy* a continué de croître durant les années 1960 et Hugh Hefner, l'éditeur du magazine, est bientôt devenu multimillionnaire. Puis le public a eu accès, en toute légalité, à des films sexuellement explicites qui, avant la sortie en 1973 du film *Deep Throat* (*Gorge profonde*), n'étaient diffusés que clandestinement. Cette invraisemblable histoire d'une femme ayant le clitoris logé dans la gorge fut la première production cinématographique pour adultes présentée en salle, devant grand public. Énorme succès financier, *Deep Throat* a rapporté 600 millions de dollars et ouvert la voie à la pornographie moderne. Il a également eu pour effet de repousser les limites du contenu sexuel dans les films grand public. En français, des films comme *Histoire d'O*, *Emmanuelle* et *Valérie* en sont des exemples. L'augmentation du contenu sexuel a

suscité l'opposition des groupes religieux et politiques conservatrices, ceux-ci affirmant que la pornographie est immorale, qu'elle a des effets nocifs sur les adultes et qu'elle augmente le nombre de crimes à proximité des cinémas pour adultes et des boutiques érotiques.

Au Canada, la Cour suprême semble donner raison à ce point de vue, du moins indirectement. Dans l'arrêt de 1992 précisant les critères devant guider les juges pour délimiter ce qui est acceptable en matière d'obscénité, la Cour affirme que si du matériel contient des scènes dégradantes ou déshumanisantes, celles-ci ne doivent pas être tolérées par la société (Schabas, 1995). Conformément au vocabulaire légal, la Cour parle d'*obscénités* et non de *pornographie*; aucune loi canadienne ne définit la pornographie en dehors de la pornographie juvénile. Aux yeux de la loi, c'est ce qui est obscène (c'est-à-dire ce qui va à l'encontre des mœurs acceptées) qui correspond en gros à l'usage courant du mot *pornographie* (Schabas, 1995).

Les nouvelles technologies et le matériel sexuellement explicite

Alors même qu'on tente de réprimer la pornographie, les nouvelles technologies viennent en compliquer le contrôle (Krause, 2008), tout en rendant cette activité encore plus lucrative.

Récemment, la censure sur les sites de réseaux sociaux est devenue un enjeu d'envergure. Des sites comme Facebook et Twitter se sont dotés de lignes directrices pour censurer des produits, des services pour *adultes*, ainsi que des contenus visuels et écrits à teneur sexuelle (Madison, 2015). Toutefois, ces règles sont parfois trop générales et ambiguës et peuvent mener à la censure de fichiers des organisations de la santé qui font la promotion de l'éducation à la sexualité et qui diffusent l'information sur la santé sexuelle (Madison, 2015).

La pornographie est désormais accessible sur les téléphones cellulaires, les tablettes numériques et les consoles de jeu portables. La diffusion de matériel sexuellement explicite sur les appareils mobiles est devenue une affaire extrêmement lucrative (Ross, 2008). Les estimations de revenus annuels de l'industrie du sexe sur Internet, selon diverses sources, sont de 97 milliards de dollars US, soit plus que les revenus combinés des sociétés Microsoft, Google, Amazon, eBay, Yahoo!, Apple et Netflix (Ropelato, 2012). Ces revenus témoignent de l'ampleur des taux d'achalandage des sites de porno sur Internet. Selon les estimations d'études internationales, 50 à 99 % d'hommes et 30 à 86 % de femmes utilisent de la pornographie (Weir, 2014). Ces données montrent que le fait de regarder de la porno est devenu une forme de divertissement grand

> **Obscénités** Paroles ou gestes qui violent les normes de tolérance de la société.

public. En effet, d'innombrables sites proposent désormais du contenu gratuit et facilement accessible (Klein, 2012b). Les sites pour adultes sont également de très gros propagateurs de virus, de chevaux de Troie et autres logiciels malveillants (Wondracek et coll., 2010), posant ainsi de sérieux problèmes de sécurité.

Le matériel à contenu sexuellement explicite : utile ou nuisible ?

L'impact de la pornographie chez ceux qui en consomment constitue un sujet de controverse important. Certains arguments plaident en faveur de son utilité et d'autres font valoir le contraire. La pornographie permet à une personne d'avoir une stimulation sexuelle sans risquer d'être rejetée ou critiquée par sa ou son partenaire, tout en évitant une éventuelle ITSS. Il n'y a pas d'érection manquée, la femme n'a aucune difficulté à atteindre l'orgasme, personne n'a peur de paraître trop gros. Il n'y a pas de grossesse, personne ne demande à se marier ou n'essaie de fixer un rendez-vous pour la prochaine fin de semaine (Paul, 2005 ; Peter et Valkenburg, 2011).

La pornographie est-elle utile ?   Certaines formes de pornographie peuvent élargir les limites des représentations stéréotypées des rôles sexuels en présentant des dynamiques de genres contraires aux dynamiques habituelles. Par exemple, une étude a observé que dans les films pornographiques où de jeunes hommes ont des rapports sexuels avec des femmes plus âgées, ce sont ces dernières qui, le plus souvent, initient les relations sexuelles et en contrôlent le rythme et la nature (Vannier et coll., 2013). Une série d'études ont également démontré que la pornographie peut constituer une source de renseignements explicites qui favorise la confiance sur le plan sexuel ainsi que le sentiment d'appartenance à une communauté, particulièrement chez les jeunes de sexe et de genre mixtes. Par ailleurs, la pornographie pédagogique qui présente des pratiques sexuelles sans risque contribue à promouvoir l'acceptation de tels rapports sexuels (Albury, 2014).

En outre, pour les couples dont les partenaires présentent une grande différence de besoins quant à la fréquence des rapports sexuels, la pornographie peut faciliter l'excitation sexuelle menant à la masturbation chez le partenaire dont l'appétit sexuel est le plus grand. De plus, le fait de regarder du matériel sexuellement explicite avant les rapports sexuels peut également faciliter l'excitation et le désir chez les personnes dont l'appétit sexuel est plutôt faible.

Certains couples ont vu leurs expériences sexuelles améliorées par le visionnement de pornographie ou de matériel érotique. Une étude a d'ailleurs démontré que les partenaires de près de la moitié des couples non mariés ont déjà visionné ensemble du matériel au contenu sexuellement explicite. Les partenaires des couples non mariés qui consomment du matériel explicite ensemble uniquement ont signalé un plus grand dévouement l'un envers l'autre ainsi qu'une plus grande satisfaction sexuelle que ceux qui consomment seuls du matériel semblable (Maddox et coll., 2011). Les recherches démontrent que de nombreux jeunes ne voient pas la consommation de pornographie d'un mauvais œil au sein d'une relation stable. À la question « Trouvez-vous acceptable que les partenaires, mariés ou en relation stable, consomment de la pornographie seuls ou ensemble ? », près de 71 % des étudiants universitaires de sexe masculin et 46 % des étudiantes ont répondu par l'affirmative (Olmstead et coll., 2013).

Les études ont démontré que la consommation de pornographie et la pratique de rapports sexuels en ligne aident certaines personnes à élargir leur répertoire de comportements sexuels en favorisant leur ouverture et l'exploration de nouvelles pratiques (Barker, 2014 ; Grov et coll., 2011). Par exemple, une femme qui consomme de la pornographie constatera qu'il est courant pour les actrices de stimuler elles-mêmes leur clitoris pendant les rapports sexuels. Par la suite, elle pourrait se sentir plus à l'aise de faire de même. Bien que nous ne puissions déterminer la cause et l'effet entre les deux éléments, la consommation de pornographie chez la femme est liée à une satisfaction sexuelle accrue (Weir, 2014). Également, certaines personnes seraient plus à l'aise de parler de sexualité avec leur partenaire sexuel après avoir fait part de leurs préférences sexuelles en ligne de façon anonyme (Grov et coll., 2011). D'ailleurs, une étude a démontré que près de 50 % des femmes et 44 % des hommes ont avoué à leur partenaire des désirs sexuels qu'ils cachaient autrefois après en avoir parlé avec d'autres sur Internet (Gowen, 2005).

La pornographie est-elle nuisible ?   À l'opposé des recherches dont il a été question dans la section *La pornographie est-elle utile ?*, d'autres études établissent des corrélations entre la pornographie sur le Web et une diminution de la qualité des relations entre les partenaires. À cet effet, une étude menée auprès d'étudiants universitaires hétérosexuels a démontré un lien entre une grande consommation de pornographie et une diminution de la satisfaction sexuelle et relationnelle (Morgan, 2011). Une autre étude, celle-ci menée auprès de couples non mariés, a révélé que les partenaires qui consomment seuls du matériel au contenu sexuellement explicite présentent une qualité relationnelle inférieure en ce qui a trait à la communication, à l'adaptation et à l'engagement au sein de la relation, à la satisfaction sexuelle ainsi qu'à la fidélité, comparativement aux personnes qui n'ont jamais consommé de matériel pornographique (Maddox et coll., 2011). Les avocats spécialisés dans les cas de divorce de même que les thérapeutes conjugaux ont signalé une forte augmentation du nombre de couples pour qui la pornographie sur Internet constitue l'une des principales causes de consultation ou de divorce (Eberstadt, 2009; Hanus, 2006a).

L'une des préoccupations exprimées au sujet de la pornographie est que le consommateur en vient à tenir pour acquis que ce qu'il regarde est *normal* et que c'est de cette façon-là que devraient se dérouler ses propres rapports sexuels (Bowater, 2011; Rothman et coll., 2014). D'ordinaire, plus une personne est soumise à une image donnée, plus grandes sont les chances qu'elle la juge normale. À cet effet, un sondage effectué auprès d'étudiants universitaires hétérosexuels a révélé que les répondants qui étaient les plus grands consommateurs de pornographie démontraient aussi la plus grande préférence pour les pratiques sexuelles diffusées dans ce type de matériel (Morgan, 2011).

Les scénarios habituels présentés dans la plupart des documents pornographiques peuvent constituer une mauvaise éducation sexuelle et des exemples erronés d'expériences sexuelles agréables et satisfaisantes pour les deux partenaires (Castleman, 2008). Ainsi, dans la pornographie, les rapports sexuels sont habituellement impersonnels, inamicaux, peu sensuels, mécaniques et presque exclusivement axés sur les organes génitaux. Les femmes sont excitées instantanément et continuellement par le moindre geste que l'homme pose avec son pénis, mais elles atteignent rarement l'orgasme. Les partenaires ne discutent pas et n'explorent rien (Joannides, 2014). En outre, la pornographie commerciale emploie des acteurs dont le pénis est énorme et qui sont capables d'avoir des érections immédiates, répétées et de longue durée. Généralement, le sexe buccogénital est rapide et brutal. La pénétration anale chez la femme est pratiquée de manière agressive et, souvent, l'homme passe directement de l'anus au vagin, un gage pratiquement incontestable d'infection vaginale ou urinaire. Il est rare de voir un acteur employer du lubrifiant lors de rapports vaginaux ou anaux. De plus, la pornographie perpétue les stéréotypes liés au genre. Le plus souvent, les hommes dominent et les femmes sont soumises lors des activités sexuelles (Klaassen et Peter, 2015).

Les chercheurs constatent également que certains hommes, particulièrement les jeunes hommes, éprouvent des difficultés sexuelles à la suite d'une consommation soutenue de pornographie. Dans certains cas, l'homme a de la difficulté à être excité sexuellement sans la stimulation intense et variée que lui procure la pornographie. Ou lors de ses relations sexuelles avec un ou une partenaire, il arrive difficilement à avoir ou à maintenir une érection. Dans d'autres cas, l'homme est incapable d'éjaculer et il lui arrive de simuler l'orgasme pour cacher ses difficultés (Robinson, 2011; Rothbart, 2011). Les sexothérapeutes commencent d'ailleurs

à voir des hommes qui préfèrent se masturber en regardant de la pornographie au lieu d'avoir de véritables relations sexuelles (Albright, 2008). Également, la recherche sur le sujet a établi un lien entre la consommation de pornographie et les comportements à risque, comme la non-utilisation du condom (Willoughby et coll., 2014b).

Un autre problème surgit lorsque des personnes contraignent leur partenaire à adopter des comportements fréquemment présents dans la pornographie (par exemple, éjaculer dans le visage ou sur le corps d'une femme, pratiquer le sexe anal ou avoir des relations sexuelles en groupe) (Morris, 2011; Rothman et coll., 2014). Les recherches ont démontré que, dans une relation hétérosexuelle, l'homme a davantage tendance que la femme à exercer des pressions sur sa partenaire pour que celle-ci se comporte sexuellement comme il l'a vu dans des films pornographiques (Albright, 2008). D'autant plus que la pornographie dépeint les femmes comme étant fortement réceptives à tous les gestes que posent les hommes. Pourtant, dans la réalité, les femmes ne réagissent pas ainsi, de sorte que les hommes et les femmes peuvent se sentir floués et viennent à douter de la normalité de leur propre sexualité. Par exemple, une femme pourrait croire que quelque chose ne tourne pas rond chez elle puisque, contrairement à ce que lui fait miroiter la pornographie, les relations anales ne sont pas aussi agréables et indolores que l'image irréaliste qu'elle en avait (Castleman, 2008; Drey et coll., 2009). Ce genre d'influence peut même contribuer à une détérioration de la relation entre deux partenaires, comme le montre le témoignage suivant.

> Dans la première moitié de ma vingtaine, j'ai passé beaucoup de temps (et d'argent) à payer des femmes qui gagnaient leur vie à l'aide d'une cybercaméra pour qu'elles s'adonnent à des scénarios de nature sexuelle pendant que je me masturbais. Je trouvais qu'il s'agissait d'une manière plus saine, sécuritaire et simple de subvenir à mes besoins sexuels que d'avoir des fréquentations de nature sexuelle. Puis, j'ai rencontré Jennifer et j'en suis tombé amoureux. Après quelques mois, je me suis lassé de la position du missionnaire et je lui ai demandé de jouer la jeune écolière comme je le demandais aux femmes que je payais dans Internet. Jennifer faisait de son mieux, mais je trouvais qu'elle ne s'y prenait pas bien, ce qui me rendait furieux et la faisait se sentir insuffisamment attirante. Je n'avais pas le droit de m'attendre à ce qu'elle réalise mon fantasme au même titre d'une professionnelle du Web, mais je ne m'en rendais pas compte. Depuis, j'ai fait ce compromis, car après tout, j'aime mieux faire l'amour avec une femme qui tient réellement à moi plutôt qu'avec une bonne actrice. (Note de l'auteur)

Les difficultés sexuelles causées par l'Internet peuvent frapper tant les jeunes que les adultes. Cependant, les conséquences sur le développement sexuel des jeunes d'un changement social aussi grand que l'apparition de l'Internet risquent d'être bien plus graves qu'elles ne le seraient sur le développement sexuel des adultes qui ont atteint la majorité avant cette percée technologique. Aux États-Unis, 90 % des jeunes âgés de 16 ans ont déjà été exposés à de la pornographie sur Internet. L'âge moyen des jeunes à leur premier contact avec la pornographie sur le Web est de 11 ans (Ropelato, 2012). À l'époque où l'Internet n'existait pas, il arrivait que les jeunes feuillettent un magazine *Playboy* avant leur premier baiser, mais les choses n'allaient généralement pas plus loin. Aujourd'hui, en revanche, dans les pays développés, les jeunes sont exposés à de nombreuses formes de pornographie par l'entremise de l'Internet et de diverses autres formes de technologie sans fil avant de vivre leurs premières expériences sexuelles. À cet égard, le sexologue Marty Klein explique l'une des limites importantes de la pornographie : « Elle exclut une grande partie de ce que les gens aiment du sexe, notamment les émotions, le rire, les discussions, la proximité, les liens tissés entre deux personnes, autant d'éléments qui rendent cet acte physique d'autant plus important et agréable. De plus, la pornographie ne montre jamais que les rapports peuvent être décontractés plutôt que frénétiques » (Klein, 2014a).

La consommation de pornographie en ligne peut également avoir une influence négative sur l'opinion d'une personne à l'égard de ses organes génitaux. Par exemple, la figure 10.1 montre que plus les jeunes consomment de la pornographie, plus ils risquent de croire que leur pénis ou leur vulve devrait ressembler à ceux ou à celles des acteurs et actrices pornos. (Fait à noter, 5,2 % des jeunes hommes et 11,8 % des jeunes femmes qui n'ont jamais consommé de pornographie croient tout de même que leurs organes génitaux devraient ressembler à ceux des vedettes du X.) Finalement, les jeunes femmes risquent davantage que les jeunes hommes de croire que la vulve *idéale* ressemble à celles des actrices pornographiques, comme le montre la figure 10.1 (Drey et coll., 2009). D'ailleurs, nombreuses sont les jeunes femmes qui envisagent la chirurgie plastique pour cette raison. Elles préfèrent *corriger* la forme de leurs lèvres plutôt que d'apprendre à accepter leur forme et leur taille uniques (Bisceglia, 2014).

La prostitution et le travail dans l'industrie du sexe

Il est nécessaire d'aborder le reste de ce chapitre avec une prudence particulière liée à la diversité des sources, au choix des approches et des termes. Il existe dans plusieurs régions du monde un mouvement promouvant la reconnaissance de la prostitution comme un travail, ce qui impliquerait du même coup de reconnaître aux

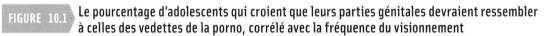

FIGURE 10.1 Le pourcentage d'adolescents qui croient que leurs parties génitales devraient ressembler à celles des vedettes de la porno, corrélé avec la fréquence du visionnement

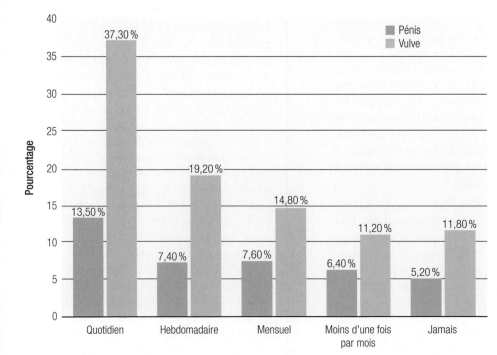

travailleuses du sexe les mêmes droits qu'à tous les travailleurs, notamment la sécurité garantie par l'État. Comme une grande partie de la question comporte des dimensions morales et soulève des interrogations sur la culture et la société actuelle, l'usage des chiffres et la façon de mener des études sont parfois sujets à caution, chaque source tentant de privilégier son choix, disons *idéologique*. La plus grande prudence d'interprétation est essentielle dans chaque cas.

Dans cet ouvrage, nous privilégions les termes *travailleurs et travailleuses dans l'industrie du sexe*, puisqu'ils sont de plus en plus courants dans les études scientifiques, les milieux académiques ainsi que dans les publications gouvernementales et les organisations de la santé. Par contre, la loi canadienne utilise le mot *prostitution* pour décrire l'échange d'activités sexuelles contre de l'argent (Association canadienne de santé publique [ACSP], 2014).

Le **travail du sexe** consiste à échanger des services sexuels entre adultes consensuels contre de l'argent ou des biens tels que la nourriture, l'alcool, des drogues, un loyer ou la protection (Agence de la santé publique du Canada, 2013). Les personnes travaillant dans l'industrie du sexe peuvent le faire dans des cadres structurés, tels que les maisons closes, les domiciles privés, les boîtes de nuit, les clubs de danse érotique et les salons de massage, ou encore, de manière non structurée comme dans la sollicitation des clients dans les endroits publics (ACSP, 2014).

On imagine généralement une femme vendant ses services sexuels à un homme, bien que les transactions entre deux hommes soient aussi très courantes. Il est plus rare qu'une femme paie pour les services sexuels d'un homme. Certaines personnes choisissent volontairement de gagner leur vie en travaillant dans l'industrie du sexe, et pour d'autres, il s'agit d'un moyen de survie.

Les travailleuses et les travailleurs du sexe pratiquent diverses activités, telles que la danse érotique, les communications à teneur sexuelle par téléphone ou par webcam, les jeux de rôle dans un film pornographique, le racolage, les services d'escortes, les massages érotiques et les relations sexuelles. La plupart des travailleuses et travailleurs qui ne quittent pas le milieu après quelques mois passent souvent d'une activité à l'autre (Farley, 2004).

Le nombre de personnes travaillant dans l'industrie du sexe est difficile à établir puisque le Canada ne compile pas de statistiques à ce sujet, étant donné la complexité de cette population. Par exemple, on estime que les femmes autochtones sont surreprésentées ainsi que les jeunes femmes (ACSP, 2014).

Travail du sexe   Échange de services sexuels contre de l'argent ou des biens.

L'histoire de la prostitution

La prostitution remonte à la nuit des temps. Selon les sociétés et les époques, *le plus vieux métier du monde* a eu des fonctions et connu des statuts divers. Il est prouvé que des hommes vendaient leurs services sexuels à d'autres hommes aussi loin dans l'histoire que dans les civilisations sumérienne et grecque (Pandey, 2007). Dans la Grèce antique, la prostitution était tolérée et, à certains moments, les hétaïres, des prostituées de haut rang, étaient même recherchées pour leur intellect, leur brillante conversation et leur savoir-faire sexuel. La prostitution faisait partie des rites religieux de quelques autres sociétés de l'Antiquité. Dans l'Europe médiévale, la prostitution était tolérée et avait cours dans les bains publics. À d'autres époques, certaines formes de prostitution étaient un moyen pour les femmes d'acquérir du pouvoir et un statut social. Par exemple, pendant la Renaissance italienne, les courtisanes procuraient aux hommes les plus influents une compagnie de nature sexuelle, sociale et intellectuelle. Instruites, charmantes et spirituelles, les courtisanes étaient des artistes, des interprètes ou des écrivaines (Valhouli, 2000). Il y a un rapprochement à faire, avec prudence, avec les geishas du vieux Japon. Dans l'Angleterre victorienne, la prostitution était perçue comme un exutoire social et sexuel scandaleux mais nécessaire. On jugeait en effet préférable qu'un bourgeois ait des rapports sexuels avec une prostituée plutôt qu'avec la femme ou la fille d'un de ses pairs (Brecher, 1969; Taylor, 1970).

Les clients des travailleurs du sexe

S'il existe des travailleurs du sexe, c'est qu'il y a une demande pour leurs services. Pour les clients masculins, le sexe en échange de l'argent leur procure un contact sexuel sans attente d'intimité ou d'engagement futur; il élimine le risque de rejet et leur offre la possibilité d'avoir des activités sexuelles qu'ils n'auraient pas avec leur partenaire habituelle (Reyes, 2013; Weeks, 2014). La recherche indique que le travail du sexe est plus florissant dans les régions où la sexualité des femmes est rigoureusement contrôlée, comme en témoigne le fait que le taux de prostitution est plus élevé en Afrique et en Chine. Les chercheurs en concluent que l'égalité entre les hommes et les femmes pourrait réduire considérablement la prostitution (Wellings et coll., 2006).

Combien d'hommes recourent aux services d'une travailleuse ou d'un travailleur du sexe? Une enquête menée auprès d'un échantillon représentatif d'hommes dans divers pays révèle qu'environ 10 % d'entre eux ont échangé de l'argent contre du sexe au cours des 12 derniers mois (Carael et coll., 2006). Une autre étude a montré que la plupart des hommes qui achètent des services sexuels sont mariés ou vivent en couple et qu'ils sont âgés de 20 à 75 ans, avec un âge moyen de 41 ans (Bennetts, 2011). Dans une étude visant à déterminer la fréquence à laquelle les hommes faisaient appel à des services sexuels aux États-Unis, 93 % des hommes ont déclaré qu'ils retenaient les services d'une travailleuse du sexe une fois par mois ou plus (Freund et coll., 1991). Toutefois, depuis les années 1990, le pourcentage d'hommes payant pour ces services tend à diminuer, peut-être en raison de l'apparition de nouveaux sites pour adultes qui mettent en contact les personnes qui partagent les mêmes objectifs sexuels.

Les femmes sont beaucoup moins susceptibles que les hommes de payer pour des services sexuels, mais on note une forte hausse du tourisme sexuel féminin. On estime à environ 600 000 le nombre de femmes blanches célibataires, divorcées ou mariées, venant principalement d'Europe et d'Amérique du Nord, qui se rendent dans certains endroits du monde, tels que Mombasa, au Kenya, ou dans certaines régions d'Amérique centrale, pour avoir des aventures sexuelles avec des travailleurs du sexe (*beach boys*) qui les compliment et leur tiennent compagnie en échange de cadeaux ou d'argent (Bindel, 2013). Les femmes afro-américaines vont plutôt faire du tourisme sexuel en Jamaïque, tandis que les femmes japonaises se rendent habituellement à Bali (Hari, 2006). Comme le dit une cinquantenaire, qui, lors d'un récent voyage à Cuba, s'est fait courtiser par un serveur de 30 ans: «Ici, au Québec, je suis une mère alors qu'à Cuba, je suis une femme» (N. Corbeil, communication personnelle avec l'adaptateur, 2012). Dans

des cas similaires, des femmes n'hésitent pas à *aider* financièrement leur prétendant qui, lui, n'hésite pas à aller jusqu'au lit en guise de reconnaissance.

Les femmes adeptes du tourisme sexuel et les hommes qu'elles engagent minimisent souvent le côté commercial de leurs relations. Un chercheur a révélé que les travailleurs du sexe s'imaginent souvent recevoir des cadeaux pour l'aide qu'ils apportent à ces femmes, et celles-ci croient qu'elles aident ces hommes et l'économie locale en leur donnant cadeaux et argent (Hari, 2006; Michel, 2006). Il faut noter que plusieurs destinations populaires pour le tourisme sexuel connaissent également des taux élevés de VIH et, comme l'utilisation du condom est souvent irrégulière, le risque de contracter une infection est grand (Campbell, 2013).

Le travail du sexe et les différences selon le sexe

Une différence primordiale entre les travailleurs du sexe a trait au degré auquel chacun choisit de pratiquer son métier (Lieberman, 2011). Certains travailleurs du sexe optent pour cette avenue même s'ils peuvent gagner leur vie autrement. En choisissant eux-mêmes leurs clients et les actes qu'ils sont prêts à accomplir, ils risquent moins de subir de la violence ou de faire l'objet de poursuites judiciaires (Klein, 2014b). En outre, bon nombre de travailleurs du sexe aiment leur métier (Weeks, 2014).

D'ailleurs, il semblerait que, parmi les travailleurs du sexe, ce soit les actrices pornographiques qui apprécieraient le plus leur travail. En effet, un sondage mené auprès de 177 actrices pornos a révélé qu'elles aiment leur horaire flexible, leur salaire et le prestige du métier. De plus, elles aimeraient davantage le sexe que la moyenne des femmes. Les actrices pornos auraient en moyenne 75 partenaires sexuels au cours de leur vie, sans compter leurs partenaires *professionnels*, contre une moyenne de 5 partenaires pour le groupe témoin formé de femmes du même groupe d'âge, de la même origine et du même état civil. Les actrices démontrent également une plus grande estime personnelle, une plus grande satisfaction dans leur vie, un soutien social plus marqué ainsi qu'une plus grande satisfaction sexuelle que les femmes du groupe témoin. L'idée selon laquelle le taux d'abus sexuels chez les actrices pornographiques est élevé serait fausse. En réalité, les antécédents de violences sexuelles chez ce groupe sont légèrement plus fréquents, sans plus, que le tiers du nombre de femmes de la population en général qui ont subi des violences sexuelles (Griffith et coll., 2013).

Par contre, nombreux sont ceux qui optent pour le travail du sexe par nécessité ou pour des raisons d'argent (Shaver et coll., 2011). Par exemple, la recherche a démontré qu'aux États-Unis, la majorité des personnes

À L'AFFICHE

▸Réalisé par Laurent Cantet, *Vers le sud* (2006), d'après le roman de Dany Laferrière, *La chair du maître*, raconte l'histoire de deux touristes américaines cinquantenaires en quête de tendresse et de sexe, qui développent des relations amoureuses annuelles avec un jeune adonis haïtien.

qui choisissent de devenir travailleuses et travailleurs du sexe le font parce qu'elles arrivent difficilement à se trouver un emploi ou à subvenir à leurs besoins (Hafer, 2011 ; Jacobs, 2014). Parmi les travailleurs du sexe, nombreux sont ceux qui travaillaient précédemment dans le domaine du gardiennage, de la restauration ou de l'entretien ménager (B. McCarthy et coll., 2014).

Les travailleurs du sexe adultes se distinguent les uns des autres par des caractéristiques comme la visibilité en public, l'argent qu'ils gagnent et leur classe sociale. Certaines personnes se prostituent à mi-temps et, par ailleurs, poursuivent des études, occupent un emploi et une vie sociale conventionnels. Celles qui le font à l'occasion, de façon temporaire, et qui ont d'autres qualifications professionnelles peuvent plus aisément quitter le métier. Nombre de ces hommes et de ces femmes ne se considèrent pas comme des travailleurs du sexe, ou des *professionnels*. D'autres, à l'inverse, revendiquent haut et fort un statut social reconnu (Mensah et coll., 2011 ; Parent et coll., 2010). Les travailleurs du sexe à temps plein qui ont rejeté les valeurs traditionnelles (mariage, hétérosexualité, travail stable, etc.) et qui s'identifient à la sous-culture (l'arrestation policière favorise cette identification) sont généralement des personnes peu instruites et peu qualifiées, qui pourraient difficilement se trouver un autre emploi.

Les travailleuses et les travailleurs du sexe œuvrant dans la rue sollicitent respectivement les hommes hétérosexuels et gais qui circulent dans la rue et qui fréquentent les bars. Les saunas pour hommes gais, les parcs et les toilettes publiques sont d'autres lieux qu'ils côtoient. Aux États-Unis, on estime qu'entre 10 et 20 % des travailleuses et travailleurs du sexe travaillent dans la rue (Hussein, 2015). Ces travailleurs sont ceux qui demandent le moins d'argent pour leurs services. Les hommes travaillent rarement pour un ou une proxénète (aussi appelé *pimp*) et, contrairement à une idée répandue, il en va de même pour la plupart des filles de rue (à Montréal, elles ne sont que 10 % à dépendre d'un proxénète) (Mensah, 2007). Ces travailleuses du sexe sont les plus susceptibles d'être victimes d'agression et de vol de la part de clients ou des proxénètes (Valera et coll., 2001) et elles présentent plus souvent que les autres des problèmes de santé et de toxicomanie (Muftic et Finn, 2013).

Au Canada, de 1991 à 2014, 294 travailleuses du sexe œuvrant dans la rue ont été victimes d'homicide. Un homicide sur trois (34 %) est encore inexpliqué (Rotenberg, 2016). Parce qu'ils sont plus visibles, les femmes et les hommes travailleurs du sexe œuvrant dans la rue se font souvent arrêter. Au cours de leur vie, la plupart se feront appréhender à plusieurs reprises et seront condamnés à de brèves peines de prison, puis relâchés.

Les travailleuses du sexe de rue sont exposées aux mauvais traitements de leurs clients et de leur proxénète.

Le **bordel** est un établissement dans lequel travaille un groupe de travailleuses du sexe. Dans certains États, et jusqu'en 2014 au Canada, les bordels sont considérés comme des maisons de débauche (terme désignant des activités immorales) et sont de ce fait illégaux. Le simple fait de s'y trouver sans motif valable constitue un crime dans ces États. Selon un projet de recherche qui s'est étendu sur 15 ans, 84 % des travailleuses du sexe dans les bordels aux États-Unis ont affirmé qu'elles se sentaient en sécurité au travail parce que la police, les patrons et les collègues de travail étaient là pour les protéger (Brents, 2014).

Certains salons de massage érotique peuvent être considérés comme des bordels. Une fois installé dans la salle de massage, le client négocie souvent le tarif d'une stimulation manuelle ou buccogénitale jusqu'à l'éjaculation. Le client peut aussi fréquemment demander à la masseuse de se dévêtir. Le coït peut ou non faire partie des services sexuels.

Les escortes féminines ou masculines qui offrent des services sexuels gagnent généralement plus d'argent que

Bordel Lieu où travaillent plusieurs travailleuses du sexe.

les autres travailleurs et travailleuses du sexe. Souvent issues de la classe moyenne et éduquées, les femmes qui travaillent comme escortes choisissent ce métier en raison des revenus qu'il procure, de l'autonomie et de la satisfaction qu'elles trouvent dans ce travail (Hafer, 2011). Ces travailleuses sont habituellement mises en relation avec leur client par un contact personnel ou par l'intermédiaire d'une agence spécialisée ; elles ont souvent plusieurs clients habituels – généralement des hommes riches, d'âge moyen ou plus avancé – qu'elles accompagnent en société et auxquels elles proposent leurs services sexuels (Blackmun, 1996). Elles sont plus susceptibles que les autres travailleuses du sexe de recevoir de la part de ces clients de beaux objets, des vêtements, des bijoux, voire un lieu de résidence. Étant moins visibles, elles risquent moins de se faire arrêter par la police que celles qui œuvrent dans la rue.

Du côté des hommes, une étude en ligne menée auprès d'environ 500 clients d'escortes masculins a établi que la moyenne d'âge des clients était de 54 ans. Parmi les

répondants, 75 % se sont déclarés gais, 18 %, bisexuels, et 4 %, hétérosexuels (Grov et coll., 2014). Les rencontres duraient environ une heure, et le sexe oral était la principale activité ; 80 % ont donné une fellation et 69 % en ont reçu une. Lors des rapports sexuels anaux, 30 % des clients ont pratiqué la pénétration, 34 % ont reçu une pénétration, et 12 % rapportent avoir eu une relation sexuelle non protégée (Grov et coll., 2014). Une autre étude a montré que plusieurs escortes masculins qui utilisaient Internet pour offrir leurs services ont déclaré que les rencontres sexuelles comportaient de l'affection et de la réciprocité, par exemple des caresses du dos et des conversations agréables. Environ 75 % des participants de l'étude étaient étudiants ou avaient obtenu un diplôme collégial (Walby, 2012).

L'industrie du sexe sur Internet

Internet est en train de transformer le plus vieux métier du monde. Les sites Web proposent des escortes très variées en termes d'attributs physiques et intellectuels et de spécialités sexuelles (bondage, sadomasochisme, réalisation de fantasmes). Les services sexuels peuvent être offerts en ligne au moyen de webcams. Les appareils vibrateurs contrôlés ajoutent une stimulation physique interactive sur certains sites (Palet, 2015).

Les travailleurs du sexe, hommes et femmes, fonctionnent de plus en plus à partir de sites personnels (Morrison et Whitehead, 2007). La négociation se fait directement par courriel, éliminant ainsi la nécessité de payer pour figurer sur le site Web d'une entreprise, d'un proxénète ou d'un bordel (Reynolds, 2006). Qu'ils soient au service d'une entreprise ou qu'ils aient leur site personnel, les travailleurs du sexe sur Internet exercent leur métier dans des conditions beaucoup plus sûres et moins oppressantes que leurs pendants de l'industrie du sexe. Bien que les arrestations de travailleurs du sexe sur Internet soient peu fréquentes, le Web fournit de bonnes pistes aux policiers qui peuvent se faire passer pour des clients (Linskey, 2006). Cette stratégie est par ailleurs largement utilisée par les brigades spécialisées dans la lutte à la cyberpédophilie.

Le statut juridique du travail dans l'industrie du sexe

Au Canada Le statut juridique et les principes sous-jacents aux lois relatives à l'achat et à la vente de services sexuels varient d'un endroit à l'autre, comme le montre la figure 10.2. Pour la première fois de son histoire, la prostitution est devenue illégale au Canada en 2014. Le fait d'échanger un service sexuel contre rémunération n'avait jamais été considéré comme illégal auparavant, même si la loi criminalisait plusieurs activités reliées au travail du sexe, comme celles de vendre des services sexuels, de les négocier en public (le client est aussi

À L'AFFICHE

⟩ La prostitution est souvent un mode de survie chez les fugueuses et fugueurs, comme en témoigne *Hommes à louer*, un documentaire de l'Office national du film du Canada (2008). Son réalisateur, Rodrigue Jean, a suivi pendant un an des jeunes travailleurs du sexe.

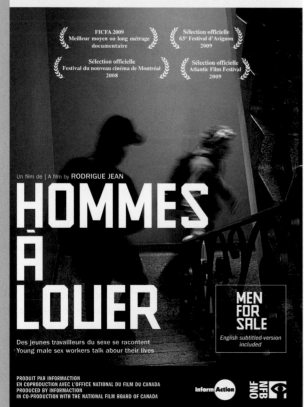

FIGURE 10.2   Le statut juridique du travail du sexe sur le plan international*

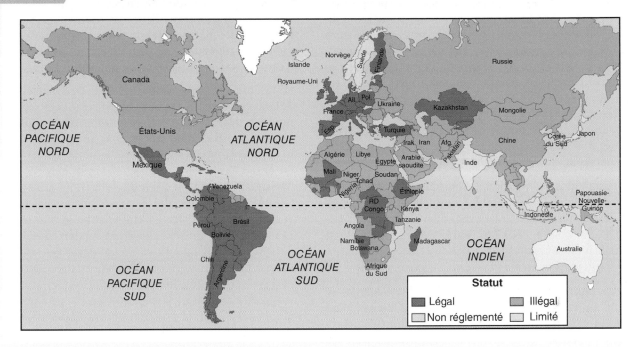

* Les lois sont sujettes à changement dans les différents pays et pourraient donc ne pas être reflétées sur cette carte.

criminalisé), de tenir une maison de débauche, ainsi que le proxénétisme, etc. Les modifications récentes apportées à la loi ont été établies en vue de mieux protéger les citoyens canadiens, particulièrement les enfants et les personnes qui offrent leurs services (Ministère de la Justice, 2015a).

De façon générale, la loi canadienne interdit l'achat, mais non la vente, de services sexuels. Autrement dit, la loi criminalise les clients. Le gouvernement considère plutôt que les personnes qui vendent leurs services sexuels sont des victimes qui ont besoin de soutien et d'aide, et non comme des personnes que l'on doit blâmer ou punir.

Selon cette loi, sont considérées comme des infractions : l'achat de services sexuels ; la publicité à propos de services sexuels diffusée dans les médias imprimés ou par l'intermédiaire des sites Web ; le proxénétisme (recruter, détenir, cacher ou héberger une personne qui offre ou rend des services sexuels). Est également interdite la sollicitation en vue de vendre des services sexuels dans un endroit public où il est raisonnable de s'attendre à y trouver des enfants. Il va de soi que l'achat de services sexuels offerts par une personne âgée de moins de 18 ans constitue une infraction encore plus grave (Ministère de la Justice, 2015a). Comparativement à la loi précédemment en vigueur, il n'est dorénavant plus illégal de fréquenter un endroit où se pratique la prostitution, c'est-à-dire un bordel (anciennement appelé *maison de débauche*) ou un établissement du même genre. Ainsi, les

travailleurs et les travailleuses du sexe peuvent vendre librement leurs services sexuels dans un lieu public tant que les enfants n'y sont pas présents (Ministère de la Justice, 2015a).

Ainsi, les nouvelles lois visent à abolir la prostitution à long terme en criminalisant les clients et les proxénètes et en invitant les personnes qui travaillent dans l'industrie du sexe à signaler les incidents de violence et à s'affranchir de la prostitution. On considère que les lois constituent la meilleure façon d'éviter les méfaits causés par la prostitution et de mettre fin à cette pratique. Dans cette perspective, le gouvernement du Canada a créé un fonds de 20 millions de dollars destiné à financer divers programmes susceptibles d'aider les personnes à quitter le travail du sexe (Ministère de la Justice, 2015a).

Sur le plan international   À partir des années 1980 et 1990, «le débat sur le travail du sexe prend une ampleur internationale dans la foulée de la mondialisation et de l'accroissement marqué de la migration des travailleurs et travailleuses. On retrouve alors une position qu'on désigne comme néoabolitionniste et qui promeut l'élimination de la "prostitution"» (Parent et coll., 2010, p. 10). On propose ainsi de décriminaliser le travail du sexe (Mensah, 2007 ; Nadeau, 2001 ; Parent et coll., 2010). Les tenants de cette position recommandent que ce travail soit reconnu comme un travail comme les autres et considèrent que les personnes qui l'exercent le choisissent librement dans la majorité des cas. Cette reconnaissance, qui existe déjà dans certains pays, notamment l'Argentine, permettrait aux travailleurs du sexe, hommes et femmes, de bénéficier d'une meilleure protection légale, d'exercer leur métier dans de meilleures conditions et de s'associer librement. Cependant, d'autres chercheurs universitaires affirment que le travail du sexe ne peut être considéré comme une activité librement consentie et qu'il faut continuer à tenter de l'éradiquer dans le but de promouvoir les droits à l'égalité et à la dignité humaine et de lutter contre le trafic sexuel mondial (Geadah, 2003 ; Poulin, 2004, 2006).

Il existe une autre position, en quelque sorte mitoyenne, comme celle de la Suède, où on considère les travailleuses du sexe comme des victimes, mais non comme des criminelles. Par contre, ceux qui utilisent leurs services sont passibles de poursuites judiciaires. Au Québec, le Conseil du statut de la femme appuie ce principe mitoyen.

En certains lieux, comme les Pays-Bas, l'Allemagne et l'État du Nevada aux États-Unis, le travail dans l'industrie du sexe est légalisé, tout en demeurant soumis à des lois pénales qui prévoient des sanctions pour les infractions qu'elles définissent. L'offre de services sexuels entre adultes consentants y est perçue comme moralement répugnante, mais également comme une activité humaine inévitable. Les travailleuses du sexe gagnent certains avantages dans un régime légalisé lorsqu'elles ont accès à une caisse de retraite, à des congés de maladie et à des prestations d'assurance-emploi (Weitzer, 2007).

La Suède, d'autres pays scandinaves ainsi que le Canada ont défini les lois du modèle nordique, lois basées sur l'idée que la prostitution constitue une plaie sociale et une forme de violence à l'égard des femmes (E. Brown, 2014 ; Keller, 2015). Par conséquent, le recours à des services sexuels, et non l'offre de tels services, est illégal. Les travailleurs du sexe ne sont donc pas arrêtés, contrairement à leurs clients qui peuvent avoir à purger une peine de prison allant jusqu'à 6 mois s'ils sont jugés coupables. De plus, le fait d'aider quelqu'un à avoir recours à des services sexuels est également illégal, que ce soit en procurant des clients à un travailleur du sexe ou en exploitant un bordel (J. Moore, 2014).

La question de savoir si le modèle nordique procure aux travailleurs du sexe un environnement de travail plus sécuritaire continue de semer une vive controverse (Ansari, 2014). Bien que ce modèle semble avoir restreint le trafic sexuel en Suède, les activistes qui militent en faveur des droits des travailleurs du sexe condamnent les règles de ce modèle qui, selon eux, stigmatisent ces travailleurs et rendent leur travail plus difficile puisque les logeurs, les chauffeurs et même les collègues des travailleurs du sexe risquent d'être arrêtés pour proxénétisme (Wicki, 2015).

Pour leur part, la Nouvelle-Galles-du-Sud, la Nouvelle-Zélande et d'autres régions de l'Australie ont décriminalisé le travail du sexe, en grande partie pour des raisons de santé publique et sous la pression d'organismes regroupant des travailleurs et travailleuses du sexe. L'argument de base invoqué pour la décriminalisation est qu'il s'agit d'une activité privée entre adultes consentants. Par conséquent, le rôle du gouvernement est d'assurer la santé publique et la sécurité des travailleurs du sexe. En étant légalement décriminalisés, ces travailleurs et travailleuses ont alors les mêmes droits et responsabilités en matière de travail, de santé et de sécurité que n'importe quel autre travailleur. Par contre, la prostitution de personnes de moins de 18 ans, la prostitution sous la contrainte et la traite de personnes demeurent illégales en vertu du droit criminel.

La décriminalisation a un impact positif sur la vie des travailleuses du sexe (Fitzgerald et coll., 2009). Premièrement, lorsqu'une d'entre elles désire changer de travail, elle n'a pas de casier judiciaire, ce qui facilite sa recherche d'emploi. Elle peut aussi bénéficier des programmes d'éducation et de formation destinés à celles qui souhaitent quitter l'industrie du sexe.

Deuxièmement, le gouvernement fixe un cadre réglementaire pour la santé des travailleuses du sexe. Par exemple, le ministre de la Santé de la Nouvelle-Zélande a promulgué un règlement obligeant les travailleuses du sexe et leurs clients à utiliser le condom sous peine d'une amende de 2000 $. Lorsqu'elles doivent insister pour que des clients portent un condom, les travailleuses du sexe peuvent leur remettre la brochure du ministère de la Santé, ce qui réduit les risques de conflits.

Troisièmement, les travailleuses du sexe peuvent compter sur la protection des forces de l'ordre au lieu de craindre d'être mises en état d'arrestation. En Nouvelle-Zélande, les travailleuses œuvrant dans la rue préfèrent maintenant exercer leur métier dans des lieux bien éclairés, avec une présence policière, plutôt que d'essayer de se cacher des policiers. Puisqu'elles n'agissent plus dans l'illégalité, ces travailleuses ont des recours légaux contre les clients, les proxénètes et autres tenanciers de bordel. Par exemple, une travailleuse du sexe a pu poursuivre un client – et gagner sa cause – après que celui-ci eut discrètement retiré son condom pendant la relation.

La Nouvelle-Zélande a récemment achevé une étude rétrospective de cinq ans mesurant l'impact de la décriminalisation du travail du sexe en 2003 sur la santé publique et le bien-être des travailleuses du sexe (Gillian et coll., 2009). Le rapport précise les avantages de cette décriminalisation. Le taux d'utilisation du condom et de pratiques sexuelles sans risque est considérablement élevé chez les travailleuses du sexe, ce qui représente un atout pour la santé publique en réduisant la transmission des ITSS. Elles sont plus en mesure de refuser des clients ou des demandes particulières. Elles peuvent déclarer leur revenu, payer de l'impôt et révéler leur profession. Par contre, la stigmatisation sociale à l'égard des travailleuses et des travailleurs du sexe est toujours présente, quoique certains d'entre eux arrivent à maintenir une distance psychologique entre leur travail et leur vie personnelle et se sentent moins stigmatisés (Abel, 2011).

Les coûts personnels du travail dans l'industrie du sexe

Les travaillses et travailleurs du sexe ont des conditions de travail et des expériences fort variées (Weitzer, 2007). La décriminalisation et la légalisation de la prostitution améliorent considérablement la santé et la sécurité des personnes qui la pratiquent, mais la plupart des travailleuses du sexe des quatre coins du monde doivent composer avec les inconvénients qui accompagnent le statut criminel de leurs activités. Les travailleurs et travailleuses du sexe peuvent souffrir de problèmes de santé physique et mentale associés à la violence, au stress chronique, à l'exposition aux ITSS et au manque de contrôle sur leurs conditions de travail (Ward et Day, 2006; Wong et coll., 2006). La recherche à cet égard porte sur les pays où le travail du sexe n'est pas décriminalisé.

Les deux tiers des travailleuses du sexe de l'étude de Farley menée dans neuf pays répondaient aux critères diagnostiques du trouble de stress post-traumatique (TSPT), qui survient à la suite d'un traumatisme puissant. Les symptômes persistants du TSPT sont le phénomène d'intrusion (la personne revit l'événement traumatisant), une difficulté à se concentrer, des troubles du sommeil, des cauchemars, de l'hypervigilance, de l'anxiété, de l'apathie, etc.

Les travailleuses et les travailleurs du sexe forment une population vulnérable aux infections transmissibles sexuellement et par le sang (ITSS), y compris le VIH. Ils jouent un rôle important dans la transmission des ITSS à cause du nombre élevé de partenaires. Plusieurs études montrent que l'incidence et la prévalence des ITSS et du VIH/sida parmi les travailleurs de l'industrie du sexe dans des pays développés et dans des pays en voie de développement sont très élevées (Agence de la santé publique du Canada, 2013).

Parmi les raisons que l'on trouve expliquant les taux élevés d'ITSS figurent les facteurs suivants :

- absence de contrôle (par exemple, ne pas pouvoir refuser des clients qui ne veulent pas utiliser des condoms) ;
- risques liés au mode de vie, comme la violence ou la consommation de substances ;
- stigmatisation et marginalisation ;
- ressources financières limitées ;
- tendance à moins utiliser le condom avec les partenaires habituels ;
- accès limité aux services de santé, aux services sociaux et aux services juridiques ;
- accès limité à l'information ainsi qu'aux moyens de prévention ;
- discrimination liée au genre ;
- lois et règlements qui touchent les droits des travailleurs de rue ;
- problèmes de santé mentale ;
- incarcération ;
- exploitation et abus sexuels, y compris le trafic et la prostitution infantiles ;
- manque de soutien familial et social.

Les adolescents et les enfants travaillant dans l'industrie du sexe sont aussi vulnérables aux ITSS à cause de leur incapacité à négocier des relations sexuelles sécuritaires et d'un risque accru de violence et d'abus. De plus, le col de l'utérus (plus mince) des jeunes filles et la faible production de mucus vaginal accroissent la vulnérabilité aux infections compte tenu du risque de déchirures et d'abrasions durant les relations sexuelles (Organisation mondiale de la Santé [OMS], 2009).

Bien que certaines personnes œuvrant dans l'industrie du sexe soient poussées à accepter des pratiques sexuelles à risque en raison de difficultés économiques extrêmes, d'autres y sont pratiquement forcées par la tromperie ou la violence, comme le montre l'encadré *Au-delà des frontières* à la page suivante.

AU-DELÀ DES FRONTIÈRES

Le trafic sexuel : l'exploitation sexuelle des femmes et des enfants dans le monde

Les 60 ans d'histoire du trafic sexuel moderne comprennent l'établissement par la police et des hommes d'affaires japonais de bordels pour les troupes américaines à la fin de la Seconde Guerre mondiale, en août 1945. À l'instar des *femmes de réconfort*, des esclaves sexuelles mises à la disposition des troupes japonaises pendant la guerre, chacune des dizaines de milliers de femmes japonaises procurait du sexe à bon marché à 15 à 60 soldats américains chaque jour. Le commandement des troupes d'occupation américaines a d'abord toléré le recours à la prostitution pour ses militaires et distribué de la pénicilline aux femmes et des condoms aux hommes en service. Au printemps 1946, le général Douglas MacArthur a fermé ces bordels en raison des plaintes des aumôniers militaires, de l'image négative qu'en récoltaient les militaires et du taux élevé d'ITSS au sein des troupes. Avec l'occupation militaire américaine de la Corée du Sud, il y aurait actuellement plus d'un million de travailleuses et travailleurs du sexe dans les divers *camp towns* adjacents à la centaine de bases américaines à travers le monde (Michel, 2006) ; il s'agit principalement de femmes victimes de la traite de personnes en provenance d'Europe de l'Est et des Philippines (Farr, 2004).

Les trafiquants du sexe sont des criminels qui recrutent des femmes et des enfants dans des pays socialement et économiquement sous-développés ou politiquement instables en leur promettant un emploi. Les trafiquants utilisent généralement la force, la violence, la menace ou tout autre moyen de coercition pour les amener à se prostituer. Les organisations de trafiquants prennent plusieurs formes, allant de l'entreprise familiale à des réseaux multinationaux hautement sophistiqués du crime organisé (Hodge, 2008). L'Office des Nations Unies contre la drogue et le crime (ONUDC) estime que l'exploitation sexuelle représente 79 % de tous les cas de traite de personnes (ONUDC, 2009). Des individus corrompus occupant des postes de confiance – agents de police, gardes-frontières, agents d'immigration, agents de voyages et banquiers – sont également mêlés au trafic sexuel. Une victime enrôlée comme travailleuse du sexe peut rapporter de 75 000 à 250 000 $ par année à son *employeur*, ce qui attise l'intérêt des personnes impliquées à tous les niveaux (Farr, 2004). On estime qu'à l'échelle mondiale, l'exploitation des enfants et des femmes par le trafic sexuel génère des profits annuels de 7 à 10 milliards de dollars américains (Cwikel et Hoban, 2005).

Au lieu de leur fournir un emploi légitime, les trafiquants vendent ces femmes et enfants à d'autres qui les forcent à travailler dans l'industrie du sexe, principalement dans des pays plus riches et plus stables ou dans des lieux reconnus pour le tourisme sexuel (Farr, 2004). Par exemple, après la chute du communisme en Europe au cours des années 1990, les trafiquants promettaient à des femmes pauvres d'Europe de l'Est qu'elles auraient un emploi légitime à l'Ouest (Thompson, 2008). Certaines femmes sont également entraînées dans la prostitution sous couvert de promesses de mariage dans un pays étranger. Les trafiquants recourent aussi à l'enlèvement. Profitant du chaos causé par l'occupation américaine de l'Iraq, par exemple, des bandes de trafiquants ont enlevé, avant 2006, quelque 2000 filles du pays (Bennett, 2006). Les filles issues de groupes ethniques minoritaires sont les proies les plus faciles pour les trafiquants en raison des possibilités économiques limitées de leur pays d'origine et de leur faible statut social.

Les trafiquants achètent également des enfants à des parents qui ne peuvent en assumer la charge financière. Les orphelins dont les parents sont morts du sida ou dans des guerres interethniques en Afrique et en Europe de l'Est sont aussi des proies faciles (Hodge, 2008 ; Rios, 1996) ou sont dissimulés à l'intérieur de l'industrie légale, surtout dans les établissements canadiens offrant des services sexuels (Service du renseignement criminel du Québec [SRCQ], 2013). Au Canada, les personnes les plus à risque d'être victimes de la traite sont « celles qui sont désavantagées socialement ou économiquement, comme les femmes, les jeunes et les enfants autochtones, les migrants et les nouveaux immigrants, les fugueurs, les enfants pris en charge par les services d'aide à l'enfance, ainsi que les filles et les femmes qui pourraient être attirées vers les grands centres urbains ou y migrer volontairement » (Sécurité publique Canada, 2012). Il y a eu une augmentation notable du nombre de jeunes garçons travailleurs du sexe pour répondre à la demande du tourisme sexuel (Lim, 1998). Au Népal, on estime qu'environ 7000 filles aussi jeunes que 9 ans sont vendues chaque année à des *employeurs* qui leur promettent un bon travail ; elles se retrouvent dans des bordels de Mumbai en Inde, où des hommes atteints du VIH ont des relations sexuelles avec elles, croyant que de tels rapports avec une vierge peuvent les guérir (Kottler, 2008). Lorsqu'elles sont infectées, les filles sont souvent renvoyées chez elles. Le trafic sexuel semble donc jouer un rôle de premier plan dans la propagation du VIH et autres ITSS en Asie du Sud (Silverman et coll., 2008).

Il est impossible de déterminer l'ampleur réelle du nombre de femmes et d'enfants victimes de la traite de personnes dans le monde à cause de la nature cachée et complexe des crimes. Un rapport de la CIA a estimé qu'aux États-Unis seulement, 50 000 femmes et enfants provenant de 40 pays travaillent comme esclaves dans l'industrie du sexe, et leur nombre grandit chaque année. Dans les villes touristiques du pays ou les villes hôtes de congrès, on estime que le tiers des travailleurs du sexe de rue sont des enfants (Hodge, 2008 ; Leuchtag, 2003).

Selon la GRC, plusieurs victimes de la traite de personnes se retrouveraient dans des établissements de danse érotique ou des salons de massage (SRCQ, 2013). Le US State Department estime qu'environ 2 millions d'enfants sont forcés de se prostituer à travers le monde (Spitzer, 2011).

Les femmes et les enfants victimes de ce trafic subissent des torts considérables (Diaz et coll., 2014). Selon les études menées dans divers pays auprès de femmes victimes de la traite de personnes, les conditions de confinement proches de l'esclavage, les mauvais traitements et les viols systématiques que ces femmes subissent pendant des mois ou des années entraînent des problèmes psychologiques et physiques qui perdurent même lorsqu'elles parviennent à échapper à ce milieu (Zimmerman et coll., 2011). Les femmes se reprochent souvent de ne pas avoir su détecter la tromperie des tactiques de recrutement. Pendant le transit, elles risquent de se faire arrêter aux frontières et de trouver la mort en raison des modes de transport dangereux. Les trafiquants confisquent leurs papiers d'identité et menacent de les tuer ou de tuer leur famille si elles tentent de s'échapper. Pour s'assurer de leur docilité, ils les privent de nourriture, les maintiennent isolées et les droguent de force. Plus de 96 % d'entre elles ont été physiquement ou sexuellement agressées et toutes ont été contraintes à des actes sexuels, dont des rapports sexuels non protégés, des relations sexuelles anales, du sexe oral et des viols collectifs. La plupart doivent recevoir 10 à 25 clients par nuit, certaines plus de 40 à 50. Vingt-cinq pour cent ont eu au moins une grossesse non désirée et subi un avortement. Près de 40 % d'entre elles ont des pensées suicidaires pendant ou après leur calvaire (Tsutsumi et coll., 2008; Van Hook et coll., 2006; Zimmerman et coll., 2003).

Les trafiquants trouvent dans la pauvreté une multitude de possibilités pour exploiter des personnes vulnérables (Footner, 2008; Gjermeni et coll., 2008; Michel, 2006). Les organisations féminines et d'autres groupes de défense des droits de la personne n'ont cessé de revendiquer une meilleure éducation et une plus grande autonomie économique des femmes pour briser la relation entre la pauvreté et l'exploitation sexuelle. Des organisations privées actives dans de nombreux pays ont élaboré des programmes pour aider les femmes à échapper à la traite de personnes.

Ici, le gouvernement canadien s'est doté d'un plan d'action national de lutte contre la traite des personnes. Celui-ci vise notamment à mettre sur pied une équipe chargée de contrer cette forme d'exploitation, à accroître les mesures de prévention auprès des collectivités vulnérables, à offrir un plus grand soutien aux victimes et à renforcer la coordination avec des partenaires nationaux et internationaux (Sécurité publique Canada, 2012).

Pour terminer, soulignons ce cas exceptionnel de trois adolescentes d'Ottawa qui, en 2014, ont été reconnues coupables d'avoir agi comme proxénètes et exploité un réseau de prostitution forcée. Cet exemple commande une réflexion sur de nouvelles réalités.

RÉSUMÉ

La pornographie

- Le terme *pornographie* désigne tout matériel (écrit, visuel, sonore) contenant des scènes sexuelles explicites dans le but d'exciter sexuellement.
- Il y a dans l'érotisme une composante de tendresse, de respect et de plaisir mutuels.
- Il existe une pornographie qui s'adresse à une clientèle d'orientation hétérosexuelle et une autre qui est destinée à une clientèle gaie ou lesbienne. Chaque type de pornographie présente ses propres caractéristiques. La pornographie spécialisée aborde une grande diversité de thèmes.
- Internet accroît l'accessibilité à la pornographie juvénile, mais aussi la capacité de repérer et de poursuivre les producteurs de ce type de matériel.
- Le *sextage* entre les jeunes peut être considéré comme illégal s'il contient des images de personnes de moins de 18 ans.
- Peu après leur invention, la presse à imprimer, la photographie, le cinéma, la télé par câble, le magnétoscope et Internet ont été employés pour la production de pornographie.
- Les nouvelles technologies contribuent à la diffusion, l'accessibilité et la profitabilité de l'industrie de la pornographie.
- Le caractère positif ou négatif du matériel à contenu sexuellement explicite fait l'objet d'une controverse.

La prostitution et le travail dans l'industrie du sexe

- Le travail du sexe est un échange de services sexuels contre de l'argent. Les travailleurs et les travailleuses de l'industrie du sexe sont issus de différents milieux et leurs conditions de travail sont variables.

- L'expression *travailleurs du sexe* désigne les prostitués de rue (femmes et hommes), les escortes féminines et masculines, les femmes qui travaillent dans des bordels ou des salons de massage, les personnes qui dansent nues avec ou sans contact, celles qui tiennent des conversations téléphoniques érotiques ou qui s'exhibent devant une webcam.

- Selon la recherche, environ 10 % des hommes ont eu recours au travail du sexe dans les 12 derniers mois.

- Le tourisme sexuel chez les femmes est devenu une pratique courante dans certains pays en voie de développement.

- Les escortes gagnent plus d'argent et ont des conditions de travail plus favorables.

- Internet a transformé l'industrie du sexe et modifié les conditions de certains travailleurs et travailleuses du sexe en leur offrant plus d'autonomie et de sécurité.

- Le statut juridique du travail du sexe varie d'un pays à l'autre. Depuis 2014, au Canada, la loi interdit l'achat mais non pas la vente des services sexuels.

- La décriminalisation de la prostitution en Nouvelle-Zélande a amélioré la santé et la sécurité des travailleurs et travailleuses du sexe en plus de faciliter la vie de ceux et celles qui souhaitaient changer de métier.

- Des impératifs économiques constituent la principale motivation des travailleurs et des travailleuses du sexe.

- Un fort pourcentage de travailleurs et de travailleuses du sexe présentent des symptômes du trouble de stress post-traumatique sous l'effet du stress chronique, de la violence et du danger inhérents au commerce du sexe.

- Le taux d'ITSS rapportés chez les travailleurs et les travailleuses du sexe est élevé.

- Le trafic sexuel de femmes et d'enfants est un problème mondial, et les trafiquants s'en prennent aux personnes que la pauvreté, la guerre et l'instabilité politique ont rendues vulnérables.

La sexualité imposée

SOMMAIRE

Disponible sur

- Activités interactives

> Dans ce chapitre, nous nous intéressons à trois formes particulières de sexualité imposée : le viol ou l'agression sexuelle, le harcèlement sexuel et la violence sexuelle envers les enfants. Ces trois actes font partie de ce qu'on appelle communément une *agression sexuelle*.

Les agressions sexuelles

Dès le départ, une précision s'impose quant aux mots utilisés pour décrire les réalités de la sexualité imposée. Le langage populaire et un grand nombre de publications, d'études et de législations à travers le monde recourent aux mots tels que *viol, abus sexuel, infraction sexuelle* ou *inceste*, par exemple, pour désigner un ensemble de phénomènes caractérisés par des comportements où le corps d'une personne est utilisé comme objet sexuel sans son consentement. Le point commun de ces comportements tels qu'on les interprète n'est pas tant la sexualité, le type de geste posé, ni même le corps pris comme objet, mais bien l'absence de consentement. D'où l'emploi actuel de l'expression *agression sexuelle* pour caractériser ce type de comportements (*voir l'encadré* Parlons-en).

Pour être valable, le consentement doit être libre et éclairé. Sans cette double condition, il est injustifiable et inadmissible que le corps soit traité comme un objet. Il s'agit alors d'une agression, et qui dit agression dit victime.

La plupart des exemples décrits dans ce chapitre présentent les hommes comme agresseurs et les femmes comme victimes, car la plupart des études portent sur cette dynamique. Bien que les statistiques démontrent que la grande majorité des agressions sexuelles sont posées par des hommes envers les femmes, il ne faut pas sous-estimer le fait qu'un nombre significatif d'hommes sont victimes d'agressions et que les femmes en sont les agresseurs. De plus, indépendamment de leur sexe, certains groupes de femmes et d'hommes socialement défavorisés sont particulièrement vulnérables aux agressions sexuelles. C'est le cas notamment des personnes handicapées, de celles qui vivent en établissement, des femmes autochtones et des enfants. Nous aborderons plus loin dans ce chapitre la question de l'agression sexuelle envers les enfants.

Agression sexuelle Geste à caractère sexuel, avec ou sans contact physique, commis par un individu sans le consentement de la personne visée ou, dans certains cas, notamment celui des enfants, par une manipulation affective ou du chantage. Il s'agit d'un acte visant à assujettir une autre personne à ses propres désirs par un abus de pouvoir, l'utilisation de la force ou la contrainte, ou sous la menace implicite ou explicite. Une agression sexuelle porte atteinte aux droits fondamentaux, notamment à l'intégrité physique et psychologique, et à la sécurité de la personne (Gouvernement du Québec, 2001, p. 22).

J'ai été agressée sexuellement par mon demi-frère pendant une grande partie de mon enfance. L'agression a débuté l'été de mes 10 ans. Il est de 3 ans et demi mon aîné et on l'avait désigné pour me garder pendant l'été. En général, il n'était pas violent. C'était davantage des exhortations, de la contrainte et des menaces quant à ce qui pourrait arriver si j'en parlais. Mes souvenirs les plus marquants sont ceux des moments particulièrement douloureux sur le plan physique. Je me dissociais de mon corps et je ne faisais que regarder le ventilateur tourner au plafond. À 13 ans, j'ai vu une émission sur l'inceste et j'ai raconté ce qui m'arrivait à une femme à l'église, et tout a alors basculé. Aussi difficile que ce soit de repenser à cette expérience qui me répugne, ce qui m'a fait le plus mal a été d'entendre mes parents dire au Centre de protection de l'enfance que ce n'était que des *jeux d'enfants*. Mes parents ont toujours cherché à me faire croire que j'avais voulu ce qui s'était passé et que je racontais cela pour avoir de l'attention. À cause de cette réaction, j'ai cru que c'était de ma faute et je me sentais comme une salope. Mon demi-frère a pu négocier sa cause et a été placé en probation. Pour ma part, on m'a sortie de chez moi et placée en famille d'accueil et en foyer de groupe. J'ai fait de nombreuses tentatives de suicide et j'ai été admise dans quatre hôpitaux psychiatriques sur une période de quatre ans. Je n'ai plus de contact avec la famille. J'ai eu la chance d'être adoptée par une autre famille aimante. Mon nouveau père est celui qui m'a empêchée de détester tous les hommes à jamais. Mais je continue d'avoir des problèmes

> avec le sexe. Mon copain ne peut même pas me prendre dans ses bras. Ce n'est que récemment que j'ai cessé d'avoir des *flash-back* et de faire des cauchemars par rapport à ce qui s'est passé. Je suis en thérapie pour la énième fois, mais cette fois-ci cela fonctionne vraiment. (Note des auteurs)

Ce court récit d'une étudiante de 19 ans a le mérite de faire ressortir des éléments souvent présents dans les agressions sexuelles : le sexe des personnes en cause, le dévoilement, la dénonciation, la réaction de l'entourage, celle de l'appareil judiciaire, le traitement social de la victime, les séquelles de l'agression pour la victime, la thérapie éventuelle, la vie sexuelle à long terme sont autant de composantes de la problématique des agressions dont il faut tenir compte. Cependant, tous ces éléments n'accompagnent pas systématiquement chaque agression et s'ils sont présents, il se peut qu'un de ces éléments (ou plusieurs) ne représente pas un problème pour individu donné.

PARLONS-EN

De la vie privée à la protection sociale

Une nouvelle interprétation sociale axée sur le point de vue des victimes d'une agression a émergé. Selon cette conception, toute société doit prendre les mesures requises pour empêcher que des personnes soient victimes d'agressions sexuelles et pour procurer à celles qui ont été agressées des moyens de réparer autant que possible les dommages qu'elles ont subis. Sur cette base, des changements législatifs, sociaux et éducatifs ont été apportés. C'est ainsi que la notion de *viol* n'apparaît plus dans le Code criminel canadien depuis la réforme du droit pénal du début des années 1980 : elle a été remplacée par celle d'*agression sexuelle* (Schabas, 1995). En plus de ce changement, l'ensemble du système social et éducatif a été revu. D'autres lois et règlements, à tous les niveaux administratifs, ont fait leur apparition. Nous traitons de ces différents changements en détail dans les sections portant sur le harcèlement sexuel et les agressions sexuelles envers des enfants.

Quelques chiffres sur les agressions sexuelles

Bien que l'agression sexuelle soit un problème marquant dans notre société, il est difficile d'en évaluer la fréquence réelle parce qu'un grand nombre de victimes ne font pas de signalement à la police (Cohn et coll., 2013). Au Canada, l'*Enquête sociale générale sur la victimisation* (ESG), menée par Statistique Canada, révèle que, chaque année, environ 2 % de la population de 15 ans et plus serait victime d'une agression sexuelle (22 incidents pour 1000 personnes). En 2015, au Canada, la police a enregistré 21 362 d'infractions concernant des agressions sexuelles (Statistique Canada, 2016b). Le taux d'agressions sexuelles déclarées est demeuré relativement stable au cours des 10 dernières années. La plupart de ces agressions (71 %) consistent en des contacts sexuels non désirés. De ce nombre, 20 % ont été victimes d'attaques plus graves, et 9 % des victimes ont subi des agressions alors qu'elles n'étaient pas en mesure de consentir parce qu'elles avaient été droguées, intoxiquées ou soumises à des menaces ou à une force physique.

Au Canada, comme ailleurs dans le monde, les victimes d'agression sexuelle sont majoritairement des femmes et des filles. En outre, les femmes autochtones, les personnes des minorités sexuelles LGBTQ, les hommes et les femmes handicapées et celles vivant en résidence sont des groupes défavorisés particulièrement vulnérables aux agressions sexuelles (Fédération canadienne des étudiants et étudiantes, 2015 ; Ministère de la Justice, 2015b ; Perreault, 2015).

Il importe de noter également que la majorité des victimes ne signalent pas leur agression ou qu'elles attendent longtemps avant de déclarer l'incident à la police (Ministère de la Justice, 2015b). Selon les données de l'ESG, seulement 5 % des agressions sexuelles, soit 1 incident sur 20, ont été signalés à la police en 2014 (Perreault, 2015). Les victimes se taisent pour plusieurs raisons : certaines se reprochent ce qui leur est arrivé (« J'avais trop bu ») ou craignent d'être tenues responsables, alors que d'autres s'inquiètent des conséquences pour elles et pour l'agresseur, ou tentent simplement d'effacer ainsi le souvenir d'une expérience traumatisante (Miller et coll., 2011 ; Wolitzky-Taylor et coll., 2011). Une personne qui a été sexuellement agressée peut se sentir vulnérable et anxieuse ; le fait d'avoir à revivre ce qu'elle a vécu en le racontant est, à juste titre, difficile. Il arrive aussi que les victimes gardent le silence par méfiance à l'égard de la police ou du système judiciaire, par crainte de représailles de l'agresseur ou de sa famille, ou parce qu'elles redoutent une publicité non désirée. Pour certaines personnes, l'agression sexuelle est l'œuvre d'un inconnu, et non celle d'une connaissance ou d'un partenaire. Pourtant, les agressions sexuelles commises par un partenaire (amoureux ou sexuel) ou une connaissance sont les plus fréquentes ; comme elles connaissent leur agresseur, un grand nombre de femmes ont ainsi l'impression de ne pas avoir fait l'objet d'une *vraie* agression (Cowan, 2000 ; Kahn et coll., 1994 ; Rickert et Wiemann, 1998). Certaines victimes se taisent, car elles considèrent que l'événement n'est pas assez grave pour le signaler ou qu'il s'agit d'une affaire personnelle (Brennan et Taylor-Butts, 2008).

Pour ce qui est des agressions signalées à la police au Québec, le ministère de la Sécurité publique présente les données suivantes sur les infractions sexuelles compilées pour l'année 2014 (Ministère de la Sécurité publique [MSP], 2016) :

- Les deux tiers des victimes d'agression sexuelle au Québec sont âgés de moins de 18 ans et 78,1 % sont des filles, principalement âgées de 12 à 14 ans.

- Les femmes de 18 ans et plus représentent 41,2 % des victimes et les hommes, 3,8 %.

- Près de 70 % des agressions sexuelles sont commises dans une résidence.

- 84,2 % des victimes âgées de moins de 18 ans et 78,8 % des victimes adultes connaissent leur agresseur ; plus jeune est la victime lors de l'agression sexuelle, plus grande est la probabilité que son agresseur soit un parent ou une connaissance.

- Les hommes représentent 96,2 % des agresseurs ; parmi ceux-ci, 75 % sont des hommes adultes et 25 %, des garçons.

- Les agresseurs de moins de 18 ans ont commis 95,5 % des agressions à l'endroit d'une victime également mineure ; les adultes sont responsables de 57,8 % des agressions des jeunes.

- Les femmes représentent 3,8 % des agresseurs sexuels.

Les fausses croyances sur les agressions sexuelles

Les fausses croyances sur les agressions sexuelles, sur les agresseurs et sur leurs victimes abondent dans notre société (McMahon et Farmer, 2011 ; Sussenbach et coll., 2013). Nombre de gens croient qu'il est acceptable de brutaliser une femme et que plusieurs femmes sont sexuellement excitées par la violence (Gilbert et coll., 1991 ; Malamuth et coll., 1980). La recherche révèle que l'adhésion à de telles croyances accroît la propension d'un homme à commettre une agression sexuelle (Clarke et Stermac, 2011 ; Edwards et coll., 2011). Elles ont souvent pour effet, chez ceux qui y adhèrent, de nier et de justifier l'agression sexuelle masculine contre les femmes (Lonsway et Fitzgerald, 1994). Une autre conséquence de ces fausses croyances est de faire porter le blâme par la victime. Plusieurs victimes d'agression sexuelle croient effectivement que c'est de leur faute. Même si l'agression est due au fait qu'elles se sont trouvées au mauvais endroit au mauvais moment, elles ont souvent le sentiment d'en être responsables. Voici quelques-unes des fausses croyances les plus répandues sur les agressions sexuelles :

1. **FAUX** *Il est impossible d'agresser sexuellement une femme contre son gré.* Les femmes peuvent repousser une tentative d'agression sexuelle, mais cela ne fonctionne pas toujours, notamment parce que les hommes sont généralement plus grands et plus forts que leurs victimes. À cela s'ajoute le fait que les femmes ont été conditionnées par leur éducation à se montrer dociles et soumises de sorte qu'elles sous-estiment souvent leurs moyens de résistance. Enfin, l'agresseur choisit le moment et l'endroit, et bénéficie ainsi de l'effet de surprise. La femme est souvent paralysée de terreur, ce qui joue en faveur de l'agresseur. En se servant d'une arme, en proférant des menaces ou en ayant recours à la force, il peut contraindre sa victime à l'obéissance.

2. **FAUX** *Les femmes disent non alors qu'elles pensent oui.* Certains agresseurs ont une perception déformée de leurs rapports avec les femmes qu'ils agressent, et ce, avant, pendant et même après l'agression. Ils croient parfois que les femmes veulent être contraintes au rapport sexuel, qu'elles désirent même être agressées sexuellement (Muehlenhard et Rodgers, 1998). Ils utilisent ces idées fausses pour justifier leur comportement : un agresseur se dira qu'il s'est seulement livré à un jeu sexuel normal et, parce qu'il ne considère pas l'acte qu'il a commis comme une agression sexuelle, il pourra très bien ne pas ressentir de culpabilité.

3. **FAUX** *Plusieurs femmes déclarent faussement avoir été agressées.* Les fausses accusations sont peu courantes et il est encore moins fréquent qu'elles soient portées devant les tribunaux. Selon le FBI, aux États-Unis, moins de 1 accusation d'agression sexuelle sur 10 serait sans fondement (Gross, 2008). Ces fausses accusations seraient le fait de victimes motivées par un besoin de se justifier aux yeux de certains (par exemple d'avoir contracté une infection ou d'être enceinte), un désir de vengeance dirigé vers l'accusé, un très grand besoin d'attention, ou une tentative de soutirer de l'argent à l'accusé (Gross, 2008). Toutefois, comme il est difficile de dénoncer une agression sexuelle et d'engager des poursuites dans ce genre d'affaires, peu de femmes (ou d'hommes) pourraient aller en justice sans une accusation fondée.

4. **FAUX** *Toutes les femmes veulent se faire violer.* On invoque parfois les fantasmes d'agression sexuelle de certaines femmes pour légitimer l'idée que toutes les femmes souhaitent être agressées sexuellement (*voir le chapitre 8*). Or, il y a un monde entre le fantasme érotique et le désir conscient d'être brutalisée. Dans un fantasme, la personne maîtrise son scénario. Le fantasme ne comporte pas de risque de blessure ou de mort ; l'agression sexuelle, oui. Par ailleurs, le fantasme de l'agression sexuelle peut être interprété différemment. Par exemple, dans sa mise en scène imaginaire, une femme pourrait se voir dotée d'un pouvoir de séduction si fort qu'aucun homme ne lui résisterait, que tout homme aurait passionnément le goût de lui faire l'amour. Tout cela n'a rien à voir avec un désir d'agression.

5. **FAUX** *Si une femme ne pleure pas ou n'est pas visiblement troublée, il ne s'agissait probablement pas d'une agression sexuelle grave.* Chaque femme réagit différemment au traumatisme d'une agression à caractère sexuel. Elle peut pleurer, être calme, être silencieuse ou très en colère. Son comportement ne reflète pas nécessairement le traumatisme qu'elle a vécu. Il est important de ne pas juger la personne sur la façon dont elle réagit à l'agression.

6. **FAUX** *Les agresseurs sexuels ont le cerveau dérangé et cela se voit.* On croit aussi à tort que l'agresseur sexuel potentiel a la *tête de l'emploi*. Cette illusion est particulièrement dangereuse, car les victimes potentielles seront moins vigilantes si elles se croient capables de détecter un agresseur (un inconnu dément) ou si elles s'imaginent en sûreté parce qu'elles sont en compagnie d'une connaissance (Cowan, 2000). Il faut retenir que la majorité des agressions sexuelles sont commises par des hommes et des femmes ordinaires, qui agissent comme *tout le monde* et qui sont souvent connus de leur victime.

7. **FAUX** *Les pulsions sexuelles masculines sont si fortes que les hommes ne peuvent souvent pas se contrôler.* Ce raisonnement est faux, car il rend la victime responsable du crime de l'agresseur (Cowan, 2000). En triturant ainsi la réalité, on laisse croire que les femmes sont responsables de l'agression sexuelle (« Elle n'aurait pas dû porter cette robe ») ou qu'elles ont péché par naïveté ou par manque de méfiance (« À quoi s'attendait-elle ? Aller ainsi chez lui ! »).

QUESTION D'ANALYSE CRITIQUE

> Parmi ces idées fausses sur les agressions sexuelles, lesquelles vous semblent les plus dangereuses et pourquoi ?

Les facteurs associés aux agressions sexuelles

En cherchant à comprendre les origines du phénomène de l'agression sexuelle, les chercheurs ont étudié un certain nombre de facteurs psychosociaux et sociobiologiques.

Les bases psychosociales

Plusieurs chercheurs et cliniciens affirment que l'agression sexuelle a des fondements sociaux et que son interprétation ne peut se borner à l'idée que l'agresseur est un individu qui a perdu la tête. Dans ce phénomène, la socialisation des hommes et des femmes semblent jouer un rôle déterminant (Hill et Fischer, 2001 ; Simonson et Subich, 1999). Les résultats de l'étude comparative de l'anthropologue Peggy Reeves Sanday (1981) sur la fréquence des agressions sexuelles dans 95 sociétés étayent solidement cette notion voulant que l'agression sexuelle soit un phénomène culturel.

La recherche de Sanday a montré que la fréquence des agressions sexuelles dans une société donnée est influencée par plusieurs facteurs, dont les plus importants sont l'organisation des relations entre les sexes, le statut des femmes et les attitudes inculquées aux garçons. Sanday a découvert que, dans les sociétés où les agressions sexuelles sont fréquentes, on tolère ou on exalte la violence masculine, on encourage les garçons à être agressifs et compétitifs, et on considère la force physique comme un idéal naturel. Dans ces cultures, les hommes ont généralement plus de pouvoir économique et politique que les femmes et participent peu aux tâches dites féminines comme l'éducation des enfants et les travaux ménagers. Ces comportements sont particulièrement prononcés dans certaines sociétés en Afrique du Sud, comme le rapporte l'étude de Decker et ses collaborateurs (2014) : sur un an, 37 % des femmes de 15 à 19 ans ont subi des violences sexuelles de la part d'un partenaire intime.

En revanche, dans les sociétés où le taux d'agressions sexuelles est quasiment nul, les relations entre les sexes sont plus égalitaires. Les femmes et les hommes s'y partagent davantage pouvoir et autorité, et contribuent de façon plus similaire au bien-être des enfants et des membres de la collectivité. De plus, dans ces sociétés, on apprend aux enfants des deux sexes à valoriser le bien-être d'autrui et à éviter les actes d'agression et de violence.

Aux États-Unis, le taux élevé d'agressions sexuelles est lié à une conception stéréotypée largement répandue des rôles sexuels. Dans la société actuelle, il n'est pas rare que l'homme apprenne que le pouvoir, l'agressivité et le fait d'obtenir ce qu'il veut, quitte à utiliser la force, au besoin, font tous partie intégrante du rôle sexuel masculin. De plus, il apprend couramment qu'il doit chercher à avoir des rapports sexuels et qu'il peut s'attendre à obtenir du succès, et à ne pas éprouver de scrupules à l'idée de devoir trouver des moyens malhonnêtes pour parvenir à ses fins. Une étude récente portant sur les comportements de plus de 200 garçons de 14 ans a révélé que «la croyance que l'agression sexuelle est acceptable dans certaines situations pourrait expliquer les gestes des adolescents de sexe masculin qui ont des rapports sexuels forcés avec de jeunes filles» (traduction libre, Manet et Herbe, 2011, p. 372).

L'influence des médias

Les médias jouent un rôle très important dans la transmission des normes et des valeurs culturelles. Certains romans, films, vidéoclips, sites Internet et jeux électroniques perpétuent l'idée que les femmes désirent se faire agresser sexuellement. Les scénarios d'agression sexuelle débutent souvent par une scène où une femme résiste à son attaquant pour ensuite s'y soumettre passionnément. Dans les rares cas où l'on montre l'agression sexuelle d'un homme par un autre, par exemple dans les films *Délivrance* (1972) et *À l'ombre de Shawshank* (1994), l'agression sexuelle et l'humiliation sont plus susceptibles d'y être dépeintes de façon réaliste.

Le simple fait de voir du matériel sexuellement explicite ne contribue pas nécessairement à la perpétration d'agressions sexuelles. En fait, une revue complète des études disponibles sur les effets de la pornographie conclut que pour la majorité des hommes, l'exposition à la pornographie n'est pas associée à un taux élevé d'agressions sexuelles (Malamuth et coll., 2000). Il semble néanmoins que l'exposition à la pornographie violente peut avoir des effets négatifs sur l'attitude et les comportements des hommes envers les femmes (Simons et coll., 2008).

De nombreux spécialistes en sciences humaines ont laissé entendre que les scènes de violence sexuelle présentées dans les médias (films, magazines) et certaines productions (vidéos, jeux vidéo) alimentent les comportements agressifs de certains agresseurs (Allen et coll., 1995; Hall, 1996; Simons et coll., 2008). D'autres données laissent penser que l'exposition à la pornographie non violente mais avilissante pourrait corrompre le rapport qu'entretiennent les hommes avec la sexualité et les femmes, et accroître chez certains une propension à la coercition sexuelle (Check et Guloien, 1989; Zillmann, 1989).

Le criminologue Scot Boeringer (1994) a constaté que, même si l'exposition à la pornographie non violente ne prédit en rien le recours à une quelconque forme d'agression sexuelle, le visionnement de pornographie dépeignant des agressions sexuelles violentes était fortement associé à la capacité de se juger soi-même capable

de coercition ou d'agression et de s'y livrer. D'autres recherches laissent entendre que l'exposition à des médias qui combinent la violence et des images sexuellement excitantes peut favoriser le développement de tendances déviantes dans l'excitation sexuelle physiologique (Hall et Barongan, 1997).

L'agression sexuelle serait-elle une érotisation de la violence? Rien ne permet de l'affirmer. Ainsi, dans deux études, des chercheurs ont mesuré les réactions érectiles de groupes d'agresseurs et de non-agresseurs pendant qu'ils écoutaient la description d'une agression sexuelle et celle d'une activité sexuelle mutuellement consentie. Dans chacune des études, les agresseurs se sont révélés plus excités par la description de l'agression sexuelle que les non-agresseurs (Abel et coll., 1977; Bernat et coll., 1999). Toutefois, cette conclusion ne s'est pas vérifiée dans d'autres études similaires où les réactions érectiles des agresseurs étaient semblables à celles des non-agresseurs (Eccles et coll., 1994; Proulx et coll., 1994). Les résultats ne sont pas concluants. À l'évidence, d'autres études sont nécessaires pour déterminer si l'agression sexuelle est plus une question de pouvoir que de sexualité.

L'importance des perceptions et de la communication

Le processus de socialisation qui incite les hommes à se battre pour obtenir ce qu'ils veulent joue indéniablement un rôle important dans l'agression et la contrainte sexuelles. Comme beaucoup l'ont fait remarquer, un grand nombre d'hommes et de femmes dans notre société apprennent les attentes liées aux rôles sexuels qui incitent les hommes à faire preuve d'agressivité et les femmes à être passives (Carpenter, 1998; Dworkin et O'Sullivan, 2005). Il arrive toutefois que certains cas d'agression sexuelle ne découlent pas de tels scénarios.

Ainsi, de nombreux hommes interprètent mal les signaux de la femme; par exemple, pour plusieurs, le fait qu'une femme se blottisse contre eux ou les embrasse signifie qu'elle veut une relation sexuelle (Muehlenhard, 1988; Muehlenhard et Linton, 1987). Or, une femme qui a envie de se blottir contre une personne ne souhaite pas nécessairement avoir une relation sexuelle, et elle peut le préciser verbalement. Même lorsqu'elle annonce clairement qu'elle ne désire pas avoir de relation sexuelle, il se peut que la personne pense qu'elle résiste pour la forme, alors qu'au fond elle a envie d'avoir une relation sexuelle, mais craint d'avoir l'air trop facile (Krahe et coll., 2000; Muehlenhard et Hollabaugh, 1989).

Certains hommes ne décodent pas correctement les messages des femmes parce qu'ils sont trop centrés sur leurs propres désirs. Par ailleurs, certaines femmes disent effectivement *non* alors qu'elles pensent *oui*. Une étude menée auprès de 610 étudiantes universitaires a révélé que 39,3 % d'entre elles avaient déjà résisté pour la forme au moins une fois. Les raisons invoquées étaient qu'elles ne voulaient pas passer pour faciles, qu'elles étaient incertaines des sentiments de leur partenaire, que le contexte n'était pas adéquat, qu'elles ne le faisaient que par jeu (pour que partenaire se montre physiquement plus entreprenant ou pour qu'il insiste) ou par désir de mener le jeu (Muehlenhard et Hollabaugh, 1989). Malheureusement, un tel double message, ancré dans le stéréotype de l'homme actif et de la femme passive, contribue au maintien des fausses croyances sur l'agression sexuelle et fournit à des hommes une justification pour ignorer les refus sincères.

En effet, un homme peut se conforter dans l'idée que le refus d'une femme ne doit pas être pris au sérieux s'il lui est déjà arrivé d'ignorer les protestations d'une femme et de constater qu'elle était en fait consentante (Muehlenhard et Hollabaugh, 1989). Il pourrait ainsi, en dépit des protestations et de la résistance réelle que lui opposerait une autre femme, poursuivre ses avances sexuelles et ne jamais se considérer comme coupable d'agression ni de harcèlement sexuel.

Cette idée de *résistance pour la forme* montre combien le défaut de communication nuit aux interactions sexuelles et à quel point il est important d'apprendre à se parler et de s'écouter de façon à lever les ambiguïtés et à éviter de dangereux malentendus. Il y a des hommes qui, tout en croyant au refus de leur partenaire, considèrent quand même comme légitime de la forcer sexuellement s'ils ont l'impression qu'elle les a *provoqués* ou *aguichés*. Selon des études, certains hommes jugent que l'agression sexuelle se justifie ou qu'une femme a ce qu'elle mérite si elle excite un homme en se vêtant de façon suggestive ou en acceptant d'aller chez lui (Muehlenhard et Linton, 1987 ; Muehlenhard et coll., 1991 ; Workman et Freeburg, 1999). Les implications de ces données dans la prévention des agressions sexuelles commises par des connaissances sont présentées dans l'encadré *Votre santé sexuelle*.

QUESTION D'ANALYSE CRITIQUE

> Certaines personnes croient qu'une femme qui porte des vêtements suggestifs et qui se fait agresser sexuellement *a couru après*. Par opposition, un homme qui porte des vêtements chers et qui flambe beaucoup d'argent n'est pas considéré comme responsable s'il se fait agresser dans la rue. Que pensez-vous de cette incohérence d'étiquetage instantané entre ces deux réalités ? Est-il juste de rendre ainsi la victime responsable de l'agression commise contre elle ?

VOTRE SANTÉ SEXUELLE

La prévention des agressions sexuelles

Bien que les agressions sexuelles soient un problème qui touche l'ensemble de la société, il n'en demeure pas moins que c'est la victime elle-même qui subit directement l'agression. Rien ne peut véritablement mettre à l'abri d'une agression sexuelle, car même en étant extrêmement prudente, avisée et en vivant presque recluse, une femme peut en être victime. Les victimes d'agression sexuelle ne sont jamais responsables de l'agression. Nous croyons tout de même utile de présenter certaines stratégies susceptibles de réduire la fréquence des agressions sexuelles commises par des inconnus ou des connaissances. Les conseils ci-après sont essentiellement des mesures de dissuasion. Plusieurs s'appliquent aussi à la prévention de crimes autres que l'agression sexuelle.

Pour réduire le risque d'une agression sexuelle par une connaissance

1. Moins vous connaissez la personne avec qui vous avez rendez-vous, plus la prudence est de mise. Par exemple, on se sert de plus en plus d'Internet pour faire connaissance.

Or, vous devez garder à l'esprit que vous ne connaissez pas vraiment la personne avec qui vous communiquez en ligne. Proposez-lui une rencontre dans un lieu public. Cela vous permettra d'évaluer son comportement dans un environnement relativement sûr.

2. Votre compagnon de sortie a-t-il une attitude autoritaire ? Tente-t-il de vous contrôler ? Tient-il mordicus à faire ce qu'il a planifié ? Un homme qui prévoit toutes les activités et prend toutes les décisions relatives à une sortie pourrait bien se montrer dominateur et inflexible dans l'intimité.

3. S'il est hors de question pour vous d'avoir une relation sexuelle avec votre compagnon de sortie, ne consommez pas d'alcool ni de drogue, car ces substances font très souvent partie du tableau des agressions sexuelles commis par une connaissance (Novik et coll., 2011 ; Rose et coll., 2011 ; Walsh et coll., 2013). L'alcool ou la drogue peuvent en effet réduire votre capacité à repousser une agression et vous rendre moins vigilante.

4. Dites clairement ce que vous désirez faire et ne pas faire sur le plan sexuel. Par exemple, si vous invitez votre compagnon de sortie à terminer la soirée chez vous, faites une mise au point de ce genre : « Je ne veux pas de malentendu entre nous. Si je t'ai invité, c'est simplement pour qu'on se détende en causant et en écoutant un peu de musique. » Si vous avez envie d'avoir certains contacts sexuels préliminaires avec votre compagnon, vous pourriez lui dire : « Ce soir, j'ai envie de me blottir dans tes bras et j'aimerais qu'on s'embrasse, mais je ne suis pas à l'aise à l'idée d'aller plus loin pour l'instant. »

5. Si votre compagnon tente de vous contraindre malgré une mise au point claire, recourez à une escalade des moyens de défense : refus net, refus verbal cinglant et, si nécessaire, recours à la force (Muehlenhard et Linton, 1987). Repoussez, criez, giflez, mordez, griffez votre agresseur et donnez-lui des coups de pied ou de genou, y compris dans les testicules, si nécessaire.

Que faire si un ou des inconnus vous menacent ?

Si un ou des hommes s'approchent de vous et que vous sentez qu'ils pourraient vouloir vous agresser sexuellement, vous devez décider de ce que vous ferez. *Chaque situation, chaque agresseur et chaque femme sont uniques. Il n'y a aucune règle qui s'applique à tous les cas.*

1. Fuyez si vous le pouvez.

2. Résistez si vous ne pouvez pas courir. Donnez du fil à retordre à celui qui vous menace. Sachez que de nombreux agresseurs tentent d'abord d'intimider leur victime potentielle et que plusieurs tentatives d'agression avortent parce que les femmes y résistent (Heyden et coll., 1999). En opposant une résistance farouche et bruyante (par exemple, en criant, en vous débattant, en faisant du vacarme, en vous sauvant, en donnant des coups à votre agresseur, particulièrement dans les organes génitaux) vous pourriez empêcher l'agression. C'est ce qu'a montré une étude portant sur 150 agressions sexuelles ou tentatives d'agression sexuelle. En effet, les femmes qui avaient opposé une résistance physique et verbale énergique avaient échappé plus fréquemment à l'agression que celles qui avaient essayé les supplications et les pleurs ou qui n'avaient offert que peu de résistance (Zoucha-Jensen et Coyne, 1993).

3. Oubliez les comportements normaux. Crier, vomir, jouer les détraquées : tout ce que vous êtes disposée à tenter pourrait faire échouer la tentative d'agression.

4. Restez à l'affût de toute possibilité d'évasion. Dans certaines situations, il est d'abord impossible de résister ou d'échapper à l'agresseur, mais une occasion peut se présenter plus tard, par exemple si l'agresseur a un moment de distraction ou qu'un passant fait irruption.

Les cours d'autodéfense permettent d'apprendre des techniques de résistance pour blesser l'agresseur ou le déconcentrer juste assez longtemps pour vous permettre de fuir.

Que faire si vous êtes victime d'une agression sexuelle ?

En cas d'agression sexuelle ou de tentative d'agression, vous devez décider si vous déclarerez l'incident à la police ou non.

1. Il est recommandé de déclarer à la police toute agression, voire toute tentative d'agression sexuelle, car cette information pourrait empêcher qu'une autre personne en soit victime.

2. Quand vous déclarez une agression sexuelle, pensez que toute information sur l'agression peut se révéler utile : les caractéristiques physiques de l'agresseur, sa voix, ses vêtements, sa voiture, même une odeur inhabituelle.

3. Appelez la police le plus tôt possible après l'agression ; ne prenez pas de bain et ne changez pas de vêtements. Le sperme, les cheveux, les fibres et les matières demeurés sous vos ongles ou sur vos vêtements pourront servir à identifier l'agresseur.

4. N'hésitez pas à communiquer avec un centre d'aide aux victimes d'agressions sexuelles. Vous y trouverez du personnel qualifié capable de vous aider à faire face au traumatisme. La plupart des grandes villes ont de tels centres. Au Québec, le Regroupement québécois des Centres d'aide et de lutte contre les agressions à caractère sexuel (CALACS) est présent dans plus d'une vingtaine de villes. Si vous êtes incapable de prendre contact vous-même, demandez à une amie, à un membre de votre famille ou à la police de le faire en votre nom.

5. En plus de consultations d'ordre général, ces centres offrent des traitements aux victimes d'agression sexuelle. Si vos symptômes n'ont pas disparu après un certain temps, songez-y. Ne souffrez pas indûment.

6. Enfin, si, comme beaucoup de femmes, vous vous sentez responsable de ne pas avoir su empêcher l'agression, rappelez-vous que ce n'est pas un crime d'avoir été agressée sexuellement. Par contre, il y a bien eu crime, et le coupable, c'est votre agresseur.

Plusieurs femmes suivent des cours d'autodéfense pour mieux se protéger des agressions.

Que faire si vous êtes témoin d'une agression sexuelle?

Vous pouvez aider à mettre fin à la violence et au harcèlement à caractère sexuel.

1. Portez-vous à la défense de la victime si vous êtes témoin de harcèlement sexuel et offrez du soutien.

2. Appelez la police si vous êtes témoin d'une agression à caractère sexuel; si vous voyez quelqu'un ajouter quelque chose de suspect dans la boisson d'une autre personne, dites-le à la police.

3. Contactez les autorités pertinentes en cas d'urgence quand vous n'êtes pas à l'aise pour intervenir directement.

4. Vérifiez auprès de vos amies et de toute personne vulnérable si elles sont arrivées chez elles en toute sécurité.

5. Dites *non* si une personne essaie de partager des messages ou des photos privés qu'elle a reçus.

6. Refusez de vous joindre à des conversations avilissantes qui perpétuent le sexisme et la violence à caractère sexuel (et exprimez votre désapprobation).

7. Ne blâmez jamais la victime; croyez-la.

8. Offrez du soutien à toute personne qui vous dit qu'elle a subi une agression sexuelle.

9. Participez à des programmes de sensibilisation du public ou dans votre école sur la violence à caractère sexuel.

Les caractéristiques des agresseurs

Existe-t-il une personnalité ou un modèle comportemental typique des agresseurs sexuels? Jusqu'à récemment, les tentatives de réponse à cette question se heurtaient à une conception étroite de l'agression sexuelle et à des problèmes méthodologiques importants. Ce qu'on savait des caractéristiques et des motivations des agresseurs provenait surtout de l'étude d'hommes déclarés coupables de ce crime, un échantillonnage qui représente probablement moins de 1 % des agresseurs sexuels. Étant donné que ces agresseurs sont moins instruits, plus portés à commettre d'autres actions antisociales ou d'autres crimes et plus aliénés socialement que ceux qui échappent à la justice, on ne peut pas affirmer que tous les agresseurs sexuels ont le même profil.

Par contre, on peut dire que plusieurs des hommes incarcérés pour agression sexuelle sont fortement enclins à user de violence, ce qui se reflète souvent dans leur façon d'agresser. Cet élément et d'autres hypothèses sur les relations entre les hommes et les femmes ont conduit des auteurs à soutenir que l'agression sexuelle n'est pas tant un acte sexuel qu'un acte de pouvoir et de domination (Brownmiller, 1975). Ce point de vue a prévalu pendant un certain nombre d'années au cours desquelles la composante sexuelle des agressions sexuelles et d'autres agressions a été délaissée en partie. C'est d'ailleurs ce point de vue qui a mené à la réforme du droit criminel canadien abolissant la notion de *viol* (un acte sexuel) pour le remplacer par la notion d'*agression sexuelle* (une voie de fait). Cependant, des recherches plus récentes permettent de penser que, même si le pouvoir et la domination font souvent partie de la contrainte sexuelle, celle-ci est tout autant motivée par un désir d'assouvissement sexuel. Cette façon de voir a été soutenue par de nombreuses études sur la fréquence et la nature des gestes de contrainte sexuelle commis par des hommes non incarcérés (Hickman et Muehlenhard, 1999; Senn et coll., 1999).

Il semble qu'une grande variété de traits de personnalité et de motivations sous-tend l'agression sexuelle et la façon dont elle est commise. Les hommes qui s'identifient nettement à leur rôle sexuel traditionnel, particulièrement en ce qui a trait à la domination masculine, sont plus susceptibles de commettre une agression sexuelle que ceux qui s'y conforment moins (Ben-David et Schneider, 2005; Hartwick et coll., 2007). La colère envers les femmes est une attitude prédominante parmi certains hommes qui agressent des femmes (Abbey et Jacques-Tiura, 2011; Thorp et coll., 2013). La consommation d'alcool peut aussi contribuer au comportement d'un agresseur sexuel; les agresseurs ont d'ailleurs souvent consommé de l'alcool juste avant d'assaillir leurs victimes (Novik et coll., 2011; Nunes et coll., 2013). De plus, les agressions sexuelles reliés à l'alcool sont souvent associées à un degré élevé de violence (Abbey et coll., 2003; Young et coll., 2008).

Nombre d'agresseurs sexuels sont dotés d'une personnalité égocentrique, ce qui pourrait expliquer leur insensibilité envers autrui (Dean et Malamuth, 1997; Marshall, 1993). La recherche montre que les hommes dotés d'une personnalité narcissique sont particulièrement enclins à commettre des agressions sexuelles et d'autres actes de coercition sexuelle (Baumeister et coll., 2002; Imhoff et coll., 2013; Zeigler-Hill et coll., 2013). Le narcissisme est caractérisé par un sentiment exagéré de sa propre importance, un sens déraisonnable de ses droits, un manque d'empathie envers les autres et une tendance à vouloir les exploiter. Selon la recherche, les gens narcissiques sont enclins à commettre des gestes violents pour se venger d'un affront réel ou imaginaire (Baumeister et coll., 2002; Bushman et Baumeister, 1998). En plus de ces tendances agressives, le sentiment excessif que tout leur est dû peut inciter les hommes narcissiques à considérer que les femmes leur doivent des faveurs sexuelles. Ils peuvent, en raison de leur manque d'empathie, nier l'importance des problèmes ou des souffrances qu'ils imposent à leurs victimes. Enfin, leur ego démesuré peut les amener à rationaliser leur comportement et les aider à se convaincre que leur victime souhaitait vraiment avoir une relation sexuelle ou qu'elle a exprimé une forme de consentement (Bushman et coll., 2003).

La colère, le désir de domination et l'assouvissement sexuel jouent tous un rôle dans l'agression sexuelle. Toutefois, le sentiment de colère et le besoin de dominer sont généralement plus manifestes dans les agressions sexuelles commises par des inconnus, alors que le désir de gratification fantasmatique ou sexuelle semble expliquer davantage les actes d'agression perpétrés par une connaissance ou une personne rencontrée lors d'un rendez-vous. D'abord, l'agresseur persiste à l'assouvissement de ses désirs en allant à l'encontre du consentement de l'autre personne.

Les drogues du viol

Au début des années 1990, on a commencé à entendre parler du Rohypnol[MD] (nom de commerce du flunitrazépam), un médicament dont on se servait pour faire des conquêtes sexuelles ou réduire à l'impuissance des victimes qui étaient ensuite agressées sexuellement (Daly, 2011; Staten, 1997). Un comprimé de ce sédatif, que les adeptes appellent familièrement un *roche*, est de 7 à 10 fois plus puissant qu'un cachet de Valium[MD]. En plus de produire en 20 à 30 minutes un effet sédatif qui peut durer plusieurs heures, il procure une grande relaxation musculaire et induit une amnésie légère ou prononcée (Romeo, 2004). Puisque cette *drogue du viol*, comme on l'appelle aussi, est inodore, rapidement éliminée par l'organisme et donc difficilement décelable, les victimes ont bien du mal à porter plainte contre leur agresseur. L'alcool décuple les effets de cette drogue et provoque chez certaines personnes une perte de conscience; d'autres entrent dans un état d'euphorie ou un état de conscience modifié. Dans les deux cas, elles souffriront probablement d'amnésie.

Dans un effort pour contrer l'image négative du Rohypnol[MD] utilisé en tant que drogue du viol, le fabricant, Roche Pharma, en a changé la coloration et la formule. Résultat: le nouveau comprimé se dissout plus difficilement et il colore le liquide en bleu. De plus, les analyses de laboratoire permettent aujourd'hui de détecter plus facilement la présence de cette variante de la drogue dans les consommations (Olsen et coll., 2005).

Le Rohypnol[MD] n'est pas la seule drogue du viol; il y a aussi le gammahydroxybutyrate de sodium (GHB) et le chlorhydrate de kétamine (Spécial K) (Crawford et coll., 2008; Elliott et Burgess, 2005). Le GHB a été mis au point il y a plus de 40 ans et a d'abord servi d'anesthésiant. Il s'agit d'un dépresseur du système nerveux central dont la combinaison avec l'alcool peut être mortelle (Elliott et Burgess, 2005). Le GHB est facile à administrer à une personne peu méfiante, car il est inodore et sans saveur. Il est évacué du corps dans les 6 à 12 heures, ce qui en fait une drogue de choix pour les prédateurs sexuels, car il ne laisse aucune trace toxicologique pouvant servir de preuve dans une éventuelle poursuite.

Il est important d'être vigilant face à ce type de drogues. N'acceptez aucune consommation (alcool, café, boisson gazeuse, etc.), surtout d'un contenant déjà ouvert et si celui-ci ne provient pas d'une personne de confiance. Ne perdez jamais votre verre de vue. Dans le cas contraire, il se peut que votre consommation ait été contaminée si, après en avoir bu, vous ressentez un ou plusieurs des symptômes suivants: des nausées, de la somnolence, une diction molle, des problèmes de coordination ou une sensation d'euphorie. Si vous vous sentez dans un tel état, appelez le service d'urgence 9-1-1 ou demandez à quelqu'un de confiance de vous aider à obtenir des services médicaux; si possible, conservez un échantillon de ce que vous avez bu.

Les drogues récréatives et l'alcool font partie des substances en cause dans les agressions sexuelles. Selon une étude menée en Ontario auprès de 882 victimes d'agression sexuelle (des femmes dans 97 % des cas) qui se sont présentées dans un centre hospitalier, environ 20 % de ces agressions étaient associées à diverses substances, dont les drogues et l'alcool, que les agresseurs ont utilisées dans le but de neutraliser leurs victimes (Sex Information and Education Council of Canada, 2015).

Les agressions sexuelles commises par des connaissances

La plupart des agressions sexuelles sont le fait d'une connaissance ou d'un ami de la victime, et non, comme on le croit généralement, d'un inconnu (de Varon, 2011 ; P. McMahon, 2008). Selon plusieurs études, 82 % des agressions sexuelles sont commises par une personne connue de la victime (ami, connaissance, fréquentation, partenaire, conjoint, époux, enseignant, membre de la famille, professeur, conseiller ou entraîneur) (Ministère de la Condition féminine de l'Ontario, 2012). Ces chiffres diffèrent toutefois des données de l'ESG de Statistique Canada, qui indiquent que les victimes connaissaient leur agresseur dans près de 52 % de toutes les agressions sexuelles (Romeo, 2004 ; Statistique Canada, 2014a).

Un nombre important de ces agressions sexuelles se produisent dans des situations de fréquentation ou lors d'un rendez-vous (*date-rape*). Ce type d'agressions représenterait 90 % des agressions sexuelles commises envers les femmes inscrites dans un collège aux États-Unis (Crawford et coll., 2008), et les agressions qui surviennent sur les campus sont généralement commises en début de session (Fédération canadienne des étudiantes et étudiants, 2015). Puisque ces violences surviennent dans un contexte qui laisse place à des contacts sexuels, plusieurs collégiennes agressées sexuellement ne considèrent pas ces expériences non désirées comme des agressions (Cleere et Lynn, 2013). De plus, certaines étudiantes agressées sont neutralisées par une surconsommation d'alcool excessive (Klein, 2014c).

Jusqu'à récemment, dans la plupart de ces recherches, on voyait les femmes comme les victimes et les hommes comme les agresseurs. Différentes études ont montré que de 20 à 35 % des adolescentes et des femmes adultes ont été victimes d'agression sexuelle, la plupart du temps lors d'un rendez-vous (Brousseau et coll., 2010 ; Shrier et coll., 1998). Cependant, les femmes ne sont pas les seules victimes. Plusieurs études ont en effet révélé que des étudiants universitaires ou des hommes adultes ont aussi été contraints à une forme quelconque d'activité sexuelle (Brousseau et coll., 2010 ; Hartwick et coll., 2007). Ainsi, dans une enquête menée au Canada auprès de plusieurs centaines d'étudiants universitaires, environ 25 % des hommes et plus de 40 % des femmes disaient avoir subi des pressions pour avoir une activité sexuelle avec une connaissance, ou avoir été forcés à le faire au cours de la dernière année (O'Sullivan et coll., 1998). Nous discuterons plus loin de la question des agressions sexuelles dont les hommes sont victimes.

Dans le cadre d'un rendez-vous, la tentative d'agression sexuelle peut s'exprimer de façon verbale ou physique (par exemple, en menaçant de mettre fin à la relation ou en argumentant avec insistance), mais la menace est le plus souvent verbale. Dans une étude menée auprès d'étudiants universitaires, 82 % des répondants ont déclaré avoir recouru à l'intimidation verbale et 21 % à la contrainte physique auprès de leur partenaire sexuel potentiel au cours de la dernière année (Shook et coll., 2000). Il faut noter cependant que le recours à la force physique est considérablement moins fréquent dans le cas des agressions sexuelles perpétrées contre les hommes (Hartwick et coll., 2007 ; Krahe et coll., 2003).

Bien que les relations amoureuses des jeunes Québécois semblent généralement exemptes de violence, 60 % des jeunes répondants à une étude sur la question ont déclaré que leur relation était marquée par des comportements de contrôle et de violence verbale, psychologique, physique ou sexuelle (Hébert et coll., 2015a). L'enquête sur les Parcours amoureux des jeunes (PAJ) auprès de 6531 jeunes du 2e cycle du secondaire au Québec a révélé que la violence psychologique semble être la forme la plus souvent en cause. C'est ce que déclarent un peu plus de 50 % des jeunes qui ont vécu au cours des 12 derniers mois une telle forme de violence de la part de leur partenaire amoureux, et ce, autant chez les filles que chez les garçons (Hébert et coll., 2015a). Cependant les filles vivent en plus grand nombre que les garçons des situations de violence de toute forme. De plus, selon cette étude, 1 fille sur 5 et 1 garçon sur 15 affirment être victimes de violence sexuelle de la part de leur partenaire amoureux (Hébert et coll., 2015a). En outre, les garçons se perçoivent moins capables que les filles de rechercher de l'aide lorsqu'ils vivent de la violence amoureuse ou qu'ils en sont témoins (Hébert et coll., 2015b).

Les femmes qui subissent de la violence physique dans leurs relations de couple sont particulièrement susceptibles d'être agressées sexuellement par un partenaire intime (Sormanti et Shibusawa, 2008). Les données indiquent que des femmes victimes de violence conjugale peuvent se faire agresser par leur conjoint parfois plusieurs fois par mois (Ruback et coll., 2014 ; Sormanti et Shibusawa, 2008). La recherche estime que, chaque année, aux États-Unis, près de 5 millions de femmes subissent des agressions sexuelles de la part d'un partenaire intime (Modi et coll., 2014). Les données de l'ESG au Canada en 2014 a révélé qu'environ 4 % des 19,2 millions de Canadiens ayant un conjoint ou un ex-conjoint (marié ou de fait), ont signalé être victime de violence physique ou sexuelle, ou les deux, de la part de leur partenaire au cours des cinq années précédentes (Statistique Canada, 2016c). Parmi les victimes de violence conjugale, 7 % ont rapporté une agression sexuelle. Plus de la moitié de ces victimes d'agression sexuelle rapportent avoir eu une activité sexuelle non consensuelle associée à la coercition, à l'administration de drogues ou à la force physique (Statistique Canada, 2016c).

Les agressions sexuelles commises contre des hommes

Malgré que la vaste majorité des victimes soient des femmes, les professionnels de la santé qui interviennent auprès des victimes d'agressions sexuelles savent que les hommes aussi peuvent subir des agressions sexuelles (Almond et coll., 2014 ; Du Mont et coll., 2013 ; Williams Institute, 2014). Une étude réalisée auprès des étudiants des collèges aux États-Unis a révélé qu'environ 6 % des hommes sont victimes d'une agression sexuelle ou d'une tentative d'agression sexuelle (Paulson, 2011). De plus, une étude récente réalisée à l'Université d'Ottawa auprès de 200 membres de la population étudiante indique que 8 % d'hommes ont déclaré avoir été victimes d'au moins un incident comportant de la violence sexuelle, dont 4 % par un partenaire intime et 6 % par d'autres personnes. Dans l'étude en question, on comptait quatre fois plus d'étudiants s'identifiant comme gais, bisexuels ou en questionnement que d'hommes hétérosexuels, soit 26 % contre 6 % (Université d'Ottawa, 2015). Plus largement, des enquêtes effectuées par des agences gouvernementales ont montré récemment que 38 % de l'ensemble des agressions sexuelles ont été commises sur des hommes (Williams Institute, 2014). D'autres enquêtes récentes confirment ces données élevées, selon lesquelles les hommes connaissent de la violence sexuelle (Stemple et Meyer, 2014). Les statistiques sur les agressions sexuelles commises contre des hommes sont difficiles à obtenir pour plusieurs raisons, notamment leur grande réticence à signaler leur agression (Choudhary et coll., 2012 ; Davies et coll., 2006). On estime que 1 agression sexuelle sur 10 commise contre un homme est signalée à la police (Kassing et coll., 2005). Le fait que les hommes craignent d'être jugés durement s'ils signalent l'agression dont ils ont été victimes expliquerait cette faible proportion de plaintes, comme le justifie au moins une étude (Spencer et Tan, 1999). Selon cette étude, les hommes qui disent avoir subi une agression sexuelle durant leur enfance sont perçus négativement, surtout par les autres hommes. Par ailleurs, d'autres études indiquent que les hommes craignent aussi que les autorités chargées d'appliquer les lois doutent qu'un crime ait vraiment été commis ou croient qu'ils l'ont bien cherché, d'une façon ou d'une autre (Kassing et coll., 2005 ; Walker et coll., 2005). En outre, des hommes qui croient que la force physique et la capacité à se défendre font partie intégrante des traits attendus de la masculinité pourraient croire que le fait de signaler leur agression témoignera de leur faiblesse ou de leur responsabilité personnelle (Kassing et coll., 2005).

Les agressions sexuelles contre des hommes ne sont pas souvent rapportées dans les médias ou dans la documentation psychologique ou médicale (Stermac et coll., 1996), ce qui explique le faible nombre de recherches sur le sujet (Almond et coll., 2014 ; Choudhary et coll., 2012).

L'agression sexuelle d'un homme peut être perpétrée par un homme hétérosexuel, et celui-ci est souvent en compagnie d'un ou de plusieurs acolytes (Frazier, 1993 ; Isely et Gehrenbeck-Shim, 1997). Comme dans les agressions sexuelles commises contre des femmes, la violence et le désir de pouvoir accompagnent l'agression sexuelle à l'endroit des hommes, particulièrement des hommes gais (Goldberg et Meyer, 2013 ; Yu et coll., 2013). Bien que des hommes homosexuels soient fréquemment agressés sexuellement par des hommes hétérosexuels, ils sont également victimes de leur partenaire sexuel actuel ou d'un ex-partenaire (Hickson et coll., 1994 ; Walker et coll., 2005).

L'agression sexuelle des hommes en milieu carcéral est un problème sérieux (Garland et Wilson, 2013 ; Williams Institute, 2014). Une vaste enquête menée auprès de 2000 détenus répartis dans sept pénitenciers américains a montré que 21 % d'entre eux avaient été sexuellement menacés ou agressés et que 7 % reconnaissaient avoir été agressés sexuellement (Struckman-Johnson et Struckman-Johnson, 2000). Une autre analyse d'enquêtes récentes montre qu'environ un détenu sur cinq a été agressé par d'autres détenus ou par le personnel du pénitencier (Williams Institute, 2014). Les auteurs de telles agressions se considèrent généralement comme hétérosexuels. Une fois libérés, ils reprennent habituellement les relations sexuelles avec des femmes. En milieu carcéral, les hommes agressés sexuellement le sont souvent avec brutalité par des gangs. Un homme peut ainsi devenir le partenaire sexuel d'un prisonnier dominant en échange d'une protection contre les autres détenus (Braen, 1980).

On considère aussi comme une agression sexuelle le fait d'obliger un homme à pénétrer le vagin, l'anus ou la bouche de quelqu'un (McCabe et Wauchope, 2005). On rapporte de plus en plus fréquemment les récits d'hommes qui sont contraints ou menacés de blessures par des femmes pour avoir des activités sexuelles (Kassing et coll., 2005). L'idée qu'un homme puisse se faire agresser sexuellement par une femme a été longtemps rejetée parce qu'on présumait qu'un homme ne peut fonctionner sexuellement dans des conditions de peur ou d'anxiété extrême. Cette impression répandue est cependant inexacte. Alfred Kinsey et ses collaborateurs sont peut-être les premiers à avoir noté que les deux sexes pouvaient fonctionner dans une variété d'états émotifs extrêmes. La réponse sexuelle pendant une agression, surtout si un orgasme survient, peut être une source de grande confusion et d'anxiété chez les hommes et les femmes victimes d'agression sexuelle.

Les agressions sexuelles contre des hommes se produisent aussi pendant les guerres. Cependant, ces victimes ne reçoivent qu'une couverture médiatique limitée et ne suscitent pas beaucoup d'intérêt de la part des chercheurs. Parmi les quelques études sur le sujet, il y a celles concernant les agressions commises pendant des guerres en Grèce (Lindholm et coll., 1980), au El Salvador (Agger et Jensen, 1994) et en Croatie (Medical Center for Human Rights, 1995). La croyance largement répandue que seules les femmes peuvent être victimes d'agressions sexuelles a eu pour conséquence que plusieurs pays ont, sur le plan juridique, escamoté la réalité des agressions sexuelles subies par des hommes en temps de guerre parmi les catégories plus générales de torture ou de mauvais traitements (Carlson, 1997). La réelle prise de conscience que les hommes pouvaient aussi être victimes d'agressions sexuelles s'est produite lorsque le Tribunal pénal international pour l'ex-Yougoslavie a signalé que de nombreux hommes avaient été agressés ou avaient subi une agression sexuelle quelconque pendant le conflit qui a marqué cette région (Carlson, 1997).

Les agressions sexuelles en temps de guerre

Les agressions sexuelles ont aussi servi d'arme de guerre à travers l'histoire (Garcia-Moreno, 2014 ; Raphaelle et Fabrice, 2014). Les cas d'agression sexuelle de femmes à grande échelle abondent depuis la Grèce antique jusqu'aux plus récentes atrocités commises en ex-Yougoslavie, au Rwanda, au Darfour et ailleurs (Bergoffen, 2006 ; Polgreen, 2005 ; Van Zeijl, 2006). Dans les années 1990, les reportages sur les agressions sexuelles à grande échelle perpétrées par les soldats serbes sur des milliers de femmes et de jeunes filles bosniaques et croates ont alerté l'opinion publique et mené à des pressions pour que ces agressions soient considérées comme des crimes de guerre. Les rapports faisant état de milliers de femmes et de filles agressées durant la guerre de 1994 au Rwanda ont amplifié cette prise de

conscience collective (Mukamana et Brysiewicz, 2008). Les agressions sexuelles ont été aussi employées comme arme de guerre au Darfour, une région du Soudan (Polgreen, 2005), et ainsi qu'en Libye (Fahim, 2011 ; Faul, 2011). La République démocratique du Congo est reconnue comme l'épicentre du *viol comme arme de guerre* (Peterman et coll., 2011), alors qu'environ deux millions de femmes ont été agressées sexuellement. D'autres études rapportent également des cas d'agressions sexuelles contre des hommes et des garçons (Saruk, 2013 ; Watts et coll., 2013).

Des soldats américains ont, par ailleurs, été condamnés en cour martiale pour des agressions sexuelles collectives perpétrées durant la guerre du Vietnam (Brownmiller, 1993). D'autres soldats américains ont été poursuivis pour des agressions sexuelles commises contre des Iraquiennes pendant l'invasion de leur pays. En 1996, le Tribunal pénal international pour l'ex-Yougoslavie a statué que les agressions sexuelles en temps de guerre constituaient des crimes qui méritaient de lourdes sanctions (pour la première fois, les agressions sexuelles étaient considérées distinctement comme des crimes de guerre). En 2001, ce tribunal des Nations Unies ont également fait de l'esclavage sexuel un crime de guerre et condamné plusieurs Serbes bosniaques pour les multiples agressions sexuelles qu'ont subies des femmes musulmanes asservies dans des *camps de viols*. Les agresseurs reconnus coupables de ces crimes ont été condamnés à des peines de 12 à 28 ans d'emprisonnement (Comiteau, 2001).

Pourquoi les agressions sexuelles sont-elles si répandues en temps de guerre ? Parce qu'en plus de servir à dominer, à humilier et à contrôler les femmes, il peut aussi avoir pour but de briser l'ennemi en détruisant les liens familiaux et sociaux (Swiss et Giller, 1993). Dans les guerres interethniques, comme celles qui ont déchiré l'ex-Yougoslavie, le Rwanda et le Darfour, les agressions sexuelles à grande échelle ont servi de stratégie militaire pour terroriser et démoraliser la population, détruire son intégrité culturelle et, parfois, forcer des communautés entières à fuir leurs maisons pour atteindre l'objectif de nettoyage ethnique (Boustany, 2007 ; Mukamana et Brysiewicz, 2008). L'agression sexuelle est alors un acte de guerre qui s'attaque non seulement aux femmes, mais aussi à leur famille et à leur communauté. L'encadré *Les uns et les autres* à la page suivante explique comment les réactions sociales à l'égard de l'agression sexuelle, en temps de guerre ou non, peuvent accentuer la souffrance des victimes.

LES UNS ET LES AUTRES

Punir les femmes d'avoir été agressées

Comment peut se sentir une femme agressée sexuellement en temps de guerre par ses ennemis et qui se voit ensuite rejetée par sa famille et ses amis pour cette raison ? Les femmes kosovares en savent quelque chose. Peu après la fin de la guerre du Kosovo, en 1999, les médias ont évoqué les difficultés qu'ont éprouvées ces femmes lorsqu'elles sont retournées chez elles. En plus des profondes souffrances qu'elles avaient endurées en étant agressées sexuellement, elles couraient le risque d'être répudiées par leur famille et leurs amis si elles avouaient avoir été agressées sexuellement. Ainsi, au lieu de recevoir l'appui et la compassion dont elles avaient besoin, ce qui aurait pu les aider grandement à surmonter leur traumatisme, elles se voyaient obligées de garder pour elles leurs souvenirs douloureux, leurs pensées et leurs sentiments, afin d'éviter d'être rejetées par leur famille et leur communauté (Lorch et Mendenhall, 2000).

On estime que pendant les années de guerre qui ont déchiré le Congo, une Congolaise sur trois a été victime d'agressions sexuelles collectives si violentes de la part de groupes armés que des milliers d'entre elles souffrent de fistules vaginales (rupture de la paroi vaginale qui peut causer l'écoulement d'urine et la perte incontrôlée des matières fécales). Dans certaines régions du Congo, jusqu'à 70 % des femmes de tous âges ont été agressées sexuellement ou mutilées sexuellement, souvent sous les yeux de leurs proches ou de leurs concitoyens contraints de regarder les agressions (Persky, 2012 ; Soguel, 2008). Au lieu d'être soignées, bon nombre de ces femmes ont été abandonnées par leur époux et ostracisées par leur communauté (Babalola, 2014 ; Longombe et coll., 2008). De récents comptes rendus font état d'un nombre croissant d'hommes agressés sexuellement par des militaires qui font régner la terreur au Congo. Ces hommes victimes d'agressions sexuelles sont également bannis de leur communauté ; par dérision, ils sont souvent appelés *femmes de brousse* (Gettleman, 2009). Les agressions sexuelles des femmes congolaises sont parfois perpétrées par des femmes (jusqu'à 40 %, selon les données d'une étude), tandis que

la grande majorité des victimes masculines le sont par des hommes (Johnson et coll., 2010).

Dans un cas qui a choqué les Occidentaux et soulevé un tollé d'indignation dans le monde, un tribunal d'Arabie saoudite a condamné une femme qui avait subi une agression sexuelle collective à six mois de prison et à être fouettée en public. La victime de ce crime odieux était accusée d'avoir contrevenu à la loi islamique du pays, interdisant la mixité entre les sexes, parce que les agresseurs l'ont accostée alors qu'elle se trouvait en voiture avec un homme qui n'était ni son mari ni un parent. Sous la pression des États-Unis et d'autres pays occidentaux, le roi Abdullah d'Arabie accorda son pardon à la victime qui était âgée de 19 ans au moment de l'agression (Shihri, 2007).

Malheureusement, ce genre d'attitude ne se limite pas à des pays comme le Kosovo, le Congo ou l'Arabie saoudite. La recherche montre que des hommes aux États-Unis (et assurément au Canada aussi) ont tendance à rejeter la faute sur les victimes d'agression sexuelle.

Bien que certains pensent que nous devons accepter que d'autres cultures soient différentes de la nôtre et reconnaître qu'elles ont le droit à leurs propres valeurs, beaucoup de gens déplorent le fait que les victimes soient ainsi traitées dans d'autres cultures. Une enquête récente laisse cependant entendre que ce type d'attitudes et de comportements négatifs a des conséquences néfastes chez les victimes d'agressions sexuelles. Dans une étude portant sur 157 victimes de crimes violents, les chercheurs ont montré que la honte et la colère jouaient un rôle important dans la survenue d'un trouble de stress post-traumatique (TSPT) et que la honte, plus particulièrement, influait sur la gravité des symptômes (Andrews et coll., 2000). Il semble donc que les différentes cultures et les valeurs que celles-ci mettent de l'avant font porter aux femmes la responsabilité de l'agression qu'elles ont subie et peuvent contribuer grandement à accroître les souffrances des victimes.

Les conséquences des agressions sexuelles

Qu'elle soit l'œuvre d'un inconnu, d'une connaissance ou du partenaire de la victime, l'agression sexuelle est une expérience traumatisante, aux répercussions durables. Après avoir été agressée sexuellement, la victime est atteinte physiquement et souvent traumatisée psychologiquement. De plus, elle souffrira probablement du

traitement que réserve la société aux victimes d'agressions sexuelles. Il n'est donc pas étonnant que nombre d'entre elles en gardent des séquelles émotionnelles durables.

Les victimes éprouvent généralement de la honte, de la colère, de la peur, de la culpabilité et un sentiment d'impuissance (Koss et coll., 2002 ; Vandeusen et Carr, 2003). Si certaines femmes ressentent de la culpabilité et de la honte, c'est souvent qu'on leur fait porter et qu'elles endossent la responsabilité de ne pas avoir su empêcher l'agression, quelles qu'en aient été les circonstances. Et si elles ont éprouvé des sensations ou une certaine excitation sexuelle durant l'agression, leur sentiment de culpabilité sera encore plus grand (Desaulniers, 1998 ; Sarrel et Masters, 1982). Les victimes d'une agression sexuelle peuvent présenter par la suite une tendance à la victimisation en présentant un risque plus élevé de subir d'autres agressions sexuelles (Daigle et coll., 2008 ; Littleton et coll., 2009). Une étude récente menée auprès de plusieurs centaines de femmes dans des universités américaines a permis de constater que certaines d'entre elles étaient plus à risque de se faire agresser sexuellement à nouveau en raison de leur consommation de drogues (alcool, marijuana, etc.) pour atténuer leur détresse découlant de leur traumatisme antérieur (sexuel, physique, abus émotionnel) (Messman-Moore et coll., 2009). Ces étudiantes s'intoxiquent pour moins ressentir leur traumatisme, mais sous l'effet des drogues ou de l'alcool, elles deviennent plus vulnérables à de nouvelles agressions.

Des victimes d'agressions sexuelles souffrent également de symptômes physiques, dont des nausées, des maux de tête, des troubles gastro-intestinaux, des blessures génitales et des troubles du sommeil (Hilden et coll., 2005 ; Ullman et Brecklin, 2003). Environ 32 % des femmes et 16 % des hommes qui ont été agressés sexuellement passé l'âge de 18 ans ont déclaré avoir subi des blessures physiques pendant l'agression (Tjaden et Thoennes, 1998). Il arrive que des victimes d'agression sexuelle associent la sexualité au traumatisme de l'agression qu'elles ont subie, si bien que la perspective d'une activité sexuelle suscite en elles bien plus d'angoisse que de désir ou d'excitation (Koss et coll., 2002, 2003). Une étude longitudinale portant sur des victimes d'agression sexuelle a révélé que 40 % d'entre elles avaient renoncé aux relations sexuelles durant les 6 à 12 mois qui ont suivi leur agression, et que, six ans plus tard, près de 75 % d'entre elles avaient des relations sexuelles moins fréquentes qu'avant leur agression sexuelle (Burgess et Holmstrom, 1979).

Les femmes qui ont subi une agression sexuelle peuvent vivre de fortes réactions affectives et physiques et souffrir d'un **trouble de stress post-traumatique** (TSPT), une catégorie diagnostique du DSM-5 (American Psychiatric Association [APA], 2015). Le TSPT désigne la détresse psychologique de longue durée que peut ressentir une personne soumise à un ou plusieurs événements physiquement ou psychologiquement traumatisants. Après avoir vécu une expérience profondément traumatisante comme une agression sexuelle, une guerre ou un horrible accident, les personnes présentent souvent un ensemble de symptômes de détresse. Elles font des cauchemars, souffrent de dépression, d'anxiété et se sentent extrêmement vulnérables. Elles ont aussi des *flash-back* saisissants qui leur font revivre les terreurs de l'agression (Koss et coll., 2002 ; Ullman et coll., 2005).

Les victimes trouvent souvent dans le counseling, individuel ou en groupe, un soutien qui les aide à surmonter le traumatisme de l'agression sexuelle (Paul et coll., 2014 ; Ullman et Peter-Hagene, 2014). Les recherches indiquent que les femmes qui ont reçu de l'aide peu de temps après l'agression souffrent moins de ces répercussions émotionnelles que celles dont le traitement a tardé (Conard et Sauls, 2014 ; Orchowski et coll., 2013). La plupart des victimes d'agression sexuelle confirment que parler de l'agression et des émotions négatives qui les submergent leur fait du bien. C'est souvent en réexaminant l'événement qu'elles parviennent à maîtriser leurs sentiments douloureux et à entreprendre leur processus de guérison.

Le harcèlement sexuel

Que ce soit en milieu de travail ou en milieu scolaire, le **harcèlement sexuel** est fréquent dans notre société. Ces pressions indues exercées sur une personne ne se limitent pas à des avances sexuelles indésirables. Il peut aussi s'agir d'actions qui instaurent un climat de travail hostile et désagréable, comme le témoignage suivant en fait foi.

> Dans l'entreprise, j'étais la première femme à accéder à ce poste. J'étais fière de mes réalisations et prête à relever le défi. Mais cela a été beaucoup plus difficile que prévu. J'ai été sidérée et dégoûtée par les blagues et les remarques grossières que me faisaient certains hommes. On me faisait parvenir des courriels tout à fait abjects, et des messages obscènes encombraient quotidiennement ma boîte vocale. Je me suis plainte à mon patron en lui expliquant combien cela me dérangeait, mais il m'a dit d'être *bonne joueuse*, que les gars m'accueillaient à leur manière. Je ne devrais peut-être pas tant m'en faire, mais cela nuit à mon travail. J'ai de la difficulté à me concentrer et je suis anéantie lorsque j'écoute mes messages. (Note des auteurs)

Trouble de stress post-traumatique   Détresse psychologique consécutive à un ou plusieurs événements traumatisants. Le terme autrefois utilisé était *syndrome de stress post-traumatique.*

Harcèlement sexuel   Avances sexuelles non désirées, demandes de faveurs sexuelles et autres conduites de nature sexuelle menaçantes, outrageantes ou hostiles se produisant dans le milieu professionnel, scolaire ou autres milieux sociaux.

Il existe deux formes principales de harcèlement sexuel en milieu de travail ou en milieu scolaire. Dans la première, la personne accepte des avances sexuelles non souhaitées pour obtenir un emploi, de bonnes notes ou de l'avancement; c'est un type de harcèlement qui suppose un jeu de pouvoir ou un abus d'autorité (Pierce, 1994). Le harcèlement devient souvent plus explicite lorsque des représailles font suite au refus d'obtempérer (Charney et Russell, 1994).

Dans une seconde forme, le harcèlement sexuel est moins net, mais probablement plus répandu. Il s'exerce par l'instauration d'un milieu hostile et désagréable, ce qui est certainement plus fréquent que les situations impliquant des pressions sexuelles indues. Dans ce cas, par leurs comportements outrageants et persistants, un ou plusieurs directeurs, des collègues, des professeurs ou des étudiants créent un environnement hostile, menaçant et généralement insupportable. À la différence de la forme en milieu professionnel, ce type de harcèlement ne suppose pas nécessairement une relation d'autorité ou de pouvoir. Par contre, il peut constituer une façon de défendre un statut (ou une position) qu'on sent menacé. Ainsi, certains hommes y recourent souvent pour empêcher des femmes d'accéder aux derniers bastions du pouvoir et des privilèges masculins (Dall'Ara et Maass, 1999).

Dans de nombreux débats portant sur des cas de harcèlement de ce genre, on a tenté de définir ce qui constitue un environnement hostile et désagréable. On considère donc comme hostile un environnement dans lequel toute personne raisonnable, dans les mêmes circonstances ou dans des circonstances similaires, trouverait la conduite du ou des harceleurs menaçante, hostile ou outrageante.

Plus récemment, les chercheurs se sont intéressés à une forme de harcèlement sexuel perpétré par des étrangers dans les lieux publics. Les données qu'ils ont recueillies indiquent que le harcèlement sexuel commis par de telles personnes entraîne plus de réactions négatives de la part de la victime que celui venant d'un collègue de travail (McCarthy et coll., 2014).

Le harcèlement sexuel en milieu de travail

Le harcèlement sexuel peut prendre plusieurs formes au travail. Il peut toucher aussi bien des hommes que des femmes, quelle que soit leur orientation sexuelle. Selon le Code canadien du travail, «le harcèlement sexuel se définit comme tout comportement, propos, geste, contact de nature sexuelle soit qui est de nature à offenser ou humilier un employé, soit qui peut, pour des motifs raisonnables, être interprété par celui-ci

comme subordonnant son emploi ou une possibilité de formation ou d'avancement à des conditions à caractère sexuel» (Emploi et Développement social Canada, 2016). Certains de ces actes s'inscrivent en quelque sorte dans une zone grise, car tous n'y verront pas obligatoirement du harcèlement sexuel. Toutefois, ils deviennent clairement du harcèlement s'ils persistent une fois que la personne qui en fait les frais a demandé qu'on y mette fin.

Le harcèlement sexuel en milieu de travail peut compromettre sérieusement la situation économique de la victime, nuire à son rendement professionnel, à son avancement, à sa santé psychologique et physique ainsi qu'à ses relations personnelles (Berdahl et Aquino, 2009; Gradus et coll., 2008). Les conséquences financières associées au refus de supporter le harcèlement sexuel peuvent être particulièrement lourdes pour les personnes occupant des postes subalternes, qu'elles peuvent difficilement abandonner si elles sont le seul soutien de leur famille. Plusieurs personnes trouveront extrêmement compliqué de chercher un emploi tout en occupant leur emploi actuel, surtout en période économique instable. Si elles sont congédiées pour avoir résisté au harcèlement sexuel, elles s'exposent à être privées de prestations de chômage et même si elles en reçoivent, celles-ci ne correspondront qu'à une fraction de leur revenu d'emploi.

Diverses études indiquent que la vaste majorité des victimes de harcèlement sexuel en milieu de travail (entre 75 et 90 %) en subissent des effets psychologiques négatifs. Elles sont sujettes aux crises de larmes. Leur estime de soi est minée. Elles éprouvent de la colère, se sentent humiliées, honteuses, embarrassées, nerveuses, irritables, isolées, vulnérables, sans défense et démotivées (Harned et Fitzgerald, 2002; Jorgenson et Wahl, 2000; Sev'er, 1999). L'encadré *Votre santé sexuelle* propose des moyens de se défendre contre le harcèlement sexuel en milieu de travail.

▲ Le harcèlement sexuel engendre tension et anxiété au travail.

Comment lutter contre le harcèlement sexuel en milieu de travail

Vous êtes victime de harcèlement sexuel au travail? Voici des moyens de vous défendre.

1. Tenez tête à la personne qui vous harcèle. Indiquez-lui sans équivoque qu'elle se rend coupable de harcèlement sexuel, que vous ne le tolérerez pas et que vous vous plaindrez à qui de droit si elle continue. Si vous préférez procéder par écrit, décrivez en détail les incidents, stipulez que vous vous opposez fermement à ce type de comportement et précisez les dispositions que vous prendrez si le harcèlement ne cesse pas immédiatement. Envoyez cette lettre par courrier recommandé et conservez-en une copie.

2. Si le harcèlement ne prend pas fin, parlez-en à votre supérieur hiérarchique, à celui de la personne qui vous harcèle ou aux deux.

3. Si vos protestations demeurent lettre morte, que ni votre harceleur ni les supérieurs n'en tiennent compte, tentez de rallier le soutien de vos collègues. Vous constaterez peut-être avec surprise que vous n'êtes pas la seule victime

dans l'entreprise. La sympathie qu'on recueille en parlant aux autres du harcèlement dont on fait l'objet suffit parfois à le faire cesser. Tenez-vous-en cependant rigoureusement aux faits, de façon à éviter toute possibilité de poursuite en diffamation.

4. Si vos tentatives de régler le problème à l'interne ont échoué, qu'on vous congédie, qu'on vous rétrograde ou qu'on vous refuse de l'avancement parce que vous résistez au harcèlement, vous pouvez déposer une plainte auprès de la Commission des droits de la personne de votre province. Au Québec, il y a également la Commission de la santé et de la sécurité du travail (CSST).

5. Enfin, vous voudrez peut-être entreprendre des procédures judiciaires pour régler votre problème de harcèlement sexuel. La cour se montre généralement favorable aux victimes de harcèlement qui ont d'abord tenté de résoudre le problème à l'interne avant de recourir aux tribunaux.

Le harcèlement sexuel en milieu scolaire

Le harcèlement sexuel se produit aussi en milieu scolaire. Il n'est pas rare que des étudiantes et des étudiants de niveaux collégial et universitaire soient l'objet d'avances sexuelles importunes de la part d'un professeur ou d'un délégué pédagogique (superviseur d'activité, correcteur d'examen, etc.). Les étudiants des deux sexes y sont exposés, mais les jeunes femmes sont plus communément la cible de professeurs de sexe masculin (Bingham et Battey, 2005; Kelley et Parsons, 2000). Selon une étude récente à l'Université d'Ottawa, 78 % des étudiantes et 49 % des étudiants affirment avoir été harcelés (Université d'Ottawa, 2015). Les incidents étaient survenus en résidence, pendant un événement de la semaine d'accueil (semaine 101), en classe, ailleurs sur le campus et hors campus. Les femmes étaient au moins deux fois plus susceptibles de déclarer qu'elles avaient été victimes de plusieurs incidents, comparativement aux hommes. Par exemple, les deux tiers des étudiantes ont fait l'objet de blagues ou de commentaires sexuellement suggestifs et plus de la moitié ont été regardées d'une façon qui les mettait mal à l'aise ou qui les effrayait. De plus, 44 % des étudiantes rapportent avoir subi des attouchements non désirés, un quart ont été suivies et un tiers ont été pressées de sortir ou d'avoir des relations sexuelles avec quelqu'un à la suite

d'une réponse négative (Université d'Ottawa, 2015). Par ailleurs, le risque d'être harcelés était plus grand chez les étudiants et étudiantes qui s'identifiaient à l'un des groupes des minorités sexuelles (LGBTQ) que chez les hommes hétérosexuels.

En milieu scolaire, les étudiants peuvent subir une forme de chantage de la part d'un professeur qui souhaite obtenir des faveurs sexuelles en échange de bonnes notes, d'une lettre de recommandation ou du coup de pouce nécessaire à l'obtention d'un emploi ou d'un stage convoité. Le harcèlement sexuel peut entraîner de moins bons résultats scolaires et avoir un impact négatif sur le cheminement de la victime, la forçant parfois à changer d'orientation scolaire, ce qui ressemble aux conséquences du harcèlement sexuel en milieu de travail (Bingham et Battey, 2005; Bruns et Bruns, 2005).

Par ailleurs, les étudiants évaluent mal le danger de s'engager sexuellement avec une personne dont pourrait dépendre la suite de leurs études et leur carrière future. Fort de son autorité et de son prestige, l'enseignant peut profiter de l'admiration qu'il suscite. Or, une telle situation n'est pas sans conséquence. Ainsi, les victimes de ce genre de harcèlement sexuel finissent par se demander si leur réussite scolaire est attribuable à leur talent ou à l'intérêt sexuel qu'elles ont suscité chez leur enseignant (Satterfield et Muehlenhard, 1990).

Que faire quand on est victime de harcèlement sexuel durant ses études et quand celui-ci est commis par un professeur ou par un membre de la faculté? Pour y échapper, les victimes ont un peu plus d'options que celles qui subissent du harcèlement en milieu de travail, puisqu'il est toujours possible d'abandonner le cours ou encore de changer d'enseignant ou d'établissement. Toutefois, nous croyons qu'il vaut mieux dénoncer le harcèlement dont on fait l'objet: on contribue ainsi à limiter ces actions importunes et à ce que d'autres ne deviennent la proie du même enseignant (les harceleurs ayant généralement plusieurs victimes). Il peut aussi être bon d'avertir le directeur du département ou le recteur. Si la réaction de ces autorités ne semble pas adéquate, on peut faire appel à l'ombudsman. La plupart des universités et des collèges ont une politique ferme à l'égard du harcèlement sexuel et offrent des services aux victimes. Cette démarche peut-elle influer sur les notes de l'étudiant? Sachez que la Charte des droits et libertés de la personne interdit les représailles contre toute personne qui, en toute bonne foi, a déposé une plainte pour harcèlement sexuel. De plus, un enseignant coupable de telles actions sera généralement surveillé de près et aura donc beaucoup moins de latitude pour continuer à harceler ses victimes.

Les agressions sexuelles envers les enfants

Les agressions sexuelles envers les enfants constituent un problème qui prend des proportions stupéfiantes ici et partout dans le monde. Selon l'*Enquête sociale générale sur la victimisation* (ESG), menée par Statistique Canada en 2014, 3 % des Canadiens adultes ont déclaré avoir été victimes de violence sexuelle au moins une fois avant l'âge de 15 ans (Perreault, 2015). En 2015, au Canada, la police a noté 4532 infractions sexuelles contre les enfants (Statistique Canada, 2016b). Au Québec, selon une étude menée auprès d'un échantillon représentatif de la population adulte, 16 % des répondants ont déclaré avoir été victimes de contacts sexuels non désirés avant l'âge de 18 ans (22 % de femmes ; 10 % d'hommes). Parmi ces victimes, 21 % ont rapporté ne jamais avoir parlé de leur agression (16 % de femmes ; 34 % d'hommes), 49 % ont rapporté en avoir parlé après plus de cinq ans (51 % de femmes ; 45 % d'hommes) et 22 % ont rapporté avoir été revictimisés (22 % de femmes ; 21 % d'hommes) (Hébert et coll., 2009).

Les agressions sexuelles durant l'enfance peuvent avoir des conséquences graves et durables. Voici deux témoignages révélateurs.

> Comment me débarrasser de mes *flashs*? J'ai été abusée sexuellement par mon oncle, mon père, mon grand-père et violée par mon parrain à l'âge de 6 ans. Je ne peux pas avoir des relations stables avec un garçon. Ma vie amoureuse est nulle. Je ne peux rien y faire. J'aime, mais je ne peux être aimée. J'aimerais savoir s'il y a d'autres femmes comme moi, qui vivent les mêmes choses. En moi, il y a toujours cette enfant. Mon Dieu que je voudrais lui venir en aide ! (Site Élysa)

> Je vous écris, car j'aimerais avoir votre opinion. Quand j'étais un petit garçon, vers 10 ans environ, ma mère voulait systématiquement me forcer à laver mon pénis. Elle insistait violemment pour que je fasse coulisser mon prépuce afin qu'elle puisse mettre du savon dessus. Je refusais sans pouvoir lui tenir tête, cela provoquait de violents conflits ; plusieurs fois, elle est arrivée à me mettre du savon sur le gland. La douleur que j'ai ressentie à cette époque était si violente que c'est comparable à une plaie sur laquelle on verse de l'alcool à 90 degrés. Je suis persuadé que ma mère voulait me faire mal. Adulte, il m'est arrivé de revivre cela inconsciemment en me faisant moi-même mal avec du parfum. Suis-je devenu masochiste ? Ignorer à ce point la sensibilité du sexe d'un enfant, c'est être un monstre. Son obstination à vouloir me laver le sexe et à ne pas vouloir entendre ma douleur d'enfant fait-elle d'elle une violeuse ? Peut-on parler de mère incestueuse ? Merci de bien vouloir répondre. Je pense que ce sujet peut intéresser tout le monde. Les femmes aussi peuvent être des monstres avec leurs enfants. (Site Élysa)

Dans cette partie du chapitre, nous examinons la prévalence des maltraitances envers les enfants, les effets qu'elles ont sur plusieurs victimes et les moyens à prendre pour en réduire le nombre. Nous voyons également comment aider ceux qui en ont été victimes.

L'**agression sexuelle envers un enfant** désigne tout contact sexuel, peu importe lequel (toucher non approprié, contact buccogénital, pénétration), toute incitation à un tel contact, toute exposition à des scènes de nature sexuelle impliquant un enfant.

> **Agression sexuelle envers un enfant** Tout contact sexuel, incitation à un tel contact et exposition à des scènes de nature sexuelle impliquant un enfant.

On parle d'une agression sexuelle envers un enfant dès qu'on estime que celui-ci ne peut pas vraiment consentir à l'activité sexuelle en raison de son jeune âge, et ce, qu'il y ait eu usage ou non de la violence. Un consentement valable sous-entend, rappelons-le, une connaissance et une compréhension suffisantes d'un acte et de ses conséquences, de même qu'une liberté totale et inconditionnelle d'y consentir ou non. Ce sont des conditions que les enfants ne peuvent remplir dans aucune situation de relation avec un adulte. La loi au Canada stipule que les enfants moins de 12 ans ne peuvent jamais consentir à une activité sexuelle. En 2008, l'âge de consentement est passé de 14 à 16 ans, cependant l'âge est de 18 ans quand il s'agit d'une activité comme la prostitution, de la pornographie ou des activités avec des personnes en situation d'autorité ou de confiance (enseignant, entraîneur, gardien, etc.) sinon elle est définie comme de l'exploitation sexuelle (*voir le tableau 11.1*). L'exploitation de la naïveté et de la confiance des enfants par des adultes devient un problème grave dans le contexte des échanges sur Internet, et nous en discutons plus loin. En outre, l'inquiétude des mères devant la vulnérabilité de leurs filles aux agressions sexuelles peut mener à des formes extrêmes de protection, comme le montre l'encadré *Au-delà des frontières* à la page suivante.

La plupart des chercheurs font une distinction entre la **pédophilie** et l'**inceste**. L'inceste se produit dans toutes les classes socioéconomiques et est illégal au Canada, peu importe l'âge des personnes en cause. Toutefois, les relations incestueuses entre adultes apparentés sont peu susceptibles de faire l'objet de poursuites judiciaires, comparativement à celles qui concernent un enfant et un adulte. Dans près de 38 % des cas d'agressions sexuelles envers des enfants, l'agresseur est un membre de la famille (Perreault, 2015). Toutefois, selon la même étude, le pourcentage s'élève à 65 % lorsqu'il s'agit d'une victime de multiples incidents de violences sexuelles (Perreault, 2015). Les relations sexuelles entre frère et sœur sont rarement dévoilées, et lorsqu'elles le sont, elles ne provoquent pas les réactions extrêmes que suscitent les contacts sexuels père-fille.

Au Canada, selon le Code criminel, il n'y a inceste que dans les cas de rapports sexuels avec pénétration pénis-vagin entre un enfant et des personnes ayant des liens de sang avec lui (père, mère, grand-père, grand-mère, frère, sœur, demi-frère, demi-sœur) (Schabas, 1995) ; en dehors de ces conditions, le délit portera plutôt sur les contacts sexuels entre un adulte et un enfant de moins de 16 ans. La notion d'inceste est souvent interprétée plus largement dans la pratique des professionnels de la santé. L'inceste comprend alors l'ensemble des contacts sexuels entre des adultes et des enfants apparentés, quelle que soit la nature de leurs liens (liens d'adoption, famille reconstituée, par exemple) ; l'inceste inclut également les contacts sexuels avec un frère, une sœur, un cousin, etc. La notion d'inceste varie aussi en fonction des cultures, mais c'est l'interdit sexuel le plus répandu dans le monde et dans l'histoire.

Bien qu'il soit communément admis que l'inceste père-fille est le plus répandu, les études révèlent que l'inceste entre frère et sœur ou entre proches cousins est assez fréquent (Canavan et coll., 1992). Dans un profil statistique

Pédophilie Atteinte sexuelle comportant des contacts sexuels entre un adulte et un enfant sans lien de parenté.

Inceste Atteinte sexuelle comportant des contacts sexuels entre deux personnes ayant un lien de parenté.

TABLEAU 11.1 Le droit en matière d'âge de consentement aux activités sexuelles au Canada

ÂGE	CONSENTEMENT	EXCEPTIONS
Moins de 12 ans	Non	Non
12 à 13 ans	Non	Peut consentir à une activité sexuelle avec une autre personne du même âge ou de moins de 2 ans plus âgée : • 12 ans : 12 à 14 ans • 13 ans : 13 à 15 ans
14 à 15 ans	Non	Peut consentir à une activité sexuelle avec une autre personne du même âge, de moins de 5 ans plus âgée, ou moins de deux ans plus jeune : • 14 ans : 12 à 19 ans • 15 ans : 13 à 20 ans • Et jamais avec quelqu'un d'autorité
16 à 17 ans	Oui	Ne peut pas consentir à la prostitution, à la pornographie (exploitation sexuelle), ni à une activité sexuelle avec une personne d'autorité.

Source : Association des juristes d'expression française de l'Ontario (AJEFO), 2016. Les données sont tirées de : www.cliquezjustice.ca/information-juridique/exceptions-a-l-age-de-consentement (Page consultée le 2 février 2017).

Le repassage des seins pour prémunir les fillettes contre les agressions sexuelles

Dans certaines régions d'Afrique occidentale et centrale, les femmes tentent de protéger les fillettes de leur famille contre les agressions sexuelles au moyen du *repassage* des seins. Lorsque la poitrine des filles commence à se développer, des femmes plus âgées, habituellement leurs mères, massent et compressent les seins naissants avec des objets durs et chauffés. Cette pratique cause le rétrécissement des tissus et entraîne l'aplatissement et l'affaissement des seins, des changements qui, espèrent les mères, masquent le développement sexuel des filles. Le *repassage* des seins est très douloureux et cause fréquemment des cloques, des abcès et des infections. Plusieurs filles qui l'ont subi ont aussi des difficultés à allaiter après avoir donné naissance à un enfant. Dans les régions où prévaut cette pratique traditionnelle, environ une adolescente sur quatre et quelque quatre millions de femmes, selon les estimations, ont vu leur poitrine modifiée de la sorte (Sa'ah, 2006).

sur la violence familiale au Canada, Statistique Canada indique que la proportion de voies de fait commises par l'un des deux parents diminue à mesure que vieillissent les enfants, alors que celle des agressions commises par un frère ou une sœur augmente (Sinha, 2012). Les agressions sexuelles perpétrées sous la contrainte par un frère, une sœur ou un parent ont souvent des conséquences dévastatrices pour l'enfant qui en est victime.

La relation incestueuse entre un père (ou un beau-père) et sa fille débute souvent sans que l'enfant en saisisse la signification. Au départ, il peut s'agir d'un jeu comprenant de la lutte, des chatouillements, des baisers et des touchers. Avec le temps, les activités iront plus loin et comprendront des attouchements des seins et des organes génitaux, parfois suivis de stimulations avec la bouche ou les mains et du coït. Dans la plupart des cas, pour arriver à ses fins, le père se sert de sa position d'autorité ou de l'intimité affective qu'il a avec l'enfant plutôt que de recourir à la force physique. Il peut inciter sa fille à avoir des activités sexuelles avec lui en l'assurant qu'il lui *enseigne* quelque chose d'important, en lui promettant des récompenses ou en tablant sur son besoin d'amour. Lorsque l'enfant se rend compte plus tard que ce comportement est inacceptable ou que les demandes de son père deviennent pénibles et traumatisantes, il peut être difficile pour elle d'y échapper. Occasionnellement, une fille peut apprécier la relation pour la reconnaissance particulière ou les privilèges qu'elle lui procure. La relation incestueuse peut être dévoilée lorsque la fille ressent de la colère envers son père, souvent pour des motifs non sexuels, et qu'elle décide de tout raconter. Parfois, la mère découvre avec horreur la relation entre son mari et sa fille. Dans d'autres familles, la mère est au courant de l'inceste, mais le tolère pour des raisons personnelles, que ce soit la honte, la peur de représailles, la crainte de briser les liens familiaux, ou le fait que cette relation lui évite d'avoir à répondre aux demandes sexuelles de son mari.

L'agression sexuelle père-fille est plus susceptible d'être dénoncée aux autorités que les autres variantes de l'inceste.

Souvent, par contre, l'enfant ne voudra pas dévoiler la relation incestueuse par crainte des conséquences pour sa famille : emprisonnement du père, difficultés économiques pour la mère, placement possible de la victime en famille d'accueil, etc. La séparation et le divorce peuvent aussi s'ensuivre. Parfois, la victime sera tenue responsable de tout cela, d'où la forte pression qui s'exerce pour qu'elle garde le silence. Pour toutes ces raisons, l'enfant peut se montrer très réticente à en parler à quelqu'un de sa famille ou à un autre adulte, comme un enseignant ou une voisine.

Les auteurs d'agressions sexuelles sur des enfants

Les pédophiles qui ont été reconnus comme tels n'ont pas un profil particulier, outre le fait que la plupart sont des hommes hétérosexuels généralement connus des victimes (Murray, 2000 ; Salter et coll., 2003). Les agresseurs sexuels d'enfants se retrouvent dans toutes les catégories de la société, c'est-à-dire parmi toutes les classes sociales, tous les niveaux de scolarité et d'intelligence, tous les types d'emplois, d'appartenance religieuse et ethnique. Selon les données disponibles, notamment celles qui sont tirées des procès, l'agresseur serait une personne timide, solitaire, peu informée en matière de sexualité, ou fanatique au plan moral ou religieux (Bauman et coll., 1984 ; Hall et Hall, 2007). Certains pédophiles auraient peu de relations interpersonnelles et sexuelles avec d'autres adultes et se sentiraient socialement inadéquats ou inférieurs (Dreznick, 2003 ; Minor et Dwyer, 1997). Il n'est pas rare pour autant de rencontrer dans la vie courante des pédophiles qui sont bien éduqués, socialement intégrés, courtois et qui ont réussi financièrement (Baur, 1995). Ceux-ci vont souvent trouver leurs victimes chez des amis de la famille, des voisins ou des connaissances (Murray, 2000). Le fait d'avoir une relation sexuelle avec ces enfants peut être une façon de compenser les forts sentiments d'inaptitude qui caractérisent leurs relations sexuelles avec d'autres adultes.

Parmi les autres caractéristiques présentes chez certains pédophiles, mentionnons l'alcoolisme, de graves problèmes conjugaux, des difficultés sexuelles et une immaturité émotionnelle et divers troubles de santé mentale (Boeckle et coll., 2014 ; Mendez et Shapira, 2011). La majorité des agresseurs sexuels adultes ont commis leur premier délit alors qu'ils étaient adolescents (McKibben et Jacob, 1993). Plusieurs d'entre eux ont été victimes d'agressions sexuelles pendant leur enfance (Bouvier, 2003 ; Seto et Lalumière, 2010). Selon des études récentes, des influences génétiques pourraient contribuer à façonner l'intérêt sexuel de certains hommes adultes à l'égard des enfants et des adolescents (Alanko et coll., 2013). Ce point de vue s'appuie sur des données montrant que chez les agresseurs potentiels, l'intérêt sexuel envers des enfants se met en place précocement et qu'il est stable au cours de la vie (Alanko et coll., 2013).

Comme les pédophiles, les individus qui commettent l'inceste sont surtout des hommes qu'on peut difficilement caractériser ou catégoriser par un profil type. Ils forment plutôt un groupe complexe et hétérogène qu'on ne peut distinguer des autres au premier coup d'œil (Scheela et Stern, 1994). Cependant, l'homme incestueux a tendance à partager certaines caractéristiques avec de nombreux pédophiles. Par exemple, il est souvent économiquement défavorisé et sans emploi ; il boit beaucoup et il est très religieux et immature émotionnellement (Rosenberg, 1988 ; Valliant et coll., 2000). Son comportement incestueux peut être dû à une tendance générale à la pédophilie, à de profonds sentiments d'inadéquation dans ses relations avec les adultes ou au rejet d'une épouse hostile ; ses actes peuvent aussi être liés à l'alcoolisme ou à un trouble psychologique (Rosenberg, 1988). Il a aussi tendance à entretenir certaines distorsions cognitives au sujet des relations sexuelles entre un adulte et un enfant. Par exemple, il peut penser qu'un enfant qui ne lui offre pas de résistance désire le contact sexuel, que les relations sexuelles entre un adulte et un enfant sont une bonne méthode d'apprentissage du sexe, que la qualité de la relation entre un père et sa fille est meilleure s'il y a des contacts sexuels ou que les enfants ne dénoncent pas ce genre de contacts parce qu'ils les apprécient (Abel et coll., 1984).

La situation au Canada

Les données sur le nombre d'agressions sexuelles sur des enfants sont peu nombreuses. Ce manque d'information sur la situation au Canada est dû à plusieurs facteurs, notamment au fait que plusieurs cas d'agressions sexuelles envers les enfants et les jeunes ne sont pas signalés à la police. De plus, une plus grande proportion de victimes de sexe masculin tardent à signaler l'infraction à la police, comparativement aux filles (Statistique Canada, 2014b). Mais le principal facteur réside dans le fait que les jeunes de moins de 15 ans ne sont pas interviewés dans le cadre des enquêtes sur la victimisation (Statistique Canada, 2014c).

Les dernières données disponibles indiquent qu'en 2013, la police a enregistré 3610 agressions sexuelles et signalé que le taux d'infractions sexuelles commises contre les enfants de moins de 17 ans et les jeunes était cinq fois plus élevé que chez les adultes (Statistique Canada, 2014b). Toujours selon Statistique Canada, en 2013 (Statistique Canada, 2014b), les filles étaient quatre fois plus susceptibles que les garçons d'être victimes d'une infraction sexuelle commise par un membre de la famille. L'agence du gouvernement canadien note également que c'est généralement vers l'âge de 14 ans que le taux d'agressions sexuelles est le plus élevé chez les filles, puis il diminue à mesure que l'âge augmente. Par contre, chez les garçons, le taux est relativement constant chez les victimes âgées de 5 à 15 ans, avant de diminuer après l'âge de 16 ans. Comme pour les infractions sexuelles commises contre les adultes, les données révèlent que les taux d'agression sexuelle envers les enfants et les jeunes sont plus élevés dans le Nunavut, le Yukon et les Territoires du Nord-Ouest (Statistique Canada, 2014b).

La majorité (72 %) des infractions sexuelles commises contre de jeunes victimes de moins de 18 ans en 2012 étaient des agressions sexuelles de niveau 1 (c'est-à-dire des agressions non armées qui entraînent des blessures ne nécessitant pas une intervention médicale). En outre, ces agressions sont perpétrées par une personne connue de la victime dans 88 % des cas rapportés (dont 38 % sont le fait d'un membre de la famille) (Statistique Canada, 2014d, 2014e). Les autres crimes sexuels perpétrés contre des enfants et des jeunes incluent les contacts sexuels, l'incitation à des contacts sexuels et l'exploitation sexuelle. À ces crimes s'ajoutent maintenant les infractions telles que l'usage d'un ordinateur pour leurrer un enfant ou pour s'entendre avec lui dans le but de commettre un acte sexuel ou une infraction de nature sexuelle. Le fait d'utiliser un ordinateur pour rendre accessible à un enfant du matériel sexuellement explicite en vue de faciliter la perpétration d'une infraction sexuelle à son égard constitue également une infraction. Il existe très peu de données sur la relation entre l'auteur de ces crimes avec la victime, mais on a constaté une augmentation de ces infractions en 2013 (Cotter et Beaupré, 2014).

Selon les données concernant les incidents rapportés par la police, le tiers des crimes sexuels envers les enfants et les jeunes sont commis par un autre jeune. Ainsi, 25 % des victimes âgées de 0 à 3 ans et 46 % des victimes âgées de 4 à 6 ans ont été agressées par des jeunes de 12 à 15 ans (Statistique Canada, 2014b). Et le plus souvent, l'agresseur était un jeune membre de la famille : un frère ou une sœur, un cousin ou une cousine ou un autre membre de la famille élargie.

Statistique Canada (2014d) constate par ailleurs une diminution de 12 % des agressions sexuelles envers des enfants entre 2009 et 2013. Cependant, cette observation ne fait pas l'unanimité: «Certains prétendent que cela reflète une réelle diminution des taux de victimes d'agressions sexuelles, attribuable à la prévention étendue, à la détection et aux poursuites judiciaires. D'autres craignent que les enfants et les parents non agresseurs soient de plus en plus hésitants à signaler la violence» (Collin-Vézina et coll., 2010 dans Trocmé 2012, p. 4).

Le souvenir retrouvé d'agressions sexuelles survenues durant l'enfance

> Est-ce possible de sentir qu'on a été victime d'inceste sans toutefois avoir le souvenir des actes incestueux? Dans ma vie, je me sens sexuellement abusée, sans savoir pourquoi, car je n'ai pas de souvenirs précis. Ma mère pense que mon père a abusé de moi. Elle dit que mon père en arrivant du travail se mettait nu, qu'il m'amenait dans sa chambre et que je pleurais. J'avais moins de 5 ans. Un autre membre de ma famille m'a confirmé s'être présenté à la maison et avoir vu que mon père et moi étions nus quand il avait ouvert la porte. (Site Élysa)

Cette question posée sur un site Web en soulève plusieurs autres sur la remémoration d'agressions sexuelles oubliées. Les médias ont fait état de nombreux cas de présumés agresseurs sexuels qui ont été poursuivis, puis condamnés sur la base de témoignages de femmes et d'hommes adultes qui avaient *retrouvé* le souvenir des agressions sexuelles dont ils avaient été victimes dans leur enfance. Cette remémoration se produit généralement pendant une psychothérapie. Mais une personne peut-elle ainsi refouler les souvenirs d'agressions sexuelles qu'elle a vécues des années, voire des dizaines d'années auparavant, puis, soudainement ou graduellement, les *retrouver* sous l'effet de certains stimuli déclencheurs? Ou le souvenir d'un événement qui ne se serait jamais produit dans l'enfance peut-il s'insinuer chez un adulte, puis prendre forme comme s'il avait vraiment existé? Ces questions sont au cœur du débat entre cliniciens, chercheurs et avocats.

Les sceptiques des *souvenirs retrouvés* font valoir que des milliers de familles et de personnes ont été anéanties par cette tendance répandue à considérer ces souvenirs comme des vérités en l'absence de preuves valables. Ils citent, à l'appui de leurs réticences, les cas de personnes qui ont été faussement accusées et condamnées, puis exonérées soit par le système judiciaire, soit par la

rétractation de la prétendue victime (Colangelo, 2007; Frazier, 2006; Gardner, 2006).

La possibilité d'être faussement accusé d'agression sexuelle est cauchemardesque. Mais arrive-t-il si souvent que de telles accusations se révèlent fausses? Autrement dit, quelle est la probabilité que ces souvenirs retrouvés soient purement imaginaires? Pour se faire une meilleure idée de la question, considérons quelques données.

De nombreuses études confirment le bien-fondé des souvenirs retrouvés. Dans le cadre d'une recherche, on a identifié 129 femmes adultes qui avaient subi une agression sexuelle dans les années 1970 et on les a interrogées au cours des années 1990. Parmi elles, 38 % ne se rappelaient pas les mauvais traitements qui avaient été signalés et documentés 17 ans auparavant. L'auteur de la recherche en conclut que si l'absence de souvenir d'une agression sexuelle est quelque chose de fréquent chez les femmes adultes, alors la remémoration subséquente de l'agression sexuelle chez certaines femmes ne doit pas étonner (Williams, 1994). Dans une autre étude, on a interrogé 45 femmes adultes qui avaient été victimes d'agressions sexuelles durant l'enfance; 56 % d'entre elles ont affirmé n'en avoir eu aucun souvenir pendant des périodes de temps variables, et 16 % ont mentionné que le souvenir de ces agressions s'était manifesté pendant qu'elles étaient en psychothérapie (Rodriguez et coll., 1997). Selon une enquête menée auprès de centaines d'étudiants universitaires, 20 % des 111 personnes qui ont subi une agression sexuelle durant leur enfance ont déclaré en avoir retrouvé le souvenir (Melchert et Parker, 1997). Enfin, une revue de la littérature sur les souvenirs retrouvés rapporte avoir dénombré 30 études d'adultes victimes d'agressions sexuelles durant l'enfance. Entre 19 et 59 % des participants à ces études avaient d'abord oublié puis s'étaient souvenus plus tard de certaines ou de toutes les agressions (Stoler et coll., 2001).

D'un autre côté, plusieurs chercheurs ont exprimé leur scepticisme à l'égard de ces souvenirs retrouvés. Certains ont prétendu que les *souvenirs refoulés* avaient été involontairement inculqués à des clients réceptifs par des psychothérapeutes trop zélés, ou insuffisamment formés, qui croient que la plupart des problèmes psychologiques des gens proviennent d'agressions sexuelles survenues durant l'enfance (Colangelo, 2007; Gardner, 2006; Gross, 2004). De nombreuses études ont démontré la facilité relative avec laquelle des souvenirs d'événements qui ne se sont jamais produits peuvent être créés dans des laboratoires de recherche (Brainerd et Reyna, 1998; Loftus et coll., 1994; Porter et coll., 1999). Au cours d'une étude de 11 semaines, par exemple, de jeunes enfants ont été interrogés à intervalles d'une semaine pour savoir s'ils avaient vécu cinq événements distincts. Quatre des événements étaient réels et un

– avoir reçu des soins à l'hôpital pour une blessure à un doigt – était fictif. Les enfants ont reconnu correctement les événements réels. Mais plus d'un tiers d'entre eux en sont venus à croire qu'un de leurs doigts avait été réellement blessé. Certains se sont même souvenus de détails précis à propos de leur blessure. Plusieurs ont continué de soutenir que leur faux souvenir était vrai même après qu'on leur eut dit qu'il n'en était rien (Ceci et coll., 1994).

Alors, où en sommes-nous maintenant au sujet de cette controverse? L'Association américaine de psychologie, l'Association américaine de psychiatrie et l'Association médicale américaine ont toutes défendu l'idée que des souvenirs peuvent être réactivés plus tard dans la vie. Mais ces organisations professionnelles reconnaissent aussi qu'un souvenir peut être suggéré et considéré comme vrai par la suite. Des données de recherche indiquent que les souvenirs retrouvés peuvent être tantôt fictifs, tantôt authentiques (Geraerts et coll., 2009).

Au cours des dernières années, le débat autour des souvenirs retrouvés s'est atténué, et les professionnels de la santé se sont mis en quête d'un terrain d'entente et de moyens de collaborer au lieu de s'opposer dans de vaines discussions (Colangelo, 2007). On admet maintenant que le cerveau traite souvent les souvenirs traumatisants différemment des souvenirs d'événements ordinaires et qu'il est possible de retrouver des souvenirs sans que ceux-ci soient entièrement exacts (Colangelo, 2007). Toutefois, il est important de ne pas perdre de vue que, malgré l'attention que les médias accordent aux personnes qui se disent faussement accusées, le débat sur les souvenirs retrouvés ne doit pas nous ramener au temps où les victimes d'agressions sexuelles ne dévoilaient pas leur expérience traumatisante de peur de ne pas être crues. De la même façon, nous avons la responsabilité de protéger les personnes faussement accusées.

Les pédophiles sur Internet

Avant l'avènement d'Internet, les pédophiles se trouvaient la plupart du temps isolés les uns des autres. Maintenant, avec l'existence de plusieurs groupes de soutien en ligne, les pédophiles ont saisi l'occasion d'échanger entre eux de la pornographie juvénile, de raconter les agressions qu'ils ont commises sur des enfants, d'en discuter et de les faire approuver, renforçant par la même occasion l'idée fausse qu'il est légitime d'avoir des activités sexuelles entre adultes et enfants (Lambert et O'Halloran, 2008; Malesky et Ennis, 2004). Selon les données du ministère de la Sécurité publique du Québec (MSP, 2015), les cas d'infractions de leurre d'un enfant par Internet connaissent une forte augmentation, puisqu'on a signalé 248 cas en 2013, comparativement à 155 l'année précédente.

Internet a aussi facilité la vie des pédophiles dans leur recherche de victimes potentielles: profitant de l'anonymat et écumant librement le cyberespace, ils recourent à toutes sortes de subterfuges pour leurrer des jeunes peu méfiants (Philaretou, 2005). Les pédophiles peuvent explorer les différents sites d'affichage et fréquenter les sites de clavardage pour enfants et adolescents en se faisant passer pour un des leurs, ce qui constitue une infraction au Code criminel canadien. Ces sites constituent des lieux privilégiés pour les adultes à la recherche d'enfants crédules qui ont besoin d'attention ou qui ont souvent des idées confuses sur la sexualité.

Bien que la plupart des pédophiles actifs dans le cyberespace soient des hommes, une étude a indiqué que près du tiers des pédophiles en ligne sont des femmes (Lambert et O'Halloran, 2008). Comme le font les prédateurs masculins dans le cyberespace, les femmes utilisent Internet pour exprimer un intérêt sexuel envers les enfants et affichent des caractéristiques similaires à celles des hommes qui recourent au même procédé (Lambert et O'Halloran, 2008).

L'approche typique du pédophile est de commencer par gagner la confiance de l'enfant en se montrant vraiment empathique et en lui témoignant de l'intérêt pour ses problèmes et ses préoccupations. Il peut ensuite essayer de convenir avec lui d'échanger des courriels, des lettres ou des appels téléphoniques. Vient alors la sexualisation des communications (cybersexe, pornographie) pour accoutumer l'enfant à ces dimensions de l'agression. L'étape finale consiste à planifier une rencontre en personne. Plusieurs crimes sexuels au moyen d'Internet n'impliquent pas le recours à la force et se rapprochent plus de l'infraction sexuelle à l'égard d'un mineur. Les adultes contrevenants utilisent alors Internet pour faire la connaissance de jeunes adolescents, les rencontrer, créer une relation avec eux et les séduire ouvertement (Wolak et coll., 2008).

Pour plusieurs, ces histoires peuvent évoquer des images d'hommes à la bave qui coule, aux cheveux hirsutes, vêtus d'un imperméable et rivés à leur écran d'ordinateur au lieu de se tenir aux alentours des terrains de jeux d'écoles. Cependant, un tel stéréotype ne correspond pas à tous les pédophiles qui écument le cyberespace. Plusieurs délinquants proviennent de la classe moyenne supérieure et de diverses professions, et misent sur l'anonymat apparent d'Internet pour explorer leurs fantasmes pédophiles et parfois, malheureusement, passer à l'acte (Curry, 2000).

Les conséquences pour les victimes

De nombreuses recherches donnent à penser que les agressions sexuelles que subissent les enfants peuvent être des expériences très traumatisantes et perturbatrices émotionnellement et laisser d'importantes séquelles à long terme chez plusieurs victimes (Berthelot et coll., 2014 ; Clark et coll., 2014). Dans les rencontres cliniques, les adultes qui ont été agressés sexuellement durant leur enfance ont gardé de celle-ci le souvenir d'une période remplie de détresse et de confusion (Asnes et Leventhal, 2013). Les victimes d'agression sexuelle parlent de perte de leur innocence d'enfant, de contamination et d'interruption de leur développement sexuel normal, et expriment un fort sentiment de trahison de la part d'un parent, d'un ami de la famille, d'un prêtre ou d'un membre du clergé, ou d'un leader de la communauté.

Plusieurs facteurs influent sur la gravité des séquelles de l'agression sexuelle chez la victime. Plus cette situation a duré longtemps, moins elle aura de chances de surmonter le traumatisme lié à l'agression (Brown et coll., 2008 ; McLean et Gallop, 2003). Les sentiments d'impuissance et de trahison peuvent être particulièrement profonds s'il y a eu usage de force et si la victime avait un lien étroit avec son agresseur. Ces deux derniers facteurs jouent probablement un rôle très important dans la gravité des séquelles (Brown et coll., 2008 ; Hanson et coll., 2001). D'autres facteurs connus pour influer sur l'ampleur des conséquences sont l'âge de la victime et de l'agresseur au début de l'agression, le sentiment de responsabilité de la victime et le nombre d'agresseurs (Brown et coll., 2008 ; Schonbucher et coll., 2014). Le jeune âge de l'enfant, l'importance de l'écart d'âge entre la victime et son agresseur, celle du sentiment de responsabilité de la victime et le nombre d'agresseurs sont tous des variables qui contribuent à augmenter la gravité des séquelles de l'enfant agressé (Volpe et coll., 2013).

Certaines personnes agressées sexuellement durant l'enfance ont de la difficulté à nouer des relations intimes à l'âge adulte (Fairweather et Kinder, 2013 ; Vandeusen et Carr, 2003). Lorsque des relations s'établissent, elles sont plus pauvres sur le plan affectif et moins épanouissantes sur le plan sexuel (Feiring et coll., 2009 ; Kristensen et Lau, 2011 ; Zollmen et coll., 2013). Chez les hommes et les femmes, les difficultés sexuelles à l'âge adulte sont fortement liées à l'agression sexuelle subie durant l'enfance (Bird et coll., 2014 ; Zwickl et Merriman, 2011). Parmi les autres symptômes souvent observés chez les victimes d'agressions sexuelles survenues durant l'enfance, on note une faible estime et une image négative de soi, la culpabilité, la honte, la dépression et peu d'espoir d'être un jour heureuses, un manque de confiance envers les autres, une répugnance à être touchées, l'abus d'alcool et de drogues, l'obésité, de fortes tendances suicidaires, une prédisposition générale à la victimisation, des problèmes de santé persistants, tels que des douleurs pelviennes chroniques et des troubles gastro-intestinaux (Devries et coll., 2014 ; Jakubczyk et coll., 2014 ; Richter et coll., 2014).

Le trouble de stress post-traumatique (TSPT), fréquemment observé chez les femmes qui se sont fait agresser sexuellement, prévaut aussi chez plusieurs femmes qui ont été agressées sexuellement pendant leur enfance (Ehring et coll., 2014 ; Zollman et coll., 2013). Environ la moitié des victimes d'agressions sexuelles satisfont les critères du TSPT (Frazier et coll., 2009). Les symptômes de TSPT chez les enfants se caractérisent par des cauchemars, une certaine apathie psychique (diminution de réactivité au monde extérieur), une perte d'intérêt envers des activités qui les intéressaient auparavant, des comportements d'évitement des pensées, des sentiments et des activités qui ravivent les souvenirs de l'agression, une peur d'être abandonnés par ceux qui en ont la garde, une rêverie excessive, des oublis et des troubles de mémoire (Frazier et coll., 2009 ; Putman, 2009). Enfin, les études montrent que les adultes qui ont été victimes d'agressions sexuelles pendant l'enfance présentent plus de comportements parentaux préjudiciables, tels qu'une discipline incohérente ou plus sévère et une surveillance inadéquate de leurs enfants (Martsolf et Draucker, 2008).

De nouvelles approches thérapeutiques ont été élaborées pour aider les victimes d'agressions sexuelles survenues durant l'enfance à surmonter les difficultés liées à cette expérience (Putnam, 2003 ; McPherson et coll., 2012). Ces approches sont basées sur des thérapies individuelles, de groupe ou de couple. (*Les personnes qui aimeraient avoir plus d'informations sur l'aide professionnelle disponible peuvent se reporter au chapitre 9.*)

Il existe également des ressources publiques destinées à offrir un soutien aux victimes. Au Québec, il est possible de s'adresser à des centres d'écoute et de référence comme Tel-jeunes et les Centres d'aide et de lutte contre les agressions à caractère sexuel (CALACS), déjà mentionnés plus haut. Mais surtout, il existe une institution publique vouée à contrer les mauvais traitements envers les enfants et à leur procurer tout le soutien nécessaire : la Direction de la protection de la jeunesse (DPJ). Chaque province canadienne a également mis en place des services de protection de l'enfance.

La prévention des agressions sexuelles envers les enfants

La plupart des délits sexuels contre des enfants sont perpétrés par une connaissance de la victime. Certains professionnels de la santé croient donc qu'on pourrait protéger beaucoup d'enfants si on leur apprenait qu'ils ont le droit de dire *non*, si on leur montrait la différence entre les *bons* touchers et les *mauvais*, et si on leur enseignait comment repousser un adulte qui tente de les forcer à avoir des contacts intimes.

Comme nous l'avons mentionné au chapitre 6, les parents ont tendance à éviter de parler de sexualité avec leurs enfants. Aussi, il serait illusoire de croire que le seul dialogue parents-enfants sera suffisant pour prévenir les agressions sexuelles contre ces derniers, d'autant plus que certains agresseurs sont précisément les parents de ces enfants. La liste qui suit, construite à partir de différentes sources, présente à cet effet des suggestions qui peuvent être utiles aux parents, aux éducateurs et aux autres personnes qui s'occupent des enfants.

1. Il est important de discuter des stratégies de prévention d'agression sexuelle avec de jeunes enfants puisque les victimes ont souvent moins de 7 ans. On ne doit pas négliger la prévention auprès des garçons, car eux aussi peuvent être des victimes.

2. Évitez de présenter les agressions sexuelles de façon trop effrayante. Il est important que les enfants soient conscients du fait qu'ils pourraient être la cible d'un agresseur sexuel adulte. Cependant, ils doivent aussi avoir suffisamment confiance en leur capacité à éviter ce genre de situation.

3. Prenez le temps de bien expliquer aux enfants la différence entre les bons touchers qui sont plaisants (tapes amicales, étreintes, câlins) et les mauvais touchers qui les rendent mal à l'aise et confus. Les mauvais touchers peuvent être illustrés par des exemples comme se faire toucher sous les vêtements ou les sous-vêtements, ou sous le maillot de bain. Assurez-vous que les enfants comprennent qu'ils n'ont jamais à toucher les parties génitales d'un adulte, même si celui-ci leur dit que c'est correct. C'est aussi une bonne idée de mettre en garde les enfants contre les mauvais baisers (contact prolongé des lèvres ou introduction de la langue dans la bouche).

4. Enseignez aux enfants qu'ils ont des droits : le droit de disposer de leur corps et le droit de dire non lorsque quelqu'un les touche et que cela les rend mal à l'aise.

5. Encouragez les enfants à avertir tout de suite quelqu'un s'ils sont touchés d'une façon qui les rend mal à l'aise ou si un adulte leur demande de faire quelque chose qui les met mal à l'aise. Insistez sur le fait que vous ne serez pas fâché contre eux s'ils vous en parlent ; dites-leur que c'est correct d'agir ainsi même si l'agresseur leur dit que cela leur causera des problèmes. Faites-leur bien comprendre que ce genre de situation n'est pas de leur faute et qu'ils n'ont pas à être blâmés pour cela. Avertissez-les que certains adultes ne les croiront pas. Dites-leur de continuer à en parler jusqu'à ce qu'ils trouvent une personne qui les croira.

6. Parlez avec eux des stratagèmes que les adultes peuvent utiliser pour amener des enfants à participer à des activités sexuelles. Par exemple, dites-leur de se fier à leur impression lorsqu'ils sentent que quelque chose cloche, même si un adulte qui est un ami ou un parent leur affirme que c'est correct et qu'il veut leur *montrer* quelque chose d'utile. Étant donné que beaucoup d'adultes leur diront que c'est *leur secret à eux*, il serait tout à fait pertinent de leur expliquer la différence entre un secret (quelque chose que personne ne doit jamais dire : une mauvaise idée) et une surprise (une bonne idée parce que c'est quelque chose qui rendra une personne heureuse lorsqu'on le lui dira).

7. Discutez de la façon de se sortir d'une situation qui les rend mal à l'aise ou qui est dangereuse. Il est bon que les enfants sachent que c'est correct de crier au secours, de hurler, de se sauver ou de chercher de l'aide auprès d'un ami ou d'un adulte de confiance.

8. Encouragez les enfants à dire à quelqu'un qui les touche qu'ils iront le raconter à un adulte en particulier. Les entrevues menées auprès d'agresseurs sexuels d'enfants révèlent que plusieurs d'entre eux auraient renoncé à commettre le mauvais traitement si l'enfant leur avait dit qu'il irait en parler à un adulte en particulier.

9. Enfin, et c'est peut-être la chose la plus importante à leur transmettre, surtout de la part des parents, dites aux enfants que les attouchements intimes peuvent être très agréables et qu'ils pourront les apprécier avec une personne qu'ils aiment lorsqu'ils seront plus vieux. Ce message doit aussi faire partie de la prévention. Autrement, l'enfant risque de développer une vision négative de tous les contacts sexuels entre des personnes, quel que soit le contexte de la relation.

Un dernier point. Dans les méthodes de prévention, il est important d'inciter les enfants à signaler des mauvais traitements réels dont ils pourraient être victimes. Toutefois, des précautions s'imposent en raison du caractère influençable des enfants en présence d'adultes. La tristement célèbre affaire d'Outreau, en France, dans laquelle plusieurs enfants ont inventé de toutes pièces des sévices qu'ils auraient subis, en grande partie sous l'influence d'adultes bien intentionnés mais maladroits, nous incite à la prudence. Dans cette affaire judiciaire, plusieurs erreurs ont été commises au nom du respect absolu de la parole d'enfants prétendument *victimes* d'un réseau de pédophiles d'une cinquantaine de personnes. Malgré des incohérences et des invraisemblances dans les témoignages, des intervenants spécialisés ont continué à monter un lourd dossier sur les accusés. Or, la réalité était tout autre : aucune des supposées agressions n'avait été commise par les *notables* accusés, et la vérité a fini par éclater. L'affaire a été classée comme étant sans fondement. Entre-temps, un des accusés s'était suicidé, incapable de supporter la pression sociale qui s'exerçait sur lui (Iacub et Mainiglier, 2005).

Lorsque les enfants racontent l'agression

La recherche révèle que les enfants qui ont été agressés sexuellement attendent un certain temps avant de le dire à un parent ou à un autre adulte, ou ne le disent à personne (Easton et coll., 2014 ; Leander et coll., 2007). Une étude suédoise montre que les enfants sexuellement agressés sont nettement plus portés à révéler l'agression à un ami de leur âge qu'à un adulte (Priebe et Svedin, 2008). Les garçons victimes d'agressions sexuelles sont moins susceptibles que les filles de dévoiler l'agression, pour des raisons similaires à celles des hommes adultes sexuellement agressés (la honte, la peur des réactions négatives, etc.) (Sorsoli et coll., 2008). C'est un fait que de nombreux enfants ne dévoilent pas l'agression qu'ils ont subie avant d'être devenus adultes, s'ils le font (Berliner et Conte, 1995 ; Goodman-Brown et coll., 2003). La peur d'être puni ou abandonné, les sentiments de complicité, de culpabilité et de honte se conjuguent pour confiner l'enfant au silence et l'empêcher de révéler l'agression (Goodman-Brown et coll., 2003).

Comme nous l'avons dit plus tôt, les enfants souffrent de plusieurs façons d'une agression sexuelle. Leur crainte des conséquences potentielles s'ils révèlent ce qui leur est arrivé et donc leur hésitation à en parler ne fait qu'accentuer leur détresse. De plus, une réaction excessive des parents peut aggraver le traumatisme émotionnel de l'enfant qui a subi l'agression (Davies, 1995). Lorsqu'un enfant révèle ce qui lui est arrivé, ce n'est parfois que pour exprimer le malaise qu'il ressent par rapport à une situation qui lui échappe en grande partie. Si les parents réagissent par une agitation extrême, l'enfant aura l'impression de s'être prêté à une abomination dont il devrait se sentir extrêmement coupable. Cependant, même en l'absence d'une réaction outrée de la part d'un adulte, l'enfant agressé pourra se sentir coupable par contagion, parce qu'il aura perçu le sentiment de culpabilité de son agresseur.

Il importe également de souligner qu'aucun parent ne peut laisser se produire ou perdurer une situation d'agression contre un enfant. Une telle activité ne doit jamais être ignorée ! Il faut néanmoins réagir calmement aux révélations de l'enfant et veiller à ce qu'il ne se trouve plus jamais seul avec son agresseur. Dans plusieurs cas, l'enfant a été agressé à répétition par la même personne et peut avoir développé un sentiment d'obligation et de culpabilité à l'égard de son agresseur. Il est essentiel de prendre les moyens requis pour assurer sa protection et empêcher l'agresseur de s'en prendre à d'autres. En effet, il est rare qu'un agresseur sexuel se contente d'une seule victime. Au Québec, la DPJ s'occupe de ce genre de situations. Cet organisme est régi par une loi spéciale dont un article, l'article 39, oblige toute personne qui a un motif de croire qu'un enfant est victime de mauvais traitements, y compris d'agression sexuelle, à le signaler sans délai à la DPJ locale. Les règles encadrant le secret professionnel ne permettent pas d'échapper à cette obligation de sorte qu'un thérapeute se doit aussi de dénoncer une personne qui a commis une agression, même si celle-ci est en processus de thérapie. Toute information est traitée confidentiellement par la DPJ et il n'est pas nécessaire de connaître les noms des personnes en cause pour signaler un cas possible d'agression.

Pour connaître les ressources disponibles dans les autres provinces canadiennes, on peut consulter le site Web du Centre d'excellence pour le développement des jeunes enfants : www.excellence-earlychildhood.ca.

Une spécialiste des agressions sexuelles contre les enfants utilise des poupées pour expliquer aux enfants les sévices dont ils pourraient être la cible.

RÉSUMÉ

Les agressions sexuelles

- L'agression sexuelle est définie comme «un geste à caractère sexuel, avec ou sans contact physique, commis par un individu sans le consentement de la personne visée ou, dans certains cas, notamment celui des enfants, par une manipulation affective ou du chantage».

- Il est difficile d'obtenir des données statistiques sur le nombre réel d'agressions sexuelles.

- De nombreuses idées fausses sur l'agression sexuelle tendent à alourdir la responsabilité de la victime pour mieux excuser l'auteur du crime.

- Dans les sociétés où les agressions sexuelles sont répandues, ces crimes sont souvent le fruit de processus de socialisation qui glorifient la violence masculine, enseignent aux garçons à se montrer agressifs et rabaissent le rôle des femmes dans la vie économique et politique.

- La violence sexuelle diffusée dans les médias peut contribuer à désensibiliser les gens à l'égard des agressions sexuelles et même à accroître l'agressivité envers les femmes.

- Il n'existe pas de personnalité typique de l'agresseur sexuel, de grandes différences ayant été observées entre les agresseurs.

- Les agresseurs sexuels emprisonnés ont une grande tendance à la violence. Les hommes qui adoptent les rôles traditionnels liés à la virilité sont plus susceptibles de commettre une agression sexuelle que ceux qui ne les adoptent pas.

- L'attitude de certains agresseurs est fortement imprégnée de colère envers les femmes. Certains agresseurs ont des personnalités de type égocentrique ou narcissique, ce qui les rend souvent insensibles aux émotions exprimées par les personnes qu'ils agressent.

- Des individus sans scrupules utilisent les diverses drogues du viol pour multiplier leurs exploits sexuels ou soumettre à leur pouvoir les personnes avec lesquelles ils sortent.

- La majorité des agressions sexuelles sont commises par une connaissance de la victime.

- La coercition sexuelle s'exerce fréquemment lors de rendez-vous. Les femmes sont plus souvent contraintes physiquement à des activités sexuelles que les hommes.

- Les hommes qui ont été agressés sexuellement subissent souvent les mêmes séquelles à long terme que les femmes.

- L'agression sexuelle est utilisée comme stratégie de guerre. En plus de servir à humilier et à contrôler les femmes, les agressions sexuelles commises en temps de guerre ont aussi pour but de détruire la famille et la société.

- Les victimes d'agressions sexuelles souffrent généralement de graves difficultés émotionnelles et physiques. On appelle *trouble de stress post-traumatique* les troubles affectifs et physiques graves dont elles sont affligées.

- Le counseling individuel ou de groupe peut aider les victimes d'agression sexuelle à combattre le traumatisme qui en résulte.

Le harcèlement sexuel

- On qualifie de *harcèlement sexuel en milieu de travail* tout comportement sexuel indésirable qui suscite le malaise ou qui nuit au travail d'une personne.

- On distingue deux types de harcèlement sexuel. Le premier suppose un jeu de pouvoir. Lorsque la victime refuse de se soumettre à des avances sexuelles, cela nuit à son travail ou à son avancement. Dans le second, des propos ou des gestes à caractère sexuel de la part de supérieurs hiérarchiques ou de collègues transforment le milieu de travail en un environnement hostile.

- Le harcèlement sexuel peut avoir des conséquences d'ordre économique, affectif et physique pour la victime.

- Le harcèlement sexuel a aussi cours en milieu scolaire. La plupart du temps, ce sont des professeurs de sexe masculin qui harcèlent des étudiantes.

Les agressions sexuelles envers les enfants

- Une agression sexuelle envers un enfant implique un contact sexuel entre un adulte et un enfant. Lorsque l'adulte n'a pas de lien de parenté avec l'enfant, on parle de *pédophilie*; dans le cas contraire, on parle d'*inceste*.

- La majorité des agresseurs sexuels d'enfants sont des hommes. Ce sont pour la plupart des proches, des amis ou des voisins dont la jeune victime n'est pas portée à se méfier.

›

- Il n'y a pas de profil type du pédophile en dehors du fait que la plupart sont hétérosexuels et connus de la victime. Les hommes pédophiles qui sont poursuivis en justice sont généralement timides, solitaires, conservateurs et souvent imprégnés de valeurs morales ou religieuses. Ils ont souvent peu de relations avec d'autres adultes et ont tendance à se sentir inadéquats et inférieurs socialement.

- Une grande controverse entoure la possibilité qu'une personne puisse avoir refoulé ses souvenirs d'une agression sexuelle et se les remémorer subitement ou graduellement si elle est exposée à certains stimuli déclencheurs.

- L'utilisation de l'Internet par des pédophiles est commune. Comme il n'existe toujours pas de moyens techniques efficaces pour protéger les enfants contre ce fléau, les parents doivent faire preuve d'une très grande vigilance.

- En plus de perdre leur innocence, les enfants victimes d'agressions sexuelles éprouvent un profond sentiment de trahison et sont perturbés dans leur développement sexuel. À l'âge adulte, ils peuvent souffrir d'une faible estime de soi et avoir de la difficulté à construire des relations affectives et sexuelles satisfaisantes.

- Il existe de nombreux traitements pour les personnes qui ont été victimes d'agressions sexuelles durant leur enfance, allant de la thérapie individuelle à la thérapie de groupe ou de couple.

- Il est important d'expliquer aux enfants comment se protéger contre les agressions sexuelles. Ils doivent savoir faire la différence entre un bon toucher et un mauvais toucher, savoir comment faire face à une situation qui les rend mal à l'aise, et savoir qu'ils ont des droits et qu'ils peuvent dénoncer le mauvais traitement sans crainte d'être blâmés.

Les infections transmissibles sexuellement et par le sang

le SIDA :

AGISSONS
Maintenant

COMITE NATIONAL DE
LUTTE CONTRE LE SIDA

SOMMAIRE

> Dans ce chapitre, nous nous penchons sur les infections liées à l'activité sexuelle. Le tableau 12.1 à la page 328 et la figure 12.1 à la page 333 donnent un aperçu des infections transmissibles sexuellement et par le sang (ITSS) les plus courantes. Cette nouvelle appellation est préférable à *maladies transmissibles sexuellement* (MTS) ou, plus anciennement encore, à *maladies vénériennes*, car elle souligne qu'une personne peut être infectée par un virus ou une bactérie et être contagieuse, mais sans être malade, c'est-à-dire en ne présentant aucun symptôme de maladie. Certaines de ces infections se traitent et se guérissent, d'autres sont incurables. Comme nous le verrons, les conséquences des ITSS ne sont pas anodines : elles menacent la santé, causent de la douleur et des malaises, entraînent l'infertilité et sont la cause de stigmatisation et de discrimination. La plupart des ITSS nuisent à la qualité de vie, mais d'autres, comme l'infection au VIH/sida, peuvent entraîner la mort. Comme toutes ces infections touchent les différentes dimensions de la sexualité des porteurs et de leurs partenaires, c'est une question d'intelligence sexuelle qui revient en force ici (*voir le chapitre 1*).

Les infections liées à l'activité sexuelle

> La possibilité de contracter une infection transmise sexuellement m'a amené à devenir extrêmement attentif et sélectif dans mes choix de partenaires sexuels. Cela rend aussi très délicate toute décision relative à une relation sexuelle et m'a porté à être plus prudent. (Note des auteurs)

Le but de ce chapitre n'est pas de vous décourager de vivre votre sexualité. Il s'agit plutôt de vous éclairer sur les mesures à prendre pour pouvoir en jouir tout en préservant votre santé. La première chose à faire, à cet égard, est de vous dresser un portrait réaliste des risques d'infection liés à l'activité sexuelle. Comme la plupart le savent, c'est dans les groupes d'âge correspondant à ceux des étudiants du collégial et de l'université que se rencontre le plus grand nombre de cas d'**infections transmissibles sexuellement et par le sang (ITSS)**. L'Agence de la santé publique du Canada publie chaque année une mise à jour de l'évolution épidémiologique de nombreuses ITSS selon le sexe et le groupe d'âge. Il faut cependant noter, en consultant ces chiffres, que les ITSS ne sont pas toutes des **maladies à déclaration obligatoire (MADO)**. Par conséquent, les données ne tiennent pas compte de certaines infections. Un tableau complet fournirait une image à la fois plus juste et plus inquiétante.

De nombreux facteurs contribuent aux épidémies d'ITSS. Parmi eux, les comportements sexuels à risque, dont le fait d'avoir plusieurs partenaires sexuels et des rapports sexuels non protégés (sans condom), constituent l'une des principales raisons des nombreux cas d'ITSS. De tels comportements sont particulièrement fréquents chez les adolescents et les jeunes adultes, périodes au cours desquelles l'incidence des ITSS est très élevée. Souvent, la consommation d'alcool

Infections transmissibles sexuellement et par le sang (ITSS)   Infections pouvant se transmettre par des contacts sexuels et, pour certaines, par contact avec du sang contaminé.

Maladies à déclaration obligatoire (MADO)   Intoxications, infections ou maladies diagnostiquées par un médecin ou confirmées par un laboratoire qu'il est obligatoire de déclarer aux autorités de santé publique (Ministère de la Santé et des Services sociaux [MSSS], 2017).

favorise les comportements sexuels à risque, tels que les rapports sexuels sans condom ou avec un partenaire inconnu (Howells et Orcutt, 2014). Il appert également que l'utilisation accrue de contraceptifs oraux jouerait un rôle dans l'épidémie actuelle d'ITSS aux États-Unis, à la fois parce que la prise de ces contraceptifs augmente la vulnérabilité de la femme à certaines ITSS, et parce qu'elle fait en sorte que les partenaires utilisent moins le condom, un mode de contraception qui offre une protection éprouvée contre bon nombre d'infections. Par ailleurs, le manque de mesures adéquates en santé publique ainsi que l'accès limité à des solutions efficaces de prévention et de traitement des ITSS favorisent aussi l'épidémie persistante qui fait rage actuellement. De plus, nombreux sont les fournisseurs de soins de santé qui hésitent à poser des questions à leurs clients concernant leur vie sexuelle. Dans certains cas, ils ratent ainsi l'occasion de les conseiller au sujet des ITSS, ou de poser un diagnostic et de les traiter (Lanier et coll., 2014). Plusieurs études ont révélé que de nombreux étudiants de collèges et d'universités ne reçoivent pas suffisamment de renseignements au sujet des ITSS de la part des services de santé de leur établissement d'enseignement.

La transmission des ITSS est favorisée par le fait que, malheureusement, un bon nombre d'infections ne provoquent aucun symptôme évident. Dans certains cas, particulièrement chez la femme, il peut n'y avoir tout simplement aucun signe extérieur d'infection. Dans de telles circonstances, les personnes atteintes peuvent infecter d'autres personnes sans même le savoir. S'ajoute à cela le sentiment de culpabilité et de honte, fréquent chez les personnes atteintes d'une ITSS, qui peut faire en sorte qu'elles n'oseront pas avoir recours au traitement dont elles auraient besoin ni même informer leurs partenaires sexuels.

Pour de plus amples renseignements, vous pouvez communiquer avec un centre intégré de santé et de services sociaux (CISSS) ou une clinique de santé sexuelle. Le portail du ministère de la Santé et des Services sociaux (MSSS) fournit également plusieurs ressources à l'adresse suivante: www.msss.gouv.qc.ca/sujets/santepub.

Les conséquences de certaines ITSS sont graves et l'augmentation de leur incidence dans une population est une grande source d'inquiétude en matière de santé publique. Les infections sont soit d'origine bactérienne, soit d'origine virale. Quelques-unes sont le fait de parasites ou de champignons.

Les infections bactériennes

Plusieurs ITSS sont d'origine bactérienne. Celles-ci comprennent notamment la chlamydia (l'une des plus répandues et des plus graves), la gonorrhée, l'urétrite non gonococcique, le lymphogranulome vénérien et la syphilis infectieuse. La vaginite bactérienne, assez courante, est vue un peu plus loin.

La chlamydiose

La chlamydiose, parfois appelée *chlamydia*, est causée par la bactérie *Chlamydia trachomatis*. Il est maintenant bien établi que ce microorganisme pathogène est la cause de différents types d'infections génitales et d'une forme de cécité (perte de la vue) évitable. La chlamydiose est, de loin, la plus fréquente des ITSS à déclaration obligatoire au Canada (Agence de la santé publique du Canada, 2015a). La majorité des chlamydioses déclarées touchent les jeunes de 15 à 24 ans, et ces infections apparaissent plus fréquemment chez les femmes que chez les hommes (Société des obstétriciens et gynécologues du Canada [SOGC], 2017a). Entre 2003 et 2012, la fréquence de la chlamydiose a augmenté de 57,6 %, et les données indiquent que les femmes sont deux fois plus affectées que les hommes (Agence de la santé publique du Canada, 2015a). Ainsi, en 2014, au Québec, on a recensé 4059 cas chez les hommes de 15 à 24 ans ainsi que 10 565 cas chez les femmes de ce même groupe d'âge (Institut national de santé publique du Québec [INSPQ], 2016).

La chlamydiose est asymptomatique chez environ 90 % des femmes et 70 % des hommes (SOGC, 2017a), et quand ils se manifestent, les symptômes apparaissent plusieurs semaines après l'exposition initiale à l'agent infectieux. Chez la femme, la chlamydiose non traitée peut entraîner de graves problèmes de santé, notamment la maladie inflammatoire pelvienne (MIP), dont les principales manifestations sont les douleurs pelviennes chroniques, les grossesses ectopiques et l'infertilité; ces symptômes sont causés par la formation de tissu cicatriciel dans les organes internes (utérus, trompes) à la suite de l'infection à chlamydia. La femme enceinte infectée peut faire une fausse couche, donner naissance de façon prématurée ou avoir un bébé de petit poids (SOGC, 2017a). Chez les hommes, la chlamydiose peut causer une inflammation des testicules, de la prostate et du scrotum et rendre infertile, mais beaucoup plus rarement.

Les personnes qui ont une relation sexuelle avec une personne infectée dans les 60 jours précédant le diagnostic de chlamydiose doivent passer des tests et être traitées. Par ailleurs, une personne qui a pris des antibiotiques pour guérir une ITSS devrait passer un deuxième test de dépistage de suivi 6 mois après le traitement (SOGC, 2017a).

TABLEAU 12.1 Les modes de transmission, symptômes et traitements des ITSS les plus courantes

INFECTION	DÉCLARATION OBLIGATOIRE/ RECHERCHE DE CONTACTS	MODES DE TRANSMISSION	SIGNES ET SYMPTÔMES	DÉTECTION	TRAITEMENT
INFECTIONS BACTÉRIENNES					
Chlamydiose	• Déclaration obligatoire. • Il faut aviser les partenaires sexuels des derniers 2 à 3 mois, car ces personnes peuvent être infectées sans le savoir.	• Transmissible lors de relations sexuelles vaginale, anale, buccogénitale ou anale sans condom. • Peut infecter les yeux si on y porte les mains après avoir touché des organes génitaux infectés. • À la naissance du bébé, lors du passage dans le vagin d'une mère infectée.	• Chez la femme : miction fréquente et picotements des tissus génitaux ou sensation de brûlure en urinant, inflammation et douleur dans le bas-ventre, écoulement vaginal, saignements entre les menstruations ou après une relation sexuelle. Nausée, vomissements, maux de tête. • Chez l'homme : infection et picotements au niveau de l'urètre, sensation de brûlure et miction douloureuse, écoulement du pénis. Sensations de lourdeur et d'inflammation en dessous du testicule affecté, inflammation du scrotum. • À noter : la plupart des femmes et plus que la moitié des hommes ne présentent aucun symptôme. Les infections du rectum sont plus asymptomatiques. • Complications : chez la femme, salpingite (infection des trompes de Fallope) qui peut mener à la stérilité, ou à la grossesse ectopique. Chez l'homme, balanite (infection du pénis) qui peut s'étendre à la prostate et aux testicules. • Le bébé peut avoir une conjonctivite ou une pneumonie dans les semaines qui suivent sa naissance. Il y a également un risque de cécité.	Analyse d'un prélèvement au niveau du col de l'utérus, du rectum ou du liquide s'écoulant du pénis, ou par culture d'urine.	Doxycycline pendant 7 jours, ou une dose d'azithromycine.
Gonorrhée (gonococcie)	Déclaration obligatoire.	• Transmissible lors de relations sexuelles vaginale, buccogénitale ou anale, ou encore de la mère au bébé à la naissance. • Peut infecter les yeux et la gorge.	• Chez la femme : augmentation de l'écoulement vaginal, vert jaunâtre, sensation de brûlure lors de la miction. La plupart des femmes ne présentent aucun symptôme au début de l'infection. • Chez l'homme : écoulement du pénis, vert jaunâtre et épais, sensation de brûlure lors de la miction. Inflammation en dessous du testicule affecté et du scrotum. Démangeaisons du pénis. • Chez les deux sexes : rougeurs ou écoulements des yeux ; infection de la gorge.	Examen des organes génitaux, culture de l'écoulement ou échantillon d'urine.	Double traitement d'une dose de ceftriaxone, par voie orale et injection intramusculaire.

TABLEAU 12.1 Les modes de transmission, symptômes et traitements des ITSS les plus courantes (*suite*)

INFECTION	DÉCLARATION OBLIGATOIRE/ RECHERCHE DE CONTACTS	MODES DE TRANSMISSION	SIGNES ET SYMPTÔMES	DÉTECTION	TRAITEMENT
Urétrite non gonococcique (UNG)	L'urétrite causée par certaines bactéries est à déclaration obligatoire.	• Causée principalement par diverses bactéries transmises lors du coït. • Certaines UNG résultent de réactions allergiques ou d'une trichomonase (infection vaginale).	• Chez la femme : léger écoulement de pus du vagin (souvent non détecté). • Chez l'homme : écoulement du pénis et irritation lors de la miction. Souvent asymptomatique.	Analyse de prélèvement et échantillon d'urine.	Doxycycline pendant 7 jours, ou une dose d'azithromycine.
Lymphogranulome vénérien (LGV)	Déclaration obligatoire.	À la suite d'une infection à une bactérie de type chlamydia (*C. trachomatis*).	• Stade primaire : petite papule indolore. Inflammation du rectum, douleurs avec ou sans écoulement ou saignement par l'anus. • Stade secondaire : fièvre, frissons, douleurs musculaires et articulaires. Inflammation des ganglions lymphatiques. • Non traité : possibilité de cicatrices, déformations et fistules anogénitales.	• Analyse de prélèvement. • Histoire clinique.	Doxycycline pendant 21 jours.
Syphilis infectieuse	Déclaration obligatoire.	Transmissible lors de relations sexuelles vaginale, buccogénitale ou anale, ou en touchant un chancre (lésion) infectieux.	• Stade primaire : apparition d'un chancre rond, indolore jusqu'à 3 mois après un contact avec la bactérie et disparaissant sans traitement après 3 à 8 semaines ; peut progresser au stade secondaire et tertiaire si non traitée. • Stade secondaire : éruptions cutanées généralisées et symptômes semblables à ceux de la grippe. Durant la phase latente, qui dure plusieurs années, il n'y a pas de symptômes apparents. • Stade tertiaire : problèmes cardiovasculaires, cécité, paralysie, ulcères cutanés, dommages au foie et troubles mentaux. Peuvent apparaître de 5 à 30 ans après la disparition des chancres.	• Stade primaire : examen clinique et examen de l'écoulement du chancre. • Stade secondaire : test sanguin (VDRL).	Pénicilline G ou tétracycline ou doxycycline, ceftriaxone.

TABLEAU 12.1 Les modes de transmission, symptômes et traitements des ITSS les plus courantes (*suite*)

INFECTION	DÉCLARATION OBLIGATOIRE/ RECHERCHE DE CONTACTS	MODES DE TRANSMISSION	SIGNES ET SYMPTÔMES	DÉTECTION	TRAITEMENT
INFECTIONS VIRALES					
Herpès (VHS-1 et VHS-2)	Non.	• Presque toujours par contact vaginal, buccogénital ou anal ; contagiosité surtout lors de l'éruption de la maladie. • VHS-1 et VHS-2 peuvent aussi être transmises par le contact avec la peau sans symptômes visibles (asymptomatique). • VHS-1 peut être transmis par des baisers ou par contact buccogénital. • VHS-2 génital plus souvent transmis par le contact avec une personne infectée aux organes génitaux.	• Petites lésions rougeâtres douloureuses sur les organes génitaux, les cuisses, les fesses ; chez la femme, parfois dans le vagin et sur le col de l'utérus. • Petites lésions rouges qui, en un jour ou deux, se transforment en boutons jaunâtres qui éclatent et laissent des ulcères douloureux. Il faut attendre 10 jours pour que ces ulcères sèchent. • Autres symptômes possibles : fièvre, perte d'appétit, fatigue générale, sensation de brûlure lors de la miction ; glandes enflées, douleurs et courbatures ; écoulement vaginal. • Pour l'herpès de type 1 : apparition de lésions sur les lèvres et parfois à l'intérieur de la bouche, sur la langue et dans la gorge. Les lésions disparaissent au bout de 10 à 16 jours. Les virus de l'herpès ne disparaissent pas, ils restent dans des cellules nerveuses et les crises peuvent revenir.	• Examen clinique des plaies ; culture de l'écoulement d'une lésion active. • Analyse sanguine.	• Aucun traitement connu. • Réduction des symptômes avec acyclovir oral, valaciclovir, famciclovir ou une crème à base de docosanol. • La prise hebdomadaire des médicaments antiviraux peut diminuer le taux de transmission aux partenaires.
VPH (Virus du papillome humain) et verrues anogénitales	• Non. • Il est toutefois important que les partenaires sexuels d'une personne infectée soient informés pour se faire examiner et traiter au besoin.	Transmissibles par le contact sexuel vaginopénien, buccogénital, buccoanal ou génitoanal ou à la suite d'un contact avec les mains.	• Apparition de verrues indolores ressemblant à un chou-fleur (condylomes) sur les muqueuses ou sur la peau et d'aspect jaune-gris. • Chez la femme : sur la vulve, les lèvres, les parois vaginales, dans l'urètre et le col de l'utérus ; parfois sur les cuisses, autour de l'anus et dans le rectum. • Chez l'homme : sur le pénis, le prépuce, le scrotum ou dans l'urètre ; parfois les cuisses, autour de l'anus et dans le rectum. • À noter : la plupart des personnes infectées ne présentent aucun symptôme.	• Examen visuel des organes génitaux et de l'anus. • Test PAP : analyse d'un prélèvement au niveau du col de l'utérus pour la détection des cellules précancéreuses. Le test PAP peut aussi se faire au niveau du rectum.	• Cryothérapie ou utilisation de crème contenant des agents qui détruisent la verrue. Les verrues peuvent être brûlées ou extirpées chirurgicalement. • Traitement du cancer. • Vaccin de prévention de certains types de VPH (p. ex., Gardasil^MD).

TABLEAU 12.1 ▶ Les modes de transmission, symptômes et traitements des ITSS les plus courantes (*suite*)

INFECTION	DÉCLARATION OBLIGATOIRE/ RECHERCHE DE CONTACTS	MODES DE TRANSMISSION	SIGNES ET SYMPTÔMES	DÉTECTION	TRAITEMENT
Hépatite (Virus de l'hépatite de types A, B et C)	Déclaration obligatoire.	Transmissible par contact sexuel, surtout lors de relations sexuelles anales, selles contaminées en contact avec la bouche (hépatite A); contact avec des matières fécales infectieuses; transfusion de sang contaminé (B et C); salive, sécrétions vaginales et sperme contaminés (B). L'hépatite C est transmise surtout par l'usage de seringues contaminées et plus rarement par des produits sanguins contaminés ou par contact sexuel; peut aussi être transmise de la mère au fœtus et de la mère à l'enfant.	• Peut être asymptomatique ou s'accompagner de manifestations semblables à celles d'un rhume ou de symptômes plus graves tels que fièvre, douleur abdominale, vomissements, jaunisse de la peau et des yeux, urines foncées. • L'hépatite B et C peuvent causer de graves dommages au foie ou le cancer du foie.	Test sanguin pour détecter les anticorps de l'hépatite; biopsie du foie.	• Aucun traitement pour l'hépatite A et B. Repos au lit, ingestion de liquides. La plupart des personnes infectées par l'hépatite A se rétablissent naturellement. • Dans le cas de l'hépatite C, on utilise parfois l'interféron et de la ribavirine. Des antiviraux à action directe ont récemment été approuvés au Canada. Transplantation du foie. • Vaccin de prévention pour l'hépatite A et B.
INFECTIONS VAGINALES LES PLUS RÉPANDUES					
Vaginite bactérienne	Non.	Peut survenir à la suite d'une prolifération de la bactérie dans le vagin ou lors d'une réaction allergique; aussi transmissible par contact sexuel.	• Chez la femme: écoulement vaginal, odeur caractéristique, irritation des muqueuses et miction douloureuse. • Chez l'homme: inflammation du prépuce et du gland, douleur à la miction, urétrite et cystite. • Peut ne présenter aucun symptôme chez les deux sexes.	Culture et examen de la bactérie.	• Métronidazole, clindamycine. • Administration orale ou intravaginale.
Candidose (ou vaginose à levure)	Non.	Peut survenir à la suite d'une prolifération de ce champignon à cause d'un déséquilibre au niveau du pH dans le vagin; peut également être transmissible par contact sexuel.	• Chez la femme: démangeaisons vulvaires, écoulement blanc, malodorant, texture semblable à du fromage cottage; douleur et inflammation des tissus de la vulve et du vagin. • Chez l'homme: souvent asymptomatique ou démangeaisons et brûlure lors de la miction; rougeur sur le pénis.	Diagnostic basé sur les symptômes.	Dose simple de fluconazole, suppositoires de miconazole ou autres médicaments semblables.

TABLEAU 12.1 ▶ Les modes de transmission, symptômes et traitements des ITSS les plus courantes (*suite*)

INFECTION	DÉCLARATION OBLIGATOIRE/ RECHERCHE DE CONTACTS	MODES DE TRANSMISSION	SIGNES ET SYMPTÔMES	DÉTECTION	TRAITEMENT
Tricho-monase	Non.	Presque toujours transmise par contact sexuel.	• Chez la femme : écoulement blanc ou jaunâtre, mousseux et malodorant ; démangeaisons ou sensation de brûlure à la vulve. Plusieurs femmes ne présentent aucun symptôme. • Chez l'homme : souvent asymptoma-tique, mais possibilité d'écoulement urétral, brûlure lors de la miction ou envie d'uriner fréquente.	Culture d'un prélèvement de sécrétions vaginales.	Métronidazole.
INFECTIONS ECTOPARASITAIRES					
Morpions (poux du pubis)	Non.	Transmissibles par contact physique (sexuel et non sexuel), à la suite d'un contact avec la literie, des vête-ments, des ser-viettes ou d'autres tissus contaminés.	Démangeaisons intenses dans la région pubienne et autres régions poilues du corps où les morpions peuvent s'accrocher.	Examen clinique.	• Lindane (Kwell). • Traitement des articles de literies, des vêtements et autres tissus contaminés.
Gale	Non.	Transmissible par contact physique (sexuel et non sexuel) ou à la suite d'un contact avec la literie, les serviettes, les vête-ments infectés par le parasite.	• Petits boutons et démangeaisons intenses, surtout la nuit. • Éruptions cutanées rougeâtres dans les régions infectées. • Lésions souvent sur les mains, les poignets, les aisselles, la taille, les mamelons, autour du nombril et sur les organes génitaux.	Examen clinique.	• Lindane (Kwell). • Traitement des articles de lite-ries, vêtements, et autres tissus infectés.
VIRUS DE L'IMMUNODÉFICIENCE HUMAINE (VIH) ET SYNDROME D'IMMUNODÉFICIENCE ACQUISE (SIDA)					
VIH/sida **Le VIH peut mener au sida (syndrome d'immuno-déficience acquise).**	Déclaration obligatoire.	• Le contact avec le sang, le sperme ou les sécrétions vaginales peut transmettre le VIH et attaquer le système immunitaire.	• Infection primaire (stade aigu) : aucun symptôme ou symptômes semblables à ceux d'une grippe survenant de 2 à 4 semaines après l'exposition au virus et disparaissant après quelques semaines. • Infection chronique asymptomatique ou gonflement généralisé des gan-glions lymphatiques qui peut durer quelques années.	• Test d'urine, de salive ou de sang pour détec-ter les anti-corps VIH. • Peut attendre jusqu'à 3 mois avant qu'une infection puisse être détectée.	• Thérapie antirétrovirale. • Traitement combinant des médicaments antiviraux lorsque le nombre de globules blancs (CD4) baisse de façon importante.

❯

TABLEAU 12.1 Les modes de transmission, symptômes et traitements des ITSS les plus courantes (*suite*)

INFECTION	DÉCLARATION OBLIGATOIRE/ RECHERCHE DE CONTACTS	MODES DE TRANSMISSION	SIGNES ET SYMPTÔMES	DÉTECTION	TRAITEMENT
		• Transmis principalement par la pénétration vaginale et anale, ainsi que par le contact buccogénital, buccoanal ou par le partage de seringues de drogues injectables. • Par transfusion de sang contaminé, de la mère au fœtus durant la grossesse, lors de la naissance ou de l'allaitement.	• Infection chronique symptomatique qui se manifeste à partir de la 10ᵉ année : fièvre, perte de poids, fatigue, inflammation des ganglions, diarrhée, ecchymoses ou saignements atypiques, éruption urticaire, maux de tête, toux chronique, infections aux levures récurrentes, anémie. • Sida. • Infections graves, démence, cancer et mort.		• Traitements spécifiques supplémentaires en fonction des infections opportunistes et des tumeurs. • Médicament antirétroviral oral en tant que stratégie de prophylaxie pré-exposition (PrPE) (Turvana^{MD}).

FIGURE 12.1 Les modes de transmission selon le type d'infection

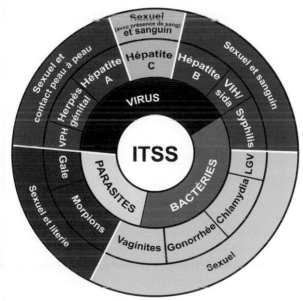

Source : *Guide ITSS pour la communauté sourde et malentendante*
© Coalition Sida des Sourds du Québec, 2015.

La gonorrhée

La gonorrhée est causée par la bactérie *Neisseria gonorrhoeæ* (nommée aussi *gonocoque*). Au Canada, cette infection arrive au second rang des ITSS déclarées et touche un peu plus d'hommes que de femmes, surtout parmi les 20 à 29 ans. En 2014, au Québec, on a rapporté 705 cas de gonorrhée chez les hommes de 15 à 24 ans, et 541 cas chez les femmes de ce même groupe d'âge (INSPQ, 2016). Cette infection est en hausse chez les hommes ayant des relations sexuelles avec d'autres hommes (HARSAH) (Agence de la santé publique du Canada, 2015a).

La gonorrhée apparaît souvent chez une personne déjà atteinte d'une chlamydiose (SOGC, 2017a). Tout comme la chlamydiose, la gonorrhée non traitée peut causer chez la femme une maladie inflammatoire pelvienne (MIP) et, chez les deux sexes, l'infertilité, l'arthrite ou une infection sanguine (SOGC, 2017a). Par ailleurs, les professionnels de la santé s'inquiètent de constater qu'un nombre croissant de souches de *N. gonorrhoeæ* deviennent résistantes à de nombreux antibiotiques, ce qui complique le traitement (Agence de la santé publique du Canada, 2015a).

L'urétrite non gonococcique

Lorsqu'une inflammation de l'urètre n'est pas causée par la gonorrhée, elle porte le nom d'*urétrite non gonococcique* (UNG). Le plus souvent, cette infection serait causée par différents agents infectieux, dont la bactérie responsable de la chlamydiose, *Chlamydia trachomatis*, ou la bactérie

Mycoplasma genitalium (Agence de la santé publique du Canada, 2008), mais ses causes sont aussi non infectieuses, puisqu'elles peuvent résulter d'une allergie aux sécrétions vaginales, ou d'une intolérance à un savon, à un contraceptif intravaginal ou à un déodorant. Les symptômes de l'urétrite non gonococcique apparaissent généralement de deux à trois semaines après la contamination (Agence de la santé publique du Canada, 2013). Il existe peu de données sur le nombre de cas d'UNG au Canada.

Le lymphogranulome vénérien

Le lymphogranulome vénérien (LGV), ou *lymphogranulomatose*, est une infection transmise sexuellement qui a fait son apparition il y a quelques années au Canada. Cette infection est causée par une bactérie de type chlamydia. S'il n'est pas traité, le LGV peut entraîner de graves problèmes de santé et laisser sur les organes génitaux et l'anus des cicatrices, des déformations ou des fistules qui nécessiteront une intervention chirurgicale. Selon les recherches, près de 20 % des personnes infectées par l'agent responsable du LGV seraient asymptomatiques (MSSS, 2015). On ne dispose pas de données sur le nombre de cas au Canada dans son ensemble, mais il a été possible de déterminer que les personnes atteintes sont concentrées dans les grands centres urbains de l'Alberta, de la Colombie-Britannique, de l'Ontario et du Québec (Agence de la santé publique du Canada, 2014a). De plus, il a été établi que le LGV touche principalement les HARSAH, surtout ceux qui présentent d'autres ITSS. Au Québec, on a relevé 74 cas de LGV entre le 1er janvier 2013 et le 31 août 2014, et 98 % d'entre eux faisaient partie de ce groupe (MSSS, 2015).

La syphilis

La syphilis est causée par une bactérie en forme de vrille, *Treponema pallidum*. Elle était rare au Canada autrefois. Le taux de cas déclarés de syphilis a augmenté de 128,3 % chez les hommes et a diminué de 40,9 % chez les femmes entre 2003 et 2012 (Agence de la santé publique du Canada, 2015a). En 2012, on a dénombré 2003 cas de syphilis au Canada, et le Québec comptait pour 34 % de ces cas (Agence de la santé publique du Canada, 2015b). Les personnes touchées sont surtout les HARSAH (séropositifs et séronégatifs) du groupe des 30 à 39 ans ainsi que les travailleurs et les travailleuses du sexe, leurs clients ainsi que les personnes en situation d'itinérance (Agence de la santé publique du Canada, 2015b).

Les infections virales

Tout comme les bactéries, les virus causent plusieurs infections transmises sexuellement et par le sang. Ces agents infectieux se distinguent des bactéries par le fait qu'ils se logent dans les cellules de l'organisme où ils se reproduisent, altérant ainsi leur fonctionnement. Les virus des ITSS se transmettent par contact direct avec du sang ou un liquide corporel infectés, ou par les lésions de la peau ou des muqueuses d'une personne infectée qui excrète des virus sans manifestations symptomatiques, comme dans le cas de l'herpès et du virus du papillome humain.

L'herpès

L'herpès est causé par un virus nommé *Herpes simplex*. Il existe huit différents types de virus herpétiques chez l'humain, les plus répandus étant le virus *Varicella-zoster*, à l'origine de la varicelle, le virus *Herpes simplex* de type 1 (VHS-1) et le virus *Herpes simplex* de type 2 (VHS-2). Nous ne retenons ici que ces deux derniers virus, car ce sont les plus largement transmis par contact sexuel. Le VHS-1, communément appelé *feu sauvage* au Québec, cause en général des lésions ou papules autour de la bouche ou des lèvres (herpès buccal ou labial). Le VHS-2 provoque habituellement des lésions dans la région génitale (herpès génital).

Même si l'herpès buccal et l'herpès génital sont causés par des virus différents, la contamination croisée est possible. Le VHS-1 peut infecter les régions génitales et, inversement, le VHS-2 peut causer des plaies buccales. Il reste néanmoins que la plupart des infections buccales sont dues au VHS-1, et celles de la région génitale, au VHS-2 (Centers for Disease Control, 2015 ; Looker et coll., 2008). Le nombre de cas d'herpès au Canada n'est pas connu, car cette infection n'est pas à déclaration obligatoire. On estime toutefois qu'environ 20 % des adultes sont infectés par le VHS-2, et jusqu'à 70 % des infections herpétiques touchant les organes génitaux sont transmises par des personnes qui ne présentent aucun symptôme ni aucune lésion, au cours d'un processus que l'on qualifie parfois *d'élimination asymptomatique* (SOGC, 2017b). Aux États-Unis, on estime qu'environ 1 personne sur 5, âgée de 12 ans et plus, est infectée par le virus de l'herpès buccal (Workowski et coll., 2010).

On distingue généralement les symptômes d'une infection primaire (à la suite de la première exposition au virus) de ceux des infections récurrentes. Les symptômes de l'infection primaire ressemblent à ceux de la grippe, mais dans le cas de l'infection par le VHS-2, on peut aussi observer une inflammation locale du système lymphatique ou nerveux. L'infection s'accompagne également de douleurs lors de la miction et de douleurs diffuses au niveau des organes génitaux ; de plus, des lésions apparaissent sur la peau et les muqueuses des régions infectées (SOGC, 2017b) (*voir la figure 12.2*). Les infections récurrentes sont généralement moins graves que l'infection initiale. Elles s'annoncent souvent par des démangeaisons, des fourmillements, des sensations de brûlure, des picotements dans les zones infectées, et parfois des douleurs localisées aux jambes, aux cuisses ou dans la région des fesses. Durant ces épisodes

Un exemple de lésions sur la peau et les muqueuses d'organes génitaux infectés : a) chez la femme ; b) chez l'homme

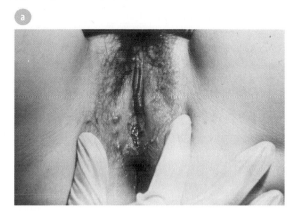

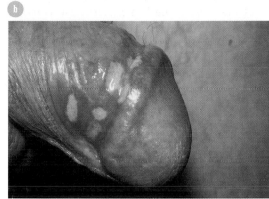

récurrents, la transmission du virus peut se faire par élimination asymptomatique. Il faut donc éviter d'entrer en contact avec la peau ou les muqueuses d'une personne porteuse du virus. Ces poussées récurrentes peuvent être provoquées par des facteurs de stress, le cycle menstruel, des relations sexuelles, une chirurgie et la prise de certains médicaments (SOGC, 2017b). Généralement, les symptômes disparaissent après environ 9 à 11 jours.

Les infections VHS-1 et VHS-2 ne sont pas considérées comme un risque sérieux pour la santé, mais les personnes porteuses peuvent souffrir beaucoup du stigma associé aux ITSS.

QUESTION D'ANALYSE CRITIQUE

› Plusieurs personnes atteintes d'herpès génital chez qui les épisodes d'éruption sont rares craignent souvent d'être rejetées par un partenaire sexuel éventuel si elles leur révèlent leur affection. À votre avis, est-il éthiquement acceptable qu'une personne atteinte d'herpès génital qui effectue un suivi étroit de sa santé et qui prend toutes les précautions raisonnables ait des relations sexuelles sans en informer son ou sa partenaire ? Justifiez votre réponse.

Le virus du papillome humain (VPH) et les verrues anogénitales

À l'heure actuelle, le virus du papillome humain (VPH) est l'ITSS la plus répandue au Canada et dans le monde (SOGC, 2017c). Les techniques récentes d'analyse ont permis d'identifier plus de 100 types de VPH, dont près de la moitié provoque des infections génitales (Joannides, 2015). Parmi ceux-ci, les types 6 et 11 sont en cause dans 90 % des cas de verrues anogénitales (des infections parfois appelées *condylomes acuminés*) (*voir la figure 12.3 à la page suivante*), tandis que les types 16

et 18 sont associés à 70 % des cas de cancers du col de l'utérus (Markowitz et coll., 2013). Les types de VPH responsables des verrues anogénitales n'induisent pas le cancer. Plusieurs autres types de VPH n'entraînent aucun symptôme.

Le VPH n'étant pas une infection à déclaration obligatoire, il est difficile de déterminer le taux d'infection au sein de la population, mais on estime que jusqu'à 75 % des femmes et des hommes sexuellement actifs auront au moins une infection au VPH dans la région anogénitale au cours de leur vie. Toutefois, la plupart des personnes bénéficiant d'un système immunitaire efficace parviendront tôt ou tard à éliminer ce virus (Agence de la santé publique du Canada, 2012b ; Gouvernement du Canada, 2013). En revanche, chez un petit nombre de personnes infectées, le virus persiste et peut causer un cancer plusieurs années plus tard. La recherche a montré une association entre les types 16 et 18 du VPH et divers cancers, en particulier ceux du col de l'utérus, du vagin, de la vulve, de l'urètre, du pénis et de l'anus (Geraets et coll., 2014). Plus précisément, on estime que le VPH est à l'origine de 85 à 90 % des cas de cancer du col utérin (McNeil, 2011). Cependant le risque de souffrir d'un tel cancer est faible, sauf si l'infection au VPH n'est pas traitée. Il est donc important de passer des tests PAP afin de dépister les cellules précancéreuses du col de l'utérus et de les éliminer. Par ailleurs, une étude américaine indique que le VPH transmis durant la stimulation buccogénitale est la cause d'environ 60 % des cancers de la gorge chez les hommes (Cook et coll., 2014 ; Gillison et coll., 2012 ; Joannides, 2013).

Les personnes qui ont trois partenaires sexuels ou plus au cours de leur vie sont plus atteintes que celles qui ont moins de partenaires (Groner et coll., 2014). De plus, la recherche a montré que le VPH est plus souvent transmis d'une femme à un homme que d'un homme à une femme (Nyitray et coll., 2014).

Étant donné que la plupart des personnes infectées par le VPH ne montrent aucun symptôme apparent, l'infection se transmet le plus souvent par des personnes qui ne savent pas qu'elles sont porteuses de ce virus. Les verrues anogénitales peuvent apparaître de quelques semaines à quelques mois après un contact sexuel avec la personne infectée. Chez la femme, les verrues apparaissent souvent sur les lèvres vulvaires, les parois internes du vagin et le col de l'utérus ; chez l'homme, elles se forment sur le gland, le prépuce, la hampe (corps cylindrique) du pénis et le scrotum. On peut en observer également sur les cuisses, dans l'urètre, autour de l'anus et dans le rectum chez les deux sexes (Gouvernement du Canada, 2013 ; Wieland, 2012 ; Wise, 2014). Les verrues non traitées peuvent disparaître, rester telles quelles, ou augmenter en volume et en nombre. Les personnes capables d'une bonne réponse immunitaire éliminent généralement le virus, et chez la majorité d'entre elles, les tests effectués dans une période comprise entre 6 et 24 mois après le test initial sont incapables de détecter la présence du VPH.

FIGURE 12.3 **Un exemple de verrues génitales**

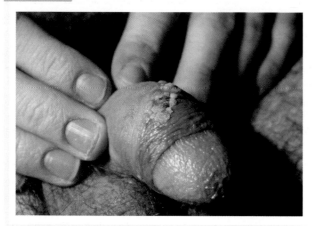

Au Canada, il existe deux vaccins approuvés pour prévenir les infections causées par les types les plus courants de VPH : le Gardasil^MD (pour femmes et hommes) et le Cervarix^MD (pour femmes seulement). Selon les recherches, ces deux vaccins ont démontré un bon taux d'efficacité dans la prévention des problèmes de santé les plus courants que peut causer le VPH (Ministère de la Santé et des Soins de longue durée de l'Ontario, 2016a).

Depuis 2007, un programme provincial de vaccination préventive financé par le gouvernement est offert aux filles et aux femmes de 9 à 26 ans. Au moment de publier cet ouvrage, seulement six provinces, dont le Québec et l'Ontario, offrent aussi le vaccin gratuitement à tous les garçons et hommes du même âge. L'administration du vaccin avant les premières relations sexuelles est la façon la plus efficace de prévenir les infections au VPH.

L'hépatite virale

L'hépatite virale est une maladie du foie causée par différents virus désignés par les lettres A, B, C, D, E et G, qui correspondent à l'ordre de leur découverte. Parmi ces virus, trois sont transmis par voie sexuelle ou par le sang. Les virus des hépatites B et D se transmettent par voies sexuelle et sanguine, tandis que celui de l'hépatite C se transmet presque exclusivement par voie sanguine.

Au Canada, les hépatites les plus fréquentes sont les hépatites A, B et C, et on estime qu'environ 600 000 personnes vivent avec une hépatite de type B ou C et qu'elles ont majoritairement entre 24 et 59 ans (Agence de la santé publique du Canada, 2015c).

Les symptômes de l'infection ne se manifestent pas chez toutes les personnes souffrant d'une hépatite. S'ils se présentent, leur délai d'apparition est très variable puisqu'ils se manifestent de 2 à 25 semaines après l'infection (Agence de la santé publique du Canada, 2015c). La prévalence de l'hépatite B a beaucoup diminué au Canada depuis 2005, principalement en raison des campagnes en faveur de la vaccination chez les enfants. En 2013, au Canada, on dénombrait au total 4458 cas d'hépatite B chronique qui touchaient principalement l'Ontario (2046 cas) et la Colombie-Britannique (1072 cas). Au Québec, en 2013, on a rapporté 541 cas d'hépatite B (Agence de la santé publique du Canada, 2016). La même année, au Canada, le nombre de cas d'hépatite C était de 10 379, comparativement à 13 000 en 2005 (Agence de la santé publique du Canada, 2016). Les cas déclarés au Québec représentaient 12 % de l'incidence nationale (1246 cas) (Agence de la santé publique du Canada, 2016). Bien que le taux de cas déclarés des hépatites soit en déclin au Canada, ces virus demeurent une cause importante de maladie et de décès. Par exemple, au Canada entre 2004 et 2013, l'hépatite C était la cause d'insuffisance rénale chez 21 % des personnes qui ont bénéficié d'une transplantation du foie (Institut canadien d'information sur la santé [ICIS], 2015).

Les infections vaginales les plus répandues

Plusieurs types d'infections vaginales se transmettent par contact sexuel ou autrement. Les termes *vaginite* et *leucorrhée* désignent un ensemble d'infections vaginales caractérisées par des pertes vaginales blanchâtres. Les sécrétions peuvent aussi être jaunâtres ou verdâtres en raison de la présence de cellules et de pus, et leur odeur est souvent désagréable. Une vaginite s'accompagne souvent d'irritations des tissus des organes génitaux et de démangeaisons, d'une sensation de brûlure pendant la miction et des douleurs à l'entrée du vagin lors de la pénétration.

Les infections vaginales sont répandues. Pratiquement toutes les femmes auront une ou plusieurs infections vaginales au cours de leur vie. C'est l'un des motifs de consultation médicale les plus fréquents (Head, 2008). Le vagin abrite naturellement plusieurs microorganismes relativement inoffensifs, mais susceptibles de causer des infections vaginales. En temps normal, la présence en abondance d'une espèce bactérienne particulière de lactobacilles (*lactobacillus*) empêche ces microorganismes opportunistes de se développer en maintenant dans le vagin une acidité qui leur est défavorable (Jeavons, 2003). Toutefois, si le vagin devient moins acide, les conditions deviennent favorables au développement des autres espèces présentes et rendent les femmes plus vulnérables aux infections. De nombreux facteurs accroissent les risques de vaginite, notamment la prise d'antibiotiques, l'usage de contraceptifs oraux, les menstruations, la grossesse, le port de bas-culottes et de culottes en nylon, une faible résistance au stress et le manque de sommeil (Jeavons, 2003). Les douches vaginales augmentent également les risques d'infection, notamment les infections bactériennes (Centers for Disease Control, 2010a; Cottrel et Close, 2008).

Les infections vaginales les plus courantes sont la vaginite bactérienne, la candidose (*Candida albicans*) et la trichomonase (*Trichomonas vaginalis*). La vaginite bactérienne est la plus répandue.

La vaginite bactérienne (VB), ou vaginose, est une infection causée par la prolifération de microorganismes qui prennent la place des lactobacilles normalement présents dans le vagin. Ces microorganismes peuvent comporter des bactéries anaérobies (qui vivent sans oxygène) et plusieurs espèces de bactéries dont les plus connues sont *Mycoplasma* et *Gardnerella vaginalis.*

Deux autres infections vaginales sont causées par des organismes microscopiques. La première est la candidose (*Candida albicans*), qui toucherait 75 % des femmes à un moment ou l'autre de leur vie (Centers for Disease Control, 2010a), et la seconde, la trichomonase (*Trichomonas vaginalis*).

Les infections ectoparasitaires

Les infections ectoparasitaires sont causées par des parasites vivant sur la peau des humains et des animaux (*ecto* veut dire «en dehors de»). Deux de ces parasites sont relativement répandus: les morpions et la gale.

Les morpions

Les morpions, ou poux du pubis, appartiennent à un groupe d'insectes parasites appelés *poux broyeurs.* Leur nom scientifique est *Phthirus pubis.* Très petits, ils sont tout de même visibles à l'œil nu. Ils sont jaune-gris et, vus sous la loupe, ils ressemblent à des crabes (*voir la figure 12.4*). Ils s'agrippent à un poil pubien pour pouvoir

enfoncer leur tête sous la peau et se nourrir de sang à partir de petits vaisseaux sanguins. Assez répandus, ils s'observent fréquemment dans les cliniques de santé par des médecins, notamment chez les personnes de 15 à 25 ans; ils sont souvent associés à une autre ITSS (Davis et coll., 2014). La transmission se fait souvent durant les relations sexuelles quand deux personnes frottent leurs régions pubiennes. Les morpions peuvent survivre 1 à 2 jours dans la literie, les serviettes et les vêtements d'une personne infectée. Leurs œufs, quant à eux, peuvent survivre encore plus longtemps. Les morpions peuvent également se trouver dans les poils des aisselles ou du visage et dans les cheveux.

Contrairement à certaines croyances populaires, l'épilation des poils pubiens n'est pas une méthode de protection efficace contre les infections de morpions (Osterberg et coll., 2016; Veraldi et coll., 2016).

La gale

La gale est causée par une mite parasite ressemblant à une petite tortue appelée *Sarcoptes scabiei*. À la différence des poux du pubis, les mites sont trop minuscules pour être visibles à l'œil nu. L'infection commence par l'action de la femelle qui, une fois fécondée, creuse sous la peau pour y pondre ses œufs qui éclosent peu de temps après. Les larves qui en résultent atteignent leur taille adulte au bout de 10 à 20 jours et se mettent alors à creuser à leur tour près du lieu de leur naissance pour se nourrir. Une personne qui a la gale peut abriter en moyenne de 5 à 15 mites femelles vivantes (Centers for Disease Control, 2010b). Bien que la gale ne fasse pas partie des maladies répertoriées par les organismes de santé, on estime que 300 millions de personnes en sont atteintes chaque année dans le monde (Chosidow, 2006). La gale est très contagieuse et peut se transmettre par contact sexuel ou par un contact étroit. De plus, les mites parasites peuvent survivre jusqu'à 72 heures sur des vêtements ou dans la literie (Centers for Disease

FIGURE 12.4 ▶ **Un pou du pubis grossi au microscope**

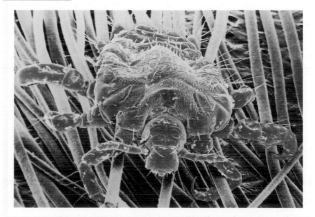

Control, 2010b). Enfin, en plus des personnes sexuellement actives, les enfants qui fréquentent l'école, les résidents des centres d'hébergement et de soins de longue durée (CHSLD) et les personnes itinérantes sont plus à risque de contracter la gale (Boralevi et coll., 2014).

Le virus de l'immunodéficience humaine (VIH) et le syndrome d'immunodéficience acquise (sida)

Les nombreuses infections dues au **virus de l'immunodéficience humaine (VIH)**, et le **syndrome d'immunodéficience acquise (sida)** qui en découle, constituent un problème de santé publique mondial préoccupant et considéré comme la plus grave pandémie de notre époque. Toutefois, le progrès réalisé au cours des années récentes, sur le plan du traitement de l'infection, fait que l'infection au VIH est désormais considérée comme une maladie chronique et maîtrisable, du moins pour les populations des pays où la thérapie antirétrovirale est plus accessible. Ailleurs, ces infections font encore des ravages et sont responsables d'un grand nombre de décès.

Le VIH fait partie d'une catégorie particulière de virus nommés *rétrovirus,* parce qu'ils inversent l'ordre usuel de la reproduction à l'intérieur des cellules qu'ils infectent. On appelle ce processus *transcription inverse.* Dans l'organisme humain, le VIH s'attaque spécifiquement aux lymphocytes CD4, aussi appelés *cellules T auxiliaires* ou *cellules T4,* et les détruit. Chez une personne saine, ces cellules coordonnent la réponse du système immunitaire à l'infection. Quand le système de défense est affaibli par les attaques du VIH, l'organisme devient vulnérable à des cancers et aux infections opportunistes. Depuis le 1er janvier 1993, les Centers for Disease Control (CDC), qui forment l'agence gouvernementale de santé publique aux États-Unis, ont adopté une définition du sida qui s'applique à toute personne infectée par le VIH et dont le système immunitaire est gravement affaibli. Désormais, quiconque est infecté par le VIH et compte 200 lymphocytes CD4 ou moins par millimètre cube de sang est considéré comme atteint du sida, sans autre distinction. (Le nombre normal de lymphocytes CD4 dans un organisme sain est de 600 à 1200 par millimètre

cube de sang.) Plusieurs années peuvent s'écouler avant qu'une personne atteinte d'une infection au VIH souffre du sida, souvent jusqu'à 10 ans (SOGC, 2017d).

La prévalence du VIH

Les données publiées en 2015 par le Programme commun des Nations Unies sur le VIH/sida (ONUSIDA) sont très révélatrices de la situation actuelle de l'épidémie (ONUSIDA, 2015). Au total dans le monde, de moins en moins de personnes seraient infectées par le VIH, et de moins en moins meurent du sida. On estime néanmoins qu'en 2014, 36,9 millions de personnes vivaient avec le VIH; de ce nombre, 2 millions étaient des nouveaux cas. Cette prévalence mondiale est due au fait qu'un plus grand nombre de personnes (15,8 millions) ont accès aux traitements antirétroviraux, ce qui leur permet de vivre plus longtemps en meilleure santé. C'est le cas au Canada où, en 2011, la prévalence nationale était estimée à 0,2 % et où le taux de nouvelles infections au VIH est resté relativement stable au cours de la dernière décennie (Agence de la santé publique du Canada, 2014b). Au Canada, à la fin de 2014, 75 500 personnes vivaient avec le VIH (y compris le sida) et 20 % d'entre elles ne savaient pas qu'elles étaient infectées (Agence de la santé publique du Canada, 2015d).

Dans le monde, c'est en Afrique subsaharienne que les infections au VIH sont les plus nombreuses, avec le sixième de tous les cas de cette maladie. De plus, l'infection au VIH/ sida affecte particulièrement les personnes plus riches, en raison de leur plus grande mobilité et des partenaires multiples qu'elles peuvent s'offrir (Simms et coll., 2014).

De nombreuses personnes atteintes du VIH ont été infectées pendant leur adolescence (Newbern et coll., 2013 ; Protogerou et Johnson, 2014). On estime que les jeunes âgés de 13 à 24 ans représentent presque la moitié des nouveaux cas de VIH diagnostiqués aux États-Unis (Guttmacher Institute, 2014a). Malheureusement, on ne fait pas de dépistage systématique du VIH auprès des jeunes et plus de la moitié des jeunes infectés ignorent qu'ils le sont (Zanoni et Mayer, 2014). Le problème particulier de l'infection au VIH chez les jeunes adultes peut s'expliquer par plusieurs facteurs, dont les suivants :

- la multiplicité des partenaires, qui accroît le risque de contracter l'infection ;
- le faible taux d'utilisation du condom ;
- un accès plus difficile aux condoms que les adultes ;
- l'usage inadéquat et non régulier du condom ;
- des taux élevés d'ITSS en général, ce qui est souvent associé à l'infection au VIH ;
- l'abus d'alcool ou de drogues, qui est relativement répandu parmi ce groupe (situation qui entraîne plus de comportements à risque) ;
- un sentiment d'invulnérabilité particulièrement présent à cet âge (*voir le chapitre 6*) ;

Virus de l'immunodéficience humaine (VIH) Virus de la famille des rétrovirus. À l'origine du sida, il détruit le système immunitaire, empêchant ainsi l'organisme de se défendre contre les infections.

Syndrome d'immunodéficience acquise (sida) Chez l'humain, infection mortelle causée par le VIH et caractérisée par l'incapacité du système immunitaire à se défendre contre des infections opportunistes et des cancers.

- des comportements à risque en raison d'un fort sentiment de fatalisme ou parce qu'ils croient qu'ils vont mourir jeunes (facteur qui touche un pourcentage important d'adolescents, près de 15 % selon une étude) (Borowsky et coll., 2009) ;

- les comportements sexuels à risque chez les jeunes sans-abri, ce qui augmente leur vulnérabilité à une infection au VIH (Albert et coll., 2013 ; Rice et coll., 2012).

Le VIH se transmet moins facilement d'une femme à un homme que d'un homme à une femme (Shapiro et Ray, 2007). Une femme qui a un rapport sexuel avec un homme porteur du VIH risque davantage d'être infectée qu'un homme ayant un rapport sexuel avec une femme porteuse du virus. On peut expliquer cette différence par le fait que le sperme renferme une plus grande concentration de VIH que les sécrétions vaginales, et que la muqueuse vaginale reste plus longtemps en contact avec le VIH contenu dans le sperme que le pénis avec les sécrétions vaginales (Lamptey et coll., 2006 ; Shapiro et Ray, 2007). En outre, une plus grande surface de muqueuses de la vulve et du vagin est exposée à l'infection, comparativement au pénis, et les muqueuses chez la femme sont plus vulnérables aux microlésions (qui constituent une porte d'entrée vers la circulation sanguine) que ne l'est généralement le pénis (Shapiro et Ray, 2007). De plus, certaines femmes ont des relations sexuelles avec pénétration anale sans protection, une pratique qui comporte un risque de transmission du VIH 10 fois plus élevé que la pénétration vaginale sans condom (Duby et Colvin, 2014 ; Shapiro et Ray, 2007). En fait, la pénétration anale passive non protégée est reconnue comme présentant le plus haut risque de transmission du VIH tant pour les hommes que pour les femmes (Jenness et coll., 2011).

La transmission du VIH

Le VIH se transmet lors des rapports sexuels oraux, vaginaux ou anaux non protégés avec un partenaire infecté, surtout si la personne provient d'un pays où le taux de VIH est élevé, et c'est dans le sang, le sperme et les sécrétions vaginales des personnes infectées qu'on trouve les plus fortes concentrations de VIH. Selon les estimations, la transmission par contact sexuel est à l'origine d'environ 80 % des cas d'infection dans le monde. Le VIH peut aussi se transmettre par des seringues contaminées que partagent les utilisateurs de drogues injectables et par des aiguilles de tatouage non stérilisées.

Le VIH peut également se transmettre au fœtus avant ou pendant la naissance, ou au bébé lors de l'allaitement

Charge virale   Le nombre de copies répliquées du virus par millilitre de sang. Permet d'évaluer si le virus est très actif (charge virale élevée) ou moins actif (charge virale basse).

(Kumwenda et coll., 2008 ; Osborn, 2008). La transmission mère-enfant est la principale source de contamination chez les enfants infectés par le VIH, surtout dans les pays où les mesures préventives sont inexistantes.

Le risque de transmission du VIH pendant un contact sexuel dépend à la fois de la quantité de virus transmis et du mode de transmission. La quantité de virus transmis dépend de la **charge virale**, c'est-à-dire de la concentration du virus dans le sang d'une personne infectée. La charge virale est une mesure couramment utilisée pour évaluer le nombre de virus dans un millilitre de sang. En général, plus la charge virale est importante, plus le risque de transmission est élevé. Comme le suggère le bon sens, lorsqu'une personne se trouve dans les derniers stades du VIH (le stade sida), elle est hautement contagieuse. Plusieurs seront probablement étonnés d'apprendre que, entre le moment de la contamination et l'apparition d'anticorps du VIH dans le sang (la période dite d'*infection primaire*, qui dure habituellement quelques mois), la charge virale de la personne infectée peut être extrêmement élevée, la rendant ainsi très contagieuse (Harris et Bolus, 2008 ; Shapiro et Ray, 2007). Cette phase aiguë de contagiosité du VIH, qui est relativement courte, est particulièrement inquiétante parce que la plupart des personnes infectées ont peu de chances de savoir qu'elles ont contracté le VIH. Certains experts sont d'avis que la transmission du VIH pendant la période d'infection primaire est à l'origine d'une grande partie des cas d'infection dans le monde (Cohen et Pilcher, 2005 ; Wawer et coll., 2005).

■ QUESTION D'ANALYSE CRITIQUE

> Êtes-vous d'accord avec la décision de la Cour suprême du Canada en 2012 selon laquelle il n'est pas criminel de cacher sa séropositivité à son partenaire lorsque la charge virale est indétectable (très faible quantité de virus dans le sang) ?

Le risque d'infection pendant une activité sexuelle est plus grand lorsque le VIH passe directement dans le sang (par exemple, par des microlésions des tissus du rectum ou de la paroi vaginale) plutôt qu'à travers une muqueuse. Les chercheurs prennent de plus en plus conscience du rôle que la circoncision du pénis peut jouer dans la prévention d'une infection au VIH. Le prépuce du pénis non circoncis est fragile et risque de subir de petites lacérations susceptibles de permettre au VIH d'entrer plus facilement dans le système sanguin. En plus, le prépuce contient une concentration élevée de CD4 et de cellules de Langerhans, les cellules du système immunitaire qui sont les cibles typiques du VIH (Reynolds et coll., 2004 ; Seppa, 2005). Alors que les professionnels de la santé continuent à discuter des aspects médicaux et éthiques de la circoncision, son rôle préventif dans la transmission du VIH est de plus en plus mis en évidence, comme le montre l'encadré *Pleins feux sur la recherche*.

La recherche laisse aussi penser que le VIH peut se transmettre par relation buccogénitale, lorsque le virus présent dans le sperme ou les sécrétions vaginales entre en contact avec la muqueuse de la bouche en présence d'une lésion (Kaestle et Halpern, 2007). Les responsables de la santé publique recommandent de plus en plus l'usage de la digue dentaire (carré de latex mince dont on peut se servir pour recouvrir les parties génitales) pour le cunnilingus et le port du condom pour la fellation afin de prévenir la transmission du VIH. Mais il est extrêmement rare que les gens utilisent le condom pendant une fellation. Cela dit, tout en considérant les quelques risques de transmission du VIH par contact buccogénital, les experts s'entendent actuellement pour dire que le sexe oral constitue une pratique moins à risque que la pénétration vaginale ou anale sans protection (Shapiro et Ray, 2007). On croit que le risque de transmission du VIH par la salive, les larmes et l'urine est extrêmement

faible, voire quasi inexistant. En outre, rien n'indique que les contacts ordinaires avec une personne infectée, comme la serrer dans ses bras, lui donner la main, cuisiner ou manger avec elle, comportent des risques de transmission. Toutes les recherches menées jusqu'à maintenant montrent que les risques de transmission du VIH sont associés aux contacts sexuels avec une personne infectée ou à l'échange de seringues contaminées.

La recherche montre qu'un faible pourcentage de la population est naturellement résistante à l'infection au VIH et qu'environ 1 personne infectée (mais non traitée) sur 300 ne développe pas le sida (Collins et Fauci, 2010 ; Lok, 2011). Les données laissent croire que certaines personnes ont une résistance d'origine génétique au VIH (Tebas et coll., 2014).

Afin de prévenir la transmission du VIH, les personnes qui savent qu'elles auront des relations sexuelles avec un partenaire infecté peuvent maintenant avoir recours à la prophylaxie préexposition (PrPE). En 2016, Santé Canada a approuvé le Turvada^MD, un médicament antirétroviral oral, en tant que stratégie de PrPE en association avec

PLEINS FEUX SUR LA RECHERCHE

La circoncision comme moyen de prévenir l'infection au VIH

Un certain nombre de professionnels de la santé et de chercheurs ont suggéré que la circoncision peut réduire de façon importante le risque d'infection au VIH en éliminant une porte d'entrée du virus : le prépuce, avec sa peau mince et sa haute concentration de cellules qui peuvent facilement être infectées par le VIH. Plusieurs études d'observation soutiennent cette hypothèse en montrant que la prévalence du VIH est moins élevée chez les hommes circoncis que chez ceux qui ne le sont pas (Montano et coll., 2014 ; WHO/UNAIDS, 2007). En outre, des données empiriques provenant d'essais cliniques expérimentaux indiquent que la circoncision procure une certaine protection contre le VIH (Heisea et coll., 2011). Trois enquêtes bien construites menées en Afrique du Sud, au Kenya et en Ouganda ont montré une réduction du risque d'infection de 60 %, 53 % et 51 %, respectivement, chez les participants circoncis (Bailey et coll., 2007 ; Gray et coll., 2007 ; WHO/UNAIDS, 2007). À l'heure actuelle, six millions d'hommes habitant dans les pays en Afrique subsaharienne ont été circoncis (Gulland, 2014a).

Il est cependant important de noter que la circoncision ne protège pas complètement contre le VIH. Cette intervention est considérée comme une stratégie complémentaire parmi d'autres interventions utilisées pour prévenir la

contamination par le VIH chez les hommes au cours d'un contact sexuel hétérosexuel.

D'autres études indiquent que la circoncision ne protège pas de la transmission du VIH lorsqu'il y a pénétration anale (Sanchez et coll., 2011). De plus, il ne semble pas que la circoncision ait un effet préventif dans la transmission du VIH des hommes vers les femmes (Berer, 2007 ; WHO/UNAIDS, 2007). Par ailleurs, des études réalisées en Ouganda et au Zimbabwe n'ont pas permis d'établir de corrélation entre le risque pour les femmes d'être infectées par le VIH et le fait que leur partenaire sexuel soit circoncis ou non (Turner et coll., 2007). De plus, ces études n'ont pas mis en lumière une association entre la circoncision et une augmentation du risque chez les femmes d'être infectées par les agents microbiens responsables de la chlamydiose, de la gonorrhée ou de la trichomonase. D'autres données montrent aussi que les hommes circoncis sont moins vulnérables au VPH que les hommes non circoncis (Auvert et coll., 2008 ; Healy, 2013). Une étude récente menée auprès de plus de 5000 hommes a montré, elle aussi, que la circoncision réduisait significativement l'incidence des infections causées par le VPH et par le virus de l'herpès génital, en plus de protéger contre l'infection au VIH (Tobian et coll., 2011).

des pratiques sexuelles sécuritaires (Catie, 2016). Lorsqu'il est utilisé régulièrement et correctement, ce médicament empêche le VIH de se répliquer dans les cellules du corps. Ce moyen de prévention permet aussi de protéger les personnes qui courent un risque élevé d'exposition au VIH par le contact avec du sang, du lait maternel, des sécrétions vaginales ou anales. L'usage de la PrPE orale nécessite des suivis réguliers avec un médecin.

La prévention des ITSS

Au cours du dernier siècle, les autorités sanitaires ont préconisé plusieurs stratégies pour endiguer la propagation des ITSS. Il s'agissait tantôt de dissuader les jeunes d'avoir des contacts sexuels (par exemple, par l'éducation à l'abstinence), tantôt de diffuser abondamment de l'information sur les symptômes des ITSS et d'assurer la gratuité des traitements médicaux. Aujourd'hui, les organismes de santé publique poursuivent toujours leurs efforts pour tenter de freiner la rapide progression des ITSS. Il est donc doublement important d'insister sur les différentes mesures de prévention à la disposition des individus ou des partenaires sexuels.

Avoir une discussion franche et ouverte avant de commencer une interaction sexuelle peut sembler peu aisé et embarrassant. Cependant, en cette ère d'ITSS aux proportions épidémiques et aux conséquences durables, une telle discussion est essentielle et envoie le signal que vous vous préoccupez vraiment de votre bien-être physique et psychologique. Toutefois, l'efficacité de ce type de discussion franche et ouverte n'est pas absolue : elle repose notamment sur la nécessité des partenaires de bien connaître leur état de santé et leur degré de vulnérabilité à l'égard des ITSS et sur le devoir des partenaires de se dire la vérité. En pratique, plusieurs personnes ne se font pas examiner régulièrement en vue de dépister d'éventuelles ITSS, rares ou communes, et d'autres ne se croient pas infectées puisqu'elles n'ont pas de symptômes. Par ailleurs, les personnes qui craignent la stigmatisation sociale entourant les ITSS hésitent à passer des tests de dépistage, à se faire traiter ou à se montrer ouvertes et honnêtes à propos de leur santé sexuelle (Friedman et coll., 2014). D'autres enfin s'imaginent être à l'abri des ITSS ou courir moins de risques d'en contracter une parce qu'elles croient bien connaître leur partenaire ou parce qu'elles vivent avec leur partenaire depuis un certain temps (Sparling et Cramer, 2015).

Les mesures à prendre

Nous présentons ici plusieurs méthodes de prévention – des précautions à prendre avant, durant ou peu après un rapport sexuel – pour réduire le risque de contracter une ITSS. Certaines de ces méthodes sont efficaces contre la transmission d'une variété de maladies. Plusieurs s'appliquent tant aux rapports buccogénitaux et anaux qu'au coït. Aucune n'est d'une efficacité absolue, mais chacune réduit considérablement les risques d'infection.

Évaluer son facteur de risque et celui de son ou sa partenaire

En tant que personne bien informée sur la transmission des ITSS, vous comprenez la nécessité d'évaluer le niveau de risque que représente un éventuel partenaire sexuel. Si vous le faites, vous devriez trouver important aussi de déterminer si vous êtes vous-même un partenaire à risque ou non. Si vous avez déjà eu des activités sexuelles avec d'autres personnes, est-il possible que vous ayez alors contracté une ITSS ? Avez-vous déjà passé des tests de dépistage pour une ITSS en particulier, ou pour toutes ? N'oubliez pas que plusieurs des ITSS dont il est question dans ce chapitre n'entraînent que peu ou pas de symptômes chez une personne infectée. Si vous envisagez des contacts sexuels avec une autre personne, n'est-il pas légitime de partager aussi l'information concernant votre propre santé sexuelle ?

Certains experts soutiennent que l'un des meilleurs moyens de prévenir les ITSS est d'amener les gens à prendre le temps, idéalement quelques mois, de connaître leur éventuel partenaire sexuel avant d'avoir des rapports sexuels avec elle ou lui. Malheureusement, les études indiquent que les couples qui savent établir une saine communication sur les facteurs de risque et les comportements sexuels sûrs sont très rares.

Les individus qui amorcent une relation ou qui vivent en relation intime ou romantique hésitent souvent à discuter de leurs expériences sexuelles antérieures (Anderson et coll., 2011). Les recherches indiquent qu'on aurait tort de croire que les partenaires sexuels potentiels dévoileront franchement leur risque de transmission des ITSS. Plusieurs études ont montré que les gens ne disent pas tout à leur partenaire à propos de leur vie sexuelle. Ils omettent, par exemple, de révéler le nombre (ou l'identité) de leurs partenaires sexuels antérieurs, leurs autres activités sexuelles du moment ou leur état de santé en matière d'ITSS. Ils peuvent aussi affirmer faussement avoir eu un résultat négatif à un test de VIH/sida ou à d'autres ITSS. D'après plusieurs enquêtes, il n'est pas exceptionnel de cacher une ITSS ou de mentir sur ce sujet lorsque vient le temps d'avoir une relation sexuelle (Anderson et coll., 2011 ; Edelman et coll., 2014a et 2014b).

Vous devriez transmettre à votre partenaire toute information pertinente sur vos antécédents sexuels et votre niveau de risque, et vous informer de son comportement passé et présent en matière de sexualité et d'usage de drogues injectables. S'ouvrir à l'autre peut être une bonne façon de l'amener à en faire autant. Il faut avoir eu l'occasion d'évaluer l'honnêteté et l'intégrité d'une personne dans diverses situations pour savoir si on peut ajouter foi à l'information qu'elle donne. Si vous constatez que votre partenaire dupe ses amis, les membres de sa famille ou vous ment sur d'autres sujets, il est légitime de douter de la véracité de ses réponses aux questions que vous posez pour tenter d'évaluer son niveau de risque sur le plan sexuel.

Passer un examen médical périodique

Même si les gens exposent sincèrement leurs antécédents sexuels, comment savoir si leurs partenaires précédents ont été aussi honnêtes avec eux ? Ces derniers, d'ailleurs, ont-ils même été interrogés sur leur risque de transmission d'une ITSS ? Nous conseillons donc vivement aux

Les établissements de santé offrent souvent les tests de dépistage et le traitement des ITSS.

partenaires désireux d'avoir des contacts sexuels de se protéger avec un condom ou une digue dentaire jusqu'à ce qu'un examen médical et des tests de laboratoire leur confirment l'absence d'ITSS, ou encore de s'abstenir de tout contact sexuel si un partenaire croit qu'il pourrait être infecté par une ITSS (par exemple, en ayant des symptômes). Procéder ainsi contribue non seulement à réduire les risques de contamination, mais aussi à établir un climat de confiance et de sécurité entre les partenaires. Si le prix de ces examens vous freine, sachez que

les tests de dépistage et parfois aussi les traitements sont offerts gratuitement presque partout au Canada.

Les autorités sanitaires recommandent aux gens qui ont de nombreux partenaires sexuels de passer régulièrement des tests de dépistage des ITSS, même s'ils ne présentent pas de symptômes évidents de maladie (Pace et Glass, 2001). Les experts conseillent généralement aux individus ayant de nombreux partenaires sexuels de passer des tests de dépistage tous les trois ou six mois.

Utiliser le condom

Nous savons depuis plusieurs décennies que les condoms de latex, lorsqu'ils sont utilisés systématiquement et adéquatement, contribuent à prévenir la transmission de nombreuses ITSS (Jemmott et coll., 2014). En fait, le condom, ce complice sous-estimé des relations sexuelles, est actuellement le seul moyen de contraception, à l'exception de l'abstinence, qui prévient la grossesse, empêche de contracter le VIH et réduit le risque de transmission d'autres ITSS transmissibles par contact muqueux des fluides corporels (Crosby et coll., 2013). Toutefois, le condom s'avère moins efficace pour ce qui est de la prévention des infections transmises par contact peau contre peau, dont la syphilis, l'herpès et le VPH. En outre, ils offrent une piètre protection contre les morpions et la gale. Finalement, les condoms faits de membrane de mouton (également connus sous le nom de *condom de membrane* ou de *peau naturelle*) présentent de minuscules pores qui peuvent donner lieu à la transmission de certaines ITSS, dont le VIH/sida, l'herpès génital et l'hépatite virale.

Les données les plus récentes sur le comportement sexuel et l'utilisation du condom chez les jeunes de 15 à 24 ans sont issues de l'*Enquête sur la santé dans les collectivités canadiennes de Statistique Canada*. À partir des données de cette enquête, recueillies entre les mois de janvier 2009 à décembre 2010, l'analyste Michelle Rotermann (2012) a dressé un portrait de l'utilisation du condom. Chez les 15 à 24 ans, 68 % des répondants ont déclaré s'être servis du condom lors de leur dernière relation sexuelle, une progression de 6 % par rapport à 2003. Comme en 2003, les garçons sont plus enclins que les filles à l'utiliser : en 2009 et 2010, les taux sont de 73 % pour les garçons et de 63 % pour les filles. L'usage du condom tend à diminuer avec l'âge, passant de 80 % chez les jeunes de 16-17 ans à 63 % chez les 20 à 24 ans. On observe par ailleurs des différences régionales : en Ontario, le taux global (prévalence de l'utilisation) est supérieur à la moyenne nationale avec 73 %, alors qu'au Québec il est inférieur, avec 60 %. Les jeunes qui ont le sentiment de pouvoir choisir d'être sexuellement actifs font un meilleur usage du condom, et ce, tant chez les garçons que chez les filles (Fernet et coll., 2001).

Utiliser un microbicide

Des efforts sont actuellement déployés dans le but de concevoir des microbicides (substances qui éliminent les microbes) sécuritaires, sous la forme d'un gel topique, d'une crème ou d'un suppositoire vaginal ou rectal, qui seraient efficaces pour prévenir ou réduire les risques de transmission du VIH et d'autres ITSS. Ces microbicides seraient à utiliser avant la pénétration, mais ne remplaceraient pas le condom. Ils fourniraient plutôt une protection additionnelle à faible coût. Dans les pays en voie de développement, où les ressources financières sont limitées et où les femmes ne peuvent pas toujours compter sur la collaboration de leur partenaire, les microbicides constitueraient une solution particulièrement avantageuse en ce qui a trait à la prévention des ITSS (Mngadi et coll., 2014; Lees, 2014; van den Berg et coll., 2014).

Il importe de signaler que les spermicides vaginaux contenant du nonoxynol-9 (N-9) ne protègent pas contre la transmission de la chlamydiose, de la gonorrhée ou de l'infection au VIH (Workowski et coll., 2010). En fait, on a établi une corrélation entre l'usage du N-9 et la présence de lésions vaginales, ce qui augmente le risque d'infection au VIH pendant le coït (van Damme, 2000). De plus, des recherches effectuées sur des animaux ont montré que le N-9 peut endommager les tissus du rectum et créer une porte d'entrée pour le VIH ou d'autres agents pathogènes causant des ITSS (Workowski et coll., 2010). Les autorités de la santé publique recommandent de ne pas utiliser de spermicide contenant du N-9.

Limiter le nombre de partenaires sexuels

Plusieurs campagnes de prévention recommandent de réévaluer l'importance d'avoir des activités sexuelles avec plusieurs partenaires ou recommandent de ne pas avoir de relations sexuelles avec des personnes qui ont ou qui semblent avoir de nombreux partenaires. En effet, il est fort probable que ces personnes ne connaissent pas très bien tous leurs partenaires et qu'elles n'ont pas pu éviter ceux qui avaient des comportements à risque. Aussi elles n'ont peut-être pas été en mesure de se protéger.

Plusieurs croient que le fait de s'abstenir de relations sexuelles ou d'être en couple monogame permet d'éviter les ITSS à coup sûr. Cette croyance doit cependant être nuancée, car, dans les faits, il est souvent très difficile d'évaluer les risques de transmission que représentent des partenaires passés, actuels ou éventuels. La monogamie sérielle (plusieurs relations monogames consécutives) étant une pratique répandue, il est faux de croire que la monogamie en soi est une stratégie efficace de prévention des ITSS (Conley et coll., 2012a). De plus, les couples monogames ne sont pas à l'abri des relations sexuelles extraconjugales sans condom. Conley et ses collaborateurs (2012b) montrent que, lorsque des individus

en couple monogame ont des relations sexuelles extraconjugales, ils ont moins tendance à utiliser un condom avec leur partenaire extraconjugal, à dévoiler leur relation sexuelle extraconjugale à leur partenaire de couple et à passer un test de dépistage, comparativement aux individus vivant en couple non monogame.

Le risque ne dépend pas tant du nombre de partenaires sexuels que du niveau de confiance que nous éprouvons envers un partenaire (confiance en ce qu'il dit, confiance en la véracité de ses propos, confiance en ses comportements futurs). Ce risque dépend aussi de notre tendance à entretenir des fausses croyances et des pensées magiques («Je l'aime, il ne doit pas avoir d'ITSS»), des gestes que nous sommes prêts à poser et des méthodes que nous sommes prêts à employer pour gérer ce risque (par exemple, avoir des contacts buccogénitaux sans condom, mais des activités de pénétration avec condom).

Examiner les organes génitaux de son ou de sa partenaire

En examinant ses propres organes génitaux et ceux de votre partenaire avant de vous livrer à une relation buccogénitale ou à un coït vaginal ou anal, vous pourriez découvrir des symptômes d'une ITSS. En effet, les cloques de l'herpès, les écoulements vaginaux ou urétraux, les chancres (lésions) ou les éruptions cutanées associées à la syphilis, aux condylomes acuminés et à la gonorrhée sont parfois visibles. Dans la plupart des cas, les symptômes sont plus apparents chez l'homme. (Si l'homme n'est pas circoncis, prenez soin de rétracter le prépuce.) Si vous constatez un écoulement, une odeur désagréable, des plaies, des cloques, des éruptions cutanées, des verrues ou tout autre indice suspect, il y a lieu de vous inquiéter. Une façon particulièrement efficace de déterminer s'il y a écoulement suspect est de *pomper* le pénis. Tenez fermement le pénis et tirez la peau plusieurs fois de haut en bas en exerçant une pression à la base du gland. Écartez ensuite le méat pour voir s'il contient ou non un liquide trouble.

Il est souvent difficile de se résoudre à ce genre d'examen avant une relation sexuelle. Cependant, en disant simplement «Laisse-moi te déshabiller», vous aurez l'occasion d'examiner les organes génitaux de votre partenaire. Certaines personnes suggèrent de profiter d'une douche commune comme prétexte pour examiner son ou sa partenaire avant de passer aux ébats. Cette façon de faire permet en effet de repérer d'éventuelles cloques ou lésions, mais le savon et l'eau peuvent aussi éliminer les indices visuels ou olfactifs associés à un écoulement.

Si vous détectez des signes d'infection, vous ferez preuve de jugement et de prudence en vous refusant au contact sexuel. Comme votre partenaire n'a pas nécessairement conscience de ses symptômes, il est essentiel que vous exprimiez vos inquiétudes. Quant aux gens qui décident de poursuivre l'interaction sexuelle malgré la probabilité d'une ITSS chez le ou la partenaire, ils auraient avantage à se limiter aux baisers, aux étreintes, aux caresses et à la stimulation manuelle des organes génitaux.

Se laver avant et après le contact sexuel

On ne sait pas jusqu'à quel point un lavage à l'eau savonneuse des organes génitaux avant une activité sexuelle peut prévenir les infections. Par contre, il ne fait pas de doute que se laver soit une bonne chose. Le fait de laver le pénis apporte plus de protection contre les infections que de laver la vulve, bien que cela soit aussi une bonne mesure à prendre.

Après le contact sexuel, il est recommandé de bien laver ses organes génitaux et les zones avoisinantes, à l'eau et au savon, pour empêcher toute propagation éventuelle. Toutefois, nous ne suggérons pas que cette mesure de prévention est toujours de mise après chaque activité sexuelle. Uriner après le coït peut constituer une mesure prophylactique (visant à prévenir l'apparition, la propagation ou l'aggravation d'une maladie), surtout pour les hommes (Head, 2008). Plusieurs agents infectieux ne peuvent survivre dans le milieu acide de l'urètre au passage de l'urine. Uriner peut donc aider à évacuer des microorganismes pathogènes.

Prévenir ses partenaires si l'on a une ITSS

Comme de nombreuses infections sont asymptomatiques, il est essentiel que les personnes infectées avertissent leurs partenaires sexuels dès qu'elles reçoivent un diagnostic d'ITSS. De façon générale, ce dévoilement contribue à réduire la propagation des ITSS et favorise la prise en charge rapide des partenaires potentiellement infectés (Hightow-Weidman et coll., 2014 ; Schneider, 2014). Dans le cas du VIH, il s'agit d'une obligation juridique. L'information peut être transmise par la personne infectée, par un professionnel de la santé, un agent de la santé publique ou par Internet (Gilbert et Hottes, 2014 ; Gotz et coll., 2014). Si c'est un professionnel de la santé qui se charge de le faire, il peut alors, par la même occasion, communiquer de l'information sur la façon de réduire les risques d'exposition aux ITSS, de même que sur les services de santé offerts, comme le dépistage et le traitement des ITSS (Hoxworth et coll., 2003). L'encadré *Parlons-en* fournit des suggestions utiles pour qui choisit de divulguer qu'il a une ITSS.

Plusieurs études ont montré que le fait d'informer son ou ses partenaires de la situation favorise souvent des changements positifs dans les comportements, comme un usage accru du condom, et contribue également à réduire le risque d'ITSS chez les personnes qui ont été averties (Wilson et coll., 2014).

Toutefois, certaines études indiquent que les personnes atteintes d'une ITSS ont tendance à prévenir leur partenaire principal de leur situation et à laisser les autres partenaires sexuels dans l'ignorance (Niccolai et coll., 2006).

Les ITSS et la stigmatisation

Malgré les progrès réalisés dans la prise en charge des ITSS sur le plan des soins, du traitement et du soutien, les personnes atteintes d'une infection sont l'objet de stigmatisation, voire de discrimination. Dans une étude, Conley et ses collaborateurs ont comparé les attitudes des participants auxquels ils avaient demandé de porter un jugement sur deux groupes de personnes : d'une part, des personnes qui auraient transmis une ITSS, comme la chlamydiose, entraînant chez leur partenaire des conséquences sans grande importance (par exemple, la prise d'antibiotiques durant une semaine) ; d'autre part, des personnes qui auraient transmis la grippe H1N1 à l'occasion de relations sexuelles, entraînant la mort de leur partenaire. Il est ressorti de cette étude que les personnes qui avaient transmis une ITSS sans conséquences graves étaient jugées plus sévèrement que celles qui avaient transmis une maladie qui s'est avérée mortelle (Conley et coll., 2015).

Les personnes aux prises avec une ITSS passagère ou persistante se sentent blâmées, rejetées et jugées, surtout par leurs partenaires sexuels actuels et potentiels.

La stigmatisation sociale des ITSS entraîne plusieurs conséquences négatives. Les personnes qui se pensent infectées peuvent tarder à consulter un professionnel de la santé ou à se faire soigner pour une ITSS. Elles peuvent aussi être moins portées à signaler leur infection à leurs partenaires sexuels, ce qui contribue à l'augmentation des cas d'ITSS. En outre, la stigmatisation sociale engendre la peur des personnes infectées ou porteuses d'une infection et entretient les préjugés à l'égard des comportements attribués aux communautés ou aux groupes stigmatisés et que l'on associe à un risque élevé d'ITSS (les hommes gais et bisexuels, les consommateurs de drogues, les travailleurs et travailleuses du sexe, les détenus, etc.) (INSPQ, 2014). Ces préjugés peuvent mener à discriminer ces personnes et même à commettre des actes violents à leur endroit (Perry et Donini-Lenhoff, 2010). Par exemple, la divulgation de la séropositivité est un acte particulièrement difficile et délicat, exposant l'individu atteint à un certain nombre de risques. Selon l'ONUSIDA (2008), la stigmatisation a de lourdes conséquences pour les personnes vivant avec le VIH/sida. Elles s'exposent à la discrimination, à la violation de leurs droits ; elles risquent de perdre leur emploi, certains de leurs biens ou leur logement, ou que ceux-ci soient endommagés. Elles risquent aussi d'être rejetées ou abandonnées par leurs amis et leur famille, ou encore de subir des violences, en raison de leur séropositivité. Cependant, sur le plan juridique, la Cour suprême du Canada a décidé qu'une personne séropositive est tenue de dévoiler son état à ses partenaires sexuels avant toute activité sexuelle comportant une possibilité réaliste de transmission du VIH, sinon, elle risque des accusations et des poursuites en vertu du Code criminel (cette situation est appelée *criminalisation de la non-divulgation du VIH*) (Réseau juridique Canadien VIH/sida, 2014). Certains groupes dénoncent toutefois ces dispositions en affirmant qu'elles

sont discriminatoires et qu'elles vont à l'encontre de la Charte des droits et libertés de la personne, puisque celle-ci interdit de discriminer toute personne sur la base d'un handicap, d'une maladie, d'une infection.

Que pourriez-vous faire pour mettre fin à la stigmatisation des ITSS? Il importe de bien s'informer sur les ITSS, de briser les mythes et de décourager l'utilisation d'un langage stigmatisant («Il a des bibittes», «Elle n'est pas propre») et les blagues aux dépens de personnes atteintes d'une ITSS.

PARLONS-EN

Informer son ou sa partenaire

Vous devez informer votre partenaire que vous lui avez peut-être transmis une ITSS. La difficulté vous semble insurmontable? Il en serait ainsi pour la plupart des gens. Vous craignez sans doute que cette révélation ne compromette une relation qui compte pour vous. Vous avez peur d'être jugé sur votre hygiène. De plus, si votre relation est réputée monogame, ce genre de révélation peut choquer votre partenaire. Par contre, malgré tous ces obstacles, il est beaucoup plus dangereux à long terme de taire l'existence d'une infection transmissible sexuellement.

En omettant d'avertir un ou une partenaire des risques d'ITSS, on met sa santé en danger. En effet, comme plusieurs ITSS ne s'accompagnent d'aucun symptôme, les personnes infectées ne se rendront souvent compte de leur état que lorsque surviendront de sérieuses complications. De plus, si vous taisez votre état et que votre partenaire n'est pas traité, vous pourriez être infecté de nouveau après la guérison.

Contrairement à certaines maladies, comme les oreillons ou la varicelle, les ITSS n'immunisent pas contre de futures infections. Vous pouvez donc contracter une infection, la transmettre à votre partenaire, en guérir, et la contracter une fois de plus si l'autre n'a pas été traité.

Voici quelques conseils pour vous aider à informer votre partenaire que vous avez une ITSS et aussi pour gérer vos réactions si votre partenaire vous informe qu'il ou qu'elle a une ITSS. N'hésitez pas à les adapter à votre situation. La question est délicate et nécessite réflexion et planification.

1. Faites preuve de franchise. Vous ne gagnez rien à minimiser vos symptômes d'ITSS. Assurez-vous que votre partenaire a compris qu'il doit se soumettre à un examen médical.

2. Même si vous soupçonnez que l'infection vous a été transmise par votre partenaire, évitez le blâme. Cela ne vous mènera nulle part. Déclarez simplement que vous avez cette infection et que vous désirez que votre partenaire se prête au traitement médical approprié.

3. La réaction de votre partenaire à la nouvelle pourrait dépendre de votre attitude. Si vous montrez beaucoup

d'anxiété, de culpabilité, de crainte ou de dégoût, l'autre pourrait réagir de même. Essayez de présenter les faits aussi clairement et calmement que possible.

4. Faites preuve d'empathie. Attendez-vous à de la colère ou à du ressentiment. Ce sont là des réactions compréhensibles. C'est en étant compréhensif et en écoutant sans vous tenir sur la défensive que vous réussirez le mieux à désamorcer les réactions négatives.

5. Lorsqu'une infection est diagnostiquée, il est évidemment exclu de vous livrer à des relations sexuelles avant d'avoir obtenu la confirmation médicale que vous ne présentez plus de risques de propagation.

6. Dans les cas d'herpès, où les récidives sont imprévisibles et les risques d'infecter un nouveau partenaire, constants, il vaut mieux faire état du problème avant d'avoir des relations sexuelles. Dites simplement à votre partenaire: «Il y a quelque chose dont nous devrions discuter d'abord.»

▲ Bien que cela soit difficile, il est très important d'informer tous ses partenaires sexuels des six derniers mois lorsqu'on a contracté une ITSS.

RÉSUMÉ

Les infections liées à l'activité sexuelle

- La chlamydiose est l'ITSS la plus répandue au Canada et elle est souvent asymptomatique.

- La gonorrhée provoque certains symptômes similaires chez les deux sexes, dont des écoulements accrus et des sensations de brûlure à la miction. Souvent, chez les femmes, elle passe inaperçue au début.

- Au Canada, la gonorrhée est en augmentation chez les hommes qui ont des rapports sexuels avec des hommes (HARSAH).

- La syphilis est moins répandue que la gonorrhée, mais elle peut entraîner des problèmes de santé plus graves.

- L'herpès est causé par deux types de virus, le VHS-1 et le VHS-2. Le type 1 touche surtout la bouche et le type 2, les organes génitaux.

- Malgré le traitement, les virus de l'herpès persistent dans le corps et peuvent provoquer des épisodes récurrents au cours desquels les personnes atteintes peuvent infecter leurs partenaires.

- Le virus du papillome humain (VPH) est responsable de l'ITSS d'origine virale la plus répandue au Canada et elle est souvent asymptomatique. Il est la principale cause des verrues génitales et peut aussi provoquer certains cancers, surtout celui du col de l'utérus.

- La vaginose bactérienne, la candidose (*Candida albicans*) et la trichomonase (*Trichomonas vaginalis*) sont les infections vaginales les plus répandues. Les hommes infectés par ces microorganismes n'ont en général aucun symptôme. La transmission par le coït sans condom est fréquente.

- Il y a deux types d'infections ectoparasitaires : les morpions (poux pubiens) et la gale.

- Le sida est une infection causée par un virus, le VIH, qui détruit le système immunitaire et rend ainsi l'organisme vulnérable à une variété d'infections et de cancers.

- Le sang et le sperme sont les principaux agents de propagation du VIH, lequel se transmettrait avant tout par contact sexuel. Chez les utilisateurs de drogues injectables, la propagation se fait par l'emploi de seringues ayant servi à des personnes infectées.

- Les comportements à haut risque par lesquels on s'expose à l'infection au VIH comprennent les rapports sexuels non protégés, les rapports sexuels avec des gens dont le facteur de risque est élevé et le partage de matériel d'injection de drogues.

- Il existe des tests sanguins pour dépister les infections par le VIH.

- L'infection au VIH est désormais considérée comme une maladie chronique et maîtrisable chez les gens qui peuvent bénéficier de la thérapie antirétrovirale. Ailleurs, ces infections font encore des ravages et sont responsables d'un grand nombre de décès.

La prévention des ITSS

- La stratégie de prévention la plus importante consiste probablement à évaluer attentivement son propre risque de transmission d'une ITSS et celui de son ou sa partenaire.

- Les nouveaux couples devraient passer des examens médicaux et des tests de dépistage avant de se livrer à toute activité sexuelle.

- L'utilisation du condom est une stratégie de prévention de la transmission des ITSS efficace lorsqu'il est utilisé correctement et régulièrement.

- Les personnes qui ont de multiples partenaires sexuels devraient se soumettre périodiquement à un examen médical, même si elles n'ont aucun symptôme d'infection.

- Les personnes infectées doivent impérativement prévenir leurs partenaires sexuels de leur état dès qu'elles se savent atteintes d'une ITSS.

Les ITSS et la stigmatisation

- La stigmatisation sociale engendre la peur des gens infectés ou porteurs d'une infection, et elle entretient les préjugés à l'égard des comportements, des communautés ou des groupes associés à un risque élevé d'ITSS. Ces préjugés peuvent mener à de la discrimination et à la violence.

- Selon l'ONUSIDA, la stigmatisation a de lourdes conséquences pour les personnes vivant avec le VIH/sida : discrimination, violation des droits de la personne, perte d'emploi, perte de biens ou de logement ou dommages à ceux-ci, rejet par les amis et la famille, violence et abandon en raison de la séropositivité.

La contraception et la conception

> Devenir parent est l'une des décisions les plus importantes qui soit. De plus en plus, des couples et des individus choisissent de ne pas avoir d'enfants et les attitudes sociales quant à ce choix deviennent plus positives (Craig et coll., 2013). Par exemple, aux États Unis, en 1975, environ 9 % des femmes âgées de 40 à 44 ans n'avaient pas d'enfants ; en 2012, ce pourcentage dépassait 16 % (Monte et Ellis, 2014). Toutefois, la plupart des gens choisissent d'être parents à un moment dans leur vie adulte.
>
> Dans un premier volet, nous abordons la contraception et l'éventail des moyens qui peuvent être utilisés selon les besoins particuliers, l'étape de la vie et le désir de chacun d'avoir des enfants ou non. Dans un deuxième volet, nous examinons les processus de la conception, de la grossesse et de la naissance, de même que les émotions qu'ils suscitent. De plus, nous examinons les choix et les options qui s'offrent aux futurs parents.

La contraception

C'est une bonne chose qu'il y ait une palette de moyens contraceptifs, car j'ai utilisé la plupart d'entre eux à un moment ou un autre. J'ai pris la pilule avant d'être avec mon petit ami, alors que je commençais à avoir des relations sexuelles à l'université. C'était avant le sida, alors je n'avais pas besoin de recourir à quoi que ce soit d'*embarrassant*. J'ai essayé la combinaison pilule et mini-pilule, puis un dispositif intra-utérin pendant un temps. Une fois que j'ai été mariée, nous avons eu recours à la planification familiale naturelle et au diaphragme ou à la cape cervicale avec succès. Après la naissance des enfants, la mousse et le condom ont fait l'affaire jusqu'à la vasectomie de mon mari. Je n'ai jamais eu de problèmes particuliers avec l'une ou l'autre de ces méthodes et je me réjouis de n'avoir jamais eu de grossesse non désirée, mais je suis ravie de ne plus avoir à utiliser la contraception. (Note des auteurs)

Des aspects historiques et sociaux

Des documents anciens témoignent du souci de nos ancêtres de limiter les naissances (McLaren, 1990). Déjà, dans l'Égypte ancienne, les femmes se servaient d'une pâte d'excréments de crocodile préalablement trempée dans du lait caillé comme pessaire, un ancêtre du diaphragme. En Grèce, au VIᵉ siècle, on recommandait de manger l'utérus, les testicules ou les rognures de sabots d'une mule. Dans l'Europe occidentale du XVIIᵉ siècle, des éponges imbibées de différentes solutions et insérées dans le vagin étaient employées comme moyen de contraception (McLaren, 1990). Au XVIIIᵉ siècle, le célèbre aventurier italien Giovanni Casanova utilisait des préservatifs faits de membranes d'intestins d'animaux qu'il faisait tenir par un ruban à la base du pénis.

La contraception en Amérique du Nord

L'éventail de méthodes contraceptives dont on dispose aujourd'hui est le fruit d'une longue lutte, car leur utilisation a longtemps été réprimée par la loi. En Amérique du Nord, c'est grâce à l'opiniâtreté de femmes telles que Margaret Sanger, une Américaine ayant vécu au siècle dernier. Horrifiée par la misère de ses compatriotes qui, n'ayant aucune maîtrise de leur fécondité, étaient condamnées à mettre au monde un grand nombre d'enfants indigents, elle ouvrit illégalement en 1915 une clinique où les femmes pouvaient obtenir des diaphragmes qu'elle importait d'Europe. Accusée d'avoir contrevenu à la loi en publiant de l'information sur la planification des naissances dans son journal *The Woman Rebel*, elle a dû fuir en Europe pour échapper à la justice. Elle est revenue plus tard pour promouvoir la recherche scientifique sur la contraception hormonale, un projet financé par sa riche amie Katherine Dester McCormack.

Ces deux militantes voulaient que soit mise au point une méthode fiable pour permettre aux femmes de contrôler leur fécondité (Tone, 2002). Toutefois, ce n'est qu'en 1960, à la suite de travaux de recherche et d'expérimentation menés à Porto Rico par le Dᵣ John Rock et le Dr Pincus, que la première pilule anticonceptionnelle a été lancée sur le marché. À partir de ce moment, le contrôle de la fécondité est passé par la contraception plutôt que par l'abstinence. Ce changement profond a ouvert de toutes nouvelles perspectives aux femmes, contribuant à l'émergence d'une sexualité pour le plaisir puisqu'elle s'est alors dissociée de la conception (Giddens, 1992).

QUESTION D'ANALYSE CRITIQUE

> Quel rôle, s'il y a lieu, la religion a-t-elle joué dans la décision de vos parents de recourir ou non à des moyens contraceptifs ? Et dans vos propres décisions ?

La contraception, une question actuelle

Le recours à la contraception a considérablement augmenté dans le monde durant les dernières décennies : on estime qu'en 2015, 64 % des femmes mariées ou en couple emploient un moyen de contraception. Toutefois, l'utilisation des moyens contraceptifs modernes demeure faible chez les plus pauvres des pays en développement, surtout en Afrique (33 %), comparativement à l'Amérique du Nord (75 %) (Nations Unies, 2015). Des millions de femmes et de couples dans le monde sont dans l'impossibilité d'exercer leur droit de décider librement et de façon responsable du moment où ils auront des enfants (Mogato, 2008). De plus, dans ces régions, le risque pour les femmes de décéder des complications d'une grossesse, d'un accouchement ou d'un avortement est de 1 sur 65. Selon l'Organisation mondiale de la Santé (OMS), plus de 99 % des décès de la mère lors d'un accouchement surviennent dans les pays en développement ; 800 femmes meurent ainsi chaque jour dans le monde de causes qui pourraient être évitées (OMS, 2012).

En Occident, 95 % des femmes ont eu recours à la contraception à un moment ou à un autre de leur vie. En outre, les femmes ayant des rapports sexuels avec des hommes peuvent avoir besoin d'une forme quelconque de contraception durant au moins 30 ans, car les moments où elles chercheront à devenir enceintes, ou le seront, ne représentent qu'une brève partie de leur **vie reproductive** (Alan Guttmacher Institute, 2009). Au Canada, on observe une augmentation de l'usage du condom en 2009-2010 par rapport à 2003, chez les jeunes de 15 à 24 ans, particulièrement chez ceux qui ont déclaré avoir eu un seul partenaire sexuel. Malgré cette hausse, plus de 3 jeunes adultes sur 10 n'ont pas utilisé

Vie reproductive Désigne la période de fertilité comprise entre le 15e et le 45e anniversaire de la femme.

de condom au cours de leur dernière relation sexuelle. La proportion de jeunes qui en ont utilisé un lors de leur dernière relation sexuelle était par ailleurs inférieure à la moyenne canadienne au Québec et au Manitoba, et supérieure en Ontario, en Alberta, dans les Territoires du Nord-Ouest et au Nunavut (Rottermann, 2012).

Il y a plusieurs raisons de souhaiter que la régulation des naissances soit plus accessible et plus répandue. D'abord et avant tout, la contraception permet aux partenaires de sexe différents de jouir de l'intimité sexuelle avec un risque minimal de grossesse non désirée. La possibilité d'espacer les naissances d'au moins 18 mois augmente aussi les chances d'avoir des nouveau-nés en bonne santé (Conde-Agudelo et coll., 2006). Ensuite, les enfants sont plus susceptibles de naître de parents qui sont préparés à les élever. Ainsi, la proportion de femmes qui doivent faire face à la décision de se faire avorter est plus faible que jamais. L'accès à des méthodes contraceptives a permis aux femmes de prendre le contrôle de leur corps, constituant une avancée pour les droits des femmes.

La responsabilité partagée et le choix d'une méthode de contraception

Chaque méthode contraceptive comporte des avantages et des inconvénients. Pour chaque situation, des individus ou des partenaires peuvent décider des méthodes qui leur conviennent le mieux après s'être informé des différents moyens de contraception et avoir discuté de leurs effets secondaires, de leurs avantages et de leurs inconvénients.

La recherche montre que les décisions en matière de contraception relèvent de plus en plus des deux partenaires (Grady et coll., 2000). En partageant la responsabilité de la contraception, les partenaires améliorent leur relation et ont une belle occasion d'aborder des questions personnelles et sexuelles. Les couples qui discutent ouvertement de leur sexualité et de contraception sont plus susceptibles d'y recourir (Durex, 2008 ; Manlove et coll., 2007). Le fait de ne pas discuter de contraception au sein d'un couple peut amener les femmes à croire que leurs partenaires leur en font porter toute la responsabilité et qu'ils s'en lavent les mains. En outre, les hommes ne devraient en aucun cas présumer que leurs partenaires « font ce qu'il faut pour éviter la grossesse parce que ce sont elles qui seraient mal prises ». Comme un étudiant le demandait :

> Si vous avez une relation sexuelle avec une fille et qu'elle vous dit qu'elle prend la pilule, comment pouvez-vous savoir si elle dit vrai ? (Note des auteurs)

Le premier pas vers un partage des responsabilités en matière de contraception peut être de demander à l'autre s'il ou elle utilise une méthode contraceptive avant d'avoir des rapports sexuels. Les partenaires doivent apprendre à parler de contraception, à se procurer des contraceptifs et à refuser les relations sexuelles sans contraception efficace. Discuter de la possibilité d'opter pour des relations sexuelles non coïtales en guise de méthode contraceptive, ou comme solution de rechange temporaire ou non, représente une autre façon pour les partenaires d'assumer conjointement la responsabilité de la contraception.

Les différentes méthodes de contraception

Les couples peuvent choisir parmi de nombreuses méthodes contraceptives. Cependant, la méthode idéale, celle qui serait efficace à 100 %, sans aucun danger, sans effets secondaires, réversible, indépendante de l'activité sexuelle, bon marché, accessible, utilisable par les deux sexes et qui ne dépendrait pas de la mémoire des utilisatrices, n'existe pas et n'existera pas dans un avenir proche (Mills et Barclay, 2006). Chaque méthode a ses avantages et ses inconvénients sur le plan de l'efficacité, de la fiabilité, du prix et de la facilité d'emploi. Il est important d'en connaître quelques-unes, car la plupart des gens emploieront plus d'une méthode contraceptive au cours de leur vie sexuelle active. De plus, une femme satisfaite de sa méthode contraceptive est plus susceptible d'y recourir régulièrement et ainsi d'en tirer une efficacité optimale (Frost et Darroch, 2008). Les caractéristiques des différentes méthodes contraceptives sont présentées dans le tableau 13.1.

TABLEAU 13.1 Les facteurs à considérer dans le choix d'une méthode de contraception

CONTRACEPTIFS HORMONAUX	
MÉTHODE	Pilule œstrogène-progestatif
Description	• Comprimé à prendre quotidiennement qui renferme des hormones (œstrogène et progestatif seulement) et qui remplace le cycle naturel de la femme par un cycle artificiel. • Empêche la production d'ovules ou la nidation. • Exemples : Seasonale[MD], Micronor[MD].
Efficacité selon l'OMS	• 99,2 à 99,9 %.
Utilisation et prix*	• Requiert une ordonnance médicale. • Coûte de 15 à 18 $ par mois, habituellement couverte par les régimes privés et la Régie de l'assurance maladie du Québec (RAMQ).
Utilisatrices visées	• Pour celles qui recherchent un moyen simple et efficace qui permet la spontanéité des relations sexuelles.
Avantages	• Une des méthodes contraceptives réversibles les plus efficaces. • Apporte des avantages supplémentaires : réduction du flux menstruel, diminution de l'acné et protection contre certains cancers.
Inconvénients, complications, précautions à prendre	• Effets secondaires possibles : prise de poids, nausées, vomissements et diarrhée, absence de menstruations, maux de tête, taches brunâtres sur la peau, troubles de la vision, sautes d'humeur, sensibilité des seins, saignements autres que les règles. • La femme qui présente un ou plusieurs de ces symptômes doit en parler à son médecin avant de décider d'arrêter de prendre la pilule. Une autre sorte de pilule peut faire diminuer ou disparaître ces symptômes. • Précaution : utiliser une méthode contraceptive d'appoint pendant le premier mois d'utilisation. • Ne protège pas contre les ITSS et le VIH.

Contre-indications	• Déconseillée si :
	  – saignements vaginaux anormaux ;
	  – maladies cardiovasculaires ;
	  – fumeuse de plus de 35 ans ;
	  – possibilité de cancer du sein ou de cancer du foie ;
	  – difficulté de prendre la pilule tous les jours, à la même heure.

TABLEAU 13.1 Les facteurs à considérer dans le choix d'une méthode de contraception (*suite*)

CONTRACEPTIFS HORMONAUX	
MÉTHODE	**Anneau vaginal, timbre transdermique**
Description	• NuvaRing^{MD} et Ortho Evra^{MD} sont deux contraceptifs à base hormonale qui ne nécessitent pas de prendre une pilule chaque jour. Les deux contiennent des hormones de synthèse, œstrogène et progestatif, enchâssées soit dans un anneau intravaginal transparent d'environ deux fois la largeur d'une pièce de 25 cents (NuvaRing^{MD}), soit dans un timbre transdermique beige. • Empêche la production d'ovules ou la nidation.
Efficacité selon l'OMS	• 99,9 %. • Efficacité réelle d'environ 97 %, selon l'utilisation qui en est faite.
Utilisation et prix*	• Requiert une ordonnance médicale. • Environ 25 $ pour un anneau, habituellement couvert par les régimes privés et la RAMQ. Environ 24 $ pour 3 timbres transdermiques, couverts par les régimes privés et la RAMQ.
Utilisatrices visées	• Pour celles qui recherchent un moyen simple et efficace qui ne nécessite pas de prise quotidienne de comprimé.
Avantages	• Une des méthodes contraceptives réversibles les plus efficaces.
Inconvénients, complications, précautions à prendre	• L'anneau peut ressortir. • Ne protège pas contre les ITSS et le VIH.
Contre-indications	• Anneau inefficace pour les femmes de plus de 90 kg.
MÉTHODE	**Contraceptif injectable**
Description	• Depo-Provera^{MD} est un contraceptif qui consiste en l'injection, aux 12 semaines, d'une hormone similaire à la progestérone naturelle. • Il empêche la maturation des ovules, rend le revêtement utérin impropre à l'implantation d'un ovule fécondé et provoque l'épaississement des sécrétions du col de l'utérus, ce qui rend plus difficile le passage des spermatozoïdes dans l'utérus.
Efficacité selon l'OMS	• 99,7 %. • Efficacité durant 3 mois. • Efficace 24 heures après l'injection.
Utilisation et prix*	• Voir le médecin aux 3 mois pour l'injection. • Peut être gratuit dans les cliniques jeunesse. • Coûte de 32 à 45 $ l'injection, couverte par les régimes privés et la RAMQ.
Utilisatrices visées	• Pour celles qui veulent une méthode simple et efficace. • Pour celles qui oublient souvent de prendre la pilule. • Pour celles qui fument. • Pour celles qui veulent avoir des menstruations moins abondantes. • Pour celles qui ne peuvent pas prendre d'œstrogène.
Avantages	• Rien à prendre quotidiennement. • Méthode contraceptive réversible parmi les plus fiables. • Peut être approprié pour les femmes susceptibles de souffrir de maladies cardiovasculaires. • Bonne méthode pendant l'allaitement.

TABLEAU 13.1 Les facteurs à considérer dans le choix d'une méthode de contraception (*suite*)

CONTRACEPTIFS HORMONAUX	
MÉTHODE	**Contraceptif injectable (*suite*)**
Inconvénients, complications, précautions à prendre	• Retour à la fertilité plus long (6 à 8 mois). • Saignements imprévisibles au cours des 3 à 6 premiers mois. • Prise de poids. • Ostéoporose. • Effets sur l'humeur. • Ne protège pas contre les ITSS et le VIH.

Contre-indications	• Déconseillé si :
	  – crainte d'une prise de poids ;
	  – saignements vaginaux anormaux ;
	  – impossibilité de se rendre chez le médecin toutes les 12 semaines pour l'injection.

BARRIÈRES CONTRACEPTIVES	
MÉTHODE	**Condom masculin**
Description	• Gaine de latex, de membrane de boyau d'agneau ou de polyuréthane qui recueille le sperme et empêche ainsi les spermatozoïdes de se rendre à l'ovule. Le condom empêche également l'échange des liquides biologiques et du sperme. • Les condoms devraient être utilisés avec un spermicide. Éviter d'utiliser des lubrifiants tels que la vaseline, le beurre et toutes les huiles, car ils rongent le latex. Utiliser plutôt un lubrifiant à base d'eau (gelée K-Y^MD, Aqua Lube^MD, Duragel^MD, mousses contraceptives, etc.).
Efficacité selon l'OMS	• 98 %, si utilisé correctement. • Taux habituel de 85 %. • Taux d'échec de 15 % (grossesse non désirée) au cours de la première année d'utilisation.
Utilisation et prix*	• Disponible dans les distributrices, les pharmacies, les boutiques spécialisées, certains dépanneurs et Internet. • Coûte de 3,00 à 5,00 $ (boîte de trois), mais peut être obtenu gratuitement dans les CLSC, les cliniques jeunesse, etc.
Utilisateurs visés	• Pour les couples dont la femme présente des risques de maladies cardiovasculaires. • Pour ceux et celles qui ont plusieurs partenaires. • Souvent le premier choix des adolescents.
Avantages	• Bonne méthode si intégrée à la vie sexuelle. • Facile à obtenir et relativement bon marché. • Large éventail, ce qui peut rendre la méthode plus agréable. • Peut améliorer la relation sexuelle en retardant une éjaculation trop rapide. • Protège contre le cancer du col de l'utérus et contre la stérilité. • Peut être utilisé en combinaison avec d'autres méthodes comme double protection. • Seuls les condoms en latex et en polyuréthane protègent contre la plupart des ITSS et le VIH.

TABLEAU 13.1 Les facteurs à considérer dans le choix d'une méthode de contraception (*suite*)

BARRIÈRES CONTRACEPTIVES	
MÉTHODE	**Condom masculin (*suite*)**
Inconvénients, complications, précautions à prendre	• Problèmes de pose en raison du manque de pratique. • Certains se plaignent d'une perte de sensibilité. • Rupture du condom possible si usage abusif, utilisation de lubrifiant à base d'huile ou utilisation du condom après la date de péremption. • Allergie au latex. • Peut interrompre les préliminaires. • Exige de la motivation, de la pratique et le sens des responsabilités. • Peut nuire à l'érection et au plaisir. • Précaution : utiliser un condom sec (sans lubrifiant ni spermicide) ou un condom à saveur pour les contacts bouche-pénis. • Peut être difficile à mettre en place.

Contre-indications	• Déconseillé si :
	  – allergie au latex (le condom en polyuréthane pour homme ou pour femme peut être une excellente solution de rechange) ;
	  – le couple risque de mal l'utiliser ou de ne pas l'utiliser systématiquement.

MÉTHODE	**Condom féminin**
Description	• Gaine en polyuréthane comportant deux anneaux et portée par les femmes. L'anneau interne à l'extrémité fermée du condom s'insère dans le vagin. L'anneau se place derrière l'os pubien et sert d'ancre au condom. L'anneau extérieur demeure à l'extérieur du vagin ; il couvre partiellement les lèvres. Le condom féminin bloque l'entrée du sperme dans le vagin et empêche l'echange des liquides biologiques.
Efficacité selon l'OMS	• 90 %, si utilisé correctement.
Utilisation et prix*	• Disponible dans les pharmacies, les cliniques de planification des naissances et Internet. • Coûte 15 \$ (paquet de 3 condoms).
Utilisatrices visées	• Pour celles qui souhaitent une protection contre les ITSS et le VIH.
Avantages	• 40 % plus résistant aux déchirures que le condom masculin. • Ne serre pas le pénis. • Lubrifié à l'extérieur et à l'intérieur. • Peut être inséré des heures avant la relation sexuelle et permet plus de spontanéité. Pas nécessaire de retirer le condom immédiatement après la relation sexuelle. • Seul moyen contraceptif qui protège des ITSS et du VIH, et dont l'utilisation est contrôlée par la femme.
Inconvénients, complications, précautions à prendre	• Peut être difficile à insérer.
Contre-indications	• Déconseillé s'il y a risque de ne pas l'utiliser à chaque relation sexuelle.

TABLEAU 13.1 Les facteurs à considérer dans le choix d'une méthode de contraception (*suite*)

BARRIÈRES CONTRACEPTIVES	
MÉTHODE	Spermicide
Description	• Produit chimique contenant du nonoxynol-9. Disponible sous de multiples formes : mousse, suppositoire, crème, gelée, éponge, pellicule. • Doit être utilisé en combinaison avec une autre méthode de contraception.
Efficacité selon l'OMS	• 82 %, si utilisé seul et correctement. • Devient très efficace lorsqu'il est utilisé en combinaison avec une autre méthode.

Utilisation et prix*	• À appliquer au fond du vagin avant la relation sexuelle.
	• Disponible dans les pharmacies.
	• Son prix varie selon la marque :
	  – Advantage 24MD (paquet de 3) : environ 12 $;
	  – Delfen MD (20 à 25 applications) : environ 18 $.

Utilisateurs visés	• Pour ceux et celles qui utilisent le condom, la cape cervicale ou le diaphragme et qui souhaitent une double protection.
Avantages	• Offre une protection contre les infections bactériennes. • Peut être utilisé comme méthode contraceptive postcoïtale. • Lubrifie le vagin et facilite la pénétration. • Advantage 24MD offre une protection pendant 24 heures.
Inconvénients, complications, précautions à prendre	• Possibilité de sensation de brûlure ou d'irritation à la vulve ou au pénis. • Odeur ou goût désagréable. • Dégrade le latex. • Allergie. • Infection des voies urinaires.

Contre-indications	• Déconseillé, si :
	  – allergie au nonoxynol-9 (Santé Canada indique que des plaies peuvent se former dans le vagin ou sur le pénis chez les personnes allergiques au nonoxynol-9, ce qui augmente le risque de transmission des ITSS et VIH d'un partenaire infecté) ;
	  – irritation des muqueuses vaginales et rectales par le nonoxynol-9 (augmentation du risque de transmission du VIH par un partenaire infecté) ;
	  – utilisée sans condom lorsque la femme a plusieurs partenaires.

MÉTHODE	**Éponge contraceptive**
Description	• Barrière jetable en mousse de polyuréthane qui recouvre le col. • Elle absorbe et emprisonne les spermatozoïdes. • Elle est imprégnée d'une combinaison de 3 spermicides qui détruisent les spermatozoïdes.
Efficacité selon l'OMS	• 80 %, si utilisée correctement. • Plus efficace chez les nullipares (91 %).
Utilisation et prix*	• Disponible dans les pharmacies, les cliniques de planification familiale et Internet. • Environ 12 $ pour une boîte de 4 éponges TodayMD.
Utilisatrices visées	• Pour celles qui veulent un moyen contraceptif qui n'interrompt pas les jeux sexuels.

TABLEAU 13.1 Les facteurs à considérer dans le choix d'une méthode de contraception (*suite*)

BARRIÈRES CONTRACEPTIVES	
MÉTHODE	**Éponge contraceptive** (*suite*)
Avantages	• Méthode barrière et spermicide en un seul produit. • Facile à transporter. • Ni ajustement ni intervention médicale nécessaire. • L'insertion n'interrompt pas les jeux sexuels. • Peu d'écoulement de sperme hors du vagin après l'éjaculation, car l'éponge l'absorbe.
Inconvénients, complications, précautions à prendre	• Infection aux levures. • Odeur. • Allergie aux spermicides. • Syndrome du choc toxique.

Contre-indications	• Déconseillée si :
	  – allergie à la mousse ou aux spermicides ;
	  – utilisée sans condom lorsque la femme a plusieurs partenaires.

MÉTHODE	**Diaphragme**
Description	• Coupole en caoutchouc souple, bordée d'un anneau. Il couvre le col de l'utérus et bloque ainsi l'entrée des spermatozoïdes dans l'utérus. • Doit être enduit de spermicide avant l'insertion, pour une protection supplémentaire, puisqu'il n'est pas toujours étanche. • Les diaphragmes ne sont pas très accessibles au Canada. • Le gel spermicide nécessaire est aussi difficile à trouver.
Efficacité selon l'OMS	• 94 %, si utilisé correctement.
Utilisation et prix*	• Examen médical nécessaire. • Peut être inséré quelques heures avant la relation sexuelle et doit rester en place jusqu'à 6 heures après. • Coûte environ 60 $, pour un an ou plus.
Utilisatrices visées	• Pour celles qui sont motivées et déterminées à l'utiliser dans toutes leurs relations sexuelles. • Pour celles qui ne craignent pas de toucher leurs organes génitaux ni de manipuler un objet à l'intérieur de leur vagin.
Avantages	• Peut protéger contre le cancer du col de l'utérus. • Ne nuit pas à la relation sexuelle. • Aucun effet sur l'allaitement. • Réutilisable.
Inconvénients, complications, précautions à prendre	• Peut être difficile à insérer. • Peut être de la mauvaise taille. • Peut se déplacer pendant la pénétration. • Taille à réévaluer après un accouchement, un avortement ou toute autre intervention chirurgicale pelvienne. • Peut favoriser les infections des voies urinaires. • Risque de syndrome du choc toxique, si laissé en place trop longtemps.

TABLEAU 13.1 Les facteurs à considérer dans le choix d'une méthode de contraception (*suite*)

BARRIÈRES CONTRACEPTIVES	
MÉTHODE	**Diaphragme** (*suite*)
Contre-indications	• Déconseillé si : – allergie au latex et aux spermicides ; – infections urinaires fréquentes.
MÉTHODE	**Cape cervicale**
Description	• Petite calotte profonde en latex bordée d'un anneau flexible, qui couvre le col et bloque l'entrée des spermatozoïdes dans l'utérus. • Il faut s'en servir avec une crème ou une gelée spermicide. • Il faut enfoncer la cape avec les doigts dans le vagin et la placer devant le col avant la relation sexuelle ; elle est maintenue en place par succion. • Il est difficile de se procurer des capes cervicales au Canada. • Le gel spermicide nécessaire est aussi difficile à trouver.
Efficacité selon l'OMS	• 80 %, si utilisée correctement.
Utilisation et prix*	• Requiert un examen médical. • FemCap^MD coûte environ 89 $ US + frais de poste/1 an ou plus.
Utilisatrices visées	• Pour celles qui sont motivées et déterminées à l'utiliser dans toutes leurs relations sexuelles. • Pour celles qui ne craignent pas de toucher leurs organes génitaux ni de manipuler un objet à l'intérieur de leur vagin.
Avantages	• Pas d'interruption des activités sexuelles puisqu'on peut la placer plusieurs heures avant la relation sexuelle. • Réutilisable.
Inconvénients, complications, précautions à prendre	• Problème possible d'insertion. • Peut se déplacer pendant la relation sexuelle. • Si laissée en place trop longtemps, possibilité de mauvaise odeur, de sécrétions et de syndrome du choc toxique.
Contre-indications	• Déconseillé si : – un des partenaires est allergique au latex ou aux spermicides ; – la femme vient d'accoucher ou a subi un avortement ou une autre intervention chirurgicale pelvienne.
DISPOSITIFS INTRA-UTÉRINS (DIU)	
MÉTHODE	**Stérilet en cuivre**
Description	• Dispositif en forme de T entouré d'un filament de cuivre, inséré dans l'utérus. Le cuivre est toxique pour les spermatozoïdes. De plus, il produit une inflammation de l'endomètre, ce qui empêche l'implantation de l'ovule fécondé. • Peut être utilisé comme un moyen de contraception d'urgence.
Efficacité selon l'OMS	• Plus de 99,2 %. • Efficacité durant environ 5 ans.

TABLEAU 13.1 Les facteurs à considérer dans le choix d'une méthode de contraception (*suite*)

DISPOSITIFS INTRA-UTÉRINS (DIU)	
MÉTHODE	**Stérilet en cuivre (*suite*)**
Utilisation et prix*	• Doit être inséré par un médecin. • Nova-T^{MD} coûte environ 170 \$ et Flexi-T^{MD}, de 80 à 100 \$. • N'est pas couvert par la RAMQ et peu d'assurances privées le remboursent.
Utilisatrices visées	• Pour les femmes ayant des règles normales ou peu abondantes et peu douloureuses. • Pour celles qui ont déjà eu un ou plusieurs enfants. • Pour celles qui ont besoin d'une contraception post-coïtale. • Non recommandé aux adolescentes et aux femmes qui ont plusieurs partenaires.
Avantages	• Bonne efficacité et peut être en place pendant 12 ans. • Réversibilité. • Pas très cher. • Non médicamenté. • Peut être utilisé pendant l'allaitement. • Rien à prendre chaque jour.
Inconvénients, complications, précautions à prendre	• Augmentation du saignement menstruel. • Risque de rejet. • Grossesse ectopique : 1,5 pour 100 femmes/année. • Ne protège pas contre les ITSS et le VIH. • Augmentation du risque d'inflammation pelvienne chez les femmes ayant plusieurs partenaires.

Contre-indications	• Déconseillé si :
	  – saignement utérin de cause inconnue ;
	  – certaines anomalies utérines ;
	  – allergie au cuivre ;
	  – dysménorrhée, ménorragie, anémie ;
	  – immunité réduite ;
	  – cancer de l'utérus ou du col de l'utérus.

MÉTHODE	**Stérilet avec hormones**
Description	• Dispositif en forme de T avec réservoir contenant un progestatif. • Produit un épaississement de la glaire cervicale et inhibe l'ovulation (chez certaines femmes). • Provoque un changement de l'endomètre empêchant l'implantation de l'ovule fécondé. • Deux modèles disponibles au Canada : Mirena^{MD} et Jaydess^{MD}.
Efficacité selon l'OMS	• 99,91 %. • Efficacité durant environ 3 à 5 ans.
Utilisation et prix*	• Doit être inséré par un médecin. • Coûte de 320 à 400 \$ (90 \$ pour celles qui sont couvertes par la RAMQ). • Est couvert par la RAMQ et est remboursé par les assurances privées.
Utilisatrices visées	• Pour toutes les femmes, surtout celles ayant des règles abondantes ou douloureuses. • Pour celles qui suivent une hormonothérapie substitutive (protection de l'endomètre).

TABLEAU 13.1 Les facteurs à considérer dans le choix d'une méthode de contraception (*suite*)

DISPOSITIFS INTRA-UTÉRINS (DIU)	
MÉTHODE	Stérilet avec hormones (*suite*)
Avantages	• Excellente efficacité. • Réversibilité. • Nette diminution de la dysménorrhée, de la ménorragie (90 % après 1 an), de l'aménorrhée (25 % après 1 an) et de l'anémie due aux pertes sanguines. • Peut être utilisé pendant l'allaitement. • Diminution des risques de grossesse ectopique et d'infection pelvienne. • Offre une certaine protection contre les infections pelviennes à cause de l'épaississement de la glaire cervicale.
Inconvénients, complications, précautions à prendre	• Saignement irrégulier au début. • Effets secondaires possibles : céphalée, mastalgie, nausée, acné, œdème et douleur pelvienne. • Risque de rejet. • Grossesse ectopique : 0,2 % pour 1000 femmes/année.

Contre-indications	• Déconseillé si :
	  – infection pelvienne aiguë ;
	  – saignement utérin de cause inconnue ;
	  – certaines anomalies utérines ;
	  – immunité réduite ;
	  – cancer de l'utérus ou du col de l'utérus.

CONTRACEPTION POSTCOÏTALE OU CONTRACEPTION D'URGENCE	
MÉTHODE	Pilule du lendemain ou Plan B
Description	• Sert à prévenir une grossesse après une relation sexuelle non protégée. • Retarde ou empêche l'ovulation.
Efficacité selon l'OMS	• Dépend du temps écoulé depuis la relation coïtale. • Très efficace dans les 72 premières heures, inefficace au-delà de 5 jours.
Utilisation et prix*	• Gratuite dans certaines cliniques jeunesse. • Environ 25 $ pour la contraception d'urgence.
Utilisateurs visés	• Pour celles qui ont oublié de prendre un contraceptif oral ou pour les couples qui ont utilisé inadéquatement leur moyen contraceptif habituel. • Pour les victimes d'agressions sexuelles en l'absence d'un moyen contraceptif.
Avantages	• Moyen simple et sûr d'empêcher une grossesse lorsqu'un incident s'est produit.
Inconvénients, complications, précautions à prendre	• Nausées chez 25 % des utilisatrices et vomissements chez 6 % d'entre elles.

Contre-indications	• Déconseillé si :
	  – la relation a eu lieu il y a plus de 72 heures ;
	  – la femme souffre d'une maladie thromboembolique ;
	  – il y a absence de menstruation depuis plus de 4 semaines.

TABLEAU 13.1 Les facteurs à considérer dans le choix d'une méthode de contraception (*suite*)

CONTRACEPTION POSTCOÏTALE OU CONTRACEPTION D'URGENCE	
MÉTHODE	Dispositif intra-utérin (DIU) en cuivre
Description	• Utilisable comme contraception postcoïtale. Voir la page 356.
Efficacité selon l'OMS	• 99 %, si posé dans la semaine qui suit la relation.
Utilisation et prix*	• Doit être inséré par un médecin. • Coûte de 45 à 100 $.
Utilisateurs visés	• Pour celles qui ont oublié de prendre un contraceptif oral ou pour les couples qui ont utilisé inadéquatement leur moyen contraceptif habituel. • Pour les victimes d'agressions sexuelles en l'absence d'un moyen contraceptif.
Avantages	• Remplacement de méthodes efficaces dans des cas d'exceptionnelle nécessité.
Inconvénients, complications, précautions à prendre	• Voir la page 357.
Contre-indications	• Voir la page 357.

MÉTHODES FONDÉES SUR LA CONNAISSANCE DE LA FERTILITÉ (jours types, glaire cervicale, calendrier, température basale, relation sexuelle non coïtale et abstinence)	
Efficacité selon l'OMS	• Toutes ces méthodes visant à déterminer la période de fécondité sont très peu efficaces comme moyen de contraception. • Taux de grossesse allant jusqu'à 25 % pendant la première année d'utilisation d'une de ces méthodes.
Utilisation et prix*	• Ces méthodes exigent une discipline personnelle, la connaissance de son corps et de son cycle menstruel et ovulatoire.
Utilisateurs visés	• Pour celles qui souhaitent investir temps et efforts pour se familiariser avec l'une des méthodes. • Pour les partenaires disposés à respecter la période de fertilité, c'est-à-dire à s'abstenir de relations coïtales pendant la période de fertilité ou à utiliser une autre méthode pendant ce temps.
Avantages	• Ces méthodes peuvent servir à planifier le moment de la grossesse lorsque les partenaires en auront pris la décision.
Inconvénients, complications, précautions à prendre	• Ces méthodes supposent une bonne connaissance de soi et de son corps (cycle menstruel et ovulatoire) et exigent la collaboration des deux partenaires. • Le cycle peut être modifié par certains événements : le stress, la maladie, la puberté et la périménopause.

Contre-indications	• Elles sont déconseillées si :
	  – il y a nécessité de se protéger des ITSS et du VIH ;
	  – le partenaire ne veut pas collaborer ;
	  – la routine n'est pas souhaitée ;
	  – on ne veut pas investir le temps ni les efforts nécessaires ;
	  – le cycle n'est pas encore bien établi ni régulier, comme c'est le cas à l'adolescence.

TABLEAU 13.1 Les facteurs à considérer dans le choix d'une méthode de contraception (*suite*)

MÉTHODES FONDÉES SUR LA CONNAISSANCE DE LA FERTILITÉ (jours types, glaire cervicale, calendrier, température basale, relation sexuelle non coïtale et abstinence)	
MÉTHODE	**Jours types**
Description	• Il faut éviter d'avoir des relations coïtales entre les jours 8 et 19 de chaque cycle menstruel.
Utilisation et prix*	• Un collier de 32 perles de deux couleurs. On trouve des renseignements sur Internet pour fabriquer soi-même un *collier du cycle*.
Utilisateurs visés	• Pour les femmes dont le cycle menstruel se situe entre 26 et 32 jours.
MÉTHODE	**Glaire cervicale**
Description	• La glaire cervicale change au cours du cycle. Un jour avant l'ovulation, le jour même et le lendemain, le mucus provenant du col de l'utérus devient glissant, élastique et clair (comme du blanc d'œuf). Il faut alors éviter les relations coïtales.
MÉTHODE	**Calendrier**
Description	• Tenir un calendrier menstruel pendant quelques mois. • Soustraire 19 jours du cycle le plus court et 10 jours du cycle le plus long. Par exemple, si les résultats sont $24 - 19 = 5$ et $30 - 10 = 20$, vous devriez vous abstenir de relations sexuelles non protégées entre le 5e et le 20e jour du cycle menstruel.
MÉTHODE	**Température basale**
Description	• La température basale augmente le jour de l'ovulation et demeure plus élevée d'au moins 0,5 °C pendant les 2 jours suivants. • Prendre sa température avant le lever et consigner les données sur un graphique.
Utilisation et prix*	• Un thermomètre basal coûte de 7 à 10 $ (de 13 à 20 $ pour un modèle numérique).
MÉTHODE	**Relation sexuelle non coïtale et abstinence**
Description	• Relation sexuelle sans pénétration et sans échange de liquides biologiques.
Efficacité selon l'OMS	• C'est la méthode la plus sûre.
Utilisation et prix*	• Ne coûte rien.

Utilisateurs visés	• Pour les couples qui veulent:
	  – utiliser la méthode naturelle la plus efficace et sans effets secondaires;
	  – se protéger contre les ITSS et le VIH.
	• Pour les couples dont l'un des partenaires n'a pas confiance en l'autre.

Avantages	• Excellente méthode à pratiquer au début d'une relation amoureuse. Amène les partenaires à se parler et à s'entendre. • Encourage d'autres pratiques érotiques qui peuvent enrichir une relation (baisers, étreintes, masturbation mutuelle, massage, frottement, stimulation des seins, etc.). • Permet aux partenaires d'apprivoiser le corps de l'autre et de mieux connaître ses réactions.
Inconvénients, complications, précautions à prendre	• S'assurer que l'éjaculat n'entre pas en contact avec la vulve.

Contre-indications	• Déconseillé si:
	  – les partenaires ne sont pas certains de ce choix;
	  – un des partenaires refuse de pratiquer cette méthode.

TABLEAU 13.1 Les facteurs à considérer dans le choix d'une méthode de contraception (*suite*)

MÉTHODES CHIRURGICALES	
MÉTHODE	**Stérilisation féminine : ligature des trompes**
Description	• Contraception permanente. • Ligature des trompes de Fallope pour empêcher l'ovule d'atteindre l'utérus.
Efficacité selon l'OMS	• 99,5 %.
Utilisation et prix*	• Pratiquée par un gynécologue. • Signature d'un formulaire de consentement. • Coût assumé par les régimes provinciaux d'assurance-maladie.
Utilisatrices visées	• Pour les femmes qui sont certaines de ne plus vouloir d'enfants et qui ne désirent pas utiliser d'autres méthodes.
Avantages	• Méthode la plus fiable après l'abstinence. • Libère les partenaires de la responsabilité de la contraception à chaque relation sexuelle. • Aucun effet sur le cycle ovulatoire et menstruel ni sur le désir sexuel et la capacité à atteindre l'orgasme.
Inconvénients, complications, précautions à prendre	• N'offre aucune protection contre les ITSS et le VIH. • Parfois réversible. • Il est important de compter sur l'accord et l'appui du partenaire pour éviter les regrets. • Inconfort après la ligature.
Contre-indications	• Déconseillée si la femme n'est pas certaine de vouloir une méthode contraceptive définitive.
MÉTHODE	**Stérilisation masculine : vasectomie**
Description	• Contraception permanente. • Sectionnement ou ligature des canaux déférents pour empêcher les spermatozoïdes de se mêler à l'éjaculat.
Efficacité selon l'OMS	• 97 à 99,8 %.
Utilisation et prix*	• Pratiquée par un médecin ou un urologue. • Signature d'un formulaire de consentement. • Environ 100 $, coût assumé par les régimes provinciaux d'assurance maladie. • En cabinet privé, un supplément de 75 à 200 $.
Utilisateurs visés	• Pour les hommes qui ne veulent pas ou plus d'enfants et qui souhaitent une méthode contraceptive définitive.
Avantages	• Méthode contraceptive très fiable. • Libère les partenaires de la responsabilité de la contraception à chaque relation sexuelle. • Intervention simple qui comporte peu de risques et d'effets secondaires.
Inconvénients, complications, précautions à prendre	• Il faut utiliser une autre méthode de contraception pendant les trois premiers mois suivant l'intervention. • Rarement réversible. • Douleurs temporaires après l'opération. • Ne protège pas contre les ITSS et le VIH.
Contre-indications	• Déconseillée si l'homme n'est pas certain de vouloir une méthode contraceptive définitive.

TABLEAU 13.1 Les facteurs à considérer dans le choix d'une méthode de contraception (*suite*)

AUTRES MÉTHODES	
MÉTHODE	Retrait (coït interrompu)
Description	• Interruption de la relation sexuelle, c'est-à-dire que l'homme doit se retirer avant d'éjaculer.
Efficacité selon l'OMS	• Très faible, car des spermatozoïdes peuvent se retrouver dans le liquide pré-éjaculatoire. Le taux d'échec est de 19 %.
Utilisation et prix*	• Ne coûte rien.
Utilisateurs visés	• Pour les couples qui peuvent accepter un certain risque de concevoir un enfant. • Pour les partenaires qui collaborent.
Avantages	• Ne coûte rien. • Méthode acceptable, s'il n'y en a pas d'autres.
Inconvénients, complications, précautions à prendre	• Frustration liée à l'interruption des jeux sexuels. • Durant les élans de passion, possibilité qu'il y ait éjaculation.

Contre-indications	• Déconseillé si :
	  – les partenaires s'emportent facilement pendant les ébats sexuels ;
	  – l'homme ne peut pas prévoir l'éjaculation (éjaculateurs précoces s'abstenir) ;
	  – les partenaires sont inexpérimentés.

* Les prix indiqués sont approximatifs et peuvent varier. Ils ne sont donnés ici qu'à des fins de comparaison entre les méthodes.

Sources : Adapté de Berenson et coll., 2008 ; Berenson et Rahman, 2009 ; Blumenthal et coll., 2008 ; Fédération du Québec pour le planning des naissances (FQPN), 2016a, 2016b ; Hannaford et coll., 2007 ; Healthwise, 2015 ; International Collaboration of Epidemiological Studies of Cervical Cancer, 2007 ; Jensen et coll., 2008 ; Lurie et coll., 2008 ; Mansour et coll., 2008 ; Merki-Feld et coll., 2008 ; OMS, 2011, 2015 ; Panzer et coll., 2008 ; Pikkarainen et coll., 2008 ; Pitts et Emans, 2008 ; Planned Parenthood Federation of America, 2008 ; Speroff et Fritz, 2005.

L'efficacité

La meilleure façon de mesurer l'efficacité d'une méthode contraceptive est de regarder son **taux d'échec**, taux qui représente le nombre de grossesses par groupe de 100 femmes employant la méthode en question sur une période d'un an. Le tableau 13.1 précise, pour chaque méthode, son taux d'efficacité réelle lorsqu'elle est utilisée ou appliquée correctement et assidûment ; il indique aussi le taux de grossesses accidentelles en cas d'utilisation inadéquate. La variable qui joue le plus sur l'efficacité d'une méthode est l'erreur humaine. La plupart du temps, l'inefficacité d'une méthode et l'augmentation des risques de grossesse découlent de l'ignorance quant à la façon de l'utiliser, des idées négatives à son propos, d'un manque de participation de la part du ou de la partenaire, d'un oubli régulier ou du fait de se dire «qu'une petite fois ne causera pas de problème». Certaines personnes trouvent le risque d'une grossesse érotisant ou romantique (Higgins et coll., 2008). De plus, les hommes et les femmes qui ressentent de la culpabilité envers la

sexualité ont davantage tendance à ne pas employer efficacement la contraception (Strassberg et Mahoney, 1988). Les personnes qui ne sont pas à l'aise dans leur sexualité tendent à adopter une attitude passive dans les décisions sur la planification des naissances, ce qui les rend dépendantes de ce que le ou la partenaire fait ou ne fait pas dans ce domaine. Par exemple, une femme qui a des condoms dans sa sacoche peut donner l'impression qu'elle est sexuellement active avec plusieurs partenaires. Ainsi, certaines femmes, afin de donner l'image de *bonne fille*, peuvent délibérément ne pas prévoir de méthode contraceptive (Angier, 1999).

Dans certaines circonstances, il peut être indiqué de recourir à plus d'un moyen de contraception à la fois. Le condom peut s'utiliser en même temps qu'une autre méthode à titre de protection complémentaire dans les circonstances suivantes :

• durant le premier cycle d'utilisation d'un contraceptif oral ;

• jusqu'à la fin d'un cycle si l'on a oublié de prendre une ou plusieurs pilules contraceptives ou si l'on a souffert de diarrhée ou de vomissements durant plusieurs jours alors qu'on prenait la pilule ;

Taux d'échec Nombre de femmes sur 100 qui tombent enceintes après un an d'utilisation d'un contraceptif particulier.

- durant le premier mois d'utilisation d'une nouvelle marque de contraceptif oral ;
- lorsqu'on prend des médicaments, comme un antibiotique, qui réduisent l'efficacité des contraceptifs oraux ;
- durant un à trois mois après la mise en place d'un dispositif intra-utérin (DIU) ;
- lorsqu'on expérimente une méthode de contraception qu'on ne connaît pas ;
- lorsqu'un couple désire une protection accrue.

Opter pour les méthodes contraceptives qui conviennent le mieux

En plus de l'efficacité, de nombreux facteurs, dont le prix, la facilité d'utilisation et les effets secondaires potentiels, entrent en ligne de compte lorsqu'on choisit une méthode de contraception (Westhoff et coll., 2007). Le tableau 13.1 présente un survol des principaux facteurs à évaluer. Outre ces considérations, il est important que les partenaires optent pour une méthode contraceptive qui convient à tous les deux (Ranjit et coll., 2001). Le questionnaire de l'encadré *Votre santé sexuelle* a été conçu pour aider les partenaires

à prendre cette décision très personnelle en tenant compte de leurs préoccupations, de leur situation, de leur condition physique et de leurs caractéristiques individuelles.

Les contraceptifs hormonaux

Dans cette section, nous décrivons les contraceptifs hormonaux les plus répandus, soit les contraceptifs oraux, l'anneau vaginal, le timbre transdermique et les contraceptifs injectables.

Les contraceptifs oraux

Les contraceptifs oraux ont évolué depuis leur apparition, il y a plus de 50 ans. Ils se présentent maintenant sous différentes compositions chimiques et à des dosages variés, ce qui permet de choisir parmi un large éventail (Calderoni et Coupey, 2005). Ils comptent parmi les méthodes contraceptives réversibles les plus répandues en Amérique. On trouve sur le marché quatre types de contraceptifs oraux : la pilule combinée à dose constante, la pilule triphasique, la pilule continue et la pilule microprogestative.

VOTRE SANTÉ SEXUELLE

Quelle méthode contraceptive vous convient le mieux ?

Répondez par oui ou par non à chaque énoncé, selon qu'il s'applique ou non à vous ou à votre partenaire.

1. Vous faites de l'hypertension artérielle ou vous souffrez d'une maladie cardiovasculaire. _____
2. Vous fumez la cigarette. _____
3. Vous avez une nouvelle ou un nouveau partenaire sexuel. _____
4. Une grossesse non désirée serait catastrophique pour vous. _____
5. Vous avez une bonne mémoire. _____
6. Vous ou votre partenaire avez plusieurs partenaires sexuels. _____
7. Vous préférez une méthode sans souci, ou presque. _____
8. Vous ou votre partenaire avez des menstruations abondantes et douloureuses. _____
9. Vous avez besoin de protection contre les ITSS. _____
10. Vous avez des raisons de craindre le cancer de l'endomètre et le cancer de l'ovaire. _____
11. Vous avez tendance à oublier. _____
12. Vous avez besoin d'une méthode contraceptive efficace immédiatement. _____
13. Vous ne répugnez pas à toucher vos organes génitaux ni à ceux de votre partenaire. _____
14. Votre partenaire est d'un naturel coopératif. _____
15. Vous aimez bien un peu de lubrification vaginale supplémentaire. _____
16. Vous faites l'amour à des moments et à des endroits imprévus. _____
17. Vous vivez une relation monogame stable et avez déjà au moins un enfant. _____

Résultats : Les recommandations sont fondées sur les réponses affirmatives aux énoncés précédents.

- Oui à 4, 5, 6, 8, 16 : Pilule combinée à dose constante.
- Oui à 1, 2, 5, 7, 16 : Pilule microprogestative.
- Oui à 1, 2, 3, 6, 9, 12, 13, 14 : Condom.
- Oui à 1, 2, 4, 7, 11, 16 : Progestatif injectable.
- Oui à 1, 2, 13, 14 : Diaphragme ou cape cervicale.
- Oui à 1, 2, 7, 11, 13, 16, 17 : DIU.

Pour la plupart des femmes, l'utilisation d'un contraceptif oral améliore l'état général de santé (Speroff et Fritz, 2005). Pour environ 16 % des femmes, cependant, la pilule est contre-indiquée (Shortridge et Miller, 2007); c'est le cas de celles qui ont des antécédents de caillots sanguins, qui souffrent d'hypertension artérielle, de problèmes cardiovasculaires, qui ont eu la jaunisse, un cancer du sein ou de l'utérus, ou qui ont des problèmes de coagulation sanguine ou des saignements vaginaux inexpliqués. De plus, les femmes qui ont une maladie du foie et celles qui se croient ou se savent enceintes ne devraient pas prendre la pilule. Enfin, les femmes qui fument la cigarette ou qui souffrent de migraines, de dépression, d'épilepsie, de diabète ou de symptômes prédiabétiques, d'asthme ou de varices devraient évaluer sérieusement le risque que la pilule contraceptive représente pour elles et ne l'utiliser que sous étroite surveillance médicale. Il est à noter que la prise de la pilule contraceptive, ainsi que celles des autres contraceptifs hormonaux, est associée à une diminution du désir sexuel chez la femme (Wallwiener et coll., 2010). Le tableau 13.1 énumère les effets secondaires possibles des contraceptifs oraux.

Les quatre principaux types de contraceptifs oraux La **pilule combinée à dose constante** a fait son apparition au début des années 1960 et elle est le contraceptif oral le plus répandu actuellement en Amérique. Elle contient deux hormones, un œstrogène de synthèse et un progestatif (une substance comparable à la progestérone). Le dosage de ces hormones demeure le même pendant toute la durée du cycle menstruel. Il existe plus de 32 sortes de pilules combinées, chacune ayant son propre dosage des deux hormones. Les pilules sont dites *à faible dose* lorsqu'elles contiennent moins de 35 microgrammes d'œstrogènes.

Contrairement à la pilule combinée à dose constante, la **pilule triphasique**, mise en marché en 1984, contient des doses d'œstrogène et de progestérone qui varient durant le cycle menstruel. Elle a pour but de réduire la quantité totale d'hormones absorbées ainsi que les effets secondaires tout en maintenant l'efficacité contraceptive.

La **pilule continue** est un autre contraceptif à dose constante disponible sur le marché; on l'appelle ainsi parce qu'elle est prise pendant trois mois sans arrêt, sans pilule placebo. Cette pilule réduit le nombre de cycles menstruels à 4 durant l'année au lieu des 13 habituels, ce qui peut apporter un soulagement appréciable aux femmes qui ont des symptômes menstruels désagréables.

La **pilule microprogestative** (la *minipilule*) ne contient que 0,35 milligramme de progestatif, soit environ le tiers de la quantité moyenne qu'on retrouve dans les pilules combinées à dose constante. Le Micronor^MD est une marque reconnue au Canada (Fédération du Québec

pour le planning des naissances [FQPN], 2016c). La pilule microprogestative ne contient pas d'œstrogène et constitue un choix pour les femmes qui préfèrent ne pas prendre cette hormone (Burkett et Hewitt, 2005).

Le mode d'action des contraceptifs oraux Les pilules qui contiennent de l'œstrogène agissent surtout en empêchant l'ovulation. Le progestatif apporte un effet contraceptif supplémentaire en épaississant et en modifiant la composition de la glaire cervicale, ce qui nuit au passage des spermatozoïdes. Le progestatif modifie aussi l'endomètre (paroi utérine) en le rendant moins réceptif à l'implantation des ovules fécondés (Larimore et Stanford, 2000). Le progestatif peut également empêcher l'ovulation. La pilule microprogestative agit un peu différemment. La plupart des femmes qui en prennent continuent d'ovuler au moins de façon occasionnelle. L'effet principal de cette pilule est de modifier la glaire cervicale en l'épaississant et en la rendant gluante, ce qui bloque de fait l'entrée des spermatozoïdes dans l'utérus. Tout comme la pilule combinée à dose constante, un de ses effets secondaires est de modifier la surface interne de l'utérus de façon à la rendre impropre à l'implantation de l'ovule.

Comment utiliser les contraceptifs oraux Pour celles qui prennent des contraceptifs oraux pour la première fois, il est important de suivre scrupuleusement les conseils de leur médecin, car il existe différentes façons de procéder. À la différence des autres contraceptifs oraux qui se prennent pendant 28 jours, la pilule de type Seasonale^MD se prend quotidiennement pendant une période de 3 mois, suivie de la prise d'un placebo pendant 7 jours, avant de recommencer un autre cycle de 3 mois. Le millepertuis et plusieurs médicaments tels que certains antibiotiques, antiépileptiques, antituberculeux et antifongiques réduisent l'efficacité des contraceptifs oraux, d'où l'importance d'en informer leur médecin ou d'en discuter avec un pharmacien ou une pharmacienne. Il est parfois nécessaire d'utiliser une méthode contraceptive complémentaire, par exemple un condom.

Pilule combinée à dose constante Pilule contraceptive qui fournit la même dose d'œstrogène et de progestatif pendant tout le cycle menstruel.

Pilule triphasique Pilule contraceptive dont la composition en œstrogène et en progestatif varie au cours du cycle menstruel.

Pilule continue Pilule qui réduit le nombre de périodes menstruelles à quatre par année.

Pilule microprogestative Pilule contraceptive qui contient une faible dose de progestatif et aucun œstrogène.

Oublier de prendre la pilule une ou plusieurs fois réduit sensiblement son efficacité, tout comme le fait de ne pas la prendre systématiquement à la même heure. Cela abaisse le taux d'hormones et une ovulation peut alors avoir lieu. De nombreuses femmes oublient de prendre leur pilule chaque jour. De plus, elles sous-estiment le nombre de pilules qu'elles oublient. Selon les résultats d'une étude où l'on a enregistré électroniquement l'heure et la date de la prise de la pilule à l'aide d'un dispositif intégré dans la boîte plutôt que de se fier à ce que les femmes déclaraient, jusqu'à 50 % des utilisatrices ont oublié de prendre trois pilules et plus par cycle, réduisant ainsi de beaucoup l'efficacité de la méthode (Potter et coll., 1996). Pour prévenir les oublis, les femmes peuvent utiliser un pilulier avec alarme intégrée qui se déclenche chaque jour à la même heure. Elles peuvent aussi régler la fonction d'alarme de leur cellulaire afin qu'une sonnerie leur rappelle chaque jour de prendre leur pilule.

Si vous utilisez un contraceptif oral et que vous oubliez un comprimé, prenez-le dès que vous vous en apercevez et prenez le suivant comme d'habitude. Si vous en oubliez plus d'un, mieux vaut en parler à votre médecin. Il est alors recommandé d'employer une méthode contraceptive complémentaire, par exemple un condom.

L'anneau vaginal et le timbre transdermique

NuvaRing^MD et le timbre Ortho Evra^MD sont deux contraceptifs à base hormonale qui ne nécessitent pas de prendre la pilule. Tous deux contiennent des hormones de synthèse, de l'œstrogène et du progestatif, enchâssées dans un anneau transparent en plastique ou en silicone souple d'environ deux fois le diamètre d'une pièce de 25 cents (NuvaRing^MD) ou dans un timbre transdermique mesurant 4 cm, lisse, très mince et de couleur chair (*voir la figure 13.1*).

L'anneau vaginal comme le timbre transdermique libèrent les hormones qu'ils contiennent ; celles-ci traversent la paroi du vagin ou la peau et pénètrent dans le flux sanguin. Elles agissent alors de la même façon que les contraceptifs oraux. Cependant, le timbre transdermique comporte plus de risques d'augmenter le taux d'œstrogène que le contraceptif oral ; de plus, il est associé à une fréquence accrue de formation de caillots sanguins (Jensen et coll., 2008).

L'anneau s'insère dans le vagin entre le jour 1 et le jour 5 des menstruations. On le laisse à l'intérieur du vagin pendant trois semaines ; on l'enlève ensuite pour une semaine, puis on en place un nouveau. L'anneau peut rester en place pendant le coït ou il peut être retiré durant une période de une à trois heures sans que son efficacité contraceptive soit compromise (Long, 2002).

FIGURE 13.1 ▶ L'anneau vaginal et le timbre transdermique

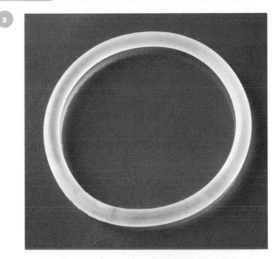

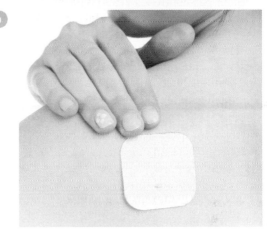

Avec l'anneau vaginal (a) et le timbre transdermique (b), une femme n'a pas à se demander chaque jour si elle a oublié de prendre la pilule.

Dans le cas du timbre transdermique, la femme choisit un jour précis de la semaine après le début de ses menstruations et en fait *le jour du changement de timbre*. Elle remplace le timbre par un nouveau le même jour pendant trois semaines, la quatrième semaine en étant une sans timbre. Le timbre peut se placer sur les fesses, l'abdomen, sur la face externe des bras, entre le coude et l'épaule, ou sur le haut du dos, derrière l'épaule.

Les contraceptifs injectables

Le Depo-Provera^MD est un progestatif qui inhibe la sécrétion de gonadotrophine et bloque la maturation folliculaire et l'ovulation. Cela provoque l'amincissement de la muqueuse utérine et empêche l'implantation de tout ovule fécondé.

Un professionnel de la santé (médecin ou infirmière) administre une injection de Depo-Provera^MD une fois toutes les 12 semaines, idéalement avant le sixième jour du début des menstruations. Après l'arrêt du Depo-Provera^MD, il faut habituellement 10 mois pour qu'une femme puisse devenir enceinte (Galewitz, 2000). Ce moyen de contraception fait l'objet de critiques en raison de ses risques pour la santé, particulièrement la perte de densité osseuse et d'autres effets indésirables (FQPN, 2016d).

Les barrières contraceptives

Nous avons vu que les méthodes de contraception hormonales induisent dans l'organisme féminin des changements qui empêchent l'ovulation ou l'implantation d'un ovule fécondé. Un autre groupe de méthodes fonctionne plutôt en empêchant les spermatozoïdes d'atteindre l'ovule. Dans cette partie du manuel, nous parlons du condom et de quatre barrières cervicales.

À l'exception du condom, les barrières contraceptives ne protègent pas contre les ITSS (Winer et coll., 2006). Les partenaires qui utilisent ces méthodes peuvent les incorporer à leurs jeux sexuels au lieu de les considérer comme des interruptions. L'un ou l'autre partenaire – ou les deux – peut mettre le condom ou insérer un condom féminin. L'utilisation d'une barrière contraceptive peut être un prolongement des caresses érotiques.

Le condom masculin

Le condom (préservatif masculin, ou *capote*) est une membrane qui se pose sur le pénis en érection. On a trouvé en France une peinture rupestre vieille de 12 000 à 15 000 ans représentant un homme muni d'un condom (Planned Parenthood Federation of America, 2002). C'est l'anatomiste italien Gabriel Fallopius (le même qui a donné son nom aux trompes de Fallope) qui aurait inventé, en 1564, un «fourreau d'étoffe légère, fait sur mesure, pour protéger des maladies vénériennes». À partir des années 1840, la mise au point du caoutchouc vulcanisé a permis la production de masse de condoms bon marché.

▲
Les couples peuvent incorporer les barrières contraceptives à leurs jeux sexuels.

Le condom est le seul contraceptif temporaire pour les hommes qui offre une protection contre les ITSS les plus répandues, y compris le VIH (*voir le chapitre 12*) (Steiner et Cates, 2008). Il s'agit de la méthode de protection la plus utilisée dans le monde, avec une fréquence de 7,7 %, suivie du retrait (3,1 %) et de la stérilisation (2,5 %) (Ross et Hardee, 2016). C'est aussi une des méthodes contraceptives les plus utilisées en Amérique du Nord. La recherche indique que les hommes plus jeunes sont plus susceptibles de porter le condom que les plus vieux : 79 % des 15 à 19 ans ont dit avoir mis un condom lors de leur première relation sexuelle comparativement à 48 % chez les 15 à 44 ans (National Campaign to Prevent Teen and Unplanned Pregnancy, 2009). Les adolescents qui utilisent le condom lors de leur première relation sexuelle ont plus tendance à continuer à le faire par la suite et ont conséquemment moins d'ITSS que ceux qui ne portent pas de condom dès leur première fois (Shafii et coll., 2007).

Le recours aux condoms diminue avec la durée d'une relation et lorsqu'une personne perçoit que le partenaire est devenu le partenaire principal, voire exclusif (monogame), ou que le risque de transmission d'une ITSS diminue (Société des obstétriciens et gynécologues du Canada [SOGC], 2015a). De plus, l'usage des condoms comme moyen de contraception diminue quand la femme commence à utiliser un moyen hormonal ou intra-utérin (SOGC, 2015a).

Les condoms sont faits de latex de qualité chirurgicale, de polyuréthane ou d'une membrane naturelle (intestin de mouton). La membrane naturelle présente cependant des pores qui peuvent laisser passer des virus associés à plusieurs ITSS, notamment l'infection au VIH/sida, l'herpès génital et l'hépatite. Certains condoms ont des caractéristiques particulières sur le plan de la forme, de la couleur, de l'épaisseur et même de la saveur. On en trouve qui contiennent un agent anesthésiant censé aider à prolonger la durée de l'érection en retardant l'éjaculation. Certains sont nervurés ou ont une surface texturée. La plupart sont emballés individuellement dans des sachets, et certains sont lubrifiés. Les condoms lubrifiés sont les moins fragiles. Les condoms comestibles ne protègent pas contre la grossesse ni les ITSS.

Les condoms sont disponibles dans les pharmacies et dans de nombreux autres points de vente, dans des centres de planification familiale, par la poste, dans des machines distributrices et dans les écoles où existent des programmes de promotion du condom. On peut les conserver pendant environ cinq ans, et il est important de vérifier la date de péremption (certains emballages ne comportent cependant pas de date). Pour éviter la dégradation du latex, les condoms faits de cette matière doivent être protégés de la chaleur. Il ne faut donc pas les conserver dans la boîte à gants de la voiture ni dans la poche arrière d'un pantalon, par exemple.

Posé correctement et avant toute pénétration, le condom empêche le passage du sperme, du liquide prééjaculatoire, du sang et des agents infectieux. Après l'éjaculation, comme le pénis perd de son volume et que le condom peut alors laisser couler l'éjaculat, il faut tenir le condom à la base du pénis avec la main et ne le relâcher qu'après la sortie complète du pénis du vagin ou du rectum.

Employé adéquatement et systématiquement, le condom est efficace. Toutefois, des études menées auprès d'étudiants universitaires révèlent que plusieurs d'entre eux l'utilisent mal. Mettre le condom après une première pénétration, mais juste avant l'éjaculation est une erreur courante qui augmente le risque de grossesse et d'ITSS (Crosby et coll., 2002). L'encadré *Parlons-en* traite de l'importance du condom et prodigue quelques conseils de communication lors de son utilisation.

Les condoms sont disponibles en plusieurs formats. Les hommes ont avantage à en essayer quelques-uns pour trouver celui qui leur convient le mieux, car un mauvais ajustement augmente le risque que le condom se rompe ou glisse du pénis (Hollander, 2008a). La plupart des condoms sont emballés roulés sur eux-mêmes. La bonne manière de procéder est de dérouler le condom sur le pénis en érection avant tout contact entre le pénis et la vulve. Le liquide prééjaculatoire des glandes de Cowper ou l'éjaculat en contact avec les lèvres peut se rendre jusqu'au vagin. Pour un maximum de sensations et de confort, un homme non circoncis peut rétracter son prépuce avant de dérouler le condom sur son pénis (Bolus, 1994). L'extrémité d'un condom dépourvu d'embout réservoir doit être délicatement tordue avant de dérouler le condom. Cette précaution réduit les risques de rupture du condom. Les condoms doivent être jetés avec les ordures et non dans les toilettes, car ils peuvent bloquer la tuyauterie.

Le condom féminin

Le condom féminin est fait de polyuréthane. Il est semblable au condom masculin, mais il se pose à l'intérieur du vagin (*voir les figures 13.2 et 13.3 à la page suivante*). Un premier anneau de plastique flexible permet de le placer de façon qu'il entoure le col de l'utérus sans l'enserrer, contrairement au diaphragme. Un autre anneau entoure la région des lèvres. Bien que ce condom épouse les contours du vagin, le pénis peut s'y mouvoir librement, la membrane étant enduite d'un lubrifiant à base de silicone. Ce condom, utilisé correctement, peut réduire de façon importante les risques de transmission des ITSS (Minnis et Padian, 2001).

Le condom féminin suscite des avis partagés chez ses utilisatrices. Dans une étude, des femmes ont rapporté des difficultés à l'insérer et une réduction du plaisir, et mentionné la résistance de leur partenaire à l'égard de cette méthode. Le condom peut aussi être source de bruit pendant le coït. En revanche, d'autres ont trouvé pratique de pouvoir insérer le condom avant l'activité sexuelle et de ne pas être obligées de le retirer tout de suite après l'éjaculation. Pour de nombreuses femmes,

---

PARLONS-EN

On n'entre pas sans caoutchouc !

Les étudiants utilisent couramment le condom comme moyen de contraception et de protection contre les ITSS. Les hommes et les femmes partagent la responsabilité de s'en procurer. Une femme est plus à risque de contracter une ITSS (y compris le VIH) par la pénétration que ne l'est un homme, et les infections bactériennes transmises sexuellement causent plus de dommages au système reproducteur de la femme qu'à celui de l'homme, pouvant compromettre sa capacité d'avoir des enfants.

Voici des suggestions de réponse aux arguments les plus souvent invoqués pour ne pas recourir au condom :

Propos du ou de la partenaire

« Je prends la pilule. Tu n'as pas besoin de mettre un condom. »

« Ce n'est pas aussi bon de faire l'amour avec un condom. »

« Ce n'est pas très romantique, ça fait moins intime. »

« Tu sais bien que je ne ferais rien qui puisse te nuire. »

« Je préfère ne pas faire l'amour si je dois mettre un condom. »

Votre réponse

« Je le mets quand même ; comme ça, nous serons doublement protégés. »

« Mais c'est bien meilleur que ne rien faire et le contact est plus long avec un condom. »

« La grossesse ou une ITSS n'ont rien de spécialement romantique ou intime non plus. »

« Fantastique. Je vais t'aider à le mettre. »

« Pas de problème. Qu'aimerais-tu faire plutôt ? »

FIGURE 13.2 Des exemples de condoms

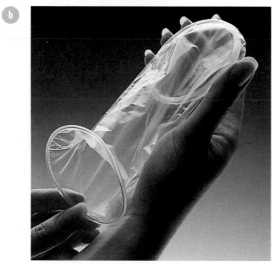

Il existe une grande variété de condoms : a) condom masculin ; b) condom féminin.

dans certaines pharmacies sans ordonnance, dans les boutiques spécialisées, des cliniques et dans certains organismes communautaires.

Les spermicides vaginaux

Plusieurs types de spermicides vaginaux sont disponibles sans ordonnance ; on en trouve sous forme de mousse, de suppositoire, de crème, de gelée, d'éponge, de pellicule. Sous forme de mousse, le produit ressemble à de la crème à raser blanche. Il se vend en aérosol accompagné d'un applicateur en plastique. Le suppositoire ou comprimé vaginal a une forme ovale ; quant à l'éponge, elle ressemble à un beignet qui absorbe les spermatozoïdes et les détruit. Enfin, la pellicule spermicide est une mince pellicule de 5 cm sur 5 cm, enduite de spermicide et vendue dans des boîtes de 10 ou 12 unités.

Les spermicides sont moins efficaces que la plupart des autres méthodes pour prévenir les grossesses. Le mode d'emploi est indiqué sur l'emballage de chaque spermicide, et il faut le suivre rigoureusement pour en tirer une protection maximale. Une nouvelle application de spermicide est nécessaire avant chaque rapport sexuel. Par contre, sous forme d'éponge, le produit est efficace pendant 24 heures. Il est préférable de prendre une douche plutôt qu'un bain après l'usage d'un spermicide comme contraceptif, car il y a un risque que l'eau en réduise l'efficacité.

Depuis quelques années, l'Agence de santé publique du Canada met en garde la population contre les risques de transmission du VIH associé avec l'utilisation des spermicides à base du nonoxynol-9 en raison des irritations et des lésions vaginales et anales possibles liées à son usage (Agence de santé publique du Canada, 2003).

le fait de disposer d'une autre méthode que le condom masculin pour prévenir une grossesse non désirée ou une ITSS était un facteur très important (Choi et coll., 2003). Les condoms féminins sont disponibles

Spermicides vaginaux Mousse, suppositoire, crème, gelée, éponge et pellicule qui contiennent une substance chimique détruisant les spermatozoïdes.

FIGURE 13.3 Le condom féminin

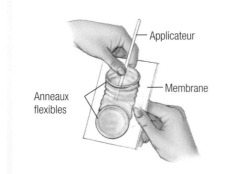

Applicateur

Anneaux flexibles

Membrane

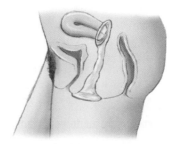

Le condom féminin est fait de deux anneaux flexibles en polyuréthane et d'une membrane souple et adaptable en polyuréthane.

Les barrières cervicales

La pratique consistant à couvrir le col de l'utérus comme moyen de protection contre les grossesses existe depuis des siècles. Au xviiie siècle, Casanova recommandait aux femmes d'utiliser la moitié d'un citron pressé pour couvrir le col de l'utérus, et les femmes européennes modelaient de la cire d'abeille dans le même but. En 1838, un gynécologue allemand prenait des empreintes du col de ses patientes pour leur fabriquer des capes cervicales sur mesure en caoutchouc (Seaman et Seaman, 1978).

Le diaphragme et la cape cervicale (FemCapMD) sont des barrières cervicales utilisées de pair avec des spermicides afin d'empêcher que des spermatozoïdes vivants atteignent le col de l'utérus.

Le diaphragme et la cape cervicale doivent être installés par un médecin, qui pourra aussi enseigner aux femmes à les insérer correctement afin qu'elles puissent ensuite le faire en toute confiance chez elles (Hollander, 2006). Par contre, le FemCapMD n'a pas besoin d'être ajusté au col. Ces dispositifs ne doivent jamais être utilisés avec des lubrifiants à base d'huile, car cela risque de les détériorer. Chaque dispositif ayant ses particularités, il faut soigneusement lire et suivre son mode d'emploi.

Les diaphragmes et les capes cervicales sont généralement difficiles à se procurer au Canada. Toutefois, il est possible de se procurer la marque CAYAMD en pharmacie sans ordonnance. Ces dispositifs ne sont pas conseillés aux personnes allergiques ou intolérantes au nonoxonol-9, car il est nécessaire d'utiliser des spermicides en gelée ou en mousse qui contiennent généralement ce produit (FQPN, 2016e ; Healthwise, 2015).

Les dispositifs intra-utérins

Les **dispositifs intra-utérins** (DIU), qu'on appelle communément *stérilets,* sont de petits dispositifs contraceptifs que le médecin introduit dans l'utérus par l'orifice cervical (*voir la figure 13.4*). Ce sont les contraceptifs réversibles les plus répandus dans les pays développés, utilisés par 150 millions de femmes à travers le monde ; environ 9,3 % de femmes Amérique du Nord et plus de 41 % de femmes en Chine ont adopté ce mode de contraception (Black et coll., 2009 ; Branum et Jones, 2015 ; Mosher et Jones, 2010 ; Nations Unies, 2015).

Les stérilets sont l'objet d'une perception négative qui perdure depuis les années 1970 en raison d'effets nuisibles sur la santé de certaines femmes causés par les

Dispositifs intra-utérins (DIU) Petits dispositifs qu'on introduit dans l'utérus comme moyen de contraception.

modèles en usage durant cette époque (FQPN, 2016f). Aujourd'hui, les dispositifs intra-utérins constituent un moyen de contraception aussi efficace que les méthodes permanentes (Black et coll., 2016).

Il existe deux types de stérilets disponibles au Canada, ceux en cuivre et ceux qui libèrent des hormones. Le stérilet de cuivre crée un milieu défavorable à la fécondation. Au Canada, plusieurs modèles sont disponibles, mais l'utilisation de ce type de dispositif est peu courante. Celui-ci est toutefois utile comme moyen de contraception d'urgence.

Les deux marques connues de dispositifs intra-utérins progestatifs sont le MirenaMD et le JaydessMD, ce dernier étant disponible au Canada depuis 2014. Les deux modèles libèrent lentement l'hormone qu'ils contiennent. Chaque dispositif est muni de fils de plastique fins qui

> **FIGURE 13.4** Un dispositif intra-utérin (DIU)

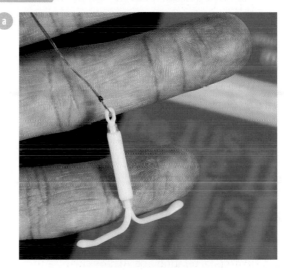

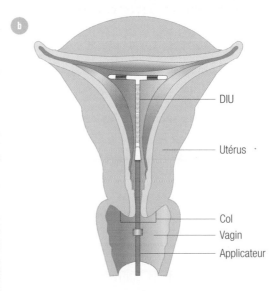

a) Le MirenaMD, en forme de T ; b) insertion du DIU par un médecin.

sortent légèrement du col de l'utérus afin d'être accessibles par le vagin. Le stérilet hormonal peut demeurer dans le col de 3 à 5 ans et doit être retiré par un médecin ou un gynécologue.

La contraception postcoïtale ou contraception d'urgence

Il existe deux méthodes contraceptives postcoïtales. La première, connue sous le nom de *pilule contraceptive d'urgence* (PCU) ou *contraceptif d'urgence* (CU) (également appelée *pilule du lendemain, Plan B, Next Choice*MD) est un contraceptif contenant œstrogène et progestatif, comme la pilule usuelle, mais à plus forte dose. Son mode d'action est le même: empêcher la nidation d'un ovule fécondé. Elle doit être prise après un rapport sexuel à risque de grossesse.

Au Canada, les femmes peuvent se procurer la PCU en pharmacie sans ordonnance médicale, ou encore l'obtenir gratuitement par l'entremise d'un médecin dans un hôpital, un CLSC, une clinique jeunesse ou auprès d'une infirmière scolaire. Cette grande accessibilité profite particulièrement aux adolescentes, aucun rendez-vous n'étant nécessaire. L'efficacité de la PCU est de 95 % si elle est prise dans les 24 heures suivant la relation sexuelle, de 75 % dans les 72 heures. Même si elle offre un certain degré de protection contre une grossesse jusqu'à 120 heures après la relation sexuelle, il est préférable de la prendre le plus tôt possible (Kort, 2006).

S'il s'est écoulé plus de trois jours depuis la relation sexuelle, on peut recourir à une seconde méthode. Il est possible, en effet, d'augmenter la protection en utilisant un dispositif intra-utérin (DIU) en cuivre dans les sept jours suivant la relation. Le dispositif intra-utérin doit être posé par un médecin et il est efficace à 99 %.

Les méthodes fondées sur la connaissance de la fertilité ou méthodes naturelles

De nombreux couples apprécient les **méthodes fondées sur la connaissance de la fertilité** parce qu'elles sont économiques, ne font pas appel à des substances chimiques étrangères à l'organisme et n'ont pas d'effets indésirables. Ces méthodes naturelles reposent sur le principe qu'on peut éviter la conception ou, au contraire, la favoriser si l'on sait reconnaître les signes, parfois subtils, parfois évidents, associés aux périodes de fertilité chez la femme. Ces méthodes sont les seules qu'autorise le Vatican. Les quatre méthodes que nous présentons ici – celles des jours types, de la glaire cervicale, du calendrier et de la température basale – s'avèrent plus efficaces si elles sont utilisées conjointement (Frank-Hermann et coll., 2007). Malheureusement, les recherches actuelles indiquent que, à part la méthode des jours types, les méthodes basées sur la connaissance de la fertilité sont considérablement moins efficaces que les autres méthodes contraceptives (SOGC, 2015a).

La méthode des jours types

La **méthode des jours types** est la dernière approche mise au point en matière de planification des naissances. Elle convient aux femmes dont le cycle menstruel se situe entre 26 et 32 jours. Les couples évitent d'avoir des relations coïtales entre les jours 8 et 19 de chaque cycle menstruel. Cette *fenêtre de fertilité* dure 12 jours afin de tenir compte des jours entourant l'ovulation, puisque le moment où elle se produit peut varier d'un cycle à l'autre. La méthode des jours types a été reconnue cliniquement comme celle qui présente le taux d'efficacité le plus élevé parmi les méthodes naturelles (Arevalo et coll., 2002). Une femme peut noter les jours sur un calendrier, utiliser un collier avec des perles de couleurs, ou utiliser une application sur Internet ou sur son téléphone intelligent.

La méthode de la glaire cervicale

La **méthode de la glaire cervicale**, aussi appelée *méthode Billings,* se fonde sur les modifications cycliques de la glaire cervicale. En examinant attentivement ces variations naturelles, une femme peut reconnaître ses périodes de fertilité. Elle doit pour cela faire une lecture de la quantité et de la texture de ses sécrétions vaginales et tenir un relevé quotidien des modifications. Elle observe donc ses sécrétions sur le papier hygiénique chaque fois qu'elle va aux toilettes ou en insérant ses doigts dans le vagin:

- Dans les jours suivant les menstruations, il n'y a habituellement pas de sécrétions vaginales sur la vulve.
- Quand on note la présence d'une glaire jaunâtre ou laiteuse plus collante, il faut éviter le coït sans contraception.
- Quelques jours plus tard, la glaire d'ovulation est sécrétée. Elle a l'apparence d'une pellicule claire, filante, d'une consistance élastique, et ressemble à du blanc d'œuf. Si on en prélève une goutte, on peut l'étirer jusqu'à près de 4 cm entre le pouce et l'index

---

Méthodes fondées sur la connaissance de la fertilité Méthodes contraceptives basées sur l'observation des signes indiquant les périodes de fertilité afin de prévenir ou de planifier les grossesses.

Méthode des jours types Méthode contraceptive selon laquelle un couple évite les relations coïtales durant une période de 12 jours au milieu du cycle menstruel.

Méthode de la glaire cervicale Méthode contraceptive reposant sur l'observation des changements cycliques de la glaire cervicale pour déterminer la période d'ovulation.

Le collier de perles de couleurs de la méthode des jours types aide la femme à suivre son cycle menstruel et à savoir quand elle peut ou ne peut pas devenir enceinte. Chaque jour, elle déplace l'anneau noir sur une des 32 perles de ce collier dont les deux couleurs représentent les jours de haute ou de basse fertilité.

avant qu'elle se rompe. Cette sécrétion s'accompagne d'une sensation d'humidification et de lubrification vaginale ; sa composition chimique et sa texture facilitent le transit des spermatozoïdes vers l'utérus.

- Les relations coïtales sans condom sont considérées comme étant sûres environ 4 jours après le début des sécrétions de l'ovulation et 24 heures après que ces sécrétions aient perdu leur transparence.

Pour la majorité des femmes, l'ovulation, ou phase fertile, de chaque cycle dure habituellement de 9 à 15 jours. Pour mieux la reconnaître, on utilise souvent conjointement la méthode de la glaire cervicale et celle de la température, décrite plus loin.

La méthode du calendrier

La **méthode du calendrier**, qu'on appelle aussi *méthode de l'abstinence périodique* ou *méthode Ogino-Krauss*, consiste à déterminer sur le calendrier les jours d'ovulation et de fertilité du cycle menstruel. Pour y arriver, la femme doit d'abord dresser un tableau de la durée de ses cycles, idéalement durant une période d'un an. (Elle ne peut pas utiliser de contraceptifs oraux pendant qu'elle dresse ce tableau, parce que le cycle qu'ils induisent pourrait différer de son cycle naturel.)

- Pour établir le nombre de jours que comprend son cycle, la femme considère le premier jour d'une menstruation comme le premier jour du cycle ; le dernier jour correspond donc à la veille de la menstruation suivante.
- Pour déterminer les jours à risque élevé durant lesquels elle devrait éviter tout contact coïtal non protégé, elle soustrait 18 du nombre de jours de son cycle le plus court.
- Pour déterminer à quel moment elle peut de nouveau avoir des relations coïtales sans condoms, elle soustrait 10 du nombre de jours de son cycle le plus long.

Par exemple, chez la femme dont le cycle le plus court est de 26 jours et le cycle le plus long, de 32 jours, le huitième jour sera le premier jour à risque élevé, et le contact sexuel non protégé sera possible à partir du vingt-deuxième jour. Cette femme devra donc s'abstenir de rapport coïtal sans condom du huitième au vingt-deuxième jour de son cycle, à moins de recourir durant cette période à une autre méthode de contraception. Bien sûr, rien n'interdit les ébats amoureux autres que le contact coïtal durant les jours à risque élevé.

La méthode de la température basale

La **méthode de la température basale** consiste à relever sa température tous les matins avant le lever. La femme doit d'abord dresser un tableau de ces lectures afin d'en faire un graphique pour lire les variations de son cycle. Il existe un thermomètre spécialement conçu à cette fin. Quelques heures avant l'ovulation, la température basale s'élève de quelques dixièmes de degré à un degré.

Les méthodes basées sur la connaissance de la fécondité

Des tests d'ovulation conventionnels ou électroniques utilisent des prélèvement de salive ou d'urine pour prédire le moment de l'ovulation. Ces méthodes sont utilisées surtout quand le couple souhaite une grossesse (SOGC, 2015a).

Les relations non coïtales

Avoir des relations sexuelles sans pratiquer le coït est une méthode qui mérite d'être mentionnée parce qu'elle implique la décision de ne pas recourir à la pénétration pénis-vagin. Les formes de relations sexuelles sans pénétration pénis-vagin, appelées **relations non coïtales**, peuvent constituer une méthode de contraception. Cela inclut toutes les formes d'intimité sexuelle physique comme les baisers, la masturbation mutuelle, le sexe oral et le sexe anal. L'évitement volontaire du coït offre une protection efficace contre les grossesses parce que l'homme n'éjacule pas près de l'ouverture vaginale. La relation non coïtale peut être utilisée comme une méthode temporaire ou un moyen privilégié de prévention de grossesse. Elle peut aussi être indiquée pour d'autres raisons, par exemple à la suite d'un accouchement récent, d'un avortement ou pendant un épisode d'herpès. C'est une méthode qui ne comporte aucun effet secondaire indésirable. Cependant, certaines formes de relations non coïtales, telles que le sexe oral et anal, ne préviennent pas la transmission des ITSS.

Méthode du calendrier Méthode de contraception reposant sur l'absence de relations sexuelles durant la période de fertilité estimée à partir de l'observation des cycles menstruels antérieurs.

Méthode de la température basale Méthode de contraception reposant sur l'observation des variations de la température du corps avant et après l'ovulation.

Relations non coïtales Relations excluant la pénétration pénis-vagin.

La stérilisation

La stérilisation est la méthode de régulation des naissances la plus efficace ; elle est sûre et permanente, ce qui intéresse ceux et celles qui ne souhaitent pas ou plus avoir d'enfants. La stérilisation est la méthode la plus répandue aux États-Unis et dans le monde (Peterson, 2008). Bien qu'il soit possible de subir une intervention chirurgicale pour renverser la stérilisation, ces chirurgies demeurent compliquées et leur taux d'efficacité n'est que de 50 % (Boeckxstaens et Devroey, 2007). La stérilisation ne s'adresse donc qu'à ceux et celles qui désirent une méthode de contraception définitive.

La stérilisation féminine

La stérilisation féminine est aujourd'hui une intervention chirurgicale relativement sûre, simple et économique. Les différentes techniques de stérilisation ne requièrent que de légères incisions et se pratiquent sous anesthésie locale ou générale. La **stérilisation tubaire**, ou ligature des trompes, peut se faire de plusieurs manières. La figure 13.5 illustre l'un de ces procédés, la laparoscopie. Sous anesthésie locale ou générale, on pratique une ou deux petites incisions dans l'abdomen, généralement juste au-dessus de la ligne de poils pubiens, et l'on y insère un instrument d'optique très étroit appelé *laparoscope* pour repérer les trompes. Celles-ci sont ensuite sectionnées, attachées (ligaturées) ou cautérisées pour bloquer le passage de l'ovule ou des spermatozoïdes. Parfois, on utilise une technique appelée *colpotomie*, qui consiste à pratiquer l'incision à travers l'arrière de la paroi vaginale.

Une technique plus récente ne requiert ni salle d'opération, ni anesthésie générale, ni convalescence importante (Lee-St. John et Gallatin, 2008). L'intervention dure une demi-heure et se fait sous anesthésie locale. Au cours de la **stérilisation transcervicale,** on insère dans l'ouverture de chaque trompe de Fallope un petit ressort (Essure^MD) (*voir la photo à la page suivante*), fait de polyester et d'un alliage de nickel et de titane ou un implant en silicone. L'insertion se fait par le vagin et le col de l'utérus. Une fois placés, les ressorts se détendent et s'ancrent par eux-mêmes. Ces dispositifs stimulent la croissance de tissus qui, au bout de trois mois, obstruent les trompes de Fallope et empêchent ainsi les spermatozoïdes d'atteindre les ovules. En attendant que ces trois mois soient écoulés, les partenaires doivent utiliser une autre méthode contraceptive (Hollander, 2008b). Les effets secondaires les plus fréquents sont des crampes ; dans de rares cas, les ressorts sont expulsés des trompes ou les perforent.

La stérilisation n'affecte pas le système reproducteur et sexuel des femmes, puisque les ovaires continuent à libérer des ovules jusqu'à la ménopause. Ceux-ci se désintègrent simplement, comme le font quotidiennement des millions d'autres cellules. L'intervention

> **Stérilisation tubaire** Stérilisation féminine obtenue en coupant ou en ligaturant les trompes de Fallope.
>
> **Stérilisation transcervicale** Méthode de stérilisation féminine qui consiste à placer un petit ressort ou un implant en silicone dans chaque trompe de Fallope.

FIGURE 13.5 **La ligature des trompes de Fallope**

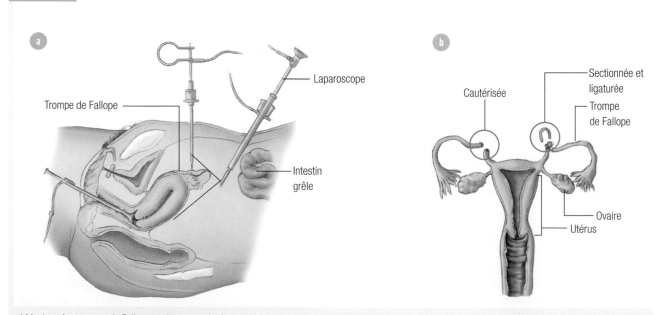

a) Ligature des trompes de Fallope par laparoscopie ; b) vue de face des trompes après la ligature.

L'implant Essure^MD est un petit ressort qui est utilisé pour la stérilisation féminine.

n'influe pas sur les taux d'hormones des femmes ni sur le déclenchement de la ménopause. Leur sexualité ne change pas physiologiquement, mais il se peut que le désir sexuel des femmes et de leurs partenaires s'accroisse parce qu'elles n'auront plus à craindre la grossesse ni à s'inquiéter de la contraception.

La stérilisation masculine

Quoiqu'un peu plus efficace que la stérilisation féminine, la stérilisation masculine (ou vasectomie) comporte aussi en général moins de dangers, moins de complications postopératoires, et est considérablement moins chère. À l'échelle mondiale, 7,4 % des femmes en âge de se reproduire s'en remettent à la vasectomie de leur partenaire pour la contraception (Black et coll., 2009). Au Québec, selon les données de l'Institut de la statistique du Québec, le nombre de vasectomies dépasse celui des ligatures de trompes depuis 1988 (Institut de la statistique du Québec, 2011).

Habituellement pratiquée en clinique, la **vasectomie** est une intervention chirurgicale mineure d'une vingtaine de minutes ou moins qui consiste à sectionner et à refermer les canaux déférents pour empêcher le passage des spermatozoïdes (*voir la figure 13.6 à la page suivante*). Sous anesthésie locale, on fait une courte incision ou une perforation sur le côté du scrotum, bien au-dessus des testicules. La technique sans

scalpel permet de ne pratiquer qu'une seule ouverture minuscule. On sort le canal déférent, on le sectionne et on en retranche un petit segment. Chaque extrémité est ligaturée et cautérisée pour empêcher tout raccord. On fait de même pour l'autre canal déférent, soit par la même ouverture, soit, selon la méthode classique, en pratiquant une incision de l'autre côté du scrotum. Le patient peut s'attendre à de brefs et légers malaises postopératoires comme de l'enflure, de l'inflammation ou des contusions qui peuvent durer d'une journée à deux semaines.

La vasectomie empêche les spermatozoïdes produits dans les testicules de se mêler aux liquides que fabriquent les organes reproducteurs internes. Toutefois, comme une bonne quantité de spermatozoïdes sont emmagasinés au-delà du lieu d'incision, l'homme peut demeurer fertile quelques mois après l'opération. Il faut donc utiliser une méthode de contraception efficace durant 6 à 12 semaines, soit jusqu'à ce qu'une analyse de sperme, ou spermogramme, indique que le liquide séminal ne contient plus de spermatozoïdes. De nombreux médecins recommandent d'ailleurs aux hommes vasectomisés de faire analyser leur sperme trois mois après l'intervention (Shah et Fisch, 2006). On signale de rares cas où les deux extrémités sectionnées du canal déférent se sont raccordées d'elles-mêmes (c'est ce qu'on appelle la *recanalisation*).

La vasectomie n'empêche aucunement la production des hormones sexuelles mâles par les testicules ni l'absorption de ces hormones par le sang. Les hommes vasectomisés continuent de produire des spermatozoïdes et leur organisme les absorbe et les élimine. Leurs éjaculations contiennent presque autant de liquide après l'opération qu'avant, puisque les spermatozoïdes constituent moins de 1 % de l'éjaculat total. L'odeur et la texture de l'éjaculat demeurent inchangées. Certains hommes refusent la vasectomie parce qu'ils craignent qu'elle nuise à leur fonctionnement sexuel (Kols et Lande, 2008), mais plusieurs autres disent que leur vie sexuelle s'est épanouie, car ils sont plus spontanés depuis qu'ils se sentent libérés de la crainte de grossesse.

Les méthodes inefficaces

Outre les méthodes contraceptives que nous venons de voir, il en existe d'autres qui sont peu fiables, mais très répandues. Nous présentons trois de ces méthodes que la croyance populaire estime efficaces.

> **Vasectomie** Stérilisation masculine obtenue en sectionnant et en refermant chacun des canaux déférents. Il existe toutefois une méthode ne nécessitant pas le recours au scalpel.

FIGURE 13.6 La stérilisation masculine par vasectomie

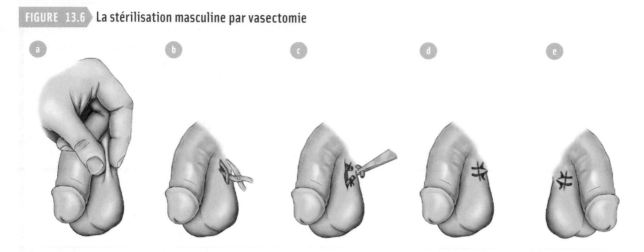

a) Localisation du canal déférent ; b) incision minime du scrotum pour en extraire le canal déférent ; c) coupe d'une petite section du canal déférent et cautérisation ou ligature de ses extrémités ; d) fermeture de l'incision ; e) répétition des étapes 1 à 4 de l'autre côté du scrotum.

L'allaitement

Il est vrai que l'allaitement peut retarder le retour à la fertilité après l'accouchement. Cependant, il est impossible de savoir de façon précise à quel moment l'ovulation reprendra. En effet, même si l'allaitement entraîne généralement l'aménorrhée (l'absence de menstruation), presque 80 % des femmes allaitantes ovulent avant les premières règles suivant l'accouchement. Et plus l'allaitement est de longue durée, plus il est probable que l'ovulation reprendra entre-temps (Kennedy et Trussell, 1998).

Le coït interrompu

Le coït interrompu, ou retrait, consiste pour l'homme à se retirer du vagin avant d'éjaculer. Une étude menée dans 24 pays montre que 12 % des jeunes hommes sexuellement actifs âgés de 15 ans utilisent le coït interrompu comme méthode principale de contraception (Godeau et coll., 2008). Il est la troisième méthode la plus utilisée au Canada selon l'*Enquête canadienne sur la contraception* de 2006 (SOGC, 2015b). Selon une étude, 11,6 % de Canadiennes utilisent également cette méthode aux fins de contraception (Black et coll., 2009).

Toutefois, cette méthode s'avère inefficace, entre autres parce que le liquide prééjaculatoire produit par les glandes de Cowper peut contenir des spermatozoïdes susceptibles de féconder un ovule. En outre, il peut être hasardeux pour un homme d'estimer exactement le moment où il doit se retirer, particulièrement s'il lui est difficile de moduler la montée de son excitation et qu'il éjacule trop rapidement. Le plaisir de la pénétration peut aussi l'inciter à demeurer le plus longtemps possible à l'intérieur du vagin. Un peu de sperme peut se déposer sur les lèvres au moment du retrait, permettant ainsi à des spermatozoïdes d'entrer dans le vagin et de rejoindre un ovule. Soulignons que les deux partenaires risquent de voir leur plaisir atténué par la peur de ne pas arrêter à temps la pénétration.

La douche vaginale

Certaines femmes s'administrent une douche vaginale après une relation sexuelle. Or, celle-ci n'a aucun pouvoir contraceptif, d'une part parce que des spermatozoïdes atteignent l'intérieur de l'utérus une minute ou deux après l'éjaculation et, d'autre part, parce que la douche, en poussant de l'eau dans le vagin, peut aider les spermatozoïdes à atteindre plus rapidement l'entrée du col de l'utérus. Rappelons qu'il n'est pas recommandé de recourir fréquemment aux douches vaginales ; en modifiant le pH du milieu vaginal, elles peuvent entraîner une prolifération de bactéries susceptibles d'engendrer une irritation des parois.

Les nouvelles avenues en contraception

Comme nous venons de le voir, chaque méthode contraceptive présente des inconvénients et a parfois des effets néfastes sur la santé. Des naissances non désirées surviennent chaque année en raison des ratés des méthodes contraceptives ou de leur mauvaise utilisation. Des recherches sont effectuées afin d'améliorer la sécurité, la fiabilité et la commodité des méthodes contraceptives.

De nouvelles voies pour les hommes

Des études révèlent que la majorité des hommes prendraient volontiers une pilule contraceptive (Upadhyay, 2005). La plupart des femmes interrogées ont répondu qu'elles feraient confiance à leur partenaire ; une proportion de 2 % seulement ont déclaré qu'elles ne se fieraient pas à lui. De plus, elles se sont dites favorables à l'idée d'une pilule pour hommes, car elles estiment que l'on confie trop souvent la responsabilité de la contraception aux femmes (Nieschlag et Henke, 2005).

Les moyens de contraception masculine se limitent pour l'instant au condom, à la vasectomie et au coït interrompu. Cependant, des recherches en cours se concentrent sur des méthodes visant à inhiber la production, la motilité ou la maturation des spermatozoïdes (Goodman, 2008; Mruk et Cheng, 2008; Samuel et Naz, 2008). La voie la plus prometteuse se trouve du côté des chercheurs qui travaillent à mettre au point des dérivés de la testostérone ou des substances à base de progestatifs qui seraient administrés sous forme d'implants ou par injection (Mommers et coll., 2008). Les chercheurs tentent aussi de développer des contraceptifs non hormonaux pour les hommes (Mruk, 2008). Par exemple, une recherche a montré que des injections combinant un progestatif (énanthate de noréthistérone) et un androgène (undécanoate de testostérone) supprimeraient la production de spermatozoïdes de façon suffisamment efficace pour permettre la contraception (Behre et coll., 2016). Malgré les effets indésirables signalés par plusieurs participants, en particulier la dépression et d'autres troubles affectifs, à la fin de l'étude, plus de 75 % se disaient prêts à utiliser cette méthode de contraception (Behre et coll., 2016). Des recherches ont été entreprises dans le but de diminuer les effets secondaires de ces injections.

D'autres méthodes de stérilisation plus facilement réversibles que la vasectomie sont rendues aux stades des essais cliniques en Inde, en Chine et aux États-Unis (Guha, 2007). L'une de ces méthodes consiste à obstruer les canaux déférents en y injectant un gel qui pourrait être dissous ultérieurement pour permettre à nouveau le passage des spermatozoïdes. L'autre méthode fait appel à un dispositif contraceptif appelé *IVD* (*Intra Vas Device*), ou *dispositif intracanal déférent*, qui consiste à insérer un bouchon dans chaque canal déférent, mais qu'il est possible de retirer si désiré. La mise en place et le retrait de chaque implant ne prennent qu'une vingtaine de minutes (Upadhyay, 2005). Signalons enfin une étude menée sur des rats visant à utiliser des ultrasons. On a constaté en effet que l'application d'ultrasons d'une certaine fréquence sur les testicules réduisait la quantité de spermatozoïdes au point de ne plus permettre la fécondation. L'utilisation d'ultrasons présente l'avantage de rendre la contraception parfaitement réversible (Tsuruta et coll., 2012).

De nouvelles voies pour les femmes

Certaines voies de recherche visant à mettre au point de nouvelles méthodes contraceptives pour les femmes s'intéressent à divers moyens non hormonaux de régulation des naissances afin d'éviter les effets secondaires des hormones.

Plusieurs autres approches reposent sur des variantes des méthodes actuelles. Dans le cas des contraceptifs injectables, des études sont en cours pour étudier la possibilité de prolonger l'effet contraceptif jusqu'à 6 mois au lieu de 3 mois. On tente également de mettre au point de nouveaux comprimés oraux contenant des progestatifs et on cherche aussi des moyens de prolonger la période d'utilisation de la pilule continue (Miller, 2006). Des chercheurs étudient de nouvelles formes d'implants transdermiques biodégradables qui pourront agir pendant au moins 18 mois et permettre un retour prévisible à la fertilité (Family Health International [FHI] 360, 2016). Les agences de santé sexuelle internationales se sont donné pour objectif de trouver des moyens de haute qualité, sécuritaires, efficaces et peu coûteux que pourraient utiliser plusieurs pays en voie de développement (FHI 360, 2016).

Depuis l'avènement de la pilule contraceptive, les possibilités en contraception ont beaucoup évolué, mais on est encore loin d'avoir découvert la méthode efficace à 100 %, réversible tant chez les hommes que chez les femmes, sans effets indésirables et protégeant contre les ITSS.

La conception et la grossesse

Examinons d'abord les changements, les expériences et les sentiments inhérents au processus physiologique de la procréation. Cette première étape s'avère difficile pour certains couples.

Améliorer ses chances de concevoir

Choisir le bon moment d'avoir des relations coïtales durant le cycle menstruel est un facteur important pour améliorer les chances de concevoir. La conception est plus probable durant les six jours qui suivent l'ovulation. Il est difficile de prévoir précisément le moment de l'ovulation, mais plusieurs méthodes permettent de le déterminer avec une approximation raisonnable. Les tests indicateurs d'ovulation, en détectant dans l'urine l'augmentation de l'hormone lutéinisante (LH) qui survient avant l'ovulation, donnent de bons résultats, et on peut se les procurer en pharmacie sans ordonnance. Autrement, on peut également utiliser les méthodes des jours types, de la glaire cervicale, de la température basale et du calendrier pour estimer le moment de l'ovulation.

Certaines personnes aimeraient aussi avoir la possibilité de choisir le sexe de leur enfant, comme le montre l'encadré *Les uns et les autres* à la page suivante.

Choisir d'avance le sexe du bébé : quelques considérations technologiques et transculturelles

Le désir d'avoir un enfant d'un sexe particulier existe depuis les temps anciens. Les superstitions quant à la façon d'influer sur le sexe éventuel de l'enfant pendant le coït font partie de la culture occidentale : par exemple, l'homme qui porte un chapeau engendrera un garçon et celui qui suspend son pantalon sur la colonne gauche du lit concevra une fille. Les couples essaient parfois des méthodes dites *naturelles* pour concevoir un garçon ou une fille. Privilégier la relation sexuelle près du moment de l'ovulation (pour avoir un garçon) ou moins près de l'ovulation (pour avoir une fille), rendre l'environnement vaginal plus acide (pour une fille) ou plus alcalin (pour un garçon) ou privilégier une position sexuelle (missionnaire pour une fille, pénétration par l'arrière pour un garçon) sont quelques moyens auxquels des couples ont recours. Cependant, il n'existe aucun consensus scientifique quant à l'efficacité de ces méthodes.

En Chine, en Inde et en Corée du Sud, la préférence pour les garçons est particulièrement forte, et les infanticides de filles ainsi que les avortements sélectifs de fœtus féminins sont fréquents. Par conséquent, ces pays connaissent un important déséquilibre des naissances : pour chaque 100 filles, on compte 120 garçons en Chine et 110 en Inde. Ce déséquilibre est surtout plus important dans les régions plus riches où les couples peuvent payer pour une échographie qui permet de connaître le sexe du fœtus d'une femme enceinte et décider d'avorter si c'est une fille (Halarnkar, 2011 ; Narasimhan, 2014). Globalement, il y a environ 100 millions d'hommes de plus que de femmes en Asie (Ferguson, 2011). Une conséquence de ce déséquilibre des naissances est un manque de femmes disponibles pour le mariage (Huang, 2014).

Dans plusieurs pays, les facteurs économiques et culturels contribuent à favoriser les garçons. Ce sont les fils qui s'occupent de leurs parents lorsque ceux-ci sont âgés et qui, en l'absence d'un filet social gouvernemental, assurent leur sécurité. En Asie, dans les traditions hindouiste et confucianiste, seuls les fils peuvent allumer le bûcher funéraire de leurs parents décédés et prier pour la libération de leur âme. Les fils deviennent un jour un soutien financier pour leurs parents, tandis que les filles représentent une charge financière, car il faut donner une dot lorsqu'elles se marient. En outre, le travail d'une femme profite à sa belle-famille et non à sa famille naturelle (Garlough, 2008). Ces traditions sont si ancrées que même les couples d'Asie qui immigrent en Amérique recourent à la technologie médicale pour avoir des fils au lieu de filles (Swift, 2009).

Une technique efficace de sélection du sexe de l'enfant consiste à choisir parmi des embryons conçus en laboratoire celui du sexe souhaité. Le sexe génétique de l'embryon est vérifié, puis un médecin l'implante dans l'utérus de la femme. Le procédé coûte 20 000 $ US et le sexe de l'enfant est garanti à presque 100 % (Dayal et Zarek, 2008). Une autre méthode, dont les résultats sont plus incertains, consiste à séparer les spermatozoïdes porteurs du chromosome X de ceux qui sont porteurs du chromosome Y. Une fois ce procédé effectué en laboratoire, il s'agit d'implanter ceux du lot du sexe désiré dans l'utérus. Les taux de succès sont de 90 % pour les bébés filles et de 70 % pour les bébés garçons. Cependant, le côté peu romantique de la collecte de sperme et de l'insémination artificielle limite parfois le recours à ces techniques, à moins que les parents n'aient de bonnes raisons de vouloir un enfant d'un sexe précis (Berkowitz, 2000). Au Canada, il est illégal de choisir le sexe d'un bébé pour des raisons non médicales, sociales ou culturelles (Gouvernement du Canada, 2004). La présélection du sexe de l'enfant peut s'avérer utile pour les couples qui risquent de transmettre une maladie liée au chromosome X. La recherche indique que la population nord-américaine est fortement d'accord avec cette pratique (Kalfoglou et coll., 2008).

L'infertilité

Soixante pour cent des couples conçoivent un enfant dans les trois premiers mois de tentatives, mais si la grossesse ne survient pas après six mois d'essais, un couple devrait consulter un médecin (Kersten et coll., 2015). On estime qu'environ 6 % des femmes de moins de 45 ans connaissent des problèmes de fertilité, c'est-à-dire qu'elles ne parviennent pas à concevoir après au moins 1 an d'essai (Stobbe, 2013). Au Canada, la prévalence de l'infertilité sur une période de 12 mois est passée de 5 % en 1984 à 12 % et à 16 % en 2009 et 2010. Près d'un couple sur sept ayant tenté d'avoir un enfant a eu recours à de l'aide médicale à la conception. Ces couples partagent certaines caractéristiques, dont le fait d'être mariés, de ne pas avoir d'enfant et de comporter une partenaire de 35 ans et plus. Parmi les couples ayant eu recours à de l'aide, environ deux sur cinq ont déclaré avoir utilisé des médicaments visant à améliorer la fertilité, et un sur cinq, des techniques de procréation assistée (Bushnik et coll., 2012). On considère habituellement l'infertilité comme l'incapacité de concevoir un enfant ; c'est pourquoi on appelle *infertilité secondaire* l'incapacité de concevoir un second enfant, difficulté que rencontrent 10 % des couples (Diamond et coll., 1999).

L'infertilité est un problème complexe entraînant de la détresse. Elle peut avoir des effets démoralisants sur l'image de soi et du couple comme entité saine (Galhardo et coll., 2011 ; Huppelschoten et coll., 2013). Ses causes sont parfois difficiles à cerner et demeurent inconnues dans bien des cas. Cependant, entre 85 et 90 % des cas d'infertilité peuvent être traités au moyen d'une pharmacothérapie ou d'une intervention chirurgicale (Hannon, 2009).

L'infertilité et la sexualité   La plupart des jeunes grandissent avec l'idée qu'ils pourront concevoir des enfants lorsqu'ils décideront de fonder une famille. L'infertilité constitue donc un choc et une crise pour plusieurs personnes (Wilkes, 2006). Quand l'infertilité devient évidente et indéniable, le couple qui en souffre peut ressentir un grand sentiment d'isolement lorsque les conversations portent sur la grossesse, les enfants et leur éducation. Voici les propos d'une femme qui a été dans l'incapacité de concevoir :

> Les pauses-café sont les pires moments ; chacune sort des photos de ses enfants et parle de leurs dernières mésaventures. Lorsqu'une femme se plaint de problèmes liés aux soins des enfants, j'ai envie de hurler. J'aimerais pouvoir lui dire combien elle a de la chance d'avoir ce genre de *problèmes*. (Note des auteurs)

Les problèmes d'infertilité peuvent avoir des effets profondément négatifs sur la relation du couple et sur sa sexualité (Luk et Loke, 2015). Les partenaires peuvent aussi se détourner l'un de l'autre et se sentir incompris. Chaque partenaire pourra également douter de sa propre masculinité ou féminité en raison de sa difficulté à concevoir. Chacun pourra vivre de la colère et de l'anxiété et se demander «Pourquoi moi?». Finalement, tous deux pourront éprouver du chagrin à l'idée de ne jamais connaître des expériences telles que la grossesse, l'accouchement et l'éducation des enfants qu'ils auraient conçus (Salario, 2013 ; Steuber et Solomon, 2008).

Les relations coïtales peuvent devenir plus éprouvantes qu'agréables en raison de l'anxiété et de la tristesse de ne pas pouvoir concevoir (Salonia et coll., 2006). Les études ont montré que la plupart des couples infertiles vivent des insatisfactions ou des dysfonctions sexuelles à un moment ou un autre (Daniluk, 2012). De plus, les techniques médicales de diagnostic et de traitement de l'infertilité nuisent à la spontanéité sexuelle et à l'intimité du couple. Les relations sexuelles deviennent stressantes et mécaniques, et créent une anxiété de performance qui nuit à l'excitation sexuelle et à l'intimité affective.

À l'inverse, 20 % des hommes et 25 % des femmes déclarent que l'infertilité a aidé leur couple. Dans ces cas, l'élément déterminant était la capacité de l'homme à communiquer activement ses sentiments plutôt que d'éviter de parler de grossesse et de fuir dans le travail. Les couples qui discutaient de l'infertilité étaient non seulement plus proches, mais ils diminuaient aussi leur état de stress général (Aaronson, 2006).

L'infertilité féminine   Plusieurs raisons font qu'une femme ne peut concevoir (*voir le tableau 13.2*). Les problèmes liés à l'ovulation comptent pour environ 20 % des cas d'infertilité (Urman et Yakin, 2006). Le vieillissement réduit énormément la capacité de concevoir. La fertilité de la femme culmine entre 20 et 24 ans, et elle commence à décroître rapidement à partir de 30 ans. Entre 35 et 39 ans, le taux de fertilité peut chuter à 46 % par rapport à son maximum, et diminuer de 95 % entre 40 et 45 ans (Fritz et Speroff, 2010). Dans la plupart des pays industrialisés, les femmes reportent la parentalité à plus tard (Groves, 2014). Sachant les risques de diminution de la fertilité avec l'âge, certaines femmes vont même choisir de congeler leurs ovules afin de préserver leur capacité à concevoir (Seifer et coll., 2014).

Il est parfois possible de traiter les problèmes d'ovulation au moyen d'une variété de médicaments. Bien qu'ils soient généralement efficaces et sans danger, les médicaments qui stimulent l'ovulation peuvent entraîner

TABLEAU 13.2   Les principales causes d'infertilité chez la femme

CAUSES
Déséquilibre hormonal
Carence importante en vitamine D
Dérèglement métabolique
Alimentation non équilibrée
Facteurs génétiques
Stress émotionnel
Pourcentage de gras corporel sous la normale (Un poids de 10 à 15 % inférieur à la normale pourrait inhiber l'ovulation.)
Tabagisme
Consommation excessive d'alcool ou de drogues
Présence de composés toxiques dans l'environnement (substances chimiques contenues dans les tapis, les emballages alimentaires, les casseroles antiadhésives et les pesticides)
Infections et anomalies des organes génitaux internes et des ovaires
Lésions causées par des ITSS

Sources : Adapté de Fei et coll., 2009 ; Hannon, 2009 ; Marx et Mehta, 2003 ; Pagliardini et coll., 2015 ; Rebar, 2004.

certaines complications, notamment un risque plus grand de naissances multiples.

Les infections et les anomalies du col de l'utérus, du vagin, de l'utérus, des trompes de Fallope ou encore des ovaires peuvent détruire les spermatozoïdes ou les empêcher d'atteindre l'ovule (Rebar, 2004). Les tissus cicatriciels causés par des ITSS sont susceptibles de bloquer le passage des spermatozoïdes et des ovules. Il est possible de corriger certains problèmes tubaires en excisant chirurgicalement les tissus cicatriciels autour des trompes de Fallope et des ovaires. En 2014, le premier bébé issu d'un utérus transplanté est né en Suisse. Les chercheurs croient qu'il sera possible un jour de créer un utérus à partir des cellules d'une femme (G. Shaw, 2015).

L'infertilité masculine La plupart des causes d'infertilité masculine sont liées à des anomalies dans le nombre de spermatozoïdes, leur forme ou leur motilité, c'est-à-dire leur vigueur à se propulser (Anawalt, 2013). La présence d'une veine endommagée ou hypertrophiée dans un testicule ou un canal déférent, trouble qui porte le nom de *varicocèle*, est une cause majeure d'infertilité masculine. La varicocèle provoque une accumulation de sang dans le scrotum, ce qui élève la température de la zone et nuit à la production de spermatozoïdes (Abdel-Meguid, 2012). Le tableau 13.3 énumère d'autres causes de l'infertilité masculine.

Les facteurs environnementaux sont probablement à l'origine de la diminution du nombre de spermatozoïdes observée partout dans le monde depuis 50 ans (Alvarez, 2014 ; Joensen et coll., 2009). Les spermatozoïdes absorbent et métabolisent des toxines environnementales plus facilement que les autres cellules du corps, ce qui risque également d'entraîner des anomalies congénitales.

La recherche indique qu'une éjaculation quotidienne peut contribuer à améliorer la qualité des spermatozoïdes (Henderson, 2007). À l'inverse, si l'on veut augmenter leur concentration, l'éjaculation doit avoir lieu, idéalement, tous les deux jours, en commençant six jours avant l'ovulation jusqu'à la fin de la semaine où l'ovulation se produit. Un homme dont le nombre de spermatozoïdes est faible devrait aussi éviter de prendre des bains chauds, de porter des vêtements et des sous-vêtements trop ajustés et de faire du vélo sur de longues distances, car cela est susceptible d'augmenter la température des testicules à un niveau supérieur à la normale, ce qui ralentira la production de spermatozoïdes.

Lorsque les spermatozoïdes sont en quantité insuffisante ou de faible qualité, la technique de **fécondation in vitro avec micro-injection (ICSI)** peut donner lieu à une grossesse. Cette technique consiste à injecter un seul spermatozoïde dans chaque ovule prélevé.

Les techniques de procréation assistée

Plusieurs méthodes ont été mises au point pour aider les couples à surmonter les problèmes d'infertilité et le nombre de femmes qui cherchent de l'aide à concevoir par les techniques de procréation assistée a doublé depuis les dix dernières années (Stobbe, 2013). **L'insémination artificielle** est une option à considérer dans certains cas. Cette technique consiste à introduire les spermatozoïdes dans le vagin ou le col de l'utérus à l'aide d'un instrument et, parfois, directement dans l'utérus, un processus appelé *insémination intra-utérine*. Si le partenaire masculin ne produit pas des spermatozoïdes de bonne qualité ou si la femme n'a pas de partenaire masculin, l'insémination peut se faire avec le sperme d'un donneur.

TABLEAU 13.3	Les principales causes d'infertilité chez l'homme

CAUSES
Varicocèle
ITSS
Obésité et embonpoint
Infection par le virus des oreillons à l'âge adulte
Tabagisme
Consommation d'alcool et de drogues
Consommation de cocaïne (entrave la spermatogenèse)
Consommation de marijuana (nuit à la motilité des spermatozoïdes)
Toxines environnementales (produits chimiques, polluants et radiations)

Sources : Adapté de Alvarez, 2014 ; Eisenberg et coll., 2013 ; Leibowitz et Hoffman, 2000 ; Joensen et coll., 2009 ; Springen, 2008 ; Underwood, 2007.

Varicocèle Veine endommagée ou hypertrophiée dans un testicule ou un canal déférent.

Fécondation in vitro avec micro-injection (ICSI) Procédé consistant à injecter un spermatozoïde dans un ovule. L'abréviation anglaise ICSI (pour *Intra Cytoplasmic Sperm Injection*) est souvent utilisée en français.

Insémination artificielle Technique médicale consistant à déposer des spermatozoïdes dans le vagin, le col de l'utérus ou l'utérus.

Les techniques de conception extra-utérine sont appelées *techniques de procréation médicalement assistée* (PMA). Le premier bébé issu de ces techniques est né en Angleterre en 1978. En **fécondation in vitro** (FIV), les ovaires sont stimulés au moyen de médicaments inducteurs de l'ovulation. Plusieurs ovules sont produits en même temps. Les ovules matures sont retirés des ovaires et fécondés en laboratoire en les mettant en contact avec les spermatozoïdes dans un contenant approprié. Au bout de deux ou trois jours, plusieurs ovules fécondés comportant de deux à huit cellules sont introduits dans l'utérus. Les embryons en surplus sont souvent congelés pour être utilisés ultérieurement en cas d'échec de la première tentative. Lorsque la démarche fonctionne, au moins un ovule s'implante et se développe. Le taux de succès est de 40 % chez la femme de moins de 35 ans, de 31 % entre 35 et 37 ans, mais chute à 3,9 % à 42 ans (Christensen, 2014).

Une variante de la fécondation in vitro consiste à implanter les ovules fécondés dans les trompes de Fallope au lieu de l'utérus, une technique appelée *transfert intratubaire de zygotes* (ZIFT). Quant à la technique appelée *transfert intratubaire de gamètes* (GIFT), elle consiste à déposer à la fois les spermatozoïdes et les ovules directement dans les trompes de Fallope, là où se produit normalement la fécondation.

Le don d'ovules est indiqué lorsque la femme n'a pas d'ovaires, ne peut pas produire d'ovules ou lorsqu'elle risque de transmettre une maladie génétique. Les donneuses d'ovules sont généralement des femmes âgées entre 21 et 35 ans, en bonne santé et principalement motivées par des raisons altruistes (FQPN, 2014). Selon la loi sur la procréation assistée, il est illégal de payer pour obtenir les services d'une mère porteuse ou de vendre ou d'acheter des ovules, des spermatozoïdes, et des embryons (Gouvernement du Canada, 2004). Lorsque les deux partenaires sont infertiles, la FIV peut se faire en recourant aux dons d'ovules et de sperme. Les donneurs de sperme sont généralement des hommes entre 18 et 40 ans, en bonne santé et répondant aux critères de sélection nécessaires avant de congeler un échantillon de sperme (FQPN, 2014). Au Canada, le don d'embryons est très rare (FQPN, 2014).

La gestation pour autrui est une méthode de procréation dans laquelle une femme porte jusqu'à son terme un embryon conçu par procréation assistée, soit à partir de ses ovules, soit à partir des ovules d'une donneuse, celle-ci étant souvent la femme qui veut être la mère de l'enfant. Selon la FQPN (2014), la gestatrice (mère porteuse) signe une entente avec la personne (ou avec le couple) concernant les modalités de remise de l'enfant à sa naissance pour adoption par les demandeurs. Au Québec, deux cliniques offrent cette option, et l'une d'elles n'accepte que les couples hétérosexuels (FQPN, 2014).

Les coûts et les risques pour la santé associés aux techniques de procréation assistée La procréation assistée coûte cher. Par exemple, la fécondation in vitro coûte plus de 12 400 $ par essai, et il faut souvent plus d'un essai avant de concevoir. Si la technique choisie demande un don d'ovules ou de sperme, une FIV par injection ou des techniques supplémentaires, les coûts en sont augmentés d'autant (Christensen, 2014). Au Québec, la Régie de l'assurance maladie couvre ces frais depuis août 2010. Depuis 2016, le programme de procréation assistée en Ontario couvre les frais d'un cycle de FIV par femme (deux pour les mères porteuses) et il existe 51 cliniques dans cette province. Cependant, le programme ne couvre pas les médicaments associés aux traitements et les services connexes tels que les tests génétiques et l'entreposage du sperme, des ovules et des embryons (Ministère de la Santé et des Soins de longue durée de l'Ontario, 2016b).

Lors d'une FIV, plusieurs embryons sont implantés dans l'utérus de la femme de façon à accroître les chances de procréation. Par conséquent, les FIV entraînent la naissance de jumeaux dans 20 % des cas, et des naissances multiples (triplés ou plus) dans 8,8 % des cas (Gleicher et coll., 2014). Au Canada, les bébés issus de la procréation assistée représentent de 1 à 3 % des naissances simples, de 30 à 50 % des naissances gémellaires et plus de 75 % des naissances multiples (triplés ou plus). En Ontario, sur les 1500 naissances issues d'une fécondation in vitro en 2006, 70 % étaient des accouchements simples et 30 % des naissances multiples (deux bébés ou plus) (Comité d'experts en matière d'infertilité et d'adoption, 2009). Au Québec, où les frais de procréation sont couverts par la RAMQ, et où l'implantation est généralement d'un seul embryon, le taux de grossesse multiple est passé de 27,8 % en août 2010 à 5,2 % à l'automne 2011 (Janvier, 2011). La grossesse multiple accentue le risque de mortalité périnatale, de prématurité, de faible poids et d'anomalies congénitales (Wadhawan et coll., 2011).

Techniques de procréation médicalement assistée (PMA) Techniques de fécondation à l'extérieur de l'utérus.

Fécondation in vitro (FIV) Procédé par lequel des ovules à maturité sont prélevés des ovaires et fécondés par des spermatozoïdes en laboratoire dans des éprouvettes.

Transfert intratubaire de zygotes (ZIFT) Procédé par lequel un ovule est fécondé en laboratoire, puis déposé dans une trompe de Fallope. Dans les textes français, on voit l'abréviation anglaise ZIFT (*Zygote Intrafallopian Transfer*).

Transfert intratubaire de gamètes (GIFT) Procédé par lequel un spermatozoïde et un ovule sont déposés dans une trompe de Fallope. Dans les textes français, on voit l'abréviation anglaise GIFT (*Gamete Intrafallopian Transfer*).

Chez les mères, la grossesse multiple accroît les risques de prééclampsie, de diabète, de problèmes placentaires ainsi que de césarienne, d'hypertension et d'autres complications lors de l'accouchement, y compris la mort. Dans certains cas, un ou plusieurs embryons sont sacrifiés pendant la grossesse pour augmenter les chances qu'un ou deux autres survivent (Stone et coll., 2008).

Les dilemmes juridiques et éthiques que soulèvent les techniques de procréation assistée   Le recours aux techniques de procréation assistée soulève des problèmes éthiques et juridiques sans précédent dans notre société. Le surplus d'embryons qui résulte souvent de ces techniques amène des couples à les offrir généreusement en adoption pour qu'ils soient implantés dans d'autres femmes ou à les donner pour la recherche sur les cellules souches. Une étude indique que 60 % des couples étaient d'accord pour remettre leur surplus d'embryons pour la recherche, que 22 % consentaient à les donner à un autre couple et que 24 % voulaient les détruire (Kliff, 2007). Certaines situations suscitent la controverse, comme ces ex-conjoints qui ne s'entendent pas sur ce qu'il faut faire des embryons qui ont été congelés alors qu'ils vivaient encore ensemble (Marold, 2014).

De nouvelles questions éthiques émergent concernant la vente d'embryons et le versement d'une somme d'argent pour obtenir les ovules d'une femme ou le sperme d'un homme. À la différence des États-Unis, le Canada et la Chine interdisent de payer des femmes pour obtenir leurs ovules, ce qui entraîne un manque d'ovules et d'embryons pour pratiquer des FIV. Les femmes qui en ont les moyens se rendent dans les pays où il est permis d'acheter des ovules ou des embryons à cette fin (Baylis et Crozier, 2009 ; Heng, 2009).

Le diagnostic génétique préalable à l'implantation des embryons est déjà disponible et utilisé pour détecter des problèmes génétiques graves. Les modifications génétiques pourraient devenir réalité dans un avenir rapproché (Darnovsky, 2014). Cette avancée pourrait donner aux parents porteurs d'un défaut génétique identifié – prédisposition au développement de la maladie d'Alzheimer, cancer du sein, fibrose kystique, etc. – la possibilité de faire modifier génétiquement leurs ovules et spermatozoïdes pour supprimer le gène responsable de la maladie avant la fécondation in vitro et l'implantation (Begley, 2001). Neuf mois plus tard, le bébé du couple naîtrait sans avoir hérité du défaut génétique familial. Plusieurs bioéthiciens approuvent ces techniques susceptibles d'épargner à des enfants des problèmes génétiques invalidants, voire mortels. D'autres s'opposent à ces pratiques qui pourraient servir à faire des bébés sur mesure, génétiquement programmés dans le but d'obtenir des caractéristiques précises, comme la couleur des cheveux, des yeux ou de la peau (Hanlon, 2014 ; Moses, 2009).

Janise Wulf, 62 ans, tient dans ses bras son douzième enfant, un garçon âgé de quatre jours, né en février 2006.

Les techniques de procréation assistée permettent à des femmes ménopausées de mener une grossesse à terme et d'accoucher. Les ovules d'une femme ménopausée n'étant plus viables, ce sont ceux d'une femme plus jeune qu'on féconde in vitro à l'aide du sperme du mari. Pour que son utérus puisse soutenir une grossesse, la femme est soumise à un traitement hormonal. À ce jour, la plus vieille dame à avoir eu un enfant par procréation assistée avait près de 70 ans (Caplan, 2008).

Devrait-on permettre à des personnes âgées qui risquent de mourir avant que leurs enfants atteignent l'âge adulte de recourir aux techniques de procréation assistée ? Certains considèrent que le bien-être des enfants actuels et à venir devrait être pris en considération, mais d'autres soutiennent qu'on ne peut, sur le plan éthique, refuser à une femme la possibilité de procréer sur la seule base de l'âge (Baylis et Crozier, 2009 ; Gilbert, 2009). Aux États-Unis, la politique actuelle de l'American Society for Reproductive Medicine stipule que l'accès aux programmes de fertilité ne peut être refusé que s'il existe des raisons suffisantes de croire que la femme ou le couple ne sont pas en mesure d'assurer une éducation adéquate à l'enfant (Ethics Committee of the American Society for Reproductive Medicine, 2014).

Il y a 50 ans, les techniques de procréation assistée relevaient de la science-fiction. À la fin de 2012, le Canada comptait 39 cliniques offrant ce type de services (CFAS, 2012). L'imagination scientifique et le progrès technologique ne cesseront d'accroître les possibilités en ce domaine, soulevant autant de nouvelles questions éthiques que juridiques.

Les signes de grossesse

Les premiers signes d'une grossesse peuvent provoquer de la joie ou de la détresse selon le désir ou non de la femme d'être enceinte, les sentiments de son ou de sa partenaire et un ensemble de circonstances environnantes. Bien que certaines femmes puissent observer de légers saignements ou des traces de sang, le premier signe de la grossesse est habituellement l'absence de menstruation au moment attendu. Une sensibilité des seins, des nausées, des vomissements ou d'autres symptômes non spécifiques, par exemple une grande fatigue ou un changement d'appétit, peuvent aussi apparaître pendant les premières semaines ou les premiers mois de la grossesse.

Chacun de ces indices peut amener une femme à soupçonner une grossesse. Des tests médicaux, tels que l'analyse du sang ou de l'urine, et un examen pelvien peuvent le confirmer ou l'infirmer. Le sang et l'urine d'une femme enceinte contiennent une hormone, la **gonadotrophine chorionique (HGC)**, que sécrète le placenta. Grâce à des tests sanguins de détection de l'HGC, il est possible de déceler une grossesse dès sept jours après la fécondation. Les tests d'urine ou de salive que les femmes peuvent se procurer en pharmacie ou gratuitement au CLSC permettent de détecter une grossesse peu de temps après une absence de menstruation. Ces tests peuvent cependant donner de faux résultats positifs et de faux résultats négatifs; il importe de les faire valider par un professionnel de la santé.

L'avortement spontané et l'interruption volontaire de grossesse

Les grossesses ne sont pas toutes menées à terme. Beaucoup se terminent par un avortement spontané ou par une interruption volontaire de grossesse.

L'avortement spontané

Lorsque la grossesse est confirmée, il arrive qu'elle ne puisse être menée à terme à cause de complications. Une **fausse couche** est un avortement spontané qui survient dans les

20 premières semaines de la grossesse; dans de nombreux cas, elle se produit avant même que la femme ne sache qu'elle est enceinte (Stephenson, 2006). Au moins 13 % des grossesses connues se terminent par une fausse couche. La majorité des fausses couches sont dues à des anormalités chromosomiques (Cowan, 2014). Le tableau 13.4 présente les principales causes des fausses couches, quoique, dans de nombreux cas, les médecins ne parviennent pas à déterminer la cause précise (Kaare, 2009).

Une fausse couche précoce peut ressembler à un flux menstruel plus abondant que d'habitude, alors qu'une fausse couche tardive peut occasionner des crampes inconfortables et des saignements abondants. Heureusement pour les femmes qui désirent avoir un enfant, une fausse couche est rarement le signe qu'une autre grossesse ne pourra pas être menée à terme.

La mortinaissance (ou naissance d'un enfant mort-né) survient lorsque le fœtus meurt après 20 semaines de grossesse. Comme pour les fausses couches, les causes d'une mortinaissance demeurent souvent inconnues. Des problèmes relatifs au placenta ou au cordon ombilical, à la santé ou au développement du bébé constituent des facteurs connus, de même que des problèmes de santé maternelle comme le diabète et l'hypertension.

TABLEAU 13.4 ▶ **Les principales causes des fausses couches**

CAUSES
Âge de la mère supérieur à 35 ans
Choc émotionnel
Col de l'utérus endommagé
Consommation de cocaïne
Consommation de plus de 375 mg de caféine par jour (2 ou 3 tasses de café)
Consommation de plus de 5 boissons alcoolisées par semaine
Diabète
Hypothyroïdie
Infection
Inflammation rénale chronique
Obésité
Réaction auto-immune
Rejet d'un fœtus anormal
Tabagisme
Utérus anormal

Sources : Adapté de Baba et coll., 2011 ; Edwards, 2014 ; Gulland, 2014b ; Lash et Armstrong, 2009.

Gonadotrophine chorionique (HGC) Hormone sécrétée par le placenta qu'on retrouve dans le sang et l'urine des femmes enceintes.

Fausse couche Expulsion spontanée du fœtus hors de l'utérus avant qu'il ne soit viable.

Une fausse couche ou une mortinaissance représente une grande épreuve pour la femme ou le couple (Seaburn, 2014). Les parents peuvent avoir besoin de faire le deuil de ce bébé si désiré et attendre des mois avant de tenter de procréer de nouveau. Les parents d'un enfant mort-né trouvent parfois important de créer un album souvenir de la grossesse et du bébé, et de célébrer un service funèbre. Ils peuvent aussi juger important d'avoir des photos et des empreintes des pieds du bébé (Price, 2008).

L'interruption volontaire de grossesse (avortement)

Contrairement à la fausse couche, l'interruption volontaire de grossesse (IVG) implique la décision de mettre fin à la grossesse par un procédé médical.

En 2010, au Québec, on comptait 17,1 interruptions volontaires de grossesse pour 1000 femmes chez l'ensemble des groupes d'âge de 15 à 44 ans. Ce nombre confirme la diminution observée depuis le pic de 2002 (Institut de la statistique du Québec, 2011). Le tableau 13.5 résume la situation pour l'ensemble du Canada. Environ 90 % des IVG ont lieu avant la 12e semaine de grossesse (FQPN, 2016g). Notons que l'IVG est parfaitement légale au Canada depuis l'arrêt Morgentaler en 1988 et qu'il n'y a pas de date limite légale pour la procédure, bien que celle-ci soit régie par les ordres professionnels. Par contre, depuis que cette intervention est devenue légale, on assiste à différentes tentatives de rouvrir le débat.

L'IVG par instrument est une intervention mineure qui se fait en bureau sous anesthésie locale. L'IVG par médicament (RU-486) a été approuvée par Santé Canada en 2015. Ce médicament, qui n'est disponible que sur ordonnance d'un médecin, contient une combinaison de méthotrexate-misoprostol qui peut être prise jusqu'à 49 jours après le début de la grossesse., Les services d'IVG sont financés par les régimes d'assurances provinciales et s'offrent dans les cliniques privées, dans les centres de santé des femmes et dans certains hôpitaux. Par contre, pour les personnes sans assurances, les coûts varient de 200 $ à 1300 $ (FQPN, 2016g).

Lorsqu'une femme est certaine d'être enceinte et qu'elle ne désire pas cette grossesse, elle doit décider si elle va la mener à terme et garder l'enfant, le donner en adoption ou se faire avorter.

Les recherches sur le sujet indiquent que les femmes s'appuient sur des facteurs pratiques et émotionnels pour prendre leur décision lorsqu'elles sont confrontées

TABLEAU 13.5 Le nombre d'interruptions volontaires de grossesse au Canada en 2014	
PROVINCE	**NOMBRE D'INTERRUPTIONS VOLONTAIRES**
Terre-Neuve-et-Labrador	1051
Île-du-Prince-Édouard	0*
Nouvelle-Écosse	2061
Nouveau-Brunswick	528**
Québec	25 083
Ontario	23 746
Manitoba	4015
Saskatchewan	1960
Alberta	13 815
Colombie-Britannique	9196***
Yukon	102
Territoires du Nord-Ouest	255
Nunavut	85

* Aucune clinique ni hôpital ne pratique l'IVG à l'Î.-P.-É.
** Une clinique de Frédéricton, au Nouveau-Brunswick, n'a pas fait de déclaration.
*** Au moins une clinique en Colombie-Britannique n'a pas fait de déclaration.
Source : Données tirées de Coalition pour le droit à l'avortement au Canada, 2016.

à ce dilemme. Le sentiment de responsabilité et la préoccupation à l'égard d'autrui constituent une raison fréquemment évoquée lors d'une IVG. Les femmes sans enfant affirment souvent qu'elles ne sont pas prêtes à être mères, alors que celles qui ont déjà un ou plusieurs enfants invoquent leur désir d'être une bonne mère et la difficulté qu'elles ont déjà à y arriver. Ce sont là les principales raisons pour lesquelles ces femmes optent pour l'avortement. D'autres ne veulent pas être mères de famille monoparentale ou éprouvent de sérieux problèmes de couple, par exemple une situation d'abus avec leur partenaire ou leur conjoint (Chibber et coll., 2014 ; Guttmacher Institute, 2014b ; Mauldon et coll., 2014).

Une responsabilité partagée Les partenaires peuvent décider ensemble s'il y aura avortement ou non et, s'ils optent pour celui-ci, le partage des responsabilités peut prendre différentes formes. Tout d'abord, les partenaires ont à clarifier leurs sentiments à l'égard de la grossesse non désirée tout en cherchant ensemble la meilleure façon d'y faire face. Tous deux doivent considérer certains éléments importants pour arriver à une décision : leur situation personnelle, leurs sentiments à l'égard de la grossesse et de leur partenaire, le pour et le contre des

---

Interruption volontaire de grossesse (IVG) Acte médical destiné à mettre fin à la grossesse. Aussi connu par le terme *avortement*.

différents choix possibles et leurs projets personnels et de couple. Si un désaccord persiste entre eux sur la décision qu'il convient de prendre, c'est à la femme enceinte de trancher. Sur le plan légal, personne ne peut ni lui imposer ni lui refuser l'avortement.

Les réactions psychologiques à l'avortement

Choisir l'avortement est généralement une décision bien difficile à prendre dans un couple. Une telle décision demande aux partenaires de peser le pour et le contre, d'examiner leurs valeurs personnelles et de tenir compte des circonstances. Même lorsqu'une grossesse s'avère non désirée, il peut arriver que l'un des partenaires (ou les deux) éprouve un sentiment de perte et de chagrin. Des recherches ont démontré que les femmes qui avaient l'impression que le choix de l'avortement ne relevait pas principalement de leur décision et qui ne se sentaient pas bien soutenue émotionnellement à la suite de l'avortement souffraient d'une certaine détresse psychologique après l'intervention (Kimport et coll., 2011). Cependant, des études rigoureuses portant sur les réactions psychologiques suivant un avortement ont observé de manière constante que le risque de souffrir de problèmes de santé mentale n'était pas plus grand chez les femmes qui optaient pour l'IVG que chez celles qui décidaient de poursuivre leur grossesse. Aussi, il est peu courant que la femme ressente de façon prolongée de la tristesse, de la culpabilité et du regret, et souffre de dépression après une IVG (Munk-Olsen, 2011 ; Steinberg et Finer, 2011). Les recherches montrent que 95 % des femmes qui ont subi un avortement croient qu'elles ont pris la bonne décision, même si elles regrettent d'avoir eu à prendre cette décision (Rocca et coll., 2013). Par ailleurs, les femmes très croyantes qui ont subi une telle intervention craindraient davantage le jugement des autres et la désapprobation de leur communauté, comparativement aux femmes qui sont moins religieuses (Cockrill et coll., 2013).

Les facteurs de risque d'une grossesse non planifiée

Dans de nombreux cas, la grossesse non désirée découle indiscutablement d'un échec de la contraception. Environ 54 % des femmes qui se sont fait avorter utilisaient un moyen contraceptif lorsqu'elles sont tombées enceintes (Alan Guttmacher Institute, 2000). Chez d'autres femmes ou couples qui recourent à l'avortement, la grossesse peut être la conséquence de comportements risqués en matière de contraception, par exemple le fait de ne pas utiliser les contraceptifs de façon régulière ou adéquate, parfois en raison des inconvénients ou des effets secondaires de la méthode choisie, ou à cause d'une mauvaise évaluation du risque de grossesse (Perlman et McKee, 2009). De même, à moins d'être protégés par un contraceptif oral ou bien par un équivalent (*voir le tableau 13.1 à la page 350*), les partenaires

qui consomment de l'alcool ou des stupéfiants voient leur jugement altéré et sont portés à prendre davantage de risques en matière de contraception. Les jeunes femmes qui ont un fort sentiment de culpabilité à l'égard de la sexualité sont moins susceptibles d'utiliser efficacement la contraception que celles qui sont plus émancipées. Des femmes renoncent aussi à se protéger d'une grossesse par crainte de déplaire à leur partenaire en lui demandant de coopérer à la planification et à l'utilisation d'une méthode de contraception.

Enfin, les femmes ayant subi dans leur jeune âge de mauvais traitements psychologiques, physiques ou sexuels, ou les trois, courent deux fois plus de risques d'avoir une grossesse non désirée que les femmes dont l'enfance n'a pas été marquée par ce genre de traumatismes. Il est aussi plus courant que la première grossesse d'une femme dont la mère a été régulièrement victime de violence conjugale soit non désirée. Ces traumatismes de l'enfance réduiraient la motivation ou la capacité des femmes à recourir à des moyens efficaces pour empêcher une première grossesse non désirée (Dietz et coll., 1999). Une étude québécoise récente menée auprès de 1812 étudiantes québécoises ayant été sexuellement actives avec un homme dans les deux dernières années a examiné les facteurs associés au recours à l'IVG et à la contraception d'urgence. Les données ont révélé que les femmes les plus susceptibles de recourir à l'IVG ou à la contraception d'urgence au moins une fois au cours de leur vie sont celles qui sont capables d'imposer leurs limites en matière de sexualité ou qui ont été victimes de violence conjugale et sexuelle. Par ailleurs, le fait d'avoir eu sa première relation sexuelle après l'âge de 16 ans était associé à une plus faible probabilité d'avoir eu recours à l'IVG ou à la contraception d'urgence au moins une fois au cours de leur vie (Lévesque et coll., 2016).

L'expérience de la grossesse

La grossesse est une expérience unique et importante pour une femme et son ou sa partenaire. Dans les pages suivantes, nous décrivons comment se vit une grossesse et les effets qu'elle produit chez les personnes et le couple. Le couple hétérosexuel sert ici de cadre de référence, mais les couples lesbiens vivent sensiblement les mêmes expériences.

L'expérience féminine

Les réactions émotives et physiques qu'entraîne la grossesse diffèrent selon les femmes, et une même femme pourra se comporter différemment d'une grossesse à l'autre. Voici deux réactions situées aux extrémités du continuum.

> J'ai aimé être enceinte. Mon visage a été rayonnant pendant neuf mois. Je me sentais en communion avec toutes les femelles mammifères ; mon corps et sa capacité à donner la vie m'inspiraient un nouveau respect. Plus j'étais grosse, plus j'aimais cela. (Note des auteurs)

> Si j'avais pu avoir des bébés sans passer par la grossesse, je l'aurais fait. Se sentir grosse et ralentie est profondément ennuyeux. (Note des auteurs)

De nombreux facteurs influent sur la manière dont une femme vivra sa grossesse, comme ce qui a motivé sa décision d'être mère, les changements que cette grossesse entraîne sur son mode de vie présent et futur, ses relations avec autrui, ses ressources financières, son image de soi et les changements hormonaux qu'elle vit. Sa conception de la maternité, ce qu'elle en sait, de même que les espoirs et les craintes qu'elle entretient quant à son rôle de mère modulent aussi son expérience. Le soutien et l'attention du partenaire contribuent à une grossesse heureuse.

Les femmes s'imaginent parfois qu'elles ne devraient éprouver que des émotions positives lorsqu'elles sont enceintes. Pourtant, la grossesse provoque fréquemment une gamme d'émotions contradictoires. Une étude qui a porté sur 1000 femmes a révélé une large palette de sentiments : 35 % ont aimé être enceintes, 40 % étaient ambivalentes, 8 % ont détesté cette période de leur vie et les autres ont vécu des expériences différentes d'une grossesse à l'autre. Les chercheurs ont conclu que le degré d'inconfort physique que vivait une femme pendant ces neuf mois déterminait fortement ses sentiments à l'égard de cette expérience (Genevie et Margolies, 1987). Les sensations physiques et les réactions affectives sont très liées au cours de la grossesse. Pour certaines femmes, il s'agit d'une période très difficile ; environ 12 % des femmes vivent une dépression durant la grossesse (Stewart, 2011).

L'expérience du partenaire

Un père en devenir n'éprouve manifestement pas les mêmes sensations physiques qu'une femme enceinte (quoiqu'il arrive qu'un *père enceint* ait des symptômes psychosomatiques comme les nausées ou la fatigue que connaît sa partenaire). Assez souvent, cependant, le père vit profondément les expériences de la grossesse et de la naissance. Comme les femmes, les hommes manifestent fréquemment une bonne dose d'ambivalence. Le futur parent peut être ravi, mais aussi se soucier du bien-être de sa partenaire et du bébé. Il n'est pas rare qu'il soit anxieux face à la naissance prochaine et qu'il se demande s'il tiendra le coup. Il peut aussi avoir tendance à se montrer plus tendre et prévenant envers sa

Le corps de la femme se modifie spectaculairement durant la grossesse.

compagne. Il pourra également ressentir une certaine distance par rapport à sa partenaire, à cause des changements physiques qu'elle est seule à vivre. Toutefois, l'échographie fœtale, en donnant au père l'occasion de voir le fœtus dans l'utérus, peut stimuler son sentiment d'inclusion dans l'expérience (Sandelowski, 1994). Certains hommes peuvent s'inquiéter des responsabilités financières et des changements possibles dans leur relation avec la mère. Pour tout dire, il est important de ne pas oublier l'expérience du partenaire, qui manifeste aussi le désir de devenir parent, malgré l'ampleur que peut prendre l'expérience de la mère. De nos jours, les hommes s'investissent de plus en plus dans les processus prénataux, l'accouchement et l'éducation des enfants.

Les rapports sexuels durant la grossesse

Si la grossesse n'est pas à risque, la femme et son partenaire peuvent continuer d'avoir des activités sexuelles et des orgasmes autant qu'ils le veulent jusqu'au déclenchement du travail (C. Jones et coll., 2011). L'intérêt sexuel et la réponse sexuelle de la femme changeront probablement au cours de sa grossesse. Durant le premier trimestre, son intérêt en ce domaine peut diminuer à cause des nausées, de la sensibilité mammaire et de la fatigue. Par contre, certaines femmes éprouvent un regain de désir et d'excitation sexuels durant le deuxième trimestre. Toutefois, la plupart des études indiquent que la fréquence des contacts sexuels diminue graduellement durant les neuf mois de la grossesse, et que le désir sexuel est généralement minime durant le dernier trimestre (Bogren, 1991). Les femmes expliquent cette réduction de leurs activités sexuelles par l'inconfort physique, le sentiment d'être moins séduisantes et la crainte de blesser leur bébé à naître (Colino, 1991 ; Guleroglu et Beser, 2014).

Les sentiments du partenaire influent aussi sur la vie sexuelle du couple durant la grossesse. Le corps de la femme change et le couple doit nécessairement modifier sa façon de faire l'amour. Certains hommes seront stimulés par la nouveauté, d'autres ne s'y retrouveront pas. À mesure que la grossesse avance, les positions latérales – celles avec la femme au-dessus et la pénétration par l'arrière – sont généralement plus confortables que la position du missionnaire. La stimulation buccale et manuelle des organes génitaux, les caresses sur tout le corps et les étreintes peuvent se poursuivre. En fait, le couple peut profiter de ces neuf mois pour explorer et développer pleinement ces aspects des ébats amoureux ; même si les partenaires n'ont pas envie de coït, ils peuvent jouir de leur intimité en s'adonnant à l'érotisme et au plaisir sexuel. Pour la plupart des couples, la grossesse est une période de changements émotionnels et physiques importants. La communication franche, l'information juste, le soutien mutuel et la souplesse à l'égard des activités sexuelles et de leur fréquence peuvent aider à maintenir et à renforcer les liens entre les partenaires.

L'accouchement

La durée d'une grossesse est d'ordinaire de 40 semaines après la dernière menstruation, bien qu'il y ait des variations. En général, on considère qu'une grossesse est menée à terme lorsqu'elle dure entre 37 et 42 semaines (Spong, 2013). L'expérience de la grossesse varie aussi grandement selon la physiologie de la mère, son état affectif, la grosseur et la position du bébé, la méthode d'accouchement et le type de soutien reçu.

De nos jours, les futurs parents peuvent compter sur la collaboration étroite d'intervenants spécialisés (obstétriciens, sages-femmes) pour se préparer physiquement et psychologiquement à la naissance de leur enfant. Les sages-femmes s'occupent principalement des femmes dont la grossesse et l'accouchement présentent peu de risques de complication. Elles peuvent accompagner et aider les femmes pendant l'accouchement. Les obstétriciens sont des médecins spécialisés dans la prise en charge des complications pendant le travail et l'accouchement. Les femmes qui choisissent

d'être accompagnées d'une sage-femme doivent pouvoir compter sur un obstétricien en cas de besoin.

Les futurs parents participent de plus en plus à des **cours prénataux** qui donnent de l'information approfondie sur les interventions médicales, le travail et l'accouchement. Ces cours fournissent aux mères ainsi qu'à la personne qui les accompagnera durant l'accouchement (son ou sa partenaire, un membre de la famille ou une amie) des exercices de respiration et de relaxation visant à composer avec la douleur. La recherche indique que les femmes accompagnées d'une personne qui les soutient pendant l'accouchement ont moins souvent besoin d'une césarienne, prennent moins d'analgésiques, ont un travail plus court et sont plus satisfaites de leur expérience d'accouchement (Campbell et coll., 2006).

La naissance par césarienne

Une **césarienne** est une opération qui consiste à retirer le bébé en pratiquant une incision dans la paroi abdominale et l'utérus de la mère, ce qui peut sauver la vie de la mère et de l'enfant. Selon l'Institut canadien d'information sur la santé (ICIS), entre 2014 et 2015, 17 % des femmes de moins de 35 ans ont accouché de leur premier bébé par césarienne, contre 23 % de mères de plus de 35 ans (ICIS, 2016). Les accouchements par césarienne se font souvent sous un type d'anesthésie qui permet aux femmes de demeurer conscientes et d'accueillir leur bébé dès sa naissance. Dans plusieurs hôpitaux, les

Les cours prénataux aident les futurs parents à se préparer à l'accouchement et à la naissance de leur enfant.

Cours prénataux Formation à l'intention de la femme enceinte et d'une personne accompagnatrice, comportant de l'information, des exercices de respiration et de relaxation, en vue de se préparer à l'accouchement et à la naissance d'un enfant.

Césarienne Méthode d'accouchement par laquelle le bébé est retiré en pratiquant une incision dans la paroi abdominale et l'utérus de la mère.

partenaires peuvent être présents dans la salle pendant la naissance par césarienne.

Après l'accouchement

Les premières semaines qui suivent l'accouchement sont appelées *période post-partum*. C'est une période d'adaptation à la fois physique et psychologique pour chaque membre de la famille, et sans doute une période de hauts et de bas émotionnels. Le nouveau bébé modifie les rôles et les interactions au sein de la famille. Les parents peuvent vivre une plus forte intimité comme ils peuvent ressentir certains malaises affectifs. Un partenaire est susceptible de ressentir de la jalousie face à la relation privilégiée qui s'établit entre la mère et son enfant. Les deux parents ont souvent besoin d'un plus grand soutien affectif, mais chacun d'entre eux peut en avoir moins à donner qu'à l'habitude. L'énergie et le temps qu'exigent les soins du bébé peuvent mener à l'épuisement et générer du stress. La répartition des tâches domestiques risque aussi de créer des difficultés pendant les premiers mois et les premières années de la vie de l'enfant (Carlson et Lynch, 2013 ; Cowan et Cowan, 1992). Un bon réseau d'entraide s'avère généralement très utile pour les nouveaux parents. Le fait de comprendre que leurs sentiments représentent une réaction courante chez les nouveaux parents peut les aider à s'adapter au stress que comporte leur situation.

La **dépression post-partum** touche une mère sur sept (Wisner et coll., 2013). À la différence du syndrome du troisième jour, mieux connu sous le nom de *baby blues* (envie de pleurer et humeur labile pouvant durer jusqu'à 10 jours et que vivent 75 % des nouvelles mamans) qui est plus fréquent, la dépression post-partum comprend les symptômes classiques de la dépression, tels que l'insomnie, l'anxiété, les crises de panique et le désespoir (Knudson-Martin et Silverstein, 2009). Dans sa forme extrême, les femmes souffrant de dépression post-partum se désintéressent de leur bébé ou développent des idées obsédantes de se blesser ou de blesser leur enfant. De telles réactions peuvent être attribuables aux soudains changements émotionnels, physiques et hormonaux qui se produisent après l'accouchement. Le manque de sommeil dû aux soins du nouveau-né est aussi une cause de grand stress et d'épuisement des réserves émotionnelles et physiques. Heureusement, la dépression post-partum se traite (Beck, 2006).

L'allaitement maternel

Après (parfois avant) l'accouchement, les seins de la mère commencent à sécréter un liquide jaunâtre, appelé *colostrum*, qui contient des anticorps et des protéines. De un à trois jours après l'accouchement, la production de lait, ou lactation, débute. La succion exercée sur les mamelons par le bébé déclenche la production d'hormones hypophysaires qui, à leur tour, stimulent la production de lait par les glandes mammaires. Si une mère n'allaite pas, ou veut cesser de le faire, la production de lait s'arrête au bout de quelques jours.

L'allaitement peut être pour la mère une expérience positive sur les plans affectif et sensuel. Il constitue un moment privilégié de contact physique intime avec le bébé.

> J'aime beaucoup voir l'expression de satisfaction sur le visage de mon bébé pendant qu'elle se remplit le ventre du lait de mes seins. C'est une façon formidable de maintenir le lien physique que nous avions durant la grossesse que de la voir, avec ses joues bien rondes, se développer grâce à la nourriture que mon corps lui fournit. (Note des auteurs)

Ce contact se teinte parfois d'une sensualité qui peut troubler la mère. Certaines parlent même dans ce cas d'excitation ou d'érotisation, avec les questions que cela soulève.

Il n'y a pas lieu d'interpréter cette réaction autrement que comme la manifestation d'un lien neurologique entre les mamelons de la femme et sa région génitale. Cela s'apparente à un réflexe.

L'allaitement peut inhiber temporairement l'ovulation, surtout chez les femmes qui nourrissent leur bébé uniquement avec leur lait (Perez et coll., 1992). Par contre, comme nous l'avons vu dans la première partie de ce chapitre, l'allaitement n'est pas une méthode contraceptive fiable. Les contraceptifs contenant des œstrogènes ne doivent pas être pris pendant l'allaitement parce que ces hormones diminuent la quantité de lait et en modifient la qualité. Certains couples préfèrent recourir au condom ou un dispositif intra-utérin sans hormones comme moyen de contraception (Glazer et coll., 2011).

L'allaitement comporte aussi des inconvénients à court terme. D'abord, il abaisse le taux d'œstrogène, lequel est nécessaire au maintien des tissus vulvaires et aide à la lubrification. Il est donc possible que la femme qui allaite

---

Période post-partum Période qui inclue les premières semaines suivant l'accouchement.

Dépression post-partum Symptômes de dépression parfois accompagnés d'idées obsédantes de faire mal au bébé.

Colostrum Liquide jaunâtre sécrété par les seins vers la fin de la grossesse et pendant les premiers jours qui suivent l'accouchement.

L'allaitement est pour la mère une occasion privilégiée de contact physique intime avec son bébé.

ait moins d'intérêt pour les activités sexuelles et que ses organes génitaux deviennent douloureux pendant le coït (Barrett et coll., 2000). Par ailleurs, les seins peuvent devenir durs et présenter des lésions. Le lait peut sortir spontanément lors de stimulations sexuelles – une source d'amusement ou d'embarras.

L'allaitement maternel exclusif est recommandé par diverses sources médicales et par l'Organisation mondiale de la Santé pendant les six premiers mois du bébé. Cette pratique est en hausse au Canada : en 2011-2012, 89 % des mères ont allaité ou essayé d'allaiter leur dernier-né (Statistique Canada, 2015g). Les pourcentages pour le Québec et les provinces atlantiques sont sous la moyenne alors que ceux des provinces des Prairies et de la Colombie-Britannique sont supérieurs, cette dernière présentant le pourcentage le plus élevé au pays, soit 93,1 % (Santé Canada, 2010).

La sexualité du couple après l'accouchement

On dit souvent aux couples qu'ils pourront reprendre les relations sexuelles une fois que les écoulements utérins rougeâtres, appelés *lochies*, auront cessé et que les incisions de l'**épisiotomie** ou les déchirures du vagin seront guéries, soit en général au bout de trois ou quatre semaines. Le plus important à considérer, cependant, est le moment où la femme se sent physiquement prête à avoir des rapports sexuels. Cela dépendra de plusieurs facteurs : le type d'accouchement vécu, la grosseur du bébé et la façon dont il s'est présenté, l'importance de l'épisiotomie ou des déchirures subies et la rapidité de leur guérison. La baisse hormonale qui caractérise le post-partum, particulièrement marquée chez la femme qui allaite, peut rendre le coït désagréable. Après une césarienne, le couple doit attendre que la cicatrisation soit assez avancée pour que le coït ne soit pas douloureux pour la femme. En attendant, toutes les autres activités sexuelles et démonstrations d'affection peuvent continuer. La recherche montre que la sexualité d'une femme avant la grossesse est un facteur efficace prédisant sa sexualité durant la grossesse ainsi qu'après l'accouchement (Yildiz, 2015).

L'arrivée d'un nouveau-né bouleverse la vie quotidienne d'un couple et peut perturber son intimité sexuelle (Botros et coll., 2006). Une recherche a montré un fort taux de difficultés sexuelles chez les sujets interrogés après la naissance d'un enfant. Avant la grossesse, 38 % des personnes interrogées disaient connaître des difficultés sexuelles, et ce taux passait à 80 % au cours des trois premiers mois après l'accouchement. Après six mois, 64 % des sujets continuaient d'avoir des difficultés. Les problèmes les plus courants étaient la baisse du désir sexuel, la sécheresse vaginale et les douleurs coïtales.

L'épuisement peut aussi se répercuter sur la sexualité après une naissance. Les soins qu'exige le nouveau-né peuvent faire en sorte que le couple n'a plus suffisamment de temps ou d'énergie pour exprimer sa sexualité (Gearhart et Robboy, 2005). Avec les horaires des parents et celui du bébé, faire l'amour relève pratiquement du défi. Les préoccupations liées au bébé peuvent aussi interférer.

> On dirait que chaque fois que nous tentons de faire l'amour, le bébé se met à pleurer. Même si je sais qu'il n'a pas faim et qu'il est au sec, je ne peux me concentrer sur mes sensations sexuelles : quand je n'entends rien, je me demande s'il n'est pas mort ! Mon mari réagit de la même façon. Alors, la plupart du temps, ça ne va pas très loin à deux. (Note des auteurs)

Les couples qui voient leurs activités sexuelles perturbées par la grossesse et la naissance peuvent se sentir frustrés par cette situation. Il peut alors être utile de reprendre leurs contacts sexuels sans hâte en adoptant une attitude exploratoire.

Lochies   Écoulement utérin rougeâtre qui se produit après l'accouchement.

Épisiotomie   Incision du périnée pratiquée lors de certains accouchements.

RÉSUMÉ

La contraception

- Aussi loin qu'on remonte dans l'histoire, on trouve chez les humains une volonté de planifier les naissances.

- Certaines religions s'opposent à la contraception non naturelle.

- L'homme peut partager la responsabilité de la contraception avec la femme en s'informant (ou en discutant de moyens contraceptifs s'il s'agit d'une nouvelle partenaire), en l'accompagnant lors d'examens, en utilisant le condom ou en s'abstenant de relations coïtales et en partageant les frais des examens et des moyens contraceptifs.

- Le choix d'une méthode de contraception appropriée se fait en comparant la commodité, l'efficacité et le prix des différents moyens.

- Les gens qui ont un sentiment de culpabilité ou des attitudes négatives à l'égard de la sexualité utilisent généralement la contraception de façon moins efficace.

- Les contraceptifs oraux ont l'avantage d'être très efficaces et de ne pas interférer avec l'activité sexuelle. Ils réduisent la quantité du flux menstruel et les crampes.

- Le progestatif injectable (Depo-Provera^MD) est un contraceptif injectable d'une durée de trois mois.

- Les condoms se vendent en différents formats et styles. Ils ont l'avantage de protéger contre les ITSS et peuvent servir de méthode de contraception auxiliaire. Un condom féminin est aussi offert sur le marché.

- Les barrières contraceptives comprennent les condoms masculins et féminins, le diaphragme, la cape cervicale et les spermicides vaginaux (sous forme de mousses, suppositoire, crème, gelée, éponge et pellicule contraceptifs).

- Les dispositifs intra-utérins (DIU) sont entourés d'un filament de cuivre ou pourvus d'un réservoir contenant une hormone.

- La pilule contraceptive d'urgence et le stérilet de cuivre peuvent être utilisés comme moyen de contraception après qu'une femme a eu un rapport coïtal non protégé, comme contraception d'urgence.

- Les méthodes fondées sur le cycle menstruel (méthodes des jours types, de la glaire cervicale, du calendrier, de la température basale) permettent de planifier les rapports coïtaux en dehors des périodes de fertilité de la femme.

- La ligature des trompes est le mode de stérilisation féminine le plus courant. L'intervention ne modifie ni les taux d'hormones de la femme ni son cycle menstruel, pas plus qu'elle ne déclenche la ménopause.

- La vasectomie, le mode de stérilisation masculine, n'est efficace qu'après 8 à 12 semaines.

- L'allaitement, les douches vaginales et le coït interrompu ne sont pas des méthodes de contraception fiables.

- La recherche sur les méthodes contraceptives pour hommes porte sur des moyens hormonaux et non hormonaux de réduire la production de spermatozoïdes ainsi que leur motilité afin d'empêcher la fécondation.

- La recherche sur les méthodes de contraception féminine porte sur des moyens non hormonaux, des variantes de dispositifs intra-utérins et de nouvelles façons de libérer des hormones.

La conception et la grossesse

- La synchronisation des relations coïtales avec l'ovulation augmente les probabilités de concevoir.

- L'absence d'ovulation et le blocage des trompes de Fallope sont les causes habituelles de l'infertilité féminine. Le faible nombre de spermatozoïdes est la cause la plus commune de l'infertilité masculine.

- L'alcool, la toxicomanie, le tabagisme et les ITSS réduisent la fécondité des hommes et des femmes.

- La stérilité est une source de problèmes sexuels, car elle suscite un stress affectif dans le couple et trouble son harmonie sexuelle.

- Les questions juridiques, éthiques et personnelles liées à l'insémination artificielle et aux techniques de procréation assistée sont complexes et n'ont pas fini de soulever la controverse.

- Le premier signe de grossesse est habituellement l'absence de menstruation au moment prévu. Le diagnostic de grossesse s'établit par un test d'urine, un test sanguin ou un examen pelvien.

- Environ une grossesse sur sept se termine par un avortement spontané (fausse couche), généralement durant les trois premiers mois.

- La prise de risque au plan contraceptif entraîne souvent une grossesse non désirée.

- Chez les femmes, la grossesse provoque une grande variété de réactions psychologiques dont, pour certaines, un état dépressif important.

- Les hommes s'investissent de plus en plus dans les processus prénataux, l'accouchement et l'éducation des enfants.

- Sauf dans certains cas de complications médicales, les échanges sensuels et sexuels peuvent se poursuivre pendant la grossesse, bien qu'il soit souvent nécessaire d'adapter les positions.

- Le tabac, l'alcool, les drogues et certains médicaments peuvent nuire gravement au développement du fœtus.

- De plus en plus de femmes décident d'enfanter après l'âge de 35 ans. Ces femmes ont une fertilité un peu plus faible et risquent davantage de concevoir un enfant ayant des anomalies chromosomiques.

- L'arrivée d'un bébé exige des adaptations aux plans physique, émotionnel et familial. La dépression post-partum touche certaines nouvelles mères.

- Les relations coïtales après l'accouchement peuvent reprendre lorsque l'écoulement des lochies a cessé et que toute déchirure vaginale ou incision d'épisiotomie est guérie. Le retour à la normale de l'intérêt sexuel et de l'excitation peut, cependant, prendre un peu plus de temps.

Bibliographie

Aaronson, L. (2005). «The mend of the affair», *Psychology Today*, septembre-octobre, p. 48.

Aaronson, L. (2006). «An upside to infertility?», *Psychology Today*, vol. 38.

Abbey, A. et coll. (2003). «The relationship between the quantity of alcohol consumed and the severity of sexual assaults committed by college men», *Journal of Interpersonal Violence*, vol. 18, p. 813-833.

Abbey, A. et Jacques-Tiura, A. (2011). «Sexual assault perpetrators' tactics: Associations with their personal characteristics and aspects of the incident», *Journal of Interpersonal Violence*, vol. 26, p. 2866-2889.

Abbott, E. (2000). *A history of celibacy: From Athena to Elizabeth I, Leonardo da Vinci, Gandhi and Cher*, New York, NY, Simon and Schuster.

Abdel-Meguid, T. (2012). «57 Characterization of semen of non-obstructive azoospermia men after varicocele repair: Predictors of sperm recovery and azoospermia relapse», *European Urology Supplements*, vol. 11, n° 1, p. e57.

Abel, G. (1981). *The evaluation and treatment of sexual offenders and their victims*, Paper presented at St. Vincent Hospital and Medical Center, 15 octobre, Portland, OR.

Abel, G. (2011). «Different stage, different performance: The protective strategy of role play on emotional health in sex work», *Social Science and Medicine*, vol. 72, p. 1177-1184.

Abel, G., Becker, J. et Cunningham-Ratder, J. (1984). «Complications, consent, and cognitions in sex between children and adults», *International Journal of Law and Psychiatry*, vol. 7, p. 89-103.

Abel, G. et coll. (1977). «The components of rapists' sexual arousal», *Archives of General Psychiatry*, vol. 34, p. 895-903.

Abel, G. et Osborn, C. (2000). «The paraphilias». Dans M. Gelder, J. Lopez-Ibor et N. Andreasen (dir.), *New Oxford textbook of psychiatry*, Oxford, Oxford University Press.

Absi-Semaan, N., Crombie, G. et Freeman, C. (1993). «Masculinity and femininity in middle childhood: Developmental and factor analysis», *Sex Roles*, vol. 28, p. 187-202.

ACEI (2014). *Les Canadiens et leur Internet, Dossier documentaire 2014*, [En ligne], cira.ca/factbook/2014/fr/the-canadian-internet.html (Page consultée le 1er septembre 2016).

Achermann, J., Eugster, E. et Shulman, D. (2011). «Ambiguous genitalia», *Journal of Clinical Endocrinology and Metabolism*, vol. 96, p. 33-38.

Acker, M. et Davis, M. (1992). «Intimacy, passion, and commitment in adult romantic relationships: A test of the triangular theory of love», *Journal of Social and Personal Relationships*, vol. 9, p. 21-50.

Addiego, F. et coll. (1981). «Female ejaculation: A case study», *Journal of Sex Research*, vol. 17, p. 13-21.

Addis, I. et coll. (2006). «Sexual activity and function in middle-aged and older women», *Obstetrics and Gynecology*, vol. 107, p. 755-764.

Agence de la Santé publique du Canada (2003). «Le nonoxynol-9 et les risques de transmission du VIH», *Actualités en épidémiologie sur le VIH/sida*.

Agence de la Santé publique du Canada (2007). *Actualités en épidémiologie sur le VIH/sida*, [En ligne], www.phac-aspc.gc.ca/aids-sida/publication/epi/pdf/epi2007_f.pdf (Page consultée le 4 décembre 2012).

Agence de la Santé publique du Canada (2008). *Urétrite*, [En ligne], www.phac-aspc.gc.ca/std-mts/sti_2006/pdf/408_Uretrite.pdf (Page consultée le 20 novembre 2012).

Agence de la Santé publique du Canada (2012a). *Rapport d'étape sur les populations distinctes: VIH/SIDA et autres infections transmissibles sexuellement et par le sang parmi les jeunes au Canada*, [En ligne], librarypdf.catie.ca/pdf/ATI-20000s/26486.pdf (Page consultée le 28 février 2017).

Agence de la Santé publique du Canada (2012b). *Virus du papillome humain (VPH)*, [En ligne], www.phac-aspc.gc.ca/std-mts/hpv-vph/fact-faits-fra.php (Page consultée le 2 mars 2017).

Agence de la Santé publique du Canada (2013). *Lignes directrices canadiennes sur les infections transmissibles sexuellement*, [En ligne], www.phac-aspc.gc.ca/std-mts/sti-its/cgsti-ldcits/section-6-7-fra.php (Page consultée le 28 février 2017).

Agence de la Santé publique du Canada (2014a). *Déclaration supplémentaire concernant le diagnostic en laboratoire de la lymphogranulomatose vénérienne (LGV)*, [En ligne], www.phac-aspc.gc.ca/std-mts/sti-its/cgsti-ldcits/assets/pdf/appendix-supp-lgv-fra.pdf (Page consultée le 2 mars 2017).

Agence de la Santé publique du Canada (2014b). *Actualités en épidémiologie du VIH/SIDA*, [En ligne], www.catie.ca/sites/default/files/64-02-1226-EPI_chapter1_FR02-web.pdf (Page consultée le 2 mars 2017).

Agence de la Santé publique du Canada (2015a). *Rapport sur les infections transmissibles sexuellement au Canada: 2012, Résumé*, [En ligne], www.phac-aspc.gc.ca/sti-its-surv-epi/rep-rap-2012/sum-som-fra.php (Page consultée le 2 mars 2017).

Agence de la Santé publique du Canada (2015b). *Rapport sur les infections transmissibles sexuellement au Canada: 2012, 3. Syphilis infectieuse*, [En ligne], www.phac-aspc.gc.ca/sti-its-surv-epi/rep-rap-2012/rep-rap-3-fra.php (Page consultée le 2 mars 2017).

Agence de la Santé publique du Canada (2015c). *Hépatite*, [En ligne], www.phac-aspc.gc.ca/hep/index-fra.php (Page consultée le 2 mars 2017).

Agence de la Santé publique du Canada (2015d). *Résumé: Estimations de l'incidence de la prévalence, et de la proportion non diagnostiquée au VIH au Canada, 2014*, [En ligne], www.catie.ca/sites/default/files/2014-HIV-Estimates-in-Canada-FR.pdf (Page consultée le 2 mars 2017).

Agence de la Santé publique du Canada (2016). *Rapport sur l'hépatite B et l'hépatite C au Canada: 2013*, [En ligne], www.canada.ca/fr/sante-publique/services/publications/maladies-et-affections/rapport-hepatite-b-et-hepatite-c-canada-2013.html (Page consultée le 2 mars 2017).

Agger, I. et Jensen, S. (1994). «Sexuality as a tool of political repression». Dans H. Riguelme (dir.), *Era in twilight: Psycho-cultural situation under state terrorism in Latin America*, Bilbao, Espagne, Instituto Horizonte.

Agnew, J. (2000). «Klismaphilia», *Venereology*, vol. 13, p. 75-79.

Ahlquist, S. et coll. (2013). «Unstable identity compatibility: How gender rejection sensitivity undermines», *Science*, vol. 24, p. 1644-1652.

Ahmed, A. et Ellsworth, P. (2012). «To circ or not: A reappraisal», *Urologic Nursing*, vol. 32, p. 10-19.

Ainsworth, M. (1979). «Infant-mother attachment», *American Psychologist*, vol. 34, p. 932-937.

Ainsworth, M. (1989). «Attachments beyond infancy», *American Psychologist*, vol. 44, p. 709-716.

Ainsworth, M. et coll. (1978). *Patterns of attachment: A psychological study of the strange situation*. Hillsdale, NJ, Erlbaum.

Akers, A. et coll. (2011). «Interventions to improve parental communication about sex: A systematic review», *Pediatrics*, vol. 127, p. 494-510.

Alan Guttmacher Institute (2008). *Facts on Induced Abortion in the United States*, [En ligne], www.guttmacher.org/pubs/fb_IAW.html (Page consultée le 27 novembre 2012).

Alan Guttmacher Institute (2009). *Facts on Publicly Funded Contraceptive Services in the United States*, New York, NY, Alan Guttmacher Institute.

Alanko, K. et coll. (2013). «Evidence for heritability of adult men's sexual interest in youth under age 16 from a population-based extended twin design», *Journal of Sexual Medicine*, vol. 10, p. 1090-1099.

Alberoni, F. (1993). *Le choc amoureux*, Paris, Presse Pocket.

Albert, D. et coll. (2013). «The teenage brain: Peer influences on adolescent decision making», *Current Directions in Psychological Science*, vol. 22, p. 114-120.

Albertsen, P. et coll. (1997). «Health related quality of life among patients with metastatic prostate cancer», *Urology*, vol. 49, nº 2, p. 207-217.

Albright, J. (2008). «Sex in America online: An exploration of sex, marital status, and sexual identity in Internet sex seeking and its impacts», *Journal of Sex Research*, vol. 45, p. 175-186.

Albury, K. (2014). «Porn and sex education, porn as sex education», *Porn Studies*, vol. 1, p. 172-181.

Alexander, B. (2005). *Plastic surgery on private parts*, [En ligne], www.msnbc.msn.com/id/8132227/print/1/displaymode/1098/ (Page consultée le 9 juin 2012).

Alexander, B. (2006). *Will technology revolutionize boinking?*, [En ligne], www.msnbc.msn.com/id/14292504/print/1/displaymode/1098/ (Page consultée le 21 août 2006).

Alexander, M. et Rosen, R. (2008). «Spinal cord injuries and orgasm: A review», *Journal of Sex and Marital Therapy*, vol. 34, p. 308-324.

Ali, A. (2006). *The caged virgin: An emancipation proclamation for women and Islam*, New York, NY, Free Press.

Al-Krenawi, A. et Slonim-Nevo, V. (2008). «The psychosocial profile of Bedouin Arab women in polygamous and monogamous marriages», *Families in Society*, vol. 89, p. 139-149.

Al-Krenawi, A. et Wiesel-Lev, R. (1999). «Attitudes toward and perceived psychosocial impact of female circumcision as practiced among the Bedouin-Arabs of the Negev», *Family Process*, vol. 38, p. 431-443.

Allen, E. et Rhoades, G. (2008). «Not all affairs are created equal: Emotional involvement with an extradyadic partner», *Journal of Sex and Marital Therapy*, vol. 34, p. 51-65.

Allen, L. et Gorski, R. (1990). «Sex difference in the bed nucleus of the stria terminalis of the human brain», *Journal of Comparative Neurology*, vol. 302, p. 697-706.

Allen, M. (2015). «Les crimes haineux déclarés par la police au Canada, 2013», [En ligne], www.statcan.gc.ca/pub/85-002-x/2015001/article/14191-fra.htm (Page consultée le 24 février 2017).

Allen, M., D'Alessio, D. et Brezgel, K. (1995). «A meta-analysis summarizing the effects of pornography II: Aggression after exposure», *Human Communications Research*, vol. 22, p. 258-283.

Allendorf, K. (2013). «Determinants of marital quality in an arranged marriage society», *Social Science Research*, vol. 42, p. 59-70.

Allgeier, A.R. et Allgeier, E.R. (1989). *Sexualité humaine, dimensions et interactions*, Montréal, CEC collégial et universitaire.

Al-Mograbi, E. (2011). *Palestinian women's radio crosses boundaries*, [En ligne], www.womensenews.org/story/media-stories/111031 (Page consultée le 27 novembre 2012).

Almond, L. et coll. (2014). «Male-on-male sexual assaults», *Journal of Interpersonal Violence*, vol. 29, p. 1279-1296.

Alonzo, D. (2003). *Dancing in the autumn light: Gay men, sexuality, and the mid-life transition*, Paper presented at the Western Region Annual Conference of the Society for the Scientific Study of Sexuality, avril, Los Angeles, CA.

Alperstein, L. (2001). *For two: Some basic perspectives and skills for couples therapy*. Paper presented at the 33rd Annual Conference of the American Association of Sex Educators, Counselors, and Therapists, 2-6 mai, San Francisco, CA.

Althof, S. (2000). «Erectile dysfunction: Psychotherapy with men and couples». Dans S. Leiblum et R. Rosen (dir.), *Principles and practice of sex therapy*, New York, NY, Guilford Press.

Althof, S. (2006). «The psychology of premature ejaculation: Therapies and consequences», *Journal of Sexual Medicine*, vol. 3, p. 324-331.

Altman, C. (1999). «Gay and lesbian seniors: Unique challenges of coming out in later life», *SIECUS Report*, vol. 27, p. 14-17.

Alvarez, M. (2014). *5 factors that affect your sperm count – and TV is not one of them*, [En ligne], www.foxnews.com/health/2014/02/13/5-factors-that-affect-your-sperm-count-and-tv-is-not-one-them.html (Page consultée le 4 mars 2017).

Alzate, H. (1990). «Vaginal erogeneity, the "G spot" and "female ejaculation"», *Journal of Sex Education and Therapy*, vol. 16, p. 137-140.

American Psychiatric Association (2000). *Diagnostic and statistical manual of mental disorders* (4th ed., text rev.), Washington, DC, American Psychiatric Association.

American Psychiatric Association (2013). *Diagnostic and Statistical Manual of Mental Disorders* (5th ed.), Washington, DC, American Psychiatric Association.

American Psychiatric Association (APA) (2015). *DSM-5 – Manuel Diagnostique et Statistique des Troubles Mentaux*. Traduction française par M.-A. Crocq, J.-D. Guelfi et *al.*, Elsevier Masson SAS, Paris, 2015. All rights reserved. Traduction française reproduite avec l'autorisation d'Elsevier Masson SAS. *Diagnostic and Statistical Manual of Mental Disorders*, Fifth Edition (Copyright 2013).

American Psychological Association (2012). «Guidelines for psychological practice with lesbian, gay, and bisexual clients», *American Psychologist*, vol. 67, p. 10-42.

American Society of Plastic Surgeons (2014). *2014 Plastic Surgery Statistics Report. Cosmetic Procedure Trends*, [En ligne], https://d2wirczt3b6wjm.cloudfront.net/News/Statistics/2014/cosmetic-procedure-trends-2014.pdf (Page consultée le 24 février 2017).

Amnesty International (2011). *Iranian women fight controversial "polygamy" bill*, [En ligne], www.amnesty.org/en/news/Iranianwomen-fight-controversial-polygamybill (Page consultée le 30 novembre 2011).

Amodio, D. et Showers, C. (2005). «"Similarity breeds liking" revisited: The moderating role of commitment», *Journal of Social and Personal Relationships*, vol. 22, p. 817-836.

Anawalt, B. (2013). «Approach to male infertility and induction of spermatogenesis», *Journal of Clinical Endocrinology and Metabolism*, vol. 98, p. 3532-3542.

Anderson, M., Kunkel, A. et Dennis, M. (2011). «"Let's (not) talk about that": Bridging the past sexual experiences taboo to build healthy romantic relationships», *Journal of Sex Research*, vol. 48, p. 381-391.

Anderson-Hunt, M. et Dennerstein, L. (1994). «Increased female sexual response after oxytocin», *British Medical Journal*, vol. 309, p. 929.

Andrews, B. et coll. (2000). «Predicting PTSD symptoms in victims of violent crime: The role of shame, anger, and childhood abuse», *Journal of Abnormal Psychology*, vol. 109, p. 69-73.

Andrews, G. (2006). «Treating menopausal women», *Practice Nurse*, 10 février, p. 1.

Andruff, H. et Wentland, J. (2012). «Looking back: The experience of first sexual intercourse and current sexual adjustment in young heterosexual adults», *Journal of Sex Research*, vol. 49, p. 27-36.

Angier, N. (1999). *Woman: An intimate geography*, Boston, MA, Houghton Mifflin.

Angus Reid (2010). *Canadians and Britons are more open on same sex relations than Americans*, [En ligne], www.angus-reid.com/polls/43149/canadians-and-britons-are-more-open-on-same-sex-relations-than-americans/ (Page consultée le 26 juin 2012).

Ansara, Y.G. et Hegarty, P. (2014). «Methodologies of misgendering: Recommendations for reducing cisgenderism in psychological research», *Feminism & Psychology*, vol. 24, nº 2, p. 259-270.

Ansari, S. (2014). *Canada faces year of argument on prostitution law*, [En ligne], http://womensenews.org/2014/01/canada-faces-year-argument-prostitution-law (Page consultée le 6 mars 2017).

Apantaku-Olajide, T., Gibbons, P. et Higgins, A. (2011). «Drug-induced sexual dysfunction and mental health patients' attitude to psychotropic medications», *Sexual and Relationship Therapy*, vol. 26, p. 145-155.

Apfelbaum, B. (2000). «Retarded ejaculation: A much misunderstood syndrome». Dans S. Leiblum et R. Rosen (dir.), *Principles and practice of sex therapy*, New York, NY, Guilford Press.

Arata, E. (2014). *Women in Korea are actually getting pubic hair transplants*, [En ligne], http://elitedaily.com/news/world/korean-women-pubic-hair-transplants/840121 (Page consultée le 6 mars 2017).

Ards, A. (2000). «Dating and mating», *Ms.*, juin-juillet, p. 10.

Arevalo, M., Jenning, V. et Sinai, I. (2002). «Efficacy of a new method of family planning: The standard days method», *Contraception*, vol. 65, p. 333-338.

Argiolas, A. (1999). «Neuropeptides and sexual behavior», *Neuroscience Biobehavioral Review*, vol. 23, p. 1127-1142.

Arie, S. (2014). «Doctor and teacher receive new guidance on the Internet's effect on young people's sex lives and relationships», *British Medical Journal*, vol. 348, p. g1926.

Armstrong, E. A., England, P. et Fogarty, A.C. (2012). «Accounting for women's orgasm and sexual enjoyment in college hookups and relationships», *American Sociological Review*, vol. 77, nº 3, p. 435-462.

Arndt, W. (1991). *Gender disorders and the paraphilias*, Madison, CT, International Universities Press.

Arnett, J.J. (2015) *Emerging Adulthood: The Winding Road from the Late Teens Through the Twenties* (2nd ed.), Oxford, Oxford University Press.

Arnow, B. et coll. (2002). «Brain activation and sexual arousal in healthy, heterosexual males», *Brain*, vol. 125, p. 1014-1023.

Arnow, B.A. et coll. (2009). «Women with hypoactive sexual desire disorder compared to normal females: A functional magnetic resonance imaging study», *Neuroscience*, vol. 158, p. 484-502.

Arusha, I. (2008). *Women and polygamy: A controversial issue*, [En ligne], http://allafrica.com/stories/printable/200801210535.html (Page consultée le 28 janvier 2008).

Arver, S. et coll. (2014). «Is testosterone replacement therapy in males with hypogonadism cost effective? An analysis», *Sweden Journal of Sexual Medicine*, vol. 11, nº 1, p. 262-272.

Asexual Visibility and Education Network (2009). *Overview*, [En ligne], www.asexuality.org/home/overview.html (Page consultée le 13 janvier 2009).

Ashby, S., Arcari, C. et Edmonson, M. (2006). «Television viewing and risk of sexual initiation by young adolescents», *Archives of Pediatric Adolescent Medicine*, vol. 160, p. 375-380.

Asnes, A. et Leventhal, J. (2013). «Children's experiences of IPV: Time for pediatricians to take action», *JAMA Pediatrics*, vol. 167, p. 299-300.

Association canadienne de santé publique (ACSP) (2014). *Le travail du sexe au Canada: La perspective de la santé publique*, [En ligne], www.cpha.ca/uploads/policy/sex-work_f.pdf (Page consultée le 28 février 2017).

Association des juristes d'expression française de l'Ontario (AJEFO) (2016). «Exceptions à l'âge de consentement», CliquezJustice.ca, [En ligne], www.cliquezjustice.ca/information-juridique/exceptions-a-l-age-de-consentement (Page consultée le 23 décembre 2016).

Association of Reproductive Health Professionals (2008). *Talking to patients about sexuality and sexual health*, [En ligne], www.arhp.org/Publications-and-Resources/Clinical-Fact-Sheets/Sexuality-and-Sexual-Health (Page consultée le 6 mars 2017).

Athanasiou, R., Shaver, P. et Tavris, C. (1970). «Sex», *Psychology Today*, juillet, p. 39-52.

Atik, C. (2014). «Some like it rough», *Cosmopolitan*, novembre, p. 167-172.

Attwood, F. et Smith, C. (2014). «Porn studies: An introduction», *Porn Studies*, vol. 1, p. 1-6.

Aubin, S. et coll. (2009). «Comparing sildenafil alone vs. sildenafil plus brief couple sex therapy on erectile dysfunction and couples' sexual and marital quality of life: A pilot study», *Journal of Sex and Marital Therapy*, vol. 35, p. 122-143.

Auvert, B. et coll. (2005). «Impact of male circumcision on the female-to-male transmission of HIV: Results of the intervention trial: ANRS 1265», communication donnée à l'IAS Conference on HIV Pathogenesis and Treatment, juillet, Rio de Janeiro, Brésil.

Auvert, B. et coll. (2008). *Effect of male circumcision on human papillomavirus, neisseria gonorrhoeae and trichomonas vaginalis infections in men: Results from a randomized controlled trial*, Paper presented at the 17th International AIDS Conference, Mexico, Mexique.

AVERT (2014). *HIV & AIDS in China 2012*, [En ligne], www.avert.org/hiv-aids-china.html (Page consultée le 31 octobre 2014).

Aziz, Y. et Gurgen, F. (2009). «Marital satisfaction, sexual problems, and the possible difficulties on sex therapy in traditional Islamic culture», *Journal of Sex and Marital Therapy*, vol. 35, p. 68-75.

Baba, S. et coll. (2011). «Risk factors of early spontaneous abortions among Japanese: A matched case-control study», *Human Reproduction*, vol. 26, p. 466-472.

Babalola, S. (2014). «Dimensions and correlates of negative attitudes toward female survivors of sexual violence in Eastern DRC», *Journal of Interpersonal Violence*, vol. 29, p. 1679-1697.

Backstrom, L., Armstrong, E.A. et Puentes, J. (2012). «Women's negotiation of cunnilingus in college hookups and relationships», *Journal of Sex Research*, vol. 49, nº 1, p. 1-12.

Backus, F. et Mahalik, J. (2011). «The masculinity of Mr. Right: Feminist identity and heterosexual women's ideal romantic partners», *Psychology of Women Quarterly*, vol. 35, p. 318-326.

Badeau, D. (1998). «La cinquantaine au masculin en regard de l'expression de la sexualité: pistes pour une intervention sexologique», *Contrasexion*, vol. 15, nº 1, p. 5-22.

Bahrick, A. (2008). «Persistence of sexual dysfunction side effects after discontinuation of antidepressant medications : Emerging evidence», *Open Psychology*, vol. 1, p. 42-50.

Bailey, J. et coll. (1991). «A study of male sexual orientation», *Archives of General Psychiatry*, vol. 48, p. 1089-1096.

Bailey, J. et coll. (1993). «Heritable factors influence sexual orientation in women», *Archives of General Psychiatry*, vol. 50, p. 217 223.

Bailey, J., Dunne, M. et Martin, N. (2000). «Genetic and environmental influences on sexual orientation and its correlates in an Australian twin sample», *Journal of Personality and Social Psychology*, vol. 78, p. 524-536.

Bailey, K. et coll. (2014). «Give me a little more time : Effects of alcohol», *Journal of Abnormal Psychology*, vol. 123, p. 152-167.

Bailey, R. et coll. (2007). «Male circumcision for HIV prevention in young men in Kisumu, Kenya : A randomized controlled trial», *Lancet*, vol. 369, p. 643-656.

Baird, J. (2010). *Why family films are so sexist*, [En ligne], www.newsweek.com/why-family-films-are-so-sexist-72153 (Page consultée le 6 mars 2017).

Bairstow, A. (sous-presse). «Couples exploring non-monogamy : Guidelines for therapists», *Journal of Sex & Marital Therapy*.

Bajos, N. et Bozon, M. (2008). *Enquête sur la sexualité en France. Pratique, genre et santé*, Paris, La Découverte.

Bakalar, N. (2014). «Circumcision benefits outweigh risk, study reports», *New York Times*, 7 avril.

Baldaro-Verde, J., Carania, L. et Puppo, V. (2007). «Pleasure and orgasm in women with female genital mutilation», article présenté lors du 18e congrès de la World Association for Sexual Health, 15-19 avril, Sydney, Australie.

Ball, H. (2005). «Extensive genital cutting elevates risk of infertility among Sudanese women», *International Family Planning Perspectives*, vol. 31, p. 154-156.

Balon, R. (2008). «The DSM criteria of sexual dysfunction : Need for a change», *Journal of Sex and Marital Therapy*, vol. 34, p. 186-197.

Balon, R. et Segraves, R. (2008). «Survey of treatment practices for sexual dysfunction(s) associated with anti-depressants», *Journal of Sex and Marital Therapy*, vol. 34, p. 353-365.

Balsam, K. et cool. (2008). «Three-year follow-up of same-sex couples who had civil unions in Vermont, same-sex couples not in civil unions, and heterosexual married couples», *Developmental Psychology*, vol. 44, p. 102-116.

Bancroft, J. (2002). «The medicalization of female sexual dysfunction : The need for caution», *Archives of Sexual Behavior*, vol. 31, p. 451-455.

Bancroft, J. (dir.) (2003). *Sexual development in childhood*, Bloomington, IN, Indiana University Press.

Bancroft, J., Herbenick, D. et Reynolds, M. (2003). «Masturbation as a marker of sexual development». Dans J. Bancroft (dir.), *Sexual development in childhood*, Bloomington, IN, Indiana University Press.

Bancroft, J. et Janssen, E. (2014). *The Dual Control model 151 years on : Scientific and popular uses*, [En ligne], www.kinseyinstitute.org/newsletter/sp2014/dualcontrol2014.html?utm_so (Page consultée le 31 octobre 2014).

Bancroft, J., Loftus, J. et Long, J.S. (2003). «Distress about sex : A national survey of women in heterosexual relationships», *Archives of Sexual Behavior*, vol. 32, n° 3, p. 193-208.

Bancroft, J., Long, J. et McCabe, J. (2011). «Sexual well-being : A comparison of U.S. Black and White women in heterosexual relationships», *Archives of Sexual Behavior*, vol. 40, p. 725-740.

Banerjee, N. (2006). «Episcopal Church picks woman as leader», *Oregonian*, 19 juin, p. A1-A6.

Barbach, L. (1977). *L'accomplissement sexuel de la femme*, Paris, Buchet-Castel.

Barclay, L. (2010). «Commentary on the National Survey of Sexual Health and Behavior (NSSHB)», *Journal of Sexual Medicine*, vol. 7(Suppl. 5), p. 253-254.

Bardoni, B. et coll. (1994). «A dosage sensitive locus at chromosome Xp21 is involved in male to female sex reversal», *Nature Genetics*, vol. 7, p. 497-501.

Barfield, R., Wilson, C. et McDonald, P. (1975). «Sexual behavior : Extreme reduction of postejaculatory refractory period by midbrain lesions in male rats», *Science*, vol. 189, p. 147-149.

Barker, M. (2014). «The "problem" of sexual fantasies», *Porn Studies*, vol. 1, p. 143-160.

Barker, R. (1987). *The green-eyed marriage : Surviving jealous relationships*. New York, NY, Free Press.

Barnhart, K., Furman, I. et Devoto, L. (1995). «Attitudes and practice of couples regarding sexual relations during the menses and spotting», *Contraception*, vol. 51, p. 93-98.

Baron, R., Markman, G. et Bollinger, M. (2006). «Exporting social psychology : Effects of attractiveness on perceptions of entrepreneurs, their ideas for new products, and their financial success», *Journal of Applied Social Psychology*, vol. 36, p. 467-492.

Barrett, G., Pendry, E. et Peacock, J. (2000). «Women's sexual health after child-birth», *British Journal of Gynecology*, vol. 107, p. 186-195.

Barriger, M. et Vélez-Blasini, C. J. (2013). «Descriptive and injunctive social norm overestimation in hooking up and their role as predictors of hook-up activity in a college student sample», *Journal of Sex Research*, vol. 50, n° 1, p. 84-94.

Barstow, A. (1994). *Witchcraze*. San Francisco, CA, Pandora.

Bartels, A. et Zeki, S. (2004). «The neural correlates of maternal and romantic love», *Neuroimage*, vol. 21, p. 1155–1166.

Bartholomew, D. (1990). «Avoidance of intimacy : An attachment perspective», *Journal of Social and Personal Relationships*, vol. 7, n° 2, p. 147 178.

Bartholomew, K. et Horowitz, L.M. (1991). «Attachment styles among young adults : A test of a four-category model», *Journal of Personality and Social Psychology*, vol. 61, n° 2, p. 226-244.

Bartlik, B. et Goldberg, J. (2000). «Female sexual arousal disorder». Dans S. Leiblum et R. Rosen (dir.), *Principles and Practice of Sex Therapy*, New York, NY, The Guilford Press.

Basaria, S. (2014). «Male hypogonadism», *The Lancet*, vol. 383, p. 1250-1263.

Basow, S. et Rubenfeld, K. (2003). «Troubles talk : Effects of gender and gender-typing». *Sex Roles*, vol. 48, p. 183-187.

Basson, R. (2000). «The female sexual response : A different model», *Journal of Sex and Marital Therapy*, vol. 26, p. 51-65.

Basson, R. (2009). *Persistent genital arousal disorder*, [En ligne], www.merck.com/mmpe/sec18/ch251/ch251g.html (Page consultée le 19 mai 2009).

Basson, R. (2010). «Testosterone therapy for reduced libido in women», *Therapeutic Advances in Endocrinolgical Metabolism*, vol. 1, p. 155-164.

Basson, R. et coll. (2003). «Definitions of women's sexual dysfunction reconsidered : Advocating expansion and revision», *Journal of Psychosomatic Obstetrics and Gynecology*, vol. 24, p. 221-229.

Basson, R. et coll. (2004). «Revised definitions of women's sexual dysfunction», *Journal of Sexual Medicine*, vol. 1, p. 40-48.

Bastian, L., Smith, C. et Nanda, K. (2003). «Is this woman perimenopausal ?», *Journal of the American Medical Association*, vol. 289, p. 895-901.

Batha, E. (2015). *Malawi bans child marriage, lifts minimum age to 18*, [En ligne], http://uk.reuters.com/article/uk-malawi-childmarriage-law-idUKKBN0LK1Y920150216 (Page consultée le 6 mars 2017).

Battaglia, C. et coll. (2008). «Menstrual cycle-related morphometric and vascular modifications of the clitoris», *Journal of Sexual Medicine*, vol. 5, p. 2853-2861.

Bauman, R., Kasper, C. et Alford, J. (1984). «The child sex abusers», *Corrective and Social Psychiatry*, vol. 30, p. 76-81.

Baumard, N. (2011). «La morale a-t-elle engendré les religions?», *Cerveau et psycho*, nᵒ 48, p. 32-36.

Baumeister, R. (1988). «Masochism as escape from self», *Journal of Sex Research*, vol. 25, p. 28-59.

Baumeister, R. (1997). «The enigmatic appeal of sexual masochism: Why people desire pain, bondage, and humiliation in sex», *Journal of Social and Clinical Psychology*, vol. 16, p. 133-150.

Baumeister, R., Catanese, K. et Wallace, H. (2002). «Conquest by force: A narcissistic reactance theory of rape and sexual coercion», *Review of General Psychology*, vol. 6, p. 92-135.

Baumeister, R. et Leary, M. (1995). «The need to belong: Desire for interpersonal attachments as a fundamental human motivation», *Psychological Bulletin*, vol. 11, p. 497-529.

Baumgardner, J. (2007). «Lesbian after marriage», *The Advocate*, 9 octobre, p. 40-43.

Baumgardner, J. (2008). «Objects of suspicion», *The Advocate*, 26 février, p. 24-27.

Bauminger, N. et coll. (2008). «Intimacy in adolescent friendship: The roles of attachment, coherence, and self-disclosure», *Journal of Social and Personal Relationships*, vol. 25, p. 409-428.

Baur, K. (1995). «Socioeconomic and personality traits of non-adjudicated child sex offenders in a clinical practice». Non publié.

Bay-Cheng, L.Y., Robinson, A.D. et Zucker, A.N. (2009). «Behavioral and relational contexts of adolescent desire, wanting, and pleasure: Undergraduate women's retrospective accounts», *Journal of Sex Research*, vol. 46, nᵒ 6, p. 511-524.

Baylis, F. et Crozier, G. (2009). «Children at all costs?», *Bioethics Forum*, [En ligne], www.thehastingscenter.org/Bioethicsforum/Post. aspx?id=3206 (Page consultée le 27 novembre 2012).

Bcheraoui, C. et coll. (2014). «Rates of adverse events associated with male circumcision in US medical settings, 2001-2010» *JAMA Pediatrics*, vol. 168, p. 625-634.

Beaulieu-Prévost, D. et Fortin, M. (2015). «La mesure de l'orientation sexuelle: historique et pratiques actuelles», *Sexologies*, vol. 24, nᵒ 1, p. 29-34.

Beck, C. (2006). «Postpartum depression: It isn't just the blues», *American Journal of Nursing*, vol. 106, p. 40-49.

Becker, J. et coll. (1986). «Level of postassault sexual functioning in rape and incest victims», *Archives of Sexual Behavior*, vol. 15, p. 37-49.

Becker, J. et Kaplan, M. (1991). «Rape victims: Issues, theories, and treatment», *Annual Review of Sex Research*, vol. 2, p. 267-272.

Becker, O. (2013). «Effects of similarity of life goals, value, and personality on relationship satisfaction and stability: Findings from a two-wave study», *Personal Relationships*, vol. 20, p. 443-461.

Beckman, N., Waern, M. et Skoog, I. (2006). «Determinants of sexuality in 70-year-olds», *Journal of Sex Research*, vol. 43, p. 876.

Bédard, A.-M. (2008). *La relation sexuelle: revue et recadrée*, [En ligne], http://casexprime.gouv.qc.ca/ fr/magazine/numero/11/ (Page consultée le 20 avril 2012).

Beech, H. (2005). «Sex, please — We're young and Chinese», *Time*, 25 décembre, p. 61.

Begley, S. (2001). «Brave new monkey», *Newsweek*, 22 janvier, p. 50-52.

Behnia, B. et coll. (2014). «Differential effects of intranasal oxytocin on sexual experiences and partner interactions in couples», *Hormones and Behavior*, vol. 65, p. 308-318.

Behre, H.M. et coll. (2016). «Efficacy and Safety of an Injectable Combination Hormonal Contraceptive for Men», *Journal of Clinical Endocrinology & Metabolism*, vol. 101, nᵒ 12, p. 4779-4788.

Beji, N. (2003). «The effect of pelvic floor training on sexual function», *Nursing Standard*, vol. 16, p. 33-36.

Bell, A., Weinberg, M. et Hammersmith, S. (1981). *Sexual preference: Its development in men and women*, Bloomington, IN, Indiana University Press.

Belsey, E. et Pinol, A. (1997). «Menstrual bleeding patterns in untreated women», *Contraception*, vol. 55, p. 57-65.

Belzer, E., Whipple, B. et Moger, W. (1984). «A female ejaculation», *Journal of Sex Research*, vol. 20, p. 403-406.

Bem, S. (1975). «Sex role adaptability: One consequence of psychological androgyny», *Journal of Personality and Social Psychology*, vol. 31, p. 634-643.

Bem, S. (1993). *The Lenses of Gender*, New Haven, CY, Yale University Press.

Ben-David, S. et Schneider, O. (2005). «Rape perceptions, gender role attitudes, and victim-perpetrator acquaintance», *Sex Roles: A Journal of Research*, vol. 53, p. 385-399.

Benjamin-Guzzo, K. (2014). «Trends in cohabitation outcomes: Compositional changes and engagement among never-married young adults», *Journal of Marriage and Family*, vol. 76, p. 826-842.

Bennett, B. (2006). «Stolen away», *Time*, vol. 167, nᵒ 18, p. 25-26.

Bennetts, L. (2011). «The John next door», *Newsweek*, 25 juillet, p. 60-63.

Bennion, J. (2005). *Rough cut: The women's kingdom*, [En ligne], www.pbs.org/frontlineworld/rough/2005/07/introduction_togen.html (Page consultée le 28 juin 2006).

Benson, E. (2003). «The science of sexual arousal», *Monitor on Psychology*, vol. 34, p. 50-52.

Bentzen, A. et Traeen, B. (2014). «Swinging in Norway in the context of sexual health», *Sexuality and Culture*, vol. 18, p. 132-148.

Benuto, L. et Meana, M. (2008). «Acculturation and sexuality: Investigating gender differences in erotic plasticity», *Journal of Sex Research*, vol. 45, p. 217-224.

Ben-Ze'ev, A. (2003). «Privacy, emotional closeness, and openness in cyberspace», *Computers in Human Behavior*, vol. 19, p. 451-467.

Ben-Ze'ev, A. (2004). *Love online: Emotions on the Internet*, Cambridge, Royaume-Uni, Cambridge University Press.

Berdahl, J. et Aquino, K. (2009). «Sexual behavior at work: Fun or folly?», *Journal of Applied Psychology*, vol. 94, p. 34-47.

Berenson, A. et coll. (2008). «Physiologic and psychologic symptoms associated with use of injectable contraception and 20 mg oral contraceptive pills», *American Journal of Obstetrics and Gynecology*, vol. 199, p. 351-362.

Berenson, A. et Rahman, M. (2009). «Changes in weight, total fat, percent body fat, and central-to-peripheral fat ratio associated with injectable and oral contraceptive use», *American Journal of Obstetrics and Gynecology*, vol. 200, p. 328-406.

Berer, M. (2007). «Male circumcision for HIV prevention: Perspectives on gender and sexuality», *Reproductive Health Matters*, vol. 15, p. 45-48.

Beres, M. (2010). «Sexual miscommunication? Untangling assumptions about sexual communication between casual sex partners», *Culture, Health & Sexuality*, vol. 12, nᵒ 1, p. 1-14.

Berger, R. (1996). *Gay and gray: The older homosexual man*, New York, NY, The Haworth Press.

Bergeron, A. et Badeau, D. (1991). *La santé sexuelle après 60 ans*, Montréal, Éditions du Méridien.

Bergeron, S. (2009). «The treatment of dyspareunia in women», article présenté lors du 19ᵉ WAS World Congress for Sexual Health, 21-25 juin, Göteborg, Suède.

Bergoffen, D. (2006). «From genocide to justice: Women's bodies as a legal writing pad», *Feminist Studies*, vol. 32, p. 11-37.

Bergstrom, R., Neighbors, C. et Malheim, J. (2009). «Media comparisons and threats to body image: Seeking evidence of self affirmation», *Journal of Social and Clinical Psychology*, vol. 28, p. 264-280.

Bergvall, L. et Himelein, M. (2013). «Attitudes toward seeking help for sexual dysfunctions among US and Swedish college students», *Sexual and Relationship Therapy*, vol. 29, p. 215-228.

Bering, J. (2013). *Perv: The sexual deviant in all of us*, Spalding, Doubleday.

Berkman, C., Turner, S. et Cooper, M. (2000). «Sexual contact with clients: Assessment of social workers' attitudes and educational preparation», *Social Work*, vol. 45, p. 223-235.

Berkowitz, J. (2000). «Personal view: Two boys and a girl please and hold the mustard», *Public Health*, vol. 114, p. 5-7.

Berliner, L. et Conte, J. (1995). «The effects of disclosure and intervention on sexually abused children», *Child Abuse and Neglect*, vol. 27, p. 525-540.

Berman, J. et Berman, L. (2005). *For Women Only: A Revolutionary Guide to Overcoming Sexual Dysfunction and Reclaiming Your Sex Life*, New York, NY, Henry Holt and Company.

Berman, L. (2004). *The health benefits of sexual aids and devices*, Evanston, IL, Northwestern University.

Bernat, J., Calhoun, K. et Adams, H. (1999). «Sexually aggressive and nonaggressive men: Sexual arousal and judgments in response to acquaintance rape and consensual analogues», *Journal of Abnormal Psychology*, vol. 108, p. 662-673.

Berridge, C. et Romich, J. (2011). «Raising him to pull his own weight: Boys' household work in single-mother households», *Journal of Family Issues*, vol. 32, p. 38-45.

Bersamin, M. et coll. (2014). «Risky business: Is there an association between casual sex and mental health among emerging adults?», *Journal of Sex Research*, vol. 51, p. 43-51.

Bertelloni, S. et coll. (2014). «NR5A1 gene mutations: Clinical, endocrine and genetic features in two girls with 46,XY disorder of sexual development», *Hormone Research in Paediatrics*, vol. 81, p. 104-108.

Berthelot, N. et coll. (2014). «Prevalence and correlates of childhood sexual abuse in adults consulting for sexual problems», *Journal of Sex & Marital Therapy*, vol. 40, p. 434-443.

Besen, W. (2015). *Why former "ex-gay" Randy Thomas' coming out is a huge deal*, [En ligne], www.truthwinsout.org/opinion/2015/01/40517/ (Page consultée le 6 mars 2017).

Bezreh, T. et coll. (2012.) «BDSM disclosure and stigma management: Making opportunities for sex education», *American Journal of Sex Education*, vol. 1, p. 37-61.

Bhaskararao, C. et coll. (2014). «Laparoscopic gonedectomy in a case of complete androgen insensitivity syndrome», *Journal of Human Reproductive Science*, vol. 7, n° 3, p. 221-223.

Bindel, J. (2013). *Thought it was just men who flew abroad for squalid sexual kicks? Meet the middle-aged, middle-class women who are Britain's female sex tourists*, [En ligne], www.dailymail.co.uk/femail/article-2401788/Sex-tourism-Meet-middle-aged-middle-class-women-Britains-female-sex-tourists.html (Page consultée le 6 mars 2017).

Bingham, S. et Battey, K. (2005). «Communication of social support to sexual harassment victims: Professors' responses to a student's narrative of unwanted sexual attention», *Communication Studies*, vol. 56, p. 131-155.

Binik, Y., Bergeron, S. et Khalife, S. (2000). «Dyspareunia». Dans S. Leiblum et R. Rosen (dir.), *Principles and Practice of Sex Therapy*, New York, NY, The Guilford Press.

Bird, E. et coll. (2014). «Dissociation during sex and sexual arousal in women with and without a history of childhood sexual abuse», *Archives of Sexual Behaviors*, vol. 43, p. 953-964.

Birnbaum, G. (2007). «Beyond the borders of reality: Attachment orientations and sexual fantasies», *Personal Relationships*, vol. 14, p. 321-342.

Birnie-Porter, C. et Hunt, M. (2015). «Does relationship status matter for sexual satisfaction? The roles of intimacy and attachment avoidance in sexual satisfaction across five types of ongoing sexual relationships», *The Canadian Journal of Human Sexuality*, vol. 24, n° 2, p. 174-183.

Bisceglia, B. (2014). *Labiaplasty: Porn-driven procedure?*, [En ligne], www.science20.com/advertising_science/blog/labiaplasty_porndriven_procedure-134045 (Page consultée le 6 mars 2017).

Bisogni, S. et coll. (2014). «Undertreated and untreated pain should be considered an adverse event of neonatal circumcision», *JAMA Pediatrics*, vol. 168, p. 1076-1077.

Bisson, M.A. et Levine, T.R. (2009). «Negotiating a friends with benefits relationships», *Archive of Sexual Behavior*, vol. 38, n° 1, p. 66-73.

Bivona, J. et coll. (2012). «Women's rape fantasies: An empirical evaluation of the major explanations», *Archives of Sexual Behavior*, vol. 41, n° 5, p. 1107-1119.

Black, A. (1994). «Perverting the diagnosis: The lesbian and the scientific basis of stigma», *Historical Reflections*, vol. 20, p. 201-216.

Black A. et coll. (2009). «Contraceptive use by Canadian women of reproductive age: results of a national survey», *Journal of Obstetrics and Gynaecology Canada*, vol. 31, p. 627-640.

Black, A. et coll. (2016). «Canadian Contraception Consensus (Part 3 of 4): Chapter 7 – Intrauterine Contraception», *Journal of Obstetrics and Gynaecology Canada*, vol. 38, n° 2, p. 182-222.

Blackmun, M. (1996). «Escort services: Look all you want but don't touch», *Oregonian*, 16 juin, p. D1-D4.

Blackstone, A. et Stewart, M.D. (2016). «There's more thinking to decide how the childfree decide not to parent», *The Family Journal*, vol. 24, n° 3, p. 296-303.

Blair, K.L. et Pukall, C.F. (2014). «Can less be more? Comparing duration vs. frequency of sexual encounters in same-sex and mixed-sex relationships», *The Canadian Journal of Human Sexuality*, vol. 23, n° 2, p. 123-136.

Blais, M. et coll. (2009). «La sexualité des jeunes Québécois et Canadiens. Regard critique sur le concept d'hypersexualisation», *Globe: revue internationale d'études québécoises*, vol. 12, n° 2, p. 23-46.

Blakemore, S. et Mills, K. (2014). «Is adolescence a sensitive period for socio-cultural processing?», *Annual Review of Psychology*, vol. 65, p. 187-207.

Blank, H. (2007). *Virgin: The Untouched History*, New York, NY, Bloomsbury.

Blee, K. &et Tickamyer, A. (1995). «Racial differences in men's attitudes about women's gender roles», *Journal of Marriage and Family*, vol. 57, p. 21-30.

Blue, V. (2003). *The ultimate guide to adult videos: How to watch adult videos and make your sex life sizzle*, San Francisco, CA, Cleis Press.

Blumenthal, P., Gemzell-Danielsson, K. et Marintcheva-Petrova, M. (2008). «Tolerability and clinical safety of Implanon», *European Journal of Contraception and Reproductive Health Care*, vol. 13, p. 29-36.

Boak, A. et coll. (2016). *The mental health and well-being of Ontario students, 1991-2015: Detailed OSDUHS findings (CAMH Research Document Series No. 43)*, Toronto, Centre for Addiction and Mental Health.

Bockting, W. et coll. (2011). «Care of transsexual persons», *New England Journal of Medicine*, vol. 364, p. 2559-2560.

Bockting, W. et coll. (2013). «Stigma, mental health, and resilience in an online sample of the U.S. transgender population», *Journal of Public Health*, vol. 103, p. 943-951.

Boeckle, M. et coll. (2014). «Child abuse in the context of intimate partner violence against women», *Journal of Interpersonal Violence*, vol. 29, p. 1201-1227.

Boeckxstaens, A. et Devroey, P. (2007). «Getting pregnant after tubal sterilization: Surgical reversal of IVF?», *Human Reproduction*, vol. 22, p. 2660-2664.

Boekhout, B., Hendrick, S. et Hendrick, C. (1999). «Relationship infidelity: A loss of perspective», *Journal of Personal and Interpersonal Loss*, vol. 4, p. 97-124.

Boer (de), M. et coll. (2014). «A systematic review of instruments to measure sexual functioning in patients using antipsychotics», *Journal of Sex Research*, vol. 51, p. 383-389.

Bogaert, A. (2004). «Asexuality: Prevalence and associated factors in a national probability sample», *Journal of Sex Research*, vol. 41, p. 279-288.

Bogaert, A. (2005). «Sibling sex ratio and sexual orientation in men and women: New tests in two national probability samples», *Archives of Sexual Behavior*, vol. 34, p. 111-117.

Bogaert, A., Friesen, C. et Klentrou, P. (2002). «Age of puberty and sexual orientation in a national probability sample», *Archives of Sexual Behavior*, vol. 31, p. 73-81.

Bogren, L. (1991). «Changes in sexuality in women and men during pregnancy», *Archives of Sexual Behavior*, vol. 20, p. 35-46.

Bohler, S. (2009). *Sexe et cerveau: et si tout se passait dans la tête?*, Genève, Aubanel.

Bohnert, N., Milan, A. et Lathe, H. (2014). «Une diversité qui perdure: le mode de vie des enfants au Canada selon les recensements des 100 dernières années», Documents démographiques, produit nº 91F0015M au catalogue de Statistique Canada, nº 11, Ottawa, Statistique Canada.

Boislard, M. A., van de Bongardt, D. et Blais, M. (2016). «Sexuality (and lack thereof) in adolescence and early adulthood: A review of the literature», *Behavioral Sciences*, vol. 6, nº 1, p. 8.

Bolton, S. et Sareen, J. (2011). «Sexual orientation and its relation to mental disorders and suicide attempts: Findings from a nationally representative sample», *Canadian Journal of Psychiatry*, vol. 56, p. 35-43.

Bolus, J. (1994). «Teaching teens about condoms», *Registered Nurse*, mars, p. 44-47.

Bonierbale, M. et coll. (2006). «A new evaluation of concept and its measurement: Male sexual anticipating cognitions», *Journal of Sexual Medicine*, vol. 3, p. 96-103.

Boralevi, F. et coll. (2014). «Clinical phenotypes of scabies by age», *Pediatrics*, vol. 133, p. e910-e916.

Borg, C. et coll. (2014). «Sexual aversion and the DSM-5: An excluded disorder with unabated relevance as a trans-diagnostic symptom», *Archives of Sexual Behavior*, vol. 43, p. 1219-1223.

Borg, C., de Jong, P. et Schultz, W. (2011). «Vaginismus and dyspaurenia: Relationship with general and sex-related moral standards», *Journal of Sexual Medicine*, vol. 8, p. 223-231.

Bornstein, R. (1989). «Exposure and effect: Overview and meta-analysis of research, 1968-1987», *Psychological Bulletin*, vol. 106, p. 265-289.

Borowsky, I., Ireland, M. et Resnick, M. (2009). «Health status and behavioral outcomes for youth who anticipate a high likelihood of early death», *Pediatrics*, vol. 124, p. e81-e88.

Bos, H. (2012). *Adolescents of the U.S. national longitudinal lesbian family study: Male role models, gender role traits, and psychological adjustments. Gender & Society*, [En ligne], http://gas.sagepub.com/content/early/2012/05/30/08912432 12445465 (Page consultée le 6 mars 2017).

Bos, H. et coll. (2008). «Children in planned lesbian families: A cross-cultural comparison between the United States and the Netherlands», *American Journal of Orthopsychiatry*, vol. 78, p. 211-219.

Bos, H. et van Balen, F. (2008). «Children in planned lesbian families: Stigmatization, psychological adjustment and protective factors», *Culture, Health and Sexuality*, vol. 10, p. 221-236.

Boschert, S. (2004). «Majority of circumcisions are performed without analgesia», *Family Practice News*, vol. 34, p. 63.

Boskey, E. (2013). «Sexuality in the DSM5: Research, relevance, and reaction», *Contemporary Sexuality*, vol. 471, p. 3-5.

Boss, S. et Maltz, W. (2001). *Private thoughts: Exploring the power of women's sexual fantasies*, Novato, CA, New World Library.

Boswell, J. (1980). *Christianity, social tolerance, and homosexuality*, Chicago, IL, University of Chicago Press.

Boswell, J. (1996). *Les unions du même sexe: de l'Europe antique au Moyen Âge*, Paris, Fayard, coll. Nouvelles études historiques.

Botros, S. et coll. (2006). «Effect of parity on sexual function», *Obstetrics and Gynecology*, vol. 107, p. 765-770.

Boudreau, S. (2011). «Facebook: un virus qui menace votre couple», *Entête*, vol. 11, nº 8.

Boulware, J. (2000). *Viagra Rave*, [En ligne], www.salon.com/2000/05/30/viagra_rave/ (Page consultée le 17 octobre 2012).

Bourdeau, B., Thomas, V. et Long, J. (2008). «Latino sexual styles: Developing a nuanced understanding of risk», *Journal of Sex Research*, vol. 45, p. 71-81.

Boustany, N. (2007). «Militants use rape as integral weapon in Darfur», *Oregonian*, 4 juillet, p. A5.

Bouvier, P. (2003). «Child sexual abuse: Vicious circles of fate or paths to resilience?», *Lancet*, vol. 361, p. 446-447.

Bowater, D. (2011). *Pornography is replacing sex education*, [En ligne], http://telegraph.co.uk/news/8961010/Pornography-is-replacingsex-education.html (Page consultée le 6 mars 2017).

Bowen, A. (2005). «Internet sexuality research with rural men who have sex with men: Can we recruit and retain them?», *Journal of Sex Research*, vol. 42, p. 317-323.

Bower, D. et coll. (2013). «Trajectories of couple relationship satisfaction in families with infants. The roles of parent gender, personality, and depression in first-time and experienced parents», *Journal of Social and Personal Relationships*, vol. 30, p. 389-409.

Bowes, L. et coll. (2014). «Sibling bullying and risk of depression, anxiety, and self-harm: A prospective cohort study», *Pediatrics*, vol. 134, p. e1032-e1039.

Bowman, C.P. (2014). «Women's masturbation: Experiences of sexual empowerment in a primarily sex-positive sample», *Psychology of Women Quarterly*, vol. 38. nº 3, p. 363-378.

Bowman, J. (2008). «Gender-role orientation and relational closeness: Self-disclosure behavior in same-sex male friendships», *Journal of Men's Studies*, vol. 16, p. 316-330.

Boynton, P. (2003). «"I'm just a girl who can't say no"? Women, consent, and sex research», *Journal of Sex and Marital Therapy*, vol. 29 (Suppl.), p. 23-32.

Bradford, J. (1998). «Treatment of men with paraphilia», *New England Journal of Medicine*, vol. 338, p. 464-465.

Bradford, J., Boulet, J. et Pawlak, A. (1992). «The paraphilias: A multiplicity of deviant behaviors», *Canadian Journal of Psychiatry*, vol. 37, p. 104-107.

Bradley, S. et Zucker, K. (1997). «Gender identity disorder: A review of the past 10 years», *Journal of the American Academy of Child and Adolescent Psychology*, vol. 36, p. 872-880.

Brady, S. et Halpern-Felsher, B. (2007). «Adolescents' reported consequences of having oral sex versus vaginal sex», *Pediatrics*, vol. 119, p. 229-236.

Braen, G. (1980). «Examination of the accused: The hetero-sexual and homosexual rapist». Dans C. Warner (dir.), *Rape and Sexual Assault*, Germantown, MD, Aspen Systems.

Brainerd, C. et Reyna, V. (1998). «When things that were never experienced are easier to "remember" than things that were», *Psychological Science*, vol. 9, p. 484-489.

Branum, A. et Jones, J. (2015). «Trends in long-acting reversible contraception use among U.S. women aged 15-44», *NCHS Data Brief*, n° 188, Hyattsville, MD, National Center for Health Statistics.

Breault, L. (2016). *Nouveau sondage! 66 % des Québécois consi-dèrent qu'il est difficile pour les personnes aînées homosexuelles de vivre ouvertement une relation amoureuse en centre d'héber-gement pour personnes aînées*, [En ligne], www.homophobie. org/nouveau-sondage-66-quebecois-considerent-quil-difficile-personnes-ainees-homosexuelles-de-vivre-ouvertement-relation-amoureuse-centre-dhebergement-pers (Page consultée le 28 février 2017).

Brecher, E.M. (1969). *Les sexologues*, Montréal, Éditions du Jour.

Brehm, S. et coll. (2002). *Intimate relationships*, Boston, MA, McGraw-Hill.

Brendgen, M. et coll. (2014). «The interplay between genetic fac-tors and the peer environment in exploring children's social adjustment», *Merrill-Palmer Quarterly*, vol. 60, n° 2, article 2.

Brennan, S. et Taylor Butts, A. (2008). *Les agressions sexuelles au Canada, 2004 et 2007*, Statistique Canada, [En ligne], www.statcan.gc.ca/pub/85f0033m/85f0033m2008019-fra.pdf (Page consultée le 25 octobre 2012).

Brents, B. (2014). *Nevada's legal brothels make workers feel safer*, [En ligne], www.nytimes.com/roomfordebate/2012/04/19/is-legalized-prostitution-safer/nevadas-legal-brothels-make-workers-feel-safer (Page consultée le 6 mars 2017).

Breton, S. (1994). *La mascarade des sexes*, Paris, Calman-Lévy.

Bretschneider, J. et McCoy, N. (1988). «Sexual interest and behavior in healthy 80 to 102-year-olds», *Archives of Sexual Behavior*, vol. 17, p. 109.

Brewer G. et Hendrie, C. (2011). «Evidence to suggest that copu-latory vocalizations in women are not a reflexive consequence of orgasm», *Archives of Sexual Behavior*, vol. 40, p. 559-564.

Bricker, M.E. et Horne, S.G. (2007). «Gay men in long-term rela-tionships: The impact of monogamy and non-monogamy on relational health», *Journal of Couple & Relationship Therapy*, vol. 6, n° 4, p. 27-47.

Bringle, R. et Buunk, B. (1991). «Extradyadic relationships and sexual jealousy». Dans K. McKinney et S. Sprecher (dir.), *Sexua-lity in close relationships*, Hillsdale, NJ, Erlbaum.

Britton, G. et Lumpkin, M. (1984). «Battle to imprint for the 21st century», *Reading Teacher*, vol. 37, p. 724-733.

Broad, W. (2013). *I'll have what she's thinking*, [En ligne], www.nytimes.com/2013/09/29/sunday-review/ill-have-what-shes-thinking.html?pagewanted5all&_r50 (Page consultée le 6 mars 2017).

Brockman, J. (2006). «Child sex as Internet fare, through eyes of a victim», *New York Times*, 5 avril, p. A20.

Brody, S. et coll. (2013). «More frequent vaginal orgasm is associ-ated with experiencing greater excitement from deep vaginal stimulation», *Journal of Sexual Medicine*, vol. 10, p. 1730-1736.

Brooks, J. et Watkins, M. (1989). «Recognition memory and the mere exposure effect», *Journal of Experimental Psychology: Learning, Memory, and Cognition*, vol. 15, p. 968-976.

Brotto, L. et coll. (2005). «Acculturation and sexual function in Asian women», *Archives of Sexual Behavior*, vol. 34, p. 613-627.

Brotto, L. et coll. (2014). «Asexuality: An extreme variant of sexual desire disorder?», *National Center for Biotechnology Information*. doi: 10.1111/jsm.12806

Brotto, L. et Yule, M. (2011). «Physiological and subjective sexual arousal in self-identified asexual women», *Archives of Sexual Behavior*, vol. 40, p. 699-712.

Brousseau, M. et coll. (2010). «Sexual coercion victimization and perpetration in heterosexual couples: A dyadic investiga-tion», *Archives of Sexual Behavior*, vol. 40, p. 363-372.

Broussin, B. et Brenot, P. (1995). «Existe-t-il une sexualité du fœtus?», *Fertilité, contraception, sexualité*, novembre, p. 696-698.

Brown, D. (2006). «GAO faults Bush's AIDS-abstinence empha-sis», *Oregonian*, 5 avril, p. A2.

Brown, E. (2014). *What the Swedish model gets wrong about prostitution*, [En ligne], http://time.com/3005687/what-the-swedish-model-gets-wrong-about-prostitution (Page consultée le 6 mars 2017).

Brown, G. (1990). «The transvestite husband», *Medical Aspects of Human Sexuality*, juin, p. 35-42.

Brown, R. (2000). «Understanding the disorders of sexual pre-ference», *Practitioner*, vol. 244, p. 438-442.

Brown, S., Brack, G. et Mullis, F. (2008). «Traumatic symptoms in sexually abused children: Implications for school counse-lors», *Professional School Counseling*, vol. 11, p. 368-379.

Brown, S. et Shinohara, S. (2013). «Dating relationships in older adulthood: A national portrait», *Journal of Marriage and Fa-mily*, vol. 75, p. 1194-1202.

Brown, T. et Fee, E. (2003). «Alfred Kinsey: A pioneer of sex research», *American Journal of Public Health*, vol. 93, p. 896-897.

Brownmiller, S. (1975). *Against our will: Men, women, and rape.* New York, NY, Simon and Schuster.

Brownmiller, S. (1993). «Making female bodies the battlefield», *Newsweek*, vol. 37.

Bruce-Jones, E. et Itaborahy, L.-P. (2011). *Homophobie d'État: Une enquête mondiale sur les lois qui criminalisent la sexualité entre adultes consentants de même sexe, un rapport de l'ILGA*, [En ligne], http://old.ilga.org/Statehomophobia/ILGA_Homophobie_Etat_2012.pdf (Page consultée le 21 juin 2012).

Bruns, D. et Bruns, J. (2005). «Sexual harassment in higher education», *Academic Exchange Quarterly*, vol. 9, p. 201-204.

Bryant, S. et Demian, N. (1998). «Terms of same-sex endear-ment», *SIECUS Report*, vol. 26, n° 4, p. 10-13.

Budge, S. et coll. (2013). «Anxiety and depression in transgender individuals», *Journal of Consulting and Clinical Psychology*, vol. 81, p. 545-557.

Buisson, O. et coll. (2010). «Coitus as revealed by ultrasound in one volunteer couple», *Journal of Sexual Medicine*, vol. 7, p. 2750-2754.

Buisson, O. et Jannini, E. (2013). «Pilot echographic study of the differences in clitoral involvement following clitoral or vagi-nal sexual stimulation», *Journal of Sexual Medicine*, vol. 10, p. 2734-2740.

Bulcroft, R., Carmady, D. et Bulcroft, K. (1996). «Patterns of parental independence giving to adolescents: Variations by race, age, and gender of child», *Journal of Marriage and Family*, vol. 58, p. 866-883.

Bullough, B. et Bullough, V. (1997). «Are transvestites necessa-rily heterosexual?», *Archives of Sexual Behavior*, vol. 26, p. 1-12.

Bullough, V. et Bullough, B. (1993). *Cross dressing, sex and gen-der*, Philadelphie, PA, University of Pennsylvania Press.

Bureau of Labor Statistics (2012). *Labor force statistics from the Current Population Survey*, [En ligne], www.stats.bls.gov (Page consultée le 2 janvier 2008).

Burgess, A. et Holmstrom, L. (1979). «Rape: Sexual disruption and recovery», *American Journal of Orthopsychiatry*, vol. 49, p. 648-657.

Burke, T.J. et Segrin, C. (2014). «Bonded or stuck? Effects of personal and constraint commitment on loneliness and stress», *Personality and Individual Differences*, vol. 64, p. 101-106.

Burkett, A. et Hewitt, G. (2005). «Progestin only contraceptives and their use in adolescents: Clinical options and medical indications», *Adolescent Medicine*, vol. 16, p. 553-567.

Burri, A., Cherkas, L. et Spector, T. (2009). «Emotional intelligence and its association with orgasmic frequency in women», *Journal of Sexual Medicine*, 28 avril.

Burri, A. et coll. (2014). «Female partner's perception of premature ejaculation and its impact on relationship breakups, relationship quality, and sexual satisfaction», *Journal of Sexual Medicine*, vol. 11, p. 2243-2255.

Burri, A., Rahman, Q. et Spector, T. (2011). «Genetic and environmental risk factors for sexual distress and its association with female sexual dysfunction», *Psychological Medicine*, vol. 41, p. 2435-2445.

Burtchell, J. (2014). *Sexual dysfunction: An overlooked side effect of MS*, [En ligne], www.healthline.com/health-news/sexual-dysfunction-a-common-ms-side-effect-041614#1 (Page consultée le 6 mars 2017).

Bushman, B. et Baumeister, R. (1998). «Threatened egoism, narcissism, self-esteem, and direct and displaced aggression: Does self-love or self-hate lead to violence?», *Journal of Personality and Social Psychology*, vol. 43, p. 372-384.

Bushman, B. et coll. (2003). «Narcissism, sexual refusal, and aggression: Testing a narcissistic reactance model of sexual aggression», *Journal of Personality and Social Psychology*, vol. 84, p. 1027-1040.

Bushnik, T. et coll. (2012). *Le recours aux services médicaux d'aide à la conception*, Statistique Canada, [En ligne], www.statcan.gc.ca/pub/82-003-x/2012004/article/11719-fra.htm (Page consultée le 26 novembre 2012).

Buss, D. (1994). *The evolution of desire: Strategies of human mating*, New York, NY, Basic Books.

Buss, D. (1999). *Evolutionary psychology: The new science of the mind*, Boston, MA, Allyn and Bacon.

Buss, D. (2000). *The dangerous passion: Why jealousy is as necessary as love and sex*, New York, NY, Free Press.

Buss, D. (2003). *The Evolution of Desire*, New York, NY, Basic Book.

Buvat, J. et coll. (2013). «Testosterone deficiency in men: Systematic review and standard operating procedure for diagnosis and treatment», *Journal of Sexual Medicine*, vol. 10, p. 245-284.

Buzi, R. et coll. (2014). «Talk with Tiff: Teen's inquiries to a sexual health website», *Journal of Sex & Marital Therapy*, vol. 41. doi: 10-1080/0092623

Calderoni, M.E. et Coupey, S.M. (2005). «Combined hormonal contraception», *Adolescence Medicine*, vol. 16, p. 517-537.

Caldwell, J. (2003). «The Trouble with "Gay"», *The Advocate*, 25 mars.

Calzo, J. et coll. (2011). «Retrospective recall of sexual orientation identity development among gay, lesbian, and bisexual adults», *Developmental Psychology*, vol. 47, p. 1658-1673.

Campbell, C. (2013). *Bali's "Gigolos" carefree sex industry lead to HIV crisis*, [En ligne], http://world.time.com/2013/10/15/ignorance-and-a-thriving-sex-industry-fuel-aids-explosion-on-bali (Page consultée le 6 mars 2017).

Campbell, D.A. et coll. (2006). «A randomized control trial of continuous support in labor by a lay doula», *Journal of Obstetric, Gynecologic, and Neonatal Nursing*, vol. 35, p. 456-464.

Campbell, M.M. et Stein, D.J. (2015). «Hypersexual disorder». Dans N. Petry (dir.), *Behavioral Addictions: DSM-5 and Beyond*, Oxford, Oxford University Press.

Campos, S. (2008). «Anterior motives: A G shot on the G spot», *New York Times*, 24 février, p. L172.

Canadian Task Force on Preventive Health Care (2013). «Recommendations on screening for cervical cancer», *Canadian Medical Association Journal*, vol. 185, n° 1, p. 35-45.

Canavan, M., Meyer, W. et Higgs, D. (1992). «The female experience of sibling incest», *Journal of Marital and Family Therapy*, vol. 18, p. 129-142.

Cantu, A. (2014). *Study: High schools with gay-straight alliances have reduced risk of student suicide*, [En ligne], www.salon.com/2014/01/24/high_schools_with_gay_straight_alliances_have_reduced_risk_for_suicide_parnter (Page consultée le 6 mars 2017).

Caplan, A. (2008). *New IVF dilemmas make old fears seem quaint*, [En ligne], www/msnbc.msn.com/id/25837220 (Page consultée le 11 novembre 2008).

Capogrosso, P. et coll. (2013). «One patient out of four with newly diagnosed erectile dysfunction is a young man—worrisome dysfunction is a young man—worrisome picture from everyday clinical patient», *Journal of Sexual Medicine*, vol. 10, p. 1833-1841.

Caraceni, E. et Utizi, L. (2014). «A questionnaire for the evaluation of quality of life after penile pros- thesis implant: Quality of life and sexuality with penile prosthesis», *Journal of Sexual Medicine*, vol. 11, p. 1005-1012.

Carael, M. et coll. (2006). «Clients of sex workers in different regions of the world: Hard to count», *Sexually Transmitted Infections*, vol. 82, n° 3, p. iii26–iii33.

Cardinalli, A. (2011). *Pashtun sexuality*, Human Terrain Team (HTT) AF-6 Research Update and Findings.

Carlson, D. et Lynch, J. (2013). «Housework: Cause and consequence of gender ideology?», *Social Science Research*, vol. 42, p. 1505-1518.

Carlson, E. (1997). «Sexual assault on men in war», *Lancet*, vol. 349, p. 129.

Carmichael, G.A. et Whittaker, A. (2007). «Choice and circumstance: Qualitative insights into contemporary childlessness in Australia», *European Journal of Population/Revue Européenne de Démographie*, vol. 23, n° 2, p. 111-143.

Carnes, P. (1983). *The sexual addiction*, Minneapolis, MN, Compcare Publications.

Carnes, P. (2001). *Out of the shadows: Understanding sexual addiction* (3rd ed.), Center City, MN, Hazelden.

Caron, A. et coll. (2012). «Comparisons of close relationships: An evaluation of relationship quality and patterns of attachment to parents, friends and romantic partners in young adults», *Canadian Journal of Behavioral Science*, vol. 44, p. 245-256.

Carpenter, L. (1998). «From girls into women: Scripts for sexuality and romance in Seventeen magazine», *Journal of Sex Research*, vol. 35, p. 158-168.

Carr, D. et coll. (2014). «Happy marriage, happy life? Marital quality and subjective well-being in later life», *Journal of Marriage and Family*, vol. 76, vol. 930-948.

Carrigan, M. et Falconer, H. (2015). *Meeting and understanding the sexual community*, [En ligne], www.vice.com/en_ca/article/asexuality-carrigan-and-falconer (Page consultée le 6 mars 2017).

Carrobles, J. et Gamez, M. (2007). *Effect of mode of female orgasm induction on perception of vaginal contractions*, Paper presented at the 18th Congress of the World Association for Sexual Health, 15-19 avril, Sydney, Australie.

Carson, C. (2003a). «To circumcise or not to circumcise? Not a simple question», *Contemporary Urology*, vol. 15, p. 11.

Carson, C. (2003b). «Penile prostheses: Are they still relevant?», *British Journal of Urology International*, vol. 91, p. 176-177.

Carson, C. et Wyllie, M. (2010). «Improved ejaculatory latency, control and sexual satisfaction when PSD502 is applied topically in men with premature ejaculation: Results of a phase III, double-blind, placebo-controlled study», *Journal of Sexual Medicine*, 25 juin (e-pub).

Carson, C.C. et Kirby, R. (2015). «Prostate Cancer and Testosterone Replacement Therapy—What is the Risk?», *The Journal of Urology*, vol. 194, n° 6, p. 1527-1528.

Carter, C. (2014). «Oxytocin pathways and the evolution of human behavior», *Annual Review of Psychology*, vol. 65, p. 17-39.

Carter, C. et coll. (2010). «HIV-1 infects multipotent progenitor cells causing cell death and establishing latent cellular reservoirs», *Nature Medicine*, vol. 16, p. 446-451.

Carter, J. et coll. (2016). «Sex, love and security: Accounts of distance and commitment in living apart together relationships», *Sociology*, vol. 50, n° 3, p. 576-593.

Caruso, D. et coll. (2015). «Patients treated for male pattern hair with finasteride show, after discontinuation of the drug, altered levels of neuroactive steroids in cerebrospinal fluid and plasma», *The Journal of Steroid Biochemistry and Molecular Biology*, vol. 146, p. 74-79.

Caruso, J. (2016). *BDSM: les règles du jeu*, Montréal, VLB éditeur.

Caruso, S. et coll. (2014). «Do hormones influence women's sex? Sexual activity over the menstrual cycle», *Journal of Sexual Medicine*, vol. 11, p. 211-221.

Carvalheira, A. et Leal, I. (2013). «Masturbation among women: Associated factors and sexual response in a Portuguese community sample», *Journal of Sex & Marital Therapy*, vol. 39, p. 347-367.

Carvalho, J. et coll. (2013). «Gender differences in sexual arousal and effective responses to erotica: The effects of type of film and fantasy instructions», *Archives of Sexual Behavior*, vol. 42, p. 1011-1019.

Castleman, M. (2008). *Great sex: A man's guide to the secret principles of total body sex*, Emmaus, PA, Rodale Books.

Castleman, M. (2013). *The curious couple's guide to occasional non-monogamy*, [En ligne], www.psychologytoday.com/blog/all-about-sex/201310/the-curious-couples-guide-occasional-non-monogamy (Page consultée le 6 mars 2017).

Castleman, M. (2014). *Why consumers overwhelmingly prefer Cialis*, [En ligne], www.psychologytoday.com/blog/all-about-sex/201406/the-most-popular-erection-drug-is-not-viagra (Page consultée le 6 mars 2017).

Castleman, M. (2015). *The sexual boundary issue that's seldom discussed*, [En ligne], www.psychologytoday.com/blog/all-about-sex/201503/the-sexual-boundary-issue-thats-seldom-discussed (Page consultée le 6 mars 2017).

Catania, J. (1999). «A framework for conceptualizing reporting bias and its antecedents in interviews assessing human sexuality», *Journal of Sex Research*, vol. 36, p. 25-38.

Catania, J. et coll. (1990). «Response bias in assessing sexual behaviors relevant to HIV transmission», *Evaluation and Program Planning*, vol. 13, p. 19-29.

Catie (2016). *Point de mire sur la prévention: Pleins feux sur les programmes et la recherche*, [En ligne], www.catie.ca/fr/pdm/automne-2016/preparation-prep-ressources-outils-prophylaxie-pre-exposition (Page consultée le 2 mars 2017).

Ceci, S. et coll. (1994). «The role of source misattributions in the creation of false beliefs among preschoolers», *International Journal of Clinical and Experimental Hypnosis*, vol. 42, p. 304-320.

CEFRIO (2015). *Les médias sociaux: plus présents dans le processus d'achat des Québécois, NETendances 2015*, [En ligne], www.cefrio.qc.ca/netendances/les-medias-sociaux-plus-presents-dans-le-processus-d-achat-des-quebecois/presence-des-adultes-quebecois-sur-les-medias-sociaux/#trois-adultes-quebecois-sur-quatre-sont-actifs-sur-les-medias-sociaux (Page consultée le 1er septembre 2016).

Cela-Conde, C. et coll. (2009). «Sex-related similarities and differences in the neural correlates of beauty», *Proceedings of the National Academy of Sciences*, vol. 106, p. 3847-3852.

Centers for Disease Control (2010a). *Bacterial Vaginosis, CDC Fact Sheet*, [En ligne], www.cdc.gov/std/bv/STDFact-Bacterial-Vaginosis.html (Page consultée le 12 novembre 2012).

Centers for Disease Control (2010b). *Parasites – Scabies*, [En ligne], www.cdc.gov/parasites/scabies/disease.html (Page consultée le 12 novembre 2012).

Centers for Disease Control (2011). «Vital signs: Teen pregnancy—United States, 1991–2009», *Morbidity and Mortality Weekly Report*, vol. 60, p. 414-420.

Centers for Disease Control (2012). Pregnancy contraceptive use among teens with unintended pregnancies resulting in live births», *Morbidity and Mortality Weekly Report*, vol. 61, p. 25-29.

Centers for Disease Control and Prevention (2015). *Genital Herpes – CDC Fact Sheet (Detailed)*, [En ligne], www.facebook.com/groups/791554947556173/?multi_permalinks=1440593909318937&notif_t=commerce_interesting_product&notif_id=1488498565400399 (Page consultée le 2 mars 2017).

Cerny, J. et Janssen, E. (2011). «Patterns of sexual arousal in homosexual, bisexual, and heterosexual men», *Archives of Sexual Behavior*, vol. 40, p. 687-697.

Cespedes, Y. et Huey, S. (2008). «Depression in Latino adolescents: A cultural discrepancy perspective», *Cultural Diversity and Ethnic Minority Psychology*, vol. 14, p. 168-172.

CFAS (2012). *IVF Clinics*, [En ligne], www.cfas.ca/index.php?option=com_content&view=article&id=259&Itemid=274 (Page consultée le 30 novembre 2012).

Chambers, W. (2007). «Oral sex: Varied behaviors and perceptions in a college population», *Journal of Sex Research*, vol. 44, p. 28-43.

Chandra, A. et coll. (2008). «Does watching sex on television predict teen pregnancy? Findings from a national longitudinal survey of youth», *Pediatrics*, vol. 12, p. 1047-1054.

Chandra, A. et coll. (2011). *Sexual heavier, sexual attraction, and sexual identity in the United States: Data from the 2006–2008 National Survey of Family Growth* (National Health Statistics Reports, No. 36), Washington, DC, U.S. Department of Health and Human Services.

Chappell, K. et Davis, K. (1998). «Attachment partner choice, and perception of romantic partners: An experimental test of the attachment–security hypothesis», *Personal Relationships*, vol. 5, p. 327-342.

Charlebois, J.B. (2011). *La virilité en jeu, perception de l'homosexualité masculine par les garçons adolescents*, Montréal, Septentrion.

Charney, D. et Russell, R. (1994). «An overview of sexual harassment», *American Journal of Psychiatry*, vol. 151, p. 10-17.

Chase, C. (2003). «What is the agenda of the intersex advocacy movement?», *Endocrinologist*, vol. 13, p. 240-242.

Check, J. et Guloien, T. (1989). «Reported proclivity for coercive sex following repeated exposure to sexually violent pornography, nonviolent dehumanizing pornography, and erotica». Dans D. Zillman et J. Bryant (dir.), *Pornography: Research Advances and Policy Considerations*, Hillsdale, Erlbaum.

Cheng, Y. et Landale, N. (2011). «Adolescent overweight, social relationships and the transition to first sex: Gender and racial variations», *Perspectives on Sexual and Reproductive Health*, vol. 43, p. 6-15.

Chen, Z. et coll. (2014). «Rejecting another pains the self: The impact of perceived future rejection», *Journal of Experimental Social Psychology*, vol. 50, p. 225-233.

Chiang, H. (2009). *Homosexual behavior in the United States, 1988–2004: Quantitative empirical support for the social construction theory of sexuality*, [En ligne], www.questia.com/library/journal/1G1-228436052/homosexual-behavior-in-the-united-states-1988-2004 (Page consultée le 6 mars 2017).

Chibber, K. et coll. (2014). «The role of intimate partners in women's reasons for seeking abortion», *Womens Health Issues*, vol. 1, p. e131-e138.

Chigbo, M. (2003). «The fight for her life», *Ms.*, été, p. 26.

Chivers, M. (2005). «Clinical management of sex addiction», [Book review], *Archives of Sexual Behavior*, vol. 34, p. 476-478.

Chivers, M. et coll. (2010). «Agreement of self-reported and genital measures of sexual arousal in men and women: A meta-analysis», *Archives of Sexual Behavior*, vol. 39, p. 861-873.

Choi, K.H. et coll. (2003). «Patterns and predictors of female condom use among ethnically diverse women attending family planning clinics», *Sexually Transmitted Diseases*, vol. 30, p. 91-98.

Choudhary, E. et coll. (2012). «Epidemiological characteristics of male sexual assault in a criminological database», *Journal of Interpersonal Violence*, vol. 27, p. 523-546.

Choukas-Bradley, S. et coll. (2014). «Experimentally measured susceptibility to peer influence and adolescent sexual behavior trajectories: A preliminary study», *Development Psychology*, vol. 50, p. 2221-2227.

Chrisler, J. (2013). «Womanhood is not as easy as it seems. Femininity requires both achievement and restraint», *Psychology of Men and Masculinity*, vol. 14, p. 117-120.

Christensen, J. (2014). *Record number of women using IVF to get pregnant*, [En ligne], www.cnn.com/2014/02/17/health/record-ivf-use (Page consultée le 2 mars 2017).

Chumlea, W. et coll. (2003). «Age at menarche and racial comparisons in U.S. girls», *Pediatrics*, vol. 111, p. 110-113.

Chun, F. et Herman, T. (2014). «Prostate imaging—the future is now: A meta-analysis», *Pediatrics*, vol. 133, p. e1331-e1344.

Chung, P. (2006). *Government to expand childbirth incentives*, [En ligne], http://times.hankooki.com/service/print/Print.php?po5times.hankooki.com/lpage/natio/20 (Page consultée le 27 novembre 2012).

Chung, W., De Vries, G. et Schaab, D. (2002). «Sexual differentiation of the bed nucleus of the stria terminals in humans may extend into adulthood», *Journal of Neurosciences*, vol. 22, p. 1027-1033.

Cihan, A. et coll. (2009). «The relationship between premature ejaculation and hyperthyroidism», *Journal of Urology*, vol. 181, p. 1273-1280.

CJP-RPC (2014). *Soins et services de santé mentale à l'intention des lesbiennes, des gais, des bisexuels, des transgenres et des queers*, [En ligne], www.ncbi.nlm.nih.gov/pmc/articles/PMC4244882 (Page consultée le 28 février 2017).

Clanton, G. et Smith, L. (1977). *Jealousy*, Englewood Cliffs, NJ, Prentice Hall.

Clark, C. et coll. (2014). «Dating violence, childhood maltreatment, and BMI from adolescence to young adulthood», *Pediatrics*, vol. 134, p. 678-685.

Clark, F. (2014). *Discrimination against LGBT people triggers health concerns*, [En ligne], http://thelancet.com/journals/lancet/article/PIIS0140-6736(14)60169-0/fulltext (Page consultée le 6 mars 2017).

Clark-Flory, T. (2014). *You're about as sexually attractive to me as a turtle: Coming out as asexual in a hypersexual culture*, [En ligne],www.salon.com/2014/09/16/youre_about_as_sexually_attractive_to_me_as_a_turtle_coming_out_as_asexual_in_a_hypersexual_culture/ (Page consultée le 6 mars 2017).

Clarke, A. et Stermac, L. (2011). «The influence of stereotypical beliefs, participant gender, and survivor weight on sexual assault responses», *Journal of Interpersonal Violence*, vol. 28, p. 2285-2305.

Clarnette, T., Sugita, Y. et Hutson, J. (1997). «Genital anomalies in human and animal models reveal the mechanisms and hormones governing testicular descent», *British Journal of Urology*, vol. 79, p. 99-112.

Cleere, C. et Lynn, S. (2013). «Acknowledged versus unacknowledged sexual assault among college women», *Journal of interpersonal Violence*, vol. 28, p. 2593-2611.

Cloud, J. (2005). «The battle over gay teens», *Time*, 10 octobre, p. 43-51.

CMEC (2003). *Étude sur les jeunes, la santé sexuelle, le VIH et le sida au Canada*, [En ligne], www.cmec.ca/publications/aids/indexf.html (Page consultée le 4 décembre 2012).

Coalition pour le droit à l'avortement au Canada (2016). *Statistiques – Avortement au Canada*, [En ligne], www.arcc-cdac.ca/fr/backrounders/Statistiques-actuelles.pdf (Page consultée le 3 mars 2017).

Cockrill, K. et coll. (2013). «Scale and characteristics of women experiencing abortion stigma», *Perspectives on Sexual and Reproductive Health*, vol. 45, p. 79-88.

Coe, C., Lulbach, G. et Schneider, M. (2002). «Prenatal disturbance alters the size of the corpus callosum in young monkeys», *Development Psychobiology*, vol. 41, p. 178-185.

Cohen, M. et Pilcher, C. (2005). «Amplified HIV transmission and new approaches to HIV prevention», *Journal of Infectious Diseases*, vol. 191, p. 1391-1393.

Cohen-Kettenis, P. (2005). «Gender change in 46, XY persons with 5[alpha]-reductase-2 deficiency and 17[beta]-hydroxysteroid dehydrogenase-3 deficiency», *Archives of Sexual Behavior*, vol. 34, p. 399-410.

Cohen-Kettenis, P. et Gooren, L. (1999). «Trans-sexualism: A review of etiology, diagnosis, and treatment», *Journal of Psychosomatic Research*, vol. 46, p. 315-333.

Cohn, A. et coll. (2013). «Correlates of reasons for not reporting rape to police», *Journal of Interpersonal Violence*, vol. 28, p. 455-473.

Colangelo, J. (2007). «Recovered memory debate revisited: Practice implications for mental health counselors», *Journal of Mental Health Counseling*, vol. 29, p. 93-120.

Colapinto, J. (2000). *As nature made him: The boy who was raised as a girl*, New York, NY, HarperCollins.

Cole, S. et coll. (2000). «Issues of transgender». Dans L. Szuchman et F. Muscarella (dir.), *Psychological perspectives on human sexuality*, New York, NY, Wiley.

Coleman, E. (1990). «The obsessive-compulsive model for describing compulsive sexual behavior», *American Journal of Preventive Psychiatry and Neurology*, vol. 2, p. 9-14.

Coleman, E. (1991). «Compulsive sexual behavior: New concepts and treatments», *Journal of Psychology and Human Sexuality*, vol. 4, p. 37-51.

Coleman, E. (1999). «Revolution», *Contemporary Sexuality*, septembre, p. 1-4.

Coleman, E. (2003). «Compulsive sexual behavior: What to call it, how to treat it?», *SIECUS Report*, vol. 31, p. 12–16.

Coleman, G. (2014). «Acute testicular fracture», *Journal of Urology*, vol. 192, p. 1525-1526.

Coleman, T. et coll. (2011). «Challenging the binary: Gender characteristics of trans Ontarians», *Trans PULSE e-Bulletin*, vol. 2, n° 2.

Colino, S. (1991). «Sex and the expectant mother», *Parenting*, vol. 111.

Collectif de Boston pour la santé des femmes (1977). *Notre corps, nous-mêmes*, Paris, Albin Michel.

Collins, F. et Fauci, A. (2010). «AIDS in 2010: How we are living with HIV», *Parade*, p. 10-12.

Collins, S. (2015). *What is a sexual fetish?*, [En ligne], www.webmd.com/sex-relationships/features/sexual-fetish (Page consultée le 6 mars 2017).

Collins, S. et Missing, C. (2003). «Vocal and visual attractiveness are related in women», *Animal Behaviour*, vol. 65, n° 5, p. 997-1004.

Colson, M.-H. (2010). «L'orgasme des femmes, mythes, défis et controverses», *Sexologies*, vol. 19, n° 1, p. 39-47.

Comella, L. (2014). «Studying porn cultures», *Porn Studies*, vol. 1, p. 64-70.

Comfort, A. (1967). *L'origine des obsessions sexuelles*, Paris, Marabout Université.

Comfort, A. (1976). *La joie du sexe*, Paris, JC Lattès.

Comité d'experts en matière d'infertilité et d'adoption (2009). «Faire croître l'espoir», Ministère des Services à l'enfance et à la jeunesse, Gouvernement de l'Ontario, [En ligne], www.children.gov.on.ca/htdocs/French/infertility/report/careto-proceed.aspx (Page consultée le 30 novembre 2012).

Comiteau, L. (2001). «"Sexual enslavement" established as a war crime», *USA Today*, 23 février, p. A10.

Conard, P. et Sauls, D. (2014). «Deployment and PTSD in the female combat veteran: A systematic review», *Nursing Forum*, vol. 49, p. 1-10.

Conde-Agudelo, A., Rosas-Bermudex, A. et Kafury-Goeta, A. (2006). «Birth spacing and risk of adverse perinatal outcomes», *Journal of the American Medical Association*, vol. 295, p. 1809-1823.

Conley, T. et Moors, A. (2014). «More oxygen please! How polyamorous relationship strategies might oxygenate marriage», *Psychological Inquiry*, vol. 25, p. 56-63.

Conley, T.D. (2015). *Re-Examining the Effectiveness of Monogamy as an STI-preventive Strategy*, [En ligne], www.ncbi.nlm.nih.gov/labs/articles/26116890 (Page consultée le 2 mars 2017).

Conley, T.D. et coll. (2012a). «A critical examination of popular assumptions about the benefits and outcomes of monogamous relationships», *Personality and Social Psychology Review*, vol. 17, n° 2, p. 124-141.

Conley, T.D. et coll. (2012b). «Unfaithful individuals are less likely to practice safer sex than openly non-monogamous individuals», *Journal of Sexual Medicine*, vol. 9, p. 1559-1565.

Conley, T.D. et coll. (2013). «A critical examination of popular assumptions about the benefits and outcomes of monogamous relationships», *Personality and Social Psychology Review*, vol. 17, n° 2, p. 124-141.

Conley, T.D., Ziegler, A. et Moors, A.C. (2013). «Backlash from the bedroom stigma mediates gender differences in acceptance of casual sex offers», *Psychology of Women Quarterly*, vol. 37, n° 3, p. 392-407.

Constine, J. (2016). *Facebook Climbs To 1.59 Billion Users And Crushes Q4 Estimates With $5.8B Revenue*, [En ligne], techcrunch.com/2016/01/27/facebook-earnings-q4-2015/ (Page consultée le 28 février 2017).

Conte, J. (2010). *Pour une authentique liberté sexuelle*, Saint-Zénon, Éditions Louise Courteau.

Cook, L., Kamb, M. et Weiss, N. (1997). «Perineal powder exposure and the risk of ovarian cancer», *American Journal of Epidemiology*, vol. 145, p. 459-465.

Cook, R. et coll. (2014). «Sexual behaviors and other risk factors for oral human papillomavirus infections in young men», *Sexually Transmitted Diseases*, vol. 41, p. 486-492.

Cookerly, R. (2014). *Multiple sex partners and love*, [En ligne], http://whatislovedrcookerly.com/791/multiple-sex-partners-and-love/ (Page consultée le 6 mars 2017).

Coontz, S. (2006). «Three "rules" that don't apply», *Newsweek*, 5 juin, 49.

Coontz, S. (2012). «Mating games: Changing rules for sex and marriage», *Christian Century*, vol. 129, p. 22-24.

Cooper, A. (1996). «Autoerotic asphyxiation: Three case reports», *Journal of Sex and Marital Therapy*, vol. 22, p. 47-53.

Cooper, A. (2004). «Online sexual activity in the new millennium», *Contemporary Sexuality*, vol. 38, p. I-VII.

Cooper, A. et Gordon, B. (2015). «Young New Zealand women's sexual decision making in casual sex situations: A qualitative study», *The Canadian Journal of Human Sexuality*, vol. 24, n° 1, p. 69-76.

Cooper, A. et Sportolari, L. (1997). «Romance in cyberspace: Understanding online attraction», *Journal of Sex Education and Therapy*, vol. 22, p. 7-14.

Cooper, E. et coll. (2014). «The faking orgasm scale for women: Psychometric properties», *Archives of Sexual Behavior*, vol. 43, p. 423-435.

Cooper, G. (2006). «Viagra's false promise», *Psychotherapy Networker*, mars/avril, 21.

Cooper, M. et coll. (2011). «Motivational pursuits in the context of human sexual relationships», *Journal of Personality*, vol. 79, p. 1031-1066.

Cornwell, R.E. et coll. (2004). «Concordant preferences for opposite-sex signals? Human pheromones and facial characteristics», *Proceedings of The Royal Society of London B*, vol. 271, p. 635-640.

Corona, G. et coll. (2013). «Risk factors associated with primary and secondary reduced libido in male patients with sexual dysfunction», *Journal of Sexual Medicine*, vol. 10, p. 1074-1089.

Corona, G. et coll. (2014). «Testosterone supplementation and sexual function: A meta-analysis study», *Journal of Sexual Medicine*, vol. 11, p. 1577-1592.

Cortez, D. et coll. (2014). «Origins and functional evolution of Y chromosomes across mammals», *Nature*, vol. 508, p. 488-493.

Cotter, A. et Beaupré, P. (2014). «Les infractions sexuelles commises contre les enfants et les jeunes déclarées par la police au Canada, 2012», *Juristat*, [En ligne], www.statcan.gc.ca/pub/85-002-x/2014001/article/14008-fra.htm (Page consultée le 4 mars 2017).

Cottrell, B. (2003). «Vaginal douching», *Journal of Obstetrical, Gynecological, and Neonatal Nursing*, vol. 32, p. 12-18.

Cottrell, B. et Close, F. (2008). «Vaginal douching among university women in the southeastern United States», *Journal of American College Health*, vol. 56, p. 415-421.

Cosgray, R. et coll. (1991). «Death from auto-erotic asphyxiation in long-term psychiatric setting», *Perspectives in Psychiatric Care*, vol. 27, p. 21-24.

Costantino, A. et coll. (2013). «A prospective study on sexual function and mood in female-to-male transsexuals during testosterone administration», *Journal of Sex and Marital Therapy*, vol. 39, p. 321-335.

Costello, E. (2014). «Adult outcomes of childhood bullying victimization», *American Journal of Psychiatry*, vol. 171, p. 709-711.

Côté, H. (2001). «L'érotisation féminine atypique: un continent perdu de la sexualité». Dans C. Crépault et G. Lévesque (dir.), *Éros au masculin et au féminin, nouvelles explorations en sexoanalyse*, Montréal, Presses de l'Université du Québec.

Courtois, C. (2000a). «The aftermath of child sexual abuse: The treatment of complex posttraumatic stress reactions». Dans L. Szuchman et F. Muscarella (dir.), *Psychological Perspectives on Human Sexuality*, New York, NY, Wiley.

Courtois, C. (2000b). «The sexual after-effect of incest/child sexual abuse», *SIECUS Report*, vol. 29, p. 11-16.

Courtois, F. et Cordeau, D. (2015). «Les explorations physiologiques de la réponse sexuelle chez la femme», *Sexologies*, vol. 24, n° 1, p. 10-16.

Coutino, S. (2007). «An evolutionary perspective of friendship selection», *College Student Journal*, vol. 41, p. 1163-1167.

Coutts, E. et Jann, B. (2011). «Sensitive questions in online surveys: Experimental results for the randomized response technique (RRT) and the unmatched count technique», *Sociological Methods and Research*, vol. 40, p. 169-193.

Cowan, G. (2000). «Beliefs about the causes of four types of rape», *Sex Roles*, vol. 42, p. 807-823.

Cowan, P. et Cowan C. (1992). *When Partners Become Parents*, New York, NY, Harper Collins.

Cowan, S. (2014). «Secrets and misperceptions: The creation of self-fulfilling illusions», *Sociological Science*, vol. 1, p. 466-492.

Cox, D. (1988). «Incidence and nature of male genital exposure behavior as reported by college women», *Journal of Sex Research*, vol. 24, p. 227-234.

Cox, T. (2013). *Rise of the female "flexi- sexual": Why women are far more likely than men to have a gay fling*, [En ligne], www.dailymail.co.uk/femail/article-2514246/Rise-female-flexi- sexual-Why-women-far-likely-men-gay-gling.html (Page consultée le 6 mars 2017).

Crabb, P. et Marciano, D. (2011). «Representations of material culture and gender in award-winning children's books: A 20-year follow-up», *Journal of Research in Childhood Education*, vol. 25, p. 390-398.

Craig, B. et coll. (2013). «A generation of childless women: Lessons from the United States», *Women's Health Issues*, vol. 24, p. e21-e27.

Craig, M. et Richeson, J. (2014). «Discrimination divides across identity dimensions: Perceived racism reduces support for gay rights and increases anti-gay bias», *Journal of Experimental Social Psychology*, vol. 55, p. 169-174.

Craig, S. et Smith, M. (2014). «The impact of perceived discrimination and social support on the school performance of multi-ethnic sexual minority youth», *Youth & Society*, vol. 46, p. 30-50.

Cramer, R. et coll. (2008). «Sex differences in subjective distress to unfaithfulness: Testing competing evolutionary and violation of infidelity expectations hypotheses», *Journal of Social Psychology*, vol. 148, p. 389-405.

Crary, D. (2009). «Psychologists reject gay-to-straight therapy», *Oregonian*, 6 août, p. A4.

Crawford, E., Wright, M. et Birchmeier, Z. (2008). «Drug-facilitated sexual assault: College women's risk perception and behavioral choices», *Journal of American College Health*, vol. 57, p. 261-272.

Creighton, S. et Liao, L. (2004). «Changing attitudes to sex assignment in intersex», *British Journal of Urology International*, vol. 93, p. 659-664.

Crenshaw, T. (1996). *The alchemy of love and lust*, New York, NY, Putnam.

Crenshaw, T. et Goldberg, J. (1996). *Sexual pharmacology: Drugs that affect sexual function*, New York, NY, Norton.

Crépault, C. (1997). *La sexoanalyse*, Paris, Payot et Rivages.

Crépault, C. (2007). *Les fantasmes, l'érotisme et la sexualité*, Paris, Odile Jacob.

Crépault, C. et Samson, C. (1999). «Fantasmes et rêves sexuels». Dans C. Crépault et H. Côté (dir.), *Imaginaire sexuel*, Montréal, Éditions IRIS.

Critelli, J. et Bivona, J. (2008). «Women's erotic rape fantasies: An evaluation of theory and research», *Journal of Sex Research*, vol. 45, p. 57-71.

Crosby, R. et coll. (2002). «Condom use errors and problems in college men», *Sexually Transmitted Diseases*, vol. 29, p. 552-557.

Crosby, R. et coll. (2013). «Predictors of consistent condom use among young African American women», *AIDS and Behavior*, vol. 17, p. 865-871.

Cui, J. (2006). «China's cracked closet», *Foreign Policy*, mai/juin, p. 90-92.

Cui, T. et coll. (2015). «A urologist's guide to ingredients found in top-selling nutraceuticals for men's sexual health», *Journal of Sexual Medicine*, vol. 12, n° 11, p. 2105-2112.

Cullen, L. (2006). «Sex in the syllabus», *Time*, 3 avril, p. 80-81.

Cullen, L. et Masters, C. (2008). «We just clicked», *Time*, 28 janvier, p. 85-89.

Cunningham, G. et Toma, S. (2011). «Why is androgen replacement in males controversial?», *Journal of Clinical Endocrinology and Metabolism*, vol. 96, p. 38-52.

Cunningham, R. et coll. (2013). «Androgenic anabolic steroid exposure during adolescence for brain development and behavior», *Hormones and Behavior*, vol. 64, p. 350-356.

Curry, L. (2000). «Net provides new expression for sexual offenders», *APA Monitor*, 21 avril.

Cutler, W. (1999). «Human sex-attractant pheromones: Discovery, research, development, and application in sex therapy», *Psychiatric Annals*, vol. 29, p. 54-59.

Cwikel, J. et Hoban, E. (2005). «Contentious issues in research on trafficked women working in the sex industry: Study design, ethics, and methodology», *Journal of Sex Research*, vol. 42, p. 306-317.

Daigle, L., Fisher, B. et Cullen, E. (2008). «The violent and sexual victimization of college women», *Journal of Interpersonal Violence*, vol. 23, p. 1296-1313.

Dalgaard, M. (2012). «A genome-wide associations study of men with symptoms of testicular dysgenesis syndrome and its network biology interpretation», *Medical Genetics*, vol. 49, p. 58-65.

Dall'Ara, E. et Maass, A. (1999). «Studying sexual harassment in the laboratory: Are egalitarian women at higher risk?», *Sex Roles*, vol. 41, p. 681-704.

Daly, A. (2011). «Has your drink been spiked? NEED to know drugs in drinks», *Cosmopolitan*, vol. 162.

Daly, M., Wilson, M. et Weghorst, S. (1982). «Male sexual jealousy», *Ethology and Sociobiology*, vol. 3, p. 11-27.

Damasio, A.-R. (2003). *Spinoza avait raison: Joie et tristesse, le cerveau des émotions*, Paris, Odile Jacob.

Danabe, C. et coll. (2014). «Male role norm endorsement and sexism predict heterosexual college men's attitudes toward casual sex, intoxicated sexual contact, and casual sex», *Sex Roles*, vol. 71, p. 219-232.

Daniluk, J. (1998). *Women's sexuality across the life span: Challenging myths, creating meanings*. New York, NY, Guilford Press.

Daniluk, J. (2012). *Passion and intimacy during infertility*, [En ligne], www.iaac.ca/en686-113-passion-and-intimacy-during-infertility-by-Judith-Daniluk-spring-2012-4 (Page consultée le 30 novembre 2012).

Dariotis, J. et coll. (2011). «Racial and ethnic disparities in sexual risk behavior and STDs among young men's transition to adulthood», *Perspectives on Sexual and Reproductive Health*, vol. 43, p. 51-59.

Darnovsky, M. (2014). *Genetically modified babies*, [En ligne], www.nytimes.com/2014/02/24/opinion/genetically-modified-babies.html?_r50 (Page consultée le 5 mars 2017).

Davies, A. (2011). «What your bedside table is missing», *Cosmopolitan*, juin, p. 134-136.

Davies, B. et coll. (2014). «Heterogeneity in risk of pelvic inflammatory diseases after chlamydia infection: A population-based study in Manitoba, Canada», *Journal of Infectious Diseases*, vol. 210, n° 2, p. S549-S555.

Davies, M. (1995). «Parental distress and ability to cope following disclosure of extra-familial sexual abuse», *Child Abuse and Neglect*, vol. 19, p. 399-408.

Davies, M., Pollard, P. et Archer, J. (2006). «Effects of perpetrator gender and victim sexuality on blame toward male victims of sexual assault», *Journal of Social Psychology*, vol. 146, p. 275-291.

Davis, B. et Noble, M. (1991). «Putting an end to chronic testicular pain», *Medical Aspects of Human Sexuality*, avril, p. 26-34.

Davis, G. (2013). *Geena Davis' two easy steps to make Hollywood less sexist. Hollywood Reporter*, [En ligne], www.hollywoodreporter.com/news/geena-davis-two-easy-steps-664573 (Page consultée le 6 mars 2017).

Davis, K. et Latty-Mann, H. (1987). «Love styles and relationship quality: A contribution to validation», *Journal of Social and Personal Relationships*, vol. 4, p. 409-428.

Davis, S. (1999). «The therapeutic use of androgens in women», *Journal of Steroid Biochemistry and Molecular Biology*, vol. 69, p. 77-184.

Davis, S. (2002). «Testosterone and sexual desire in women», *Journal of Sex Education and Therapy*, vol. 25, p. 25-32.

Davis, S., Binik, Y. et Carrier, S. (2009). «Sexual dysfunction and pelvic pain in men: A male sexual pain disorder», *Journal of Sex and Marital Therapy*, vol. 35, p. 182-205.

Davis, S. et Meier, C. (2014). «Effects of testosterone treatment and chest reconstruction surgery on mental health and sexuality in female-to-male transgender people», *International Journal of Sexual Health*, vol. 26, p. 113-128.

Davison, G. et Neale, J. (1993). *Abnormal psychology* (6th ed.). New York, NY, Wiley.

Dawkings, R. (2006). *Pour en finir avec Dieu*, Paris, Robert Laffont.

Dayal, M. et Zarek, S. (2008). *Pre-implantation genetic diagnosis*, [En ligne], http://emedicine.medscspe.com/article/273415-overview (Page consultée le 2 mai 2009).

Dean, K. et Malamuth, N. (1997). «Characteristics of men who aggress sexually and men who imagine aggressing: Risk and moderating variables», *Journal of Personality and Social Psychology*, vol. 72, p. 449-455.

Decker, J. (2014). *The invisible orientation: An introduction to asexuality*, New York, NY, Carrel Books.

Decker, M. et coll. (2014). «Prevalence and health impact of intimate partner violence and non-partner sexual violence among female adolescents aged 15–19 years in vulnerable urban environments: A multi-county study», *Journal of Adolescent Health*, vol. 55, p. 558-567.

DeForge, D. et Blackmer, J. (2005). *Male sexuality following spinal cord injury: A systematic review*, Paper presented at the World Congress of Sexology, 10-15 juillet, Montréal, Canada.

Degler, C. (1980). *At odds: Women and the family in America from the Revolution to the present*, Oxford, Oxford University Press.

De Lacoste, M., Adesanya, T. et Woodward, D. (1990). «Measures of gender differences in the human brain and their relationship to brain weight», *Biological Psychiatry*, vol. 28, p. 931-942.

DeLamater, J. (2012). «Sexual expression in later life: A review and synthesis», *Journal of Sex Research*, vol. 49, nos 2-3, p. 125-141.

DeLamater, J. et Friedrich, W. (2002). «Human sexual development», *Journal of Sex Research*, vol. 39, p. 10-14.

DeLamater, J., Hyde, J. et Fong, M. (2008). «Sexual satisfaction in the seventh decade of life», *Journal of Sex and Marital Therapy*, vol. 34, p. 439-454.

DeLamater, J. et Sill, M. (2005). «Sexual desire in later life», *Journal of Sex Research*, vol. 42, p. 138-150.

DeMaria, A. et coll. (2014). «Complications related to pubic hair removal», *American Journal of Obstetrics and Gynecology*, vol. 528, p. e1-e5.

DeMaris, A. (2010). «The 20-year trajectory of marital quality in enduring marriages: Does equity matter?», *Journal of Social and Personal Relationships*, vol. 27, n° 4, p. 449-471.

D'Emilio, J. et Freedman, E. (1988). *Intimate matters*, New York, NY, Harper and Row.

Dempsey, C. (1994). «Health and social issues of gay, lesbian, and bisexual adolescents», *Families in Society*, mars, p. 160-167.

Denizet-Lewis, B. (2014). *The scientific quest to prove bisexuality exists*, [En ligne], www.nytimes.com/2014/03/23/magazine/the-scientific-quest-to-prove-bisexuality-exists.html (Page consultée le 6 mars 2017).

Dennerstein, L. et coll. (2009). «Attitudes toward and frequency of partner interactions among women reporting decreased sexual desire», *Journal of Sexual Medicine*, 23 avril.

DePaulo, B. (2012). «Are you single at heart?», *Psychology Today*, janvier/février, p. 54-55.

DePaulo, B.M. et Morris, W.L. (2005). «Singles in society and in science», *Psychological Inquiry*, vol. 16, nos 2-3, p. 57-83.

Derlego, V. et coll. (1993). *Self-disclosure*, Newbury Park, CA, Sage.

Desaulniers, M.-P. (1998). *Plaisir honteux*, Montréal, Québec, Éditions du remue-ménage.

Desjardins, J.-Y. (2007). «Approche sexocorporelle. La compétence érotique à la portée de tous». Dans M. El Feki (dir.), *La sexothérapie, quelle thérapie choisir en sexologie clinique*, Bruxelles, de Boeck.

Dessens, A. et coll. (1999). «Prenatal exposure to anticonvulsants and psychosexual development», *Archives of Sexual Behavior*, vol. 28, p. 31-44.

deVaron, T. (2011). «At colleges plagued by date rape, why "no" still means "yes"», *Christian Science Monitor* (e-pub).

Devi, K. (1977). *The Eastern way of love: Tantric sex and erotic mysticism*, New York, NY, Simon and Schuster.

De Villers, L. et Turgeon, H. (2005). «The uses and benefits of "sensate focus" exercises», *Contemporary Sexuality*, vol. 39, p. I-VII.

DeVita-Raeburn, E. (2006). «Lust for the long haul», *Psychology Today*, janvier/février, p. 1-5.

Devries, K. et coll. (2014). «Childhood sexual abuse and suicidal behavior: A meta-analysis», *Pediatrics*, vol. 133, p. e1331-e1334.

Dhejne, C. (2014). «An analysis of all applications for sex reassignment surgery in Sweden, 1960-2010: Prevalence, incidence, and regrets», *Archives of Sexual Behavior*, vol. 43, p. 1535-1545.

Diamond, L. (2008). *Sexual fluidity: Understanding women's love and desire*, Cambridge, MA, Harvard University Press.

Diamond, M. (1991). «Hormonal effects on the development of cerebral lateralization», *Psychoneuroendocrinology*, vol. 16, p. 121-129.

Diamond, M. (1997). «Sexual identity and sexual orientation in children with traumatized or ambiguous genitalia», *Journal of Sex Research*, vol. 34, p. 199-211.

Diamond, M. et Sigmundson, H. (1997). «Sex reassignment at birth: Long-term review and clinical implications», *Archives of Pediatric and Adolescent Medicine*, vol. 151, p. 298-304.

Diamond, R. et coll. (1999). *Couple therapy for infertility*, New York, NY, Guilford Press.

Diaz, A. et coll. (2014). «Confronting commercial sexual exploitation and sex trafficking of minors», *Journal of the American Medical Association*, vol. 168, p. 791-792.

Dickerman, J. (2007). «Circumcision in the time of HIV: When is there enough evidence to revise the American Academy of Pediatrics policy on circumcision?», *Pediatrics*, vol. 119, p. 1006-1007.

Dietz, P.M. et coll. (1999). «Unintended pregnancy among adult women exposed to abuse or household dysfunction during their childhood», *Journal of the American Medical Association*, vol. 282, p. 1359-1364.

Dir, A.L. et Cyders, M.A. (2015). «Risk, risk factors, and outcomes associated with phone and internet sexting among university students in the United States», *Archives of Sexual Behaviors*, vol. 44, p. 1675-1684.

Doctor, R. et Prince, V. (1997). «Transvestism: A survey of 1,032 cross-dressers», *Archives of Sexual Behavior*, vol. 26, p. 589-605.

Dodson, B. (1974). *Liberating masturbation*, New York, NY, Betty Dodson.

Dolezal, C. et coll. (2011). «A comparison of audio computer-assisted self-interviews to face-to-face interviews of sexual behavior among perinatally HIV-exposed youth», *Archives of Sexual Behavior*, 21 mai, p. 1-10.

Donahue, K. et coll. (2013). «Why does early sexual intercourse predict subsequent maladjustment?», *Health Psychology*, vol. 32, p. 180-189.

Donaldson, R. et Meana, M. (2011). «Early dyspareunia experience in young women: Confusion, consequences, and help-seeking barriers», *Journal of Sexual Medicine*, vol. 8, p. 814-823.

Donaldson, Z. et Young, L. (2008). «Oxytocin, vasopressin, and the neurogenics of sociability», *Science*, vol. 322, p. 900-904.

Dorais, M. (2001). *Mort ou fif*, Montréal, VLB éditeur.

Doss, B., Rhoades, G. et Scott, S. (2009). «The effect of the transition to parenthood on relationship quality: An 8-year prospective study», *Journal of Personality and Social Psychology*, vol. 96, p. 601-619.

Douglas, C. et coll. (2005). «United States: Men coerce women into vaginal cosmetic surgery», *Off Our Backs*, vol. 35, p. 9.

Downs, V. et Javidi, M. (1990). «Linking communication motives to loneliness in the lives of older adults: An empirical test of interpersonal needs and gratifications», *Journal of Applied Communication Research*, vol. 18, p. 32-48.

Doyle, D.M. et Molix, L. (2015). «Social stigma and sexual minorities' romantic relationship functioning: A meta-analytic review», *Personality and Social Psychology Bulletin*, vol. 41, n° 10, p. 1363-1381.

Doyle, J. et Paludi, M. (1991). *Sex and gender* (2nd ed.), Dubuque, IA, Brown and Benchmark.

Dragowski, E. et coll. (2011). «Childhood gender identity... disorder? Developmental, cultural, and diagnostic concerns», *Journal of Counseling and Development*, vol. 89, p. 360-366.

Dreger, A. (2003). *Notes on the treatment of intersex*, [En ligne], www.gendercare.com/library/Page61.html (Page consultée le 6 mars 2017).

Drey, M., Pastoetter, J. et Pryce, A. (2009). *Sex-Study 2008: Sexual behavior in Germany*. DGSS and City University London in Collaboration with ProSieben. Duesseldorf-London, forthcoming.

Dreznick, M. (2003). «Heterosocial competence of rapists and child molesters: A meta-analysis», *Journal of Sex Research*, vol. 40, p. 170-178.

Drigotas, S., Rusbult, C. et Verette, J. (1999). «Level of commitment, mutuality of commitment, and couple well-being», *Personal Relationships*, vol. 6, p. 389-409.

Dubé, E. (2000). «The role of sexual behavior in the identification process of gay and bisexual males», *The Journal of Sex Research*, vol. 37, p. 123-132.

Duberstein, L., Lindberg, R. et Santelli, J. (2008). «Non-coital sexual activities among adolescents», *Journal of Adolescent Health*, vol. 42, p. 44-45.

Duby, Z. et Colvin, C. (2014). «Conceptualizing of heterosexual anal sex and HIV risk in five East African countries», *Journal of Sex Research*, vol. 51, p. 863-873.

Ducharme S. (2012). *La sexualité et les blessures médullaires*, [En ligne], http://cirrie.buffalo.edu/encyclopedia/fr/article/5/ (Page consultée le 12 octobre 2012).

Duffy, J., Warren, K. et Walsh, M. (2001). «Classroom interactions: Gender of teacher, gender of student and classroom subject», *Sex Roles*, vol. 45, p. 579-593.

Du Mont, J. et coll. (2013). «Male victims of adult sexual assault», *Journal of Interpersonal Violence*, vol. 28, p. 2676-2694.

Duncan, S. et coll. (2014). «Practices and perceptions of living apart together», *Family Science*, vol. 5, n° 1, p. 1-10.

Dune, T. (2013). «Re/developing models for understanding sexuality with disability within rehabilitation counseling», *Electronic Journal of Human Sexuality*, vol. 16.

Dunn, H. et coll. (2014). «Association between sexual behaviors, bullying victimization and suicide ideation in a national sample of high school subjects: Implications of a double standard», *Womens' Health Issues*, vol. 24, p. 567-574.

Dunn, M. et Cutler, N. (2000). «Sexual issues in older adults», *AIDS Patient Care and STDs*, vol. 14, p. 67-69.

Dunn, M. et Trost, J. (1989). «Male multiple orgasms: A descriptive study», *Archives of Sexual Behavior*, vol. 18, p. 377-388.

Dupras, A. (dir.) (1989). *La sexologie au Québec*, Longueuil, IRIS.

Dupras, A. (2000). «Sexualité et handicap: de l'angélisation à la sexualisation de la personne handicapée physique», *Nouvelles pratiques sociales*, vol. 13, n° 1, juin, p. 173-189.

Duquet, F. (2002). *La violence et le sexisme dans les vidéoclips: du sexisme «ordinaire» à la banalisation de la violence sexuelle*, Québec, Ministère de l'Éducation du Québec, Coordination de la condition féminine.

Durex (2005). *2005 Global Sex Survey results*, [En ligne], www.data360.org/pdf/20070416064139.Global%20Sex%20Survey.pdf (Page consultée le 6 mars 2017).

Durex (2008). *Sexual well-being global survey 2007/2008*, [En ligne], www.durexworld.com/en-US/SexualWellbeingSurvey/pages/default.aspx (Page consultée le 4 avril 2009).

Dworkin, S. et O'Sullivan, L. (2005). «Actual versus desired initiation patterns among a sample of college men: Tapping disjunctures within traditional male sexual scripts», *Journal of Sex Research*, vol. 42, p. 150-158.

Dwyer, M. (1988). «Exhibitionism/voyeurism», *Journal of Social Work and Human Sexuality*, vol. 7, p. 101-112.

Eagly, A. et Wood, W. (2013). «The nature-nurture debates: 25 years of challenges in understanding the psychology of gender», *Perspectives on Psychological Science*, vol. 8, p. 340-357.

Eardley, I. et coll. (2006). «Partners of heterosexual men with erectile dysfunction, treated with vardenafil, feel themselves to be sexually more desirabl», *Journal of Sexual Medicine*, vol. 3(Suppl. 3), p. 224-286.

Easton, S. et coll. (2014). «Would you tell under circumstances like that?», *Psychology of Men & Masculinity*, vol. 15, p. 460-469.

Eastwick, P., Finkel, P. et Eli, J. (2008). «Sex differences in mate preferences revisited: Do people know what they initially desire in a romantic partner?», *Journal of Personality and Social Psychology*, vol. 9, p. 245-264.

Eberstadt, M. (2009). «Is pornography the new tobacco?», *Policy Review*, vol. 154, p. 3-19.

Eccles, A., Marshall, W. et Barbaree, H. (1994). «Differentiating rapists and nonrapists using the rape index», *Behaviour Research and Therapy*, vol. 32, p. 539-546.

Eccles, J., Barber, E. et Jozefowicz, D. (1999). «Linking gender to educational, occupational, and recreational choices: Applying the model of achievement-related choices». Dans W. Swann et J. Langlois (dir.), *Sexism and stereotypes in modern society: The gender science of Janet Taylor Spence*, Washington, DC, American Psychological Association.

Ecker, J. (2016). «Queer, young, and homeless: A review of the literature», *Child & Youth Services*. doi: 10.1080/0145935X.2016.1151781

Ecker, N. (1993). «Culture and sexual scripts out of Africa», *SIECUS Report*, vol. 22, p. 16.

Edelman, E. et coll. (2014a). «Sexual partner notification of HIV infection among a national United States-based sample of HIV infected men», *AIDS and Behavior*, vol. 18, p. 1898-1903.

Edelman, E. et coll. (2014b). «Opportunities for improving partner notification for HIV: Results from a community-based participatory research study», *AIDS and Behavior*, vol. 18, p. 1888-1897.

Edwards, K. et coll. (2011). «Rape myths: History, individual and institutional-level presence, and implications for change», *Sex Roles*, vol. 65, n° 11, p. 761-773.

Edwards, M. (2014). *Adverse fetal outcomes expanding the role of infection*, [En ligne], http://jama.jamanetwork.com/article.aspx?articleid51841951 (Page consultée le 1er mars 2017).

Ehring, T. et coll. (2014). «Meta-analysis of psychological treatment for posttraumatic stress disorder in adult survivors of childhood abuse», *Clinical Psychology Review*, vol. 34, p. 645-657.

Eisenberg, E. et Chahine, B. (2014). *Endometriosis*, [En ligne], www.womenshealth.gov/publications/our-publications/fact-sheet/endometriosis.html (Page consultée le 6 mars 2017).

Eisenberg, M. et coll. (2013). «The relationship between male BMI and waist circumference on semen quality: Data from the LIFE study», *Oxford Journal*, vol. 29, p. 193-200.

Einstein, G. (2008). «From body to brain: Considering the neurobiological effects of female genital cutting», *Perspectives in Biology and Medicine*, vol. 51, p. 84-98.

Eisner, T., Conner, J. et Carrel, J. (1990). «Systemic retention of ingested cantharidin by frogs», *Chemoecology*, vol. 1, p. 57-62.

Eitzen, D. et Zinn, M. (2000). *Social problems* (8e éd.), Boston, MA, Allyn and Bacon.

Eke, N. et Nkanginieme, K. (2006). «Female genital mutilation and obstetric outcome», *The Lancet*, vol. 367, p. 1799-1800.

Elders, J. (2010). «Sex for health and pleasure through-out a lifetime», *Journal of Sexual Medicine*, vol. 7, p. 248-249.

Elias, J. et Gebhard, P. (1969). «Sexuality and sexual learning in childhood», *Phi Delta Kappan*, vol. 50, p. 401-405.

Eliot, L. (2009). *Pink brain, blue brain: How small differences grow into troublesome gaps—and what we can do about it*, Boston, MA, Houghton Mifflin Harcourt.

Elliott, L. et Brantley, C. (1997). *Sex on campus*, New York, NY, Random House.

Elliott, S. et Burgess, V. (2005). «The presence of gamma-hydroxybutyric acid (GHB) and gamma-butyrolactone (GBL) in alcoholic and nonalcoholic beverages», *Forensic Science International*, vol. 151, p. 289-292.

Ellis, L., Robb, B. et Burke, D. (2005). «Sexual orientation in United States and Canadian college students», *Archives of Sexual Behavior*, vol. 34, p. 569-582.

Ellison, C. (2000). *Women's sexualities*. Oakland, CA, New Harbinger Publications.

El-Noshokaty, A. (2006). *Sex and the City*, [En ligne], http://weekly.ahram.org.eg/2006/813/lil.htm (Page consultée le 5 décembre 2012).

Elphinston, R. A. et Noller, P. (2011). «Time to face it! Facebook intrusion and the implications for romantic jealousy and relationship satisfaction», *Cyberpsychology, Behavior, and Social Networking*, vol. 14, p. 631-635. doi: 10.1089/cyber.2010.0318

Elraiyah, T. et coll. (2014). «The benefits and harms of systemic testosterone therapy in postmenopausal women with normal adrenal function: A systematic review and meta-analysis», *Journal of Clinical Endocrinology and Metabolism*, vol. 99, p. 3543-3550.

Else-Quest, N. (2014). «Robust but plastic: Gender differences in emotional responses to sexual debut», *Journal of Sex Research*, vol. 51, p. 473-476.

Else-Quest, N. et coll. (2013). «Math and science attitudes and achievement at the intersection of gender and ethnicity», *Psychology of Women Quarterly*, vol. 37, p. 293-309.

Elton, C. (2010). «Learning to lust», *Psychology Today*, mai/juin, p. 70-77.

Elwood, A. (2005). «Female genital cutting, "circumcision" and mutilation: Physical, psychological and cultural perspectives», *Contemporary Sexuality*, vol. 39, p. I-V.

El-Zanaty, F. et Way, A. (2006). *Egypt Demographic and Health Survey 2005*, Caire, Égypte, Ministry of Health and Population, National Population Council, El-Zanaty and Associates, and ORC Macro.

Em & Lo (2012). *50 Shades of Play: A Beginner's Guide to Kink*. New York, NY, Better Half Books.

Emens, E. (2014). «Compulsory sexuality», *Stanford Law Review*, vol. 66, p. 303-344.

Emploi et Développement social Canada (2016). *Harcèlement sexuel*, [En ligne], www.canada.ca/fr/emploi-developpement-social/programmes/normes-travail/normes-federales/harcelement-sexuel.html (Page consultée le 22 décembre 2016).

Envisioning Global LGBT Human Rights (2015). *Is Canada a Safe Haven?* [En ligne], yfile.news.yorku.ca/files/2015/09/Is-Canada-A-Safe-Haven-Report-2015.pdf (Page consultée le 28 février 2017).

Epstein, M. et coll. (2009). «"Anything from making out to having sex": Men's negotiations of hooking up and friends with benefits scripts», *Journal of Sex Research*, vol. 46, n° 5, p. 414-424.

Epstein, R. (2006). «Do gays have a choice?», *Scientific American Mind*, février/mars, p. 51-57.

Epstein, R. (2010). «How science can help you fall in love», *Scientific American*, janvier/février, p. 26-33.

Erzen, T. (2006). *Straight to Jesus: Sexual and Christian Conversions in the Ex-Gay Movement*, Berkeley, CA, University of California Press.

Escobar-Chaves, S. et coll. (2005). «Impact of the media on adolescent sexual attitudes and behaviors», *Pediatrics*, vol. 116, p. 303-326.

Espelage, D. et coll. (2008). «Homophobic teasing, psychological outcomes, and sexual orientation among high school students: What influence do parents and schools have?», *School Psychology Review*, vol. 37, p. 202-216.

Estrada, F. et coll. (2011). «Machismo and Mexican American men: An empirical understanding using a gay sample», *Journal of Counseling Psychology*, vol. 58, p. 358-367.

Ethics Committee of the American Society for Reproductive Medicine (2014). «Oocyte or embryo donation to women of advanced age: A committee opinion», *Fertility and Sterility*, vol. 100, p. 335-340.

Ettala, O. et coll. (2014). «High-intensity physical activity, stable relationship, and high education level associated with decreasing healthy cardiovascular risk subjects», *Journal of Sexual Medicine*, vol. 11, p. 2277-2284.

Fahim, K. (2011). «Claims of wartime rape unsettle and divide Libyans», *New York Times*, 20 juin, p. A11.

Fahs, B. (2011). *Performing sex: The making and unmaking of women's erotic lives*, Albany, NY, The State University of New York Press.

Fahs, B. et Munger, A. (2015). «Friends with benefits? Gendered performances in women's casual sexual relationships», *Personal Relationships*, vol. 22, no 2, p. 188-203.

Fairweather, A. et Kinder, B. (2013). «Predictors of relationship adjustment in female survivors of childhood sexual abuse», *Journal of Interpersonal Violence*, vol. 28, p. 538-557.

Fan, M. (2006). *On China's airwaves, a discourse on sex ed: Radio show caters to young audience*, [En ligne], www.boston.com/news/world/asia/articles/2006/09/20/on_chinas_airwaves_a_ discourse_on_sex_ed (Page consultée le 26 septembre 2006).

Fang, B. (2007). «The Talibanization of Iraq», *Ms.*, printemps, p. 46-51.

Farley, M. (2004). *Prostitution, trafficking, and traumatic stress*, New York, NY, Haworth Maltreatment and Trauma Press.

Farr, K. (2004). *Sex trafficking: The global market in women and children*, New York, NY, W.H. Freedman.

Farvid, P. et Braun, V. (2013). «Casual sex as "not a natural act" and other regimes of truth about heterosexuality», *Feminism & Psychology*, vol. 23, no 3, p. 359-378.

Fasula, A. et coll. (2014). «A multidimensional framework for the meaning of the sexual double standard and its application for the sexual health of young Black women in the U.S.», *Journal of Sex Research*, vol. 51, p. 170-183.

Faul, M. (2011). «Libyan women report rapes», *Oregonian*, 29 mai, p. A11.

Fausto-Sterling, A. (2000). *Sexing the body: Gender politics and the construction of sexuality*, New York, NY, Basic Books.

Favez, N. (2013). «La transition à la parentalité et les réaménagements de la relation de couple», *Dialogue*, vol. 199, p. 73-83.

Favez, N. et coll. (2015). «Coparenting in stepfamilies: Maternal promotion of family cohesiveness with partner and with father», *Journal of Child and Family Studies*, vol. 24, no 11, p. 3268-3278.

FDA (2016). *Tainted Sexual Enhancement Products*, [En ligne], www.fda.gov/Drugs/ResourcesForYou/Consumers/BuyingUsingMedicineSafely/MedicationHealthFraud/ucm234539.htm (Page consultée le 14 septembre 2016).

Fédération canadienne des étudiants et étudiantes (2015). *Sexual violence on campus*, [En ligne], http://cfsontario.ca/wp-content/uploads/sites/50/2017/01/Sexual-Assault-Factsheet.pdf (Page consultée le 1er mars 2017).

Fédération du Québec pour le planning des naissances [FQPN] (2014). *Techniques de procréation assistée*, [En ligne], www.fqpn.qc.ca/main/wp-content/uploads/2014/11/procreationassistee2014.pdf (Page consultée le 3 mars 2017).

Fédération du Québec pour le planning des naissances [FQPN] (2016a). *La contraception au Québec*, [En ligne], www.fqpn.qc.ca/public/informez-vous/contraception/la-contraception-au-quebec (Page consultée le 3 mars 2017).

Fédération du Québec pour le planning des naissances [FQPN] (2016b). *Stérilet avec hormone, Dispositif intra-utérin libérant du lévonorgestrel (DIU-LNG)*, [En ligne], www.fqpn.qc.ca/?methodes=sterilet-mirena (Page consultée le 3 mars 2017).

Fédération du Québec pour le planning des naissances [FQPN] (2016c). *Minipilule*, [En ligne], www.fqpn.qc.ca/?methodes=minipilule (Page consultée le 3 mars 2017).

Fédération du Québec pour le planning des naissances [FQPN] (2016d). *Injection contraceptive*, [En ligne], www.fqpn.qc.ca/?methodes=injection-contraceptive (Page consultée le 3 mars 2017).

Fédération du Québec pour le planning des naissances [FQPN] (2016e). *Diaphragme*, [En ligne], www.fqpn.qc.ca/?methodes=diaphragme (Page consultée le 3 mars 2017).

Fédération du Québec pour le planning des naissances [FQPN] (2016f). *Stérilet de cuivre*, [En ligne], www.fqpn.qc.ca/?methodes=sterilet (Page consultée le 3 mars 2017).

Fédération du Québec pour le planning des naissances [FQPN] (2016g). *Avortement*, [En ligne], www.fqpn.qc.ca/public/informez-vous/grossesse-non-planifiee/avortement (Page consultée le 3 mars 2017).

Federman, D. (2006). «The biology of human sex differences», *New England Journal of Medicine*, vol. 354, p. 1507-1514.

Fedora, O. et coll. (1992). «Sadism and other paraphilias in normal controls and aggressive and nonaggressive sex offenders», *Archives of Sexual Behavior*, vol. 21, p. 1-15.

Fei, C. et coll. (2009). *Maternal levels of perflourinated chemicals and subfecundity*, [En ligne], http://humrep.oxfordjournals.org/cgi/contents/abstract/den490v1 (Page consultée le 21 avril 2009).

Feiring, C. et coll. (2009). «Childhood sexual abuse, stigmatization, internalizing symptoms, and the development of sexual difficulties and dating aggression», *Journal of Consulting and Clinical Psychology*, vol. 77, p. 127-137.

Ferguson, N. (2011). «Men without women: The ominous rise of Asia's bachelor generation», *Newsweek*, vol. 15.

Fernandes, T. et coll. (2014). «Efficacy of vaginally applied estrogen, testosterone, or polyacrylic acid on sexual function in postmenopausal women», *Journal of Sexual Medicine*, vol. 11, p. 1262-1270.

Fernet, M., Imbleau, M. et Pilote, F. (2001). «Sexualité et mesures préventives contre les MTS et la grossesse». Dans Institut de la statistique du Québec, *Enquête sociale et de santé auprès des enfants et des adolescents québécois en 1999*, Québec, Québec, Publications du Québec.

Feroli, K. et Burstein, G. (2003). «Adolescent sexually transmitted diseases», *American Journal of Maternal/Child Nursing*, vol. 28, p. 113-118.

Ferrer, F. et McKenna, P. (2000). «Current approaches to the undescended testicle», *Contemporary Pediatrics*, vol. 17, p. 106-112.

FHI 360 (2016). *Contraceptive Technology Innovation*, [En ligne], www.fhi360.org/sites/default/files/media/documents/cti-brochure-2016.pdf (Page consultée le 3 mars 2017).

Fielder, R.L. et Carey, M.P. (2010). «Prevalence and characteristics of sexual hookups among first-semester female college students», *Journal of Sex & Marital Therapy*, vol. 36, no 4, p. 346-359.

Fillion, K. (1996). «This is the sexual revolution?», *Saturday Night*, février, p. 36-41.

Finer, L. et Philbin, J. (2013). «Sexual initiation, contraception use, and pregnancy among young adolescents», *Pediatrics*, vol. 131, p. 886–891.

Finger, W. (2000). «Avoiding sexual exploitation: Guidelines for therapists», *SIECUS Report*, vol. 28, p. 12-13.

Finger, W., Lund, M. et Slagle, M. (1997). «Medications that may contribute to sexual disorders», *Journal of Family Practice*, vol. 44, p. 33-43.

Finger, W., Quillen, J. et Slagle, M. (2000). *They can't all be Viagra: Medications causing sexual dysfunctions*, Paper presented at the 32nd Annual Conference of the American Association of Sex Educators, Counselors, and Therapists, 10-14 mai, Atlanta, GA.

Fischer, M.-L. et Voracek, M. (2006). «The shape of beauty: Determinants of female physical attractiveness», *Journal of Cosmetic Dermatology*, vol. 5, n° 2, juin, p. 190-194.

Fischetti, M. (2011). «Passionate love in the brain as revealed by MRI scans», *Scientific American*, vol. 14, p. 2.

Fisher, H. (2008). *Pourquoi nous aimons?*, Paris, Pocket.

Fisher, M., Ulrich, T. et Voracek, M. (2008). «The influence of relationship status, mate seeking, and sex on intrasexual competition», *Journal of Social Psychology*, vol. 148, p. 493-508.

Fisher, W. et coll. (2006). «Prevalence of premature ejaculation among men with erectile dysfunction in the men's attitudes to life events and sexuality (MALES) study», *Journal of Sexual Medicine*, vol. 3(Suppl. 3), p. 176-198.

Fitzgerald, L., Gillian, A. et Brunton, C. (2009). *The health and safety of sex workers in a decriminalized environment: The New Zealand experience*, article présenté lors du 19ᵉ WAS World Congress for Sexual Health, 21-25 juin, Göteborg, Suède.

Fleming, M. et Pace, J. (2001). «Sexuality and chronic pain», *Journal of Sex Education and Therapy*, vol. 26, p. 204-214.

Fleming, M. et Rickwood, D. (2004). «Teens in cyberspace. Do they encounter friend or foe?», *Youth Studies Australia*, vol. 23, p. 46-52.

Flores, A. (2014). *National trends in public opinion on LGBT rights in the United States*, [En ligne], http://williamsinstitute.law.ucla.edu/research/census-lgbt-demographics-studies/natl-trends-nov-2014/#sthash.ilteanoD.dpug (Page consultée le 6 mars 2017).

Floyd, K. (2006). *Communicating affection: Interpersonal behavior and social context*, Cambridge, Cambridge University Press.

Floyd, K. et coll. (2007). «Human affection exchange: XIV. Relational affection predicts resting heart rate and free cortisol secretion during acute stress», *Behavioral Medicine*, vol. 32, p. 151-155.

Floyd, K. et Morman, M. (2000). «Affection received from fathers as a predictor of men's affection with their own sons: Tests of the modeling and compensation hypotheses», *Community Monograph*, vol. 67, p. 347-361.

Foldes, P. et Sylvestre, C. (2007). *Surgical repair of the clitoris after ritual genital mutilation: Results on 453 cases*, article présenté lors du 18ᵉ congrès de la World Association for Sexual Health, 15-19 avril, Sydney, Australie.

Foley, D. (2006). «Spice up your love life», *Prevention*, vol. 58, p. 172.

Fomby, P. et Bosick, S. (2014). «Family instability and the transition to adulthood», *Journal of Marriage and Family*, vol. 75, p. 1266-1287.

Fone, B. (2000). *Homophobia: A history*, New York, NY, Metropolitan Books.

Footner, A. (2008). *Paraguay's traffic hub imperils female teens*, [En ligne], http://womensenews.org/story/the-world/080108/paraguays-traffic-hub-imperils-female-teens (Page consultée le 28 septembre 2012).

Ford, C. et Beach, F. (1951). *Patterns of sexual behavior*, New York, NY, Harper and Row.

Forsyth, C. (1996). «The structuring of vicarious sex», *Deviant Behavior: An Interdisciplinary Journal*, vol. 17, p. 279-295.

Fortenberry, D. (2013). «Puberty and adolescent sexuality», *Hormones and Behavior*, vol. 64, p. 280-287.

Fortenberry, D. et coll. (2010). «Sexual behaviors and condom use at last vaginal intercourse: A national sample of adolescents ages 14 to 17 years», *Journal of Sexual Medicine*, vol. 7, p. 305-314.

Fox, A. (2014). «Marital concurrency and HIV risk in 16 African countries», *AIDS and Behavior*, vol. 18, p. 791-806.

Fox, J. et coll. (2013). «The role of Facebook in romantic relationship development», *Journal of Social and Personal Relationships*, vol. 30, p. 771-794.

Fox, R., Burton, D. et Lawson, D. (2006). *The effect of spiritual attitudes on hypoactive sexual desire disorder*, Paper presented at the Gumbo Sexualité Upriver: Spicing Up Education and Therapy (AASECT 38th Annual Conference), juin/juillet, St. Louis, MO.

Fox, T. (1995). *Sexuality and Catholicism*, New York, NY, George Braziller.

Fraley, R. et coll. (2013). «The legacy of early experience in development: Formalizing alternative models of how early experiences are carried over time», *Developmental Psychology*, vol. 49, p. 109-126.

Fraley, R.C. et Shaver, P.R. (2000.) «Theoretical developments, emerging controversies, and unanswered questions», *Review of General Psychology*, vol. 4, n° 2, p. 132-154.

Francis, A. (2008). «Family and sexual orientation: The family-demographic correlates of homosexuality in men and women», *Journal of Sex Research*, vol. 45, p. 371-378.

Francœur, R. (2001). «Challenging collective religious/social beliefs about sex, marriage, and family», *Journal of Sex Education and Therapy*, vol. 26, p. 281-290.

Frank, J., Mistretta, P. et Will, J. (2008). «Diagnosis and treatment of female sexual dysfunction», *American Family Physician*, vol. 77, p. 635-650.

Frank-Hermann, P. et coll. (2007). «The effectiveness of a fertility awareness-based method to avoid pregnancy in relation to a couple's sexual behavior during the fertile time», *Human Reproduction*, vol. 22, p. 1310-1319.

Frankowski, B. (2004). «Sexual orientation and adolescents», *Pediatrics*, vol. 113, p. 1827-1832.

Frayser, S. (1994). «Defining normal childhood sexuality: An anthropological approach», *Annual Review of Sex Research*, vol. 5, p. 173-217.

Frazier, K. (2006). «Memory wars and monster stories», *Skeptical Inquirer*, vol. 30, p. 4.

Frazier, K. et coll. (2009). «Transgenerational trauma and child sexual abuse: Reconceptualizing cases involving young survivors of CSA», *Journal of Mental Health Counseling*, vol. 31, p. 22-33.

Frazier, P. (1993). «A comparative study of male and female victims seen at hospital-based rape crises programs», *Journal of Interpersonal Violence*, vol. 8, p. 65-79.

Freeman, D. (2009). *Masturbation: 5 things you didn't know*, [En ligne], http://feelingfit.com/healthymen/topic/9826-24/story (Page consultée le 31 juillet 2012).

Freeman, J., Coe, H. et King, M. (2014). *Les comportements de santé des jeunes d'âge scolaire: rapport sur les tendances 1990-2010*, [En ligne], www.phac-aspc.gc.ca/hp-ps/dca-dea/prog-ini/school-scolaire/behaviour-comportements/assets/pdf/trends-tendances-fra.pdf (Page consultée le 24 février 2017).

Freleng, M. (2013). *Feminist porn awards spotlight an emerging genre*, [En ligne], http://womensenews.org/story/cultural-trendspopular-culture/130326/feminist-porn-awards-spotlight-emerging-genre (Page consultée le 6 mars 2017).

French, D. et Dishion, T. (2003). «Predictors of early initiation of sexual intercourse among high- risk adolescents», *Journal of Early Adolescence*, vol. 23, p. 295-315.

Freud, S. (1905). *Trois essais sur la théorie de la sexualité* (rééd. 1964), Paris, Gallimard.

Freund, K. et Blanchard, R. (1993). «Erotic target location errors in male gender dysphorics, paedophiles, and fetishists», *British Journal of Psychiatry*, vol. 162, p. 558-563.

Freund, K., Seto, M. et Kuban, M. (1996). «Two types of fetishism», *Behaviour Research and Therapy*, vol. 34, p. 687-694.

Freund, K., Seto, M. et Kuban, M. (1997). «Frotteurism and the theory of courtship disorder». Dans D. Laws et W. O'Donohue (dir.), *Sexual deviance: Theory, assessment, and treatment*, New York, NY, Guilford Press.

Freund, M., Lee, N. et Leonard, T. (1991). «Sexual behavior of clients with street prostitutes in Camden, N.J.», *Journal of Sex Research*, vol. 28, p. 579-591.

Frey, R. (2014). *Exhibitionism*, [En ligne], www.encyclopedia.com/topic/Exhibitionism.aspx (Page consultée le 14 juin 2014).

Friedman, A. et coll. (2014). «An assessment of the GYT: Get Yourself Tested campaign: An integrated approach to sexually transmitted disease prevention communication», *Sexually Transmitted Diseases*, vol. 41, p. 151-157.

Friedrich, W. et coll. (1991). «Normative sexual behavior in children», *Pediatrics*, vol. 88, p. 456-464.

Friedrich, W. et coll. (1998). «Normative sexual behavior in children: A contemporary sample», *Pediatrics*, vol. 101, p. 1-13.

Friess, S. (2003). «Jews oy, two boys?», *Newsweek*, 24 mars, p. 8.

Frisch, M. et coll. (2011). «Associations of unhealthy lifestyle factors with sexual inactivity and sexual dysfunctions in Denmark», *Journal of Sexual Medicine*, vol. 8, p. 1903-1916.

Fritz, M. et Speroff, L. (2010). *Clinical gynecologic endocrinology and infertility* (8th ed.), New York, NY, Lippincott, Williams & Wilkins.

Frohlich, P. et Meston, C. (2005). «Tactile sensitivity in women with sexual arousal disorder», *Archives of Sexual Behavior*, vol. 34, p. 207-218.

Fromm, E. (1956). *The ability to love*, New York, NY, Farrar, Straus and Giroux.

Frost, D. et Eliason, M. (2014). *Challenging the assumption of fusion in female same-sex relationships*, [En ligne], http://journals.sagepub.com/doi/abs/10.1177/0361684313475877 (Page consultée le 6 mars 2017).

Frost, D. et Meyer, I. (2009). «Internalized homophobia and relationship quality among lesbians, gay men, and bisexuals», *Journal of Counseling Psychology*, vol. 56, p. 97-109.

Frost, D.M. et Forrester, C. (2013). «Closeness discrepancies in romantic relationships: Implications for relational well-being, stability, and mental health», *Personality & Social Psychology Bulletin*, vol. 39, n° 4, p. 456-469.

Frost, J. et Darroch, J. (2008). «Factors associated with contraceptive choice and inconsistent method use, United States, 2004», *Perspectives on Sexual and Reproductive Health*, vol. 40, p. 94-104.

Fudge, E. et coll. (2014). «Improving detection of hypertension in girls with Turner Syndrome using ambulatory blood pressure monitoring», *Hormone Research in Paediatrics*, vol. 81, p. 25-31.

Fugl-Meyer, K. et coll. (2006). «On orgasm, sexual techniques, and erotic perceptions in 18 to 74-year-old Swedish women», *Journal of Sexual Medicine*, vol. 3, p. 56-68.

Gagnon, J. (1977). *Human Sexualities*, Glenview, Scott, Foresman.

Galbally, M. et coll. (2011). «The role of oxytocin in mother-infant relations: A systematic review of human studies», *Harvard Review of Psychiatry*, vol. 19, p. 1-14.

Galewitz, P. (2000). *New birth control method approved*, [En ligne], www.salon.com/mwt/wire/2000/10/06/birth_control/index.html (Page consultée le 6 octobre 2000).

Galhardo, A. et coll. (2011). «The impact of shame and self-judgment on psychopathology in infertile patients», *Human Reproduction*, vol. 26, p. 2408-2414.

Galinsky, A. et Sonenstein, F. (2011). «The association between developmental assets and sexual enjoyment among emerging adults», *Journal of Adolescent Health*, vol. 48, p. 610-615.

Gallo, L. et Smith, T. (2001). «Attachment style in marriage: Adjustment and responses to interaction», *Journal of Social and Personal Relationships*, vol. 18, p. 263-289.

Gamble, L. (2014). *Korean women are getting hair transplants on their lady parts*, [En ligne], http://watoday.com.au/lifestyle/beauty/korean-women-are-getting-hair-transplants-on-their-lady-parts-20141113-11lj2g.html (Page consultée le 6 mars 2017).

Gander, K. (2014). *Facebook's new gender options: 50 new categories include trans and intersex*, [En ligne], www.independent.co.uk/life-style/gadgets-and-tech/news/facebook-odds-new-gender-options-50-new-categories-include-trans-and-intersex-9127209.html (Page consultée le 6 mars 2017).

Gange, S. (1999). *When is adult circumcision necessary?*, [En ligne], www.cnn.com/HEALTH/men/circumcision.adult/index.html (Page consultée le 20 septembre 1999).

Ganley, C. et coll. (2014). «Spatial ability mediates the gender difference in middle school students' science performance», *Child Development*, vol. 85, p. 1419-1432.

Garcia, J. et coll. (2014). «Variation in orgasm occurrence by sexual orientation in a sample of U.S. singles», *Journal of Sexual Medicine*. doi: 10.1111/jsm.12669

Garcia, J.R. et Reiber, C. (2008). «Hook-up behavior: A biopsychosocial perspective», *Journal of Social, Evolutionary, and Cultural Psychology*, vol. 2, n° 4, p. 192-208.

Garcia, L. et Markey, C. (2007). «Matching in sexual experience for married, cohabitating, and dating couples», *Journal of Sex Research*, vol. 44, p. 250-255.

Garcia-Moreno, C. (2014). «Responding to sexual violence in armed conflict», *Lancet*, vol. 383, p. 2034-2037.

Gardner, M. (2006). «The memory wars: Part I», *Skeptical Inquirer*, vol. 30, p. 28-31.

Garelick, T. et Swann, J. (2014). «Testosterone regulates the density of dentritic spines in the male preoptic area», *Hormones and Behavior*, vol. 65, p. 249-253.

Garland, B. et Wilson, G. (2013). «Prison inmates' views of whether reporting rape is the same as snitching: An exploratory study and research agenda», *Journal of Interpersonal Violence*, vol. 28, p. 1201-1222.

Garlough, C. (2008). «The risks of acknowledgement: Performing the sex-selection identification and abortion debate», *Women's Studies in Communication*, vol. 31, p. 368-395.

Garneau, C. et Pasley, K. (2013). «Stress and resilience in stepfamilies today». Dans C.A. Price, K.R. Bush et S.J. Price (dir.), *Families & Change: Coping With Stressful Events and Transitions*, Londres, Sage Publications.

Garza-Leal, J. et Landron, F. (1991). «Autoerotic asphyxial death initially misinterpreted as suicide and review of the literature», *Journal of Forensic Science*, vol. 36, p. 1753-1759.

Gaspari, L. (2011). «Prenatal environmental risk factors for genital malformations in a population of 1,442 French newborns», *Human Reproduction*, vol. 26, p. 3155-3159.

Gates, G. (2013). *Same-sex and different-sex couples in the American community survey: 2005-2011*, [En ligne], http://williamsinstitute.law.ucla.edu/research/census-lgbt-demographics-studies/ss-and-ds-couples-in-acs-2005-2011 (Page consultée le 6 mars 2017).

Gati, I. et Perez, M. (2014). «Gender differences in career preferences from 1990 to 2010: Gaps reduced or eliminated», *Journal of Counseling Psychology*, vol. 61, p. 63-80.

Geadah, Y. (2003). *La prostitution: un métier comme un autre?*, Montréal, VLB éditeur.

Gearhart, P. et Robboy, A. (2005). «Sex and sexuality in pregnancy», communication donnée à What's New and What Works: Pioneering Solutions for Today's Sexual Issues (37e conférence annuelle de l'AASECT), mai, Portland, OR.

Gebhard, P. (1971). «Human sexual behavior: A summary statement». Dans D. Marshall et R. Suggs (dir.), *Human sexual behavior: Variations in the ethnographic spectrum*, Englewood Cliffs, NJ, Prentice Hall.

Gebhard, P. et coll. (1965). *Sex offenders: An analysis of types*, New York, NY, Harper and Row.

Gelfand, M. (2000). «The role of androgen replacement therapy for postmenopausal women», *Contemporary Obstetrics and Gynecology*, février, p. 107-116.

Gelperin, N. (2005). *Oral sex and teens: The new third base?*, Paper presented at What's New and What Works: Pioneering Solutions for Today's Sexual Issues (AASECT 37th Annual Conference), mai, Portland, OR.

Gendel, E. et Bonner, E. (1988). «Gender identity disorders and paraphilias». Dans H. Goldman (dir.), *Review of general psychiatry*, Norwalk, CT, Appleton and Lange.

Genevie, L. et Margolies, E. (1987). *The motherhood report: How women feel about being mothers*, New York, NY, Macmillan.

Geraerts, E. et coll. (2009). «Cognitive mechanisms underlying of recovered-memory experiences of childhood sexual abuse», *Psychological Science*, vol. 20, p. 92-98.

Geraets, D.T. et coll. (2014). «Cross-sectional of genital carcinogenic HPV infections in Paramaribo, Suriname: Prevalence and determinants in an ethnically diverse population of women in a pre-vaccination era», *Sexually Transmitted Infections*, vol. 90, p. 627-633.

Gerding, A. et Signorielli, N. (2014) «Gender roles in tween television programming: A content analysis of two genres», *Sex Roles*, vol. 70, p. 43-56.

Gesselman, A.N., Webster, G.D. et Garcia, J.R. (2016). «Has virginity lost its virtue? Relationship stigma associated with being a sexually inexperienced adult», *Journal of Sex Research*, p. 1-12.

Gettleman, J. (2009). «Men raping men is latest atrocity in grisly Congo conflict», *Oregonian*, 9 août, p. A11.

Ghent, B. (2003). «A new day in Washington», *Advocate*, 18 mars, p. 18.

Giargiari, T. (2005). « Appetitive responses to sexual stimuli are attenuated in individuals with low levels of sexual desire», *Archives of Sexual Behavior*, vol. 34, p. 547-557.

Gibson, E. (2012). *Doctor: Pubic hair exists for a reason—our obsession with hairless genitals must end!*, [En ligne], www.alternet.org/doctor-pubic-hair-exists-reason-our-obsession-hairless-genitals-must-end-0 (Page consultée le 6 mars 2017).

Giddens, A. (1992). *The Transformations of Intimacy: Sexuality, Love and Eroticism in Modern Societies*, Stanford, CA, Stanford University Press.

Gierhart, B. (2006). «When does a "less than perfect" sex life become female sexual dysfunction?», *Obstetrics and Gynecology*, vol. 107, p. 750-751.

Gilbert, B., Heesacker, M. et Gannon, L. (1991). «Changing the sexual aggression-supportive attitudes of men: A psychoeducational intervention», *Journal of Counseling Psychology*, vol. 38, p. 197-203.

Gilbert, M. et Hottes, T. (2014). «Alternative strategies for partner notification: A missing piece of the puzzle», *Sexually Transmitted Infections*, vol. 90, p. 174-175.

Gilbert, S. (2009). «The octuplets: Balancing the rights of parents and the welfare of children», *Bioethics Forum*, [En ligne], www.thehastingscenter.org/Bioethicsforum/Post.aspx?id=3190 (Page consultée le 27 novembre 2012).

Gillian, A., Fitzgerald, L. et Brunton, C. (2009). *Decriminalization of sex work: The New Zealand experience*, Paper presented at the 19th WAS World Congress for Sexual Health, 21-25 juin, Göteborg, Suède.

Gillison, M.L. et coll. (2012). «Human papillomavirus and diseases of the upper airway: Head and neck cancer and respiratory papillomatosis», *Vaccine*, vol. 30, p. F34-F54.

Gilmore, A. et coll. (2014). «Influences of situational factors and alcohol expectancies on sexual desire and arousal among heavy-episodic drinking women», *Archive of Sexual Behavior*, vol. 42, p. 949-952.

Ginty, M. (2007). *U.S. girls' early puberty attracts research flurry*, [En ligne], http://womensenews.org/story/health-science/070330/us-girls-early-puberty-attracts-research-flurry (Page consultée le 26 avril 2012).

Giorgi, G. et Siccardi, M. (1996). «Ultrasonographic observation of a female fetus' sexual behavior in utero», *American Journal of Obstetrics and Gynecology*, septembre, vol. 175, p. 753.

Girshman, P. (2011). *Virus passed during anal sex tops tobacco as throat cancer cause*, [En ligne], www.npr.org/blogs/health/2011/2/22/133968901/viruspassed-during-oral-sex-tops-tobacco-asthroat-cancer-cause (Page consultée le 25 février 2011).

Givertz, M. et coll. (2016). «Attachment orientation moderates the relationship between dedication and constraint commitment and felt constraint in married couples», *Couple and Family Psychology: Research and Practice*, vol. 5, nº 1, p. 1-11.

Gjermeni, E., Van Hook, M. et Gjipali, S. (2008). «Trafficking of children in Albania: Patterns of recruitment and reintegration», *Child Abuse and Neglect*, vol. 10, p. 941-948.

GLAAD. (2014). *GLAAD media reference guide — Transgender issues*, [En ligne], www.glaad.org/reference/transgender (Page consultée le 6 mars 2017).

Glass, A. et coll. (2012). «Pubic hair grooming injuries presenting to U.S. emergency departments», *Urology*, vol. 80, p. 1187-1191.

Glazer, A., Wolf, A. et Gorby, N. (2011). «Postpartum contraception: Needs vs. reality», *Contraception*, vol. 83, p. 238-241.

Gleason, J. et coll. (2011). «Regular nonsteroidal anti-inflammatory drug use and erectile dysfunction», *Journal of Urology*, vol. 184, p. 1388-1393.

Glei, D. (1999). «Measuring contraceptive use patterns among teenage and adult women», *Family Planning Perspectives*, vol. 31, p. 73-80.

Gleicher, N. et coll. (2014). «Fertility treatments and multiple births in the United States», *New England Journal of Medicine*, vol. 370, p. 1069-1071.

Glick, P. et Fiske, S. (2001). «An ambivalent alliance: Hostile and benevolent sexism as complementary justifications for gender inequality», *American Psychologist*, février, p. 109-118.

Glina, S. et coll. (2013). «Modifying risk factors to prevent and treat erectile dysfunction», *Journal of Sexual Medicine*, vol. 10, p. 115-119.

Gloudeman, N. (2014). *Where's all the good porn for women? 4 female adult film producers weigh in*, [En ligne], www.ravishly.com/2014/11/12/wheres-all-good-porn-women-4-female-adult-film-producers-weigh (Page consultée le 6 mars 2017).

Gloudeman, N. (2015). *Feminist film maker Erika Lust on why porn must change*, [En ligne], www.huffingtonpost.com/nikki-gloudeman/why-porn-must-change_b_6571348.html (Page consultée le 6 mars 2017).

Godeau, E. et coll. (2008). «Contraceptive use by 15-year-old students at their last sexual intercourse», *Archives of Pediatric Adolescent Medicine,* vol. 162, p. 66-73.

Goldberg, A. et Smith, J. (2011). «Stigma, social context and mental health: Lesbian and gay couples across the transition to adoptive parenthood», *Journal of Counseling Psychology,* vol. 58, p. 139-150.

Goldberg, A. et Smith, J. (2013). «Predictors of psychological adjustment in early placed adopted children with lesbian, gay and heterosexual parents», *Journal of Family Psychology,* vol. 27, p. 431-442.

Goldberg, H. (1990*)*. *L'homme sans masque*, Montréal, Le jour éditeur, coll. Actualisation.

Goldberg, L. (2014). *Fisting, anal sex, penis pictures: Broadcast TV's ratings grab gets raunchy*, [En ligne], www.hollywood-reporter.com/news/fisting-anal-sex-penis-pictures-746403 (Page consultée le 6 mars 2017).

Goldberg, M. (2006). *Kingdom coming: The rise of Christian nationalism*, New York, NY, W.W. Norton.

Goldberg, N. et Meyer, I. (2013). «Sexual orientation disparities in history of intimate partner violence», *Journal of Interpersonal Violence,* vol. 28, p. 1109-1118.

Goldman, H. (1992). *Review of general psychiatry*, Norwalk, CT, Appleton and Lange.

Goldman, R. et Goldman, J. (1982). *Children's sexual thinking: A comparative study of children aged 5 to 15 years in Australia, North America, Britain, and Sweden*, Londres, Routledge & Kegan Paul.

Goldstein, A. et coll. (2006). «Surgical treatment of vulvar vestibulitis syndrome: Outcome assessment derived from a postoperative questionnaire», *Journal of Sexual Medicine*, vol. 3, p. 923-931.

Goleman, D. (2006). *Social intelligence*, New York, NY, Bantam Dell.

Golombok, S. et coll. (2014). *Adoptive gay father families: Parent-child relationships and children's psychological adjustment*, [En ligne], http://onlinelibrary.wiley.com/doi/10.1111/cdev.12155/abstract (Page consultée le 6 mars 2017).

Gonzalez, A. et coll. (2014). «Subtypes of exposure to intimate partner violence within a Canadian child welfare sample: Associated risks and child maladjustment», *Child Abuse & Neglect*, vol. 38, p. 1934-1944.

Gonzales, G. (2001). «Function of seminal vesical and their role on male fertility», *Asian Journal of Andrology*, décembre, p. 251-258.

Gonzales, G. (2014). *Same-sex marriage—A perspective for better health*, [En ligne], www.nejm.org/doi/full/10.1056/NEJMp1400254#t=article (Page consultée le 6 mars 2017).

Goodman, A. (2008). «The long wait for male birth control», *Time*, 3 août, [En ligne], www.time.com/time/health/article/0,8599,1829107,00.html (Page consultée le 30 novembre 2012).

Goodman-Brown, T. et coll. (2003). «Why children tell: A model of children's disclosure of sexual abuse», *Child Abuse and Neglect*, vol. 27, p. 525-540.

Goodrum, J. (2000). *A transgender primer*, [En ligne], www.ntac.org/tg101.html (Page consultére le 16 février 2000).

Gordon, S. et Gordon, J. (1989). *Raising a child conservatively in a sexually permissive world*, New York, NY, Simon and Schuster.

Gordon-Messer, D. et coll. (2013). «Sexting Among Young Adults», *Journal of Adolescent Health*, vol. 52, p. 301-306.

Gottlieb, L. (2013). *Equal marriage: Equals less sex*, [En ligne], http://clashdaily.com/2014/04/equal-marriage-equals-less-sex/# (Page consultée le 6 mars 2017).

Gottman, J.M. et coll. (2004). «Correlates of gay and lesbian couples' relationship satisfaction and relationship dissolution», *Journal of Homosexuality*, vol. 45, n° p. 1, 23-43.

Gottman, J.M. et Silver, N. (2001). *Les couples heureux ont leurs secrets – Les sept lois de la réussite*, Paris, Pocket.

Gotz, H. et coll. (2014). «Initial evaluation of an online partner notification tool for STI, called "suggest a test": a cross sectional pilot study», *Sexually Transmitted Infections,* vol. 90, p. 195-200.

Gouvernement du Canada (2004). *Loi sur la procréation assistée*, [En ligne], http://laws-lois.justice.gc.ca/fra/lois/A-13.4/TexteComplet.html (Page consultée le 3 mars 2017).

Gouvernement du Canada (2013). *Virus du papillome humain (VPH)*, [En ligne], www.canada.ca/fr/sante-publique/services/maladies/virus-papillome-humain-vph.html?_ga=1.215132247.1167722211.1479274207 (Page consultée le 2 mars 2017).

Gouvernement du Québec (2001). *Orientations gouvernementales en matière d'agression sexuelle*, Québec, Ministère de la Santé et des Services sociaux, p. 5631-5640.

Gouvernement du Québec (2012). *Parlons drogues*, [En ligne], www.parlonsdrogue.com/fr/accueil/index.php (Page consultée le 17 octobre 2012).

Gowen, L. (2005). «Normative use of online sexual activities», *Oregon Psychologist*, novembre/décembre, p. 5-6.

Graber, J. (2013). «Pubertal timing and the development of psychopathology in adolescence and beyond», *Hormones and Behavior*, vol. 64, p. 262-269.

Gradus, J. et coll. (2008). «Sexual harassment experiences and harmful alcohol use in a military sample: Differences in gender and the mediating role of depression», *Journal of Studies on Alcohol and Drugs*, vol. 69, p. 348-351.

Grady, W., Klepinger, D. et Nelson-Wally, A. (2000). «Contraceptive characteristics: The perceptions and priorities of men and women», *Family Planning Perspectives*, vol. 31, p. 168-175.

Graedon, J. et Graedon, T. (2008). «Depression medications can prompt sex difficulty», *Oregonian*, 22 octobre, p. C4.

Graf, N. et Schwartz, C. (2011). «The uneven pace of change in heterosexual romantic relationships», *Gender and Society*, vol. 25, p. 101-107.

Gray, R. et coll. (2007). «Male circumcision for HIV prevention in men in Rakai, Uganda: A randomized controlled trial», *Lancet*, vol. 369, p. 657-666.

Greco, E. et coll. (2013). «Birth of 16 healthy children after ICSI in cases of nonmosaic Klinefelter syndrome», *Human Reproduction*, vol. 28, p. 1155-1160.

Green, A.I., Valleriani, J. et Adam, B. (2016). «Marital monogamy as ideal and practice: The detraditionalization thesis in contemporary marriages», *Journal of Marriage and Family*, vol. 78, n° 2, p. 416-430.

Green, D. et coll. (2014). «Long-term outcomes of lesbian, gay, bisexual, and transgender recalled school victimization», *Journal of Counseling and Development*, vol. 92, p. 406-417.

Green, R. (1974). *Sexual identity conflict in children and adults*, New York, NY, Basic Books.

Greene, K. et Faulkner, S. (2005). «Gender, belief in the sexual double standard, and sexual talk in heterosexual dating relationships», *Sex Roles: A Journal of Research*, vol. 53, p. 239-251.

Greenstein, A., Plymate, S. et Katz, G. (1995). «Visually stimulated erection in castrated men», *Journal of Urology*, vol. 153, p. 650-652.

Greenwald, E. et Leitenberg, H. (1989). «Long-term effects of sexual experiences with siblings and nonsiblings during childhood», *Archives of Sexual Behavior*, vol. 18, p. 389-400.

Gregersen, E. (1996). *The World of Human Sexuality: Behaviors, Customs, and Beliefs*, New York, NY, Irvington.

Gregory, A. (2015). *Has the fashion industry reached a transgender turning point?*, [En ligne], www.vogue.com/13253741/andreja-pejic-transgender-model (Page consultée le 6 mars 2017).

Griffith, J. et coll. (2013). «Pornography actresses: As assessment of the "damaged goods" hypothesis», *Journal of Sex Research*, vol. 50, p. 621.

Groner, J. et coll. (2014). «Reduction in HPV prevalence — No evidence to support HPV vaccination reduces HPV prevalence», *Journal of Infectious Diseases*, vol. 209, p. 1302-1304.

Gross, B. (2004). «Sleeping dogs   dreams and repressed memories», *Annals of the American Psychotherapy Association*, vol. 7, p. 43-44.

Gross, B. (2006). «The pleasure of pain», *Forensic Examiner*, vol. 15, p. 56-61.

Gross, L. (2001). *Up from Invisibility: Lesbians, Gay Men, and the Media in America*, New York, NY, Columbia University Press.

Grossbard, J. et coll. (2007). «Alcohol and risky sex in athletes and nonathletes: What roles do sex motives play?», *Journal of American College Health*, vol. 68, p. 566-574.

Grossman, C. (2011). *United Church of Christ goes Father-free in updated bylaws*, [En ligne], http://content.usatoday.com/communities/Religion/post/2011/07/god-father-ucc-obama-religion/1#.WL27UtLhBpg (Page consultée le 6 mars 2017).

Groth, K. et coll. (2013). «Klinefelter syndrome—A clinical update», *Journal of Clinical Endocrinology & Metabolism*, vol. 98, p. 20-30.

Grov, C. et coll. (2011). «Perceived consequences of casual online sexual activities on heterosexual relationships: A U.S. online survey», *Archives of Sexual Behavior*, vol. 40, p. 429-239.

Grov, C. et coll. (2014). «Male clients of male escorts. Satisfaction, sexual behavior, and demographic characteristics», *The Journal of Sex Research*. doi: 10.1080/00224499.2013.789821

Groves, T. (2014). *The pressures of pregnancy*, [En ligne], www.bmj.com/content/348/bmj.g2789 (Page consultée le 30 novembre 2014).

Gruszecki, L., Forchuk, C. et Fisher, W. (2005). «Factors associated with common sexual concerns in women: New findings from the Canadian contraception study», *Canadian Journal of Human Sexuality*, vol. 14, p. 1-14.

Gu, G., Cornea, A. et Simerly, R. (2003). «Sexual differentiation of projections from the principal nucleus of the bed nuclei of the stria terminalis», *Journal of Comparative Neurology*, vol. 460, p. 542-562.

Guerrero, L.K., Farinelli, L. et McEwan, B. (2009.) «Attachment and relational satisfaction: The mediating effect of emotional communication», *Communication Monographs*, vol. 76, nᵒ 4, p. 487-514.

Guha, S. (2007). «Biophysical mechanism-mediated time-dependent effect on sperm of human and monkey vas implanted polyelectrolyte contraceptive», *Asian Journal of Andrology*, vol. 9, p. 221-227.

Guleroglu, F. et Beser, N. (2014). «Evaluation of sexual functions of the pregnant woman», *Journal of Sexual Medicine,* vol. 11, p. 146-153.

Gulland, A. (2014a). «Circumcision program to prevent AIDS in Africa is starting to slow down», *British Medical Journal*, vol. 348, p. 3170.

Gulland, A. (2014b). *Drinking in first trimester is linked to premature birth and babies small for gestational age*, [En ligne], www.bmj.com/content/348.bmj.g2058 (Page consultée le 30 novembre 2014).

Gullette, M. (2011). *Sex can also get better, not worse, with age*, [En ligne], www.womensenews.org/story/books/110820/sex-can-also-get-better-not-worse-age

Gurney, K. (2007). «Sex and the surgeon's knife: The family courts' dilemma … informed consent and the specter of iatrogenic harm to children with intersex characteristics», *American Journal of Law and Medicine*, vol. 33, p. 625-661.

Gusarova, I., Fraser, V. et Alderson, K.G. (2012). «A quantitative study of "friends with benefits" relationships», *The Canadian Journal of Human Sexuality*, vol. 21, nᵒ 1, p. 41-60.

Guttmacher Institute (2006). *Top 10 ways sexual and reproductive health suffered in 2004*, [En ligne], www.guttmacher.org (Page consultée le 2 février 2006).

Guttmacher Institute (2014a). *American teens' sexual and reproductive health*, [En ligne], http://guttmacher.org.pubs/FB—ATSRH html (Page consultée le 25 mai 2014).

Guttmacher Institute (2014b). *Induced Abortion in the United States*, New York, NY, Guttmacher Institute.

Haansbaek, T. (2006). «Partner to a rape victim: How is he doing?», *Journal of Sex Research*, vol. 43, p. 18-19.

Haas, T. et coll. (2014). *Suicide attempts among transgender and gender non-conforming adults*, [En ligne], https://williams-institute.law.ucla.edu/wp-content/uploads/AFSP-Williams-Suicide-Report-Final.pdf (Page consultée le 6 mars 2017).

HabiloMédias (2014). *Jeunes Canadiens dans un monde branché, Phase III: La vie en ligne*, [En ligne], http://habilomedias.ca/sites/mediasmarts/files/pdfs/publication-report/full/JCMBIII_La_vie_en_ligne_Rapport.pdf (Page consultée le 6 mars 2017).

Hackett, G. et coll. (2013). «Testosterone replacement therapy with long-acting testosterone undecanoate improves sexual function and quality-of-life parameters vs. placebo in a population of men with type 2 diabetes», *Journal of Sexual Medicine*, vol. 10, p. 1612-1627.

Hafer, J. (2011). *Affluent, educated women may choose sexual prostitution*, [En ligne], http://news.uark.edu/articles/16181/affluent-educated-women-may-choose-sexual-prostitution (Page consultée le 6 mars 2017).

Haffner, D. (2004). «Sexuality and scripture», *Contemporary Sexuality*, vol. 38, p. 7-13.

Haisha, L. (2014). *Is it time to change our views of adultery and marriage?*, [En ligne], www.huffingtonpost.com/lisa-haisha/is-it-time-to-change-our-adultery_b_5242171.html (Page consultée le 6 mars 2017).

Hakim, C. (2012). *The recipe for happiness? An enduring marriage and an affair with lots of sex*, [En ligne], www.telegraph.co.uk/women/sex/9486351/the-recipe-for-happiness-an-enduring-marriage-and-an-affiar-with-lots-of-sex.html (Page consultée le 6 mars 2017).

Halarnkar, S. (2011). «India's silent genocide», *Hindustan Times*, 27 janvier, p. 10.

Halim, M. et coll. (2014). «Pink frilly dresses and the avoidance of all things "girly": Children's appearance rigidity and cognitive theories of gender development», *Developmental Psychology*, vol. 50, p. 1091-1101.

Hall, G. (1996). *Theory-based assessment, treatment, and prevention of sexual aggression*, New York, NY, Oxford University Press.

Hall, G. et Barongan, C. (1997). «Prevention of sexual aggression: Sociocultural risk and protective factors», *American Psychologist*, vol. 52, p. 5-14.

Hall, R. et Hall, R. (2007). «A profile of pedophilia: Definition, characteristics of offenders, recidivism, treatment outcomes, and forensic issues», *Mayo Clinic Proceedings*, vol. 82, p. 457-481.

Halliwell, E., Malson, H. et Tishner, I. (2011). «Are contemporary media images which seem to display women as sexually empowered actually harmful to women?», *Psychology of Women Quarterly*, vol. 35, p. 38-45.

Halpern, C.T. et coll. (2006). «Adolescent predictors of emerging adult sexual patterns», *Journal of Adolescent Health*, vol. 39, no 6, p. 926e1-926e10.

Halpern-Felsher, B. et coll. (2004). «Adolescents' self-efficacy to communicate about sex: Its role in condom attitudes, commitment, and use», *Adolescence*, vol. 39, p. 443-456.

Halpern-Felsher, B. et coll. (2006). «Oral versus vaginal sex among adolescents: Perceptions, attitudes, and behavior», *Pediatrics*, vol. 115, no 4, 845-851.

Hamann, S. et coll. (2014). «Brain responses to sexual images in 46, XY women with complete androgen insensitivity syndrome», *Hormones and Behavior*, vol. 46, p. 724-730.

Hamilton, L. et Julian, A. (2013). «The relationship between daily hassles and sexual function in men and women», *Journal of Sex & Martial Therapy*, vol. 40, p. 379-395.

Hamilton, T. (2002). *Skin flutes and velvet gloves*, New York, NY, St. Martin's Press.

Hamlat, E. et Strange, J. (2014). «Early pubertal timing as a vulnerability to depression symptoms: Differential effects of race and sex», *Journal of Abnormal Child Psychology*, vol. 42, p. 527-538.

Haning, R.V. et coll. (2007). «Intimacy, orgasm likelihood, and conflict predict sexual satisfaction in heterosexual male and female respondents», *Journal of Sex & Marital Therapy*, vol. 33, no 2, p. 93-113.

Hanlon, M. (2014). *World's first GM babies born*, [En ligne], www.dailymail.co.uk/news/article-43767/Worlds-GM-babies-born.html#ixzz2Y86dcHec (Page consultée le 30 novembre 2014).

Hannaford, P. et coll. (2007). «Cancer risk among users of oral contraceptives», *British Medical Journal,* vol. 32, p. 104-121.

Hannon, K. (2009). «Planning ahead for a fertile future: Pregnancy may last nine months, but the road to having a child starts years earlier», *U.S. News & World Report*, vol. 59.

Hans, J., Gillen, M. et Akande, K. (2010). «Sex redefined: The reclassification of oral–genital contact», *Perspectives on Sexual and Reproductive Health*, vol. 42, p. 74-78.

Hanson, R. et coll. (2001). «Impact of childhood rape and aggravated assault on mental health», *American Journal of Orthopsychiatry*, vol. 71, p. 108-118.

Hanus, J. (2006a). «Monomaniacal monogamy», *Utne Reader*, mars-avril, p. 55.

Hanus, J. (2006b). «The culture of pornography is shaping our lives, for better and for worse», *Utne Reader*, septembre/octobre, p. 58-60.

Hare, L. et coll. (2009). «Androgen receptor repeat length polymorphism associated with male-to-female transsexualism», *Biological Psychiatry*, vol. 65, p. 93-96.

Hari, J. (2006). «What we can learn from female sex tourists», *Independent* (Londres), 13 juillet, p. C7.

Harlow, H. et Harlow, M. (1962). «The effects of rearing conditions on behavior», *Bulletin of the Menninger Clinic*, vol. 26, p. 13-24.

Harned, M. et Fitzgerald, L. (2002). «Understanding a link between sexual harassment and eating disorder symptoms: A mediational analysis», *Journal of Consulting and Clinical Psychology*, vol. 70, p. 1170-1181.

Harris, A. et Bolus, N. (2008). «HIV/AIDS: An update», *Radiologic Technology*, vol. 79, p. 243-255.

Harte, C. et Meston, C. (2008). «Acute effects of nicotine on physiological and subjective sexual arousal in nonsmoking men: A randomized, double-blind, placebo-controlled trial», *Journal of Sexual Medicine*, vol. 5, p. 110-121.

Hartman-Linck, J. (2014). «Keeping bisexuality alive: Maintaining bisexual visibility in monogamous relationships», *Journal of Bisexuality*, vol. 2, p. 177-193.

Hartmann, U.H. (2013). «Report of Findings in a DSM-5 Field Trial for Hypersexual Disorder», *European Urology*, vol. 64, no 4, p. 685-686.

Hartwick, C., Desmarais, S. et Hennig, K. (2007). «Characteristics of male and female victims of sexual coercion», *Canadian Journal of Human Sexuality*, vol. 16, p. 31-44.

Harvard Health Publications (2006). *Life after 50: A Harvard study of male sexuality*, [En ligne], www.health.harvard.edu/newsletter_article/Life_after_50_A_Harvard_study_of_male_sexuality (Page consultée le 6 mars 2017).

Harvey, D. et Smedley, L. (2015). *Referrals for young transgender people increase*, [En ligne], www.bbc.co.uk/newsbeat/article/31120152/referrals-for-young-transgender-people-increase (Page consultée le 9 octobre 2016).

Haskey, J. et Lewis, J. (2006). «Living-apart-together in Britain: Context and meaning», *International Journal of Law in Context*, vol. 2, no 1, p. 37-48.

Hatfield, E. et coll. (2012). «A brief history of social scientists' attempts to measure love», *Journal of Social and Personal Relationships*, vol. 29, p. 143-164.

Hatfield, E. et Sprecher, S. (1986). «Measuring passionate love in intimate relationships», *Journal of Adolescence*, vol. 9, p. 383-410.

Hatzenbuehler, M.L., Corbin, W.R. et Fromme, K. (2011). «Discrimination and alcohol-related problems among college students: Aprospective examination of mediating effects», *Drug and Alcohol Dependence*, vol. 115, p. 213-220.

Haught, N. (2009). «Popular Bible revised gender issues», *Oregonian*, 2 septembre, p. A1.

Hayes, R. et coll. (2008). «Risk factors for female sexual dysfunction in the general population: Exploring factors associated with low sexual function and sexual distress», *Journal of Sexual Medicine*, vol. 5, p. 1681-1693.

Hayez, J.-Y. (2004). *La sexualité des enfants*, Paris, Odile Jacob.

Hazen, C. et Shaver, P. (1987). «Romantic love coneptualized as an attachment process», *Journal of Personality and Social Psychology*, vol. 52, no 3, p. 511-524.

Head, K. (2008). «Natural approches to prevention and treatment of infections of the lower urinary tract», *Alternative Mericine Review*, vol. 13, p. 227-245.

Healthwise (2015). *Barrier Methods of Birth Control*, [En ligne], www.healthlinkbc.ca/health-topics/hw138685#hw138688 (Page consultée le 3 mars 2017).

Healy, M. (2013). «Circumcision plan targets AIDS in Africa», *USA Today*, 29 novembre, p. 5A.

Hébert, M. et coll. (2009). «Prevalence of childhood sexual abuse and timing of disclosure in a representative sample of adults from the province of Quebec», *Canadian Journal of Psychiatry*, vol. 54, no 9, p. 631-636.

Hébert, M. et coll. (2015a). *Violence subie dans les relations amoureuses chez les jeunes*, [En ligne], http://martinehebert.uqam.ca/upload/files/PAJ/Flash_PAJ/Flash%20PAJ%2001%20-%20Prevalence%20violence.pdf (Page consultée le 2 mars 2017).

Hébert, M. et coll. (2015b). *Sentiment d'auto-efficacité des jeunes pour composer avec la violence dans les relations amoureuses*, [En ligne], http://martinehebert.uqam.ca/upload/files/PAJ/Flash_PAJ/Flash%20PAJ%2004%20-%20Auto-efficacit%20VRA.pdf (Page consultée le 2 mars 2017).

Hedges, C. (2015). *Pornography is what the end of world looks like*, [En ligne], www.commondreams.org/views/2015/02/16/pornography-what-end-world-looks (Page consultée le 6 mars 2017).

Heiman, J. (2009). *Researching women's sexual health: A social responsibility*, Paper presented at the 19th WAS World Congress for Sexual Health, juin, Göteborg, Suède.

Heisea, L. et coll. (2011). «Apples and oranges? Interpreting success in HIV prevention trials», *Contraception*, vol. 83, p. 10-15.

Hellstrom, W. (2010). «Available and future therapies for premature ejaculation», *Drugs Today*, vol. 46, p. 502-521.

Hellstrom, W. et coll. (2006). *Pre-mature ejaculation: The most common male sexual dysfunction*, communication donnée à la Sexual Medicine Society of North America Fall Meeting, novembre, New York, NY.

Hellstrom, W.J. (2006). «Current and future pharmacotherapies of premature ejaculation», *Journal of Sexual Medicine*, vol. 3, n° 4, p. 332-341.

Henderson, A.J.Z. et coll. (2005). «When loving means hurting: An exploration of attachment and intimate abuse in a community sample», *Journal of Family Violence*, vol. 20, n° 4, p. 219-230.

Henderson, M. (2007). *Sex every day is prescription for improving sperm quality*, [En ligne], www.timesonline.co.uk/tol/life_and_style/health/article2665688.ece (Page consultée le 21 octobre 2007).

Hendrick, C., Hendrick, S. et Adler, N. (1988). «Romantic relationships: Love, satisfaction, and staying together», *Journal of Personality and Social Psychology*, vol. 54, p. 980-988.

Hendrick, S. et Hendrick, C. (1992). *Liking, loving, and relating* (2nd ed.), Pacific Grove, CA, Brooks/Cole.

Heng, B. (2009). «Stringent regulation of oocyte donation in China», *Human Reproduction*, vol. 24, p. 14-16.

Henry, N. (2000). «Voulez-vous pacser avec moi?», *Ms.*, février-mars, p. 32.

Herbenick, D. et coll. (2010a). «Sexual behavior in the United States. Results from a national probability sample of men and women ages 14-94», *Journal of Sexual Medicine*, vol. 7 (Suppl. 5), p. 255-265.

Herbenick, D. et coll. (2010b). «An event-level analysis of the sexual characteristics and composition among adults ages 18–59: Results from a national probability sample in the United States», *Journal of Sexual Medicine*, vol. 7(Suppl. 5), p. 346-361.

Herek, G., Cogan, J. et Gillis, J. (1999). «Psychological sequelae of hate-crime victimization among lesbian, gay, and bisexual adults», *Journal of Consulting and Clinical Psychology*, vol. 67, p. 945-951.

Herek, G.M. et coll. (2015). «Internalized stigma among sexual minority adults: Insights from a social psychological perspective stigma and health», *Stigma and Health*, vol. 1(S), p. 18-34.

Herold, C. et coll. (2015). «G-spot augmentation with autologous fat transplantation», *Journal of the Turkish German Gynecology Association*, vol. 16, n° 3, p. 187-188.

Hesketh, R. et Xing, A. (2006). «Abnormal sex ratios in human populations: Causes and consequences», *Proceedings of the National Academy of Sciences*, vol. 103, p. 13271-13275.

Hess, J. et Coffelt, T. (2011). «Verbal communication about sex in marriage: Patterns of language use and its connection with relational outcomes», *Journal of Sex Research*. doi: 10.1080/00224499.2011.619282

Hetzner, A. (2010). «Girls close math with boys, keep their edge in reading», *Oregonian*, 17 mars, p. A3.

Heyden, M. et coll. (1999). «Fighting back works: The case for advocating and teaching self-defense against rape», *Journal of Physical Education, Recreation, and Dance*, vol. 70, p. 31-34.

Heylens, G. (2014). «Effects of different steps in gender reassignment therapy on psychopathology: A prospective study of persons with a gender identity disorder», *Journal of Sexual Medicine*, vol. 11, p. 119-126.

Hickman, S. et Muehlenhard, C. (1999). «"By the semi-mystical appearance of a condom": How young women and men communicate sexual consent in heterosexual situations», *Journal of Sex Research*, vol. 36, p. 258-272.

Hickson, F. et coll. (1994). «Gay men as victims of nonconsensual sex», *Archives of Sexual Behavior*, vol. 23, p. 281-294.

Higa, D. et coll. (2014). «Negative and positive factors associated with well-being of lesbians, gays, bisexual, transgender, queer, and questioning (LGBTQ) youth», *Youth & Society*, vol. 46, n° 5, p. 663-687.

Higgins, J. et coll. (2011). «Sexual satisfaction and sexual health among university students in the United States», *American Journal of Public Health*, vol. 101, p. 1643-1654.

Higgins, J., Hirsch, J. et Trussell, J. (2008). «Pleasure, prophylaxis and procreation: A qualitative analysis of intermittent contraceptive use and unintended pregnancy», *Perspectives on Sexual and Reproductive Health*, vol. 40, p. 130-137.

Hightow-Weidman, L. et coll. (2014). «"No one's home and they won't pick up the phone": Using the Internet and text messaging to enhance partner services in North Carolina», *Sexually Transmitted Diseases*, vol. 41, p. 143-148.

Hilden, M., Schei, B. et Sidenius, K. (2005). «Genitoanal injury in adult female victims of sexual assault», *Forensic Science International*, vol. 154, p. 200-205.

Hildreth, K. et coll. (2013). «Effects of testosterone and progressive resistance exercise in healthy, highly functioning older men with low-normal testosterone levels», *Journal of Clinical Endocrinology & Metabolism*, vol. 98, p. 1891-1900.

Hill, E. et coll. (2011). «Gynecologic and breast cancer survivors' sexual health care needs», *Cancer*, vol. 117, p. 2643-2651.

Hill, M. et Fischer, A. (2001). «Does entitlement mediate the link between masculinity and rape-related variables?», *Journal of Counseling Psychology*, vol. 48, p. 39-50.

Hines, M., Ahmed, S. et Hughes, I. (2003). «Psychological outcomes and gender-related development in complete androgen insensitivity syndrome», *Archives of Sexual Behavior*, vol. 32, p. 93-101.

Hingson, R. et coll. (2003). «Early age of first drunkenness as a factor in college students' unplanned and unprotected sex attributable to drinking», *Pediatrics*, vol. 111, p. 34-41.

Hirokawa, K., Yagi, A. et Miyata, Y. (2004). «An experimental examination of the effects of sex and masculinity/femininity on psychological, physiological, and behavioral responses during communication situations», *Sex Roles: A Journal of Research*, vol. 51, p. 91-99.

Hite, S. (1976). *The Hite Report: A Nationwide Study of Female Sexuality*, New York, NY, Dell Books.

Hite, S. (1983). *Le rapport Hite sur les hommes*, Paris, Robert Laffont.

Hodge, D. (2008). «Sexual trafficking in the United States: A domestic problem with transnational dimensions», *Social Work*, vol. 53, p. 143-152.

Hoff, C.C. et coll. (2010). «Relationship characteristics and motivations behind agreements among gay male couples: Differences by agreement type and couple serostatus», *AIDS Care*, vol. 22, n° 7, p. 827-835.

Hoffer, K. (2014). «Real of sex, real bodies, real sex acts, real emotional intimacy», *Porn Studies*, vol. 1, p. 334-345.

Hoffman, J. (2011). «States struggle with minors' sexting», *New York Times*, 27 mars.

Hollander, D. (2006). «Skills-oriented counseling holds promise for increasing women's use of barrier methods», *Perspectives on Sexual and Reproductive Health*, vol. 38, p. 58-59.

Hollander, D. (2008a). «No cut might make the cut», *Perspectives on Sexual and Reproductive Health,* vol. 40, p. 4-11.

Hollander, D. (2008b). «The measure of the man», *Perspectives on Sexual and Reproductive Health,* vol. 40, p. 4-5.

Holman, A. et Sillars, A. (2012). «Talk about "hooking up": The influence of college student social networks on nonrelationship sex», *Health Communication,* vol. 27, n° 2, p. 205-216.

Holmberg, D. et Blair, K. (2008). «Sexual desire, communication, satisfaction, and preferences of men and women in same-sex versus mixed-sex relationships», *Journal of Sex Research,* vol. 46, p. 57-66.

Holstege, G. et coll. (2003). «Brain activation during human male ejaculation», *Journal of Neuroscience,* vol. 23, p. 9185-9193.

Hook, J. et coll. (2014). «Methodological review of treatments for nonparaphilic hypersexual behavior», *Journal of Sex and Marital Therapy,* vol. 40, p. 294-308.

Hosain, G. et coll. (2013). «Sexual dysfunction among male veterans returning from Iraq and Afghanistan: Prevalence and correlates», *Journal of Sexual Medicine,* vol. 10, p. 516-523.

Hosking, W. (2013). «Agreements about extra-dyadic sex in gay men's relationships: Exploring differences in relationship quality by agreement type and rule-breaking behavior», *Journal of Homosexuality,* vol. 60, n° 5, 711-733.

Hotchkiss, A. et coll. (2008). «Of mice and men (and mosquitofish): Antigens and androgens in the environment», *Bioscience,* vol. 58, p. 1037-1050.

Houck, C. et coll. (2014). «Sexting and sexual behavior in at-risk adolescent», *Pediatrics,* vol. 133, p. e276-e282.

Houde, N. et Drapeau, M. (2012). *Sexualité et éthique dans les professions du toucher: comprendre la sexualité pour mieux soigner,* Montréal, Groupe Modulo.

Howells, N. et Orcutt, H. (2014). «Diary study of sexual risk taking, alcohol use, and strategies for reducing negative affect in female college students», *Journal of Studies on Alcohol,* vol. 75, p. 399-403.

Hoxworth, T. et coll. (2003). «Changes in partnerships and HIV risk behaviors after partner notification», *Sexually Transmitted Diseases,* vol. 30, n° 1, p. 83-88.

Huang, K. (2014). «Marriage squeeze in China», *Journal of Family Issues,* vol. 35, p. 1642-1661.

Huang, P. et coll. (2011). «He says, she says: Gender and cohabitation», *Journal of Social Issues,* vol. 32, p. 876-905.

Huberman, J. et coll. (2013). «Relationship between impression management and three measures of women's self-reported sexual arousal», *Canadian Journal of Behavioral Science/ Review,* vol. 45, juillet, p. 259-273.

Hucker, S. (2009). *Hypoxyphilia/auto-erotic asphyxia,* [En ligne], www.forens.cpsych.atry.ca/paraphilia/aea.htm (Page consultée le 9 février 2009).

Hucker, S. (2014a). *Sexual sadism,* [En ligne], www.forensicpsychiatry.ca.paraphilia/sadism.htm (Page consultée le 25 juin 2014).

Hucker, S. (2014b). *Hypoxyphilia/auto-erotic asphyxia,* [En ligne], www.forensicpsychiatry.ca.paraphilia/aea.htm (Page consultée le 25 juin 2014).

Hucker, S. et coll. (2011). «Hypoxyphilia», *Archives of Sexual Behavior,* vol. 40, p. 1323-1326.

Hudson, H.K. et Fetro, J.V. (2015). «Sexual activity: Predictors of sexting behaviors and intentions to sext among selected undergraduate students», *Computers in Human Behavior,* vol. 49, p. 615-622.

Hudson, J., Prestage, G. et Weerakoon, G. (2007). *The married men have sex with men study: An outline of findings,* Paper presented at the 18th Congress of the World Association for Sexual Health, avril, Sydney, Australie.

Hudson, W. (1992). *The WALMYR assessment scales scoring manual,* Tallahassee, FL, WALMYR Publishing.

Hughes, M., Morrison, K. et Asada, K.J.K. (2005). «What's love got to do with it? Exploring the impact of maintenance rules, love attitudes, and network support on friends with benefits relationships», *Western Journal of Communication,* vol. 69, n° 1, p. 49-66.

Hull, E. et coll. (1999). «Hormone–neurotransmitter interactions in the control of sexual behavior», *Behavioral Brain Research,* vol. 105, p. 105-116.

Humphreys, T. et Newby, J. (2007). «Initiating new behaviors in heterosexual relationships», *Canadian Journal of Human Sexuality,* vol. 16, p. 77-88.

Hunt, M. (1974). *Sexual Behavior in the 1970s,* Chicago, IL, Playboy Press.

Hunt, M. et Jung, P. (2009). «"Good sex" and religion: A feminist overview», *Journal of Sex Research,* vol. 46, p. 156-167.

Huppelschoten, A. et coll. (2013). «Differences in quality of life and emotional status between infertile women and their partners», *Oxford Journal,* vol. 28, p. 2168-2176.

Hussein, H. (2015). *Infographic: Sex work by the numbers,* [En ligne], www.vice.com/read/fuckonomics-0000541-v22n1 (Page consultée le 6 mars 2017).

Hutchinson, K., Kip, K. et Ness, R. (2007). «Vaginal douching and development of bacterial vaginosis among women with normal and abnormal vaginal microflora», *Sexually Transmitted Diseases,* vol. 34, p. 671-675.

Huxley, C., Clarke, V. et Halliwell, E. (2011). «"It's a comparison thing, isn't it?": Lesbian and bisexual women's accounts of how partner relationships shape their feelings about their body and appearance», *Psychology of Women Quarterly,* vol. 35 p. 415-427.

Hyde, J. (2006). *Half the human experience: The psychology of women* (7th ed.), Boston, MA, Houghton Mifflin.

Hyde, J. (2014). «Gender similarities and differences», *Annual Review of Psychology,* vol. 65, p. 373-398.

Hymowitz, K. (2011). «The national adultery ritual: Against all odds, America still demands male marital fidelity», *Commentary,* vol. 132, p. 40-45.

Iacub, M. et Maniglier, P. (2005). *Antimanuel d'éducation sexuelle,* Paris, Édition Bréal.

Iasenza, S. (2000). «Lesbian sexuality post-Stonewall to postmodernism: Putting the "lesbian bed death" concept to bed», *Journal of Sex Education and Therapy,* vol. 25, p. 59-69.

Imhoff, R. et coll. (2013). «Exploring the autoerotic undercurrents of sexual narcissism: Individual differences in the sex-aggression link», *Archives of Sexual Behavior,* vol. 42, p. 1033-1041.

Imperato-McGinley, J. et coll. (1979). «Androgens and the evolution of male-gender identity among male pseudohermaphrodites with 5-alpha-reductase deficiency», *New England Journal of Medicine,* vol. 300, p. 1233-1237.

Incrocci, L. (2006). «The effect of cancer on sexual function», *Journal of Sexual Medicine,* vol. 3(Suppl. 2), p. 73.

Institut canadien d'information sur la santé [ICIS] (2015). *Traitement du stade terminal de l'insuffisance organique au Canada, de 2004 à 2013 – rapport annuel du Registre canadien des insuffisances et des transplantations d'organes,* Ottawa, Ontario.

Institut canadien d'information sur la santé [ICIS] (2016). *Indicateurs sur les hospitalisations, les chirurgies, les nouveau-nés et les accouchements en 2014-2015,* [En ligne], https://secure.cihi.ca/free_products/CAD_Hospitalization_and_Childbirth_Snapshot_FR.PDF (Page consultée le 3 mars 2017).

Institut de la statistique du Québec (2011). *Interruptions volontaires de grossesse et stérilisations, 1971-2010,* Gouvernement du Québec, [En ligne], www.stat.gouv.qc.ca/donstat/societe/demographie/naisn_deces/naissance/415.htm (Page consultée le 3 juillet 2012).

Institut de la statistique du Québec (2012). *Coup d'œil sociodémographique*, n° 16, avril, Québec, Gouvernement du Québec.

Institut national de santé publique du Québec [INSPQ] (2014). *Portrait des infections transmissibles sexuellement et par le sang (ITSS) au Québec, Année 2013 (et projections 2014)*, [En ligne], www.inspq.qc.ca/pdf/publications/1920_Portrait_ITSS_2013_Projections_2014.pdf (Page consultée le 2 mars 2017).

Institut national de santé publique du Québec [INSPQ] (2016). *Portrait des infections transmissibles sexuellement et par le sang (ITSS) au Québec, Année 2014 (et projections 2015)*, [En ligne], www.inspq.qc.ca/pdf/publications/2067_portrait_infections_sexuellement_sang.pdf (Page consultée le 2 mars 2017).

International Center for Research on Women (2009). *Child marriage by the numbers*, Washington, DC, International Center for Research on Women.

International Collaboration of Epidemiological Studies of Cervical Cancer (2007). «Cervical cancer and hormonal contraceptives», *Lancet*, vol. 370, p. 1609-1621.

International Gay and Lesbian Human Rights Commission (2014). *Human rights violations of people in the Islamic Republic of Iran on the basis of their sexual orientation and gender identity: Submission to the United Nations Universal Periodic Review 20th Session 2014*, [En ligne], www.refworld.org/docid/54758e2c4.html (Page consultée le 6 mars 2017).

Internet World Stats (2011). *World Internet Usage and Population Statistics*, [En ligne], www.InternetWorldStats.com/stats.htm (Page consultée le 19 avril 2012).

Irwig, M. (2014). «Persistent sexual and non-sexual adverse effects of finasteride in younger men», *Medical Review*, vol. 4, p. 24-35.

Isely, P. et Gehrenbeck-Shim, D. (1997). «Sexual assault of men in the community», *Journal of Community Psychology*, vol. 25, p. 159-166.

Ishak, W. et coll. (2011). «Oxytocin role in enhancing well-being: A literature review», *Journal of Affective Disorders*, vol. 130, p. 1-9.

Ishii-Kuntz, M. (1997a). «Chinese American families». Dans M. DeGenova (dir.), *Families in cultural context: Strengths and challenges in diversity*, Mountain View, CA, Mayfield.

Ishii-Kuntz, M. (1997b). «Japanese American families». Dans M. DeGenova (dir.), *Families in cultural context: Strengths and challenges in diversity*, Mountain View, CA, Mayfield.

Iuliano, A. et coll. (2006). «Reasons for contraceptive nonuse at first sex and unintended pregnancy», *American Journal of Health Behavior*, vol. 30, p. 92-102.

Jackson, J. et coll. (2014). «Gender differences in marital satisfaction: A meta-analysis», *Journal of Marriage and Family*, vol. 76, p. 105-129.

Jacobs, R. (2014). *Selling sex is about making money*, [En ligne], www.ravishly.com/2014/12/11/selling-sex-about-making-money (Page consultée le 6 mars 2017).

Jadva, V. (2010). «Infants' preferences for toys, colors, and shapes: Sex differences and similarities», *Archives of Sexual Behavior*, vol. 39, p. 1261-1273.

Jaeger, M. (2011). «"A thing of beauty is a joy forever"? Returns to physical attractiveness over the life course», *Social Forces*, vol. 89, p. 983-1003.

Jakobsen, J. et Pellegrini, A. (2003). *Love the sin: Sexual regulation and the limits of religious tolerance*, New York, NY, New York University Press.

Jakubczyk, A. et coll. (2014). «History of sexual abuse and suicide attempts in alcohol-dependent patients», *Child Abuse & Neglect*, vol. 38, p. 1560-1568.

Jandt, F. et Hundley, H. (2007). «Intercultural dimensions of communicating masculinities», *Journal of Men's Studies*, vol. 15, p. 216-231.

Janiszewski, P., Janssen, I. et Ross, R. (2009). «Abdominal obesity and physical inactivity are associated with erectile dysfunction independent of body mass index», *Journal of Sexual Medicine*, 28 avril (e-pub).

Jankowski, G. et coll. (2013). «Can appearance conservations explain differences between gay and heterosexual men's body dissatisfaction?», *Psychology of Men and Masculinity*. doi: 10.1037/a0031796

Jannini, E. et coll. (2010a). «Who's afraid of the G-spot?», *Journal of Sexual Medicine*, vol. 7, p. 25-34.

Jannini, E. et coll. (2010b). «Male homosexuality: Nature or culture?», *Journal of Sexual Medicine*, vol. 7, n° 10, p. 3245-3253.

Jannini, E. et coll. (2011). «Is testosterone a friend or foe of the prostate?», *Journal of Sexual Medicine*, vol. 8, p. 946-955.

Jannini, E. et coll. (2012). «Female orgasm(s): One, two, several», *Journal of Sexual Medicine*, vol. 9, p. 956-965.

Jannini, E. et coll. (2013). «Which is first? The controversial issue of precedence in the treatment of male sexual dysfunctions», *Journal of Sexual Medicine*, vol. 10, p. 2359-2369.

Jannini, E. et coll. (2014a). «Beyond the G-spot: Clitourethrovaginal complex anatomy in female orgasm», *Nature Reviews Urology*, vol. 11, n° 9, p. 531.

Jannini, E. et coll. (2014b). «Health-related characteristics and unmet needs of men with erectile dysfunction: A survey in five European countries», *Journal of Sexual Medicine*, vol. 11, p. 40-50.

Janssen, D. (2007). «First stirrings: Cultural notes on orgasm, ejaculation and wet dreams», *Journal of Sex Research*, vol. 44, p. 122-134.

Janssen, D. (2008). *Growing up sexually in Oceania*, [En ligne], www.huberlin.de/sexology/GESLUND/ARCHI/GUS/PACIFICSOLD.htm (Page consultée le 24 octobre 2008).

Janssen, E. et coll. (2014). «Patterns of sexual arousal in young, heterosexual men who experience condom-associated erection problems (CAEP)», *Journal of Sexual Medicine*, vol. 11, p. 2285-2291.

Janssen, P. et coll. (2009). «Serotonin transporter promoter region (5-HTTLPR) polymorphism is associated with the intravaginal ejaculation latency time in Dutch men with lifelong premature ejaculation», *Journal of Sexual Medicine*, vol. 6, p. 276-284.

Janssens, K. et coll. (2011). «Can buy me love: Mate attraction goals lead to perceptual readiness for status products», *Journal of Experimental Social Psychology*, vol. 47, p. 254-258.

Janvier, A. (2011). «Québec met fin aux naissances multiples en finançant la FIV», Association canadienne de sensibilisation à l'Infertilité, [En ligne], www.iaac.ca/fr/content/qu%C3%A9bec-met-fin-aux-naissances-multiples-en-finan%C3%A7ant-la-fiv-dre-annie-janvier-p%C3%A9diatre-n%C3%A9ona (Page consultée le 30 novembre 2012).

Jaremka, L. et coll. (2013). «Attachment anxiety is linked to alterations in cortisol production and cellular immunity», *Psychological Science*, vol. 24, p. 272-279.

Jarrell, A. (2000). «Model maturity», *Sunday Oregonian*, 16 avril, p. L13.

Jarvis, B. (2014). *Choking hazard and the real risk of erotic asphyxiation*, [En ligne], https://kinseyconfidential.org/choking-hazard-real-risks-erotic-asphyxiation/ (Page consultée le 6 mars 2017).

Jayson, S. (2013). «What it means to be "transgender"», *USA Today*, 23 août, p. 2A.

Jeavons, H. (2003). «Prevention and treatment of vulvovaginal candidiasis using exogenous lactobacillus», *Journal of Obstetrical, Gynecological, and Neonatal Nursing*, vol. 32, p. 287-296.

Jehl, D. (1998). «Western masterpieces locked away from Iranian view», *Oregonian*, 4 octobre, p. A7.

Jemmott, J. et coll. (2014). «Cluster-randomized controlled trial of an HIV/sexually transmitted infection risk-reduction intervention for South African men», *American Journal of Public Health*, vol. 104, p. 467-473.

Jenness, S. et coll. (2011). «Unprotected anal intercourse and sexually transmitted diseases in high-risk heterosexual women», *American Journal of Public Health*, vol. 101, p. 745-750.

Jensen, J. et coll. (2008). «Effects of switching from oral to transdermal or transvaginal contraception on markers of thrombosis», *Contraception*, vol. 78, p. 451-458.

Jensen, T. et coll. (2014). «Habitual alcohol consumption associated with reduced semen quality and changes in reproductive hormones; A cross-sectional study among 1221 young Danish men», *British Medical Journal Open*, vol. 4, p. e005462.

Joannides, P. (2013). *Oral cancer and oral sex*, [En ligne], www.psychologytoday.com/blog/you-it/201306/oral-cancer-and-oral-sex (Page consultée le 21 avril 2014).

Joannides, P. (2014). *What is "normal" sex and why does it matter?*, Workshop presented at the Q Center, juillet, Portland, OR.

Joannides, P. (2015). *Guide to getting it on* (8th ed.), Oregon, Goofy Foot Press.

Joel, D. et Fausto-Sterling, A. (2016). «Beyond sex differences: New approaches for thinking about variation in brain structure and function», *Philosophical Transactions of the Royal Society of London, Series B, Biological sciences*, vol. 371, n° 20150451, [En ligne], www.researchgate.net/publication/292605392_Beyond_sex_differences_New_approaches_for_thinking_about_variation_in_brain_structure_and_function (Page consultée le 9 octobre 2016).

Joensen, U. et coll. (2009). «Do perfluoroalkyl compounds impair human semen quality?», *Environmental Health Perspectives*, vol. 117, p. 923-927.

Johnson, K. (2002). «Time, patience needed to find right testosterone level with HRT», *Family Practice News*, vol. 32, p. 31.

Johnson, K. et coll. (2010). «Association of sexual violence and human rights violations with physical and mental health in territories of the Eastern Democratic Republic of Congo», *Journal of the American Medical Association*, vol. 304, p. 553-562.

Johnson, P. (1998). «Pornography drives technology: Why not censor the Internet?». Dans R. Baird et S. Rosenbaum (dir.), *Pornography: Private right or public menace?*, Amherst, NY, Prometheus Books.

Johnston, L. et coll. (2014). «(Perceived) size really does matter: Male dissatisfaction with penis size», *Psychology of Men & Masculinity*, vol. 15, p. 225-228.

Jonason, P.K., Li, N. et Cason, M.J. (2009). «The "booty call": A compromise between men's and women's ideal mating strategies», *Journal of Sex Research*, vol. 46, n° 5, p. 460-470.

Jonason, P.K., Li, N.P. et Richardson, J. (2011). «Positioning the booty-call relationship on the spectrum of relationships: Sexual but more emotional than one-night stands», *Journal of Sex Research*, vol. 48, n° 5, p. 486-495.

Jones, C., Chan, C. et Farine, D. (2011). «Primer: Sex in pregnancy», *Canadian Medical Association Journal*, vol. 183, p. 815-818.

Jones, J. (2011). *Support for legal gay relations hits new high*, [En ligne], http://gallup.com/poll/147785/SupportLegal-Gay-Relations-Hits-New-High.aspx?version5 (Page consultée le 6 mars 2017).

Jones, R. et Biddlecom, L. (2011). «The more things change...: The relative importance of the Internet as a source of contraceptive information for teens», *Sexuality Research and Social Policy*, vol. 8, p. 27-37.

Jones, S. et Yarhouse, M. (2011). «A longitudinal study of attempted religiously mediated sexual orientation change», *Journal of Sex and Marital Therapy*, vol. 37, p. 404-427.

Jones, T.H. et coll. (2011). «Testosterone replacement in hypogonadal men with type 2 diabetes and/or metabolic syndrome (the TIMES2 study)», *Diabetes care*, vol. 34, n° 4, p. 828-837.

Jordan-Young, R. (2010). *Brainstorm: The flaws in the science of sex differences*, Cambridge, MA, Harvard University Press.

Jorgenson, L. et Wahl, K. (2000). «Psychiatrists as expert witnesses in sexual harassment cases under Daubert and Kumho», *Psychiatric Annals*, vol. 30, p. 390-396.

Joyal, C.C., Cossette, A. et Lapierre, V. (2014). «What Exactly I an Unusual Sexual Fantasy?», *International Journal of Sexual Medicine*, vol. 12, p. 328-340.

Juninger, J. (1997). «Fetishism: Assessment and treatment». Dans D. Laws et W. O'Donohue (dir.), *Sexual deviance: Theory, assessment, and treatment*, New York, NY, Guilford Press.

Jyoti, A. (2013). *100 million girls to be married before turning 18 in next 10 years: Report*, [En ligne], www.dailypioneer.com/nation/100-million-girls-to-be-married-before-turning-18-in-next-10-yrs-report.html (Page consultée le 6 mars 2017).

Kaare, M. (2009). «Do mitochondrial mutations cause recurrent miscarriage?», *Molecular Human Reproduction*, vol. 15, p. 295-300.

Kaestle, C. et Allen, K. (2011). «The role of masturbation in healthy sexual development: Perceptions of young adults», *Archives of Sexual Behavior*, vol. 40, p. 983-994.

Kaestle, C. et Halpern, C. (2007). «What's love got to do with it? Sexual behaviors of opposite-sex couples through emerging adulthood», *Perspectives on Sexual and Reproductive Health*, vol. 39, p. 134-140.

Kaestle, C., Morisky, D. et Wiley, D. (2002). «Sexual intercourse and age difference between adolescent females and their romantic partners», *Perspectives on Sexual and Reproductive Health*, vol. 34, p. 304-309.

Kafka, M.P. (2010). «Hypersexual disorder: A proposed diagnosis for DSM-V», *Archives of Sexual Behavior*, vol. 39, n° 2, p. 377-400.

Kagan-Krieger, S. (1998). «Women with Turner syndrome: A maturational and developmental perspective», *Journal of Adult Development*, vol. 5, p. 125-135.

Kahn, A., Mathie, V. et Torgler, C. (1994). «Rape scripts and rape acknowledgment», *Psychology of Women Quarterly*, vol. 18, p. 53-66.

Kahr, B. (2008). *Who's been sleeping in your head: The secret world of sexual fantasies*, New York, NY, Basic Books.

Kaiser Family Foundation (2003). *Seventeen magazine and Kaiser Family Foundation release new survey of teens about gender roles*, [En ligne], www.kff.org/content/2003/3301 (Page consultée le 12 juin 2003).

Kaiser Family Foundation (2006). *Sex on TV*, [En ligne], www.kff.org/entmedia/entmedia/0905nr.cfm (Page consultée le 15 février 2006).

Kalb, C. (2006). «Marriage: Act II», *Newsweek*, 20 février, p. 62-63.

Kalfoglou, A., Scott, J. et Hudson, K. (2008). «Attitudes about preconception sex selection: A focus group study with Americans», *Human Reproduction*, vol. 23, p. 2731-2736.

Kalish, R. (2013). «Masculinities and hooking up: Sexual decision-making at college», *Culture, Society and Masculinities*, vol. 5, n° 2, p. 147-165.

Kantrowitz, B. (2006). «Sex and love: The new world», *News-week*, 20 février, p. 51-60.

Kaplan, H. (1974). *The new sex therapy: Active treatment of sexual dysfunction*, New York, NY, Brunner/Mazel.

Kaplan, H. (1979). *Disorders of sexual desire*, New York, NY, Brunner/Mazel.

Kaplan, M. et Krueger, R. (1997). «Voyeurism: Psychopathology and theory». Dans D. Laws et W. O'Donohue (dir.), *Sexual deviance: Theory, assessment, and treatment*, New York, NY, Guilford Press.

Karama, S. et coll. (2002). «Areas of brain activation in males and females during viewing of erotic film excerpts», *Human Brain Mapping*, vol. 16, p. 1-13.

Karlsen, M. et Traeen, B. (2013). «Identifying "friends with benefits" scripts among young adults in the norwegian cultural context», *Sexuality & Culture*, vol. 17, n° 1, p. 83-99.

Karlsson, S.G. et Borell, K. (2002). «Intimacy and autonomy, gender and ageing: Living apart together», *Ageing International*, vol. 27, n° 4, p. 11-26.

Karpel, A. (2011). «Monogamish», *Advocate*, août, p. 21-25.

Kasl, C. (1999). *If the Buddha dated: Handbook for finding love on a spiritual path*, New York, NY, Penguin/Arkana.

Kassabian, V. (2003). «Sexual function in patients treated for benign prostatic hyperplasia», *The Lancet*, vol. 361, p. 60-62.

Kassing, L., Beesley, D. et Frey, L. (2005). «Gender role conflict, homophobia, age, and education as predictors of male rape myth acceptance», *Journal of Mental Health Counseling*, vol. 27, p. 311-328.

Kato, T. (2014). «A reconsideration of sex differences in response to sexual and emotional infidelity», *Archives of Sexual Behavior*, vol. 43, p. 1281-1288.

Keenan, J. (2013). *We're kinky, not crazy*, [En ligne], www.slate.com/articles/health_and_science/medical_examiner/2013/03/sexual_kinks_in_the_dsm_v_paraphilic_disorders_describe_unhappy_kinksters.html (Page consultée le 6 mars 2017).

Keller, J. (2002). «Blatant stereotype threat and women's math performance», *Sex Roles*, vol. 47, p. 193-198.

Keller, J. (2015). *Bill C-36, Tories' anti-prostitution law, still unconstitutional: Sex workers, advocates*, [En ligne], www.huffingtonpost.ca/2014/11/06/bill-c-36-prostitution-law-unconstitutional_n_6116498.html (Page consultée le 6 mars 2017).

Kellett, J. (2000). «Older adult sexuality». Dans L. Szuchman et F. Muscarella (dir.), *Psychological perspectives on human sexuality*, New York, NY, Wiley.

Kelley, M. et Parsons, B. (2000). «Sexual harassment in the 1990s», *Journal of Higher Education*, vol. 71, p. 548.

Kellog-Spadt, S. (2006). *Innovative treatments for vulvar and sexual pain*, Paper presented at the Gumbo Sexualité Upriver: Spicing Up Education and Therapy (AASECT 38th Annual Conference), juin/juillet, St. Louis, MO.

Kelly, M. (2008). «Lock them up and throw away the key: The preventive detention of sex offenders in the United States and Germany», *Georgetown Journal of International Law*, vol. 39, p. 551-572.

Kelly, M., Strassberg, D. et Kircher, J. (1990). «Attitudinal and experiential correlates of anorgasmia», *Archives of Sexual Behavior*, vol. 19, p. 165-181.

Keltner, D. (2010). *Hands on research: The science of touch*, [En ligne], http://greatergood.berkeley.edu/article/item/hands_on_research (Page consultée le 6 mars 2017).

Kempeneers, P. et coll. (2013). «Functional and psychological characteristics of Belgian men with premature ejaculation and their partners», *Archives of Sexual Behavior*, vol. 42, p. 51-66.

Kennedy, K. et Trussell, J. (1998). «Postpartum contraception and lactation». Dans R. Hatcher et coll. (dir.), *Contraceptive technology*, New York, NY, Ardent Media.

Kerr, D., Moyser, M. et Beaujot, R. (2006). «Marriage and cohabitation: Demographic and socioeconomic differences in Quebec and Canada», *Canadian Studies in Population*, vol. 33, n° 1, p. 83-117.

Khalife, N. (2011). *Yemen could seize moment to ban child marriage*, [En ligne], http://womensenews.org/2011/12/yemen-could-seize-moment-ban-child-marriage/ (Page consultée le 6 mars 2017).

Khan, M. et coll. (2007). *Concepts of sexology in progressive Islamic ideology*, Paper presented at the 18th Congress of the World Association for Sexual Health, avril, Sydney, Australie.

Khoosal, D., Grover, P. et Terry, T. (2011). «Satisfaction with a gender realignment service», *Sexual and Relationship Therapy*, vol. 26, p. 72-83.

Kilchevsky, A. et coll. (2012). «Is the female G-spot truly a distinct anatomic entity?», *Journal of Sexual Medicine*, vol. 9, n° 3, p. 719-726

Kim, C. et coll. (2011). «Longitudinal influences of friends and parents upon unprotected vaginal intercourse in adolescents», Contraception, vol. 83, p. 138-144.

Kimport, K., Foster, K. et Weitz, T. (2011). «Social sources of women's emotional difficulty after abortion: Lessons from women's abortion narratives», *Perspectives on Sexual and Reproductive Health*, vol. 43, p. 103-109.

Kingsberg, S. (2002). «The impact of aging on sexual function in women and their partners», *Archives of Sexual Behavior*, vol. 31, p. 431-437.

Kingsberg, S. et coll. (2013). «Vulvar and vaginal atrophy in post-menopausal women: Findings from the REVIVE/REAL Women's Views of Treatment Options for Menopausal Vaginal Changes survey», *Journal of Sexual Medicine*, vol. 10, p. 1790-1799.

Kingsberg, S. et Krychman, M. (2013). «Resistance and barriers to local estrogen therapy in women with atrophic vaginitis», *Journal of Sexual Medicine*, vol. 10, p. 1567-1574.

Kinsey, A. et coll. (1954). *Le comportement sexuel de la femme*, Paris, Amiot Dumont.

Kinsey, A., Pomeroy, W. et Martin, C. (1948). *Sexual behavior in the human male*, Philadelphia, PA, Saunders.

Kipnis, L. (1996). *Bound and gagged: Pornography and the politics of fantasy in America*, New York, NY, Grove Press.

Kirchmeyer, C. (1996). «Gender roles in decision-making in demographically diverse groups: A case for reviving androgyny», *Sex Roles*, vol. 34, p. 649-663.

Kirkpatrick, L. et Davis, K. (1994). «Attachment style, gender, and relationship stability: A longitudinal analysis», *Journal of Personality and Social Psychology*, vol. 66, p. 502-512.

Klaassen, M.J.E. et Peter, J. (2015). «Gender (in)equality in Internet pornography: A content analysis of popular pornographic Internet videos», *The Journal of Sex Research*, vol. 52, n° 7, p. 721-735.

Klein, J. (2005). «Adolescent pregnancy: Current trends and issues», *Pediatrics*, vol. 116, p. 281-286.

Klein, M. (1991). «Why there's no such thing as sexual addiction and why it really matters». Dans R. Francoeur (dir.), *Taking sides: Clashing views of controversial issues in human sexuality* (3rd ed.), Guilford, CT, Dushkin.

Klein, M. (2003). «Sex addiction: A dangerous clinical concept», *SIECUS Report*, vol. 31, p. 8-11.

Klein, M. (2012a). *Why "sexual addiction" is not a useful diagnosis—and why it matters*, [En ligne], www.martyklein.com/why-sexual-addiction-is-not-a-useful-diagnosis-and-why-it-matters/ (Page consultée le 6 mars 2017).

Klein, M. (2012b). *Sexual intelligence: What we really want from sex and how to get it*, New York, NY, HarperCollins.

Klein, M. (2014a). *The myth of porn's perfect bodies*, [En ligne], www.sexualintelligence.org/newsletters/issue170.html#two (Page consultée le 6 mars 2017).

Klein, M. (2014b). *The sexism behind the anti-escort movement*, [En ligne], www.martyklein.com/the-sexism-behind-the-anti-escort-movement-2/ (Page consultée le 6 mars 2017).

Klein, M. (2014c). «Female students' binge drinking», *Sexual Intelligence Newsletter*, 28 octobre.

Klein, M. (2015). *Ten erection disappointments that are NOT "ED"*, [En ligne], www.psychologytoday.com/blog/sexual-intelligence/201512/ten-erection-disappointments-are-not-ed (Page consultée le 6 mars 2017).

Kleinman, A. (2013). *Americans will spend more time on digital devices than watching TV this year: Research*, [En ligne], www.huffingtonpost.com/2013/08/01/tv-digital-devices_n_3691196.html (Page consultée le 6 mars 2017).

Kliff, S. (2007). «A stem-cell surprise», *Newsweek*, 30 juillet, p. 46-48.

Klipfel, K.M., Claxton, S.E. et van Dulmen, M.H. (2014). «Interpersonal aggression. Victimization within casual sexual relationships and experiences», *Journal of Interpersonal Violence*, vol. 29, n° 3, p. 557-569.

Knickmeyer, R. et coll. (2011). «Turner syndrome and sexual differentiation of the brain: Implications for understanding male-biased neurodevelopmental disorder», *Journal of Neurodevelopmental Disorders*, vol. 3, p. 293-306.

Knight, K. (2014). «Communicative dilemmas in emerging adults' friends with benefits relationships challenges to relational talk», *Emerging Adulthood*, vol. 2, n° 4, p. 270-279.

Knox, D., Breed, R. et Zusman, M. (2007). «College men and jealousy», *College Student Journal*, vol. 41, p. 494-498.

Knox, D., Zusman, M. et McNeely, A. (2008). «University students' beliefs about sex: Men vs. women», *College Student Journal*, vol. 42, p. 181-185.

Knox, S., Jackson, T. et Javins, B. (2011). «Implications of early menopause in women exposed to perfluorocarbons», *Journal of Clinical Endocrinology and Metabolism*, vol. 96, p. 1747-1753.

Knudson-Martin, C. et Silverstein, R. (2009). «Suffering in silence: A qualitative metadata-analysis of postpartum depression», *Journal of Marital and Family Therapy*, vol. 35, p. 145-158.

Kobrin, S. (2006). *More women seek vaginal plastic surgery*, [En ligne], www.womensenews.org/article.cfm/dyn/aid/2067/%20context/archive (Page consultée le 5 décembre 2012).

Koehler, J., Zangwill, W. et Lotz, L. (2000). *Integrating the power of EMDR into sex therapy*, Paper presented at the 32nd Annual Conference of the American Association of Sex Educators, Counselors, and Therapists, mai, Atlanta, GA.

Koenis, M. et coll. (2013). «Longitudinal study of hormonal and physical development in young twins», *Journal of Clinical Endocrinology & Metabolism*, vol. 98, p. e518-e527.

Kohl, J. (2002). *The scent of Eros: Mysteries of odor in human sexuality*, Lincoln, NE, iUniverse.

Kollin, C. et coll. (2006). «Testicular growth from birth to two years of age, and the effect of orchidopexy at age nine months: A randomized, controlled study», *Acta Paediatrica*, vol. 95, p. 318-324.

Kolon, T. et coll. (2014). «Evaluation and treatment of cryptorchidism: AUA Guideline», *Journal of Urology*, vol. 192, p. 337-345.

Kols, A. et Lande, R. (2008). «Vasectomy: Reaching out to new users», *Population Reports*, vol. 6, p. 1-23.

Komisaruk, B.R., Beyer-Flores, C. et Whipple, B. (2006). *The Science of Orgasm*, Baltimore, MD, Johns Hopkins University Press.

Komisaruk, B.R. et Whipple, B. (2005). «Functional MRI of the brain during orgasm in women», *Annual Review of Sex Research*, vol. 16, p. 62-86.

Konrath, S. et coll. (2014). «Changes in adult attachment styles in American college students over time: A meta-analysis», *Personality and Social Psychology Review*, vol. 18, p. 326-348.

Kontula, O. et Haavio-Mannila, E. (2009). «The impact of aging on human sexual activity and sexual desire», *Journal of Sex Research*, vol. 46, p. 46-56.

Koo, K. et coll. (2014). «Effects of chemical castration on sexual offenders in relation to the kinetics of serum testosterone recovery: Implications for dosing schedule», *Journal of Sexual Medicine*, vol. 11, p. 1316-1324.

Korda, J.B., Goldstein, S.W. et Sommer, F. (2010). «The history of female ejaculation», *Journal of Sexual Medicine*, vol. 7, p. 1965-1975.

Kort, M. (2006). «Denial by delay», *Ms.*, hiver, p. 12-13.

Kosnik, A. et coll. (1977). *Human sexuality: New directions in American Catholic thought*, New York, NY, Paulist Press.

Koss, M. et coll. (2003). «Depression and PTSD in survivors of male violence: Research and training initiatives to facilitate recovery», *Psychology of Women Quarterly*, vol. 27, p. 130-142.

Koss, M., Figueredo, A. et Prince, R. (2002). «Cognitive mediation of rape's mental, physical, and social health impact: Tests of four models in cross-sectional data», *Journal of Consulting and Clinical Psychology*, vol. 70, p. 926-941.

Koster, M. et Price, L. (2008). «Rwandan female genital modification. Elongation of the labia minora and the use of botanical species», *Culture, Health and Sexuality*, vol. 10, p. 191-204.

Kotb, H. (2008). *Sexuality and media in Arabic countries*, Paper presented at the 18th Deutsche Gesellschaft für Sozialwissenschaftliche Sexualforschung Conference «Sexuality and the Media», novembre, Munich, Allemagne.

Kottler, J. (2008). «From intention to action», *Psychotherapy Networker*, novembre/décembre, p. 43-47.

Koukounas, E. et McCabe, M. (1997). «Sexual and emotional variables influencing sexual response to erotica», *Behavior Research and Therapy*, vol. 35, p. 221-231.

Kovacs, A. et Osvath, P. (2006). *Genital retraction syndrome in Korean woman: A case of Koro in Hungary*, [En ligne], www.Medscape/abstract/9697166 (Page consultée le 7 janvier 2006).

Krahe, B., Scheinberger-Olwig, R. et Kolpin, S. (2000). «Ambiguous communication of sexual intentions as a risk marker of sexual aggression», *Sex Roles*, vol. 42, p. 313-337.

Krahe, B., Waizenhofer, E. et Moller, I. (2003). «Women's sexual aggression against men: Prevalence and predictors», *Sex Roles*, vol. 49, p. 219-232.

Krattenmaker, T. (2013). «Christians shift on homosexuality», *USA Today*, 18 juillet, p. 84.

Krause, K. et coll. (2014). «Current practice of HIV postexposure treatment for sexual assault patients in an emergency department», *Women's Health Issues*, vol. 24, p. e407-e412.

Kreager, D. et coll. (2014). «"Where have all the good men gone?" Gendered interaction in online dating», *Journal of Marriage and Family*, vol. 76, p. 387-410.

Kretschmer, T. et coll. (2014). «The interplay between peer rejection and acceptance in preadolescence and early adolescence, serotonin transporter gene, and antisocial behavior in late adolescence: The TRAILS Study», *Merrill-Palmer Quarterly*, vol. 60, n° 2, p. 193-216.

Kristensen, E. et Lau, M. (2011). «Sexual function in women with a history of intrafamilial childhood sexual abuse», *Sexual and Relationship Therapy*, vol. 26, p. 229-241.

Kristof, N. (2014). *TV lowers birthrate (seriously)*, [En ligne], www.nytimes.com/2014/03/20/opinion/kristof-tv-lowers-birthrate-seriously.html (Page consultée le 6 mars 2017).

Kroll, K. et Klein E. (1992). *Enabling romance*, New York, NY, Harmony Books.

Kruger, T. et coll. (2002). «Orgasm-induced prolactin secretion: Feedback control of sexual drive?», *Neuroscience and Biobehavioral Reviews*, vol. 26, p. 3144.

Krujiver, F. et coll. (2000). «Male-to-female transsexuals have female neuron member in a limbic nucleus», *Journal of Clinical Endocrinology*, vol. 85, p. 2034-2040.

Kuehn, B. (2014). «Cardiovascular risk of testosterone», *Journal of the American Medical Association*, vol. 311, p. 1192.

Kulbarsh, P. (2014). *Frotteurism: Sexual assault or accidental encounter*, [En ligne], www.officer.com.article/10657993/Frotteurism-sexual-assault-or-accidental-encounter (Page consultée le 26 juin 2014).

Kumwenda, N. et coll. (2008). «Extended antiretroviral prophylaxis to reduce breast-milk HIV-1 transmissions», *New England Journal of Medicine*, vol. 359, p. 119-129.

Kuperberg, A. (2014). «Age at coresidence, premarital cohabitation, and narriage dissolution: 1985-2009», *Journal of Marriage and Family*, vol. 76, p. 352-369.

Kurtz-Costes, B. et coll. (2008). «Gender stereotypes about mathematics and science and self-perceptions of ability in late childhood and early adolescence», *Merrill-Palmer Quarterly*, vol. 54, p. 386-409.

Kuyper, L. et coll. (2011). «Doing more good than harm? The effects of participation in sex research on young people in the Netherlands», *Archives of Sexual Behavior*, 17 juin, p. 1-10.

Kuyper, L. et Fokkema, T. (2011). «Loneliness among older lesbian, gay and bisexual adults: The role of minority stress», *Archives of Sexual Behavior*, vol. 39, p. 1171-1180.

Laan, E. et Tiefer, L. (2014). «Sex cures and the drug industry», *Los Angeles Times*, 16 novembre, p. A19(1).

LaBrie, J. et coll. (2005). «Effects of alcohol, expectancies, and partner type on condom use in college males: Event-level analyses», *Journal of Sex Research*, vol. 42, p. 259-266.

Labriola, K. (1999). «Models of open relationships». Dans M. Munson et J. Stelboum (dir.), *The lesbian polyamory reader: Open relationships, non-monogamy, and casual*, New York, NY, Routledge.

Lagana, L. (1999). «Psychological correlates of contraceptive practices during late adolescence», *Adolescence*, vol. 34, p. 463-482.

Lam, C. et coll. (2014). «Time with peers from middle childhood to late adolescence: Developmental course and adjustment correlates», *Child Development*, vol. 85, p. 1677-1693.

Lamb, D., Catanzaro, S. et Moorman, A. (2003). «Psychologists reflect on their sexual relationships with clients, supervisees, and students: Occurrence, impact, rationales, and collegial intervention», *Professional Psychology: Research and Practice*, vol. 34, p. 102-107.

Lambert, K. et Lilienfeld, S. (2008). «La mémoire violée», *Cerveau & psycho*, vol. 27.

Lambert, S. et O'Halloran, E. (2008). «Deductive thematic analysis of a female paedophilia website», *Psychiatry, Psychology and the Law*, vol. 15, p. 284-300.

Lammers, C. et coll. (2000). «Influences on adolescents' decisions to postpone onset of sexual intercourse: A survival analysis of virginity among youths ages 13 to 18 years», *Journal of Adolescent Health*, vol. 26, p. 42-48.

Lamptey, P., Johnson, J. et Khan, M. (2006). «The global challenge of HIV and AIDS», *Population Bulletin*, vol. 61, p. 3-24.

Lane, F. (2000). *Obscene profits: The entrepreneurs of pornography in the cyber age*, New York, NY, Routledge.

Lang, M.-È. (2011). «L'"agentivité sexuelle" des adolescentes et des jeunes femmes: une définition», *Recherches féministes*, vol. 24, nº 2, p. 189-209.

Langevin, R. (2003). «A study of the psychosexual characteristics of sex killers: Can we identify them before it is too late?», *International Journal of Offender Therapy and Comparative Criminology*, vol. 47, p. 366-382.

Langevin, R., Paitich, D. et Ramsay, G. (1979). «Experimental studies of the etiology of genital exhibitionism», *Archives of Sexual Behavior*, vol. 8, p. 307-331.

Lanier, Y. et coll. (2013). «Reframing the context of preventive health care services and prevention of HIV and other sexually transmitted infections for young men: New opportunities to reduce racial/ethnic sexual health disparities», *American Journal of Public Health*, vol. 103, p. 262-269.

Larimore, W. et Stanford, J. (2000). «Postfertilization effects of oral contraceptives and their relationship to informed consent», *Archives of Family Medicine*, vol. 9, p. 126-133.

Larouche, J.-M. (1991). *Éros et Thanatos sous l'œil des nouveaux clercs*, Montréal, , VLB éditeur, coll. Études québécoises.

Larsson, I. et Svedin, C. (2002). «Sexual experiences in childhood: Young adults' recollections», *Archives of Sexual Behavior*, vol. 31, p. 263-273.

LaSala, M. (2007). «Parental influence, gay youths, and safer sex», *Health and Social Work*, vol. 32, p. 49-55.

Lash, M. et Armstrong, A. (2009). «Impact of obesity on women's health», *Fertility and Sterility*, vol. 91, p. 1712-1716.

Lattimer, J. (2014). *GSM acronym better than LGBT alphabet soup*, [En ligne], www.collegiatetimes.com/opinion/gsm-acronym-better-than-lgbt-alphabet-soup/article_f7a325a4-5acd-11e4-bf0d-001a4bcf6878.html (Page consultée le 6 mars 2017).

Latty-Mann, H. et Davis, K. (1996). «Attachment theory and partner choice: Preference and actuality», *Journal of Social and Personal Relationships*, vol. 13, p. 5-23.

Laumann, E. et coll. (1994). *The social organization of sexuality: Sexual practices in the United States*, Chicago, IL, University of Chicago Press.

Laumann, E., Masi, C. et Zuckerman, E. (1997). «Circumcision in the United States: Prevalence, prophylactic effects, and sexual practice», *Journal of the American Medical Association*, vol. 277, p. 1052-1057.

Laumann, E., Paik, A. et Rosen, R. (1999). «Sexual dysfunction in the United States», *Journal of the American Medical Association*, vol. 281, p. 537-544.

Laurent, B. (1995). «Intersexuality: A plea for honesty and emotional support», *AHP Perspective*, novembre/décembre, vol. 8-9, p. 28.

Lawrence, A. (2005). «Sexuality before and after male-to-female sex reassignment surgery», *Archives of Sexual Behavior*, vol. 34, p. 147-166.

Lawrence, R. et coll. (2011). «Adolescents, contraception and confidentiality: A national survey of obstetrician-gynecologists», *Contraception*, vol. 84, p. 259-265.

Lea, T. et coll. (2014). *Minority stress in lesbian, gay, and bisexual young adults in Australia: Associations with psychological distress, suicidality, and substance use*, [En ligne], http://link.springer.com/article/10.1007/s10508-014-0266-6 (Page consultée le 6 mars 2017).

Leander, L., Christianson, S. et Granhag, P. (2007). «A sexual abuse case: Children's memories and reports», *Psychiatry, Psychology, and Law*, vol. 14, p. 120-129.

Leaper, C., Anderson, K. et Sanders, P. (1998). «Moderators of gender effects on parents' talk to their children: A metaanalysis», *Developmental Psychology*, vol. 34, p. 3-27.

Lear, M. et coll. (2014). «Informed of the norms? College faculty and staff drinking behaviors and their perception of student alcohol consumption», *Journal of Alcohol & Drug Education*, vol. 58.

Lee, J.H. et Lee, S.W. (2014). «Relationship between premature ejaculation and chronic prostatitis/chronic pelvic pain syndrome», *Journal of Sexual Medicine*, vol. 12, p. 697-704.

Lee, M., Morgan, M. et Rapkin, A. (2011). «Clitoral and vulvar vestibular sensation in women taking 20 mcg ethinyl estradiol combined oral contraceptives: A preliminary study», *Journal of Sexual Medicine*, vol. 8, p. 213-218.

Lee, Y. et Styne, D. (2013). «Influences on the onset and tempo of puberty in human beings and implications for adolescent psychological development», *Hormones and Behavior*, vol. 64, p. 250-261.

Lee-St. John, J. et Gallatin, J. (2008). «Permanent birth control», *Time*, 22 décembre, p. 70.

Lees, S. (2014). «Emergent HIV technology: Urban Tanzanian women's narratives of medical research, microbicides and sexuality», *Culture, Health & Sexuality: An International Journal for Research, Intervention and Care*, vol. 17.

Legate, N., Ryan, R. et Weinstein, N. (2012). «Is coming out always a "good thing"? Exploring the relations of autonomy support, outness, and wellness for lesbian, gay, and bisexual individuals», *Social Psychological and Personality Science*, vol. 3, p. 145-152.

Lehmiller, J. et coll. (2011). «Sex differences in approaching friends with benefits relationships», *Journal of Sex Research*, vol. 48, p. 275-284.

Lehmiller, J.J. et coll. (2014). *The psychology of human sexuality*, West Sussex, Wiley-Blackwell, John Wiley & Sons.

Leiblum, S. (2000). «Vaginismus: A most perplexing problem». Dans S. Leiblum et R. Rosen (dir.), *Principles and practice of sex therapy*, New York, NY, Guilford Press.

Leiblum, S. et Bachmann, G. (1988). «The sexuality of the climacteric woman». Dans B. Eskin (dir.), *The menopause: Comprehensive management*, New York, NY, Yearbook Medical Publications.

Leiblum, S. et Goldmeier, D. (2008). «Persistent genital arousal disorder in women: Case reports of association with antidepressant usage and withdrawal», *Journal of Sex and Marital Therapy*, vol. 34, p. 150-159.

Leiblum, S.R. et Rosen, R.C. (dir.) (1988). *Sexual Desire Disorders*, New York, NY, Guilford Press.

Leibowitz, D. et Hoffman, J. (2000). «Fertility drug therapies: Past, present, and future», *Journal of Obstetrical Gynecologic, and Neonatal Nursing*, vol. 29, p. 201-210.

Leitenberg, H. et Henning, K. (1995). «Sexual fantasy», *Psychological Bulletin*, vol. 117, n° 3, p. 469-496.

Lenhart, A. (2015). *Teens, social media & technology overview 2015*, [En ligne], www.pewinternet.org/2015/04/09/teens-social-media-technology-2015 (Page consultée le 24 février 2017).

Lepowsky, M. (1994). *Fruit of the motherland: Gender in an egalitarian society*, New York, NY, Columbia University Press.

Leprout, R. et Van Cauter, E. (2011). «Effects of 1 week sleep deprivation on testosterone levels in young healthy men», *Journal of the American Medical Association*, vol. 305, p. 2173-2174.

Leuchtag, A. (2003). «Human rights, sex trafficking, and prostitution», *The Humanist*, janvier-février, p. 10-15.

Levant, R. (1997). *Men and Emotions: A Psychoeducational Approach*, New York, NY, Newbridge Communications.

LeVay, S. (2010). *Gay, straight, and the reason why: The science of sexual orientation*, New York, NY, Oxford University Press.

Lever, J. (1994). «Sexual revelations», *Advocate*, 23 août, p. 17-24.

Lever, J., Frederick, D. et Peplau, L. (2006). «Does size matter? Men's and women's views on penis size across the lifespan», *Psychology of Men and Masculinity*, vol. 7, p. 127.

Lévesque, S. et coll. (2016). «Intimate partner violence, sexual assault, and reproductive health among university women», *The Canadian Journal of Human Sexuality*, vol. 25, n° 1, p. 9-20.

Levin, R. (2002). «The physiology of sexual arousal in the human female: A recreational and procreational synthesis», *Archives of Sexual Behavior*, vol. 31, p. 405-411.

Levin, R. (2003a). «Is prolactin the biological "off switch" for human sexual arousal?», *Sexual and Relationship Therapy*, vol. 18, p. 237-243.

Levin, R. (2003b). «Do women gain anything from coitus apart from pregnancy? Changes in the human female genital tract activated by coitus», *Journal of Sex and Marital Therapy*, vol. 29(Suppl.), p. 59-69.

Levin, R. et Meston, C. (2006). «Nipple/breast stimulation and sexual arousal in young men and women», *Journal of Sexual Medicine*, vol. 3, p. 450-454.

Levin, R.J. (2011). «Physiology of Orgasm». Dans J.P. Mulhall et coll. (dir.), *Cancer and sexual health*, New York, NY, Springer Science.

Levine, M. et Troiden, R. (1988). «The myth of sexual compulsivity», *Journal of Sex Research*, vol. 25, p. 347-363.

Levine, R. et coll. (1995). «Love and marriage in eleven cultures», *Journal of Cross-Cultural Psychology*, vol. 26, p. 554-571.

Levy, A., Crowley, T. et Gingell, C. (2000). «Nonsurgical management of erectile dysfunction», *Clinical Endocrinology*, vol. 52, p. 253-260.

Levy, J. (2001). «HIV and AIDS in people over 50», *SIECUS Report*, vol. 30, p. 10-15.

Levy, J. (2010). «Between gay and straight», *Psychotherapy Networker*, mai/juin, p. 59-62.

Leye, E. et coll. (2006). «Health care in Europe for women with genital mutilation», *Health Care for Women International*, vol. 27, p. 362-378.

Lew, M. (2004). «Adult male survivors of sexual abuse: Sexual issues in treatment and recovery», *Contemporary Sexuality*, vol. 38, p. i-v.

Lew-Starowicz, M. et Rola, R. (2014). «Sexual dysfunctions and sexual quality of life in men with multiple sclerosis», *The Journal of Sexual Medicine*, vol. 11, n° 5, p. 1294-1301.

Li, T. et Chan, D.K.S. (2012). «How anxious and avoidant attachment affect romantic relationship quality differently: A meta-analytic review», *European Journal of Social Psychology*, vol. 4, n° 4, p. 406-419.

Li, T. et Fung, H. (2011). «The dynamic goal theory of marital satisfaction», *Review of General Psychology*, vol. 15, p. 246-254.

Lick, D. et Johnson, K. (2014). *Perceptual underpinnings of anti-gay prejudice negative evaluations of sexual minority women arise on the basis of gendered facial features*, [En ligne], http://psp.sagepub.com/content/40/9/1178.abstract (Page consultée le 6 mars 2017).

Lieberman, A. (2011). *U.S. sex workers hail nation's new stance*, [En ligne], http://womensenews.org/2011/04/us-sex-workers-hail-nations-new-stance (Page consultée le 6 mars 2017).

Liebowitz, M. (1992). *La chimie de l'amour*, Montréal, Éditions de l'Homme.

Lief, H. et Hubschman, L. (1993). «Orgasm in the postoperative transsexual», *Archives of Sexual Behavior*, vol. 22, p. 145-155.

Lim, L. (1998). *The sex sector*, Genève, International Labour Office.

Lindberg, S., Hyde, J. et Hirsch, L. (2008). «Gender and mother-child interaction during mathematics homework: The importance of individual differences», *Merrill-Palmer Quarterly*, vol. 54, p. 232-255.

Lindeman, H. (2015). Correspondance personnelle.

Lindholm, J. et coll. (1980). «Gonadal and sexual functions in tortured Greek men», *Danish Medical Bulletin*, vol. 27, p. 243-245.

Linskey, A. (2006). «Police target Internet-advertised prostitution», *Baltimore Sun*, 9 août.

Lippa, R. (2006). «Is high sex drive associated with increased sexual attraction to both sexes? It depends on whether you're male or female», *Psychological Science*, vol. 17, p. 46-52.

Lippman, J. et Campbell, S. (2014). «Damned if you do, damned if you don't… if you're a girl: Relational and normative contexts of adolescent sexting in the United States», *Journal of Children and Media*, vol. 8, n° 4, p. 371-386.

Lips, H. (1997). *Sex and gender* (2nd ed.), Mountain View, CA, Mayfield.

Lisotta, C. (2007). «Coming home», *Advocate*, 19 juin, p. 25.

Lithwick, D. (2009). «Teens, nude photos and the law», *Newsweek*, 23 février, p. 18.

Littleton, H., Axsom, D. et Grills-Taquechel, A. (2009). «Sexual assault victims' acknowledgement status and revictimization», *Psychology of Women Quarterly*, vol. 33, p. 34-42.

Liu, C. (2003). «Does quality of marital sex decline with duration?», *Archives of Sexual Behavior*, vol. 32, p. 55-60.

Loehr, A. et coll. (2015). «The role of selection effects in the contact hypothesis: Results from a U.S. national survey on sexual prejudice», *Archives of Sexual Behavior*. doi: 10.1007-s10508-015-0483-7

Loftus, D. (2002). *Watching sex*, New York, NY, Thunder's Mouth Press.

Loftus, E., Polonsky, S. et Fullilove, M. (1994). «Memories of childhood sexual abuse: Remembering and repressing», *Psychology of Women Quarterly*, vol. 18, p. 67-84.

Lok, C. (2011). «Vaccines: His best shot», *Nature*, vol. 473, p. 419-424.

Long, V. (2002). «Contraceptives choices: New options in the U.S. market», *SIECUS Report*, vol. 31, p. 13-18.

Longombe, A., Claude, K. et Ruminjo, J. (2008). «Fistula and traumatic genital injury from sexual violence in a conflict setting in Eastern Congo: Case studies», *Reproductive Health Matters*, vol. 16, p. 132-141.

Lonsway, K. et Fitzgerald, L. (1994). «Rape myths», *Psychology of Women Quarterly*, vol. 18, p. 133-164.

Looker, K., Garnett, G. et Schmid, G. (2008). «An estimate of the global prevalence and incidence of herpes simplex virus type 2 infection», *Bulletin of the World Health Organization*, vol. 85, p. 805-812.

Looy, H. et Bouma, H. (2005). «The nature of gender: Gender identity in persons who are intersexed or transgendered», *Journal of Psychology and Theology*, vol. 33, p. 166-178.

LoPiccolo, J. (2000). *Post-modern sex therapy: An integrated approach*, Paper presented at the 32nd Annual Conference of the American Association of Sex Educators, Counselors, and Therapists, mai, Atlanta, GA.

Lorber, J. (1995). «Gender is determined by social practices». Dans D. Bender et B. Leone (dir.), *Human sexuality: Opposing viewpoints*, San Diego, CA, Greenhaven Press.

Lorch, D. et Mendenhall, P. (2000). «A war's hidden tragedy», *Newsweek*, août, p. 35-36.

Loughlin, K. (2005). «Penile carcinoma: New answers to 6 controversial questions», *Contemporary Urology*, vol. 17, p. 26-32.

Loulan, J. (1984). *Lesbian Sex*, San Francisco, CA, Spinsters Ink.

Love, P. (2001). *The truth about love*, New York, NY, Simon and Schuster.

Lovejoy, M. C. (2015). «Hooking up as an individualistic practice: A double-edged sword for college women», *Sexuality & Culture*, vol. 19, n° 3, p. 464-492.

Lowenstein, L. (2002). «Fetishes and their associated behavior», *Sexuality and Disability*, vol. 20, p. 135-147.

Lowenstein, L. et coll. (2014). «Physician's attitude toward female genital plastic surgery: A multinational survey», *Journal of Sexual Medicine*, vol. 11, p. 33-39.

Lowenthal, M. (2010). «A taste of Nanjing China», *Advocate*, 20 septembre, p. 22.

Lown, J. et Dolan, E. (1988). «Financial challenges in remarriage», *Lifestyles: Family and Economic Issues*, vol. 9, p. 73-88.

Lue, T. et coll. (2004a). *Second international consultation on sexual medicine: Sexual dysfunctions in men and women*, Paris, Health Publications.

Lue, T. et coll. (2004b). «Summary of the recommendations on sexual dysfunctions in men», *Journal of Sexual Medicine*, vol. 1, p. 6-23.

Luk, B. et Loke, A. (2015). «The impact of infertility on the psychological well-being, marital relationships, sexual relationships, and quality of life of couples – A systematic review», *Journal of sex & marital therapy*, vol. 41, p. 610-625.

Luongo, M. (2007). *Gay travels in the Muslim world*, Kirkwood, NY, Harrington Park Press.

Lutfey, K., Link, C. et McKinlay, F. (2006). *Prevalence and predictors of female sexual dysfunction: Results from the Boston Area Community Health (Back) Survey*, communication donnée à la Sexual Medicine Society of North America Fall Meeting, novembre, New York, NY.

Lurie, L. et coll. (2008). «Combined oral contraceptive use and epithelial ovarian cancer risk: Time related effects», *Epidemiology*, vol. 19, p. 237-243.

Lykes, V. et Kemmelmeier, M. (2014). «What predicts loneliness? Cultural difference between individualistic and collectivistic societies in Europe», *Journal of Cross-Cultural Psychology*, vol. 45, p. 468-490.

Lyons, H. et coll. (2011). «Identity, peer relationships, and adolescent girls' sexual behavior: An exploration of the contemporary double standard», *Journal of Sex Research*, vol. 48, p. 37-49.

Lyssens–Danneboom, V. et Mortelmans, D. (2014). «Living apart together and money: New partnerships, traditional gender roles», *Journal of Marriage and Family*, vol. 76, n° 5, p. 949-966.

Maccio, E. (2010). «Influence of family, religion, and social conformity on client participation in sexual reorientation therapy», *Journal of Homosexuality*, vol. 57, n° 3, p. 441-458.

Maccoby, E. (1998). *The two sexes: Growing up apart, coming together*, Cambridge, Harvard University Press.

MacDonald, G. et coll. (2013). «Insecure attachment predicts ambivalent social threat and reward perceptions in romantic relationships», *Journal of Social and Personal Relationships*, vol. 30, p. 647-661.

MacIntosh, H., Reissing, E.D. et Andreuff, H. (2010). «Same-sex marriage in Canada: The impact of legal marriage on the first cohort of gay and lesbian Canadians to wed», *The Canadian Journal of Human Sexuality*, vol. 19, n° 3, p. 79-90.

Macklon, N. et Fauser, B. (1999). «Aspects of ovarian follicle development throughout life», *Hormone Research*, vol. 52, p. 161-170.

MacNeil, S. et Byers, E.S. (2005). «Dyadic assessment of sexual self-disclosure and sexual satisfaction in heterosexual dating couples», *Journal of Social and Personal Relationships*, vol. 22, n° 2, p. 169-181.

MacNeil, S. et Byers, E.S. (2009). «Role of sexual self-disclosure in the sexual satisfaction of long-term heterosexual couples», *Journal of Sex Research*, vol. 46, p. 3-14.

Maddox, A., Rhoades, G. et Markman, H. (2011). «Viewing sexually-explicit materials alone or together: Associations with relationship quality», *Archives of Sexual Behavior*, vol. 40, p. 441-448.

Madison, A. (2015). *When social-media companies censor sex education*, [En ligne], www.theatlantic.com/health/archive/2015/03/when-social-media-censors-sex-education/385576 (Page consultée le 6 mars 2017).

Maggi, M. et coll. (2013). «Hormonal causes of male sexual dysfunctions and their management (hyper-prolactinemia, thyroid disorders, GH disorders, and DHEA)», *Journal of Sexual Medicine*, vol. 10, p. 661-677.

Mah, K. et Binik, Y. (2002). «Do all orgasms feel alike? Evaluating a two-dimensional model of orgasm experience across gender and sexual context», *Journal of Sex Research*, vol. 39, p. 104-113.

Mahaffey, A., Bryan, A. et Hutchison, K. (2005). «Sex differences in affective responses to homoerotic stimuli: Evidence for an unconscious bias among heterosexual men, but not heterosexual women», *Archives of Sexual Behavior*, vol. 34, p. 537-546.

Mahoney, S. (2003). «Seeking love: The 50-plus dating game has never been hotter», *AARP*, novembre/décembre, p. 57–66.

Maisel, N., Gable, S. et Strachman, A. (2008). «Responsive behaviors in good times and bad», *Personal Relationships*, vol. 15, p. 317-338.

Makinen, J. et coll. (2011). «Androgen replacement therapy in late-onset hypogonadism: Current concepts and controversies—A mini-review», *Gerontology*, vol. 57, p. 193-202.

Malamuth, N., Addison, T. et Koss, M. (2000). «Pornography and sexual aggression: Are there reliable effects and can we understand them?». Dans J. Heiman et C. Davis (dir.), *Annual Review of Sex Research*, Mason City, Society for the Scientific Study of Sexuality.

Malamuth, N., Haber, S. et Feshback, S. (1980). «Testing hypotheses regarding rape: Exposure to sexual violence, sex differences, and the normality of rapists», *Journal of Research in Personality*, vol. 14, p. 121-137.

Malcolm, J. (2008). «Heterosexually married men who have sex with men: Marital separation and psychological adjustment», *Journal of Sex Research*, vol. 45, p. 350-357.

Malesky, L. et Ennis, L. (2004). «Supportive distortions: An analysis of posts on a pedophile Internet message board», *Journal of Addictions and Offender Counseling*, vol. 24, p. 92-100.

Mallis, D. et coll. (2006). «Moderate and severe erectile dysfunction equally affects life satisfaction», *Journal of Sexual Medicine*, vol. 3, p. 442-449.

Maltz, W. (2003). «Treating the sexual intimacy concerns of sexual abuse», *Contemporary Sexuality*, vol. 37, p. i-vii.

Mandoki, M. et coll. (1991). «A review of Klinefelter's syndrome in children and adolescents», *Journal of the American Academy of Child and Adolescent Psychiatry*, vol. 30, p. 167-172.

Manet, P. et Herbe, D. (2011). «Does knowledge about sexuality prevent adolescents from developing rape-supportive beliefs?», *Journal of Sex Research*, vol. 48, p. 372-381.

Manier, B. (2008). *France strikes down court ruling on virginity*, [En ligne], http://womensenews.org/story/the-world/081118/france-strikes-down-court-ruling-virginity (Page consultée le 25 avril 2012).

Manji, I. (2006). «My Islam», *Advocate*, 23 mai, p. 33.

Manlove, J., Ryan, S. et Franzetta, K. (2007). «Contraceptive use patterns across teens' sexual relationships: The role of relationships, partners, and sexual histories», *Demography*, vol. 44, p. 603-621.

Manlove, J. et Terry-Humen, E. (2007). «Contraceptive use patterns within females' first sexual relationships: The role of relationships, partners, and methods», *Journal of Sex Research*, vol. 44, p. 3-16.

Mann, A. et DiPrete, T. (2013). «Trends in gender segregation in the choice of science and engineering majors», *Social Science Research*, vol. 42, p. 1519-1541.

Manning, W. et Cohen, J. (2012). «Premarital cohabitation and marital dissolution: An examination of recent marriages», *Journal of Marriage and Family*, vol. 74, p. 377-387.

Manning, W. et coll. (2014). «Two decades of stability and change in age at first union formation», *Journal of Marriage and Family*, vol. 76, p. 247-260.

Mansour, D. et coll. (2008). «The effects of Implanon on menstrual bleeding patterns», *European Journal of Contraception and Reproductive Health Care*, vol. 13, p. 13-28.

Mantyla, T. (2013). «Gender differences in multitasking reflect spatial ability», *Psychological Science*, vol. 24, p. 514-520.

Marchina, E. et coll. (2009). «Identification of a new mutation in the SRY gene in a 46,XY woman with Swyer syndrome», *Fertility and Sterility*, vol. 91, p. e7-e11.

Marcus, D. et Miller, R. (2003). «Sex differences in judgments of physical attractiveness: A social relations analysis», *Personality and Social Psychology Bulletin*, vol. 29, p. 325-335.

Margolis, L. (2000). «Ethical principles for analyzing dilemmas in sex research», *Health Education and Behavior*, vol. 27, p. 24-27.

Mark, K., Janssen, E. et Milhausen, R. (2011). «Infidelity in heterosexual couples: Demographic, interpersonal, and personality-related predictors of extradyadic sex», *Archives of Sexual Behavior*. doi: 10.1007/s10508-011-9771-z

Mark, K. et Jozkowski, K. (2013). «The mediating role of sexual and nonsexual communication between relationships and sexual satisfaction in a sample of college-age heterosexual couples», *Journal of Sex and Marital Therapy*, vol. 39, p. 410-427.

Mark, K.P., Garcia, J.R. et Fisher, H.E. (2015). «Perceived emotional and sexual satisfaction across sexual relationship contexts: Gender and sexual orientation differences and similarities», *The Canadian Journal of Human Sexuality*, vol. 24, n° 2, p. 120-130.

Markle, G. (2008). « "Can women have sex like a man?" Sexual scripts in Sex and the City», *Sexuality and Culture*, vol. 12, p. 45-57.

Marold, M. (2014). «Ice, ice, baby! The division of frozen embryos at the time of divorce», *Hastings Women's Law Journal*, vol. 25, p. 179-201.

Marshall, T.C. et coll. (2013). «Attachment styles as predictors of Facebook-related jealousy and surveillance in romantic relationships», *Personal Relationships*, vol. 20, p. 1-22. doi: 10.1111/j.1475-6811.2011.01393.x

Marshall, W. (1988). «The use of sexually explicit stimuli by rapists, child molesters, and nonoffenders», *Journal of Sex Research*, vol. 25, p. 267-288.

Marshall, W. (1993). «A revised approach to the treatment of men who sexually assault adult females». Dans G. Hall, R. Hirschman, J. Graham et M. Zaragoza (dir.), *Sexual aggression: Issues in etiology, assessment, and treatment*, Washington, DC, Taylor and Francis.

Marshall, W., Eccles, A. et Barbaree, H. (1991). «The treatment of exhibitionists: A focus on sexual deviance versus cognitive and relationship features», *Behaviour Research and Therapy*, vol. 29, p. 129-135.

Marson, L. et McKenna, K.E. (1992). «A role for 5-hydroxytryptamine in descending inhibition of spinal sexual reflexes», *Experimental Brain Research*, vol. 88, p. 313-320.

Marston, C. et Lewis, R. (2014). «Anal heterosex among young people and implications for health promotion: A qualitative study in the UK», *Sexual Health*. doi: 10.1136/bmjopen-2014-004996

Martinez, K. (2015). «Somebody's fetish: Self-objectification and body satisfaction among consensual sadomasochists», *The Journal of Sex Research*. doi: 0.1080/00224499.2014.978494

Martinson, F. (1994). *The sexual life of children*, Westport, CT, Bergin and Garvey.

Martsolf, D. et Draucker, C. (2008). «The legacy of childhood sexual abuse and family adversity», *Journal of Nursing Scholarship*, vol. 40, p. 333-340.

Marvan, M., Cortes-Iniestra, S. et Gonzalez, R. (2005). «Beliefs about and attitudes toward menstruation among young and middle-aged Mexicans», *Sex Roles: A Journal of Research*, vol. 53, p. 273-280.

Marx, T. et Mehta, A. (2003). «Polycystic ovary syndrome: Pathogenesis and treatment over the short and long term», *Cleveland Clinic Journal of Medicine*, vol. 70, p. 31-41.

Marzucco, J. (2005). *Premature ejaculation: Medical and mental health working together*, article présenté lors du 17e congrès mondial de sexologie, 10-15 juillet, Montréal, Canada.

Masters, N. et coll. (2008). «The opposite of sex? Adolescents' thoughts about abstinence and sex, and their sexual behavior», *Perspectives on Sexual and Reproductive Health*, vol. 40, p. 87-93.

Masters, W. et Johnson, V. (1961). «Orgasm, anatomy of the female». Dans A. Ellis et A. Abarbonel (dir.), *Encyclopedia of sexual behavior* (vol. 2), New York, NY, Hawthorn.

Masters, W. et Johnson, V. (1966). *Human sexual response*, Boston, MA, Little, Brown.

Masters, W. et Johnson, V. (1968). *Les reactions sexuelles*, Paris, Robert Laffont.

Masters, W. et Johnson, V. (1970). *Human sexual inadequacy*, Boston, MA, Little, Brown.

Masters, W. et Johnson, V. (1976). *The pleasure bond*, New York, NY, Bantam Books.

Mather, C. (2005). «Accusations of genital theft: A case from Northern Ghana», *Culture, Medicine, and Psychiatry*, vol. 29, p. 33-52.

Mathes, E. et Verstrate, C. (1993). «Jealous aggression: Who is the target, the beloved or the rival?», *Psychological Reports*, vol. 72, p. 1071-1074.

Mathews, G. et coll. (2009). «Personality and congenital adrenal hyperplasia: Possible effects of prenatal androgen exposure», *Hormones and Behavior*, vol. 55, p. 285-291.

Mathieu, C., Courtois, F. et Noreau, L. (2006). «Sexual activities, desire, and sensations in paraplegic and tetraplegic men and women», *Journal of Sex Research*, vol. 43, p. 21-22.

Matsushita, K. et coll. (2014). «Concordance between patient and physician assessment of the magnitude of Peyronie's disease curvature», *Journal of Sexual Medicine*, vol. 11, p. 205-210.

Matteo, S. et Rissman, E. (1984). «Increased sexual activity during the midcycle portion of the human menstrual cycle», *Hormones and Behavior*, vol. 18, p. 249-255.

Mauldon, J. et coll. (2014). «Effects of abortion vs. carrying to term on a women's relationship with the men involved in the pregnancy», *Perspectives on Sexual and Reproductive Health*, vol. 47, p. e2315.

May, R. (1969). *Love and will*, New York, NY, Norton.

Maynard, E. et coll. (2009). «Women's experiences with anal sex: Motivations and implications for STD prevention», *Perspectives on Sexual and Reproductive Health*, vol. 41, p. 142-150.

Mayo Clinic (2008). *Retrograde ejaculation*, [En ligne], www.mayoclinic.com/health/retrograde-ejaculation/DS00913 (Page consultée le 1er novembre 2008).

Mcanally, H.M. et Hancox, R. J. (2014). «The long-term health effects of too much television: whose responsibility?», *Journal of Epidemiology and Community Health*, vol. 68, n° 10, p. 905.

McBride, K. et Fortenberry, D. (2010). «Heterosexual anal sexuality and anal sex behaviors: A review», *Journal of Sex Research*, vol. 47, p. 123-137.

McCabe, M. et Altholf, S. (2013). «A systematic review of the psychosocial outcomes associated with erectile dysfunction: Does the impact of erectile dysfunction extend beyond a man's inability to have sex?», *Journal of Sexual Medicine*, vol. 11, p. 347-363.

McCabe, M. et coll. (2011). «The impact of oral ED medication on female partners' relationship satisfaction», *Journal of Sexual Medicine*, vol. 8, p. 479-483.

McCabe, M. et Connaughton, C. (2014). «How the prevalence rates of male sexual dysfunction vary using different criteria», *International Journal of Sexual Medicine*, vol. 26, p. 229-237.

McCabe, M. et Wauchope, M. (2005). «Behavioral characteristics of men accused of rape: Evidence for different types of rapists», *Archives of Sexual Behavior*, vol. 34, p. 241-253.

McCarthy, B. (2001). *Primary and secondary prevention of sexual problems and dysfunction*, Paper presented at the 33rd Annual Conference of the American Association of Sex Educators, Counselors, and Therapists, mai, San Francisco, CA.

McCarthy, B. et coll. (2014). «Sex work: A comparative study», *Archives of Sexual Behavior*, vol. 43, p. 1379-1390.

McCarthy, B. et McDonald, D. (2009). «Assessment, treatment, and relapse prevention: Male hypoactive sexual desire disorder», *Journal of Sex and Marital Therapy*, vol. 35, p. 58-67.

McCarthy, J. (2014). *Same-sex marriage support reaches new high at 55 %*, [En ligne], www.gallup.com/poll/169640/sex-marriage-support-reaches-new-high.aspx (Page consultée le 6 mars 2017).

McCarthy, M. (2014a). «CDC proposes stronger endorsement of male circumcision», *British Medical Journal*, vol. 349, p. g7494.

McCarthy, M. (2014b). «Cigarettes, alcohol, and illicit drug use down among US teens but e-cigarettes use common survey finds», *British Medical Journal*, vol. 349, p. G7735.

McCarthy, M. et coll. (2011). «A lumpers versus splitters approach to sexual differentiation of the brain», *Frontiers of Neuroendocrinology*, vol. 32, p. 114-123.

McCarthy, M. et coll. (2014). «Stranger danger: The role of perpetrator and context in moderating reactions to sexual harassment», *Sexuality & Culture*, vol. 18, p. 739-758.

McCormack, M. (2014). «Innovative sampling and participant recruitment in sexuality research», *Journal of Social and Personal Relationships*, vol. 31, p. 475-481.

McDermott, R. et coll. (2014). «xploring men's homophobia: Associations with religious fundamentalism and gender role conflict domains», *Psychology of Men and Masculinity*, vol. 15, p. 191-200.

McEwen, B. (1997). «Meeting report: Is there a neurobiology of love?», *Molecular Psychiatry*, vol. 2, p. 15-16.

McEwen, B. (2001). «Estrogen effects on the brain: Multiple sites and molecular mechanisms», *Journal of Applied Physiology*, vol. 91, p. 2785-2801.

McGee, E. et Shevlin, M. (2009). «Effect of humor on interpersonal attraction and mate selection», *Journal of Psychology*, vol. 143, p. 67-77.

McGinn, S. et Skipp, C. (2002). «Does Gran get it on?», *Newsweek*, 3 juin, p. 10.

McKay, A. (2005). «Sexuality and substance use: The impact of tobacco, alcohol, and selected recreational drugs on sexual function», *Canadian Journal of Human Sexuality*, vol. 14, p. 47-56.

McKay, A. (2012). «Trends in Canadian national and provincial/territorial teen pregnancy rates: 2001-2010», *The Canadian Journal of Human Sexuality*, vol. 21, p. 3-4.

McKenzie, L.J. (2014). «Should testosterone therapy be used to treat HSDD in reproductive-aged women?», *Contemporary OB/GYN*, vol. 59, nº 12, p. 30.

McKibben, A. et Jacob, M. (1993). «Les adolescents». Dans J. Aubut et coll. (dir.), *Les agresseurs sexuels: Théorie, évaluation et traitement*, Montréal, Québec, Les Éditions de la Chenelière, p. 267-279.

McKinnon, M. (2016). *2016 Canadian Social Media Use and Online Brand Interaction (Statistics)*, [En ligne], canadiansinternet.com/2016-canadian-social-media-use-online-brand-interaction-statistics/ (Page consultée le 28 février 2017).

McLaren, A. (1990). *A history of contraception: From antiquity to the present day*, Cambridge, MA, Basil Blackwell.

McLean, L. et Gallop, R. (2003). «Implications of childhood sexual abuse for adult borderline personality disorder and complex posttraumatic stress disorder», *American Journal of Psychiatry*, vol. 160, p. 369-371.

McMahon, C. (2008). *Pharmacotherapy for premature ejaculation*, Paper presented at the 18th Congress of the World Association for Sexual Health, avril, Sydney, Australie.

McMahon, C. (2012). «Dapoxetine: A new option in the medical management of premature ejaculation», *Therapeutic Advances in Urology*, vol. 4, p. 233-251.

McMahon, P. (2008). «Sexual violence on the college campus: A template for compliance with federal policy», *Journal of American College Health*, vol. 57, p. 361-365.

McMahon, S. et Farmer, L. (2011). «An updated measure for measuring subtle rape myths», *Social Work Research*, vol. 35, p. 71-81.

McNeil, D. (2011). «Prevention: Male circumcision may help protect sexual partners against cervical cancer», *New York Times*, 18 janvier, p. D6.

McNeill, B. et coll. (2001). «Current directions in Chicana/o psychology», *Counseling Psychologist*, vol. 29, p. 5-17.

McNicholas, T. et coll. (2003). «Andrology», *British Journal of Urology International*, vol. 91, p. 69-74.

McNulty, J.K. et Fisher, T.D. (2008). «Gender differences in response to sexual expectancies and changes in sexual frequency: A short-term longitudinal study of sexual satisfaction in newly married couples», *Archives of Sexual Behavior*, vol. 37, nº 2, p. 229-240.

McNulty, J.K., Wenner, C.A. et Fisher, T.D. (2016). «Longitudinal associations among relationship satisfaction, sexual satisfaction, and frequency of sex in early marriage», *Archives of Sexual Behavior*, vol. 45, nº 1, p. 85-97.

McPherson, P. et coll. (2012). «Barriers to successful treatment completion in child sexual abuse survivors», *Journal of Interpersonal Violence*, vol. 27, p. 23-39.

McRoberts, K. et Postgate, D. (1983). *Développement et modernisation du Québec*, Montréal, Boréal Express.

Mead, M. (1969). *Mœurs et sexualité en Océanie*, Paris, Plon.

Medgadget (2011). *VIBERECT Device FDA Cleared for Erectile Dysfunction*, [En ligne], http://medgadget.com/2011/07/viberect-device-fda-cleared-for-erectile-dysfunction.html (Page consultée le 1er mars 2017).

Media Project (2008). *Making differences one scene at a time*, [En ligne], www.themediaproject.com/news/shows/index.htm (Page consultée le 17 décembre 2008).

Medical Center for Human Rights (1995). *Characteristics of sexual abuse of men during war in the Republic of Croatia and Bosnia*, Zagreb, Croatia, Author.

Megan, K. (2008). «Head of polyamory group discusses multiple partners», *Hartford Courant*, 8 mai, p. B2.

Mehta, A. et coll. (2014). «Safety and efficacy of testosterone replacement therapy in adolescents with Klinefelter syndrome», *Journal of Urology*, vol. 191, p. 1527-1531.

Melby, T. (2002b). «Pain and (possibly) a loss of pleasure», *Contemporary Sexuality*, vol. 36, p. 7-12.

Melchert, T. et Parker, R. (1997). «Different forms of childhood abuse and memory», *Child Abuse and Neglect*, vol. 21, p. 125-135.

Meldrum, K. et Rink, R. (2005). «Nonspecific penile anomalies: Practical management in infants and children», *Contemporary Urology*, vol. 17, p. 13-20.

Meltzer, A. et coll. (2014a). «Sex differences in the implications partner physical attractiveness for marital satisfaction», *Journal of Personality and Social Psychology*, vol. 106, p. 418-428.

Meltzer, A. et coll. (2014b). «Men still value physical attractiveness in a long-term mate more than women», *Journal of Personality and Social Psychology*, vol. 106, p. 435-440.

Menard, A. et Kleinplatz, P. (2008). «Twenty-one moves guaranteed to make his thighs go up in flames: Depictions of "Great Sex" in popular magazines», *Sexuality and Cuture*, vol. 12, p. 1-20.

Mendez, M. et Shapira, J. (2011). «Pedophilic behavior from brain disease», *Journal of Sexual Medicine*, vol. 8, p. 1092-1100.

Mendoza, M. (2014). *Facebook offers new gender options for users*, [En ligne], www.cnsnews.com/news/article/facebook-offers-new-gender-options-users (Page consultée le 6 mars 2017).

Menn, J. (2012). *Social networks scan for sexual predators, with uneven results*, [En ligne], www.reuters.com/article/us-usa-internet-predators-idUSBRE86B05G20120712 (Page consultée le 6 mars 2017).

Mensah, N.M. (2007). *Décriminalisation de la prostitution, s'assurer du respect des droits humains des travailleuses du sexe*, communication et diaporama, Montréal, Université du Québec à Montréal.

Mensah, N.M. et coll. (2011). *Luttes XXX: inspirations du mouvement des travailleuses du sexe*, Montréal, Éditions du remue-ménage.

Menvielle, E. (2004). «Parents struggling with their child's gender issues», *Brown University Child and Adolescent Behavior Letter*, vol. 20, p. 1-3.

Merki-Feld, G., Imthurn, B. et Seifert, B. (2008). «Effects of the progestagen-only contraceptive implant Implanon on cardiovascular risk factors», *Clinical Endocrinology*, vol. 68, p. 355-360.

Merkin, D. (2006). «Our vaginas, ourselves», *The New York Times Magazine*, 1er janvier, p. 13.

Messman-Moore, T., Ward, R. et Brown, A. (2009). «Substance use and PTSD symptoms impact the likelihood of rape and revictimization in college women», *Journal of Interpersonal Violence*, vol. 24, p. 499-521.

Meston, C. et Ahrold, T. (2010). «Ethnic, gender, and acculturation influences on sexual behavior», *Archives of Sexual Behavior*, vol. 39, p. 179-189.

Meston, C. et Buss, D. (2007). «Why humans have sex», *Archives of Sexual Behavior*, vol. 36, p. 477-507.

Meston, C., Rellini, A. et Heiman, J. (2006). «Women's history of sexual abuse, their sexuality, and sexual self-schemas», *Journal of Consulting Clinical Psychology*, vol. 74, p. 229-236.

Meston, C. et Worcel, M. (2002). «The effects of yohimbine plus L-arginine glutamate on sexual arousal in postmenopausal women with sexual arousal disorder», *Archives of Sexual Behavior*, vol. 31, p. 323-332.

Messenger, J. (1971). «Sex and repression in an Irish folk community». Dans D. Marshall et R. Suggs (dir.), *Human sexual behavior: Variations in the ethnographic spectrum*, Englewood Cliffs, NJ, Prentice Hall.

Metz, M. et McCarthy, B. (2008). «Eros and aging», *Psychotherapy Networker*, juillet-août, p. 55-58.

Meyer, I.H. (2013). «Prejudice, social stress, and mental health in lesbian, gay, and bisexual populations: Conceptual issues and research evidence», *Psychology of Sexual Orientation and Gender Diversity*, vol. 1, p. 3-26.

Meyer, S. et Schwitzer, A. (1999). «Stages of identity development among college students with minority sexual orientations», *Journal of College Student Psychotherapy*, vol. 13, p. 41-65.

Meyer-Bahlburg, H. (2005). «Introduction: Gender dysphoria and gender change in persons with intersexuality», *Archives of Sexual Behavior*, vol. 34, p. 371-373.

Meyer-Bahlburg, H. et coll. (1996). «Gender change from female to male in classical congenital adrenal hyperplasia», *Hormones and Behavior*, vol. 30, p. 319-322.

Michael, R. et coll. (1994). *Sex in America*, Boston, MA, Little, Brown.

Michaels, D. (1997). «Cyber-rape: How virtual is it?», *Ms.*, mars/avril, p. 68-72.

Michaels, M. et Johnson, P. (2006). *The essence of tantric sexuality*, Woodbury, MN, Llewellyn Publications.

Michel, F. (2006). *Voyage au bout du sexe. Trafics et tourismes sexuels en Asie et ailleurs*, Québec, Les Presses de l'Université Laval, coll. Nord-Sud.

Mikulincer, M. et Shaver, P. R. (2007). *Attachment in adulthood: Structure, dynamics and change*, New York, NY, Guilford Press

Miletski, H. (2002). *Understanding bestiality and zoophilia*, Bethesda, MD, East-West Publishing.

Miller, A. et coll. (2011). «Stigma-threat motivated non-disclosure of sexual assault and sexual victimization: A prospective analysis», *Psychology of Women Quarterly*, vol. 35, p. 119-128.

Miller, J. (2009). *Paraphilias*, [En ligne], www.athealth.com/Consumer/disorders/Paraphilias.html (Page consultée le 10 février 2009).

Miller, P. (2006). «Our bodies under siege», *Ms.*, printemps, p. 12-13.

Miller, T. (2000). «Diagnostic evaluation of erectile dysfunction», *American Family Physician*, vol. 61, p. 95-104.

Miller-Young, M. et coll. (2013). *Feminist porn depicts sexuality's unruly side too*, [En ligne], http://womensenews.org/2013/08/feminist-porn-depicts-sexualitys-unruly-side-too/ (Page consultée le 6 mars 2017).

Mills, A. et Barclay, L. (2006). «None of them were satisfactory: Women's experiences with contraception», *Health Care for Women International*, vol. 27, p. 379-398.

Milner, J. et Dopke, C. (1997). «Paraphilia not otherwise specified: Psychopathology and theory». Dans D. Laws et W. O'Donohue (dir.), *Sexual deviance: Theory, assessment, and treatment*, New York, NY, Guilford Press.

Milrod, C. (2014). «How young is too young: Ethical considerations in genital surgery of the transgender MTF adolescent», *Journal of Sexual Medicine*, vol. 11, p. 338-346.

Milyavskaya, M. et Lydon, J. (2013). «Examining the prevalence and correlates of insecure attachment bonds with attachment figures», *Journal of Social and Personal Relationships*, vol. 30, p. 529-544.

Ministère de la Condition féminine de l'Ontario (2012). *Intervenir contre la violence à caractère sexuel: Guide de ressources pour les collèges et universités de l'Ontario*, [En ligne], www.women.gov.on.ca/owd/french/ending-violence/campus_guide.shtml (Page consultée le 1er mars 2017).

Ministère de la Famille et des Aînés du Québec (2015). *Les couples de même sexe et leur réalité familiale*, [En ligne], www.mfa.gouv.qc.ca/fr/Famille/chiffres-famille-quebec/bulletin_quelle_famille/Pages/printemps2015.aspx (Page consultée le 28 février 2017).

Ministère de la Justice (2015a). *Document technique: Projet de loi C 36, Loi sur la protection des collectivités et des personnes victimes d'exploitation*, [En ligne], www.justice.gc.ca/fra/pr-rp/autre-other/protect/p1.html (Page consultée le 28 février 2017).

Ministère de la Justice (2015b). *Projet de loi C-46: Demandes de communication de dossiers à la suite de l'arrêt Mills, examen de la jurisprudence*, [En ligne], www.justice.gc.ca/fra/pr-rp/sjc-csj/ajc-ccs/rr06_vic2/p3_4.html (Page consultée le 1er mars 2017).

Ministère de la Santé et des Services sociaux [MSSS] (2015). *Vigie Interventions, Dynamique de la LGV au Québec*, [En ligne], http://publications.msss.gouv.qc.ca/msss/fichiers/flashvigie/06-271-02W-vol10_no6.pdf (Page consultée le 2 mars 2017).

Ministère de la Santé et des Services sociaux [MSSS] (2017). *Maladies à déclaration obligatoire (MADO)*, [En ligne], www.msss.gouv.qc.ca/professionnels/maladies-a-declaration-obligatoire/mado (Page consultée le 2 mars 2017).

Ministère de la Santé et des Soins de longue durée de l'Ontario (2016a). *Foire aux questions — virus du papillome humain (VPH)*, [En ligne], www.health.gov.on.ca/fr/ms/hpv/hpv_faqs.aspx#virus (Page consultée le 2 mars 2017).

Ministère de la Santé et des Soins de longue durée de l'Ontario (2016b). *Services de fertilité*, [En ligne], www.health.gov.on.ca/fr/public/programs/ivf (Page consultée le 3 mars 2017).

Ministère de la Sécurité publique [MSP] (2016). *Infractions sexuelles au Québec: Faits saillants 2014*, [En ligne], www.securitepublique.gouv.qc.ca/fileadmin/Documents/police/statistiques/infractions_sexuelles/infractions sexuelles 2014.pdf (Page consultée le 1er mars 2017).

Minnis, A. et Padian, N. (2001). «Choice of female-controlled barrier methods among young women and their male sexual partners», *Family Planning Perspectives*, vol. 33, p. 28-34.

Minor, M. et Dwyer, S. (1997). «The psychosocial development of sex offenders: Differences between exhibitionists, child molesters, and incest offenders», *International Journal of Offenders Therapy and Comparative Criminology*, vol. 41, p. 36-44.

Minto, C. et coll. (2003). «The effect of clitoral surgery on sexual outcomes in individuals who have intersex conditions with ambiguous genitalia: A cross-sectional stud», *The Lancet*, vol. 361, p. 1252-1257.

Mngadi, K. et coll. (2014). «Disclosure of microbicide gel use to sexual partners: Influence on adherence in the CAPRISA 004 trial», *AIDS and Behavior*, vol. 18, p. 849-854.

Mock, S. et Eiback, R. (2011). «Stability and change in sexual orientation identity over a 10-year period in adulthood», *Archives of Sexual Behavior*, 17 mai (e-pub).

Modi, M. et coll. (2014). «The role of violence against women act in addressing intimate partner violence: A public health issue», *Journal of Women's Health*, vol. 23, p. 253-259.

Mogato, M. (2008). *Manila women want law on family planning revoked*, [En ligne], http://uk.reuters.com/article/2008/01/30/us-philippines-women-idUKMAN21510620080130 (Page consultée le 28 novembre 2012).

Mohammed, G.F., Hassan, M.M. et Eyada, M.M. (2014). «Female genital mutilation/cutting: Will it continue?», *Journal of Sexual Medicine*, vol. 11, no 11, p. 2756-2763.

Mohr, J. et Daly, C. (2008). «Sexual minority stress and changes in relationship quality in same-sex couples», *Journal of Social and Personal Relationships*, vol. 25, p. 989-1007.

Moller, L., Hymel, S. et Rubin, K. (1992). «Sex typing in play and popularity in middle childhood», *Sex Roles*, vol. 26, p. 331-335.

Mommers, E., Kersemaekers, W. et Elliesen, J. (2008). «Male hormonal contraception: A double-blind placebo-controlled study», *Journal of Clinical Endocrinology and Metabolism*, vol. 21, p. 784-801.

Mona, L. et Gardos, P. (2000). «Disabled sexual partners». Dans L. Szuchman et F. Muscarella (dir.), *Psychological perspectives on human sexuality*, New York, NY, Wiley.

Money, J. (1963). «Cytogenetic and psychosexual incongruities with a note on space-form blindness», *American Journal of Psychiatry*, vol. 119, p. 820-827.

Money, J. (1965). «Psychosocial differentiation». Dans J. Money (dir.), *Sex research: New developments*, New York, NY, Holt, Rinehart and Winston.

Money, J. (1981). «Paraphilias: Phyletic origins of erotosexual dysfunction», *International Journal of Mental Health*, vol. 10, p. 75-109.

Money, J. (1990). «Forensic sexology: Paraphilic serial rape (biastophilia) and lust murder (erotophonophilia)», *American Journal of Psychotherapy*, vol. 44, p. 26-37.

Money, J. (1994). «The concept of gender identity disorder in childhood and adolescence after 39 years», *Journal of Sex and Marital Therapy*, vol. 20, p. 163-177.

Money, J. et Ehrhardt, A. (1972). «Prenatal hormonal exposure: Possible effects on behavior in man». Dans R. Michael (dir.), *Endocrinology and human behavior*, Londres, Oxford University Press.

Mongeau, P.A. et coll. (2013). «Identifying and explicating variation among friends with benefits relationships», *Journal of Sex Research*, vol. 50, nº 1, p. 37-47.

Montano, D. et coll. (2014). «Evidence-based identification of key beliefs explaining adult male circumcision motivation in Zimbabwe: Targets for behavioral change messaging», *AIDS and Behavior*, vol. 18, p. 885-904.

Monte, L. et Ellis, R. (2014). *Fertility of women in the United States: 2012*, [En ligne], www.census.gov/content/dam/Census/library/publications/2014/demo/p20-575.pdf (Page consultée le 3 mars 2017).

Montesi, J. et coll. (2013). «On the relationship among social anxiety, intimacy, sexual communication, and sexual satisfaction in young couples», *Archives of Sexual Behavior*, vol. 42, p. 81-91.

Monto, M.A. et Carey, A.G. (2014). «A new standard of sexual behavior? Are claims associated with the "hookup culture" supported by general social survey data?», *Journal of Sex Research*, vol. 51, nº 6, p. 605-615.

Moore, J. (2014). *In Sweden being a prostitute is legal — but paying one isn't*, [En ligne], www.buzzfeed.com/jinamoore/in-sweden-being-a-prostitute-is-legal-but-paying-one-isnt#.qtpQVg8Py (Page consultée le 6 mars 2017).

Moore, M. et Strambolis-Ruhstorfer, M. (2013). *LGBT sexuality and families at the start of the twenty-first century*, [En ligne], www.annualreviews.org/doi/abs/10.1146/annurev-soc-071312-145643 (Page consultée le 6 mars 2017).

Moore, S. et coll. (2014). «Pubertal timing and adolescent sexual behavior in girls», *Developmental Psychology*, vol. 50, p. 1734-1745.

Moran, C. et Lee, C. (2014). «Women's constructions of heterosexual non-romantic sex and the implications for sexual health», *Psychology & Sexuality*, vol. 5, nº 2, p. 161-182.

Morehouse, R. (2001). *Using the crucible approach to enhance women's sexual potential*, Paper presented at the 33rd Annual Conference of the American Association of Sex Educators, Counselors, and Therapists, mai, San Francisco, CA.

Moreno, M. (2014a). «Online privacy and your teen», *JAMA Pediatrics*, vol. 168, p. 196.

Moreno, M. (2014b). «Cyberbullying», *JAMA Pediatrics*, vol. 168, p. 500.

Morgan, E. (1978). «The Puritans and sex». Dans M. Gordon (dir.), *The American Family in Social-Historical Perspective*, New York, NY, St. Martin's Press.

Morgan, E. (2011). «Associations between young adults' use of sexually explicit materials and their sexual preferences, behaviors, and satisfaction», *Journal of Sex Research*, vol. 48, p. 520-530.

Morgan, R. (2006). «The burning time», *Ms.*, printemps, p. 67-70.

Morin, J. et Moris, J. (2010). *Anal pleasure and health: A guide for men, women and couples*, San Francisco, CA, Down There Press.

Morris, A. (2014). *Tales from the millennials' sexual revolution*, [En ligne], www.rollingstone.com/feature/millennial-sexual-revolution-relationships-marriage (Page consultée le 6 mars 2017).

Morris, B. et coll. (2014). «Circumcision rates in the United States: Rising or falling? What effect might the new affirmative pediatric policy statement have?», *Mayo Clinic Proceedings*, vol. 89, p. 677-686.

Morris, B. et Tobian, A. (2014). «Circumcision is a religious/cultural procedure, not a medical procedure — Reply», *JAMA Pediatrics*, vol. 168, p. 294.

Morris, G. (2003). «Is it a boy or a girl?», *Just Out*, 17 janvier, p. 22-25.

Morrison, M. et Morrison, T. (2011). «Sexual orientation bias toward gay men and lesbian women: Modern homonegative attitudes and their association with discriminatory behavioral intentions», *Journal of Applied Social Psychology*, vol. 41, nº 11, p. 2573-2599.

Morrison, T. et Whitehead, B. (2007). *Male sex work: A business doing pleasure*, Binghamton, New York, NY, Haworth Press.

Morry, M., Kito, M. et Ortiz, L. (2011). «The attraction-similarity model and dating couples: Projection, perceived similarity, and psychological benefits», *Personal Relationships*, vol. 18, p. 125-143.

Moses, J. (2009). *Are parents driven to design their babies?* [En ligne], www.thehastingscenter.org/Bioethicsforum/Post.aspx?id53196 (Page consultée le 13 février 2009).

Mosher, D. et MacIan, P. (1994). «College men and women respond to X-rated videos intended for male or female audiences: Gender and sexual scripts», *Journal of Sex Research*, vol. 31, p. 99-113.

Mosher, W.D. et Jones, J. (2010). «Use of contraception in the United States: 1982-2008», *Vital Health Stat*, vol. 23, nº 29.

Moskovic, D. et coll. (2013). «The 20-year public health impact and direct cost of testosterone deficiency in U.S. men», *Journal of Sexual Medicine*, vol. 10, p. 562-569.

Movement Advancement Project (2014). *Understanding issues facing bisexual Americans*, Denver, CO, Movement Advancement Project.

Mrug, S. et coll. (2014). «Early puberty, negative peer influence, and problem behaviors in adolescent girls», *Pediatrics*, vol. 133, p. 7-14.

Mruk, D. (2008). «New perspectives in non-hormonal male contraception», *Trends in Endocrinology and Metabolism*, vol. 19, p. 57-64.

Mruk, D. et Cheng, C. (2008). «Delivering non-hormonal contraceptives to men: Advances and obstacles», *Trends in biotechnology*, vol. 26, p. 90-99.

Muehlenhard, C. (1988). «Misinterpreting dating behaviors and the risk of date rape», *Journal of Social and Clinical Psychology*, vol. 6, p. 20-37.

Muehlenhard, C. et coll. (1991). «Sexual violence and coercion in close relationships». Dans K. McKinney et S. Sprecher (dir.), *Sexuality in close relationships*, Hillsdale, NJ, Erlbaum.

Muehlenhard, C. et Hollabaugh, L. (1989). «Do women sometimes say no when they mean yes? The prevalence and correlates of women's token resistance to sex», *Journal of Personality and Social Psychology*, vol. 54, p. 872-879.

Muehlenhard, C. et Linton, M. (1987). «Date rape and sexual aggression in dating situations: Incidence and risk factors», *Journal of Consulting Psychology*, vol. 34, p. 186-196.

Muehlenhard, C. et Rodgers, C. (1998). «Token resistance to sex: New perspectives on an old stereotype», *Psychology of Women Quarterly*, vol. 22, p. 443-463.

Muehlenhard, C. et Shippee, S. (2010). «Men's and women's reports of pretending orgasm», *Journal of Sex Research*, vol. 47, p. 552-568.

Muftic, L. et Finn, M. (2013). «Health outcomes among women trafficked for sex in the United States», *Journal of Interpersonal Violence*, vol. 28, p. 1859-1885.

Muise, A. et coll. (2014). «"Creeping" or just information seeking? Gender differences in partner monitoring in response to jealously on Facebook», *Personal Relationships*, vol. 21, p. 35-50.

Mukamana, D. et Brysiewicz, P. (2008). «The lived experience of genocide rape survivors in Rwanda», *Journal of Nursing Scholarship*, vol. 40, p. 379-385.

Mundy, L. (2013). The gay guide to wedded bliss. *The Atlantic*, [En ligne], www.theatlantic.com/magazine/print/2013/06/they-gay-guide-to-wedded-bliss/309317 (Page consultée le 6 mars 2017).

Muneer, A. et coll. (2014). *Erectile dysfunction*, [En ligne], www.bmj.com/content/348/bmj.g129 (Page consultée le 6 mars 2017).

Munger, P. (1997). «Intervention-éducation sexologique par le recours à Internet: l'expérience du site Élysa», *Revue Sexologique/Sexological Review*, p. 155-161.

Munk-Olsen, T. et coll. (2011). «Induced first-trimester abortion and risk of mental disorders», *New England Journal of Medicine*, vol. 364, p. 332-339.

Murphy, D. (2013). «The desire for parenthood gay men choosing to become parents through surrogacy», *Journal of Family Issues*, vol. 34, n° 8, p. 1104-1124.

Murphy, E. (2003). «Being born female is dangerous for your health», *American Psychologist*, vol. 58, p. 205-209.

Murphy, T. (2008). «Brief history of a recurring nightmare», *Gay and Lesbian Review Worldwide*, vol. 15, p. 17-24.

Murphy, W. (1997). «Exhibitionism: Psychopathology and theory». Dans D. Laws et W. O'Donohue (dir.), *Sexual deviance: Theory, assessment, and treatment*, New York, NY, Guilford Press.

Murray, J. (2000). «Psychological profile of pedophiles and child molesters», *Journal of Psychology*, vol. 134, p. 211-224.

Murray, S.H. et Milhausen, R.R. (2012). «Sexual desire and relationship duration in young men and women», *Journal of Sex & Marital Therapy*, vol. 38, n° 1, p. 28-40.

Mustanski, B. et coll. (2013). «Envisioning an America without sexual orientation inequities in adolescent health», *Journal of American Public Health*, vol. 104, p. 218-225.

Mustanski, B., Lyons, T. et Garcia, S. (2011). «Internet use and sexual health of young men who have sex with men: A mixed-methods study», *Archives of Sexual Behavior*, vol. 40, p. 289-300.

Nadeau, J.-G. (2001). «La criminalisation ne règle rien. Mieux vaut transformer notre regard sur les prostituées», *Relations*, janvier-février, vol. 66, p. 26-27.

Nagle, M. (2011). «Store fires employee accused of voyeurism», *Jacksonville Journal-Courier*, 30 mars.

Narasimhan, S. (2014). *Hindu weddings add pro-girl anti-feticide vow*, [En ligne], http://womensenews.org/story/marriagedivorce/141009/hindu-weddings-add-pro-girl-anti-feticide-vow (Page consultée le 3 mars 2017).

National Campaign to Prevent Teen and Unplanned Pregnancy (2009). *Fast Facts: Men in the United States: Unplanned Pregnancy, Sexual Activity, and Contraceptive Use*, Washington, National Campaign to Prevent Teen and Unplanned Pregnancy.

National Center for Health Statistics (2011). *Report on teen sexual activity and contraceptive use in the United States, 2006-2010*, Hyattsville, MD, National Center for Health Statistics, 12 octobre, p. 1-3.

Nations Unies (2015). *Trends in Contraceptive Use Worldwide*, [En ligne], www.un.org/en/development/desa/population/publications/pdf/family/trendsContraceptiveUse2015Report.pdf (Page consultée le 3 mars 2017).

Navarro, M. (2004). «The most private of makeovers», *The New York Times*, 28 novembre, p. 1-2.

Negin, J. et coll. (2014). «HIV behavioral interventions targeted towards older adults: A systematic review», *BMC Public Health*, vol. 14, p. 507-514.

Negy, C. et Eisenman, R. (2005). «A comparison of African American and White college students' affective and attitudinal reactions to lesbian, gay, and bisexual individuals: An exploratory study», *Journal of Sex Research*, vol. 42, p. 291-299.

Nelius, T. et coll. (2011). «Genital piercings: Diagnostic and therapeutic implications for urologists», *Urology*, vol. 78, p. 998-1007.

Nelson, A. et Purdon, C. (2011). «Nonerotic thoughts, attentional focus, and sexual problems in a community sample», *Archives of Sexual Behavior*, vol. 40, p. 395-406.

Nelson, T. (2010). «The new monogamy», *Psychotherapy Networker*, juillet/août, p. 20-25.

Nelson, T. (2013). «The new monogamy: Redefining your relationship after infidelity», *Contemporary Sexuality*, vol. 47, p. 4.

Nettle, D. (2002). «Height and reproductive success in a cohort of British men», *Human Nature*, vol. 13, n° 4, p. 473-491.

Newbern, C. et coll. (2013). «Adolescent sexually transmitted infections and risk for subsequent HIV», *Journal of Public Health*, vol. 103, p. 1874-1881.

Newcomb, M. et coll. (2014). «Sexual orientation, gender, and racial differences in illicit drug use in a sample of U.S. high school students», *American Journal of Public Health*, vol. 104, p. 304-310.

Newcomb, M.E. et Mustanski, B. (2011). «Moderators of the relationship between internalized homophobia and risky sexual behavior in men who have sex with men: A meta-analysis», *Archives of Sexual Behavior*, vol. 40, p. 189-199.

Newman, A. (2011). «A younger group for feminine products», *New York Times*, 15 avril, p. B3.

Newman, R. (2008). «It starts in the womb: Helping parents understand infant sexuality», *Electronic Journal of Human Sexuality*, vol. 11, p. 1-12.

Newport, F. (2015). *Alabama verdict on same-sex marriage highlights pending U.S. Supreme Court ruling*, [En ligne], www.gallup.com/opinion/polling-matters/181823/alabama-verdict-sex-marriage-highlights-pending-supreme-court-ruling.aspx (Page consultée le 6 mars 2017).

Nguyen, D. (2006). «My life away from Exodus», *The Advocate*, 15 août, p. 22.

Niccolai, L. et coll. (2006). «Disclosure of HIV serostatus to sex partners: A new approach to measurement», *Sexually Transmitted Diseases*, vol. 33, p. 102-105.

Nichols, M. (1989). «Sex therapy with lesbians, gay men, and bisexuals». Dans S. Leiblum et R. Rosen (dir.), *Principles and Practice of Sex Therapy*, New York, NY, The Guilford Press.

Nichols, M. (2000). «Therapy with sexual minorities». Dans S. Leiblum et R. Rosen (dir.), *Principles and practice of sex therapy*, New York, NY, Guilford Press.

Nicole, W. (2014). «Chemicals in feminine hygiene products and personal lubricants», *Environmental Health Perspectives*, vol. 122, p. A71-A75.

Nicolosi, J., Byrd, A. et Potts, R. (2000). «Beliefs and practices of therapists who practice sexual reorientation psychotherapy», *Psychological Reports*, vol. 86, p. 689-702.

Nielson, J. et Wohlert, M. (1991). «Chromosome abnormalities found among 34,910 newborn children: Results from a 13-year incidence study in Arhus, Denmark», *Human Genetics*, vol. 87, p. 81-83.

Nieschlag, E. et Henke, A. (2005). «Hopes for male contraception», *Lancet,* vol. 365, p. 554.

Nishi, M. et coll. (2011). «The role of SRY mutations in the etiology of gonadal-dysgenesis in patients with 45,X/46,XY disorder of sex development and variants», *Hormone Research in Paediatrics*, vol. 75, p. 26-31.

Nobre, P. et Pinto-Gouveia, J. (2006). «Dysfunctional sexual beliefs as vulnerability factors for sexual dysfunction», *Journal of Sex Research*, vol. 43, p. 68-76.

Nordenberg, T. (2008). *The facts about aphrodisiacs*, [En ligne], www.cfsan.fda.gov/,dms/fdaphrod.html (Page consultée le 11 novembre 2008).

Norris, D., Gutheil, T. et Strasburger, L. (2003). «This couldn't happen to me: Boundary problems and sexual misconduct in the psychotherapy relationship», *Psychiatric Services*, vol. 54, p. 517-522.

Nour, N. (2000). «Female circumcision and genital mutilation: A practical and sensitive approach», *Contemporary OB/GYN*, mars, p. 50-55.

Nour, N. (2006). «Female genital cutting», *Internal Medicine News*, vol. 39, p. 16.

Novik, M. et coll. (2011). «Drinking motivations and experiences of unwanted sexual advances among undergraduate students», *Journal of Interpersonal Violence,* vol. 26, p. 34-49.

Nuncs, K. et coll. (2013). «Implicit and explicit attitudes toward rape are associated with sexual aggression», *Journal of Interpersonal Violence,* vol. 28, p. 2657-2675.

Nusbaum, M., Lenahan, P. et Sadovsky, R. (2005). «Sexual health in aging men and women: Addressing the physiologic and psychological sexual changes that occur with age», *Geriatrics*, vol. 60, p. 18-28.

Nussbaum, E. (2000). «A question of gender», *Discover*, janvier, p. 92-99.

Nyitray, A. et coll. (2014). «The role of monogamy and duration of heterosexual relationships in human papillomavirus transmission», *Journal of Infectious Diseases*, vol. 209, p. 1007-1015.

Oattles, M. et Offman, A. (2007). «Global self-esteem and sexual self-esteem as predictors of sexual communication in intimate relationships», *Canadian Journal of Human Sexuality*, vol. 16, p. 489-500.

Ochs, E. et Binik, Y. (1999). «The use of couple data to determine the reliability of self-reported sexual behavior», *Journal of Sex Research*, vol. 36, p. 374-384.

O'Connor, A. (2013). *Men's use of testosterone on the rise*, [En ligne], http://well.blogs.nytimes.com/2013/06/03/mens-use-of-hormone-on-the-rise/?_r50 (Page consultée le 6 mars 2017).

O'Donnell, S., Meyer, I. et Schwartz, S. (2011). «Increased risk of suicide attempts among Black and Latino lesbians, gay men, and bisexuals», *American Journal of Public Health*, vol. 101, p. 1055-1059.

Ogas, O. et Gaddam, S. (2012). *A billion wicked thoughts*, Londres, Plume Book.

Ogodo, O. (2009). *Second chance against FGM*, [En ligne], www.onislam.net/english/health-and-science/health/437693.html (Page consultée le 25 avril 2012).

Oh, D. (2013). «Do collectivists conform more than individualists? Cross-cultural differences in compliance and internalization», *Social Behavior and Personality: An International Journal*, vol. 41, p. 981-994.

Okazaki, S. (2002). «Influences of culture on Asian Americans' sexuality», *Journal of Sex Research*, vol. 39, p. 34-41.

O'Keefe, M. (2014). En ligne], *Hottest sex scenes in music history*, [En ligne], www.vh1.com/news/52586/hottest-sex-scenes-music-videos (Page consultée le 6 mars 2017).

Olmstead, S. et coll. (2013). «Emerging adults' expectations for pornography use in the context of future committed romantic relationships: A qualitative study», *Archives of Sexual Behavior*, vol. 42, p. 625-635.

Olsen, V. et coll. (2005). «The concentrations, appearance and taste of nine sedating drugs dissolved in four different beverages», *Forensic Science International,* vol. 151, p. 171-174.

O'Neill, P. (2000). «The Adonis complex», *Sunday Oregonian*, 9 juillet, p. L11.

Ong, J. et coll. (2014). «When two is better than one: Difference in characteristics of women using condoms only compared to those using condoms combined with an effective contraceptive», *Journal of Women's Health*, vol. 23, p. 168-174.

ONUSIDA (2015). *Le sida en chiffres*, [En ligne], www.unaids.org/sites/default/files/media_asset/AIDS_by_the_numbers_2015_fr.pdf (Page consultée le 2 mars 2017).

Orchowski, L. et coll. (2013). «Social reactions to disclosure of sexual victimization and adjustment among survivors of sexual assault», *Journal of Interpersonal Violence*, vol. 28, p. 2005-2023.

Organisation mondiale de la santé (OMS) (2001). *Female Genital Mutilation*, [En ligne], www.who.int/gender/other_health/Students-manual.pdf (Page consultée le 11 octobre 2012).

Organisation mondiale de la santé (OMS) (2009). *Les femmes et la santé: La réalité d'aujourd'hui, le programme de demain*, [En ligne],apps.who.int/iris/bitstream/10665/44225/1/9789242563856_fre.pdf (Page consultée le 28 février 2017).

Organisation mondiale de la santé (OMS) (2011). *Planification familiale, un manuel pour les prestataires de services du monde entier*, mise à jour 2011, [En ligne], http://apps.who.int/iris/bitstream/10665/97943/1/9780978856304_fre.pdf (Page consultée le 12 mars 2017).

Organisation mondiale de la santé (OMS) (2012). *Mortalité maternelle, aide-mémoire n° 348*, [En ligne], www.who.int/mediacentre/factsheets/fs348/fr/index.html (Page consultée le 30 novembre 2012).

Organisation mondiale de la santé (OMS) (2015). *Planification familiale/Contraception*, [En ligne], who.int/mediacentre/factsheets/fs351/fr (Page consultée le 3 mars 2017).

Organization Intersex International (OII) (2015). *How Common is Intersex? An Explanation of the Stats*, [En ligne], http://oii-usa.org/2563/how-common-is-intersex-in-humans (Page consultée le 6 octobre 2016).

Ortigue, S. et Bianchi-Demicheli, F. (2007). «Interactions entre excitation et désir sexuel: des relations interpersonnelles aux réseaux neuronaux», *Revue Médicale Suisse*, n° 3, p. 809-813.

Ortigue, S. et Bianchi-Demicheli, F. (2008). «The chronoarchitecture of human desire: A high-density electrical mapping study», *NeuroImage*, vol. 43, n° 2, p. 337-345.

Orwig, J. (2014*). Are your sexual fantasies normal?*, [En ligne], www.businessinsider.co.id/which-sexual-fantasies-are-normal-2014-10/#AIvfqGcde8RZqp1V.97 (Page consultée le 6 mars 2017).

Osborn, J. (2008). «The past, present, and future of AIDS», *Journal of the American Medical Association*, vol. 300, p. 581-583.

Osterberg, E.C. et coll. (2016). «Correlation between pubic hair grooming and STIs: results from a nationally representative probability sample», *Sexually transmitted infections*, [En ligne], http://sti.bmj.com/content/early/2016/10/31/sextrans-2016-052687 (Page consultée le 3 mars 2017).

O'Sullivan, L., Byers, E. et Finkelman, L. (1998). «A comparison of male and female college students' experiences of sexual coercion», *Psychology of Women Quarterly*, vol. 22, p. 177-195.

O'Sullivan, L. et coll. (2007). «I wanna hold your hand: The progression of social, romantic and sexual events in adolescent relationships», *Perspectives on Sexual and Reproductive Health*, vol. 39, p. 100-107.

O'Sullivan, L. et Vannier, S. (2013). Does actual or perceived relationship/status of another influence ratings of physical attractiveness among young adults», *Canadian Journal of Behavioural Science*, vol. 45, p. 210-219.

Otis, M. et coll. (2006). «Stress and relationship quality in same-sex couples», *Journal of Social and Personal Relationships*, vol. 23, p. 81-99.

Ott, M. et coll. (2002). «The trade-off between hormonal contraceptives and condoms among adolescents», *Perspectives on Sexual and Reproductive Health*, vol. 34, p. 6-14.

Ott, M. et coll. (2011). «Stability and change in self-reported sexual orientation identity in young people», *Archives of Sexual Behavior*, vol. 40, p. 519-532.

Overbeck, G. et coll. (2003). «Parental attachment and romantic relation-ships: Associations with emotional disturbance during late adolescence», *Journal of Counseling Psychology*, vol. 50, p. 28-39.

Owen, J. et Fincham, F. D. (2011). «Young adults' emotional reactions after hooking up encounters», *Archives of Sexual Behavior*, vol. 40, n° 2, p. 321-330.

Owen, J.J. et coll. (2010). « "Hooking up" among college students: Demographic and psychosocial correlates», *Archives of Sexual Behavior*, vol. 39, n° 3, p. 653-663.

Pace, B. et Glass, R. (2001). «Screening and prevention of sexually transmitted diseases», *Journal of the American Medical Association*, vol. 285, p. 124.

Pacik, P. (2014). «Vaginismus: Another ignored problem», *Sexuality & Culture*, vol. 18, p. 737-738.

Padilla, Y., Crisp, C. et Rew, D. (2010). «Parental acceptance and illegal drug use among gay, lesbian, and bisexual adolescents: Results from a national survey», *Social Work*, vol. 55, p. 265-275.

Page, S. et coll. (2011). «Dutasteride reduces prostate size and prostate specific antigen in older hypogonadal men with prostatic hyperplasia undergoing testosterone replacement therapy», *Journal of Urology*, vol. 186, p. 191-197.

Pagliardini, L. et coll. (2015). «High Prevalence of Vitamin D Deficiency in Infertile Women Referring for Assisted Reproduction», *Nutrients*, vol. 7, n° 12, p. 9972-9984.

Palet, L. (2015). *Robot hookers turn up the heat*, [En ligne], www.ozy.com/fast-forward/robot-hookers-turn-up-the-heat/39750 (Page consultée le 6 mars 2017).

Pan, S. et coll. (2015). «Clinical anatomy of the G-spot», *Clinical Anatomy*, vol. 28, n° 3, p. 363-367

Pandey, U. (2007). *Male sex work: Implications for HIV/AIDS in India*, Paper presented at the 18th Congress of the World Association for Sexual Health, avril, Sydney, Australie.

Panzer, C., Guay, A. et Goldstein, I. (2006). «Do oral contraceptives produce irreversible effects on women's sexuality? A reply», *Journal of Sexual Medicine*, vol. 3, p. 568-570.

Pappas, S. (2012). *Does the vaginal orgasm exist? Experts debate*, [En ligne], www.livescience.com/19579-vaginal-orgasm-debate.html (Page consultée le 6 mars 2017).

Paradis, A.-F. et Lafond, J.S. (1990). *La réponse sexuelle et ses perturbations*, Boucherville, Éditions G. Vermette Inc.

Paredes, R. et Baum, M. (1997). «Role of the medial preoptic area/anterior hypothalamus in the control of masculine sexual behavior», *Annual Review of Sex Research*, vol. 8, p. 68-101.

Parent, C. et coll. (2010). *Mais oui c'est un travail! Penser le travail du sexe au-delà de la victimisation*, Montréal, Presses de l'Université du Québec.

Parish, W., Laumann, E. et Mojola, S. (2007). «Sexual behavior in China: Trends and comparisons», *Population and Developmental Review*, vol. 14, p. 729-738.

Parker, C. et Dearnaley, D. (2003). «Hormonal therapy as an adjuvant to radical radiotherapy for locally advanced prostate cancer», *British Journal of Urology International*, vol. 91, p. 6-8.

Parker-Pope, T. (2011). «Digital flirting: Easy to do, and easy to get caught», *New York Times*, 14 juin, p. D5.

Parks, C. (1999). «Lesbian identity development: An examination of differences across generations», *American Journal of Orthopsychiatry*, vol. 69, n° 3, p. 347-361.

Parks, K., Pardi, A. et Bradizza, C. (2006). «Collecting data on alcohol use and alcohol-related victimization: A comparison of telephone and Web-based survey methods», *Journal of Studies on Alcohol*, vol. 67, p. 318-324.

Parsons, J.T. et coll. (2013). «Alternatives to monogamy among gay male couples in a community survey: Implications for mental health and sexual risk», *Archives of Sexual Behavior*, vol. 42, n° 2, p. 303-312.

Pascoal, P. et coll. (2014). «What is sexual satisfaction? Thematic analysis of lay people's definitions», *Journal of Sex Research*, vol. 51, p. 22-30.

Pasini, W. (1979). «Sexualité de la femme âgée». Dans *Société française de gynécologie* (dir.), *Pathologie génitale de la femme au troisième âge, cancers exclus*, Paris, Masson.

Pasini, W. et Crépault, C. (1987). *L'Imaginaire en sexologie clinique*, Paris, Presses Universitaires de France.

Pastuszak, A. et Lipshultz, L. (2014). «AUA guideline on the diagnosis and treatment of cryptorchidism», *Journal of Urology*, vol. 192, p. 346-349.

Pathela, P. (2011). «Same-sex teen behavior much higher than thought», *AIDS Alert*, vol. 26, p. 29-30.

Pathfinder International (2006). «Creating partnerships to prevent early marriage in the Amhara region», *Pathfinder International*, [En ligne], www2.pathfinder.org/site/DocServer/Pathfinder_Ethiopia_Report_FINAL.pdf (Page consultée le 6 mars 2017).

Patrick, M., Maggs, J. et Abar, C. (2007). «Reasons to have sex, personal goals, and sexual behavior during the transition to college», *Journal of Sex Research*, vol. 44, p. 240-249.

Patterson, C. (1995). «Sexual orientation and human development: An overview», *Developmental Psychology*, vol. 31, p. 3-11.

Patz, A. (2000). «Will your marriage last?», *Psychology Today*, janvier/février, p. 58-65.

Paul, E.L., McManus, B. et Hayes, A. (2000). « "Hook ups": Characteristics and correlates of college students' spontaneous and anonymous sexual experiences», *Journal of Sex Research*, vol. 37, n° 1, p. 76-88.

Paul, L. et coll. (2014). «Characteristics and life experiences associated with receiving a rape disclosure within a national telephone household probability sample of women», *Journal of Community Psychology*, vol. 42, p. 583-592.

Paul, L. et Galloway, J. (1994). «Sexual jealousy: Gender differences in response to partner and rival», *Aggressive Behavior*, vol. 20, p. 203-211.

Paul, P. (2005). *Pornified: How pornography is transforming our lives, our relationships, and our families*, New York, NY, Times Books.

Pauls, R. et coll. (2006). «A prospective study examining the anatomic distribution of nerve density in the human vagina», *Journal of Sexual Medicine*, vol. 3, p. 979-987.

Paulson, A. (2011). « White House targets sexual assault on campus », *Christian Science Monitor*, 4 avril.

Pazmany, E. et coll. (2013). « Body image and genital self-image in pre-menopausal women with dyspareunia », *Archives of Sexual Behavior*, vol. 42, p. 999-1010.

Pearlman, S. (2005). « When mothers learn a daughter is a lesbian: Then and now », *Journal of Lesbian Studies*, vol. 9, p. 117-137.

Pearson, M. et coll. (2012). « Pathways to early coital debut for adolescent girls: A recursive partitioning analysis », *Journal of Sex Research*, vol. 49, p. 13-28.

Penhollow, T. et Young, M. (2008). *Predictors of sexual satisfaction: The role of body image and fitness*, [En ligne], www.ejhs.org (Page consultée le 17 mars 2009).

Penny, L. (2013). *Being polyamorous shows there's no "traditional" way to live*, [En ligne], www.theguardian.com/commentisfree/2013/aug/20/polyamorous-shows-no-traditional-way-live (Page consultée le 6 mars 2017).

Penson, D. et coll. (2013). « Effectiveness of hormonal and surgical therapies for cryptorchidism: A systematic review », *Pediatrics*, vol. 131, p. e1897-e1907.

Peper, J. et Dahl, R. (2013). « The teenage brain: Surging hormones—brain-behavior interactions during puberty », *Current Directions in Psychological Science*, vol. 22, p. 134-139.

Perel, E. (2003). « Erotic intelligence », *Psychotherapy Networker*, mai-juin, p. 24-31.

Perel, E. (2006). *Mating in captivity: Reconciling the erotic and the domestic*, New York, NY, Harper.

Perelman, M. (2001). « Integrating sildenafil and sex therapy: Unconsummated marriage secondary to erectile dysfunction and retarded ejaculation », *Journal of Sex Education and Therapy*, vol. 26, p. 13-21.

Perez, A., Labbok, M. et Queenan, J. (1992). « Clinical study of the lactational amenorrhoea method for family planning », *The Lancet*, vol. 339, p. 968-970.

Perlman, F. et McKee, M. (2009). « Trends in family planning in Russia, 1994–2003 », *Perspectives on Sexuality and Reproductive Health*, vol. 41, p. 40-50.

Perreault, S. (2015). *La victimisation criminelle au Canada, 2014*, [En ligne], www.statcan.gc.ca/pub/85-002-x/2015001/article/14241-fra.htm (Page consultée le 2 mars 2017).

Perrin, E. et Siegel, B. (2013). « Promoting the well-being of children whose parents are gay or lesbian », *Pediatrics*, vol. 131, n° 4, p. e1374-e1383.

Perry, J. et coll. (2014). « Parent-of-origin specific allelic associations among 106 genomic loci for age at menarche », *Nature*, vol. 514, p. 92-97.

Perry, J. et Whipple, B. (1981). « Pelvic muscle strength of female ejaculators: Evidence in support of a new theory of orgasm », *Journal of Sex Research*, vol. 17, p. 22-39.

Perry, P. et Donini-Lenhoff, F. (2010). « Stigmatization complicates infectious disease management », *Virtual Mentor*, vol. 12, n° 3, p. 225.

Persky, A. (2012). « The capital of rape: fighting widespread sexual violence in the Democratic Republic of the Congo », *ABA Journal*, vol. 98, p. 59-61.

Peter, J. et Valkenburg, P. (2011). « The use of sexually explicit Internet material and its antecedents: A longitudinal comparison of adolescents and adults », *Archives of Sexual Behavior*, vol. 40, n° 5, p. 1015-1025.

Peterman, A., Palermo, T. et Bredenkamp, C. (2011). « Estimates and determinants of sexual violence against women in the Democratic Republic of Congo », *American Journal of Public Health*, vol. 101, p. 1060-1067.

Petersen, J. et Hyde, J. (2011). « Gender differences in sexual attitudes and behaviors: A review of meta-analytic results and large datasets », *Journal of Sex Research*, vol. 48, p. 149-165.

Peterson, H. (2008). « Sterilization », *Obstetrics and Gynecology*, vol. 111, p. 189-203.

Petrovic, K. (2014). « The global family begins at conception: Reconfiguring feminist theory to include intentionally unmarried heterosexual women who choose not to become pregnant », *Journal of International Women's Studies*, vol. 15, p. 179-189.

Pew Forum on Religion and Public Life (2011). *The future of the global Muslim population*, [En ligne], www.pewforum.org/2011/01/27/the-future-of-the-global-muslim-population (Page consultée le 6 mars 2017).

Pew Research (2013). *A survey of LGBT Americans: Attitudes, experiences and values in changing times*, [En ligne], www.pewsocialtrends.org/2013/06/13/a-survey-of-lgbt-americans (Page consultée le 6 mars 2017).

Pew Research (2014). *Public sees religion's influence waning*, [En ligne], www.pewforum.org/2014/09/22/public-sees-religions-influence-waning-2/ (Page consultée le 6 mars 2017).

Pew Research Center (2011). *The Future of the Global Muslim Population*, Religion & Public Life, [En ligne], www.pewforum.org/2011/01/27/the-future-of-the-global-muslim-population/ (Page consultée le 31 août 2016).

Pew Research Center (2015). *Gay Marriage Around the World*, Religion & Public Life, [En ligne], www.pewforum.org/2015/06/26/gay-marriage-around-the-world-2013/ (Page consultée le 6 mars 2017).

Philaretou, A. (2005). « Sexuality and the Internet », *Journal of Sex Research*, vol. 42, p. 180-181.

Philippsohn, S. et Hartmann, U. (2009). « Determinants of sexual satisfaction in a sample of German women », *Journal of Sexual Medicine*, vol. 6, n° 4, p. 1001-1010.

Picardi, A. et coll. (2011). « A twin study of attachment style in young adults », *Journal of Personality*, vol. 79, p. 965-992.

Picker, L. (2005). « And now, the hard part », *Newsweek*, 25 avril, p. 46-50.

Pickett, M. et coll. (2000). « Prostate cancer elder alert: Living with treatment choices and outcomes », *Journal of Gerontological Nursing*, février, p. 22-34.

Pierce, P. (1994). « Sexual harassment: Frankly, what is it? », *Journal of Intergroup Relations*, vol. 20, p. 3-12.

Pikkarainen, E., Lehtonen-Veromaa, M. et Mottonen, T. (2008). « Estrogen-progestin contraceptive use during adolescence prevents bone mass acquisition », *Contraception*, vol. 6, p. 236-243.

Pinhas, V. (1985). Communication personnelle des auteurs américains.

Pittman, F. (1990). *Private lies: Infidelity and the betrayal of intimacy*, New York, NY, W.W. Norton.

Pitts, S. et Emans, S. (2008). « Controversies in contraception », *Current Opinion in Pediatrics*, vol. 20, p. 383-389.

Planned Parenthood (2015). *Consent and rape*, [En ligne], www.plannedparenthood.org/teens/relationships/consent-and-rape (Page consultée le 6 mars 2017).

Planned Parenthood Federation of America (2002). *Masturbation: From stigma to sexual health* [White paper], New York, NY, Katherine Dexter McCormick Library.

Planned Parenthood Federation of America (2003). « Masturbation: From myth to sexual health », *Contemporary Sexuality*, vol. 37, p. i-vii.

Planned Parenthood Federation of America (2008). *Birth control*, [En ligne], www.plannedparenthood.org/health-topics/birth-control-4211.htm (Page consultée le 29 novembre 2012).

Plant, E. et coll. (2000). «The gender stereotyping of emotions», *Psychology of Women Quarterly*, vol. 24, p. 81-92.

Plaud, J. et coll. (1999). «Volunteer bias in human psychophysiological sexual arousal research: To whom do our research results apply?», *Journal of Sex Research*, vol. 36, p. 171-179.

Plöderl, M. et coll. (2014). «Explaining the suicide risk of sexual minority individuals by contrasting the minority stress model with suicide models», *Archive of Sexual Behavior*, vol. 433, p. 1559-1570.

Plummer, D. (1999). *One of the boys: Masculinity, homophobia, and modern manhood*, New York, NY, Harrington Park Press.

Poels, S. et coll. (2013). «Toward personalized sexual medicine (Part 2). Testosterone combined with a PDE5 inhibitor Increases sexual satisfaction in women with HSDD and FSAD, and a low sensitive system for sexual cues», *Journal of Sexual Medicine*, vol. 10, p. 810-823.

Pokoradi, A., Iversen, L. et Hannaford, P. (2011). «Factors associated with age of onset and type of menopause in a cohort of UK women», *American Journal of Obstetrics and Gynecology*, vol. 205, p. 34.e1-34.e13.

Polgreen, L. (2005). «Casualties of Sudan's war: Rape is a weapon in the fight over land and ethnicity in Darfur», *Oregonian*, 18 février, p. A19.

Pomeroy, W. (1965). «Why we tolerate lesbians», *Sexology*, mai, p. 652-654.

Pontiroli, A. et coll. (2013). «Female sexual dysfunction in diabetes: A systematic review and meta-analysis», *Journal of Sexual Medicine*, vol. 10, p. 1044-1051.

Porter, S., Yuille, J. et Lehman, D. (1999). «The nature of real, implanted, and fabricated childhood emotion events: Implications for the recovered memory debate», *Law and Human Behavior*, vol. 23, p. 517-537.

Potdar, R. et Koenig, M. (2005). «Does audio-CASI improve reports of risky behavior? Evidence from a randomized field trial among young urban men in India», *Studies in Family Planning*, vol. 36, p. 107-116.

Potter, L., Oakley, D. et de Leon-Wong, E. (1996). «Measuring compliance among oral contraceptive users», *Family Planning Perspectives*, vol. 28, p. 154-158.

Poulin, R. (2004). *La mondialisation de l'industrie du sexe. Prostitution, pornographie, traite des femmes et des enfants*, Ottawa, L'interligne.

Poulin, R. (2006). *Abolir la prostitution*, Montréal, Sisyphe.

Poulsen, F. et coll. (2013). «Physical attraction, attachment styles, and dating development», *Journal of Social and Personal Relationships*, vol. 30, p. 301-319.

Pounder, D.J. (1983). «Ritual mutilation. Subincision of the penis among Australian Aborigines», *American Journal of Forensic Medicine and Pathology*, vol. 4, nᵒ 3, p. 227-229.

Power, C. (2006). «A generation of women wiped out?», *Glamour*, août, p. 172-175.

Prause, N., Staley, C. et Finn, P. (2011). «The effects of acute ethanol consumption on sexual response and sexual risk-taking intent», *Archives of Sexual Behavior*, vol. 40, p. 373-384.

Prescott, J. (1975). «Body pleasure and the origins of violence», *Futurist*, avril, p. 64-74.

Prescott, J. (1989). «Affectional bonding for the prevention of violent behaviors: Neurological, psychological, and religious/spiritual determinants». Dans L. Hertzberg (dir.), *Violent behavior: Vol. 1. Assessment and intervention*. New York, NY, PMA Publishing.

Price, S. (2008). «Women and reproductive loss: Client-worker dialogues designed to break the silence», *Social Work*, vol. 53, p. 367-375.

Priebe, G. et Svedin, G. (2008). «Child sexual abuse is largely hidden from the adult society: An epidemiological study of adolescents' disclosures», *Child Abuse and Neglect*, vol. 32, p. 1095-1108.

Proctor, F., Wagner, N. et Butler, J. (1974). «The differentiation of male and female orgasm: An experimental study». Dans N. Wagner (dir.), *Perspectives on human sexuality*, New York, NY, Behavioral Publications.

Propel Centre for Population Health Impact (2015). *Tobacco Use in Canada: Patterns and Trends. Special Supplement: E-cigarettes in Canada*, [En ligne], www.tobaccoreport.ca/2015/TobaccoUseinCanada_2015_EcigaretteSupplement.pdf (Page consultée le 14 septembre 2016).

Protogerou, C. et Johnson, B. (2014). «Factors underlying the success of behavioral HIV- prevention interventions for adolescents: A meta review», *AIDS and Behavior*, vol. 18, p. 1847-1863.

Proulx, J. et coll. (1994). «Penile responses of rapists and non-rapists to rape stimuli involving physical violence or humiliation», *Archives of Sexual Behavior*, vol. 23, p. 295-310.

Psutka, R. et coll. (2012). «Sexual health, risks, and experiences of New Zealand university students: Findings from a national cross-sectional study», *The New Zealand Medical Journal*, vol. 125, nᵒ 1361, p. 62-75.

Puente, S. et Cohen, D. (2003). «Jealousy and the meaning (or nonmeaning) of violence», *Personality and Social Psychology Bulletin*, vol. 29, p. 449-460.

Puentes, J., Knox, D. et Zusman, M. (2008). «Participants in "friends with benefits" relationships», *College Student Journal*, vol. 42, p. 176-180.

Puig, J. et coll. (2013). «Predicting adult physical illness from infant attachment: A prospective longitudinal study», *Health Psychology*, vol. 32, p. 409-417.

Pujois, Y., Meston, C. et Seal, B. (2010). «The association between sexual satisfaction and body image in women», *Journal of Sexual Medicine*, vol. 7, p. 905-916.

Puppo, V. (2013). «Le point G n'existe pas! L'amplification du point G est une mutilation génitale féminine type IV», *Annales de chirurgie plastique esthétique*, vol. 60, p. 84-86.

Purdon, C. et Watson, C. (2011). «Nonerotic thoughts and sexual functioning», *Archives of Sexual Behavior*, vol. 40, p. 891-902.

Putman, S. (2009). «The monsters in my head: Posttraumatic stress disorder and the child survivor of sexual abuse», *Journal of Counseling and Development*, vol. 87, p. 80-89.

Putnam, F. (2003). «Ten-year research update review: Child sexual abuse», *Journal of the American Academy of Child and Adolescent Psychiatry*, vol. 42, p. 269-278.

Pyke, K. et Johnson, D. (2003). «Asian American women and racialized femininities: "Doing" gender across cultural worlds», *Gender and Society*, vol. 17, p. 33-53.

Quackenbush, D., Strassberg, D. et Turner, C. (1995). «Gender effects of romantic themes in erotica», *Archives of Sexual Behavior*, vol. 24, p. 21-25.

Quinta, G. et Nobre, P. (2011). «Personality traits and psychopathology on male sexual dysfunction: An empirical study», *Journal of Sexual Medicine*, vol. 8, p. 461-469.

Rabock, J., Mellon, J. et Starka, L. (1979). «Klinefelter's syndrome: Sexual development and activity», *Archives of Sexual Behavior*, vol. 8, p. 333-340.

Radar, B. (2001). *American Ways: A Brief History of American Cultures*, Sydney, Thomson Wadsworth.

Radar, B. (2003). Communication privée.

Radio Canada. (2016). *Union libre ou mariage? La réponse en carte*, [En ligne], ici.radio-canada.ca/nouvelles/societe/2016/02/12/002-canadiens-mariage-union-libre-difference-quebec.shtml (Page consultée le 28 février 2017).

Rako, S. (1996). *The hormone of desire*, New York, NY, Harmony Books.

Rako, S. (1999). «Testosterone deficiency and supplementation for women: Matters of sexuality and health», *Psychiatric Annals*, vol. 29, p. 23-26.

Rako, S. et Friebely, J. (2004). «Pheromonal influences on sociosexual behavior in postmenopausal women», *Journal of Sex Research*, vol. 41, p. 372-380.

Ramakrishnan, K. et Scheid, D. (2006). «Ectopic pregnancy: Forget the "classic presentation" if you want to catch it sooner», *The Journal of Family Practice*, vol. 55, p. 388-395.

Ranjit, N., Bankole, A. et Darroch, J. (2001). «Contraceptive failure in the first two years of use: Differences across socioeconomic subgroups», *Family Planning Perspectives*, vol. 33, p. 19-27.

Raphaelle, B. et Fabrice, V. (2014). «Rape as a weapon of war», *Lancet*, vol. 383, p. e19-e20.

Rapsey, C. (2014). «Age, quality, and context of first sex: Associations with sexual difficulties», *Journal of Sexual Medicine*, vol. 11, p. 2873-2881.

Ray, A. et Gold, S. (1996). «Gender roles, aggression, and alcohol use in dating relationships», *Journal of Sex Research*, vol. 33, p. 47-55.

Ray, C. (2011). «Control yourself! Science Desk Q & A bladder control exercises», *New York Times*, 8 mars, p. D2.

Ray, D. (2012). *Sex and God: How religion distorts sexuality*, Bonner Springs, KS, IPC Press.

Real, T. (2002). *How can I get through to you? Reconnecting men and women*, New York, NY, Screbuer.

Reamer, F. (2003). «Boundary issues in social work: Managing dual relationships», *Social Work*, vol. 48, p. 121-133.

Rebar, R. (2004). «Assisted reproductive technology in the United States», *New England Journal of Medicine*, vol. 350, p. 1603-1604.

Reece, M. et coll. (2010a). «Background and considerations on the National Survey of Sexual Health and Behavior (NSSHB) from the investigators», *Journal of Sexual Medicine*, vol. 7, p. 243-245.

Reece, M. et coll. (2010b). «Condom use rates in a national probability sample of males and females ages 14 to 94 in the United States», *Journal of Sexual Medicine*, 7(Suppl. 5), p. 266-276.

Reeder, H. (1996). «The subjective experience of love through adult life», *International Journal of Aging and Human Development*, vol. 43, p. 325-340.

Regehr, C. et Glancy, G. (1995). «Sexual exploitation of patients: Issues for colleagues», *American Journal of Orthopsychiatry*, vol. 65, n° 2, p. 194-202.

Reid, P. et Bing, V. (2000). «Sexual roles of girls and women: An ethnocultural lifespan perspective». Dans C. Travis et J. White (dir.), *Sexuality, society, and feminism*, Washington, DC, American Psychological Association.

Reiner, W. (1997a). «Sex assignment in the neonate with intersex or inadequate genitalia», *Archives of Pediatric and Adolescent Medicine*, vol. 151, p. 1044-1045.

Reiner, W. (1997b). «To be male or female: That is the question», *Archives of Pediatric and Adolescent Medicine*, vol. 151, p. 224-225.

Reinisch, J. et Beasley, R. (1990). *The Kinsey Institute's new report on sex*, New York, NY, St. Martin's Press.

Reis, H. et coll. (2014). «The expression of compassionate love in everyday compassionate acts», *Journal of Social and Personal Relationships*, vol. 31, p. 651-676.

Reissing, E. et coll. (2013). «Pelvic floor physical therapy for lifelong vaginismus: A retrospective chart review and interview study», *Journal of Sex & Marital Therapy*, vol. 39, p. 306-320.

Reitan, E. (2011). «Gay suicide and the ethic of love: A progressive Christian response», *Humanist*, vol. 71, p. 24-26.

Rellini, A. et Meston, C. (2011). «Sexual self-schemas, sexual dysfunction, and the sexual responses of women with a history of childhood sexual abuse», *Archives of Sexual Behavior*, vol. 40, p. 351-362.

Rempel, J. et Baumgartner, B. (2003). «The relationship between attitudes towards menstruation and sexual attitudes, desires, and behavior in women», *Archives of Sexual Behavior*, vol. 32, p. 155-163.

Réseau juridique Canadien VIH/sida (2014). *Le droit criminel et la non-divulgation du VIH au Canada*, [En ligne], www.aids-law.ca/site/wp-content/uploads/2014/09/CriminalInfo2014_FRA.pdf (Page consultée le 2 mars 2017).

Resnick, M. et coll. (1997). «Protecting adolescents from harm: Findings from the National Longitudinal Study on Adolescent Health», *Journal of the American Medical Association*, vol. 278, p. 823-832.

Rettner, R. (2014). *Egg freezing: 5 things you need to know*, [En ligne], www.livescience.com/48406-egg-freezing-five-things.html (Page consultée le 6 mars 2017).

Reyes, E. (2013). *Fewer men are paying for sex, survey suggests*, [En ligne], http://articles.latimes.com/2013/nov/02/nation/la-na-paying-for-sex-20131102 (Page consultée le 6 mars 2017).

Reynolds, J. (2006). «Sex, secrets and cyberspace: Area prostitution flourishes via Web», *Monterey County Herald*, 9 juillet.

Reynolds, S. et coll. (2004). «Male circumcision and risk of HIV-1 and other sexually transmitted infections in India», *Lancet*, vol. 363, p. 1039-1040.

Rhodes, S., Bowie, D. et Hergenrather, K. (2003). «Collecting behavioral data using the World Wide Web: Considerations for researchers», *Journal of Epidemiology and Community Health*, vol. 57, p. 68-73.

Rholes, W., Simpson, J. et Friedman, M. (2006). «Avoidant attachment and the experience of parenting», *Personality and Social Psychology Bulletin*, vol. 32, p. 275-285.

Ribadeneira, D. (1998). «More women step up to pulpit, but they still take a back pew», *The Oregonian*, 19 avril, p. G3.

Rice, E. et coll. (2012). «Position-specific HIV risk in a large network of homeless youth», *American Journal of Public Health*, vol. 102, p. 141-147.

Richard, D. (2002). «Tantra 101», *Contemporary Sexuality*, vol. 36, n° 1, p. 4-7.

Rickert, V., Sanghvi, R. et Wiemann, C. (2002). «Is lack of sexual assertiveness among adolescent and young adult women a cause for concern», *Perspectives on Sexual and Reproductive Health*, vol. 34, p. 178-183.

Rickert, V. et Wiemann, C. (1998). «Date rape: Office-based solutions», *Contemporary OB/GYN*, vol. 43, p. 133-153.

Richter, L. et coll. (2014). «Reported physical and sexual abuse in childhood and adult HIV risk behavior in three African countries: Findings from Project Accept (HPTN-o43)», *AIDS and Behavior*, vol. 18, p. 381-389.

Richters, J. et coll. (2006). «Sexual practices at last heterosexual encounter and occurrence of orgasm in a national survey», *Journal of Sex Research*, vol. 43, p. 217-210.

Rideout, V., Foehr, U. et Roberts, D. (2010). *Generation M2: Media in the lives of 8 to 18-year-olds*, Menlo Park, CA, Henry J. Kaiser Family Foundation.

Rider, E. (2000). *Our voices: Psychology of women*, Belmont, MA, Wadsworth/Thomson Learning.

Rieger, G., Chivers, M.L. et Bailey, J.M. (2005). «Sexual arousal pattern of bisexual men», *Psychological Science*, vol. 16, n° 8, p. 579-584.

Rieger, G. et coll. (2008). «Sexual orientation and childhood gender nonconformity: Evidence from home videos», *Developmental Psychology*, vol. 44, p. 46-58.

Rieger, G. et Savin-Williams, R. (2011). «Gender nonconformity, sexual orientation, and psychological well-being», *Archives of Sexual Behavior*, 25 février (e-pub).

Riegle-Crumb, C. et Moore, C. (2014). «The gender gap in high school physics: Considering the context of local communities», *Social Science Quarterly*, vol. 95, p. 253-268.

Rierdan, J., Koff, E. et Stubbs, M. (1998). «Gender, depression and body image in early adolescence», *Journal of Early Adolescence*, vol. 8, p. 109-117.

Riley, A. (2010). «Double blind trial of yohimbine hydrochloride in the treatment of erection inadequacy: An update», *Sexual and Relationship Therapy*, vol. 25, p. 392-396.

Riness, L.S. et Sailor, J.L. (2015). «An exploration of the lived experience of step-motherhood», *Journal of Divorce & Remarriage*, vol. 56, n° 3, p. 171-179.

Rios, D. (1996). «The gone girls», *Oregonian*, 17 novembre, p. E1-E3.

Rivers, C. (2014). *Hyper-sex media has dangerous consequences*, [En ligne], http://womensenews.org/story/uncovering-gender/140610/hyper-sex-media-has-dangerous-consequences (Page consultée le 6 mars 2017).

Rives, N. et coll. (2013). «The feasibility of fertility preservation in adolescents with Klinefelter syndrome», *Human Reproduction*, vol. 28, p. 1468-1479.

Rivkees, S. et coll. (2011). «A highly sensitive, high-throughput assay for the detection of Turner's syndrome», *Journal of Clinical Endocrinology and Metabolism*, vol. 96, p. 699-705.

Robbins-Cherry, S. et coll. (2011). «The experiences of men living with inhibited ejaculation», *Sexual and Relationship Therapy*, vol. 26, p. 242-253.

Roberts-Douglas, K. et Curtis-Boles, H. (2013). «Exploring positive masculinity development in African American men: A retrospective study», *Psychology of Men and Masculinity*, vol. 14, p. 7-15.

Robinson, D., Gibson-Beverly, G. et Schwartz, J. (2004). «Sorority and fraternity membership and religious behaviors: Relation to gender attitudes», *Sex Roles: A Journal of Research*, vol. 50, p. 871-877.

Robinson, M. (2011). *Porn-induced sexual dysfunction is a growing problem*, [En ligne], www.psychologytoday.com/print/67790 (Page consultée le 27 novembre 2012).

Robinson-Cimpian, J. et coll. (2014). «Teachers' perceptions of students' mathematic proficiency may exacerbate early gender gaps in achievement», *Developmental Psychology*, vol. 50, p. 1262-1281.

Rocca, C. et coll. (2013). «Women's emotions one week after receiving or being denied an abortion in the United States», *Perspectives on Sexual and Reproductive Health*, vol. 45, p. 122-131.

Rodrigue, C. et coll. (2015). «The structure of casual sexual relationships and experiences among single adults aged 18-30 years old: A latent profile analysis», *The Canadian Journal of Human Sexuality*, vol. 24, n° 3, p. 215-227.

Rodriguez, N. et coll. (1997). «Posttraumatic stress disorder in adult female survivors of childhood sexual abuse: A comparison study», *Journal of Consulting and Clinical Psychology*, vol. 65, p. 53-59.

Roffman, D. (2005). «Lakoff for sexuality educators: The power and magic of "framing"», *SIECUS Report*, vol. 33, p. 20-25.

Roisman, G. et coll. (2008). «Adult romantic relationships as contexts of human development: A multimethod comparison of same-sex couples with opposite-sex dating, engaged, and married dyads», *Developmental Psychology*, vol. 44, p. 91-101.

Romano, A. (2006). «Walking a new beat», *Newsweek*, 24 avril, p. 48.

Romeo, F. (2004). «Acquaintance rape on college and university campuses», *College Student Journal*, vol. 38, p. 61-65.

Romo, R. (2012). *Ecuadorian clinics allegedly use abuse to "cure" homosexuality*, [En ligne], www.cnn.com/2012/01/25/world/americas/ecuador-homosexual-abuse/index.html (Page consultée le 6 mars 2017).

Ropelato, J. (2012). *Internet pornography statistics*, [En ligne], http://internetfilter-review.toptenreviews.com/internetpornography-statistics.html (Page consultée le 27 novembre 2012).

Ros, C. et coll. (2013). «Turner's syndrome and other forms of congenital hypogonadism impair quality of life and sexual function», *American Journal of Obstetrics and Gynecology*, vol. 208, n° 6, p. e1-e6.

Rosario, M. et coll. (2014). *Disparities in depressive distress by sexual orientation in emerging adults: The roles of attachment and stress paradigms*, [En ligne], http://link.springer.com/article/10.1007/s10508-013-0129-6 (Page consultée le 6 mars 2017).

Rosario, V. (2011). «Of genes, genitals, and gender», *Gay and Lesbian Review Worldwide*, vol. 18, p. 9-13.

Rose, L. et coll. (2011). «Nonconsensual sexual experiences and alcohol consumption among women entering college», *Journal of Interpersonal Violence*, vol. 26, p. 399-413.

Rosen, R. et Ashton, A. (1993). «Prosexual drugs: Empirical status of the "new aphrodisiacs"», *Archives of Sexual Behavior*, vol. 22, p. 521-541.

Rosen, R.C. et coll. (2012). «Characteristics of premenopausal and postmenopausal women with acquired, generalized hypoactive sexual desire disorder: the Hypoactive Sexual Desire Disorder Registry for women», *Menopause*, vol. 19, n° 4, p. 396-405.

Rosenbaum, T. (2011). «Addressing anxiety in vivo in physiotherapy treatment of women with severe vaginismus», *Journal of Sex and Marital Therapy*, vol. 37, p. 89-93.

Rosenberg, J. (2008). «Prevalence of female genital cutting in Egypt», *International Family Planning Perspectives*, vol. 34, p. 60-61.

Rosenberg, M. (1988). «Adult behaviors that reflect childhood incest», *Medical Aspects of Human Sexuality*, mai, p. 114-124.

Rosenberger, J. et coll. (2012). «Sex toy use by gay and bisexual men in the United States», *Archives of Sexual Behavior*, vol. 41, p. 449-458.

Roseneil, S. (2006). «On not living with a partner: Unpicking coupledom and cohabitation», *Sociological Research Online*, vol. 11.

Rosenfeld, M.J. (2014). «Couple longevity in the era of same sex marriage in the United States», *Journal of Marriage and Family*, vol. 76, n° 5, p. 905-918.

Rosengarten, A. (2007). *The right touch: Enabling sensual touching*, Paper presented at the 18th Congress of the World Association for Sexual Health, avril, Sydney, Australie.

Rosenthal, D., Smith, A. et de Visser, R. (1999). «Personal and social factors influencing age at first intercourse», *Archives of Sexual Behavior*, vol. 28, p. 319-333.

Rosenthal, E. (2006). «Study finds genital cutting can be deadly», *The New York Times*, 2 juin, p. F4.

Rosewarne, L. (2014). *Masturbation in pop culture: Screen, society, self*, Lexington, KY, Lexington Books.

Rosman, J. et Resnick, P. (1989). «Sexual attraction to corpses: A psychiatric review of necrophilia», *Bulletin of the American Academy of Psychiatry and the Law*, vol. 17, p. 153-163.

Ross, J. et coll. (2011). «Growth hormone plus childhood low-dose estrogen in Turner's syndrome», *New England Journal of Medicine*, vol. 364, p. 1230-1234.

Ross, J. et Hardee, K. (2016). «Use of Male methods of Contraception Worldwide», *Journal of Biosocial Science*, novembre.

Ross, M. et coll. (2007). «The advantages and limitations of seeking sex online: A comparison of reasons given for online and offline sexual liaisons by men who have sex with men», *Journal of Sex Research*, vol. 44, p. 59-71.

Rotenberg, C. (2016). *Prostitution offenses in Canada: Statistical trends*, [En ligne], www.statcan.gc.ca/pub/85-002-x/2016001/article/14670-eng.pdf (Page consultée le 2 mars 2017).

Rotermann, M. (2008). *Tendances du comportement sexuel et de l'utilisation du condom à l'adolescence*, [En ligne], www.statcan.gc.ca/pub/82-003-x/2008003/article/10664-fra.htm (Page consultée le 6 mars 2017).

Rotermann, M. (2012). *Comportement sexuel et utilisation du condom chez les 15 à 24 ans en 2003 et en 2009-2010*, [En ligne], www.statcan.gc.ca/pub/82-003-x/2012001/article/11632-fra.htm (Page consultée le 23 décembre 2012).

Rothbart, D. (2011). *He's just not that into anyone*, [En ligne], http://nymag.com/news/features/70976/ (Page consultée le 6 mars 2017).

Rothblum, E. (2000). «Comments on "Lesbians" sexual activities and efforts to reduce risks for sexually transmitted diseases», *Journal of the Gay and Lesbian Medical Association*, vol. 4, p. 39.

Rothman, E. et coll. (2014). «Without porn... I wouldn't know half the things I know now: A qualitative study of pornography use among a sample of urban, low-income, Black and Hispanic youth», *Journal of Sex Research*, vol. 52, p. 736-746.

Rowe, M. (2009). «The new Cuban revolution», *Advocate*, octobre, p. 62-63.

Rowland, D. et coll. (2000). «Ejaculatory latency and control in men with premature ejaculation: An analysis across sexual activities using multiple sources of information», *Journal of Psychosomatic Research*, vol. 48, p. 69-77.

Ruback, R. et coll. (2014). «Why are crime victims at risk of being victimized again? Substance abuse, depression, and offending as mediators of the victimization-revictimization link», *Journal of Interpersonal Violence*, vol. 29, p. 157-185.

Rubin, A. (2015). *French Parliament debates weight standards for fashion models*, [En ligne], www.nytimes.com/2015/03/19/world/europe/french-parliament-debates-weight-standards-for-fashion-models.html?_r50 (Page consultée le 6 mars 2017).

Rubin, Z. (1970). «Measurement of romantic love», *Journal of Personality and Social Psychology*, vol. 16, p. 265-273.

Rubin, Z. (1973). *Liking and loving*, New York, Holt, Rinehart and Winston.

Rudder, C. (2011). *People who claim they've never masturbated*, [En ligne], http://blog.okcupid.com/index.php/10-charts-about-sex/ (Page consultée le 27 novembre 2012).

Rullo, J. et coll. (2014). «Gender specificity in sexual interest in bisexual men and women», *Archives of Sexual Behavior*. doi: 10.10007/s10508-014-0415-y

Russel, G. et Richards, J. (2003). «Stressor and resilience factors for lesbians, gay men, and visexuals confronting antigay politics», *American Journal of Community Psychology*, vol. 31, p. 313-327.

Russell, S. et coll. (2014). «Indicators of victimization and sexual orientation among adolescents: Analyses from Youth Risk Behavior surveys», *American Journal of Public Health*, vol. 104, p. 255-261.

Rutte, A. et coll. (2014). «Prevalence and correlates of sexual dysfunction in men and women with type 2 diabetes», *Journal of Sex and Marital Therapy*. doi: 10.1080/0092623X.2014.966399

Rutter, V. (2014). «Love & lust», *Psychology Today*, juillet/août, p. 50-55.

Ryan, B. (2003). *Nouveau regard sur l'homophobie et l'hétérosexisme au Canada*, Ottawa, Société canadienne du sida.

Ryan, C. et coll. (2009). «amily rejection as a predictor of negative health outcomes in White and Latino lesbian, gay and bisexual young adults», *Pediatrics*, vol. 123, p. 346-352.

Ryan, C. et Futterman, D. (1997). «Lesbian and gay youth: Care and counseling.», *Adolescent Medicine: State of the Art Reviews*, vol. 8, p. 221.

Ryan, C. et Futterman, D. (2001). «Social and developmental challenges for lesbian, gay, and bisexual youth», *SIECUS Report*, vol. 29, p. 5-6.

Ryan, C. et Jetha, C. (2010). *Sex at dawn*, New York, NY, HarperCollins.

Ryan, G., Miyoshi, T. et Krugman, R. (1988). *Early childhood experience of professionals working in child abuse*, Paper presented at the 17th Annual Symposium on Child Sexual Abuse and Neglect, Keystone, CO.

Ryan, H. (2014). *What does Transmean, and where did it come from?*, [En ligne], www.slate.com/blogs/outward/2014/01/10/trans_what_does_it_mean_and_where_did_it_come_from.html (Page consultée le 6 mars 2017).

Ryan, S. et coll. (2007). «Adolescents' discussions about contraception or STDs with partners before first sex», *Perspectives on Sexual and Reproductive Health*, vol. 39, p. 149-157.

Ryan, S. et coll. (2008). «Older sexual partners during adolescence: Links to reproductive health outcomes in young adulthood», *Perspectives on Sexual and Reproductive Health*, vol. 40, p. 17-26.

Ryan-Berg, J. (2011). «Organic erectile dysfunction», *Clinician Reviews*, vol. 21, p. 23-28.

Sa'ah, R. (2006). *Cameroon girls battle "breast ironing"*, [En ligne], www.news.bbc.co.uk/2/hi/africa/5107360.stm (Page consultée le 26 juin 2006).

Saario, T., Jacklin, C. et Tittle, C. (1973). «Sex role stereotyping in public schools», *Harvard Educational Review*, vol. 43, p. 386-416.

Sadovsky, R. (2005). «Androgen therapy for effects of aging in older men», *American Family Physician*, vol. 72, p. 170-171.

Saewyc, E. et coll. (2008). «Stigma management? The links between enacted stigma and teen pregnancy trends among gay, lesbian, and bisexual students in British Columbia», *Canadian Journal of Human Sexuality*, vol. 17, p. 123-139.

Safren, S. et Heimberg, R. (1999). «Depression, hopelessness, suicidality, and related factors in sexual minority and heterosexual adolescents», *Journal of Consulting and Clinical Psychology*, vol. 67, p. 859-866.

Saigal, C. et coll. (2006). «Predictors and prevalence of erectile dysfunction in a racially diverse population», *Archives of Internal Medicine*, vol. 166, p. 207-212.

Salama, S. et coll. (2014). «Nature and origin of "squirting" in female sexuality», *Journal of Sexual Medicine*, vol. 12, p. 661-666.

Salama, S. et coll. (2015). «Que sait-on des femmes fontaines et de l'éjaculation féminine en 2015?», *Gynécologie Obstétrique & Fertilité*, vol. 43, p. 449-452.

Salario, A. (2013). *Grief is born when infertility drugs don't deliver*, [En ligne], http://womensenews.org/story/reproductive-health/131008/greif-born-when-infertility-drugs-don't-deliver (Page consultée le 3 mars 2017).

Salisbury, C. et Fisher, W. (2014). «"Did you come?" A qualitative exploration of gender differences in beliefs, experiences, and concerns regarding female orgasm occurrence during heterosexual sexual interaction», *Journal of Sex Research*, vol. 51, p. 616-631.

Salonia, A. et coll. (2006). «Psychometric parameters of sexual health in infertile couples due to a male factor. Preliminary results of a multivariate analysis», *Journal of Sexual Medicine*, vol. 3, n° 3, p. 193.

Salovey, P. et Rodin, J. (1985). «The heart of jealousy», *Psychology Today*, septembre, p. 22-29.

Salter, D. et coll. (2003). «Development of sexually abusive behavior in sexually victimized males: A longitudinal study», *Lancet*, vol. 361, p. 471-476.

Salu, Y. (2013). «The role of the amygdala in the development of sexual arousal», *Electronic Journal of Human Sexuality*, vol. 16, 9 juin.

Samuel, A. et Naz, R. (2008). «Isolation of human single chain variable fragment antibodies against specific sperm antigens for immunocontraceptive development», *Human Reproduction*, vol. 23, p. 1324-1337.

Samuels, L. (2008). «Stay in the closet, or else», *Newsweek*, 8 septembre, p. 8.

Sanchez, D., Kiefer, A. et Ybarra, O. (2006). «Sexual submissiveness in women: Costs for sexual autonomy and arousal», *Personality and Social Psychology Bulletin*, vol. 32, p. 512-524.

Sanchez, J. et coll. (2011). «Male circumcision and risk of HIV acquisition among men who have sex with men», *AIDS*, vol. 25, p. 519 523.

Sanday, P. (1981). «The sociocultural context of rape: A cross-cultural study», *Journal of Social Issues*, vol. 37, p. 5-27.

Sandberg-Thoma, S. et Dush, C. (2014). «Casual sexual relationships and mental health in adolescence and emerging adulthood», *Journal of Sex Research*, vol. 51, p. 121-130.

Sandell, L. (2014). «What everyone's really doing in bed», *Glamour*, janvier, p. 67-69.

Sandelowski, M. (1994). «Separate but less unequal: Fetal ultrasonography and the transformation of expectant mother/fatherhood», *Gender and Society*, vol. 8, p. 230-245.

Sanders, G. (2000). «Men together: Working with gay couples in contemporary times». Dans P. Papp (dir.), *Couples on the fault line*, New York, NY, Guilford Press.

Sanders, S. et coll. (2014). «Correlates of condom-associated erection problems in young, heterosexual men. Condom fit, self-efficacy, perceptions and motivations», *Journal of Sexual Behavior*, vol. 11, p. 2285-2291.

Sanders, S., Graham, C. et Janssen, E. (2003). *Factors affecting sexual arousal in women*, [En ligne], www.kinseyinstitute.org/research/focus_group.html (Page consultée le 8 mars 2003).

Sandnabba, N. et coll. (2003). «Age and gender specific sexual behaviors in children», *Child Abuse and Neglect*, vol. 27, p. 579-605.

Sandstrom, E. et Fugl-Meyer, K. (2007). *Retarded ejaculation: When the orgasm just becomes a target and never the destination of a pleasure journey*, Paper presented at the 18th Congress of the World Association for Sexual Health, avril, Sydney, Australie.

Santé Canada (2010). *Choix de l'allaitement au Canada: statistiques et graphiques clés, (2009-2010)*, [En ligne], www.hc-sc.gc.ca/fn-an/surveill/nutrition/commun/prenatal/initiation-fra.php (Page consultée le 28 novembre 2012).

Santilla, P. et coll. (2002). «Investigating the underlying structure in sadomasochistically oriented behavior», *Archives of Sexual Behavior*, vol. 31, p. 185-196.

Sarrell, P. et Masters, W. (1982). «Sexual molestation of men by women», *Archives of Sexual Behavior*, vol. 11, p. 117-131.

Saruk, J. (2013). «Africa's deadliest war enters new phase», *USA Today*, 22 août, p. 06A.

Satel, S. (1993). «The diagnostic limits of addiction», *Journal of Clinical Psychiatry*, vol. 54, p. 237.

Satterfield, A. et Muehlenhard, C. (1990). *Flirtation in the classroom: Negative consequences on women's perceptions of their ability*, Paper presented at the annual meeting of the Society for the Scientific Study of Sex, Minneapolis, MN.

Saunders, E. (1989). «Life-threatening autoerotic behavior: A challenge for sex educators and therapists», *Journal of Sex Education and Therapy*, vol. 15, p. 77-81.

Savage, D. et Miller, T. (dir.) (2011). *It gets better: Coming out, overcoming bullying, and creating a life worth living*, New York, NY, Dutton.

Savic, I., Berglund, H. et Lindstrom, P. (2005). «Brain responses to putative pheromones in homosexual men», *Proceedings of the National Academy of Sciences*, vol. 102, p. 7356-7361.

Savic, I. et Lindstrom, P. (2008). *PET and MRI show differences in cerebral asymmetry and functional connectivity between homosexual and heterosexual subjects*, [En ligne], www.pnas.org/content/105/27/9403 (Page consultée le 18 septembre 2008).

Savin-Williams, R. (2005). *The new gay teenager*, Cambridge, MA, Harvard University Press.

Scalon, K. et coll. (2010). «Les communautés trans en Ontario et le suicide: la transphobie est mauvaise pour notre santé», *Bulletin électronique de Trans Pulse*, vol. 1, n° 2.

Schabas, W.-A. (1995). *Les infractions d'ordre sexuel*, Montréal, Les éditions Yvon Blais inc.

Schacter, D. (2003). *Science de la mémoire. Oublier et se souvenir*, Paris, Odile Jacob.

Schagen, S. et coll. (2011). «Sibling sex ratio and birth order in early-onset gender dysphoric adolescents», *Archives of Sexual Behavior*, 15 juin (e-pub).

Scheela, R. et Stern, P. (1994). «Falling apart: A process integral to the remodeling of male incest offenders», *Archives of Psychiatric Nursing*, vol. 8, p. 91-100.

Scheim A.I. et Bauer G.R. (2015). «Sex and gender diversity among transgender persons in Ontario, Canada: Results from a respondent-driven sampling survey», *The Journal of Sex Research*, vol. 52, n° 1, p. 1-14.

Schick, V. et coll. (2010). «Genital appearance dissatisfaction: Implications for women's genital image self-consciousness, sexual esteem, sexual satisfaction, and sexual risk», *Psychology of Women's Quarterly*, vol. 34, p. 394-404.

Schmidt, T. et coll. (2013). «Elemental composition of human semen is associated with mortality and genomic sperm defects among older men», *Human Reproduction*, vol. 28, p. 274-282.

Schmitt, D. et coll. (2008). «Why can't a man be more like a woman? Sex differences in Big Five personality traits across 55 cultures», *Journal of Personality and Social Psychology*, vol. 94, p. 168-182.

Schnarch, D.M. (1991). *Constructing the sexual crucible: An integration of sexual and marital therapy*, New York, NY, W.W. Norton & Company.

Schneider, J. (2014). «Next-generation partner services: An HIV elimination strategy», *Sexually Transmitted Diseases*, vol. 41, p. 149-150.

Schoener, G. (1995). «Assessment of professionals who have engaged in boundary violations», *Psychiatric Annals*, vol. 25, n° 2, p. 95-99.

Schoenfeld, E.A. et coll. (ahead-of-print). «Does sex really matter? Examining the connections between spouses' nonsexual behaviors, sexual frequency, sexual satisfaction, and marital satisfaction», *Archives of Sexual Behavior*, vol. 46, n° 2, p. 489-501.

Schonbucher, V. et coll. (2014). «Adolescent perspectives on social support received in the aftermath of sexual abuse: A qualitative study», *Archives of Sexual Behavior*, vol. 43, p. 571-586.

Schooler, D. et Ward, M. (2006). «Average Joes: Men's relationships with media, real, bodies, and sexuality», *Psychology of Men and Masculinity*, vol. 7, p. 27-41.

Schover, L. (2000). «Sexual problems in chronic illness». Dans S. Leiblum et R. Rosen (dir.), *Principles and practice of sex therapy*, New York, NY, Guilford Press.

Schover, L. et Jensen, S. (1988). *Sexuality and chronic illness*, New York, NY, Guilford Press.

Schredl, M. et coll. (2004). «Typical dreams: Stability and gender differences», *Journal of Psychology*, vol. 138, p. 485-495.

Schrimshaw, E. et coll. (2013). «Disclosure and concealment of sexual orientation and the mental health of non-gay-identified, behaviorally bisexual men», *Journal of Consulting and Clinical Psychology*, vol. 81, no 1, p. 141-153.

Schröder, J. et Schmiedeberg, C. (2015). «Effects of relationship duration, cohabitation, and marriage on the frequency of intercourse in couples: Findings from German panel data», *Social Science Research*, vol. 52, p. 72-82.

Schroer, K. (2008). *When size matters: Genital retraction syndrome in cultural perspective*, [En ligne], www.focusanthro.org/essays0506/schroer0506.htm (Page consultée le 30 octobre 2008).

Schubach, G. (1996). *Urethral expulsions during sensual arousal and bladder catheterization in seven human females* (thèse de doctorat), Institute for Advanced Study of Human Sexuality, San Francisco, CA.

Schuman, A. (2012). *Female genital mutilation reversible: Biography of pioneering doctor presented at WSRC*, [En ligne], www.thebrandeishoot.com/articles/11760 (Page consultée le 6 mars 2017).

Schwartz, G. et Russek, J. (1998). «Family love and lifelong health? A challenge for clinical psychology». Dans D. Routh et R. DeRubein (dir.), *The science of clinical psychology: Accomplishments and future directions*, Washington, DC, American Psychological Association.

Schwartz, N. (2008). «Genes, hormones, and sexuality», *Gay and Lesbian Review Worldwide*, vol. 15, p. 21-23.

Schwartz, R. (2003). «Pathways to sexual intimacy», *Psychotherapy Networker*, mai/juin, p. 36-43, *Journal of Pediatrics*, vol. 75, p. 125-129.

Schwyzer, H. (2013). *How marital infidelity became America's last sexual taboo*, [En ligne], www.theatlantic.com/sexes/archive/2013/05/how-marital-infidelity-became-americas-last-sexual-taboo/276341 (Page consultée le 6 mars 2017).

Sciolino, E. et Mekhennet, S. (2008). *In Europe, debate over Islam and virginity*, [En ligne], www.nytimes.com/2008/06/11/world/europe/11virgin.html?pagewanted=all (Page consultée le 25 avril 2012).

Scott, L. (2006). «An alternative to surgery in treating ectopic pregnancy», *Nursing Times*, vol. 102, p. 24-26.

Scott-Sheldon, L. et coll. (2014). «Efficacy of alcohol intervention for first-year college students: A meta-analysis of randomized controlled trials», *Journal of Consulting and Clinical Psychology*, vol. 82, p. 177-188.

Seaburn, D. (2014). «Defying nature's odds life is the grand exception», *Family Matter*, septembre-octobre, p. 71-72.

Seager, I. (2011). *Adoption by same-sex couples tripled in the last decade*, [En ligne], www.glaad.org/blog/adoption-same-sex-couples-tripled-last-decade (Page consultée le 6 mars 2017).

Seal, B. et Meston, C. (2007). «The impact of body awareness on sexual arousal in women with sexual dysfunction», *Journal of Sexual Medicine*, vol. 4, p. 990-1000.

Seaman, B. et Seaman, G. (1978). *Women and the crisis in sex hormones*, New York, NY, Bantam Books.

Sécurité publique du Canada (2012). *La traite des personnes*, [En ligne], www.securitepublique.gc.ca/prg/le/ht-tp-fra.aspx (Page consultée le 27 septembre 2012).

Seepersad, S., Choi, M. et Shin, N. (2008). «How does culture influence the degree of romantic loneliness and closeness?», *Journal of Psychology*, vol. 142, p. 209-216.

Seftel, A. (2014). «Re.: Management and outcome of penile fracture: 10 years experience from a tertiary care center», *Journal of Urology*, vol. 191, p. 695.

Segraves, R. et Segraves, K. (1995). «Human sexuality and aging», *Journal of Sex Education and Therapy*, vol. 21, p. 88-102.

Séguin, L.J. et coll. (2017). «Examining relationship quality across three types of relationship agreements», *Sexualities*, vol. 20, nos 1-2, p. 86-104.

Séguin, L.J. et Milhausen, R.R. (2016). «Not all fakes are created equal: Examining the relationships between men's motives for pretending orgasm and levels of sexual desire, and relationship and sexual satisfaction», *Sexual and Relationship Therapy*, 1er mars, p. 1-17.

Seibert, C. et coll. (2003). «Prescribing oral contraceptives for women older than 35 years of age», *Annals of Internal Medicine*, vol. 138, p. 54-64.

Seifer, D. et coll. (2014). «Putting "family" back in family planning», *Human Reproduction*, vol. 30, p. 16-19.

Seil, K. et coll. (2014). *Sexual orientation, adult connectedness, substance abuse, and mental health outcomes among adolescents: Findings from the 2009 New York City youth risk behaviour survey*, [En ligne], http://ajph.aphapublications.org/DOI/abs/10.2105/AJPH.2014.302050 (Page consultée le 31 octobre 2014).

Selcuk, E. et Ong, A. (2013). «Perceived partner responsiveness moderates the association between received emotional support and all-cause mortality», *Health Psychology*, vol. 37, p. 231-235.

Seligman, L. et Hardenburg, S. (2000). «Assessment and treatment of paraphilias», *Journal of Counseling and Development*, vol. 78, p. 107-113.

Semans, J. (1956). «Premature ejaculation: A new approach», *Southern Medical Journal*, vol. 49, p. 353-358.

Senn, C. et coll. (1999). «Predicting coercive sexual behavior across the lifespan in a random sample of Canadian men», *Journal of Social and Personal Relationships*, vol. 17, p. 95-113.

Senn, T. et coll. (2011). «Age of partner at first adolescent intercourse and adult sexual risk behavior among women», *Journal of Women's Health*, vol. 26, p. 61-66.

Seppa, N. (2005). «Defense mechanism: Circumcision averts some IIIV infections», *Science News*, vol. 168, p. 275.

Service du renseignement criminel [SRCQ] (2013). *Portrait provincial du proxénétisme et de la traite de personnes*, [En ligne], www.securitepublique.gouv.qc.ca/fileadmin/Documents/police/publications/lutte_crime_organise/portrait_proxenetisme_traite_personnes.pdf (Page consultée le 28 février 2017).

Seto, M. et Lalumiere, M. (2010). «What is so special about male adolescent sexual offending? A review and test of explanations through meta-analyses», *Psychological Bulletin*, vol. 136, p. 526-575.

Sev'er, A. (1999). «Sexual harassment: Where we are and prospects for the new millennium», *Canadian Review of Sociology and Anthropology*, vol. 36, p. 469-482.

Sex Information and Education Council of Canada (2015). *Sexual Health Issue Brief: Sexual Assault in Canada: Legal Definitions, Statistics, and Frontline Responses*, [En ligne], http://sieccan.org/wp/wp-content/uploads/2015/01/SIECCAN-Sexual-Health-Issue-Brief_Sexual-Assault.pdf (Page consultée le 1er mars 2017).

Shabsigh, R. (2006). «Diagnosing premature ejaculation: A review», *Journal of Sexual Medicine*, vol. 3, p. 318-323.

Shaeer, O. (2013). «The global online sexuality survey (GOSS): The United States of America in 2011 (Chapter 111—Premature ejaculation among English-speaking male Internet users)», *Journal of Sexual Medicine*, vol. 10, p. 1882-1888.

Shafer, E. et Malhotra, N. (2011). «The effect of a child's sex on support for traditional gender roles», *Social Forces*, vol. 90, p. 209-221.

Shafii, T., Stovel, K. et Holmes, K. (2007). «Association between condom use at sexual debut and subsequent sexual trajectories», *American Journal of Public Health*, vol. 97, p. 97-103.

Shah, J. et Fisch, H. (2006). «Managing the vasectomy patient: From preoperative counseling through postoperative follow-up», *Contemporary Urology*, vol. 18, p. 40-45.

Shah, K. et Montoya, C. (2007). «Do testosterone injections increase libido for elderly hypogonadal patients?», *Family Practice*, vol. 56, p. 301-303.

Shah, S. (2011). *Homosexuality permitted in 113 countries, illegal in 76*, [En ligne], www.thenews.com.pk/archive/print/310858-homosexuality-permitted-in-113-countries-illegal-in-76 (Page consultée le 6 mars 2017).

Shamloul, R. et Bella A. (2011). «Impact of canabis use on male sexual health», *Journal of Sexual Medicine*, vol. 8, p. 971-975.

Shapiro, K. et Ray, S. (2007). «Sexual health for people living with HIV», *Reproductive Health Matters*, vol. 15, p. 67-92.

Shaughnessy, K. (2011). «Online sexual activity experience of heterosexual students: Gender similarities and differences», *Archives of Sexual Behavior*, vol. 40, n° 2, p. 119-127.

Shaver, F., Lewis, J. et Maticka-Tyndale, E. (2011). «Rising to the challenge: Addressing the concerns of people working in the sex industry», *Canadian Review of Sociology*, vol. 48, p. 47-65.

Shaw, J. (2008). «Diagnosis and treatment of testicular cancer», *American Family Physician*, vol. 77, p. 469-480.

Shaw, G. (2015). *Infertility breakthroughs*, [En ligne], www.webmd.com/news/breaking-news/future-of-health/#infertility-treatment-toc/advance-in-infertility-treatment (Page consultée le 3 mars 2017).

Sheets, V., Fredendall, L. et Claypool, H. (1997). «Jealousy evocation, partner reassurance, and relationship stability: An exploration of the potential benefits of jealousy», *Evolution and Human Behavior*, vol. 18, p. 387-402.

Sheff, E. et Tesene, M.M. (2015). «Consensual non-monogamies in industrialized nations». Dans J. DeLamater et R.F. Plante (dir.), *Handbook of the sociology of sexualities*, New York, NY, Springer.

Shelton, J. D. (2010). «Masturbation: Breaking the silence», *International Perspectives on Sexual and Reproductive Health*, vol. 36, p. 157-158.

Shen, F. et coll. (2014). «Parental pressure and support toward Asian Americans' self-efficiency, outcome expectations, and interests in stereotypical occupations: Living up to parental expectations and internalized stereotyping as mediators», *Journal of Counseling Psychology*, vol. 61, p. 241-252.

Sherfey, M. (1972). *The nature and evolution of female sexuality*, New York, NY, Random House.

Shi, Z. et coll. (2013). «Longitudinal changes in testosterone over five years in community-dwelling men», *Journal of Clinical Endocrinology & Metabolism*, vol. 98, p. 3289-3297.

Shidlo, A., Schroeder, M. et Drescher, J. (2003). *Sexual conversion therapy: Ethical, clinical, and research perspectives*, Binghamton, NY, Haworth Medical Press.

Shihri, A. (2007). «Saudi king pardons rape victim sentenced to prison», *Oregonian*, 18 décembre, p. A6.

Shimonaka, Y. et coll. (1997). «Androgyny and successful adaptation across the life span among Japanese adults», *Journal of Genetic Psychology*, vol. 158, p. 389-400.

Shindel, A. et Moser, C. (2011). «Why are the paraphilias mental disorders?», *Journal of Sexual Medicine*, vol. 8, p. 927-929.

Shook, N. et coll. (2000). «Courtship violence among college students: A comparison of verbally and physically abusive couples», *Journal of Family Violence*, vol. 15, p. 1-22.

Shortridge, E. et Miller, K. (2007). «Contraindications to oral contraceptive use among women in the United States, 1999–2001», *Contraception*, vol. 75, p. 355-360.

Shrier, L. et coll. (1998). «Gender differences in risk behaviors associated with forced or pressured sex», *Archives of Pediatric and Adolescent Medicine*, vol. 152, p. 57-63.

Shulman, J., Cotta, G. et Green, R. (2012). «Will marriage matter? Effects of marriage anticipated by same-sex couples», *Journal of Family Issues*, vol. 33, p. 158-181.

Shuntich, R., Loh, D. et Katz, D. (1998). «Some relationships among affection, aggression, and alcohol abuse in the family setting», *Perceptual Motor Skills*, vol. 86, p. 1051-1060.

Siegel, K., Krauss, B. et Karus, D. (1994). «Reporting recent sexual practices: Gay men's disclosure of HIV risk by questionnaire and interview», *Archives of Sexual Behavior*, vol. 23, p. 217-230.

Signorile, M. (1995). *Outing yourself*, New York, NY, Fireside.

Signorile, M. (2011). «The bully pulpit», *Advocate*, janvier, p. 22-23.

Silverberg, C. (2008a). *Morning erections: Definition, causes, and problems with morning erections*, [En ligne], www.about.com/od/malesexualanatomy/a/morning_erection.htm?r5qI (Page consultée le 1er novembre 2008).

Silverberg, C. (2008b). *Spontanous orgasms: A rare sexual side effect of antidepressants*, [En ligne], http://sexuality.about.com/od/malesexualanatomy/a/morning_erectio.htm (Page consultée le 27 avril 2012).

Silverira, L. et Latronico, A. (2013). «Approach to the patient with hypogonadotropic hypogonadism», *Journal of Clinical Endocrinology & Metabolism*, vol. 98, p. 1781-1788.

Silverman, J. et coll. (2008). «Syphilis and hepatitis B co-infection among HIV-infected, sex-trafficked women and girls, Nepal», *Emerging Infectious Diseases*, vol. 14, p. 932-935.

Silverman, J. et coll. (2011). «Coercive forms of sexual risk and associated violence perpetrated by male partners of female adolescents», *Perspectives on Sexual and Reproductive Health*, vol. 43, p. 60-65.

Simms, C. (2014). «Sub-Saharan Africa's HIV pandemic», *American Psychologist*, vol. 69, p. 94-95.

Simons, D., Wurtele, S. et Durham, R. (2008). «Developmental experiences of child sexual abusers and rapists», *Child Abuse and Neglect*, vol. 32, p. 549-560.

Simonson, K. et Subich, L. (1999). «Rape perceptions as a function of gender-role traditionality and victim-perpetrator association», *Sex Roles*, vol. 40, p. 617-633.

Sims, K.E. et Meana, M. (2010). «Why did passion wane? A qualitative study of married women's attributions for declines in sexual desire», *Journal of Sex & Marital Therapy*, vol. 36, n° 4, p. 360-380.

Singer, M.C. et coll. (2006). «Syndemics, sex and the city: Understanding sexually transmitted diseases in social and cultural context», *Social Science & Medicine*, vol. 63, n° 8, p. 2010-2021.

Singer, N. (2005). «The revised birthday suit», *The New York Times*, 1er septembre, p. E3.

Sinha, M. (2012). «La violence familiale au Canada, un profil statistique, 2010», *Juristat*, [En ligne], www.statcan.gc.ca/pub/85-002-x/2012001/article/11643-fra.pdf (Page consultée le 20 novembre 2012).

Sinnott, J. (1986). *Sex roles and aging: Theory and research from a systems perspective*, Basel, Swuisse, Karger.

Sipe, A. (1990). *A secret world: Sexuality and the search for celibacy*, New York, NY, Brunner/Mazel.

Sitnick, S. et coll. (2014). «Developmental pathways to sexual risk behavior in high-risk adolescent boys», *Pediatrics*, vol. 134, p. 1038-1045.

Skogen, J. et coll. (2014). «Alcohol and drug use among adolescents and the co-occurrence of mental health problems», *British Medical Journal Open 2014*, p. 4:e005357. doi: 10.1136/bmjopen-2014-005357

Skolnick, A. (1992). *The intimate environment: Exploring marriage and the family*, New York, NY, HarperCollins.

Slijper, F. et coll. (1998). «Long-term psychological evaluation of intersex children», *Archives of Sexual Behavior*, vol. 27, p. 125-143.

Slomski, A. (2014). «Testosterone therapy boosts MI risk», *Journal of the American Medical Association*, vol. 311, p. 1191.

Small, M. (1999). «Nosing out a mate», *Scientific American Presents*, vol. 10, p. 52-55.

Smith, A. et coll. (2011). «Sexual and relationship satisfaction among heterosexual men and women: The importance of desired frequency of sex», *Journal of Sex and Marital Therapy*, vol. 37, p. 104-115.

Smith, C.V. et Shaffer, M.J. (2012). «Gone but not forgotten: Virginity loss and current sexual satisfaction», *Journal of Sex & Marital Therapy*, 1er janvier.

Smith, D. et Over, R. (1987). «Correlates of fantasy-induced and film-induced male sexual arousal», *Archives of Sexual Behavior*, vol. 16, p. 395-409.

Smith, M. (2011). *Not your mother's birth control, same troubles*, Paper presented at the 139th American Public Health Association Annual Meeting, octobre, Washington, DC.

Smith, R. et coll. (2005). «Relative size versus controlling for size: Interpretation of ratios in research on sexual dimorphism in the human corpus callosum», *Current Anthropology*, vol. 46, p. 249-273.

Smith, T. et coll. (2014). *Public attitudes toward homosexuality and gay rights across time and countries*, [En ligne], https://williamsinstitute.law.ucla.edu/research/international/public-attitudes-nov-2014 (Page consultée le 6 mars 2017).

Snapp, S., Ryu, E. et Kerr, J. (2015). «The upside to hooking up: College students' positive hookup experiences», *International Journal of Sexual Health*, vol. 27, no 1, p. 43-56.

Société des obstétriciens et gynécologues du Canada (SOGC) (2012). *Le sexe et moi, votre ressource de confiance en matière de santé sexuelle et génésique*, [En ligne], www.masexualite.ca/fr/sexual-health/sex-and-the-law (Page consultée le 28 février 2017).

Société des obstétriciens et gynécologues du Canada (SOGC) (2015a). *Canadian Contraception Consensus (Part 2 of 4)*, [En ligne], https://sogc.org/wp-content/uploads/2015/11/gui329Pt2CPG1511E.pdf (Page consultée le 3 mars 2017).

Société des obstétriciens et gynécologues du Canada (SOGC) (2015b). *Consensus canadien sur la contraception (1re partie de 4)*, [En ligne], https://sogc.org/wp-content/uploads/2015/11/gui329Pt1CPG1510F.pdf (Page consultée le 3 mars 2017).

Société des obstétriciens et gynécologues du Canada (SOGC) (2017a). *Chlamydia*, [En ligne], www.sexandu.ca/fr/stis/chlamydia (Page consultée le 2 mars 2017).

Société des obstétriciens et gynécologues du Canada (SOGC) (2017b). *Herpès*, [En ligne], www.sexandu.ca/fr/stis/herpes (Page consultée le 2 mars 2017).

Société des obstétriciens et gynécologues du Canada (SOGC) (2017c). *VPH*, [En ligne], www.sexandu.ca/fr/stis/hpv (Page consultée le 2 mars 2017).

Société des obstétriciens et gynécologues du Canada (SOGC) (2017d). *VIH*, [En ligne], www.sexandu.ca/fr/stis/hiv (Page consultée le 2 mars 2017).

Soguel, D. (2008). *Mass stigma scars Congo's rape survivors*, [En ligne], www.womensenews.org (Page consultée le 11 octobre 2008).

Solmonese, J. (2005). *Fairness at Ford and beyond*, [En ligne], www.advocate.com/print_article_ektid23468.asp (Page consultée le 24 mai 2006).

Song, Y. et coll. (2009). «Innervation of vagina: Microdissection and immunohistochemical study», *Journal of Sex and Marital Therapy*, vol. 35, p. 144-153.

Sormanti, M. et Shibusawa, T. (2008). «Intimate partner violence among midlife and older women: A descriptive analysis of women seeking medical services», *Health and Social Work*, vol. 33, p. 33-41.

Sorokan, S.T. et coll. (2015). *La circoncision néonatale*, [En ligne], www.cps.ca/fr/documents/position/circoncision (Page consultée le 7 juin 2016).

Sorrells, M. et coll. (2007). «Fine-touch pressure thresholds in the adult penis», *British Journal of Urology*, vol. 99, p. 864-869.

Sorsoli, L., Kia-Keating, M. et Grossman, F. (2008). «"I keep that hush-hush": Male survivors of sexual abuse and the challenges of disclosure», *Journal of Counseling Psychology*, vol. 55, p. 333-345.

Soukup, E. (2006). «Polygamists unite», *Newsweek*, 20 mars, p. 52.

Spack, N.P. et coll. (2012). «Children and adolescents with gender identity disorder referred to a pediatric medical center», *Pediatrics*, vol. 129, no 3, p. 418-425.

Span, S. et Vidal, L. (2003). «Cross-cultural differences in female university students' attitudes toward homosexuals: A preliminary study», *Psychological Reports*, vol. 92, p. 565-572.

Sparling, S. et Cramer, K. (2015). «Choosing the danger we think we know: Men and women's faulty perceptions of sexually transmitted infection risk with familiar and unfamiliar new partners», *The Canadian Journal of Human Sexuality*, vol. 24, no 3, p. 237-242.

Spence, J. et Helmreich, R. (1978). *Masculinity and feminity*, Austin, TX, University of Texas Press.

Spencer, T. et Tan, J. (1999). «Undergraduate students' reactions to analogue male disclosure of sexual abuse», *Journal of Child Sexual Abuse*, vol. 8, p. 73-90.

Speroff, L. et Fritz, M. (2005). *Clinical gynecologic endocrinology and infertility* (7th ed.), Philadelphie, PA: Lippincott Williams and Wilkins.

Spitzer, J. (2011). *Trailblazing state law on human-traffic bogs down*, [En ligne], http://womensenews.org/2011/10/trailblazing-state-law-human-traffic-bogs-down (Page consultée le 6 mars 2017).

Spong, C. (2013). «Defining term pregnancy recommendations from the defining "term" pregnancy workgroup», *Journal of American Medicine Association*, vol. 309, p. 2445-2446.

Sprecher, S. (2002). «Sexual satisfaction in premarital relationships: Associations with satisfaction, love, commitment, and stability», *Journal of Sex Research*, vol. 39, p. 190-196.

Sprecher, S. (2014). «Evidence of change in men's versus women's emotional reactions to first sexual intercourse: A 23-year study in a human sexuality course at a Midwestern university», *Journal of Sex Research*, vol. 51, p. 170-183, 466-472.

Sprecher, S. et McKinney, K. (1993). *Sexuality*, Newbury Park, CA, Sage.

Sprecher, S. et Regan, P. (1998). «Passionate and companionate love in courting and young married couples», *Sociological Inquiry*, vol. 68, p. 163-185.

Springen, K. (2008). «Get your sperm moving», *Newsweek*, 25 février, p. 59.

Staley, C. et Prause, N. (2013). «Erotica viewing effects on intimate relationships and self/partner evaluations», *Archives of Sexual Behavior*, vol. 42, p. 615-624.

Stanley, D. (1993). «To what extent is the practice of autoerotic asphyxia related to other paraphilias?». Dans K. Haas A. Haas (dir.), *Understanding sexuality*, St. Louis, MO, Mosby.

Stanton, S. et Campbell, L. (2014). «Psychological and physiological predictors of health in romantic relationships: An attachment perspective», *Journal of Personality*, vol. 82, p. 528-538.

Stark, C. (2005). «Behavioral effects of stimulation of the medial amygdala in the male rat are modified by prior experience», *Journal of General Psychology*, vol. 132, p. 207-224.

Starr, B. et Weiner, M. (1981). *The Starr Weiner report on sex and sexuality in the mature years*, New York, NY, Stein and Day.

Staten, C. (1997). «"Roofies": The new "date rape" drug of choice», *Emergency Net News*, 21 octobre.

Statistique Canada (2010). *La violence dans le cadre des fréquentations intimes déclarée par la police 2008*, vol. 30, no 2, no 85-002 au catalogue.

Statistique Canada (2011). *La fierté gaie... en chiffres*, [En ligne], www42.statcan.ca/smr08/2011/smr08_158_2011-fra.htm (Page consultée le 29 juin 2012).

Statistique Canada (2012a). *Recensement de la population de 2011: Familles, ménages, état matrimonial, type de construction résidentielle, logements collectifs*, [En ligne], www.statcan.gc.ca/daily-quotidien/120919/dq120919a-fra.pdf (Page consultée le 28 février 2017).

Statistique Canada (2012b). *Recensement du Canada de 2011: Tableaux thématiques*, [En ligne], www12.statcan.gc.ca/census-recensement/2011/dp-pd/tbt-tt/Rp-fra.cfm?LANG=F&APATH=3&DETAIL=0&DIM=0&FL=A&FREE=0&GC=0&GID=0&GK=0&GRP=1&PID=102574&PRID=0&PTYPE=101955&S=0&SHOWALL=0&SUB=0&Temporal=2011&THEME=89&VID=0&VNAMEE=&VNAMEF= (Page consultée le 28 février 2017).

Statistique Canada (2013). *Profil de l'ENM, Canada, 2011*, [En ligne], www12.statcan.gc.ca/nhs-enm/2011/dp-pd/prof/details/page.cfm?Lang=F&Geo1=PR&Code1=01&Data=Count&SearchText=Canada&SearchType=Begins&SearchPR=01&A1=Religion&B1=All&Custom=&TABID=1 (Page consultée le 28 février 2017)

Statistique Canada (2014a). *Tableau 7, Incidents de victimisation avec violence déclarés par les Canadiens, selon certaines caractéristiques de l'incident, 2014*, [En ligne], www.statcan.gc.ca/pub/85-002-x/2015001/article/14241/tbl/tbl07-fra.htm (Page consultée le 2 mars 2017).

Statistique Canada (2014b). *Les infractions sexuelles commises contre les enfants et les jeunes déclarées par la police au Canada, 2012*, [En ligne], www.statcan.gc.ca/pub/85-002-x/2014001/article/14008-fra.htm (Page consultée le 2 mars 2017).

Statistique Canada (2014c). *Section 3: La violence familiale envers les enfants et les jeunes, 2013*, [En ligne], www.statcan.gc.ca/pub/85-002-x/2014001/article/14114/section03-fra.htm (Page consultée le 2 mars 2017).

Statistique Canada (2014d). *Tableau 3.4, Enfants et jeunes de 0 à 17 ans qui ont été victimes de certaines infractions avec violence dans la famille, affaires déclarées par la police, selon le sexe de la victime, 2009 à 2013*, [En ligne], www.statcan.gc.ca/pub/85-002-x/2014001/article/14114/tbl/tbl34-fra.htm (Page consultée le 2 mars 2017).

Statistique Canada (2014e). *Tableau 5, Enfants et jeunes victimes d'infractions sexuelles déclarées par la police, selon le groupe d'âge de la victime et le lien de l'auteur présumé avec celle-ci, Canada, 2012*, [En ligne], www.statcan.gc.ca/pub/85-002-x/2014001/article/14008/t/tbl05-fra.htm (Page consultée le 2 mars 2017).

Statistique Canada (2015a). *Enquête sur la santé dans les collectivités canadiennes — Composante annuelle (ESCC)*, [En ligne], www23.statcan.gc.ca/imdb/p2SV_f.pl?Function=getSurvey&SDDS=3226 (Page consultée le 28 février 2017).

Statistique Canada (2015b). *Les couples de même sexe et l'orientation sexuelle... en chiffres*, [En ligne], www.statcan.gc.ca/fra/quo/smr08/2015/smr08_203_2015 (Page consultée le 28 février 2017).

Statistique Canada (2015c). *Portrait des familles et situations des particuliers dans les ménages au Canada*, [En ligne], www12.statcan.gc.ca/census-recensement/2011/as-sa/98-312-x/98-312-x2011001-fra.cfm (Page consultée le 28 février 2017).

Statistique Canada (2015d). *Tableau 7, Canadiens ayant utilisé un condom durant les dernières relations sexuelles, selon le groupe d'âge et le sexe, population à domicile de 15 à 49 ans, 2013-2014*, [En ligne], www.statcan.gc.ca/daily-quotidien/150624/t007b-fra.htm (Page consultée le 28 février 2017).

Statistique Canada (2015e). *Estimations de la population selon l'état matrimonial ou l'état matrimonial légal, l'âge et le sexe au 1er juillet, Canada, provinces et territoires*, [En ligne], www5.statcan.gc.ca/cansim/a26?id=0510042&pattern=&p2=31&stByVal=1&p1=1&tabMode=dataTable&csid=&retrLang=fra&lang=fra (Page consultée le 28 février 2017).

Statistique Canada (2015f). *Same-sex couples and sexual orientation... by the numbers*, [En ligne], www.statcan.gc.ca/eng/dai/smr08/2015/smr08_203_2015#a1 (Page consultée le 28 février 2017).

Statistique Canada (2015g). *Health at a Glance, Breasfeed trends in Canada*, [En ligne], www.statcan.gc.ca/pub/82-624-x/2013001/article/11879-eng.htm (Page consultée le 3 mars 2017).

Statistique Canada (2016a). *Mégatendances canadiennes. L'essor de la famille à deux revenus avec enfants*, [En ligne], www.statcan.gc.ca/daily-quotidien/160530/dq160530c-fra.htm (Page consultée le 28 février 2017).

Statistique Canada (2016b). *Tableau 5, Crimes déclarés par la police, certaines infractions, Canada, 2014 et 2015*, [En ligne], www.statcan.gc.ca/pub/85-002-x/2016001/article/14642/tbl/tbl05-fra.htm (Page consultée le 1er mars 2017).

Statistique Canada (2016c). *La violence familiale au Canada: un profil statistique, 2014*, [En ligne], www.statcan.gc.ca/daily-quotidien/160121/dq160121b-fra.htm (Page consultée le 2 mars 2017).

Stautz, K. et Cooper, A. (2014). «Personality correlates of susceptibility to peer influence in adolescence», *Journal of Adolescence*, vol. 37, p. 401-406.

Steele, J. (1999). «Teenage sexuality and media practice: Factoring in the influences of family, friends, and school», *Journal of Sex Research*, vol. 36, p. 331-341.

Steer, A. et Tiggemann, M. (2008). «The role of self-objectification in women's sexual functioning», *Journal of Social and Clinical Psychology*, vol. 27, p. 205-225.

Steggall, M., Fowler, C. et Pryce, A. (2008). «Combination therapy for premature ejaculation: Results of a small-scale study», *Sexual and Relationship Therapy*, vol. 23, p. 365-376.

Stein, A. (2001). *The stranger next door*, Boston, MA, Beacon Press.

Stein, D., Baer, M. et Bruemmer, N. (2008). «Sexual and emotional health in men», *Annals of the American Psychotherapy Association*, vol. 11, p. 20-26.

Steinberg, J. et Finer, L. (2011). «Examining the association of abortion history and current mental health: A reanalysis of the National Comorbidity survey using a common-risk-factors model», *Social Science and Medicine*, vol. 72, p. 72-82.

Steinem, G. (1998). «Erotic and pornography: A clear and present difference». Dans R. Baird et S. Rosenbaum (dir.), *Pornography: Private right or public menace?*, Amherst, NY, Prometheus Books.

Steiner, M. et Cates, W. (2008). «Are condoms the answer to rising rates of non-HIV sexually transmitted infections? Yes.», *British Medical Journal*, vol. 184, p. 1136.

Stemple, L. et Meyer, I. (2014). «The sexual victimization of men in America: New data challenges old assumptions», *American Journal of Public Health*, vol. 104, p. e19-e26.

Stephenson, K. et coll. (2013). «Relationship satisfaction as a predictor of treatment response during cognitive behavioral sex therapy», *Archives of Sexual Behavior*, vol. 42, p. 143-152.

Stephenson, K. et Meston, C. (2013). «The conditional importance of sex: Exploring the association between sexual well-being and life satisfaction», *Journal of Sex & Marital Therapy*, vol. 41, p. 25-38.

Stephenson, M. (2006). «Management of recurrent early pregnancy loss», *The Journal of Reproductive Medicine*, vol. 51, p. 303-310.

Stermac, L. et coll. (1996). «Sexual assault of adult males», *Journal of Interpersonal Violence*, vol. 11, p. 52-64.

Sternberg, R. (1986). «A triangular theory of love», *Psychological Review*, vol. 93, p. 119-135.

Sternberg, R. (1988). «Triangulating love». Dans R. Sternberg et M. Barnes (dir.), *The psychology of love*, New Haven, CT, Yale University Press.

Steuber, K. et Solomon, D. (2008). «Relational uncertainty, partner interference and infertility», *Journal of Social and Personal Relationships*, vol. 25, p. 831-855.

Stewart, D. (2011). «Depression during pregnancy», *New England Journal of Medicine*, vol. 365, p. 1605-1611.

Stinson, R.D., Levy, L.B. et Alt, M. (2014). «"They're just a good time and move on": Fraternity men reflect on their hookup experiences», *Journal of College Student Psychotherapy*, vol. 28, n⁰ 1, p. 59-73.

Stites, J. (2007). «Dyke porn's new mastermind», *Advocate*, août, p. 22.

Stobbe, M. (2013). *Infertility down slightly among marries US women*, [En ligne], http://news.yahoo.com/infertility-down-slightly-among-us-women-053304897.html (Page consultée le 3 mars 2017).

Stock, W. (1985). *The effect of pornography on women*, Paper presented at a hearing of the Attorney General's Commission on Pornography, septembre, Houston, TX.

Stockwell, F. et Moran, D. (2014). «A relational frame theory account of the emergence of sexual fantasy», *Journal of Sex & Marital Therapy*, vol. 40, p. 92-104.

Stoler, L. et coll. (2001). «Recovered memories». Dans J. Worrell (dir.), *Encyclopedia of women and gender (Vol. 2)*, San Diego, CA, Academic Press.

Stoller, R. (1977). «Sexual deviations». Dans F. Beach (dir.), *Human sexuality in four perspectives*, Baltimore, MD, Johns Hopkins University Press.

Stoller, R. et Herdt, G. (1985). «Theories of origins of male homosexuality», *Archives of General Psychiatry*, vol. 42, p. 399-404.

Stone, D. et coll. (2014). «Sexual victimization and suicide ideation, plans, attempts, and medically serious attempts: Evidence from local youth risk behavior surveys», *American Journal of Public Health*, vol. 104, p. 262-271.

Stone, J. et coll. (2008). «Contemporary outcomes with the latest 1000 cases of multifetal pregnancy reduction», *American Journal of Obstetrics and Gynecology*, vol. 199, p. 406-408.

Strasburger, V. et Brown, S. (2014). «Sex education in the 21st century», *Journal of the American Medical Society*, 12 juin. doi: 10.1001/jama2014.4789

Strassberg, D. (2007). *Dealing with premature ejaculation*, Paper presented at the 18th Congress of the World Association for Sexual Health, avril, Sydney, Australie.

Strassberg, D. et Mahoney, J. (1988). «Correlates of contraceptive behavior of adolescents/young adults», *Journal of Sex Research*, vol. 25, p. 531-536.

Strohm, C.Q. et coll. (2009). «"Living apart together" relationships in the United States», *Demographic Research*, vol. 21, p. 177-214.

Stroope, S. et coll. (2015). «Marital characteristics and the sexual relationships of U.S. older adults: An analysis of national social life, health, and aging project data», *Archives of Sexual Behavior*, vol. 44, p. 233-247.

Struckman-Johnson, C. et Struckman-Johnson, D. (2000). «Sexual coercion rates in seven midwestern prison facilities for men», *Prison Journal*, vol. 80, p. 379-390.

Stuart, F., Hammond, C. et Pett, M. (1998). «Inhibited sexual desire in women», *Archives of Sexual Behavior*, vol. 16, p. 91-106.

Stubbs, K. (1992). *Sacred orgasms*, Berkeley, CA, Secret Garden.

Stulhofer, A. et Ajdukovic, D. (2011). «Should we take anodyspareunia seriously? A descriptive analysis of pain during receptive anal intercourse in young heterosexual women», *Journal of Sex and Marital Therapy*, vol. 37, p. 346-358.

Stulhofer, A. et Ajdukovic, D. (2013). «A mixed-methods exploration of women's experiences of anal intercourse: Meanings related to pain and pleasure», *Archives of Sexual Behavior*, vol. 42, p. 1053-1062.

Stulhofer, A. et coll. (2013). «Is responsive sexual desire for partnered sex problematic among men? Insights from a two-country study», *Sexual and Relationship Therapy*, vol. 28, p. 246-258.

Stulp, G. et coll. (2013). «Women want taller men more than men want shorter women», *Personality and Individual Differences*, vol. 54, p. 877-883.

Sugar, N. et Graham, E. (2006). «Common gynecologic problems in prepubertal girls», *Pediatrics in Review*, vol. 27, p. 213-222.

Sugarman, D. (2013). «Male infant circumcision», *Journal of the American Medical Association*, vol. 310, p. 759-762.

Sukel, K. (2013). «Lust's rewards», *Scientific American Mind*, novembre/décembre, p. 60-63.

Suschinsky, K.D. et Lalumière, M.L. (2012). «Is sexual concordance related to awareness of physiological states?», *Archives of Sexual Behavior*, vol. 41, p. 199-208.

Sussenbach, P. et coll. (2013). «Metacognitive aspects of rape myths. Subjective strengths of rape myth acceptance moderates its effects on information processing and behavioral intentions», *Journal of Interpersonal Violence*, vol. 28, p. 2250-2272.

Sytsma, M. et Taylor, D. (2008). «Fake an orgasm?», *Marriage Partnership*, vol. 25, p. 45-46.

Swaab, D., Gooren, L. et Hoffman, M. (1995). «Brain research, gender, and sexual orientation», *Journal of Homosexuality*, vol. 28, p. 283-301.

Swami, V. et Furnham, A. (2008). *The psychology of physical attraction*, New York, NY, Routledge.

Swift, M. (2009). «Asian immigrants use medical technology to satisfy age-old desire: A son», *San Jose Mercury News*, 11 janvier, p. B1.

Swiss, S. et Giller, J. (1993). «Rape as a crime of war», *Journal of the American Medical Association*, vol. 270, p. 612-615.

Szabo, L. (2012). «Most young people with HIV don't know they're infected», *USA Today*, 28 novembre, p. 4D.

Szabo, L. (2013). «Genetic link to early puberty found», *USA Today*, 6 juin, p. 5D.

Szymanski, D. et Gupta, A. (2009). «Examining the relationship between multiple internalized oppressions and African American lesbian, gay, bisexual, and questioning persons' self-esteem and psychological distress», *Journal of Counseling Psychology*, vol. 56, p. 110-118.

Szymanski, D. et Henrichs-Beck, A. (2014). «Exploring sexual minority women's experiences of external and internalized heterosexism and their links to coping and distress», *Sex Roles*, vol. 70, p. 28-42.

Tabak, B. et coll. (2011). «Oxytocin indexes relational distress following interpersonal harms in women», *Psychoneuroendocrinology*, vol. 36, p. 115-122.

Tach, L.M. et Halpern-Meekin, S. (2012). «Marital quality and divorce decisions: How do premarital cohabitation and nonmarital childbearing matter?», *Family Relations*, vol. 61, no 15, p. 571.

Taddio, A. et coll. (1997) «Efficacy and safety of lidocaine-prilocaine cream for pain during circumcision», *New England Journal of Medicine*, vol. 336, p. 1197-1201.

Tag-Eldin, M. et coll. (2008). «Prevalence of female genital cutting among Egyptian girls», *Bulletin of the World Health Organization*, vol. 86, p. 269-276.

Takizawa, R. et coll. (2014). «Adult health outcomes of childhood bullying victimization», *American Journal of Psychiatry*, vol. 171, p. 777-784.

Talley, A. et coll. (2014). «Exploring alcohol-use behaviors among heterosexual and sexual minority adolescents: Intersections with sex, age, and race/ethnicity», *American Journal of Public Health*, vol. 104, p. 295-303.

Tamar-Mattis, A. (2011). «Leave intersex out of the DSM-V», *Hastings Center Report*, vol. 41, p. 1-3.

Tamar-Mattis, A. (2014). *Report to the UN Committee Against Torture: Medical treatment of people with intersex conditions*, [En ligne], http://tbinternet.ohchr.org/Treaties/CAT/Shared%20Documents/USA/INT_CAT_CSS_USA_18525_E.pdf (Page consultée le 31 octobre 2014).

Tamimi, I. (2011). *Child bride in Jordan puts daughter on same path*, [En ligne], www.comensenews.org/story/marriagedivorde/110821 (Page consultée le 27 novembre 2012).

Tanner, L. (2015). *Changing attitudes spark movement against surgeries for infants & children*, [En ligne], www.huffingtonpost.com/2015/04/17/intersex-surgery-infants_n_7087454.html (Page consultée le 31 octobre 2015).

Tao, V. et Hong, Y. (2014). «When academic achieve- ment is an obligation», *Journal of Cross-Cultural Psychology*, vol. 45, p. 110-136.

Taormino, T. (2011). *The secrets of great G-spot orgasms and female ejaculation*, Beverly, MA, Quiver.

Tarkovsky, S. (2006). *Sperm taste: 10 simple tips for better tasting semen*, [En ligne], http://ezinearticles.com/?Sperm-Taste-10-Simple-Tips-For-Better-Tasting-Semen (Page consultée le 1er janvier 2009).

Task Force on Circumcision (1999). «Circumcision policy statement», *Pediatrics*, vol. 103, p. 686-693.

Tavris, C. (2005). «Brains, biology, science, and skepticism: On thinking about sex differences (again)», *Skeptical Inquirer*, vol. 29, p. 11-12.

Taylor, A. (2013). *77 countries where homosexuality is a crime*, [En ligne], www.businessinsider.com/where-homosexuality-is-illegal-2013-12#ixzz3GFdCkupZ (Page consultée le 31 octobre 2014).

Taylor, J. (1971). «Introduction». Dans R. Haber et C. Eden (dir.), *Holy living* (rev. ed.), New York, NY, Adler.

Taylor, L. et coll. (2011). «"Out of my league": A real-world test of the matching hypothesis», *Personality and Social Psychology Bulletin*, vol. 37, p. 942-954.

Taylor, R. (1970*). Sex in history*, New York, NY, Harper and Row.

Tebas, P. et coll. (2014). «Gene editing of CCR5 in autologous CD4 T cells of persons infected with HIV», *New England Journal of Medicine*, vol. 370, p. 901-910.

Teibel, A. (2012). *Jewish movement in Israel OKs gay rabbis*, [En ligne], www.miamiherald.com/2012/04/20/v-print/2758873/jewish-movement-in-israel-oks.html (Page consultée le 27 novembre 2012).

Teich, M. (2006). «Love but don't touch», *Psychology Today*, mars-avril, p. 81-86.

Temple, J.R. et Choi, H. (2014). «Longitudinal association between teen sexting and sexual behavior», *Pediatrics*, vol. 134, no 5, p. e1287-1292.

Templeman, T. et Sinnett, R. (1991). «Patterns of sexual arousal and history in a "normal" sample of young men», *Archives of Sexual Behavior*, vol. 20, p. 137-150.

Tepper, N. et coll. (2014). «U.S. selected practice recommendations for contraceptive use, 2013», *Journal of Women's Health*, vol. 23, p. 108-111.

Terrier, J.E. et Nelson, C.J. (2016). «Psychological aspects of Peyronie's disease», *Translational Andrology and Urology*, vol. 5, no 3, p. 290-295.

Terry, G. (2007). *Sex, celibacy and masculinities*, Paper presented at the 18th Congress of the World Association for Sexual Health, avril, Sydney, Australie.

Thanasiu, P. (2004). «Childhood sexuality: Discerning healthy from abnormal sexual behaviors», *Journal of Mental Health Counseling*, vol. 26, p. 309-319.

Thompson, E. (2008). «Slavery in our times», *Newsweek*, 17 mars, p. 64.

Thorp, A. et coll. (2013). «Relative importance of emotional dysregulation, hostility, and impulsiveness in predicting intimate partner violence perpetrated by men in alcohol treatment», *Psychology of Women Quarterly*, vol. 37, p. 51-60.

Thorup, J. et coll. (2011). «The challenge of early surgery for cryptorchidism», *Scandinavian Journal of Urology and Nephrology*, vol. 45, p. 184-189.

Throckmorton, W. (2011). *The Jones and Yarhouse study: What does it mean?*, [En ligne], http://wthrockmorton.com/2011/10/27/the-jones-amdyarhouse-study-what-does-it-mean/ (Page consultée le 27 novembre 2012).

Tibbals, C. (2014). «Gonzo, trannys, and teens— current trends in US adult content production, distribution, and consumption», *Porn Studies*, vol. 1, p. 127-135.

Tiefer, L. (1995). *Sex is not a natural act and other essays*, Boulder, CO, Westview Press.

Tierney, J. (2008). «Gender gap research shakes up theories», *Oregonian*, 3 octobre, p. E2.

Tjaden, P. et Thoennes, N. (1998). *Prevalence, incidence, and consequences of violence against women: Findings from the National Violence Against Women Survey*, Washington, DC, National Institutes of Justice.

Tobian, A. et coll. (2011). «Male circumcision for the prevention of HSV-2 and HPV infections and syphilis», *New England Journal of Medicine*, vol. 360, p. 1298-1309.

Tollison, C. et Adams, H. (1979). *Sexual disorders: Treatment, theory, research*, New York, NY, Gardner.

Tom Tong, S. et Walther, J.B. (2011). «Just say "no thanks": Romantic rejection in computer-mediated communication», *Journal of Social and Personal Relationships*, vol. 28, p. 488-508.

Tomlinson, F., Raphael, H. et Mehta, R. (2006). «Is androgen replacement therapy for hypogonadal men in the form of a transdermal gel (Tesogel) acceptable to patients attending a men's sexual health clinic, compared with older applications?», *Journal of Sexual Medicine*, vol. 3 (Suppl. 3), p. 199-223.

Tone, A. (2002). «The contraceptive conundrum», *SIECUS Report*, vol. 31, p. 4-8.

Torpy, J. (2003). «Perimenopause: Beginning of menopause», *Journal of the American Medical Association*, vol. 289, p. 940.

Toufexis, A. (1993). «The right chemistry», *Time*, 15 février, p. 49-51.

Traish, A. et coll. (2011). «Adverse side effects of 5-reductase inhibitors therapy: Persistent diminished libido and erectile dysfunction and depression in a subset of patients», *Journal of Sexual Medicine*, vol. 8, p. 844-872.

Treger, S. et Sprecher, S. (2011). «The influences of sociosexuality and attachment style on reactions to emotional versus sexual infidelity», *Journal of Sex Research*, vol. 48, p. 413-422.

Tremblay, G. et L'Heureux, P. (2010). «La genèse de la construction de l'identité masculine». Dans J.-M. Deslauriers et coll. (dir.), *Regards sur les hommes*, Québec, Presses de l'Université Laval, p. 91-123.

Trepka, M. et coll. (2008). «High-risk sexual behavior among students of a minority-serving university in a community with a high HIV/AIDS prevalence», *Journal of American College Health*, vol. 57, p. 77-84.

Trikudanathan, S. et coll. (2013). «Association of female reproductive factors with body composition: The Framingham Heart Study», *Journal of Clinical Endocrinology & Metabolism*, vol. 98, p. 236-244.

Trimel, S. (2014). *Organizations call for UN focus on imperiled LGBT individuals in Iraq during special session. International Gay and Lesbian Human Rights Commission*, [En ligne], www.outrightinternational.org/content/organizations-call-un-focus-imperiled-lgbt-individuals-iraq-during-special-session (Page consultée le 6 mars 2017).

Tripoli, T. et coll. (2011). «Evaluation of quality of life and sexual satisfaction in women suffering from chronic pelvic pain with or without endometriosis», *Journal of Sexual Medicine*, vol. 8, p. 974-503.

Trocmé, N. (2012). «Maltraitance envers les enfants et impacts sur le développement psychosocial: Épidémiologie». Dans H. MacMillan, R.E. Tremblay, M. Boivin et R.D. Peters (dir.), *Encyclopédie sur le développement des jeunes enfants*, [En ligne], www.enfant-encyclopedie.com/documents/trocme-FRxp2.pdf (Page consultée le 7 novembre 2012).

Trost, L. et coll. (2013). «Managing the difficult penile prosthesis patient», *Journal of Sexual Medicine*, vol. 10, p. 893-907.

Trudel, G. (2000). *Les dysfonctions sexuelles: évaluation et traitement par des méthodes psychologiques, interpersonnelles et biologiques*, Montréal, Presses de l'Université du Québec.

Trudel, G. et coll. (2008). «The Marital Life and Aging Well Program: Effects on a group preventive intervention on the marital and sexual functioning of retired couples», *Sexual and Relationship Therapy*, vol. 23, p. 5-23.

Truitt, W. et Coolen, L. (2002). «Identification of a potential ejaculation generator in the spinal cord», *Science*, vol. 297, p. 1566-1599.

Tsai, C., Shepherd, B. et Vermund, S. (2009). «Does douching increase risk for sexually transmitted infections? A prospective study in high-risk adolescents», *American Journal of Obstetrics and Gynecology*, vol. 200, p. 38.e1-38.e8.

T'Sjoen, G. et coll. (2010). «Male gender identity in complete androgen insensitivity syndrome», *Archives of Sexual Behavior*, vol. 40, p. 635-638.

Tsuruta, J.K. et coll. (2012). «Therapeutic ultrasound as a potential male contraceptive: power, frequency and temperature required to deplete rat testes of meiotic cells and epididymides of sperm determined using a commercially available system», *Reproductive Biology and Endocrinology*, vol. 12, n° 7.

Tsutsumi, A. et coll. (2008). «Mental health of female survivors of human trafficking in Nepal», *Social Science and Medicine*, vol. 66, p. 1841-1847.

Tucker, M. (2004). «Sexual desire, activity up with testosterone patch», *Family Practice News*, vol. 34, p. 44.

Tuiten, A. et coll. (2000). «Time course of effects of testosterone administration on sexual arousal in women», *Archives of General Psychiatry*, vol. 57, p. 149-153.

Turcotte, M. (2013). *Living Apart Together. Insights on Canadian Society*, Statistics Canada Catalogue n° 75-006-X, Ottawa, Ministère de l'Industrie.

Turley, K.R. et Rowland, D.L. (2013). «Evolving ideas about the male refractory period», *British Journal of Urology International*, vol. 112, n° 4, p. 442-452.

Turner, A. et coll. (2007). «Male circumcision and women's risk of incident chlamydial, gonococcal, and trichomonal infections», *Sexually Transmitted Diseases*, vol. 35, p. 689-695.

Turner, D. Basdekis-Jozsa, R. et Briken, P. (2013). «Prescription of testosterone-lowering medications for sex offender treatment in German forensic-psychiatric institutions», *Journal of Sexual Medicine*, vol. 10, n° 2, p. 570-578.

Turner, H. (1999). «Participation bias in AIDS-related telephone surveys: Results from the National AIDS Behavior Study (NABS) nonresponse study», *Journal of Sex Research*, p. 52-58.

Twenge, J.M., Sherman R.A. et Wells, B.E. (2015). «Changes in American adults' sexual behavior and attitudes, 1972–2012», *Archives of Sexual Behavior*, vol. 44, p. 2273-2285.

Uecker, J.E., Angotti, N. et Regnerus, M.D. (2008). «Going most of the way: "Technical virginity" among American adolescents», *Social Science Research*, vol. 37, n° 4, p. 1200-1215.

Uecker, J.E., Pearce, L.D. et Andercheck, B. (2015). «The four U's Latent classes of hookup motivations among college students», *Social Currents*, vol. 2, n° 2, p. 163-181.

Ueno, K. (2005). «Sexual orientation and psychological distress in adolescence: Examining interpersonal stressors and social support processes», *Social Psychology Quarterly*, vol. 68, p. 258-277.

Ullman, S. et Brecklin, L. (2003). «Sexual assault history and health-related outcomes in a national sample of women», *Psychology of Women Quarterly*, vol. 27, p. 46-57.

Ullman, S. et coll. (2005). «Trauma exposure, posttraumatic stress disorder and problem drinking in sexual assault survivors», *Journal of Studies on Alcohol*, vol. 66, p. 610-619.

Ullman, S. et Peter-Hagene, L. (2014). «Social reactions to sexual assault disclosure, coping, perceived control, and PTSD symptoms in sexual assault victims», *Journal of Community Psychology*, vol. 42, p. 495-508.

Umberson, D. et coll. (2006). «You make me sick: Marital quality and health over the life course», *Journal of Health and Social Behavior*, vol. 47, p. 1-16.

Underwood, A. (2007). «Rivers of doubt», *Newsweek*, 4 juin, p. 58.

Unger, C. (2014). «Care of the transgender patient: The role of the gynecologist», *American Journal of Obstetrics & Gynecology*, vol. 210, p. 16-26.

UNICEF (2005). *Changer une convention sociale néfaste: la pratique de l'excision/mutilation génitale féminine*, [En ligne], www.unicef-irc.org/publications/pdf/fgm_fr.pdf (Page consultée le 11 février 2013).

United Nations Children's Fund (2013). *Female genital mutilation/cutting: A statistical overview and exploration of the dynamics of change*, New York, NY, United Nations Children's Fund.

Université d'Ottawa (2015). *Rapport du Groupe de travail sur le respect et l'égalité: mettre fin à la violence sexuelle à l'Université d'Ottawa*, [En ligne], www.uottawa.ca/recteur/sites/www.uottawa.ca.president/files/rapport-du-groupe-de-travail-sur-le-respect-et-l-egalite.pdf (Page consultée le 2 mars 2017).

Upadhyay, U. (2005). «New contraceptive choices», *Population Reports*, vol. 32, p. 1-2.

UPI NewsTrack. (2011). «Teacher charged with bathroom voyeurism», *UPI.com*, 14 janvier (e-pub).

Urman, B. et Yakin, K. (2006). «Ovulatory disorders and infertility», *Journal of Reproductive Medicine*, vol. 51, p. 267-282.

Utz, S. et Beukeboom, C. J. (2011). «The role of social network sites in romantic relationships: Effects on jealousy and relationship happiness», *Journal of Computer-Mediated Communication*, vol. 16, p. 511–527. doi: 10.1111/j.1083-6101.2011.01552.x

Valera, R., Sawyer, R. et Schiraldi, G. (2001). «Perceived health needs of inner-city street prostitutes: A preliminary study», *American Journal of Health Behavior*, vol. 25, nº 1, p. 50-59.

Valhouli, C. (2000). *Courtesan power*, [En ligne], http://archive.salon.com/ses/feature/2000/11/15/courtesan_1/print.html (Page consultée le 1er juin 2009).

Vallejo-Medina, R. et Sierra, J. (2013). «Adaptation, equivalence, and validation of the changes in sexual functioning questionnaire—drugs in a sample of drug-dependent men», *Journal of Sex and Marital Therapy*, vol. 39, p. 368-384.

Valliant, P. et coll. (2000). «Moral reasoning, interpersonal skills, and cognitions of rapists, child molesters, and incest offenders», *Psychological Reports*, vol. 86, p. 67-75.

Vamos, C., McDermott, R. et Daley, E. (2008). «The HPV vaccine: Framing the arguments for and against mandatory vaccination of all middle school girls», *Journal of School Health*, vol. 78, p. 302-309.

Van Damme, L. (2000). *Advances in topical microbicides*, Paper presented at the 13th International AIDS Conference, Durban, Afrique du Sud, juillet.

van den Berg, J. et coll. (2014). «"Set it and forget it": Women's perceptions and opinions of long-acting topical vaginal gels», *AIDS and Behavior*, vol. 18, p. 862-870.

van den Boom, W. et coll. (2012). «Serosorting and sexual risk behaviour according to different casual partnership types among MSM: The study of one-night stands and sex buddies», *AIDS Care*, vol. 24, nº 2, p. 167-173.

Van Hook, M., Gjermeni, E. et Haxhiymeri, E. (2006). «Sexual trafficking of women», *International Social Work*, vol. 49, p. 29-40.

Van Houdenhove, E. et coll. (2014). «Stories about asexuality: A qualitative study in asexual women», *Journal of Sex & Marital Therapy*. doi: 10.1080/0092623X.2014.889053

Van Howe, R. et Svoboda, J. (2008). «Neonatal pain relief and the Helsinki declaration», *Journal of Law, Medicine and Ethics*, vol. 36, p. 808-823.

Van Lankveld, J. (2009). «Self-help therapies for sexual dysfunction», *Journal of Sex Research*, vol. 46, p. 143-155.

Van Lankveld, J. et coll. (2006). «Cognitive-behavioral therapy for women with lifelong vaginismus: A randomized waiting-list controlled trial of efficacy», *Journal of Consulting and Clinical Psychology*, vol. 74, p. 168-178.

Van Rijn-van Gelderen, L. et coll. (2015). «Dutch adolescents from lesbian-parent families: How do they compare to peers with heterosexual parents and what is the impact of homophobic stigmatization?», *Journal of Adolescence*, vol. 40, p. 65-73.

Van Voorhis, R. et Wagner, M. (2002). «Among the missing: Content on lesbian and gay people in social work journals», *Social Work*, vol. 47, p. 345-354.

Van Wyk, P. (1984). «Psychosocial development of heterosexual, bisexual, and homosexual behavior», *Archives of Sexual Behavior*, vol. 13, p. 505-544.

Van Zeijl, F. (2006). «The agony of Darfur», *Ms.*, hiver, p. 24-26.

Vandeusen, K. et Carr, J. (2003). «Recovery from sexual assault: An innovative two-stage group therapy model», *International Journal of Group Psychotherapy*, vol. 53, p. 201-223.

Vannier, S. et coll. (2013). «Schoolgirls and soccer moms: A content analysis of free "teen" and "MILF" online pornography», *Journal of Sex Research*, vol. 51, p. 253-264.

Vary, A. (2006). «Is gay over?», *Advocate*, 20 juin, p. 98-102.

Vasquez, M. (1994). «Latinas». Dans L. Comas-Diaz et B. Greene (dir.), *Women of color*, New York, NY, Guilford Press.

Vaughn, G. (2003). *Koro: A natural history of penis panics*, [En ligne], www.koro5hin.org/story (Page consultée le 13 mars 2003).

Veale, D. (2014). «Beliefs about penis size: Validation of a scale for men ashamed about their penis size», *Journal of Sexual Medicine*, vol. 11, p. 84-92.

Veale, D. et coll. (2014). «Am I normal? A systematic review and construction of nomograms for flaccid and erect penis length and circumference in up to 15,521 men», *British Journal of Urology International*, vol. 115, nº 6, p. 978-986.

Veltman, A. et Chaimowitz, G. (2014). «Soins et services de santé mentale à l'intention des lesbiennes, des gais, des bisexuels, des transgenres et des queers», *La Revue canadienne de psychiarie*, vol. 59, nº 11.

Veneman, A. (2009). *Statement by UNICEF executive director Ann M. Veneman on child marriage*, [En ligne], www.unicef.org/media/media_49363.html (Page consultée le 11 mai 2009).

Venkatesh, K. et coll. (2014). «Sexual dysfunction in men seeking treatment for opiod dependence: A study from India», *Journal of Sexual Medicine*, vol. 11, p. 2055-2064.

Veraldi, S., Nazzaro, G. et Ramoni, S. (2016). «Pubic hair removal and molluscum contagiosum», *International Journal of STD & AIDS*, vol. 27, nº 8, p. 699-700.

Verheyden, B. et coll. (2007). *Effectiveness and patient satisfaction with 6 monts tadalafil treatment: Results form the Detect Study*, article présenté lors du 18e congrès de la World Association for Sexual Health, 15-19 avril, Sydney, Australie.

Verhoef, M. et van den Eijnden, R. (2014). «Age at menarche and adolescent alcohol use», *Journal of Youth and Adolescence*, vol. 43, p. 1333-1345.

Verissimo, M. et coll. (2014). «Associations between attachment security and social competence in preschool children», *Merrill Palmer Quarterly*, vol. 60, nº 1, article 5.

Vespa, J. (2014). «Historical trends in the material intentions of one-time and serial cohabiters», *Journal of Marriage and Family*, vol. 76, p. 207-217.

Villanueva, C. et Argente, J. (2014). «Pathology or normal variant: What constitutes a delay in puberty», *Hormone Research in Paediatrics*, vol. 82, p. 213-221.

Vincent, J.-D. (1986). *La biologie des passions*, Paris, Odile Jacob, 341 p.

Volpe, E. et coll. (2013). «What's age got to do with it? Partner age difference, power, intimate partner violence, and sexual risk in urban adolescents», *Journal of Interpersonal Violence*, vol. 28, p. 2068-2087.

Vrangalova, Z. (2014). *Is our sexual double standard going away?*, [En ligne], www.psychologytoday.com/blog/strictly-casual/201403/is-our-sexual-double-standard-going-away (Page consultée le 6 mars 2017).

Vrangalova, Z. et coll. (2014). «Birds of a feather? Not when it comes to sexual permissiveness», *Journal of Social and Personal Relationships*, vol. 31, p. 93-113.

Wade, N. (2011). «Depth of kindness hormone appears to know some bounds», *New York Times*, 11 janvier, p. D1.

Wadhawan, R. et coll. (2011). «Neurodevelopmental outcomes of triplets or higher-order extremely low birth weight infants», *Pediatrics*, vol. 127, p. 654-660.

Waite, L. J. et Joyner, K. (2001). «Emotional satisfaction and physical pleasure in sexual unions: Time horizon, sexual behavior, and sexual exclusivity», *Journal of Marriage and Family*, vol. 63, nº 1, p. 247-264.

Walby, K. (2012). *Touching encounters: Sex, work & male-for-male Internet escorting*, Chicago, IL, University of Chicago Press.

Waldinger, M. et coll. (2009). «Persistent genital arousal disorder in 18 Dutch women: Part I. MRI, EEG, and transvaginal ultrasonography investigations», *Journal of Sexual Medicine*, vol. 6, p. 474-481.

Walker, A. (2014). «"I'm not a lesbian; I'm just a freak": A pilot study of the experiences of women in assumed-monogamous other-sex unions seeking secret same-sex encounters online, their negotiation of sexual desire, and meaning-making of sexual identity», *Sexuality and Culture*, vol. 18, p. 911-935.

Walker, J., Archer, J. et Davies, M. (2005). «Effects of rape on men: A descriptive analysis», *Archives of Sexual Behavior*, vol. 34, p. 69-80.

Wallen, K. et coll. (2011). «Female sexual arousal: Genital anatomy and orgasm in intercourse», *Hormones and Behavior*, vol. 59, p. 780-792.

Wallis, L. (2014). «Caveats about testosterone therapy», *American Journal of Nursing*, vol. 114, p. 15.

Wallwiener, C.W. et coll. (2010) «Prevalence of Sexual Dysfunction and Impact of Contraception in Female German Medical Students», *Journal of Sexual Medicine*, vol. 7, nº 6, p. 2139-2148.

Walsh, A. (1991). *The science of love: Understanding love and its effects on mind and body*, Buffalo, NY, Prometheus Books.

Walsh, J. et coll. (2014a). «Do alcohol and marijuana use decrease the probability of condom use for college women?», *Journal of Sex Research*, vol. 51, p. 145-158.

Walsh, J. et coll. (2014b). «Dual method use among a sample of first-year college women», *Perspectives on Sexual and Reproductive Health*, vol. 46, p. 73-81.

Walsh, J. et Ward, M. (2010). «Magazine reading and involvement and young adults' sexual health knowledge, efficacy, and behaviors», *Journal of Sex Research*, vol. 47, p. 285-316.

Walsh, K. et coll. (2013). «Posttraumatic stress disorder symptoms: A mechanism in the relationship between early sexual victimization and incapacitated/drug-or-alcohol facilitated forcible rape», *Journal of Interpersonal Violence*, vol. 28, p. 558-576.

Wang, W. et Parker, K. (2014). *Record share of Americans have never married*, [En ligne], www.pewsocialtrends.org/2014/09/24/record-share-of-americans-have-never-married/ (Page consultée le 6 mars 2017).

Ward, H. et Day, S. (2006). *What happens to women who sell sex? Report of a unique occupational cohort*, [En ligne], http://sti.bmj.com/content/82/5/413.abstract (Page consultée le 23 décembre 2012).

Ward, P. et coll. (2014). «Paper/pencil versus online data collection: An exploratory study», *Journal of Leisure Research*, vol. 46.

Wassersug, R. et Johnson, T. (2007). «Modern-day eunuchs: Motivations for and consequences of contemporary castration», *Perspectives in Biology and Medicine*, vol. 50, p. 544-556.

Watts, S. et Stenner, P. (2014). «Definitions of love in a sample of British women: An empirical study using Q methodology», *British Journal of Social Psychology*, vol. 53, p. 557-572.

Wawer, M. et coll. (2005). «Rates of HIV-1 transmission per coital act, by stage of HIV-1 infection, Rakai, Uganda», *Journal of Infectious Diseases*, vol. 191, p. 1403-1409.

Weaver, A.D., MacKeigan, K.L. et MacDonald, H.A. (2011). «Experiences and perceptions of young adults in friends with benefits relationships: A qualitative study», *The Canadian Journal of Human Sexuality*, vol. 20, nº 1, p. 41-53.

Weber, A. (1998). «Losing, leaving, and letting go: Coping with nonmarital breakups». Dans B. Spitzberg et W. Cupah (dir.), *The dark side of close relationships*, Mahwah, NJ, Erlbaum.

Weber, P. (2014). *Facebook offers users 56 new gender options: Here's what they mean*, [En ligne], http://theweek.com/article/index/256474/facebook-offers-users-56-new-gender-option-sheres-what-they-mean (Page consultée le 31 octobre 2014).

Weeks, M. (2014). *Opinion: Prostitutes are people, not criminals*, [En ligne], www.rollingstone.com/culture/features/opinion-prostitutes-are-people-not-criminals-by-belle-knox-20141105 (Page consultée le 31 octobre 2014).

Weir, D. (2014). «Is pornography addictive?», *American Psychology Association*, vol. 45, p. 46.

Weiss, J. (2001). «Treating vaginismus: Patient without partner», *Journal of Sex Education and Therapy*, vol. 26, p. 28-33.

Weitzer, R. (2007). «The social construction of sex trafficking: Ideology and institutionalization of a moral crusade», *Politics and Society*, p. 35-45.

Wellings, K. et coll. (2006). «Sexual behavior in context: A global perspective», *The Lancet*, vol. 368, p. 1706-1728.

Wellman, J. et McCoy, S. (2014). «Walking the straight and narrow: Examining the role of traditional gender norms in sexual prejudice», *Psychology of Men and Masculinity*, vol. 15, p. 181-190.

Wells, G. et coll. (2013). «Skeletal muscle abnormalities in girls and adolescents with Turner's syndrome», *Journal of Clinical Endocrinology & Metabolism*, vol. 98, p. 2521-2527.

Wendling, P. (2007). «Vulvovaginal plastic surgery gains popularity», *Internal Medicine News*, vol. 40, p. 30-31.

Wentland, J.J. et Reissing, E.D. (2011). «Taking casual sex not too casually: Exploring definitions of casual sexual relationships», *The Canadian Journal of Sexuality*, vol. 20, nº 3, p. 75-91.

Wentland, J.J. et Reissing, E.D. (2014). «Casual sexual relationships: Identifying definitions for one night stands, booty calls, fuck buddies, and friends with benefits», *The Canadian Journal of Human Sexuality*, vol. 23, nº 3, p. 167-177.

Westhoff, C., Heartwell, S. et Edwards, S. (2007). «Oral contraceptif discontinuation: Do side effects matter?», *American Journal of Obstetrics and Gynecology*, vol. 196, p. 412-419.

Westwood, M. (2007). «Adolescence: Hormones rule OK?», *Biological Sciences Review*, vol. 19, p. 2-6.

Wheeler, M. (1991). «Physical changes of puberty», *Endocrinology and Metabolism Clinics of North America*, vol. 20, p. 1-14.

Wheitner, D. (2014). *The snuggle party guidebook: Create deeper friendships, decrease loneliness, & enjoy nurturing touch community*, Portland, OR, Divergent Drummer Publications.

Whipple, B. et Komisaruk, B. (1999). «Beyond the G spot: Recent research on female sexuality», *Psychiatric Annals*, vol. 29, p. 34-37.

Whipple, B. et Komisaruk, B. (2006). «Where in the brain is a woman's sexual response? Laboratory studies including brain imaging during orgasm», *Journal of Sex Research*, vol. 43, p. 29-30.

Whisman, M. et Snyder, D. (2007). «Sexual infidelity in a national survey of American women: Differences in prevalence and correlates as a function of method of assessment», *Journal of Family Psychology*, vol. 21, p. 147-154.

Whitaker, D. et coll. (1999). «Teenage partners' communication about sexual risk and condom use: The importance of parent-teenager discussions», *Family Planning Perspectives*, vol. 31, p. 117 121.

Whitchurch, E., Wilson, T. et Gilbert, D. (2011). «"He loves me, he loves me not...": Uncertainty can increase romantic attraction», *Psychological Science,* vol. 22, p. 172-175.

White, G. et Helbick, R. (1988). «Understanding and treating jealousy». Dans R. Brown et J. Fields (dir.), *Treatment of sexual problems in individuals and couples therapy*, Boston, MA, PMA Publishing.

WHO/UNAIDS (2007). «Male circumcision for HIV prevention: Research implications for policy and programming», *Reproductive Health Matters*, vol. 15, p. 11-14.

Wicki, W. (2015). *Decriminalizing victims: Let's adopt the Nordic model of prostitution law*, [En ligne], www.stanforddaily.com/2015/02/16/decriminalizing-victims-lets-adopt-the-nordic-model-of-prostitution-law (Page consultée le 6 mars 2017).

Wiederman, M. (1999). «Volunteer bias in sexuality research using college student participants», *Journal of Sex Research*, vol. 36, p. 59-66.

Wiederman, M. (2000). «Women's body image self-consciousness during physical intimacy with a partner», *Journal of Sex Research*, vol. 37, p. 60-68.

Wiederman, M. (2001). *Understanding sexuality research*, Belmont, CA, Wadsworth.

Wieland, U. (2012). «HPV vaccine against anal intraepithelial neoplasia», *New England Journal of Medicine*, vol. 366, p. 378-379.

Wierckx, K. et coll. (2014a). «Short- and long-term clinical skin effects of testosterone treatment in trans men», *Journal of Sexual Medicine*, vol. 11, p. 222-229.

Wierckx, K. et coll. (2014b). «Sexual desire in trans persons: Associations with sex reassignment treatment», *Journal of Sexual Medicine*, vol. 11, p. 107-118.

Wiesner-Hanks, M. (2000). *Christianity and sexuality in the early modern world*, Londres, Routledge.

Wiest, W. (1977). «Semantic differential profiles of orgasm and other experiences among men and women», *Sex Roles*, vol. 3, p. 399-403.

Wiest, W. et coll. (1995). Paper presented at the meeting of the Oregon Academy of Sciences, Reed College, 25 février, Portland, OR.

Wikstrom, A. et coll. (2011). «Klinefelter syndrome», *Clinical Endocrinology and Metabolism*, vol. 25, p. 239-250.

Wilhelm, D., Palmer, S. et Koopman, P. (2007). «Sex determination and gonadal development in mammals», *Physiological Reviews*, vol. 87, p. 1-27.

Wilkes, D. (2006). «Clinical: GP involvement in fertility treatment», *GP*, 20 janvier, p. 30.

Williams, C. et Weinberg, M. (2003). «Zoophilia in men: A study of sexual interest in animals», *Archives of Sexual Behavior*, vol. 32, p. 523-535.

Williams, J. et Best, D. (1990). *Measuring sex stereotypes: A multinational study*, Newbury Park, CA, Sage.

Williams, L. (1994). «Recall of childhood trauma: A prospective study of women's memories of child sexual abuse», *Journal of Consulting and Clinical Psychology*, vol. 62, p. 1167-1176.

Williams Institute (2014). *High prevalence of sexual victimization detected among men*, Author.

Willis, J. (2014). «Partner preferences across sexual orientations and biological sex», *Personal Relationships,* vol. 21, p. 150-167.

Willoughby, B. et coll. (2014a). «Differing relationship outcomes when sex happens before, on, or after first dates», *Journal of Sex Research*, vol. 51, p. 52-61.

Willoughby, B. et coll. (2014b). «Associations between relational sexual behavior, pornography use and pornography acceptance among US college students», *Culture, Health & Sexuality.* doi: 10.1080/13691058.2014.927075

Willoughby, B., Malik, N. et Lindahl, K. (2006). «Parental reactions to their sons' sexual orientation disclosures: The roles of family cohesion, adaptability, and parenting style», *Psychology of Men and Masculinity*, vol. 7, p. 14-26.

Willoughby, B. et Vitas, J. (2011). «Sexual desire discrepancy: The effect of individual differences in desired and actual sexual frequency on dating couples», *Archives of Sexual Behavior*, 14 mai (e-pub).

Wilson, J. (2003). *Biological foundations of human behavior*, Belmont, CA, Wadsworth/Thomson Learning.

Wilson, M. et coll. (1994). «Attitudes, knowledge, and behavior regarding condom use in urban black adolescent males», *Adolescence*, vol. 29, p. 13-26.

Wilson, S. et coll. (2014). «Disentangling reactions to HIV disclosure: Effects of HIV status, sexual orientation, and disclosure recipients' gender», *Journal of Health Psychology*, vol. 19, p. 285-295.

Wimpissinger, F. et coll. (2007). «The female prostate revisisted: Perineal ultrasound and biochemical studies of female ejaculate», *Journal of Sexual Medicine*, vol. 4, p. 1388-1393.

Wimpissinger, F., Springer, C. et Stackl, W. (2013). «International online survey: Female ejaculation has a positive impact on women's and their partners' sexual lives», *British Journal of Urology International*, vol. 112, p. 177-185.

Winer, R. et coll. (2006). «Condom use and the risk of genital human papillomavirus infection in youg women», *New England Journal of Medicine*, vol. 354, p. 2645-2654.

Winkleman, S. et coll. (2014). «Sexting on the college campus», *Electronic Journal of Human Sexuality*, vol. 17.

Wise, J. (2014). *Smoking bans are linked to reduction in preterm births and childhood asthma, says study*, [En ligne], www.bmj.com/content/348/bmj.g2414 (Page consultée le 3 mars 2017).

Wisner, K. et coll. (2013). «Onset timing, thoughts of self-harm, and diagnoses in postpartum women with screen-positive depression findings», *JAMA Psychiatry*, vol. 70, p. 490-498.

Witting, K., Santtila, P. et Varjonen, M. (2008). «Female sexual dysfunction, sexual distress, and compatibility with partner», *Journal of Sexual Medicine*, vol. 5, p. 2587-2599.

Wittmann, D. et coll. (2015). «A pilot study of potential preoperative barriers to couples' sexual recovery after radical prostatectomy for prostate cancer», *Journal of Sex and Marital Therapy*, vol. 41, p. 155-168.

Wolak, J. et coll. (2008). «Online "predators" and their victims: Myths, realities, and implications for prevention and treatment», *American Psychologist*, vol. 63, p. 111-128.

Wolf, N. (2013). *Vagina*, New York, NY, HarperCollins.

Wolitzky-Taylor, K. et coll. (2011). «Is reporting of rape on the rise? A comparison of women with reported versus unreported rape experiences in the National Women's Study – Replication», *Journal of Interpersonal Violence*, vol. 26, p. 807-832.

Women on Words and Images (1972). *Dick and Jane as victims*, Princeton, NJ, Women on Words and Images.

Wondracek, G. et coll. (2010). *Is the Internet for porn? An insight into the online adult industry*, [En ligne], http://iseclab.org/papers/weis2010.pdf (Page consultée le 24 septembre 2012).

Wong, E. (2010). «Chinese swinger's prison sentence raises privacy issues», *Sunday Oregonian*, 23 mai, p. A9.

Wong, W. et coll. (2006). «Female street sex workers in Hong Kong: Moving beyond sexual health», *Journal of Women's Health*, vol. 15, p. 390-399.

Wong, W. et coll. (2013). «Are there parental socialization effects on the sex-typed behavior of individuals with congenital adrenal hyperplasia?», *Archives of Sexual Behavior*, vol. 42, p. 381-391.

Woo, J., Brotto, L. et Gorzalka, B. (2011). «The role of sex guilt in the relationship between culture and women's sexual desire», *Archives of Sexual Behavior*, vol. 40, p. 385-394.

Wood, K., Becker, J. et Thompson, K. (1996). «Body image dissatisfaction in preadolescent children», *Journal of Applied Developmental Psychology*, vol. 17, p. 85-100.

Woodford, M. et coll. (2013). «"That's so gay": Heterosexual male undergraduates and the perpetuation of sexual orientation microaggressions on campus», *Journal of Interpersonal Violence*, vol. 28, p. 416-435.

Woolf, L. (2001). «Gay and lesbian aging», *SIECUS Report*, vol. 30, p. 16-21.

Workman, J. et Freeburg, E. (1999). «An examination of date rape, victim dress, and perceiver variables within the context of attribution theory», *Sex Roles*, vol. 41, p. 261-277.

Workowski, K. et coll. (2010). «Sexually transmitted diseases treatment guidelines, 2010», *Morbidity and Mortality Weekly Report*, vol. 59, p. 1-110.

Worthman, C. (1999). «Faster, farther, higher: Biology and the discourses on human sexuality». Dans D. Suggs et A. Miracle (dir.), *Culture, biology, and sexuality*, Athens, GA, University of Georgia Press.

Wu, S. (2008). «Under wraps», Marie Claire, septembre, p. 130.

Wyatt, T. (2003). *Pheromones and animal behavior: Communication by smell and taste*, New York, NY, Cambridge University Press.

Wylie, M. et Hellstrom, W. (2011). «The link between penile hypersensitivity and premature ejaculation», *British Journal of Urology*, vol. 107, p. 452-457.

Xinhua, P. (2012). *Premarital intercourse rising, sex education, regulation questioned*, [En ligne], http://english.people-daily.com.cn/90882/7783881.html (Page consultée le 27 novembre 2012).

Yassin, D. et coll. (2014). «Combined testosterone and vardenafil treatment for restoring erectile function in hypogonadal patients who failed to respond to testosterone therapy alone», *Journal of Sexual Medicine*, vol. 11, p. 543-552.

Yates, A. et Wolman, W. (1991). «Aphrodisiacs: Myth and reality», *Medical Aspects of Human Sexuality*, décembre, p. 58-64.

Ybarra M. et Mitchell, K. (2014). «"Sexting" and its relation to sexual activity and sexual risk behavior in a national survey of adolescents», *Journal of Adolescent Health*, vol. 55, p. 757-764.

Yeung, W. (2013). «Asian fatherhood», *Journal of Family Issues*, vol. 34, p. 141-158.

Yildiz, H. (2015). «The relation between pregnancy sexuality and sexual function during pregnancy and the postpartum period: A prospective study», *Journal of Sex & Marital Therapy*, vol. 41, p. 49-59.

Ying, Y. et Han, M. (2008). «Cultural orientation in Southeast Asian and American young adults», *Cultural Diversity and Ethnic Minority Psychology*, vol. 14, p. 138-146.

Yoo, H. et coll. (2014). «Couple communication, emotional and sexual intimacy, and relationship satisfaction», *Journal of Sex & Marital Therapy*, vol. 40, p. 275-293.

Yoshida, K. et Busby, D. (2012). «Intergenerational transmission effects on relationship satisfaction: A cross-cultural stud», *Journal of Family Issues*, vol. 33, p. 202-222.

Yost, M. et Thomas, G. (2012). «Gender and binegativity: Men's and women's attitudes toward male and female bisexuals», *Archives of Sexual Behavior*, vol. 41, p. 691-702.

Young, A. et coll. (2008). «Alcohol-related sexual assault victimization among adolescents: Prevalence, characteristics, and correlates», *Journal of Studies on Alcohol and Drugs*, vol. 69, p. 39-48.

Young, D. et coll. (2013). «The influence of female role models on women's implicit science cognitions Intergenerational transmission effects on relationship satisfaction: A cross-cultural stud», *Psychology of Women Quarterly*, vol. 37, p. 283-292.

Young, J.E. et coll. (2009). *Clinical and genetic description of a family with a high prevalence of autosomal dominant restless legs syndrome*, [En ligne], www.mayoclinicproceedings.org/article/S0025-6196%2811%2960821-5/fulltext (Page consultée le 8 mai 2012).

Young, L. (2009). «Being human: Love—Neuroscience reveals all», *Nature*, vol. 457, p. 148-149.

Young, M. (2014). «Authenticity and its role within feminist pornography», *Porn Studies*, vol. 1, p. 186-188.

Yu, Y. et coll. (2013). «Dating violence among gay men in China», *Journal of Interpersonal Violence*, vol. 28, p. 2491-2504.

Yule, M. et coll. (2014). «Biological markers of asexuality: Handedness, birth order, and finger length ratios in self-identified asexual men and women», *Archives of Sexual Behavior*, vol. 43, p. 299-310.

Yuxin, P., Petula, S. et Lun, N. (2007). «Studies on women's sexuality in China since 1980: A critical review», *Journal of Sex Research*, vol. 44, p. 202-211.

Zafar, A. (2010). *The year without sex*, [En ligne], www.theatlantic.com/culture/print/2010/06/the-year-without-sex/58592/ (Page consultée le 2 juillet 2010).

Zanoni, B. et Mayer, K. (2014). «The adolescent and young adult HIV cascade in the United States: Exaggerated health disparities», *AIDS Patient Care and STDs*, vol. 28, p. 128-135.

Zarel, M. et Bidaki, R. (2014). *Female foot fetishism disorder in childhood*, [En ligne], www.ncbi.nlm.nih.gov/pmc/articles/PMC37243811 (Page consultée le 25 juin 2014).

Zaviacic, M. et Ablin, R. J. (2000). «The female prostate and prostate-specific antigen. Immunohistochemical localization, implications of this prostate marker in women and reasons for using the term "prostate" in the human female», *Journal of Histology & Histopathology*, vol. 15, p. 131-142.

Zaviacic, M. et Whipple, B. (1993). «Update on the female prostate and the phenomenon of female ejaculation», *Journal of Sex Research*, vol. 30, p. 148-151.

Zayas, V. et coll. (2011). «Roots of adult attachment: Maternal caregiving at 18 months predicts adult peer and partner attachment», *Social Psychology and Personality Science*, vol. 2, p. 289-297.

Zeger, M. et coll. (2011). «Prospective study confirms oxandrolone-associated improvement in height in growth hormone-treated adolescent girls with Turner's syndrome», *Hormone Research in Paediatrics*, vol. 75, p. 38-46.

Zeigler-Hill, V. et coll. (2013). «The role of narcissistic personality features in sexual aggression», *Journal of Social and Clinical Psychology*, vol. 32, p. 186-199.

Zhang, X. et Jin, B. (2007). «The role of seminal vesicles in male reproduction and sexual function», *Zhonghua Nan Ke Xue*, décembre, p. 1113-1116.

Zhang, Y., Miller, L. et Harrison, K. (2008). «The relationship between exposure to sexual music videos and young adults' sexual attitudes», *Journal of Broadcasting and Electronic Media*, vol. 52, p. 368-387.

Zhou, J. et coll. (1995).« A sex difference in the human brain and its relation to transsexuality», *Nature*, vol. 378, p. 68-70.

Zhou, W. et coll. (2014). «Chemosensory communication of gender through two human steroids in a sexually dimorphic manner», *Current Biology*, vol. 24, p. 1091-1095.

Zhu, Y. et coll. (2011). «New N staging system of penile cancer provides a better reflection of prognosis», *Journal of Urology*, vol. 186, p. 518-523.

Zilbergeld, B. (1978). *Male sexuality: A guide to sexual fulfillment*, Boston, MA, Little, Brown.

Zilbergeld, B. (1992). *The new male sexuality*, New York, NY, Bantam Books.

Zilbergeld, B. (2001). *Sexuality at midlife and beyond*, communication donnée à la XXXIIIth Annual Conference of the American Association of Sex Educators, Counselors, and Therapists, 2-6 mai, San Francisco, CA.

Zillmann, D. (1989). «Effects of prolonged consumption of pornography». Dans D. Zillman et J. Bryant (dir.), *Pornography: Research Advances and Policy Considerations*, Hillsdale, Erlbaum.

Zimmerman, C. et coll. (2003). *The health risks and consequences of trafficking in women and adolescents: Findings from a European study*, Londres, London School of Hygiene and Tropical Medicine (LSHTM).

Zimmerman, C., Hossain, M. et Watts, C. (2011). «Human trafficking and health: A conceptual model to inform policy, intervention and research», *Social Science and Medicine*, vol. 73, p. 327-335.

Zimmerman, R. et coll. (2007). «Longitudinal test of a multiple domain model of adolescent condom use», *Journal of Sex Research*, vol. 44, p. 380-394.

Zimmerman, R. et coll. (2008). «Effects of a school-based, theory-driven HIV and pregnancy prevention curriculum», *Perspectives on Sexual and Reproductive Health*, vol. 40, p. 42-51.

Zitzmann, M. et coll. (2013). «IPASS: A study on the tolerability and effectiveness of injectable testosterone undecanoate for the treatment of male hypogonadism in a worldwide sample of 1,438», *Journal of Sexual Medicine*, vol. 10, p. 579-588.

Zollman, G. et coll. (2013). «The mediating effect of daily stress on the sexual arousal function of women with a history of childhood sexual abuse», *Journal of Sex and Marital Therapy*, vol. 39, p. 176-192.

Zoucha-Jensen, J. et Coyne, A. (1993). «The effects of resistance strategies on rape», *American Journal of Public Health*, vol. 83, p. 1633-1634.

Zubriggen, E.L. et Yost, M.R. (2004). «Power, desire and pleasure in sexual fantasies», *Journal of Sex Research*, vol. 41, p. 288-300.

Zuolaga, D. et coll. (2008). «The role of androgen receptors in the masculinization of brain and behavior: What we've learned from the testicular feminization mutation», *Hormones and Behavior*, vol. 53, p. 613-626.

Zwerling, E. (2014). *Bill targets "Weapons of mass perfection" advertising*, [En ligne], http://womensenews.org/story/crime-policylegislation/140818/bill-targets-weapons-mass-perfection-advertising (Page consultée le 6 mars 2017).

Zwickl, S. et Merriman, G. (2011). «The association between childhood sexual abuse and adult female sexual difficulties», *Sexual and Relationship Therapy*, vol. 26, p. 16-32.

Sources iconographiques

gauche à droite) : Courtoisie de © Wilderness Trail Bikes, Inc. ; Pavel Skopets/Shutterstock.com ; **p. 261 :** © Travaux publics et Services gouvernementaux Canada (Santé Canada) ; **p. 263 :** Mtv Films/REX/Shutterstock ; **p. 264 :** © Maya Barnes/The Image Works ; **p. 266 (haut) :** © China Photos/Getty Images ; **p. 266 (bas) :** © Igor Gratzer/Shutterstock.com.

Chapitre 10

p. 279 : Boris Stroujko/Shutterstock.com ; **p. 283 :** Boris Stroujko/Shutterstock.com ; **p. 288 :** Haut Et Court/REX/Shutterstock ; **p. 289 :** napocska/Shutterstock.com ; **p. 290 :** © Hommes à louer @ 2008 InformAction Films Inc. et Office national du film du Canada. Tous droits réservés.

Chapitre 11

p. 297 : Robin Beckham/BEEPstock/Alamy Stock Photo ; **p. 305 :** kzenon/iStockphoto ; **p. 312 :** Photographee.eu/Shutterstock.com ; **p. 322 :** © Michael Newman/PhotoEdit.

Chapitre 12

p. 325 : © Charles O. Cecil/Alamy ; **p. 335 (de gauche à droite) :** © Centers for Disease Control, Atlanta, GA ; © Centers for Disease Control, Atlanta, GA ; **p. 336 :** Dr P. Marazzi/Science Source ; **p. 337 :** E. Gray/Science Source ; **p. 342 :** Monkey Business Images/Shutterstock.com ; **p. 345 :** Sabphoto/Shutterstock.com.

Chapitre 13

p. 347 : Kite_rin/Shutterstock.com ; **p. 365 (de haut en bas) :** Image Point Fr/Shutterstock.com ; Tomasz Trojanowski/Shutterstock.com ; **p. 366 :** Photographee.eu/Shutterstock.com ; **p. 368 (haut – de haut en bas) :** DeZet/Shutterstock.com ; © J. Darin Derstine ; **p. 369 (haut) :** Medical Images RM/Julian Claxton ; **p. 371 :** © J. Darin Derstine ; **p. 373 :** Essure est une marque déposée de Bayer Inc. Photo gracieuseté de Bayer Inc. ; **p. 380 :** © Mercy Medical Center Redding/Michael Burke ; **p. 384 :** Photos.com/ Jupiter images ; **p. 385 :** Monkey Business Images/Shutterstock.com ; **p. 387 :** wong sze yuen/Shutterstock.com.

Index